FRENCH LITERATURE

BEFORE 1800

Edited by

ROBERT BELL MICHELL

University of Wisconsin

and

ROBERT FOSTER BRADLEY

Washington and Lee University

APPLETON-CENTURY-CROFTS, INC.

NEW YORK

MANUFACTURED IN THE UNITED STATES OF AMERICA
BY THE VAIL-BALLOU PRESS, INC., BINGHAMTON, N. Y.

PREFACE

French Literature before 1800, like its companion volume, *French Literature of the Nineteenth Century,* is intended to furnish basic material for one semester's work in a year course tracing the development of French literature from 1600 to 1900. The year 1800 has been taken as a convenient date for separating the two semesters' work, since, for all practical purposes, the great social upheaval of the Revolution marks the end of more than two centuries of classicism and the beginning of the rich and varied literature of the nineteenth century, a second golden age in the history of French letters.

The present volume is devoted for the most part to French literature of the so-called classical period, the seventeenth and eighteenth centuries. It seems to be generally agreed that an introductory French survey course should begin about the year 1600, when the modern language really came into being. The seventeenth century is represented by some twenty-five authors, including all the great writers, and a number of minor ones, like Balzac, Pellisson, Vaugelas, Voiture, Mlle de Scudéry, Perrault and Fontenelle, whose productions throw light on certain literary developments of the period.

In most anthologies of French literature, the eighteenth century appears to be rather inadequately represented. The present volume attempts to remedy this deficiency. Eighteenth century selections cover approximately 200 pages as compared with 235 devoted to the seventeenth century. It is true that only eight authors are represented, but all, with possibly one exception, are outstanding literary figures. The selections offered provide a very wide range of interesting material, illustrating the various aspects of this most important of transition centuries, when the old classical tradition was breaking down and the seeds were being sown of the new literature which was to follow the Revolution.

In addition, in order to satisfy those teachers who desire their students to have at least a bowing acquaintance with French literature before Malherbe, there have been included four characteristic examples of mediaeval literature, the earlier selections being provided with modern French versions, while the Renaissance is represented by selections from its five best-known authors. No attempt, however, has been made to present in any comprehensive way the literature before 1600, as the language of this earlier period is quite beyond the capacity of any but very exceptional third-year students.

Doubtless many instructors will miss among these selections some of their favorite passages. The editors make no claim to completeness. Limitations of space have forced the omission of certain authors and passages which might otherwise have been included. Nevertheless the editors feel confident that they have provided more than enough material to serve as an adequate introduction to the literature of the seventeenth and eighteenth centuries, if the material here offered is properly supplemented by plays and novels.* Much more material is offered than would ordinarily be used in a third-year survey course; purposely so, in order that the selections may be varied from year to year and, also, to make the volume available for possible use in advanced courses dealing with seventeenth or eighteenth century literature.

As it is the editors' fixed belief, based on many years' teaching experience, that novels and plays should be read as nearly complete as possible to produce their fullest effect, no attempt has been made to have the great novelists (rare before 1800) and the great dramatists, represented by more or less "scrappy" selections from their works. It is true that several passages are included from *Gil Blas* and *la Nouvelle Héloïse;* but Lesage's novel is rather a collection of separate episodes than a well-knit novel in the modern sense of the word, and Rousseau is more interested in setting forth his characteristic views on various subjects than in writing a well-rounded story. The three great dramatists of the seventeenth century are represented by selections from their critical discussions of their dramatic art. It is expected that each teacher will have his students supplement the material here offered by whatever novels and plays will best suit his purpose.

The introductions to the various authors have been purposely kept rather brief, presenting only the outstanding characteristics of their work and indicating their importance in the literature of their day. It is expected that the information given will be supplemented by lectures or assigned reading in some good history of French literature. To encourage this collateral reading, a brief estimate of the author's place in literature, by some French authority, forms part of each introduction. For the convenience of those students who desire to do additional reading in any given writer, a brief list of his important works follows the discussion of each author.

The foot-notes have, so far as possible, been limited to explanations which seemed absolutely essential for the understanding of the text. In some of the earlier selections, the older forms of words are accompanied by the modern equivalents placed in brackets. Elsewhere, only words and idioms

---

* It is assumed that any good survey course will include, besides adequate selections from the authors included in this volume, at least one play of Corneille, Racine and Molière, one or more typical eighteenth century plays, and possibly a novel or two. The editors would suggest the following list from which to choose:

Drama:
Corneille—*Le Cid, Horace, Polyeucte.*
Racine—*Andromaque, Britannicus, Phèdre, Athalie.*
Molière—*Les Précieuses ridicules, L'Avare, Tartuffe, Le Misanthrope, Les Femmes savantes.*
Lesage—*Turcaret.*
Marivaux—*Le Jeu de l'amour et du hasard.*
Voltaire—*Zaïre.*
Sedaine—*Le Philosophe sans le savoir.*
Beaumarchais—*Le Barbier de Séville.*
Novel:
Mme de La Fayette—*La Princesse de Clèves.*
Prévost—*Manon Lescaut.*
Voltaire—*Zadig, Candide.*
Bernardin de Saint-Pierre—*Paul et Virginie.*

are explained which would not readily be found in a good dictionary. All historical and literary allusions which might present difficulties have, it is hoped, been made sufficiently clear.

The editors welcome this opportunity to thank all those who, by their encouragement and advice, have assisted in the preparation of this volume. Especially do they wish to express their gratitude to their colleagues of the University of Wisconsin: Professor Casimir D. Zdanowicz, for his careful reading and helpful criticism of the entire manuscript; and Mr. C. H. Greenleaf, for his help in the reading of the proofs. To Professor Christian Gauss, of Princeton University, the editors feel under special obligation for his many valuable suggestions concerning the material to be included, and for his painstaking revision of the work as a whole. Whatever merits the volume may possess are in large measure the result of the friendly criticism of these fellow-workers in the field of French literature. Needless to say, if any shortcomings or inaccuracies remain, in spite of every effort to eliminate them, the editors assume full responsibility.

R.B.M.
R.F.B.

For students who are beginning the study of French literature, the following books are suggested as likely to be most helpful in supplementing the information given in the Introductions to the various authors in the present volume:

Abry-Audic-Crouzet, *Histoire illustrée de la littérature française.* (Didier.)
R. Canat, *La littérature française par les textes.* (Delaplane.)
Ch.-M. Des Granges—*Histoire de la littérature française.* (Hatier.)
E. Faguet, *Histoire de la littérature française.* (Plon-Nourrit.)
G. Lanson, *Histoire de la littérature française.* (Hachette.)
D. Mornet, *Histoire de la littérature et de la pensée françaises.* (Larousse.)
G. Pellissier, *Précis de l'histoire de la littérature française.* (Delagrave.)

D. Mornet, *Short History of French Literature.* (Crofts.)
Nitze and Dargan, *History of French Literature.* (Holt.)
C. H. C. Wright, *A History of French Literature.* (Oxford.)

Le Petit Larousse Illustré, Dictionnaire Encyclopédique. (Larousse.)

TABLE OF CONTENTS

MIDDLE AGES

	PAGE
LA CHANSON DE ROLAND	3
MEDIAEVAL PROSE	5
FROISSART	5
Les Bourgeois de Calais	5
MEDIAEVAL LYRIC POETRY	9
CHARLES D'ORLÉANS	9
Ballade sur sa captivité	9
Le printemps	10
Les avant-coureurs de l'été	10
FRANÇOIS VILLON	11
Ballade des dames du temps jadis	11
Ballade pour sa mère	12
Ballade des pendus	13

RENAISSANCE

	PAGE
MAROT	17
Au roi pour avoir esté dérobé	17
Frère Lubin	20
Au bon vieulx temps	20
RABELAIS	22
L'abbaye de Thélème	23
La manière de vivre des Thélémites	25
Lettre à Pantagruel de son père	26
Comment Pantagruel trouva Panurge	30
LA PLÉIADE	32
DU BELLAY	33
Défense et illustration de la langue française	33
Sonnets	35
D'un vanneur de blé aux vents	37
RONSARD	37
A Cassandre	37
Bel aubespin florissant	38
A la fontaine Bellerie	39
Sur la mort de Marie	40

PAGE

A Hélène 40
A la forêt de Gastine 41
MONTAIGNE 42
De l'institution des enfants 43
De l'amitié 48
De trois commerces 52

SEVENTEENTH CENTURY

MALHERBE 57
Quelques anecdotes (Racan) 57
Consolation de M. Du Périer 60
Le Commentaire sur Desportes 62
Un Ennemi de Malherbe—Mathurin Régnier 64

BALZAC 66
A la campagne 66
Sur la querelle du *Cid* 68

L'ACADÉMIE FRANÇAISE 71
Établissement de l'Académie (Pellisson) 71
Statuts de l'Académie 74

VAUGELAS 77
Remarques sur la langue française 77

L'HÔTEL DE RAMBOUILLET ET LA PRÉCIOSITÉ 79
Madame de Rambouillet (Tallemant des Réaux) 79
La Marquise de Rambouillet (Mlle de Scudéry) 82
Mlle de Scudéry 84
La carte de Tendre 87
La langue précieuse (Somaize) 90
Voiture 91
Poésies 91
Lettre sur le mot *car* 93
Lettre de la berne 95
Lettre sur sa mort 97

DESCARTES 99
Discours de la méthode 100

CORNEILLE 107
Discours sur les trois unités 108

PASCAL 111
Pensées 112

LA ROCHEFOUCAULD 122
Maximes 123
Réflexions 129

MADAME DE SÉVIGNÉ 133

  LETTRES 133

    Les nouvelles du jour 133

      Aventure d'un courtisan 133

      Le mariage de Lauzun 134

      La mort de Vatel 137

      Les foins 139

      Anecdotes de la cour 140

      La mort de Turenne 141

      Une journée à Versailles 142

      Anecdote sur Racine et Boileau 144

      La mort de La Rochefoucauld 145

      Une représentation d'Esther 146

      Boileau et le Jésuite 147

    Amour maternel 148

    Réflexions sur la vie et sur la mort 148

    Goûts littéraires 150

    Le sentiment de la nature 152

LA FONTAINE 154

  FABLES 155

    A Monseigneur le Dauphin 155

    La Fontaine sur ses *Fables* 155

    La cigale et la fourmi 156

    Le corbeau et le renard 156

    Le loup et le chien 157

    Le rat de ville et le rat des champs 158

    Le loup et l'agneau 159

    La mort et le bûcheron 160

    Le chêne et le roseau 160

    Conseil tenu par les rats 161

    Le meunier, son fils et l'âne 162

    Phébus et Borée 164

    Le lièvre et la tortue 165

    Les animaux malades de la peste 166

    Le coche et la mouche 167

    La laitière et le pot au lait 168

    Le savetier et le financier 169

    Les deux amis 171

    Les deux pigeons 171

    L'huître et les plaideurs 173

    Rien de trop 174

    Le songe d'un habitant du Mogol 175

    Le paysan du Danube 176

PAGE

MOLIÈRE 179
   La Critique de l'École des Femmes 181
   L'Impromptu de Versailles 184
   Préface de *Tartuffe* 185

RACINE 187
   Préface de *Bérénice* 188

BOILEAU 192
   L'art poétique 193
   A Molière 202
   De l'utilité des ennemis 203
   «Rien n'est beau que le vrai» 206

QUERELLE DES ANCIENS ET DES MODERNES 209
  CHARLES PERRAULT 210
   Le Siècle de Louis-le-Grand 210
   Parallèles des Anciens et des Modernes 215
  LA FONTAINE 218
   Épître à Huet 218
  FONTENELLE 220
   Digression sur les Anciens et les Modernes 220
  BOILEAU 224
   Réflexions sur Longin 224
  FÉNELON 227
   Lettre à l'Académie 227

BOSSUET 230
   Oraison funèbre de Henriette-Anne d'Angleterre . . 231
   Discours sur l'histoire universelle 246

LA BRUYÈRE 248
  LES CARACTÈRES 249
   Idées littéraires 249
   Quelques caractères 251
   Le rôle de l'argent 257
   Les femmes 258
   Les caprices de la mode 260
   La cour 261
   La vie de société 262
   Idées sociales et politiques 263
   Idées religieuses 265

FÉNELON 267
  TÉLÉMAQUE 268
   La Bétique 268
   La guerre 271
   Dangers du despotisme et du luxe 272
   Conclusion du roman 273

PAGE

SAINT-SIMON 276
  MÉMOIRES 277
    Quelques anecdotes 277
    Révocation de l'édit de Nantes 281
    Caractère de Louis XIV 283

EIGHTEENTH CENTURY

LESAGE 295
  GIL BLAS 296
    Gil Blas au lecteur 296
    Jeunesse de Gil Blas 296
    Premières aventures 298
    Le testament du licencié Sedillo 303
    Gil Blas devient médecin 306
    Chez l'archevêque de Grenade 312

MONTESQUIEU 318
  LETTRES PERSANES 319
    L'église 319
    La curiosité parisienne 320
    Les cafés 321
    Louis XIV 322
    La véritable religion 323
    La vanité des femmes 324
    L'Académie française 326
  L'ESPRIT DES LOIS 326
    De l'esprit des lois 326
    De l'esclavage des nègres 327
    De la tolérance 328
    Très humble remontrance aux Inquisiteurs . . . 328
    De la séparation des trois pouvoirs 330

VOLTAIRE 332
  CONTES PHILOSOPHIQUES 334
    Le monde comme il va 334
    Micromégas 345
  VOLTAIRE HISTORIEN 359
    Idées sur l'histoire 359
    Le siècle de Louis XIV 359
  PHILOSOPHIE ET RELIGION 362
    Les ignorances de l'homme 362
    Le théiste 364
    De la nécéssité de croire en un être suprême . . 364
    La tolérance 366
  IDÉES POLITIQUES ET SOCIALES 367

PAGE

Le gouvernement anglais 367
De la meilleure législation 369
Monarchie et république 372
La guerre 373
IDÉES DIVERSES 374
Lettre à M. J.-J. Rousseau 374
L'affaire Calas 376
Apologie des Philosophes 377
VOLTAIRE POÈTE 379
Le Mondain 379
Discours sur l'homme 380
Poème sur le désastre de Lisbonne 382
Épigrammes 384
Épître à Horace 385

L'ENCYCLOPÉDIE 388
Anecdote sur l'Encyclopédie 389
Caractère général de l'Encyclopédie 391
Ce que c'est qu'un philosophe 394

DIDEROT 397
Portrait de Diderot 398
Diderot enfant de Langres 399
Regrets sur ma vieille robe de chambre 400
La philosophie expérimentale 402
La liberté morale 403
Religion et religions 404
Le jeune Mexicain 405
L'enthousiasme 407
La poésie et les mœurs 408
La poésie des ruines 409
Le rossignol et le coucou 411
Le genre sérieux 413
Voltaire 414
Portrait du neveu de Rameau 415
Un mélomane 417

BUFFON 419
Les époques de l'histoire et de la nature 420
La nature de l'homme 421
Quelques descriptions 423
Le cheval 423
L'oiseau-mouche 425
Le cygne 427
Le Discours sur le style 429

ROUSSEAU 434
Années de jeunesse 435

PAGE

Préambule des *Confessions* 435
Une nuit à la belle étoile 436
Rousseau et le paysan 437
Les Discours 438
L'«inspiration de Vincennes» 438
Le luxe 439
Prosopopée de Fabricius 440
L'origine de l'inégalité 441
La Nouvelle Héloïse 444
Composition du roman 444
Les montagnes du Valais 445
Une promenade sur le lac de Genève 447
Ce que doit être un jardin 451
Les vendanges à Clarens 452
Émile ou de l'éducation 456
Dangers de suivre l'*Émile* à la lettre 456
Principes généraux de l'éducation 457
L'enfant doit jouir de la vie 458
Émile à 12 ans 460
Il faut apprendre un métier 462
Si j'étais riche 464
La religion de Rousseau 465
Dernières années 466
L'île de Saint-Pierre 466
Rousseau et la nature 472
Rousseau et les orphelines 474

BERNARDIN DE SAINT-PIERRE 477
Une visite à Ermenonville 478
Bruit du vent dans les arbres 479
Les nuages 480
Une tempête 482

ANDRÉ CHÉNIER 484
La jeune Tarentine 485
L'invention 486
La jeune captive 489
Iambes 491
CHANSONS DE LA RÉVOLUTION 493
ROUGET DE LISLE 493
La Marseillaise 493

MARIE-JOSEPH CHÉNIER 495
Le Chant du départ 495

THE MIDDLE AGES

LA CHANSON DE ROLAND

Like all literatures, the literature of France begins with poetry, and, apart from a few religious pieces, with epic poetry. The oft-repeated statement of the 18th century writer, Malézieux, that "les Français n'ont pas la tête épique," however true it may be of more recent times, would certainly not hold for the Middle Ages, which had an epic production comparable to that of the ancients, in quantity at least if not in artistic quality.

There were in France in the early centuries of her literary history three great sources of epic material, France, Brittany, and "Rome la grant," or, in other words, national history, confused with legend, the Celtic Arthurian stories, and the legends of antiquity. Of these only the "matière de France" is truly epic in character: in the other two cycles imagination plays such an important rôle that their literary products belong rather to romance than to the epic.

The epic poems of the French cycle are usually known as *chansons de geste* (Latin *gesta* = "deeds"), or poems of heroic adventure, dealing with important figures in early national history, centering for the most part about the great emperor, Charlemagne. The *chansons de geste* were usually written in ten-syllable assonanced * verse, divided into strophes of unequal length, called *laisses.*

The best of all the *chansons de geste,* although it is the earliest (late 11th century), is the *Chanson de Roland.* This is based on an historical fact of 778, the defeat of Charlemagne's rear-guard at Roncevaux, in the Pyrenees, during the return of his army from Spain. In the poem the rear-guard, under Roland, the nephew of Charlemagne, is suddenly attacked by the Saracens, as the result of treachery on the part of Roland's step-father, Ganelon. Roland is too proud to blow his horn for aid until it is too late: he and his fellow knights are cut off to the last man. The passage below describes the last moments of Roland. Later in the poem, the treachery of Ganelon is suitably avenged.

LA MORT DE ROLAND

CLXXIV

Ço sent Rollant que la mort le tresprent,
Devers la teste sur le quer li descent.

Roland sent bien que la mort l'entreprend,[1]
Et qu'elle lui descend de la tête au cœur.

---

* In assonance only the final accented vowels of the verses correspond, leaving out of consideration the following consonants.

1 "attacks."

3

Desuz un pin i est alet curant,
Sur l'erbe verte s'i est culchet adenz.
Desuz lui met s'espee e l'olifan,   5
Turnat sa teste vers la paiene gent:
Pur ço l'at fait que il voelt veirement
Que Carles diet e trestute sa gent,
Li gentilz quens, qu'il fut mort cunquerant.
Cleimet sa culpe e menut e suvent,   10
Pur ses pecchez Deu en puroffrid lo guant. AOI.[2]

Il a couru se jeter sous un pin;
Sur l'herbe verte il s'est couché face contre terre:
Il met sous lui son épée et son olifant [3]   5
Et a tourné la tête vers les païens.
S'il a fait ainsi, c'est qu'il veut
Faire dire à Charlemagne et à toute son armée
Qu'il est mort en conquérant, le noble comte.
Il bat sa coulpe,[4] et souventefois; [5]   10
Pour ses péchés, il tend son gant [6] vers Dieu.

CLXXVI

.   .   .   .

Sun destre guant a Deu en puroffrit.
Seint Gabriel de sa main l'ad pris.
Desur sun braz teneit le chef enclin;
Juntes ses mains est alet a sa fin.
Deus tramist sun angle Cherubin   5
E seint Michel del Peril;
Ensembl' od els sent Gabriel i vint.
L'anme del cunte portent en pareïs.

Il a offert à Dieu le gant de sa main droite;
Saint Gabriel [7] l'a pris de sa main.
Alors sa tête s'est penchée sur son bras,
Et il est allé, les mains jointes, à sa fin.
Dieu lui envoya son ange chérubin [8]   5
Et saint Michel du Péril [9]
Avec eux y vint Saint Gabriel:
Ils emportent l'âme du comte au paradis.

---

[2] An expression found at the end of most of the *laisses* or stanzas of the poem. It is probably some sort of interjection, akin to the English *ahoy,* intended to attract attention. The most recent explanation makes it an old Norman word, meaning "I interrupt."
[3] "horn."   [4] "confesses his sins."   [5] *souvent.*
[6] A characteristic feudal gesture. Roland considers God as his feudal lord, and offers his glove as a symbol of his complete submission to his lord's will.
[7] An archangel.   [8] Raphaël, another archangel.
[9] One more archangel, so-called because his special mission was to act as guide for the souls of the dead. The famous French abbey of Mont-Saint-Michel is under the patronage of this saint.

MEDIAEVAL PROSE

Prose in the Middle Ages is represented especially by the work of four great chroniclers:

VILLEHARDOUIN (1150–1213), the hard-headed, matter-of-fact chronicler of the Fourth Crusade (1203–1204), culminating in the capture of Constantinople;

JOINVILLE (1224–1319), whose gossipy *Mémoires* are at the same time a glorification of the pious Louis IX (1226–1270) and an interesting study of the very human character of the author;

FROISSART (1337–1410), the painter of the picturesqueness and romance of fourteenth century chivalry, for whom history is nothing but "a gorgeous pageant";

COMMINES (1443–1511), the most intelligent historian of the Middle Ages, seeking to get below the surface of events to discover their causes in the character of the personages mingled with them.

FROISSART (1337–1410)

LES BOURGEOIS DE CALAIS

(EXTRAIT)

[Following his great victory at Crécy (1346) Edward III laid siege to the city of Calais. After about a year Jean de Vienne, governor of Calais, offered to capitulate. Edward at first refused to accept anything but an unconditional surrender, but finally consented to spare the lives of the inhabitants if he were given six hostages chosen from among the most honorable citizens, who were to be handed over under most humiliating conditions, clad only in shirts and breeches, with ropes about their necks, and bearing in their hands the keys of the city.

It may be noted that it is not certain whether the account in Froissart is historically true or merely a fiction.]

Le roy estoit à celle heure en sa cambre, à grant compagnie de contes, de barons et de chevaliers. Si entendi que cil de Calais venoient en l'arroy que il avoit deviset et ordonnet, et se mist hors et s'en vint en la place devant son hostel, et tout cil signeur après lui, et encores grant fuison qui y sourvinrent

Le roi était à cette heure dans sa chambre, avec une grande compagnie de comtes, de barons et de chevaliers. Il entendit que ceux de Calais venaient dans l'appareil qu'il avait prescrit et ordonné. Il sortit et vint dans la place devant son hôtel et tous ces seigneurs après lui, et encore une grande foison [1] de gens qui y survinrent pour voir ceux de Calais et pour apprendre com- 5

[1] *foule.*

5 pour veoir chiaus de Calais, ne comment il fineroient; et meismement la royne d'Engleterre, qui moult enchainte estoit, sievi le roy son signeur.

Evous venu monsigneur Gautier de Mauni et les bourgois dalés lui, qui le sievoient, et descendi en la place, et puis s'en vint devers le roy et li dist: «Monsigneur, veci la représentation de le ville Calais à vostre ordenance.»
10 Le roy se taisi tous quois, et regarda moult fellement sur chiaus; car moult haoit les habitans de Calais, pour les grans damages et contraires que dou temps passet sus mer li avoient fais.

Cil VI bourgois se misent tantost en genouls pardevant le roy, et disent ensi en joindant leurs mains: «Gentils sires et gentils rois, vés nous chi VI qui
15 avons esté d'ancisserie bourgois de Calais et grans marceans. Si vous aportons les clés de le ville de Calais et du chastiel aussi, et les vous rendons à vostre plaisir, et nous mettons en tel point que vous nous veés, en vostre pure volenté, pour sauver le demorant dou peuple de Calais, qui a souffert moult de grieftés: si voelliés avoir de nous pité et merci, par vostre très-haute noblèce.» Certes,
20 il n'i eut adont en le place signeur, chevalier, ne vaillant homme, qui se peuist abstenir de plorer de droite pité, ne qui peuist de grant pièce parler, et vraiement ce n'estoit pas merveille, car c'est grant pité de veoir hommes décheoir et estre en tel estat et dangier. Li rois regarda sus yaus très-ireusement; car il avoit le coer si dur et si espris de grans courous que il ne peut parler, et quant
25 il parla, il commanda que on leur copast les tiestes tantost. Tout li baron et li

---

ment ils finiraient, et même la reine [2] d'Angleterre, qui était fort enceinte, suivit le roi son seigneur.

Voici venir monseigneur Gautier de Mauny et à côté de lui les bourgeois qui le suivaient, et il descendit dans la place et puis vint vers le roi et lui dit:
10 «Monseigneur, voici la représentation [3] de la ville de Calais à votre ordonnance.» [4] Le roi se tut et les regarda très cruellement; car il haïssait beaucoup les habitants de Calais, à cause des grands dommages et des grandes contrariétés qu'ils lui avaient causés sur mer au temps passé.

Les six bourgeois se mirent aussitôt à genoux devant le roi et dirent ainsi
15 en joignant les mains: «Gentil sire et gentil roi, nous sommes ici six qui avons été depuis longtemps bourgeois de Calais et grands marchands. Nous vous apportons les clefs de la ville de Calais et du château et nous vous les rendons à votre plaisir, et nous nous mettons en tel état que vous voyez en votre pure volonté, pour sauver le reste du peuple de Calais qui a souffert
20 de très grands maux. Veuillez avoir pitié et merci de nous par votre très haute noblesse.» Certes il n'y eut alors sur la place seigneur, chevalier ni vaillant homme qui pût abstenir de pleurer de vraie pitié, ni qui, de longtemps, pût parler; et vraiment ce n'était pas merveille, car c'est grande pitié de voir des hommes déchoir [5] et être en tel état et danger. Le roi les regarda
25 avec une grande colère, car il avait le cœur si dur et si épris [6] de grand courroux qu'il ne put parler; et quand il parla, il commanda qu'on leur coupât la tête aussitôt. Tous les barons et les chevaliers qui y étaient, en pleurant,

---

[2] Philippa of Hainaut (1314–1369), famous for her piety and generosity. Froissart was her secretary from 1361 to 1366.

[3] "delegation."   [4] *à vos ordres.*   [5] "lose position."   [6] "filled."

chevalier qui là estoient, en plorant, prioient, si acertes que faire pooient, au roy qu'il en vosist avoir pité et merci; mais il n'i voloit entendre.

Adont parla li gentils chevaliers messires Gautiers de Mauni et dist: «Ha! gentils sires, voellés rafrener vostre corage. Vous avés le nom et la renommée de souverainne gentillèce et noblèce: or ne voelliés dont faire cose par quoi [30] elle soit noient amenrie, ne que on puist parler sur vous en nulle manière villainne. Se vous n'avés pité de ces gens, toutes aultres gens diront que ce sera grant cruaultés se vous estes si dur que vous faites morir ces honnestes bourgois qui de lor propre volenté se sont mis en vostre merci pour les aultres sauver.» A ce point se grigna li rois et dist: «Messire Gautier, souffrés-vous. [35] Il ne sera aultrement, mès on face venir le cope-teste. Chil de Calais ont fait morir tant de mes hommes que il convient chiaus morir ossi.»

Adont fist la noble royne d'Engleterre grant humilité, qui estoit durement enchainte, et ploroit si tenrement de pité, que on ne le pooit soustenir. Elle se jetta en genouls pardevant le roy son signeur et dist ensi: «Ha! gentils [40] sires, puis que je apassai le mer en grant péril, sicom vous savés, je ne vous ay riens rouvet, ne don demandet. Or vous pri-jou humlement et requier en propre don, que pour le Fil sainte Marie et pour l'amour de mi, vous voelliés avoir de ces VI hommes merci.» Li rois attandi un petit de parler, et regarda la bonne dame sa femme qui moult estoit enchainte et ploroit devant lui en [45] genouls moult tenrement: se li amolia li coers, car envis l'euist couroucie ens ou point là où elle estoit: si dist: «Ha! dame, je amaisse trop mieuls que vous

---

priaient le roi aussi instamment qu'ils pouvaient le faire, qu'il voulût avoir pitié et merci d'eux, mais il ne voulait rien entendre.

Alors le gentil chevalier messire Gautier de Mauny parla et dit: «Ah! gentil [30] sire! veuillez refréner votre courroux. Vous avez le nom et la renommée de gentillesse et de noblesse souveraines; or ne veuillez donc faire aucune chose par quoi elle soit en rien amoindrie ni par quoi on puisse parler de vous en nulle manière vilaine. Si vous n'avez pitié de ces gens, tous les autres gens diront que ce sera une grande cruauté de votre part si vous êtes assez dur [35] pour laisser mourir ces honnêtes bourgeois, qui de leur propre volonté se sont mis en votre merci pour sauver les autres.» A ce point le roi se fâcha et dit: «Messire Gautier, taisez-vous. Il n'en sera pas autrement, et qu'on fasse venir le bourreau. Ceux de Calais ont fait mourir tant de mes hommes qu'il convient que ceux-ci meurent aussi.» [40]

Alors la noble reine d'Angleterre, qui était durement enceinte, fit un grand acte d'humilité et pleurait si tendrement de pitié qu'on ne pouvait le supporter. Elle se jeta à genoux devant le roi son seigneur et parla ainsi: «Ah! gentil sire, depuis que j'ai traversé la mer en grand péril, comme vous le savez, je ne vous ai rien requis ni n'ai demandé aucun don. Maintenant [45] je vous prie humblement et vous requiers comme don que, pour le fils de sainte Marie et pour l'amour de moi, vous vouliez bien avoir pitié de ces six bourgeois.» Le roi attendit un peu avant de parler, et regarda la bonne dame sa femme, qui était fort enceinte, et pleurait devant lui très tendrement. Et son cœur s'amollit et bien qu'elle l'eût courroucé, dans la situation où elle [50]

fuissiés d'autre part que ci. Vous me pryés si acertes que je ne le vous ose
escondire, et comment que je le face envis, tenés, je les vous donne: si en faites
50 vostre plaisir.» La bonne dame dist: «Monsigneur, très-grans mercis.» Lors se
leva la royne, et fist lever les VI bourgois et leur fist oster les chevestres d'en-
tours les cols, et les amena avoecques lui en sa cambre, et les fist revestir
et donner à disner tout aise; et puis donna à chacun VI nobles et les fist
conduire hors de l'ost à sauveté.

était, il dit: «Ah! dame, j'aimerais bien mieux que vous fussiez autre part
qu'ici. Vous me priez si instamment que je n'ose vous le refuser, et quoique
je le fasse malgré moi, tenez, je vous les donne; faites-en votre plaisir.» La
bonne dame dit: «Monseigneur, très grand merci.» Alors la reine se leva,
55 fit lever les six bourgeois, leur fit ôter les licous [7] d'autour du cou, les amena
avec elle dans sa chambre, les fit revêtir et leur fit servir à manger en toute
abondance: puis elle donna à chacun six nobles d'or [8] et les fit conduire hors
du camp en sûreté.

[7] "halters."   [8] An old English gold coin, first minted by Edward III.

MEDIAEVAL LYRIC POETRY

The French lyric poetry of the Middle Ages falls into two well-defined periods: (1) the 12th and 13th centuries, when the *trouvères* of the North imitate the *troubadours* of the Midi in singing of courtly love; (2) the 14th and 15th centuries, when poetry loses most of whatever personal inspiration it once possessed and becomes especially a matter of complicated metrical forms. The first period produced no really outstanding poets. In the second only a very few poets were able to maintain much originality in their struggle with the artificial restrictions of the fixed verse forms. Conspicuous among these are two poets of the 15th century, Charles d'Orléans (1391–1465), and François Villon (1431–1465?), the one a prince, the other a vagabond; the one above all a stylist, a master of graceful form without much depth of meaning; the other a thorough-going realist, seeking his inspiration in the sordid realities of his own existence; the one carrying to perfection the art of the past (he has been called "the last of the troubadours"), the other by the evident sincerity of his inspiration the ancestor of the great lyric poets of the centuries to come.

CHARLES D'ORLÉANS (1391–1465)

BALLADE *

Écrite pendant sa captivité en Angleterre [1]

En regardant vers le pays de France,
Ung jour m'avint (advint), à Dovre (Douvres) sur la mer,
Qu'il me souvint de la doulce (douce) plaisance
Que souloie [2] oudit [3] pais trouver;
Si [4] commençay de cueur (cœur) à souspirer,   5
Combien certes que grant bien me faisoit
De veoir France que mon cueur amer (aimer) doit.

Je m'avisay que c'estoit non-sçavance [5]
De telz souspirs (soupirs) dedens mon cueur garder,
Veu (vu) que je voy que la voye commence   10
De bonne paix, qui tous biens peut donner;
Pource,[6] tournay en confort mon penser,
Mais non pourtant, mon cueur ne se lassoit
De veoir France que mon cueur amer doit.

* The *ballade* is a poem of three stanzas of similar metrical structure, each with the same rhymes in the same order, followed by a half-stanza known as the *envoi*.
[1] Charles d'Orléans, nephew of Charles VI, was captured at the battle of Agincourt (1415) and spent the next twenty-five years in captivity in England.
[2] *J'avais coutume.*   [3] *en ledit.*   [4] *ainsi.*   [5] *folie.*   [6] *Pour cette raison.*

3

Alors chargeay en la nef [7] d'Esperance   15
Tous mes souhays (souhaits) en leur priant d'aler
Oultre [8] la mer, sans faire demourance,[9]
Et à France de me recommander.
Or nous doint [10] Dieu bonne paix sans tarder;
Adonc [11] auray loisir, mais qu'ainsi soit,[12]   20
De veoir France que mon cueur amer doit.

Paix est tresor qu'on ne peut trop loer (louer):
Je hé [13] guerre, point ne la dois prisier (priser),
Destourbé [14] m'a longtemps, soit tort ou droit,
De veoir France que mon cueur amer doit.   25

LE PRINTEMPS

Rondeau †

Le temps a laissié son manteau
De vent, de froidure et de pluye,
Et s'est vestu de brouderie (broderie),
De soleil luyant,[15] cler et beau.

Il n'y a beste, ne oyseau,   5
Qu'en [16] son jargon ne chante ou crye:
Le temps a laissié son manteau
De vent, de froidure et de pluye.

Riviere, fontaine et ruisseau
Portent, en livrée jolye,   10
Gouttes d'argent d'orfavrerie (orfèvrerie),
Chascun s'abille (s'habille) de nouveau:
Le temps a laissié son manteau.

LES AVANT-COUREURS DE L'ÉTÉ

Rondeau

Les fourriers [17] d'Esté sont venuz
Pour appareiller son logis,
Et ont fait tendre ses tappis
De fleurs et verdure tissuz [18]
En estandant tappis veluz [19]   5
De vert [20] herbe par le païs,

---

[7] "ship."   [8] *au delà de.*   [9] *délai.*   [10] *Que Dieu nous donne.*
[11] *alors.*   [12] *pourvu qu'il en soit ainsi.*   [13] *hais.*   [14] *empêché.*
† The *rondeau* has varied greatly in its metrical form, but is always characterized by the repetition—in the interior and at the end—of the opening words of the poem.
[15] *luisant.*   [16] *qui en.*   [17] "Harbingers" (lit. quarter-masters).
[18] "woven."   [19] "thick."   [20] Both genders in old French

Les fourriers d'Esté sont venuz
Pour appareiller son logis.
Cueurs, d'ennuy pieça²¹ morfonduz,
Dieu mercy, sont sains et jolis.²²
Alez-vous-en, prenez païs,²³
Yver, vous ne demourez plus:
Les fourriers d'Esté sont venuz.

FRANÇOIS VILLON (1431–1465?)

BALLADE

DES DAMES DU TEMPS JADIS

Dictes moy où, n'en quel pays,
Est Flora,²⁴ la belle Rommaine;
Archipiada,²⁵ ne Thaïs,²⁶
Qui fut sa cousine germaine;
Echo, parlant quant bruyt on maine²⁷
Dessus riviere ou sus estan (étang),
Qui beaulté ot²⁸ trop plus qu'humaine?
Mais où sont les neiges d'antan!²⁹

Où est la tres sage Helloïs,³⁰
Pour qui fut chastré (châtré) et puis moyne
Pierre Esbaillart³¹ à Saint-Denis?³²
Pour son amour ot cest essoyne.³³
Semblablement, où est la royne³⁴ (reine)
Qui commanda que Buridan³⁵
Fust gecté (jeté) en ung sac en Saine (Seine)?
Mais où sont les neiges d'antan!

La royne Blanche³⁶ comme lis,
Qui chantoit à voix de seraine,³⁷
Berte³⁸ au grant pié, Bietris,³⁹ Allis;⁴⁰
Haremburgis⁴¹ qui tint le Maine,⁴²
Et Jehanne,⁴³ la bonne Lorraine,

---

²¹ *il y a longtemps.* ²² *joyeux* (cf. Eng. jolly). ²⁸ *sauvez-vous.*
²⁴ Roman courtesan. ²⁵ Alcibiades, wrongly taken to be a woman's name.
²⁶ Greek courtesan. ²⁷ "when one makes a noise." ²⁸ *eut.* ²⁹ "yester-year."
³⁰ Heloisa, whose love for Abelard is one of the most romantic episodes of the Middle Ages.
³¹ Abelard (1079–1142), famous medieval scholar. ³² Cathedral near Paris.
³³ *malheur.* ³⁴ Marguerite de Bourgogne, wife of Louis X.
³⁵ Lover of Marguerite. (The story is told by Dumas père, in his *La Tour de Nesle.*)
³⁶ Not absolutely identified. ³⁷ *sirène.* ³⁸ French epic heroine.
³⁹ Béatrix, aunt of Berte and daughter of Aelis in the chanson de geste, *Hervi de Metz.*
⁴⁰ Mother of Béatrix. ⁴¹ Arembour, daughter of Hélie, count of Maine.
⁴² French province, south-west of Paris. ⁴³ Jeanne d'Arc, national heroine of France.

Qu'Englois (Anglais) brulerent à Rouan;
Où sont ilz, où, Vierge souvraine?
Mais où sont les neiges d'antan!

ENVOI

Prince,[44] n'enquerez de sepmaine [45]
Où elles sont, ne de cest an,[46]
Qu'à ce reffrain ne vous remaine: [47]
Mais où sont les neiges d'antan!

25

BALLADE

Que Villon Fit a La Requeste De Sa Mere Pour Prier Nostre-Dame

Dame des cieulx (cieux), regente terrienne (reine de la terre),
Emperiere [48] des infernaux paluz,[49]
Recevez moy, vostre humble chrestienne,
Que comprinse (comprise) soye (sois) entre vos esleuz (élus)
Ce non obstant [50] qu'oncques [51] riens ne valuz (valus).
Les biens de vous, ma dame et ma maistresse,
Sont trop plus grans que ne suis pecheresse.
Sans lesquelz biens ame ne peut merir,[52]
N (ni) 'avoir les cieulx, je n'en suis jungleresse.[53]
En ceste foy je vueil (veux) vivre et mourir.

5
10

A vostre Filz dictes (dites) que je suis sienne;
De luy soyent mes pechiez (péchés) aboluz (abolis):
Pardonne moy comme à l'Egipcienne,[54]
Ou comme il feist (fit) au clerc Théophilus,[55]
Lequel par vous fut quitte et absoluz (absous),
Combien [56] qu'il eust (eût) au diable fait promesse.
Preservez moy, que ne face ja mais ce,[57]
Vierge portant, sans rompure encourir,[58]
Le sacrement [59] qu'on célèbre à la messe.
En ceste foy je vueil vivre et mourir.

15
20

Femme je suis povrette (pauvrette) et ancienne,
Qui riens ne sçay (sais); oncques lettre ne leuz (lus).

[44] Title of the head of a medieval *puy* or poetic club to whom the *envoi* of a ballade was traditionally addressed.
[45] "Do not ask this week."   [46] "nor this year either."
[47] *pour que je ne vous ramène à ce refrain.*   [48] *Impératrice.*   [49] *marais.*
[50] *bien que.*   [51] *jamais.*   [52] *mériter.*   [53] *menteuse.*
[54] St. Mary of Egypt, miraculously converted after a life of sin.
[55] Theophilus sold himself like Faust to the devil, but, repentant, was saved by the Virgin.
[56] *quoique.*   [57] *de sorte que je ne fasse jamais cela.*   [58] *tout en restant vierge.*
[59] Christ.

Au moustier [60] voy (je vois), dont suis paroissienne,
Paradis peint, où sont harpes et luz,[61]
Et ung enfer où dampnez [62] sont boulluz; [63]   25
L'un me fait paour (peur), l'autre joye et liesse.[64]
La joye avoir me fay (fais), haulte Déesse,
A qui pécheurs doivent tous recourir,
Comblez [65] de foy, sans fainte [66] ne paresse.
En ceste foy je vueil vivre et mourir.   30

ENVOI

Vous portastes (portâtes), digne Vierge, princesse,
Iesus regnant, qui n'a ne fin ne cesse.
Le Tout-Puissant, prenant nostre foiblesse (faiblesse),
Laissa les cieulx et nous vint secourir,
Offrit a mort sa très chiere (chère) jeunesse.   35
Nostre Seigneur tel est, tel le confesse.
En ceste foy je vueil vivre et mourir.

ÉPITAPHE EN FORME DE BALLADE

QUE FIT VILLON POUR LUY ET SES COMPAGNONS, S'ATTENDANT ESTRE PENDU AVEC EUX

Freres humains, qui après nous vivez,
N'ayez les cuers (cœurs) contre nous endurcis,
Car, si pitié de nous povres avez,
Dieu en aura plus tost de vous mercis.[67]
Vous nous voiez cy (ici) atachez cinq, six: 5
Quant de la chair, que trop avons nourrie,[68]
Elle est pieça [69] dévorée et pourrie,
Et nous, les os, devenons cendre et pouldre (poudre).
De nostre mal personne ne s'en rie,
Mais priez Dieu que tous nous vueille (veuille) absouldre! [70]   10

Se (si), freres, vous clamons,[71] pas n'en devez
Avoir desdaing, quoy que fusmes occis [72]
Par justice. Toutesfois, vous sçavez
Que tous hommes n'ont pas bon sens rassis.
Excusez nous—puis que sommes transsis— [73]   15
Envers le filz de la Vierge Marie,
Que sa grace ne soit pour nous tarie,
Nous preservant de l'infernale fouldre (foudre).

---

[60] *église.* [61] *luths.* [62] *damnés.* [63] *bouillis.* [64] *allégresse.* [65] *remplis.*
[66] *feinte.* [67] *miséricorde.* [68] Villon was a *bon vivant.* [69] *il y a longtemps.*
[70] *pardonner.* [71] *crions.* [72] *tués.* [73] *morts.*

Nous sommes mors, ame ne nous harie; [74]
Mais priez Dieu que tous nous vueille absouldre!   20

La pluye nous a débuez [75] et lavez,
Et le soleil desechez et noircis;
Pies, corbeaulx (corbeaux), nous ont les yeux cavez,[76]
Et arraché la barbe et les sourcilz.
Jamais, nul temps, nous ne sommes assis;   25
Puis ça, puis là, comme le vent varie,
A son plaisir sans cesser nous charie,[77]
Plus becquetez d'oiseaulx que dez à couldre [78] (coudre).
Ne soiez donc de nostre confrairie,
Mais priez Dieu que tous nous vueille absouldre!   30

ENVOI

Prince Jhesus, qui sur tous a maistrie,[79]
Garde qu'Enfer n'ait de nous seigneurie:
A luy n'ayons que faire ne que souldre.[80]
Hommes, icy n'a point [81] de mocquerie,
Mais priez Dieu que tous nous vueille absouldre!   35

[74] *Que personne ne nous harcèle.*   [75] *détrempés.*   [76] "picked out."
[77] "swings" (carries).   [78] "thimbles" (referring to their pitted appearance).
[79] "power."   [80] *régler (solder).*   [81] *il n'y a point.*

THE RENAISSANCE

MAROT (1495–1544)

Clément Marot represents admirably the transition from the poetry of the later Middle Ages to that of the Renaissance. He enjoyed at times the favor of Francis I and of his sister, Marguerite of Navarre, but his Protestant sympathies, though probably not very deep, repeatedly involved him in difficulties. Finally his translation of the *Psalms,* though encouraged by the king, was condemned by the Sorbonne, and to escape possible arrest he fled to Geneva and then to Turin, where he died in poverty.

Marot is a medieval poet touched with the spirit of the Renaissance. He cultivated the *rondeau, ballade* and other older forms; he published the *Roman de la Rose* and edited the poems of Villon. At the same time, he tried his hand at some of the new classical forms, the eclogue, elegy, epistle, epigram, and is credited by some with having introduced the sonnet. He is not a poet of ideas or deep feeling. He excels as a writer of occasional verse, *vers de société,* characterized especially by wit and charm of expression, or, as Boileau puts it, by *élégant badinage.* His lack of seriousness was to bring down on him the wrath of the Pléiade.

AU ROY,[1] POUR AVOIR ESTÉ DÉROBÉ[2]

On dict bien vray, la maulvaise Fortune
Ne vient jamais, qu'elle n'en apporte une
Ou deux ou trois avecques elle,[3] Syre;
Vostre cueur noble en sçauroit bien que dire:[4]
Et moy, chétif,[5] qui ne suis Roy, ne rien,⁣   5
L'ay esprouvé, et vous compteray (raconterai) bien,
Si vous voulez, comme vint la besongne.[6]
   J'avois un jour un vallet de Gascongne,[7]
Gourmand, ivrongne, et asseuré [8] menteur,
Pipeur,[9] larron, jureur, blasphémateur,⁣   10
Sentant la hart [10] de cent pas à la ronde,
Au demourant,[11] le meilleur filz du monde.[12]
   Ce venerable hillot [13] fut adverty
De quelque argent, que m'aviez departy,[14]
Et que ma bourse avoit grosse apostume;[15]⁣   15

[1] François Ier (1515–1547).   [2] "robbed," by his valet in 1532, of a gift from the king.
[3] "Misfortunes never come singly."
[4] "Would have lots to say on that subject." François Ier had lost his mother in 1531.
[5] *faible.*   [6] *l'affaire.*   [7] Ancient province in south-eastern France.
[8] *effronté.*   [9] *trompeur.*   [10] "halter" (gallows).   [11] *du reste.*
[12] The best known of Marot's verses and frequently quoted.   [13] Diminutive of *fils*—"lad."
[14] *donné.* On the occasion of his marriage with Eleanor of Austria the king had given Marot 100 *écus.*
[15] "swelling."

17

Si [16] se leva plus tost que de coustume,
Et me va prendre en tapinoys [17] icelle,[18]
Puis la vous [19] meit (met) tresbien soubz son esselle,[20]
Argent et tout—cela se doit entendre—
Et ne croy point que ce fust pour la rendre,   20
Car oncques puis [21] n'en ay ouy [22] parler.
  Brief (bref), le villain ne s'en voulut aller
Pour si petit; [23] mais encor il me happe [24]
Saye [25] et bonnet, chausses,[26] pourpoint [27] et cappe;
De mes habitz, en effect, il pilla   25
Tous les plus beaux, et puis s'en habilla
Si justement,[28] qu'à le veoir ainsi estre,
Vous l'eussiez prins (pris) en plein jour pour son maistre.
Finablement (finalement), de ma chambre il s'en va
Droict à l'estable,[29] où deux chevaulz trouva;   30
Laisse le pire, et sur le meilleur monte,
Pique et s'en va. Pour abréger le compte,
Soyez certain, qu'au partir du dict lieu,
N'oublia rien, fors [30] qu'à me dire adieu.
  Ainsi s'en va, chatouilleux de la gorge,[31]   35
Ledict vallet, monté comme un sainct Georges,[32]
Et vous laissa Monsieur dormir son soûl,[33]
Qui au resveil n'eust sceu (su) finer [34] d'un soul (sou).
Ce Monsieur là, Syre, c'estoit moy mesme,
Qui sans mentir, fuz au matin bien blesme,[35]   40
Quand je me vey (vis) sans honneste vesture,[36]
Et fort fasché de perdre ma monture;
Mais de l'argent que vous m'aviez donné,
Je ne fuz point de le perdre estonné;
Car vostre argent, très débonnaire Prince,   45
Sans point de faulte [37] est subject à la pince.[38]
  Bien tost après ceste fortune là,
Une autre pire encores se mesla
De m'assaillir, et chacun [39] jour m'assault,[40]
Me menaçant de me donner le sault,[41]   50
Et de ce sault m'envoyer à l'envers
Rithmer [42] soubz terre et y faire des vers.[43]
  C'est une lourde et longue maladie
De trois bons moys, qui m'a toute eslourdie [44]

---

[16] *aussi.*   [17] "slyly."   [18] *celle-ci.*   [19] Ethical dative.   [20] *aisselle*—"arm-pit."
[21] *jamais depuis.*   [22] *entendu.*   [23] *si peu.*   [24] *saisit.*   [25] *manteau court.*
[26] *culotte*—"breeches."   [27] "doublet."   [28] "with such care."   [29] *écurie.*
[30] *excepté.*   [31] "with his throat itching" (for the rope).   [33] "his fill."
[32] Patron saint of horsemen, always represented on horseback.
[34] *payer.*   [35] "pale," "white."   [36] *vêtement convenable.*   [37] *assurément.*
[38] "is liable to be stolen," an allusion to the dishonesty prevailing in the royal treasury.
[39] *chaque.*   [40] *assaille.*   [41] "to trip me up."   [42] *rimer.*
[43] Grim pun on *vers* ("verses") and *vers* ("worms").   [44] *alourdie.*

La povre teste, et ne veult terminer,
Ains [45] me contrainct d'apprendre à cheminer,[46] 55
Tant affoibly (affaibli) m'a d'estrange manière;
Et si m'a faict la cuysse heronnière. . . .[47]
 Que diray plus? Au misérable corps
Dont je vous parle, il n'est demouré fors [48] 60
La povre esprit qui lamente et souspire,
Et en pleurant tasche à faire rire.
 Et pour autant, Syre, que suis à vous,[49]
De troys jours l'un viennent taster mon poulx (pouls)
Messieurs Braillon, le Coq, Akaquia,[50] 65
Pour me garder d'aller jusque à quia.[51]
 Tout consulté, ont remis au printemps
Ma guarison; mais, à ce que j'entens,
Si je ne puis au printemps arriver,
Je suis taillé de mourir en yver (hiver), 70
Et en danger, si en yver je meurs,
De ne veoir pas les premiers raisins meurs (mûrs).
 Voylà comment, depuis neuf moys en ça,[52]
Je suis traicté. Or, ce que me laissa
Mon larronneau,[53] long temps a l'ay vendu, 75
Et en sirops et julez (juleps) despendu:[54]
Ce néantmoins,[55] ce que je vous en mande,
N'est pour vous faire ou requeste ou demande:
Je ne veulx point tant de gens ressembler,
Qui n'ont soucy autre que d'assembler;[56] 80
Tant qu'ilz vivront ils demanderont, eulx;
Mais je commence à devenir honteux,
Et ne veulx plus à voz dons m'arrester.[57]
 Je ne dy pas, si voulez rien prester,
Que ne le prenne. Il n'est point de presteur 85
(S'il veut prester) qui ne face un debteur.[58]
Et sçavez vous, Syre, comment je paye?
Nul ne le sçait, si premier ne l'essaye;
Vous me devrez,[59] si je puis, de retour,[59]
Et vous feray encores un bon tour. 90
A celle fin,[60] qu'il n'y ait faulte nulle,
Je vous feray une belle cédulle,[61]
A vous payer—sans usure, il s'entend—

[45] *plutôt.* [46] *marcher.* [47] "has made my legs as lean as a heron's shank."
[48] *il n'est rien resté excepté.* [49] Marot was *valet de chambre* of the king.
[50] Royal physicians; Akaquia is a Greek translation of *Sans Malice*, the name given to one of them.
[51] "To the last extremity" (a scholastic term). [52] *jusqu'à ce jour-ci.*
[53] "young thief." [54] *dépensé.* [55] *malgré cela.* [56] "hoard."
[57] "depend upon." [58] *débiteur.*
[59] "You will owe me something to boot" (through your praises which I shall sing).
[60] *afin que.* [61] *billet* ("an I. O. U.").

Quand on verra tout le monde content:
Ou, si voulez, à payer ce sera   95
Quand votre los [62] et renom cessera.[63]

FRÈRE LUBIN

Pour courir en poste à la ville
Vingt foys, cent foys, ne sçay (sais) combien;
Pour faire quelque chose vile
Frère Lubin le fera bien;
Mais d'avoir honneste entretien,[64]   5
Ou mener vie salutaire,
C'est à faire à un bon chrestien,[65]
Frère Lubin ne le peult (peut) faire.

Pour mettre (comme un homme habile)
Le bien d'autruy avec le sien,   10
Et vous laisser sans croix ne pile,[66]
Frère Lubin le fera bien:
On a beau dire: «Je le tien (tiens),»
Et le presser de satisfaire,
Jamais ne vous en rendra rien,   15
Frère Lubin ne le peult faire.

Pour desbaucher [67] par un doulx stile
Quelque fille de bon maintien,
Point ne fault (faut) de vieille [68] subtile,
Frère Lubin le fera bien.   20
Il presche en théologien,
Mais pour boire de belle eau claire,[69]
Faictes la boire à vostre chien,
Frère Lubin ne le peult faire.

ENVOY

Pour faire plus tost (tôt) mal que bien,   25
Frère Lubin le fera bien;
Et si c'est quelque bon affaire,
Frère Lubin ne le peult faire.

AU BON VIEULX TEMPS

Au bon vieulx temps un train d'amour régnoit
Que [70] sans grand art et dons se démenoit.[71]

---

[62] "praise." [63] That is, "never." [64] "conduct."
[65] "That's for a good Christian to do." [66] "without a red cent" (heads or tails).
[67] "deceive." [68] "go-between."
[69] He wants no ascetic life (such as a friar should live). [70] *qui*. [71] "was conducted."

Si [72] qu'un bouquet donné d'amour profonde,
C'estoit donné toute la terre ronde,
Car seulement au cueur on se prenoit.[73]

　Et si par cas à jouyr on venoit,
Sçavez-vous bien comme on s'entretenoit? [74]
Vingt ans, trente ans: cela duroit un monde
　　　Au bon vieulx temps.

　Or est perdu ce qu'amour ordonnoit:
Rien que pleurs fainctz,[75] rien que changes on n'oyt:[76]
Qui vouldra [77] donc qu'à aymer je me fonde,[78]
Il fault premier que l'amour on refonde,
Et qu'on la meine [79] ainsi qu'on la menoit
　　　Au bon vieulx temps.

[72] *si bien que.*
[74] "got along together."
[77] *Si l'on veut.*
[73] *s'éprenait:* "The heart was really involved."
[75] *feints.*
[78] *je me fie.*
[76] *entend.*
[79] "treat."

RABELAIS (1494–1553)

With the possible exception of Villon, François Rabelais is the first French writer whose work is of universal significance. His story of the giants, Gargantua and Pantagruel, is one of the world's great masterpieces of humor.

Rabelais early became a legendary figure, embodying the qualities of coarse humor and gigantic appetite which are so characteristic of the creations of his imagination. The real Rabelais was much more than a *bon vivant*. He was a churchman, a distinguished scholar, the correspondent of Erasmus and other Humanists, an eminent physician, the trusted friend of ambassadors and statesmen; in short, a man held in the highest esteem by his contemporaries.

Rabelais' work consists essentially of a long, burlesque, prose epic, dealing with the adventures of a dynasty of giants, Grandgousier, Gargantua, and Pantagruel. The work is in five books, of which the last, published after his death, is only partly by Rabelais; the first two books treat of the education and wars of their heroes, the last three recount the voyage of Pantagruel and his friend, Panurge, in search of the oracle of the *Dive Bouteille*.

The dominant note of the work is one of exuberant mirth. Rabelais' main purpose was certainly to amuse, often with a coarseness and obscenity objectionable to modern taste, but quite in keeping with the standards of his age. But as a man of the Renaissance, Rabelais was also interested in setting forth some of the new ideas. At the very outset he bids his reader "break the bone to suck the substantial marrow" of his book, and hints at the "abstruse learning" and "dread mysteries" one will find in it. However, the reader would make a grave mistake if he were to seek hidden deeper meanings everywhere in Rabelais' work. In large part it is a huge piece of humorous foolery, the spontaneous expression of the author's superabundant joy of living. Occasionally Rabelais indulges in serious discussion of certain aspects of Renaissance thought.

Rabelais' work is a curious mixture of medieval and Renaissance elements. His literary tastes are decidedly medieval. He has none of the Renaissance feeling for beauty of form. His story is as formless as the degenerate romances of chivalry upon which it is modelled. The quality of Rabelais' humor, wholehearted but lacking in subtlety and especially in delicacy, is likewise medieval, carrying on the tradition of the *esprit gaulois* of the fabliaux and the farces.

Rabelais' thought is in large part a product of the Renaissance. He shares in the first place the restless desire of his age for the new knowledge. Gargantua's admonition to his son to be "a bottomless pit" of knowledge reflects exactly the mood of Rabelais himself. The great weakness of Rabelais' educational theory is its overemphasis on the mere accumulation of facts. Closely related to this zest for knowledge is the cult of reason. Ideas must not be accepted merely because they have weighty authority behind them. In the name of reason Rabelais attacks most of the irrational fetiches of the day—asceticism, religious superstition, imperialistic princes, corrupt clergy, venal magistrates, stupid pedagogues, etc., without, however, ever pushing his attack beyond a demand for moderate reform. Rabelais is not at all a revolutionist in his ideas. But the most character-

22

istic expression of Rabelais' Renaissance spirit is his faith in nature and instinct, the protest against the asceticism of the Middle Ages. This faith takes concrete form in the famous Abbey of Thélème, whose motto is "Do as you like." However, the extreme individualism of the Renaissance with its ideal of *virtù* or complete self-culture is corrected in Rabelais by his social sense. His hero is obviously not the egoist Panurge but the wise and beneficent Pantagruel, ruling in the interests of his subjects.

Rabelais is the first master of French prose. In spite of his faults of taste, he is a great literary artist. His art is characterized first by its infinite variety, from the loftiest eloquence to the grossest banality. His style is also highly picturesque, for Rabelais likes to express himself in original and striking images. But perhaps the most outstanding feature of Rabelais' style is his boundless richness of vocabulary, drawn from almost every conceivable source. He seems to have delighted in playing with mere sounds, so that at times his book becomes a veritable debauch of words. Only Victor Hugo can compare with Rabelais in the ability to produce purely verbal effects.

COMMENT GARGANTUA FEIST (FIT) BASTIR POUR LE MOYNE L'ABBAYE DE THÉLÈME

[In *Gargantua* a war breaks out between Grandgousier, Gargantua's father, and his neighbor, Picrochole. Gargantua overcomes Picrochole largely through the efforts of the monk, Jean des Entommeures, of the abbey of Seuilly. Friar Jean, allowed to name his reward, asks permission to establish an abbey in accordance with his own ideas. The result is the Abbaye de Thélème.]

Restoit seulement le moyne à pourvoir, lequel Gargantua vouloit faire abbé de Seuillé,[1] mais il refusa. Il luy voulut donner l'abbaye de Bourgueil [2] ou de Sainct Florent,[2] laquelle [3] mieulx luy duiroit,[4] ou toutes deux s'il les prenoit à gré; mais le moyne luy fist responce peremptoire que de moynes il ne vouloit charge ny gouvernement: 5

«Car comment, disoit il, pourroy je gouverner aultruy (autrui), qui moy mesmes gouverner ne sçaurois (saurais)? Si vous semble que je vous aye faict et que puisse à l'advenir (avenir) faire service agréable, oultroyez [5] moy de fonder une abbaye à mon devis.»

La demande pleut (plut) à Gargantua, et offrit tout son pays de Thélème,   10 jouste [6] la riviere de Loyre, à deux lieues de la grande forest du Port-Huault,[7] et requist [8] à Gargantua qu'il instituast sa religion [9] au contraire de toutes aultres.

«Premierement doncques, dist Gargantua, il n'y fauldra (faudra) jà [10] bastir murailles au circuit, car toutes aultres abbayes sont fierement murées.—   15 Voyre,[10a] dist le moyne, et non sans cause: où mur y a et devant et derriere, y a force [11] murmur, envie et conspiration mutue.» [12]

Davantaige, veu (vu) que en certains convents de ce monde est en

[1] Benedictine monastery near Chinon.
[2] Benedictine abbeys in the neighborhood of Saumur.   [3] "whichever."
[4] *conviendrait.*   [5] *permettez (octroyez).*   [6] *au bord de.*
[7] In the neighborhood of Chinon.   [8] "[The monk] requested permission."   [9] *couvent.*
[10] *d'abord (déjà).*   [10a] *vraiment.*   [11] *beaucoup de.*   [12] *mutuelle.*

usance [13] que, si femme aulcune [14] y entre, j'entends des preudes [15] et pudicques,[16] on nettoye la place par laquelle elles ont passé, feut (fut) ordonné que, si religieux ou religieuse y entroit par cas fortuit, on nettoiroit curieusement [17] tous les lieulx par lesquelz auroient passé. Et parce que es [18] re-
5 ligions de ce monde tout est compassé, limité et reiglé par heures, feut decreté que là ne seroit horrologe ny quadrant [19] aulcun, mais selon les occasions et oportunitez seroient toutes les œuvres dispensées; car, disoit Gargantua, la plus vraye perte du temps qu'il sceust (sût) estoit (était) de compter les heures—quel bien en vient il?—et la plus grande resverie [20]
10 du monde estoit soy [21] gouverner au son d'une cloche, et non au dicté [22] de bon sens et entendement. Item, parce qu'en icelluy [23] temps on ne mettoit en religion des femmes sinon celles que estoient borgnes, boyteuses, bossues, laydes, defaictes,[24] folles, insensées, maleficiées [25] et tarées, ny les hommes, sinon catarrez,[26] mal nez, niays et empesché de maison.[27]
15 «A propos, dist le moyne, une femme, qui n'est ny belle ny bonne, à quoy vault toille? [28]
—A mettre en religion, dist Gargantua.
—Voyre, dist le moyne, et à faire des chemises.»
Feut ordonné que là ne seroient repceues (reçues) sinon les belles, bien
20 formées et bien naturées,[29] et les beaulx, bien formez et bien naturez.
Item, parce que es conventz des femmes ne entroient les hommes sinon à l'emblée [30] et clandestinement, feut decreté que jà [31] ne seroient là les femmes au cas que n'y feussent (fussent) les hommes, ny les hommes en cas que n'y feussent les femmes.
25 Item, parce que tant hommes que femmes, une foys repceuez en religion, après l'an de probation estoient forcez et astrinctz [32] y demeurer perpetuellement leur vie durant, feust estably que tant hommes que femmes là repceuz sortiroient quand bon leur sembleroit, franchement et entierement.
Item, parce que ordinairement les religieux faisoient troys veuz (vœux),
30 sçavoir [33] est de chasteté, pauvreté et obedience, fut constitué que là honorablement on peult (pût) estre marié, que chascun feut riche et vesquist (vécût) en liberté.
Au reguard de l'eage (âge) legitime, les femmes y estoient repceues depuis dix jusques à quinze ans, les hommes depuis douze jusques à dix
35 et huict.

Gargantua (ch. LII).

. . . .

[13] *en usage.*   [14] *quelque.*   [15] *vertueuses.*   [16] *modestes.*   [17] *avec soin.*
[18] *en les.*   [19] *cadran.*   [20] *folie.*   [21] *se.*   [22] *ordre formel.*   [23] *ce.*
[24] *amaigries.*   [25] "ill-favored."   [26] *catarrheux.*   [27] "a burden on their family."
[28] *vaut-elle?* In the older language *toile* was pronounced like *telle.* Rabelais wants to make the pun on *toile: à quoi vaut-elle? à quoi vaut-toile?*
[29] "agreeable."   [30] *par surprise.*   [31] *jamais.*   [32] *obligés (astreints).*   [33] *à savoir.*

COMMENT ESTOIENT REIGLEZ (RÉGLÉS) LES THÉLÉMITES A[34] LEUR MANIÈRE DE VIVRE

Toute leur vie estoit employée non par loix, statuz ou reigles, mais selon leur vouloir et franc arbitre. Se levoient du lict (lit) quand bon leur sembloit, beuvoient (buvaient), mangeoient, travailloient, dormoient quand le desir leur venoit; nul ne les esveilloit, nul ne les parforceoit[35] ny à boyre, ny à manger, ny à faire chose aultre quelconques. Ainsi l'avoit estably Gargantua. 5
En leur reigle n'estoit que ceste clause:

FAY CE QUE VOULDRAS,[36]

parce que gens liberes (libres), bien nez, bien instruictz, conversans[37] en compaignies honnestes, ont par nature[38] un instinct et aguillon (aiguillon) qui tousjours les poulse (pousse) à faictz (faits) vertueux et retire de vice, 10
lequel ilz nommoient honneur. Iceulx,[39] quand par vile subjection et contraincte sont deprimez et asserviz, detournent la noble affection,[40] par laquelle à vertuz franchement tendoient, à déposer et enfraindre[41] ce joug de servitude; car nous entreprenons tousjours choses defendues et convoitons ce que nous est denié. 15
Par ceste liberté entrerent en louable emulation de faire tous ce que à un seul voyoient plaire. Si quelq'un ou quelcune disoit: «Beuvons (buvons),» tous buvoient; si disoit: «Jouons,» tous jouoient; si disoit: «Allons à l'esbat[42] es champs,» tous y alloient. Si c'estoit pour voller[43] ou chasser, les dames, montées sus belles hacquenées[44] avecques leurs palefroy[45] gourrier,[46] sus 20
le poing mignonement enguantelé[47] portoient chascune ou un esparvier,[48] ou un laneret,[48] ou un esmerillon;[48] les hommes portoient les aultres oyseaulx.[49]
Tant noblement estoient apprins (appris) qu'il n'estoit entre eulx celluy ne celle qui ne sceust (sût) lire, escripre (écrire), chanter, jouer d'instruments 25
harmonieux, parler de cinq et six langaiges, et en iceulx composer tant en carme,[50] que en oraison solue.[51] Jamais ne feurent (furent) vus chevaliers tant preux,[52] tant gualans (galants), tant dextres[53] à pied et à cheval, plus vers,[54] mieulx remuans, mieulx manians tous bastons,[55] que là estoient; jamais ne feurent veues dames tant propres, tant mignonnes, moins 30
fascheuses,[56] plus doctes[57] à la main,[58] à l'agueille (aiguille), à tout acte muliebre[59] honneste et libere (libre), que là estoient.
Par ceste raison, quand le temps venu estoit que aulcun[60] d'icelle[61]

---

[34] *selon.*   [35] *forçait.*
[36] In keeping with the name of Thélème (from the Greek θέλημα, "will").   [37] *vivant.*
[38] Rabelais here anticipates Rousseau's optimistic philosophy of the essential goodness of human nature.
[39] *ceux-ci.*   [40] *ardeur.*   [41] "break" ("infringe").   [42] *nous amuser.*
[43] *chasser au faucon.*   [44] Lady's light riding-horse.   [45] *cheval de parade.*
[46] *pompeux.*   [47] *muni d'un gant.*   [48] Smaller varieties of hunting hawks.
[49] The larger birds used in falconry.   [50] *vers.*   [51] *prose (oratio soluta).*
[52] *vaillants.*   [53] *adroits.*   [54] *vigoureux.*   [55] *armes.*   [56] *ennuyeuses.*
[57] *savantes.*   [58] *à tout ouvrage de main.*   [59] *féminin.*   [60] *quelqu'un.*   [61] *cette.*

abbaye, ou à la requeste de ses parens, ou pour aultres causes, voulust issir [62] hors, avecques soy il emmenoit une des dames, celle laquelle l'auroit prins (pris) pour son devot,[63] et estoient ensemble mariez; et, si bien avoient vescu (vécu) à Thélème en devotion [64] et amytié, encores mieulx
5 la continuoient ilz en mariaige: d'autant [65] se entreaymoient ilz à la fin de leurs jours comme le premier de leurs nopces (noces).

Gargantua (ch. LVII.)

COMMENT PANTAGRUEL, ESTANT A PARIS, RECEUT (REÇUT) LETRES DE SON PERE GARGANTUA, ET LA COPIE D'ICELLES [65a]

Pantagruel estudioit fort bien, comme assez entendez, et proufitoit de mesmes, car il avoit l'entendement à double rebras [66] et capacité de memoire à la mesure de douze oyres [67] et botes [68] d'olif;[69] et comme il estoit ainsi
10 là demourant (demeurant), receut un jour lettres de son pere en la maniere que s'ensuyt.

Tres chier filz:

· · · · · · · · · · · ·

Non sans juste et equitable cause je rends graces à Dieu, mon conservateur, de ce qu'il m'a donné povoir veoir mon antiquité chanue [70] refleurir
15 en ta jeunesse; car, quand par le plaisir de luy, qui tout regist (régit) et modere, mon ame laissera ceste habitation humaine, je ne me reputeray totallement mourir, ains (plutôt) passer d'un lieu en aultre, attendu que en toy et par toy je demeure en mon image visible en ce monde, vivant, voyant et conversant [71] entre gens de honneur et mes amys comme je souloys,[72]
20 laquelle mienne conversation a esté, moyennant l'ayde et grace divine, non sans peché, je le confesse, car nous pechons tous et continuellement requerons [73] à Dieu qu'il efface noz pechez, mais sans reproche.

Par quoy, ainsi comme en toy demeure l'image de mon corps, si pareillement ne reluysoient les meurs (mœurs) de l'ame, l'on ne te jugeroit estre
25 garde et tresor de l'immortallité de nostre nom, et le plaisir que prendroys ce voyant seroit petit, considerant que la moindre partie de moy, qui est le corps, demoureroit, et que la meilleure, qui est l'ame et par laquelle demeure nostre nom en benediction entre les hommes, seroit degenerante et abastardie;[74] ce que je ne dis par defiance que je aye de ta vertu, laquelle m'a
30 esté jà par cy devant [75] esprouvée, mais pour plus fort te encourager à proffiter de bien en mieulx. Et ce que presentement te escriz (écris) n'est tant affin qu'en ce train vertueux tu vives, que de ainsi vivre et avoir vescu tu te resjouisses et te refraischisses en courage pareil pour l'advenir (avenir).

A laquelle entreprinse (entreprise) parfaire [76] et consommer, il te peut

---

[62] *sortir.*   [63] *amoureux.*   [64] *amour.*   [65] *autant.*   [65a] *celles-là.*   [66] *de double capacité.*
[67] *outres.*   [68] *tonneaux.*   [69] *huile d'olive.*
[70] *ma vieillesse chenue (blanche de cheveux).*   [71] *fréquentant.*   [72] *avais coutume.*
[73] *prions.*   [74] "debased."   [75] *déjà auparavant.*   [76] *rendre parfaite.*

assez souvenir comment je n'ay rien espargné; mais ainsi te y ay je secouru comme si je n'eusse aultre thesor (trésor) en ce monde que de te veoir une foys en ma vie absolu et parfaict, tant en vertu, honesteté et preudhommie,[77] comme en tout sçavoir (savoir) liberal et honeste, et tel te laisser après ma mort comme un mirouoir (miroir) representant la personne de moy ton [5] pere et, sinon tant excellent et tel de faict comme je te souhaite, certes bien tel en desir.

Mais encores que [78] mon feu pere, de bonne memoire, Grandgousier, eust (eût) adonné tout son estude [79] à ce que je proffitasse en toute perfection et sçavoir politique, et que mon labeur et estude correspondit très bien, voire [10] encores oultrepassast son desir, toutesfoys, comme tu peulx bien entendre, le temps n'estoit tant idoine [80] ne commode es [81] lettres comme est de present, et n'avoys copie [82] de telz precepteurs comme tu as eu.

Le temps estoit encores tenebreux et sentant l'infelicité et la calamité des Gothz,[83] qui avoient mis à destruction toute bonne literature; mais, par [15] la bonté divine, la lumiere et dignité a esté de mon eage (âge) rendue es lettres,[84] et y voy tel amendement que de present à difficulté seroys je receu (reçu) en la premiere classe des petitz grimaulx,[85] qui en mon eage (âge) virile estoys (étais), non à tort, reputé le plus sçavant dudict siecle. Ce que je ne dis par jactance vaine,—encores que je le puisse louablement faire en [20] t'escripvant, comme tu as l'autorité de Marc Tulle,[86] en son livre de Vieil-lesse,[87] et la sentence de Plutarche [88] au livre intitulé: Comment on se peut louer sans envie,[89]—mais pour te donner affection de plus hault (haut) tendre.

Maintenant toutes disciplines [90] sont restituées, les langues instaurées:[91] [25] Grecque sans laquelle c'est honte que une personne se die (dise) sçavant, Hebraïcque, Caldaïcque,[92] Latine; les impressions [93] tant elegantes et cor-rectes, en usance,[94] qui ont esté inventées de mon eage [95] par inspiration divine, comme à contrefil [96] l'artillerie par suggestion diabolicque. Tout le monde est plein de gens savans, de precepteurs tres doctes, de librairies tres [30] amples, qu'il m'est advis (avis) que, ny au temps de Platon, ny de Ciceron, ny de Papinian,[97] n'estoit telle commodité d'estude qu'on y veoit maintenant, et ne se fauldra (faudra) plus doresnavant trouver en place, ny en com-paignie, qui ne sera bien expoly [98] en l'officine de Minerve.[99] Je voy les brigans, les boureaulx (bourreaux), les avanturiers,[100] les palefreniers de [35] maintenant plus doctes que les docteurs et prescheurs de mon temps. Que diray je? Les femmes et filles ont aspiré à ceste louange et manne [101] celeste de bonne doctrine.[102] Tant y a [103] que, en l'eage (âge) où je suis, j'ay esté

---

[77] sagesse.   [78] bien que.   [79] effort.   [80] propre.   [81] en les.   [82] abondance.
[83] General term for the barbarians.   [84] In the Renaissance.   [85] grimauds (écoliers).
[86] Cicero.   [87] De Senectute.   [88] Greek historian and moralist (50–125 A. D.).
[89] Sine invidia.   [90] études.   [91] restaurées.
[92] Language of the Chaldees, or southern Babylonians.   [93] "printed books."   [94] usage.
[95] The art of printing had not been invented, but greatly advanced by Gutenberg and his suc-cessors in the 15th and early 16th centuries.
[96] au contraire.   [97] Famous Roman jurist (2nd century A. D.).   [98] perfectionné.
[99] école de sagesse.   [100] Mercenary soldiers.   [101] "manna."
[102] Allusion perhaps to Marguerite de Navarre, sister of Francis I.   [103] "so much so."

contrainct de apprendre les lettres Grecques,[104] lesquelles je n'avois con-
temné [105] comme Caton,[106] mais je n'avoys eu loysir de comprendre en
mon jeune eage; et voluntiers me delecte à lire des Moraulx de Plutarche,[107]
les beaulx Dialogues de Platon,[108] les Monumens de Pausanias [109] et Anti-
5 quitez de Atheneus,[110] attendant l'heure qu'il plaira à Dieu, mon Createur,
me appeller et commander yssir [111] de ceste terre.

Parquoy,[112] mon filz, je te admoneste [113] que employe ta jeunesse à bien
profiter en estudes et en vertus. Tu es à Paris, tu as ton precepteur Epistemon,
dont l'un par vives et vocables [114] instructions, l'aultre par louables exemples,
10 te peut endoctriner.

J'entens et veulx que tu aprenes les langues parfaictement: premierement
la Grecque, comme le veult (veut) Quintilian,[115] secondement la Latine, et
puis l'Hebraïcque pour les sainctes letres, et la Chaldaïcque et Arabicque
pareillement; et que tu formes ton stille (style), quand (quant) à la Grecque,
15 à l'imitation de Platon, quand à la Latine, à Ciceron. Qu'il n'y ait hystoire
que tu ne tiennes en memoire presente, à quoy te aydera la Cosmographie [116]
de ceulx qui en ont escript.

Des ars liberaux, geometrie, arismeticque et musicque, je t'en donnay
quelque goust quand tu estoys (étais) encores petit en l'eage (âge) de cinq
20 à six ans; poursuys la reste; [117] et de astronomie saiche (sache) en tous les
canons; [118] laisse moy l'astrologie divinatrice [119] et l'art de Lullius,[120] comme
abuz et vanitez.

Du droit civil, je veulx que tu saiche (saches) par cueur les beaulx (beaux)
textes et me les confere [121] avecque philosophie.

25 Et, quand à la congnoissance des faictz (faits) de nature, je veulx que tu
te y adonne curieusement; [122] qu'il n'y ayt mer, riviere ny fontaine,[123] dont
tu ne congnoisses (connaisses) les poissons, tous les oyseaulx de l'air, tous
les arbres, arbustes et fructices [124] des forestz, toutes les herbes de la terre,
tous les metaulx cachez au ventre des abysmes (abîmes), les pierreries de tout
30 Orient et Midy: rien ne te soit incongneu (inconnu).

Puis songneusement (soigneusement) revisite [125] les livres des médecins

---

[104] The Renaissance had revived the study of Greek.　　　　[105] *méprisées.*

[106] Cato the Censor despised Greek culture, according to Plutarch.

[107] One of Rabelais' favorite authors.

[108] Rabelais likes to express his admiration for Plato, though he makes few direct borrowings
from his work.

[109] Greek geographer of the 2nd century A. D.　　　[110] Greek scholar of the 3rd century A. D.

[111] *sortir.*　　　[112] *C'est pourquoi.*　　　[113] "admonish."　　　[114] *orales.*

[115] Roman grammarian (1st century A. D.).　　　[116] The description of the earth.

[117] The remaining four subjects of the seven liberal arts, astronomy, grammar, dialectics,
rhetoric.

[118] *règles.*

[119] Rabelais was one of the few to protest against astrology, extremely popular during the
Renaissance.

[120] Raymond Lull (1235–1315), Spanish scholastic philosopher. The reference is to his
Ars veritatis inventiva.

[121] *compare.*

[122] *avec soin.* The physician Rabelais here insists on the importance of scientific studies.

[123] *ruisseau* or *source.*　　　[124] *buissons fruitiers.*　　　[125] *recherche.*

Grecz, Arabes et Latins, sans contemner les Thalmudistes [126] et Cabalistes,[127] et par frequentes anatomies [128] acquiers toy parfaicte congnoissance de l'aultre monde,[129] qui est l'homme. Et par quelques heures du jour commence à visiter les sainctes lettres, premierement en Grec le Nouveau Testament et Epistres des Apostres, et puis en Hebrieu le Vieulx Testament.

Somme,[130] que je voy un abysme de science: car, doresnavant que tu deviens homme et te fais grand, il te fauldra yssr (sortir) de ceste tranquillité et repos d'estude et apprendre la chevalerie et les armes pour defendre ma maison et nos amys secourir en tous leurs affaires contre les assaulx (assauts) des mal faisans.

Et veux que de brief [131] tu essaye combien tu as proffité, ce que tu ne pourras mieulx faire que tenent (tenant) conclusions [132] en tout sçavoir, publiquement, envers tous et contre tous, et hantant les genz lettrez qui sont tant à Paris comme ailleurs.

Mais—parce que, selon le saige (sage) Salomon, sapience [133] n'entre poinct en ame malivole [134] et science sans conscience n'est que ruine de l'ame—il te convient servir, aymer et craindre Dieu, et en luy mettre toutes tes pensées et tout ton espoir, et par foy formée de charité [135] estre à luy adjoinct en sorte que jamais n'en soys desamparé [136] par peché. Aye suspectz les abus du monde. Ne metz ton cueur à vanité, car ceste vie est transitoire, mais la parolle de Dieu demeure eternellement. Soys serviable à tous tes prochains et les ayme comme toy mesmes. Revere tes precepteurs. Fuis les compaignies des gens esquelz [137] tu ne veulx point resembler, et les graces que Dieu te a données, icelles [138] ne reçoipz (reçois) en vain. Et, quand tu congnoistras (connaîtras) que auras tout le sçavoir de par delà acquis, retourne vers moy, affin que je te voye et donne ma benediction devant que mourir.

Mon filz, la paix et grace de Nostre Seigneur soit avecques toy. Amen. De Utopie,[139] ce dix septiesme jour du moys de mars.

Ton pere,
Gargantua.

Ces lettres receues et veues, Pantagruel print (prit) nouveau courage et feut (fut) enflambé [140] à proffiter plus que jamais, en sorte que, le voyant estudier et proffiter, eussiez dict (dit) que tel estoit son esprit entre les livres comme est le feu parmy les brandes,[141] tant il l'avoit infatigable et strident.[142]

Pantagruel (ch. VIII.)

---

[126] The Talmud is a collection of rabbinical traditions.
[127] The Cabala was a mystic interpretation of the Bible.
[128] "Dissections." Rabelais was one of the first to recognize the importance of dissection for medicine.
[129] The *microcosm* (little world) as opposed to the *macrocosm* (great world) of the universe.
[130] *bref.*   [131] *dans peu de temps.*   [132] *soutenant des thèses.*   [133] *sagesse.*
[134] *malveillante.* The reference is to *Wisdom of Solomon* (I, 4).
[135] *ayant pour essence la charité.*   [136] *séparé.*   [137] *auxquels.*   [138] *celles-là.*
[139] In 1516 Sir Thomas More had published his *Utopia,* a dream of an ideal state.
[140] *excité.*   [141] *broussailles.*   [142] *ardent.*

COMMENT PANTAGRUEL TROUVA PANURGE,[143] LEQUEL IL AYMA TOUTE SA VIE

Un jour Pantagruel se pourmenant (promenant) hors la ville vers l'abbaye Sainct Antoine,[144] devisant [145] et philosophant avecques ses gens et aulcuns [146] escholiers, rencontra un homme, beau de stature et elegant en tous lineamens du corps, mais pitoyablement navre [147] en divers lieux et
5 tant mal en ordre qu'il sembloit estre eschappé es (aux) chiens, ou mieulx resembloit un cueilleur de pommes [148] du païs du Perche.[149]

De tant loing que le vit Pantagruel, il dist es (aux) assistans:

«Voyez vous cest homme, qui vient par le chemin du pont Charanton? [150] Par ma foy, il n'est pauvre que par fortune,[151] car je vous asseure que, à sa
10 physionomie, Nature l'a produict de riche et noble lignée, mais les adventures des gens curieulx [152] le ont reduict en telle penurie et indigence.»

Et, ainsi qu'il fut au droict [153] d'entre eulx, il luy demanda:

«Mon amy, je vous prie que un peu vueillez icy arrester et me respondre à ce que vous demanderay, et vous ne vous en repentirez point, car j'ay
15 affection très grande de vous donner ayde à mon povoir en la calamité où je vous voy, car vous me faictes grand pitié. Pour tant,[154] mon amy, dictes moy: Qui estes vous? Dont [155] venez vous? Où allez vous? Que querez [156] vous? Et quel est vostre nom?»

Le compaignon luy respond en langue Germanicque:

[Panurge replies to Pantagruel in a variety of languages, beginning with German and ending with Latin. Most of what he says is quite unintelligible to his hearers.]

20 —Mon amy, dist Pantagruel, ne sçavez vous parler Françoys?

—Si faictz (fais) tres bien, Seigneur, respondit le compaignon, Dieu mercy. C'est ma langue naturelle et maternelle, car je suis né et ay esté nourry jeune au jardin de France: c'est Touraine.[157]

—Doncques, dist Pantagruel, racomptez (racontez) nous quel est vostre
25 nom et dont vous venez, car, par ma foy, je vous ay jà prins (pris) en amour si grand que, si vous condescendez à mon vouloir, vous ne bougerez jamais de ma compaignie, et vous et moy ferons un nouveau pair d'amitié telle que feut (fut) entre Enée et Achates.[158]

---

[143] Panurge is one of the essential characters in Rabelais' novel. It is his adventures that furnish the subject of most of the last four books. He is probably a composite of many elements, but in general seems to be a satire on many Italian Humanists, very learned but utterly devoid of moral sense.

[144] Former Cistercian abbey which has given its name to one of the best known parts of Paris, the Faubourg Saint-Antoine.

[145] *causant.*   [146] *quelques.*   [147] *blessé.*   [148] Whose clothes are torn by the branches.

[149] Former county of France, part of the province of Le Maine.

[150] Town south of Paris, at the junction of the Seine and the Marne.

[151] "luck" (along with the ordinary meaning of "material wealth").

[152] Those who are over-curious are likely to get into difficulties.   [153] "opposite."

[154] *C'est pourquoi.*   [155] *D'où.*   [156] *cherchez.*

[157] Rabelais' own native province in central France.

[158] Faithful friend of Æneas in Virgil's epic.

—Seigneur, dist le compaignon, mon vray et propre nom de baptesme est Panurge, et à present viens de Turquie, où je fuz mené prisonnier lorsqu'on alla à Metelin [159] en la male heure,[160] et voluntiers vous racompteroys (raconterais) mes fortunes, qui sont plus merveilleuses que celles de Ulysses; [161] mais puisqu'il vous plaist me retenir avecques vous,—et je accepte voluntiers l'offre, protestant jamais ne vous laisser, et alissiez [162] vous à tous les diables, —nous aurons en aultre temps plus commode assez loysir d'en racompter (raconter), car pour ceste heure j'ay necessité bien urgente de repaistre: [163] dentz agües (aiguës), ventre vuide (vide), gorge seiche (sèche), appetit strident,[164] tout y est deliberé.[165] Si me voulez mettre en œuvre, ce sera basme [166] de me veoir briber.[167] Pour Dieu, donnez y ordre!»

Lors commenda Pantagruel qu'on le menast en son logis et qu'on luy apportast force vivres, ce que fut faict, et mangea tres bien à ce soir, et s'en alla coucher en chappon,[168] et dormit jusques au lendemain heure de disner, en sorte qu'il ne feist (fit) que troys pas et un sault (saut) du lict (lit) à table. 15

Pantagruel (ch. IX.)

---

[159] Mytilene. Allusion to an episode in a minor crusade against the Turks in 1502, which ended disastrously.

[160] "in an evil hour" (*male = mauvaise*).

[161] Greek hero whose adventures are recounted in Homer's *Odyssey*.

[162] "were you to go" (*allassiez*).　　　[163] *manger*.　　　[164] *violent*.　　　[165] *prêt*.

[166] *plaisir (baume)*.　　　[167] *manger*.　　　[168] *de bonne heure (comme les poules)*.

LA PLÉIADE

The artistic ideals of the Renaissance find their best expression in the poetic school known as la Pléiade,* headed by Pierre de Ronsard (1524–1585) and Joachim du Bellay (1525–1560). A group of young poets, enthusiastic admirers of the ancients, became disgusted with the unclassical formlessness and apparent frivolity of later medieval poetry, and determined to substitute a new form of poetry based upon imitation of the ancients.

The manifesto of the new school appeared in 1549 in the *Défense et Illustration de la Langue Française,* a full discussion of the ambitious plans of the young poets, written by Du Bellay but expressing the literary ideas of Ronsard as well. Du Bellay first defends French as a literary language against the Humanists who were neglecting it in favor of Latin, and then indicates how it may be ennobled (*illustré*) so as to be worthy of a place beside Greek and Latin. This *illustration* is to be accomplished, first by the formation of a real poetic diction different from that of prose, and secondly by the substitution of classical verse forms for the older medieval forms of French poetry.

The ideal aimed at by the Pléiade was an excellent one, to write under the inspiration of the masterpieces of classical antiquity without, however, losing the poet's own originality. In their actual practice they did not always live up to this ideal. Their poetic production is often little more than an imitation of classical and Italian models, reflecting far less their essential spirit than their external form. This is particularly true of their more ambitious works, and these have failed to stand the test of time. Their poems which have survived are precisely those in which they have largely forgotten their theories and have followed their own individual inspiration, colored by the general spirit of the Renaissance.

Ronsard and the Pléiade inaugurated French classical poetry by their lofty conception of the poet's art, their cult of the classics, their tendency to treat their themes in a general rather than a personal fashion, and to follow the dictates of the intelligence rather than of the emotions. Nevertheless, the Pléiade was disowned by the two men chiefly responsible for the establishment of classical poetry, Malherbe and Boileau. Throughout the classical period the Pléiade was in eclipse, and although Ronsard was still read to some extent in the eighteenth century, the literary credit of the school was only reëstablished in the early 19th century by Sainte-Beuve and the Romanticists, who rather mistakenly claimed Ronsard and his group as their own literary ancestors. Since then the importance of the Pléiade in French literary development has never ceased to be recognized, and some of the shorter poems of Ronsard and Du Bellay will be found in any representative collection of the best French lyrics.

* The name was taken from that of a corresponding group of seven poets of Alexandria in the 3rd century B. C.

DU BELLAY (1525–1560)

DÉFENSE ET ILLUSTRATION[1] DE LA LANGUE FRANÇAISE
(EXTRAIT)

Mais pour ce qu'[2] en toutes langues y en a de bons et de mauvais, je ne veux pas, lecteur, que sans election[3] et jugement, tu te prennes au premier venu. Il vaudroit beaucoup mieux escrire sans imitation, que ressembler à un mauvais auteur: veu (vu) mesmes que c'est chose accordée entre les plus sçavans (savants), le naturel faire plus sans la doctrine, que la doctrine sans 5 le naturel. Toutefois d'autant que l'amplification[4] de nostre langue (qui est ce que je traitte) ne se peult faire sans doctrine et sans érudition, je veux bien advertir (avertir) ceux qui aspirent à ceste gloire, d'imiter les bons auteurs Grecs et Romains, voire bien Italiens, Espagnols et autres: ou du tout n'escrire point, sinon à soy (comme on dit) et à ses Muses. Qu'on ne 10 m'allègue point icy quelques uns des nostres, qui sans doctrine, à tout le moins non autre que médiocre, ont acquis grand bruyt en nostre vulgaire.[5] Ceux qui admirent volontiers les petites choses, et desprisent[6] ce qui excède leur jugement, en feront tel cas qu'ilz voudront: mais je sçay (sais) bien que les sçavans ne les mettront en autre ranc (rang), que de ceux qui parlent 15 bien François, et qui ont (comme disoit Cicéron des anciens auteurs Romains) bon esprit, mais bien peu d'artifice. Qu'on ne m'allègue point aussi[7] que les Poëtes naissent: car cela s'entend de ceste ardeur et allégresse d'esprit,[8] qui naturellement excite les Poëtes, et sans laquelle toute doctrine leur seroit manque[9] et inutile. Certainement ce seroit chose trop facile, et 20 pourtant contemptible, se faire éternel par renommée, si la felicité de nature donnée mesmes aux plus indoctes[10] étoit suffisante pour faire chose digne de l'immortalité. Qui veult (veut) voler par les mains et bouches des hommes doit longuement demourer (demeurer) en sa chambre: et qui désire vivre en la mémoire de la postérité, doit, comme mort en soy-mesme, suer et 25 trembler maintesfois: et autant que noz poëtes courtizans boivent, mangent, et dorment à leur aise, endurer de faim, de soif et de longues vigiles. Ce sont les ailes dont les escripts (écrits) des hommes volent au ciel.

. . . .

Ly donques (donc), et rely (relis) premièrement, (ô Poëte futur), feuillete de main nocturne et journelle,[11] les exemplaires Grecz et Latins, puis me 30 laisse toutes ces vieilles poësies françoises aux Jeux Floraux[12] de Thoulouze,[13] et au Puy[14] de Rouen:[15] comme Rondeaux,[16] Ballades,[16] Vyrelaiz,[16] Chantz Royaulx,[16] Chansons[16] et autres telles épiceries,[17] qui

---

[1] "ennobling." [2] *parce que.* [3] *choix.* [4] "improvement."
[5] An allusion perhaps to Marot. [6] *méprisent.* [7] *non plus.* [8] "poetic enthusiasm."
[9] "faulty," "insufficient." [10] "uneducated." [11] *Le jour et la nuit.*
[12] Famous poetic academy, founded in 1323 and still in existence.
[13] Capital of the province of Languedoc, in southern France. [14] Poetic club.
[15] Capital of Normandy. [16] Types of medieval lyric poetry. [17] "rubbish."

corrompent le goût de nostre Langue et ne servent sinon à porter tesmoignage de nostre ignorance. Jette-toy à ces plaisans [18] Epigrammes, non point comme font aujourd'huy un tas de faiseurs de comptes (contes) nouveaux qui en un dixain [19] sont contens n'avoir rien dict (dit) qui vaille aux neuf
5 premiers vers pourveu qu'au dixiesme il y ait le petit mot pour rire: mais à l'imitation d'un Martial,[20] ou de quelque autre bien approuvé, si la lasciveté ne te plaist,[21] mesle (mêle) le proufitable avec le doux.[22] Distile avecques un stile coulant et non scabreux [23] ces pitoyables Élégies, à l'exemple d'un Ovide,[24] d'un Tibule,[24] et d'un Properce,[24] y entremeslant quelquefois
10 de ces fables anciennes, non petit ornement de poësie. Chante-moy ces Odes, incogneuës (inconnues) encore de la Muse Françoise, d'un luc (luth) bien accordé au son de la lyre Grecque et Romaine, et qu'il n'y ait vers où n'aparoisse quelque vestige de rare et antique érudition.[25] Et, quant à ce, te fourniront de matière les louanges des Dieux et des hommes vertueux, le
15 discours [26] fatal des choses mondaines, la solicitude des jeunes hommes, comme l'amour, les vins libres et toute bonne chère.[27] Sur toutes choses, prens garde que ce genre de poëme soit éloingné du vulgaire, enrichy et illustré [28] de mots propres et épithètes non oysifz (oiseux), orné de graves sentences [29] et varié de toutes manières de couleurs et ornementz poëtiques;
20 non comme un, *Laissez la verde* [30] (verte) *couleur, Amour avecq' Psyches*,[31] *O Combien est heureuse;* [32] et autres telz ouvraiges, mieux dignes d'estre nommez Chansons vulgaires qu'Odes, ou vers lyriques. Quant aux Epistres, ce n'est un poëme qui puisse grandement enrichir nostre vulgaire,[33] pource (parce) qu'elles sont volontiers de choses familières et domestiques, si tu
25 ne les voulois [34] faire à l'imitation d'Elegies, comme Ovide: ou sententieuses et graves comme Horace. Autant te dy-je des Satyres, que les François, je ne sçay comment, ont appelées *Cocs à l'Asne*,[35] ès quelz [36] je te conseille aussi peu t'exercer comme je te veux estre aliene [36a] de mal dire: si tu ne voulois, à l'exemple des anciens, en vers Héroiques soubs (sous) le nom de Satyre, et
30 non de ceste inepte appellation de Coqz à l'asne, taxer [37] modestement les vices de ton temps et pardonner [38] aux noms des personnes vicieuses. Tu as pour cecy Horace, qui selon Quintilian,[39] tient le premier lieu entre les Satyriques. Sonne moy ces beaux Sonnetz, non moins docte [40] que plaisante invention Italienne, conforme de nom à l'Ode,[41] et différente d'elle seule-

---

[18] "witty." The epigram had been introduced into French poetry by Marot.
[19] Poem of ten lines.   [20] Greatest of Roman epigrammatists.
[21] Martial has a tendency to be indecent.
[22] Following the advice of Horace (*Ars poetica*, v. 343).   [23] "rough."
[24] Roman elegiac poets.
[25] Ronsard was to follow this injunction all too literally in his *Odes*.   [26] *cours.*
[27] Subjects suggested by Horace as suitable lyric themes (*Ars poetica*, vv. 83–85).
[28] *rendu illustre.*   [29] "maxims."   [30] Poem by Mellin de Saint-Gelais.
[31] Poem by Pernette du Guillet.   [32] Poem by Mellin de Saint-Gelais.
[33] *langue française*, as opposed to Latin.   [34] *à moins que tu ne veuilles.*
[35] *Coq-à-l-'âne*, a medieval verse form, in which the humor consisted of nonsensical *non-sequiturs.* (Cf. "cock-and-bull story.")
[36] *en lesquels.*   [36a] *étranger.*   [37] *blâmer.*   [38] "spare."
[39] Roman rhetorician of the 1st century A. D.   [40] *savante.*
[41] The names of both *ode* and *sonnet* are associated with the idea of song.

ment, pource que le Sonnet a certains vers reiglez et limitez,[42] et l'Ode peut courir par toutes manières de vers librement, voire en inventer à plaisir, à l'exemple d'Horace, qui a chanté en dix-neuf sortes de vers, comme disent les Grammairiens. Pour le Sonnet donques tu as Pétrarque [42a] et quelques modernes Italiens. . . .

SONNETS

Si nostre vie est moins qu'une journée
En l'éternel, si l'an qui faict le tour [43]
Chasse noz jours sans espoir de retour,
Si périssable est toute chose née,

Que songes-tu, mon âme emprisonnée ?   5
Pourquoy te plaist l'obscur de nostre jour,
Si pour voler en un plus cler séjour,
Tu as au dos l'aile bien empanée ? [44]

Là, est le bien que tout esprit désire,
Là, le repos où tout le monde aspire,   10
Là, est l'amour, là, le plaisir encore.

Là, ô mon âme au plus hault ciel guidée,
Tu y pourras recognoistre (reconnaître) l'Idée
De la beauté, qu'en ce monde j'adore.

                                          L'Olive (1550).

———————

France, mère des arts, des armes, et des loix,   15
Tu m'as nourry longtemps du laict de ta mamelle ;
Ores,[45] comme un aigneau (agneau) qui sa nourrice appelle,
Je remplis de ton nom les antres et les bois.

Si tu m'as pour enfant advoué quelquefois,
Que ne me respons-tu maintenant, ô cruelle ?   20
France, France, respons à ma triste querelle : [46]
Mais nul, sinon Echo, ne respond à ma voix.

Entre les loups cruels j'erre parmy la plaine,
Je sens venir l'hyver, de qui la froide haleine
D'une tremblante horreur fait hérisser ma peau.   25

[42] Limited to fourteen lines.
[42a] Italian poet (1304–1374) whose sonnets in honor of Laura set the vogue of the sonnet form.
[43] *accomplit sa révolution.*   [44] *empennée (garnie de plumes).*
[45] *maintenant.*   [46] *plainte.*

Las,[47] tes autres aigneaux n'ont faute de pasture,
Ils ne craignent le loup, le vent, ny la froidure:
Si [48] ne suis-je pourtant le pire du trouppeau.

Les Regrets (1558).

———

Heureux qui, comme Ulysse,[49] a fait un beau voyage,
Ou comme cestuy là [50] qui conquit la toison,[51]
Et puis est retourné, plein d'usage et raison,
Vivre entre ses parents le reste de son aage!

Quand revoiray-je, hélas, de mon petit village
Fumer la cheminée, et en quelle saison
Revoiray-je le clos de ma pauvre maison,
Qui m'est une province, et beaucoup d'avantage?

Plus me plaist le séjour qu'ont bâti mes ayeux,
Que des palais romains le front audacieux,
Plus que le marbre dur me plaist l'ardoise fine: [52]

Plus mon Loyre [53] gaulois, que le Tibre [54] latin,
Plus mon petit Lyré,[55] que le mont Palatin,[56]
Et plus que l'air marin la doulceur angevine.[57]

Les Regrets (1558).

———

Heureux de qui la mort de sa gloire est suyvie,
Et plus heureux celuy, dont l'immortalité
Ne prend commencement de la postérité,
Mais devant [58] que la mort ait son âme ravie.

Tu jouis, mon Ronsard, mesme durant ta vie,
De l'immortel honneur que tu as mérité:
Et devant que mourir, rare félicité,
Ton heureuse vertu triomphe de l'envie.

Courage donc, Ronsard, la victoire est à toy,
Puis que de ton costé est la faveur du Roy: [59]
Jà [60] du laurier vainqueur tes temples (tempes) se couronnent,

---

[47] *Hélas.*　　　　　　　[48] *Et encore.*
[49] Greek hero whose adventures on his return from Troy form the subject of Homer's *Odyssey.*
[50] *celui-là.*　　　[51] Jason, leader of the Argonauts in their conquest of the Golden Fleece.
[52] Slate is one of the chief products of Du Bellay's native Anjou.　　　[53] River of Anjou.
[54] River that runs through Rome.　　　　[55] Du Bellay's birthplace in Anjou.
[56] One of the seven hills of Rome.　　　[57] "Of Anjou."　　　[58] *avant.*
[59] Henri II (1547–1559).　　　[60] *déjà.*

Et jà la tourbe espesse [61] à l'entour de ton flanc
Resemble ces esprits, qui là bas [62] environnent   55
Le grand prestre de Thrace [63] au long sourpely [64] blanc.

Les Regrets (1558).

D'UN VANNEUR DE BLÉ AUX VENTS [65]

A vous, troppe [64a] légère,
Qui d'aile passagère
Par le monde volez,
Et d'un sifflant murmure
L'ombrageuse verdure   5
Doucement ébranlez,

J'offre ces violettes,
Ces lis et ces fleurettes,
Et ces roses icy,
Ces vermeillettes roses,   10
Tout freschement écloses,
Et ces œilletz aussi.

De votre doulce haleine
Éventez cette plaine,
Éventez ce séjour,   15
Cependant que j'ahanne [66]
A mon blé, que je vanne
A la chaleur du jour.

Jeux Rustiques (1558).

RONSARD (1524–1585)

A CASSANDRE

Mignonne, allons voir si la rose
Qui, ce matin, avoit desclose [67]
Sa robe de pourpre [68] au soleil,
A point perdu, cette vesprée [69]
Les plis de sa robe pourprée   5
Et son teint au vostre pareil.

Las! voyez comme, en peu d'espace,
Mignonne, elle a dessus la place,

---

[61] *épaisse.*   [62] In the Elysian Fields.   [63] Orpheus, the great musician of the ancients.
[64] *surplis.* The description is based on *Æneid* (VI, 645).   [64a] *troupe.*
[65] Based on a Latin poem by the Italian humanist, Navagero. Du Bellay's poem is discussed by Pater in his *Studies in the Renaissance,* as typical of the poetry of the Pléiade.
[66] *travaille.*   [67] "opened."   [68] "red."   [69] *soir.*

Las, las, ses beautez laissé cheoir! [70]
O vrayment marastre nature,　　　　　　　　　　10
Puisqu'une telle fleur ne dure
Que du matin jusques au soir!

Donc, si vous me croyez, mignonne,
Tandis que votre age fleuronne
En sa plus verte nouveauté,　　　　　　　　　　15
Cueillez, cueillez vostre jeunesse;
Comme à cette fleur, la vieillesse
Fera ternir vostre beauté.

　　　　　　　　　　　　　　　Odes (1553).

BEL AUBESPIN FLORISSANT

Bel aubespin florissant,
　　　Verdissant
Le long de ce beau rivage,
Tu es vestu (vêtu), jusqu'au bas,
　　　Des longs bras
D'une lambrunche [71] sauvage.　　　　　　　　　　5

Deux camps de rouges fourmis
　　　Se sont mis
En garnison sous ta souche:
En ton pied demi-mangé
　　　Allongé　　　　　　　　　　　　　10
Les avettes [72] ont leur couche.

Le chantre rossignolet,
　　　Nouvelet,[73]
Avecques sa bien aimée,
Pour ses amours alléger,　　　　　　　　　　15
　　　Vient loger,
Tous les ans, en ta ramée.

Sur ta cyme il fait son ny (nid)
　　　Tout uny,　　　　　　　　　　　　20
De mousse et de fine soye,
Où ses petits esclorront,
　　　Qui seront
De mes mains la douce proye.

Or, vy (vis), gentil aubespin,　　　　　　　　　　25
　　　Vy sans fin,

[70] *tomber.*　　　　[71] A climbing vine.　　　　[72] *abeilles.*　　　　[73] *jeune.*

Vy sans que jamais tonnerre,
Ou la coignée (cognée), ou les vents,
　　Ou les temps,
Te puissent ruer [74] par terre!

30

Odes (1556).

A LA FONTAINE BELLERIE

O fontaine Bellerie!
Belle fontaine chérie
De nos nymphes, quand ton eau
Les cache au creux de ta source,
Fuyantes le satyreau [75]　　　　　　　　　5
Qui les pourchasse à la course
Jusqu'au bord de ton ruisseau.

Tu es la nymphe éternelle
De ma terre paternelle.
Pource,[76] en ce pré verdelet,[77]　　　　10
Vois ton poète qui t'orne
D'un petit chevreau de laict,
A qui l'une et l'autre corne
Sortent du front nouvelet.

Toujours, l'été, je repose　　　　　　　15
Près ton onde, où je compose,
Caché sous les saules verts,
Je ne sais quoi, qui ta gloire
Envoira par l'univers,
Commandant à la mémoire　　　　　　20
Que tu vives par mes vers.

L'ardeur de la canicule [78]
Jamais tes rives ne brûle,
Tellement qu'en toutes parts
Ton ombre est épaisse et drue　　　　25
Aux pasteurs venans des parcs,[79]
Aux bœufs las de la charrue,
Et au bestial [80] épars.

Iô,[81] tu seras sans cesse
Des fontaines la princesse,　　　　　　30

---

[74] *précipiter.*　[75] *petit satyre,* rustic demi-god.　[76] *donc.*　[77] diminutive of *vert.*
[78] "midsummer."　　　　　[79] "folds."　　　　[80] *bétail.*
[81] Exclamation of the Bacchantes at the festivals of Bacchus.

Moi célébrant [82] le conduit
Du rocher percé qui darde
Avec un enroué bruit
L'eau de ta source jasarde [83]
Qui trépillante [84] se suit.[85]

                                       35

                               Odes (1550).

SUR LA MORT DE MARIE

Comme on void sur la branche au mois de may la rose
En sa belle jeunesse, en sa première fleur,
Rendre le ciel jaloux de sa vive couleur,
Quand l'aube de ses pleurs au poinct du jour l'arrose,

La Grace dans sa feuille et l'Amour se repose,   5
Embasmant [86] les jardins et les arbres d'odeur;
Mais, battue ou de pluye ou d'excessive ardeur [87]
Languissante, elle meurt, fueille à fueille déclose: [88]

Ainsi, en ta premiere et jeune nouveauté,
Quand la terre et le ciel honoroient ta beauté,   10
La Parque [89] t'a tuée, et cendre tu reposes.

Pour obsèques reçoy mes larmes et mes pleurs,
Ce vase plein de laict, ce pannier plein de fleurs,
Afin que, vif et mort, ton corps ne soit que roses.

                        Amours de Marie (1578).

A HÉLÈNE [90]

Quand vous serez bien vieille, au soir, à la chandelle,
Assise auprès du feu, dévidant et filant,
Direz, chantant mes vers, et vous esmerveillant:
«Ronsard me célébroit du temps que j'estois belle.»

Lors vous n'aurez servante oyant [91] telle nouvelle,   5
Desja sous le labeur à demy sommeillant,
Qui, au bruit de Ronsard, ne s'aille resveillant,
Bénissant vostre nom de louange immortelle.

Je seray sous la terre, et, fantosme sans os,
Par les ombres myrteux [92] je prendray mon repos;   10
Vous serez au foyer une vieille accroupie,

---

[82] *tandis que je célébrerai.*   [83] *babillarde.*   [84] "spattering."   [85] *se poursuit.*
[86] *embaumant.*   [87] *chaleur.*   [88] "losing its petals one by one."   [89] Fate.
[90] It is by this poem that Ronsard is chiefly remembered.   [91] *entendant.*
[92] *des myrtes*

Regrettant mon amour et vostre fier desdain.
Vivez, si m'en croyez, n'attendez à demain;
Cueillez dès aujourd'hui les roses de la vie.

Sonnets à Hélène (1578).

A LA FORÊT DE GASTINE [93]

Couché sous tes ombrages verts,
    Gastine, je te chante,
Autant que les Grecs par leurs vers
    La forêt d'Erymanthe; [94]

Car, malin, [95] celer je ne puis   5
    A la race future
De combien obligé je suis
    A ta belle verdure.

Toy, qui, sous l'abri de tes bois,
    Ravi d'esprit [96] m'amuses; [97]   10
Toy, qui fais qu'à toutes les fois
    Me répondent les Muses;

Toy, par qui de ce méchant soin [98]
    Tout franc je me délivre,
Lorsqu'en toy je me perds bien loin   15
    Parlant avec un livre;

Tes bocages [99] soient tousjours pleins
    D'amoureuses brigades
De Satyres [100] et de Sylvains, [100]
    La crainte des Naiades! [101]   20

En toy habite désormais
    Des Muses le collège, [102]
Et ton bois ne sente jamais
    La flamme sacrilège!

Odes (1550).

[93] Forest near Ronsard's boyhood home in Vendômois.
[94] Mountain in Arcadia, haunt of the famous Erymanthian boar, killed by Hercules.
[95] "slyly" (adjective used for adverb).   [96] "in ecstasy" (carried out of myself).
[97] *charmes.*   [98] The troubles of life.   [99] "leafy bowers."   [100] Sylvan deities.
[101] Fresh-water nymphs.   [102] "band."

MONTAIGNE (1533–1592)

If Rabelais is the great representative of the first period of the French Renaissance, with its rather uncritical, over-optimistic belief in the boundless possibilities of the new movement, Michel Eyquem de Montaigne stands for a later generation, which has come to realize that human nature cannot be suddenly made over. His attitude is analytical, not to say skeptical, the attitude of the man of the world who still has all the Renaissance delight in life, but has no illusions about its realities.

Montaigne's importance lies in his being the creator of the essay, which has been such a fruitful literary form in modern times. His *Essais* or literary efforts, as he modestly called his work, are the expression of his intense individualism, which is one of the chief characteristics of the Renaissance. Begun in 1571, on Montaigne's retirement from the cares of his public life, as magistrate in the Parlement of Bordeaux, the *Essais* were first published in 1580. A fifth edition, much enlarged, appeared in 1588, and a sixth was left unfinished at his death in 1592.

The *Essais* offer two great sources of interest. The book is first of all one of the earliest modern attempts at true psychological self-portraiture. Montaigne has an intense curiosity about the phenomena of his inner life and seeks to analyze them. Scattered through the pages of the *Essais,* one finds an almost too complete picture of Montaigne's personality, his physical, intellectual, and moral characteristics. Side by side with lofty thoughts on the great questions of life may be found bits of the most insignificant gossip or details which may shock finer sensibilities by their frankness and directness. But Montaigne is not interested in these phenomena as merely personal experiences. He looks upon himself as typical of humanity, and he therefore feels that the study of himself can contribute to the knowledge of mankind in general. Egotistical as Montaigne undoubtedly is, he never proclaims himself, as Rousseau and the Romanticists were to do later, as a unique specimen of humanity. "Chasque homme porte la forme entière de l'humaine condition." In painting himself, he paints humanity. In this universal viewpoint, Montaigne is clearly the forerunner of Classicism.

Of far broader interest than all this information about himself are Montaigne's views on life in general. His philosophy, drawn partly from his wide reading, but chiefly from his own experience of life, is one of supreme commonsense. It is a philosophy of rather indulgent skepticism. The keynote of the *Essais* is Montaigne's favorite phrase, "Que sçais-je?" There is no such thing as absolute truth. The man who thinks he has attained it is likely to be a fanatic. The safest attitude for the thinker is therefore one of doubt. The longest chapter in the *Essais,* the *Apologie de Raimond Sebond,* is one long arraignment of the human reason for its inability to solve the great problems of life. It must be recognized that knowledge has its limitations. Here Montaigne corrects the boundless enthusiasm for knowledge of the early Renaissance as represented by Rabelais.

In spite of this skepticism, Montaigne is often optimistic. He believes with the Renaissance that life is good and distinctly worth living. Man's chief end is "to loyally enjoy one's being," to cultivate life as fully as possible, living it as nature has intended, that is, in moderation. Death must be faced with resignation; it must find man ready, conscious that he has made the most of the brief span of life allotted to him. Montaigne may thus be called an Epicurean in the best sense of the word.

The same practical commonsense marks Montaigne's attitude toward the questions of his day. In politics, he is a conservative. He recognizes that present conditions are very far from perfect. As an admirer of the classics, he has dreams of ideal republicanism and patriarchal simplicity. But on the whole, he is disposed to accept established conditions merely because they are established, and it is unwise to disturb the peace of the nation by trying to change them. The best thing to do is to correct glaring abuses in this established system. In religion, Montaigne accepts the state church, though his skepticism makes him doubt some of the church dogmas. As might be expected from his philosophy, he is distinctly hostile to the great Reformation movement. He attacks both Catholics and Protestants for their intolerance. For him no idea, religious or otherwise, is worth the sacrifice of a single human life. Why should men fight about ideas which are beyond the reach of the human reason? His ideal is absolute toleration, in which he is far ahead of his time.

Montaigne has a profoundly personal style, the exact opposite, perhaps purposely so, of the heavy, artificial, latinized style employed by most of the serious writers of his time. Montaigne insists on being considered an *amateur* in letters. "Je suis moins faiseur de livres que de nulle autre besogne." His style is the sincere expression of the man. He writes as we may suppose he talked. "I know not anywhere," says Emerson, "the book that seems less written. It is the language of conversation transferred to a book." Perhaps the distinguishing mark of Montaigne's style is its extreme digressiveness. He is overflowing with ideas, and is often led far afield from his original theme. The title of a given chapter is often a very poor indication of its subject matter. His style is also extremely picturesque, abounding in concrete terms, often drastically realistic, and in highly original and effective images. All this gives Montaigne's style an infinite variety, the exact expression of his nature *"divers et ondoyant."*

DE L'INSTITUTION DES ENFANTS (Extraits)

[Montaigne's discussion of education in this essay, stressing the training of the judgment over the mere acquisition of knowledge, has had a marked influence on later educational theory.]

La plus grande difficulté et importante de l'humaine science semble estre en cet endroict, où il se traicte de la nourriture et institution des enfans. Tout ainsi qu'en l'agriculture, les façons qui vont avant le planter sont certaines et aysées, et le planter mesme; mais, depuis que ce qui est planté vient à prendre vie, à l'eslever il y a une grande variété de façons, et difficulté: pareillement 5 aux hommes, il y a peu d'industrie [1] à les planter; [2] mais depuis qu'ils sont nayz (nés), on se charge d'un soing divers, plein d'embesongnement [3] et de crainte, à les dresser et nourrir. La montre [4] de leurs inclinations est si tendre [5] en ce bas aage et si obscure, les promesses si incertaines et faulses, qu'il est malaysé d'y establir aucun solide iugement. Veoyez Cimon, [6] veoyez 10 Themistocles, [6] et mille aultres, combien ils se sont disconvenus à eulx

---

[1] "skill."   [2] "beget."   [3] "care."   [4] "indication."   [5] *faible.*
[6] Athenian generals of the 5th century B. C.

mesmes.[7] Les petits des ours et des chiens montrent leur inclination naturelle; mais les hommes, se iectants (jetant) incontinent[8] en des accoustu-
mances,[9] en des opinions, en des loys, se changent ou se desguisent facilement: si est il difficile de forcer les propensions naturelles. D'où il advient[10]
que par faulte (faute) d'avoir bien choisi leur route, pour néant se travaille
on souvent, et employe l'on beaucoup d'aage, à dresser des enfants aux choses
auxquelles ils ne peuvent prendre pied.[11] Toutesfois, en cette difficulté, mon
opinion est de les acheminer tousiours aux meilleures choses et plus proufita-
bles; et qu'on se doibt (doit) peu appliquer à ces legieres divinations et
prognostiques que nous prenons des mouvements de leur enfance: Platon,
en sa *Republique,* me semble leur donner trop d'auctorité.

. . . .

La charge du gouverneur que vous luy donrez, du chois duquel despend
tout l'effect de son institution, elle a plusieurs aultres grandes parties, mais
ie n'y touche point pour n'y sçavoir rien apporter qui vaille; et de cet article
sur lequel ie me mesle de luy donner advis (avis), il m'en croira autant qu'il
y verra d'apparence. A un enfant de maison qui recherche les lettres, non
pour le gaing, car une fin si abiecte est indigne de la grace et faveur des
muses, et puis elle regarde et despend d'aultruy (autrui), ny tant pour les
commoditez[12] externes, que pour les siennes propres et pour s'en enrichir
et parer au dedans, ayant plustost envie d'en réussir habile homme qu'homme
sçavant, ie vouldrois aussi qu'on feust (fût) soingneux[13] de luy choisir un
conducteur qui eust plustost la teste bien faicte que bien pleine,[14] et qu'on
y requist[15] touts les deux, mais plus les mœurs et l'entendement, que la
science;[16] et qu'il se conduisist en sa charge d'une nouvelle maniere.
On ne cesse de criailler[17] à nos aureilles (oreilles), comme qui verseroit
dans un entonnoir;[18] et nostre charge, ce n'est que redire ce qu'on nous a
dict: ie vouldrois qu'il corrigeast cette partie;[19] et que de belle arrivée,[20]
selon la portée[21] de l'âme qu'il a en main, il commenceast à la mettre sur
la montre,[22] luy faisant gouster les choses, les choisir, et discerner d'elle
mesme; quelquefois luy ouvrant chemin, quelquefois le luy laissant ouvrir.
Ie ne veulx pas qu'il invente et parle seul; ie veulx qu'il escoute son disciple
parler à son tour. Socrates,[23] et depuis Arcesilaus,[24] faisoient premièrement
parler leurs disciples, et puis ils parloient à eulx. *Obest plerumque iis, qui
discere volunt, auctoritas eorum, qui docent.*[25] Il est bon qu'il le face (fasse)
trotter devant luy, pour iuger de son train,[26] et iuger iusques à quel poinct

---

[7] "how different they were when they grew up."   [8] *aussitôt.*   [9] *coutumes.*
[10] *arrive.*   [11] "get a footing."   [12] "advantages."   [13] *eût soin.*
[14] A frequently quoted phrase of Montaigne's, expressing his essential idea that the purpose of
education is to assimilate knowledge.
[15] "require."   [16] "knowledge."   [17] "bawl."   [18] "funnel."   [19] "matter."
[20] "from the outset."   [21] "ability."   [22] "try it out."
[23] Famous Athenian philosopher (469–399 B. C.).
[24] Greek philosopher (3rd century B. C.).
[25] "The authority of those who teach often injures those who wish to learn." Cicero, *De
Natura deorum* (L. 5).
[26] "gait."

il se doibt ravaller [27] pour s'accommoder à sa force. A faulte de cette proportion, nous gastons (gâtons) tout; et de la sçavoir choisir et s'y conduire bien mesureement,[28] c'est une des plus ardues besongnes (besognes) que ie sçache; et est l'effect d'une haulte ame et bien forte, sçavoir condescendre à ces allures pueriles,[29] et les guider. Ie marche plus seur (sûr) et plus ferme à 5 mont qu'à val.[30] . . .

Qu'il luy face tout passer par l'estamine,[31] et ne loge rien en sa teste par simple auctorité et à credit. Les principes d'Aristote ne luy soient principes, non plus que ceulx des stoïciens [32] ou epicuriens: [32] qu'on luy propose cette diversité de iugements, il choisira, s'il peult; sinon il en demeurera en 10 doubte: [33] *Che non men che saper, dubbiar m'aggrata.*[34] Car, s'il embrasse les opinions de Xenophon [35] et de Platon par son propre discours,[36] ce ne seront plus les leurs, ce seront les siennes: qui suyt un aultre, il ne suyt rien, il ne treuve rien, voire il ne cherche rien. *Non sumus sub rege; sibi quisque se vindicet.*[37] Qu'il sçache qu'il sçait, au moins. Il fault qu'il imboive leurs 15 humeurs,[38] non qu'il apprenne leurs preceptes; et qu'il oublie hardiement, s'il veult, d'où il les tient, mais qu'il se les sçache approprier. La verité et la raison sont communes à un chascun, et ne sont non plus à qui les a dictés premièrement, qu'à qui les dict aprez: ce n'est non plus selon Platon que selon moy, puis que luy et moy l'entendons et veoyons (voyons) de mesme. 20 Les abeilles pillotent [39] deçà delà les fleurs; mais elles en font aprez le miel, qui est tout leur; ce n'est plus thym, ny mariolaine: [40] ainsi les pieces empruntées d'aultruy, il les transformera et confondra pour en faire un ouvrage tout sien, à sçavoir son iugement: son institution, son travail et estude ne vise [41] qu'à le former. Qu'il cèle tout ce dequoy il a esté secouru, 25 et ne produise que ce qu'il en a faict. Les pilleurs, les emprunteurs, mettent en parade leurs bastiments, leurs achapts (achats); non pas ce qu'ils tirent d'aultruy: vous ne veoyez pas les espices [42] d'un homme de parlement; [43] vous veoyez les alliances qu'il a gaignees, et honneurs à ses enfants: nul ne met en compte publicque sa recepte; [44] chascun y met son acquest.[44] 30

Le gaing de nostre estude, c'est en estre devenu meilleur et plus sage. C'est, disoit Epicharmus,[45] l'entendement qui veoid (voit) et qui oyt (entend); c'est l'entendement qui approfite tout, qui dispose tout, qui agit, qui domine et qui règne; toutes aultres choses sont aveugles, sourdes et sans âme. Certes, nous le rendons servile et couard, pour ne luy laisser la liberté 35 de rien faire de soy. Qui demanda iamais à son disciple ce qu'il luy semble de la rhétorique et de la grammaire de telle ou telle sentence [46] de Cicero? on nous les placque [47] en la mémoire toutes empennées,[48] comme des

---

[27] "stoop."   [28] "carefully."   [29] "childish."   [30] "uphill than downhill."
[31] "filter."   [32] Schools of Greek philosophy.
[33] This is Montaigne's own philosophic attitude.
[34] "For doubt pleases me no less than knowing." Dante, *Inferno* (XI, 93).
[35] Greek historian (4th century B. C.).   [36] "reasoning."
[37] "We are under no king, let each one direct himself." Seneca, *Epistles*, (33).
[38] "let him imbibe their ideas."   [39] "pillage."   [40] "marjoram."   [41] "aims."
[42] *épices*, "bribes."   [43] "law-court."
[44] *recette*, what has been given him; *acquêt*, what he has gained for himself.
[45] Greek philosopher (5th century B. C.).   [46] "maxim."   [47] "puts."   [48] "full-fledged."

oracles, où les lettres et les syllabes sont de la substance de la chose. Sçavoir par cœur n'est pas sçavoir; c'est tenir ce qu'on a donné en garde à sa memoire. Ce qu'on sçait droictement,[49] on en dispose, sans regarder au patron,[50] sans tourner les yeulx vers son livre. Fascheuse (fâcheuse) suffisance,[51] qu'une suf-
5 fisance pure livresque! Ie m'attends qu'elle serve d'ornement, non de fonde-ment; suyvant l'advis de Platon qui dict: «La fermeté, la foy, la sincerité, estre la vraye philosophie; les autres sciences, et qui visent ailleurs, n'estre que fard.»[52] Ie vouldrois que le Paluël ou Pompée, ces beaux danseurs de mon temps, apprinssent[53] des caprioles[54] à les veoir seulement faire, sans nous
10 bouger de nos places; comme ceulx cy veulent instruire nostre entendement, sans l'esbranler:[55] ou qu'on nous apprinst à manier un cheval, ou une picque, ou un luth, ou la voix, sans nous y exercer; comme ceulx cy nous veulent ap-prendre à bien iuger et à bien parler, sans nous exercer à parler ny à iuger. Or, à cet apprentissage, tout ce qui se présente à nos yeulx sert de livre suffisant: la
15 malice d'un page, la sottise d'un valet, un propos de table, ce sont autant de nouvelles matières.

A cette cause, le commerce des hommes y est merveilleusement propre, et la visite des païs estrangiers: non pour en rapporter seulement, à la mode de nostre noblesse françoise, combien de pas a *Santa rotonda,*[56] ou la richesse
20 des calessons[57] de la signora Livia,[58] ou, comme d'aultres, combien le visage de Neron, de quelque vieille ruyne de là, est plus long ou plus large que celuy de quelque pareille medaille; mais pour en rapporter principalement les humeurs de ces nations et leurs façons, et pour frotter et limer nostre cervelle contre celle d'aultruy. Ie vouldrois qu'on commenceast (commençât)
25 à le promener dez sa tendre enfance: et premièrement, pour faire d'une pierre deux coups, par les nations voysines où le langage est plus esloingné du nostre, et auquel, si vous ne la formez de bonne heure, la langue ne se peult plier.

· · · · · · · · · · ·

On luy apprendra de n'entrer en discours et contestation, que là où il verra
30 un champion digne de sa luicte:[59] et là mesme, à n'employer pas touts les tours qui luy peuvent servir, mais ceulx là seulement qui luy peuvent le plus servir. Qu'on le rende délicat au chois et triage[60] de ses raisons, et aymant la pertinence,[61] et par conséquent la briefveté. Qu'on l'instruise sur tout à se rendre et à quitter les armes à la verité, tout aussitost qu'il l'ap-
35 percevra, soit qu'elle naisse ez mains de son adversaire, soit qu'elle naisse en luy mesme par quelque radvisement:[62] car il ne sera pas mis en chaise pour dire un roole (rôle) prescript; il n'est engagé à aulcune cause, que parce qu'il l'appreuve; ny ne sera du mestier où se vend à purs deniers comp-tants[63] la liberté de se pouvoir repentir et recognoistre (reconnaître). . . . .
40 Si son gouverneur tient de mon humeur, il luy formera la volonté à estre

49 "properly."   50 "pattern."   51 "ability."   52 "paint."   53 "could teach."
54 "steps."   55 "arousing it to action."   56 The Pantheon at Rome.   57 "lingerie."
58 Some Roman courtesan.   59 "steel."   60 "selection."   61 "What is to the point."
62 "second thought."   63 The lawyer's profession.

très loyal serviteur de son prince, et très affectionné et très courageux; mais il luy refroidira l'envie de s'y attacher aultrement que par un debvoir publique. Oultre plusieurs aultres inconvénients qui blecent (blessent) nostre liberté par ces obligations particulières, le iugement d'un homme gagé et achetté, ou il est moins entier et moins libre, ou il est taché et d'imprudence 5 et d'ingratitude. Un pur courtisan ne peult avoir ny loy ny volonté de dire et penser que favorablement d'un maistre qui, parmi tant de milliers d'autres subiects, l'a choisi pour le nourrir et eslever de sa main; cette faveur et utilité corrompent, non sans quelque raison, sa franchise, et l'esblouïssent: pourtant veoid (voit) on coustumierement[64] le langage de ces gents là 10 divers à tout aultre langage en un estat, et de peu de foy en telle matière.

Que sa conscience et sa vertu reluisent en son parler, et n'ayent que la raison pour conduicte. Qu'on luy face entendre que de confesser la faulte qu'il descouvrira en son propre discours, encores qu'elle[65] ne soit apperceue que par lui, c'est un effect de iugement et de sincérité qui sont les principales 15 parties qu'il cherche; que l'opiniastrer et contester sont qualitez communes, plus apparentes aux plus basses âmes; que se r'adviser et se corriger, abandonner un mauvais party[66] sur le cours de son ardeur, ce sont qualitez rares, fortes et philosophiques.

On l'advertira, estant en compaignie, d'avoir les yeulx par tout; car ie 20 treuve que les premiers sièges sont communement saisis par les hommes moins capables, et que les grandeurs de fortune ne se treuvent guères meslees à la suffisance:[67] i'ay veu, cependant qu'on s'entretenoit au hault bout d'une table de la beauté d'une tapisserie ou du goust de la malvoisie,[68] se perdre beaucoup de beaux traicts à l'aultre bout. Il sondera la portée d'un chascun: 25 un bouvier,[69] un masson (maçon), un passant, il faut tout mettre en besongne,[70] et emprunter chascun selon sa marchandise, car tout sert en mesnage; la sottise mesme et foiblesse d'aultruy luy sera instruction: à contrerooler[71] les graces et façons d'un chascun, il s'engendrera envie des bonnes et mespris des mauvaises. 30

Qu'on luy mette en fantasie une honneste curiosité de s'enquérir[72] de toutes choses: tout ce qu'il y aura de singulier autour de luy, il le verra; un bastiment, une fontaine, un homme, le lieu d'une battaille ancienne, le passage de Cesar ou de Charlemaigne;

> *Quæ tellus sit lenta gelu, quæ putris ab æstu;* 35
> *Ventus in Italiam quis bene vela ferat;*[73]

il s'enquerra des mœurs, des moyens et des alliances de ce prince, et de celuy là: ce sont choses très plaisantes à apprendre, et très utiles à sçavoir.

En cette practique des hommes, i'entends y comprendre, et principale-

---

[64] *d'ordinaire.*   [65] *quoique.*   [66] "a wrong side."   [67] "ability."
[68] A kind of wine.   [69] "herdsman."   [70] "usage."   [71] *contrôler,* "judge."
[72] "inquire."
[73] "which land is torpid with the cold, which is crumbled by the heat; which favorable wind wafts the ships to Italy." Propertius (IV, 3).

ment, ceulx qui ne vivent qu'en la memoire des livres: il practiquera, par
le moyen des histoires, ces grandes ames des meilleurs siècles. C'est un vain
estude qui veult; [74] mais qui veult aussi, c'est un estude de fruict inestimable,
et le seul estude, comme dict Platon, que les Lacedemoniens [75] eussent
5   reservé à leur part. Quel proufit ne fera il, en cette part là, à la lecture des
vies de nostre Plutarque? Mais que mon guide se souvienne où vise sa
charge; et qu'il n'imprime pas tant à son disciple la date de la ruyne de
Carthage, [76] que les mœurs de Hannibal [77] et de Scipion; [78] ny tant où
mourut Marcellus, [79] que pourquoy il feut indigne de son debvoir qu'il
10 mourust là. Qu'il ne luy apprenne pas tant les histoires qu'à en iuger. . . .
    Ce grand monde, que les uns multiplient encores comme espèces [80] soubs
(sous) un genre, [81] c'est le mirouer (miroir) où il nous fault regarder, pour
nous cognoistre de bon biais. [82] Somme, [83] ie veulx que ce soit le livre de
mon escholier. Tant d'humeurs, de sectes, de iugements, d'opinions, de loix
15 et de coustumes, nous apprennent à iuger sainement des nostres, et apprennent nostre iugement à recognoistre son imperfection et sa naturelle foiblesse;
qui n'est pas un legier apprentissage: tant de remuements [84] d'estat et
changements de fortune publicque nous instruisent à ne faire pas grand
miracle de la nostre: tant de noms, tant de victoires et conquestes en-
20 sepvelies [85] sous l'oubliance, [86] rendent ridicule l'espérance d'éterniser nostre
nom par la prinse (prise) de dix argoulets [87] et d'un pouiller [88] qui n'est
cogneu (connu) que de sa cheute (chute): l'orgueil et la fierté de tant de
courts et de grandeurs nous fermit [89] et asseure la veue à soustenir l'esclat
des nostres, sans ciller [90] les yeulx: tant de milliasses d'hommes enterrez
25 avant nous nous encouragent à ne craindre d'aller trouver si bonne compaignie en l'aultre monde; ainsi du reste. Nostre vie, disoit Pythagoras,
retire [91] à la grande et populeuse assemblée des ieux olympiques: [92] les uns
s'y exercent le corps, pour en acquérir la gloire des ieux; d'aultres y portent
des marchandises à vendre, pour le gaing: [93] il en est, et qui ne sont pas les
30 pires, lesquels n'y cherchent aultre fruict que de regarder comment et
pourquoy chasque chose se fait, et estre spectateurs de la vie des aultres
hommes, pour en iuger, et régler la leur.

Essais (I, xxv).

DE L'AMITIÉ

(EXTRAIT)

    . . . Au demourant, [94] ce que nous appellons ordinairement amis et ami-
tiez, ce ne sont qu'accointances [95] et familiaritez nouées par quelque occasion ou commodité, [96] par le moyen de laquelle nos âmes s'entretiennent.

[74] "if you like."   [75] The Spartans.   [76] Captured by Scipio, 146 B. C.
[77] Greatest of Carthaginian generals (247–183 B. C.).
[78] Roman general, conqueror of Hannibal (234–183 B. C.).
[79] Roman general (268–208 B. C.). He was accused of bad generalship.   [80] "species."
[81] "genus."   [82] "from a good angle."   [83] *bref.*   [84] "upheavals."   [85] "buried."
[86] *oubli.*   [87] "mounted archers."   [88] "shack."   [89] *affermit.*   [90] "sealing."
[91] "resembles."   [92] National games of Greece.   [93] "profit."   [94] *d'ailleurs.*
[95] *connaissances.*   [96] "convenience."

En l'amitié [97] de quoy je parle, elles se meslent et confondent l'une en l'aultre d'un meslange si universel, qu'elles effacent et ne retrouvent plus la cousture (couture) qui les a ioinctes (jointes). Si on me presse de dire pourquoy ie l'aymois, ie sens que cela ne se peult exprimer qu'en respondant, «Parce que c'estoit luy; parce que c'estoit moy.» Il y a, au delà de tout mon discours [98] et de ce que i'en puis dire particulierement, ie ne sçais quelle force inexplicable et fatale, mediatrice de cette union. Nous nous cherchions avant que de nous estre veus (vus), et par des rapports que nous oyions (entendions) l'un de l'aultre, qui faisoient en nostre affection plus d'effort [99] que ne porte la raison des rapports; je croys par quelque ordonnance du ciel. Nous nous embrassions par nos noms: et à nostre premiere rencontre, qui feut (fut) par hazard en une grande feste et compaignie de ville, nous nous trouvasmes si prins (pris), si cogneus (connus), si obligez [100] entre nous, que rien dez lors ne nous feut si proche que l'un à l'aultre. Il escrivit une satyre [101] latine excellente, qui est publiee, par laquelle il excuse et explique la precipitation [102] de nostre intelligence [103] si promptement parvenue à sa perfection. Ayant si peu à durer,[104] et ayant si tard commencé (car nous estions touts deux hommes faicts, et luy plus de quelque annee),[105] elle n'avoit point à perdre temps; et n'avoit à se régler au patron [106] des amitiez molles et regulières, ausquelles il fault tant de précautions de longue et préalable conversation. Cette cy (celle-ci) n'a point d'aultre idée que d'elle mesme, et ne se peult rapporter qu'à soy: ce n'est pas une spéciale considération, ny deux, ny troys, ny quatre, ny mille; c'est ie ne sçay quelle quintessence de tout ce meslange, qui, ayant saisi toute ma volonté, l'amena se plonger et se perdre dans la sienne; qui, ayant saisi toute sa volonté, la mena se plonger et se perdre en la mienne, d'une faim, d'une concurrence [107] pareille: ie dis perdre, à la verité, ne nous réservant rien qui nous feust (fût) propre, ny qui feust ou sien, ou mien. . . .

Qu'on ne me mette pas en ce reng (rang) ces aultres amitiez communes; i'en ay autant de cognoissance qu'un aultre, et des plus parfaictes de leur genre: mais ie ne conseille pas qu'on confonde leurs règles; on s'y tromperoit. Il fault marcher en ces aultres amitiez la bride à la main, avecques prudence et précaution: la liaison n'est pas nouée en manière qu'on n'ait aulcunement à s'en desfier (défier). «Aimez le, disoit Chilon,[108] comme ayant quelque iour à le haïr; haïssez le, comme ayant à l'aimer.» Ce précepte, qui est si abominable en cette souveraine et maistresse amitié, il est salubre en l'usage des amitiez ordinaires et coustumieres; [109] à l'endroict [110] desquelles il fault employer le mot qu'Aristote avoit très familier, «O mes amys! il n'y a nul amy.» En ce noble commerce,[111] les offices [112] et les bienfaicts, nourrissiers [113] des aultres amitiez, ne méritent pas seulement d'estre mis en

---

[97] Montaigne's youthful friendship for Étienne de la Boétie, who had died in 1563, some fifteen years before this essay was written.
[98] "reasoning power."   [99] "effect."   [100] "bound together."   [101] *discours.*
[102] "suddenness."   [103] "understanding."   [104] The friendship lasted from 1557 to 1563.
[105] La Boétie, born in 1533, was three years Montaigne's senior.   [106] "pattern."
[107] "emulation."   [108] One of the Seven Sages (6th century B.C.).   [109] "usual."
[110] "with regard to."   [111] "relation."   [112] "services."   [113] "sources."

compte; cette confusion si pleine de nos volontez en est cause; car tout ainsi
que l'amitié que ie me porte ne reçoit point augmentation pour le secours
que ie me donne au besoing, quoy que dient (disent) les stoiciens,[114] et
comme ie ne me sçais (sais) aulcun gré du service que ie me foys (fais), aussi
5 l'union de tels amis estant veritablement parfaicte, elle leur faict perdre le
sentiment de tels debvoirs, et haïr et chasser d'entre eulx ces mots de division
et de différence, bienfaict, obligation, recognoissance, prière, remerciement,
et leurs pareils. Tout estant, par effet, commun entre eulx, volontez, pense-
ments (pensées), iugements, biens, femmes, enfants, honneur et vie, et leur
10 convenance [115] n'estant qu'une ame en deux corps, selon la très propre définition d'Aristote, ils ne se peuvent ny prester (prêter) ny donner rien.
Voylà pourquoy les faiseurs de loix, pour honnorer le mariage de quelque
ressemblance de cette divine liaison, deffendent les donations entre le mary
et la femme; voulants inférer par là que tout doibt estre à chascun d'eulx, et
15 qu'ils n'ont rien à diviser et partir [116] ensemble.

Si, en l'amitié de quoy ie parle, l'un pouvoit donner à l'aultre, ce seroit
celuy qui recevroit le bienfaict qui obligeroit son compaignon: car cherchant
l'un et l'aultre, plus que toute aultre chose, de s'entre-bienfaire,[117] celuy qui
en preste la matière et l'occasion est celuy là qui faict le liberal, donnant ce
20 contentement à son amy d'effectuer en son endroict [118] ce qu'il desire le plus.
Quand le philosophe Diogènes [119] avoit faulte [120] d'argent, il disoit qu'il
le redemandoit à ses amis, non qu'il le demandoit. Et pour montrer comment
cela se pratique par effet, i'en réciteray un ancien exemple singulier.[121]
Eudamidas, corinthien,[122] avoit deux amis, Charixenus, sicyonien,[123] et
25 Areteus, corinthien: venant à mourir, estant pauvre, et ses deux amis riches,
il feit (fit) ainsi son testament: «Ie lègue à Areteus de nourrir ma mère, et
l'entretenir en sa vieillesse; à Charixenus, de marier ma fille, et luy donner
le douaire [124] le plus grand qu'il pourra: et au cas que l'un d'eulx vienne à
défaillir,[125] ie substitue en sa part celuy qui survivra.» Ceulx qui premiers
30 veirent (virent) ce testament, s'en mocquèrent; mais ses héritiers en ayants
esté advertis l'acceptèrent avec un singulier contentement: et l'un d'eulx,
Charixenus, estant trespassé [126] cinq iours aprez, la substitution estant
ouverte en faveur d'Areteus, il nourrit curieusement [127] cette mère; et de
cinq talents [128] qu'il avoit en ses biens il en donna les deux et demy en
35 mariage à une sienne fille unique, et deux et demy pour le mariage de la
fille d'Eudamidas, desquelles il feit les nopces (noces) en mesme iour.

Cet exemple est bien plein, si une condition en estoit à dire,[129] qui est la
multitude d'amis; car cette parfaicte amitié de quoy ie parle est indivisible;
chascun se donne si entier à son amy, qu'il ne luy reste rien à despartir [130]
40 ailleurs; au rebours,[131] il est marry [132] qu'il ne soit double, triple ou qua-

---

[114] Stoic philosophers.   [115] "relationship."   [116] "share."   [117] "benefit each other."
[118] "with regard to him."   [119] Cynic philosopher (413–323 B.C.).   [120] *manquait.*
[121] Lucian, *Toxaris* (c. 22).   [122] Native of Corinth, Greece.
[123] Inhabitant of Sicyonia, in the Peloponnesus, not far from Corinth.   [124] *dot.*
[125] *mourir.*   [126] *mort.*   [127] *avec soin.*
[128] Greek unit of value, worth about $1,000.   [129] "were lacking."   [130] *partager*
[131] *au contraire.*   [132] *désolé.*

druple, et qu'il n'ayt plusieurs ames et plusieurs volontez, pour les conférer [133] toutes à ce subiect. Les amitiez communes, on les peult despartir; on peult aymer en cettuy cy (celui-ci) la beauté; en cet aultre, la facilité [134] de ses mœurs; en l'aultre, la liberalité; en celuy là, la paternité; en cet aultre, la fraternité, ainsi du reste: mais cette amitié qui possède l'ame et la régente [135] en toute souveraineté, il est impossible qu'elle soit double. Si deux en mesme temps demandoient à estre secourus, auquel courriez vous? S'ils requeroient de vous des offices contraires, quel ordre y trouveriez vous? Si l'un commettoit à vostre silence chose qui feust utile à l'aultre de sçavoir (savoir), comment vous en demesleriez [136] vous? L'unique et principale amitié descoust [137] toutes aultres obligations: le secret que i'ay iuré ne deceler [138] à un aultre, ie le puis sans pariure communiquer à celuy qui n'est pas aultre, c'est moy. C'est un assez grand miracle de se doubler; et n'en cognoissent (connaissent) pas la haulteur (hauteur) ceulx qui parlent de se tripler. Rien n'est extrême, qui a son pareil: et qui présupposera que de deux i'en ayme autant l'un que l'aultre, et qu'ils s'entr'ayment et m'ayment autant que ie les ayme, il multiplie en confrairie (confrérie) la chose la plus une et unie, et de quoy une seule est encores la plus rare à trouver au monde. Le demourant de cette histoire convient tresbien à ce que ie disois: car Eudamidas donne pour grace et pour faveur à ses amis de les employer à son besoing; il les laisse heritiers de cette sienne liberalité, qui consiste a leur mettre en main les moyens de luy bienfaire: et sans doubte la force de l'amitié se montre bien plus richement en son faict qu'en celui d'Areteus. Somme,[139] ce sont effects inimaginables à qui n'en a gousté (goûté), et qui me font honnorer à merveille la response de ce ieune soldat à Cyrus,[140] s'enquérant à luy pour combien il vouldroit donner un cheval par le moyen duquel il venoit de gaigner le prix de la course, et s'il le vouldroit eschanger à un royaume: «Non certes, sire; mais bien le lairrois [141] ie volontiers pour en acquérir un amy, si ie trouvois homme digne de telle alliance.» Il ne disoit pas mal, «si ie trouvois,» car on treuve (trouve) facilement des hommes propres à une superficielle accointance: mais en cette cy (celle-ci), en laquelle on negocie [142] du fin fond [143] de son courage,[144] qui ne faict rien de reste,[145] certes il est besoing que touts les ressorts [146] soyent nets et seurs (sûrs) parfaictement.

.   .   .   .

L'ancien Menander [147] disoit celuy-là heureux qui avoit peu (pu) rencontrer seulement l'ombre d'un amy: il avoit certes raison de le dire, mesme s'il en avoit tasté.[148] Car, à la verité, si ie compare tout le reste de ma vie,

---

[133] *donner.*   [134] "refinement."   [135] "rules."   [136] "get out of it."   [137] "severs."
[138] "reveal."   [139] *bref.*
[140] King of Persia (4th century B. C.). The story is found in Xenophon, *Cyropaedia* (VIII, 3).
[141] Old conditional of *laisser.*   [142] "deals in."   [143] *du fond même.*
[144] *cœur.*   [145] "makes no reservation."   [146] "motives."
[147] Greek comic poet (4th century B. C.). The remark is cited from Amyot's Plutarch, *Amitié fraternelle* (c. 3).
[148] *trouvé.*

quoyqu'avecques la grace de Dieu ie l'aye passée doulce, aysée, et, sauf la
perte d'un tel amy, exempte d'affliction poisante,[149] pleine de tranquillité
d'esprit, ayant prins (pris) en payement [150] mes commoditez [151] naturelles
et originelles, sans en rechercher d'aultres; si ie la compare, dis ie, toute, aux
5 quatre années qu'il m'a esté donné de iouyr de la doulce compaignie et
societé de ce personnage, ce n'est que fumée, ce n'est qu'une nuict obscure
et ennuyeuse. Depuis le iour que ie le perdis,

> *Quem semper acerbum,*
> *Semper honoratum (sic dî voluistis!) habebo,*[152]

10 ie ne foys (fais) que traisner languissant; et les plaisirs mesmes qui s'offrent
à moy, au lieu de me consoler, me redoublent le regret de sa perte: nous
estions à moitié [153] de tout; il me semble que ie luy desrobe [154] sa part.

> *Nec fas esse ulla me voluptate hic frui*
> *Decrevi, tantisper dum ille abest meus particeps.*[155]

15 I'estois desia si faict et accoustumé à estre deuxiesme partout, qu'il me
semble n'estre plus qu'à demy. . . . Il n'est action ou imagination où ie ne
le treuve à dire; [156] comme si eust (eût)-il bien faict à moy: [157] car de mesme
qu'il me surpassoit d'une distance infinie en toute aultre suffisance [158] et
vertu, aussi faisoit il au debvoir (devoir) de l'amitié.

DE TROIS COMMERCES

(EXTRAIT)

20 . . . Ces deux commerces [159] sont fortuites et despendants d'aultruy; l'un
est ennuyeux par sa rareté, l'aultre se flestrit (flétrit) avec l'aage: ainsin ils
n'eussent pas assez prouveu [160] au besoing de ma vie. Celuy des livres, qui
est le troisiesme, est bien plus seur et plus à nous: il cède aux premiers les
aultres advantages; mais il a pour sa part la constance et facilité de son
25 service. Cettuy cy costoye [161] tout mon cours,[162] et m'assiste partout; il me
console en la vieillesse et en la solitude; il me descharge du poids d'une
oysifveté ennuyeuse, et me desfaict [163] à toute heure des compaignies qui me
faschent; il esmousse [164] les poinctures [165] de la douleur, si elle n'est du tout
extrême et maistresse. Pour me distraire d'une imagination importune,[166]
30 il n'est que de recourir aux livres; ils me destournent facilement à eulx, et

---

[149] *pesante.*   [150] *été content de.*   [151] "good qualities."
[152] "which will always be bitter, always sacred (so you have willed it, O Gods)." Virgil,
Æneid (V, 49).
[153] "co-partners."   [154] "rob."
[155] "I have decided that I must enjoy no pleasure, so long as he with whom I have shared all,
is absent." Terence, *Heautontimoroumenos* (I, 1).
[156] "I do not miss him."   [157] "as indeed he would have missed me."   [158] "aptitude."
[159] "relations." The two already discussed are social intercourse and love.   [160] *pourvu.*
[161] "follows closely."   [162] *vie.*   [163] "rids."   [164] "deadens."   [165] "stings."
[166] "troublesome thought."

me la desrobbent:[167] et si[168] ne se mutinent point, pour veoir que ie ne les recherche qu'au default (défaut) de ces aultres commoditez,[169] plus reelles, vifves et naturelles; ils me receoivent tousiours de mesme visage. Il a bel[170] aller à pied, dict on, qui mène son cheval par la bride; et nostre Iacques,[171] roy de Naples et de Sicile, qui beau, ieune et sain, se faisoit porter par païs 5 (pays) en civière,[172] couché sur un meschant oreiller de plume, vestu d'une robbe de drap gris et un bonnet de mesme, suyvi cependant d'une grande pompe royale, lictieres,[173] chevaulx à main de toutes sortes, gentilshommes et officiers, representoit une austerité tendre[174] encores et chancelante: le malade n'est pas à plaindre, qui a la guarison (guérison) en sa manche.[175] 10 En l'experience et usage de cette sentence, qui est très véritable, consiste tout le fruict que ie tire des livres: ie ne m'en sers en effect, quasi non plus que ceulx qui ne les cognoissent point; i'en iouïs, comme les avaricieux des tresors, pour sçavoir que i'en iouïray quand il me plaira: mon âme se rassasie[176] et contente de ce droict de possession. Ie ne voyage sans livres, ny 15 en paix, ny en guerre: toutesfois il se passera plusieurs iours, et des mois, sans que ie les employe; ce sera tantost, dis ie, ou demain, ou quand il me plaira: le temps court et s'en va cependant, sans me blecer (blesser); car il ne se peult dire combien ie me repose et séiourne[177] en cette considération, qu'ils sont à mon costé (côté) pour me donner du plaisir à ma heure; et à 20 recognoistre combien ils portent de secours à ma vie. C'est la meilleure munition que i'aye trouvé à cet humain voyage; et plaings extremement les hommes d'entendement qui l'ont à dire.[178] I'accepte plustost toute aultre sorte d'amusement, pour legier (léger) qu'il soit d'autant que[179] cettuy cy (celui-ci) ne me peult faillir. . . . 25

---

[167] "steal."　　　　　　　[168] *pourtant*.　　　　　　　[169] "pleasures."
[170] "he may well" (because his horse is ready).
[171] Jacques de Bourbon, comte de la Marche, husband of Joanna II of Naples (early 15th century).
[172] "stretcher."　　[173] "litters."　　[174] *faible*.　　[175] "at hand."　　[176] "is satisfied."
[177] "find relief."　　　　　[178] "miss it."　　　　[179] "so long as."

SEVENTEENTH CENTURY

MALHERBE (1555–1628)

"Enfin Malherbe vint, et, le premier en France,
Fit sentir dans les vers une juste cadence."

In these famous verses, Boileau, in his *Art Poétique,* seems to consider Malherbe as the first in time of the classical poets. Though classical poetry may be said to begin with the Pléiade poets, their classicism was too individualistic, too capricious, to satisfy the demands of the new age of the 17th century for a highly disciplined literature, based upon the application of the reason. It was Malherbe's rôle to inaugurate for poetry this new rationalized classicism.

Beginning as a follower of the Pléiade tradition, Malherbe about 1600 began to develop a new theory of poetry in accordance with his own distinctly unpoetic temperament. The essence of this new doctrine is the subordination of feeling and imagination, usually considered the supreme poetic qualities, to reason. For him poetry is the expression of ideas rather than emotions, or at least of emotions expressed in intellectual terms. Malherbe is thus the real founder of French classical poetry, oratorical and intellectual rather than truly poetic, always perfectly controlled by the reason.

Malherbe's influence was rather slow in asserting itself, but was none the less sure because it was so thoroughly in harmony with the rationalistic tendencies of his age. It finally became established through the efforts of Boileau, with disastrous results for French poetry, which all through the classical period overstressed the importance of rational, formal qualities at the expense of real poetic inspiration. Reform was obviously necessary to rescue French poetry from the individual caprice of the later members of the Pléiade group. It was most unfortunate that this reform had to be carried out by a grammarian-critic like Malherbe, "le tyran des mots et des syllabes," rather than by a man more endowed with a genuine appreciation of the true nature of poetry.

"Pour mieux indiquer à la fois ce que sa réforme avait d'étroit et d'utile, de fâcheux et d'urgent, de regrettable et de nécessaire,—Malherbe est venu substituer le premier aux qualités intérieures de sensibilité, de fantaisie, d'imagination, qui faisaient l'essence de la poésie, selon Ronsard et ses disciples, les qualités extérieures ou formelles d'ordre, de clarté, de logique, de précision, de régularité, de mesure, qui allaient devenir, pour un siècle ou deux, non pas toutes les qualités, mais les qualités les plus apparentes, et comme telles les plus universelles de notre littérature."

Brunetière—*Évolution des Genres.*

1. QUELQUES ANECDOTES SUR MALHERBE

Messire François de Malherbe naquit à Caen en Normandie, environ l'an 1555. . . .

En l'an 1605, comme il (Henri IV) était sur son partement [1] pour aller en Limousin,[2] il lui commanda de faire des vers sur son voyage; ce qu'il fit, et les lui présenta à son retour. C'est cette excellente pièce qui commence:

O Dieu, dont les bontés de nos larmes touchées. . . .

5   Le roi trouva ces vers si admirables qu'il désira de le retenir à son service, et commanda à M. de Bellegarde [3] de le garder jusques à ce qu'il l'eût mis sur l'état de ses pensionnaires.

Sa conversation était brusque; il parlait peu, mais il ne disait mot qui ne portât; en voici quelques-uns:

10   Quand on lui parlait des affaires d'État, il avait toujours ce mot en la bouche, qu'il a mis dans l'épître liminaire [4] de Tite-Live [5] adressée à M. de Luynes: qu'il ne fallait point se mêler de la conduite d'un vaisseau où l'on n'était que simple passager.

Il n'estimait aucun des anciens poètes français, qu'un peu Bertaut.[6] . . .

15   Il avait été l'ami de Régnier [7] le satirique, et l'estimait en son genre à l'égal des Latins; mais la cause de leur divorce arriva de ce qu'étant allés dîner ensemble chez M. Desportes,[8] oncle de Régnier, ils trouvèrent que l'on avait déjà servi les potages. M. Desportes reçut M. de Malherbe avec grande civilité, et offrant de lui donner un exemplaire de ses *Psaumes* qu'il

20 avait nouvellement faits, il se mit en devoir de monter en sa chambre pour l'aller quérir. M. de Malherbe lui dit qu'il les avait déjà vus, que cela ne valait pas qu'il prît la peine de remonter, et que son potage valait mieux que ses *Psaumes*. Il ne laissa pas de dîner avec M. Desportes, sans se dire mot, et aussitôt qu'ils furent sortis de table, ils se séparèrent et ne se sont

25 jamais vus depuis. Cela donna lieu à Régnier de faire la satire contre Malherbe, qui commence:

Rapin,[9] le favori d'Apollon et des Muses. . . .

Il avait aversion contre les fictions poétiques, et en lisant une épître de Régnier à Henri le Grand [10] qui commence:

30   Il était presque jour, et le ciel souriant . . .

et où il feint que la France s'enleva en l'air pour parler à Jupiter et se plaindre du misérable état où elle était pendant la Ligue,[11] il demandait à Régnier en quel temps cela était arrivé, et disait qu'il avait toujours demeuré en France depuis cinquante ans et qu'il ne s'était point aperçu qu'elle se fût enlevée hors

35 de sa place.

Il avait aussi effacé plus de la moitié de son Ronsard et en cotait [12] à la

---

1 "about to depart."   2 Former province of south-central France.
3 Favorite of Henri IV.   4 "prefatory."   5 Livy (59–19 B. C.), Latin historian.
6 Court poet (1552–1611), contemporary of Malherbe, but a follower of Ronsard.
7 Satirical poet (1573–1613), opposed to Malherbe's "reforms."
8 Court poet (1546–1606).   9 Poet (1540–1608), friend of Régnier.   10 Henri IV.
11 Catholic league founded in 1576 by the duc de Guise, ostensibly to crush Protestantism, but really to overthrow Henri III. It was finally broken up by Henri IV.
12 "indicated" (quoted).

marge les raisons. Un jour, Yvrandre, Racan, Colomby et autres de ses amis le feuilletaient sur sa table, et Racan lui demanda s'il approuvait ce qu'il n'avait point effacé: «Pas plus que le reste,» dit-il. Cela donna sujet à la compagnie, et entre autres à Colomby, de lui dire que si l'on trouvait ce livre après sa mort, on croirait qu'il aurait trouvé bon ce qu'il n'aurait point effacé; sur quoi il lui dit qu'il disait vrai, et tout à l'heure acheva d'effacer le reste.

Quand on lui demandait son avis de quelque mot français, il renvoyait ordinairement aux crocheteurs du Port au foin, et disait que c'étaient ses maîtres pour le langage; [13] ce qui peut-être a donné lieu à Régnier de dire:

> Comment! il faudrait donc, pour faire une œuvre grande,
> Qui de la calomnie et du temps se défende,
> Et qui nous donne rang parmi les bons auteurs,
> Parler comme à Saint-Jean parlent les crocheteurs? [14]

On dit qu'une heure avant que de mourir, après avoir été deux heures à l'agonie, il se réveilla comme en sursaut pour reprendre [14a] son hôtesse, qui lui servait de garde, d'un mot qui n'était pas bien français à son gré; et comme son confesseur lui en fit réprimande, il lui dit qu'il ne pouvait s'en empêcher, et qu'il voulait jusques à la mort maintenir la pureté de la langue française.

Racan [15]—*Mémoires pour la vie de Malherbe.*

Vous vous souvenez du vieux pédagogue de la cour qu'on appelait autrefois le tyran des mots et des syllabes, et qui s'appelait lui-même, lorsqu'il était en belle humeur, le grammairien en lunettes et en cheveux gris. N'ayons point dessein d'imiter ce que l'on conte de ridicule de ce vieux docteur. Notre ambition se doit proposer de meilleurs exemples. J'ai pitié d'un homme qui fait de si grandes affaires entre *pas* et *point;* qui traite l'affaire des participes et des gérondifs comme si c'était celle de deux peuples voisins l'un de l'autre et jaloux de leurs frontières. Ce docteur en langue vulgaire avait accoutumé de dire que depuis tant d'années il travaillait à dégasconner la cour [16] et qu'il n'en pouvait venir à bout. La mort l'attrapa sur l'arrondissement [17] d'une période, et l'an climatérique [18] l'avait surpris délibérant si *erreur* et *doute* étaient masculins ou féminins. Avec quelle attention voulait-il qu'on l'écoutât quand il dogmatisait de l'usage et de la vertu des particules?

Balzac—*Socrate Chrétien.*

[13] Famous *boutade* of Malherbe, often misunderstood. Malherbe meant merely that literature should use words that even the porters would understand.
[14] Régnier, *Satire* IX.   [14a] "find fault with."
[15] Pastoral poet (1589–1670), author of *Les Bergeries;* disciple and biographer of Malherbe.
[16] "purge the court of provincialisms."   [17] "rounding out."
[18] Each seventh and ninth year of life was regarded by the ancients as critical and especially the sixty-third year (7 × 9).

2. *CONSOLATION DE MONSIEUR DU PÉRIER SUR LA MORT DE SA FILLE* [19]

Ta douleur, du Périer, sera donc éternelle,
    Et les tristes discours
Que te met en l'esprit l'amitié paternelle
    L'augmenteront toujours?

Le malheur de ta fille au tombeau descendue,   5
    Par un commun trépas,
Est-ce quelque dédale, où ta raison perdue
    Ne se retrouve pas?

Je sais de quels appas son enfance était pleine,
    Et n'ai pas entrepris,   10
Injurieux ami, de soulager ta peine
    Avecque son mépris.

Mais elle était du monde, où les plus belles choses
    Ont le pire destin;
Et rose elle a vécu ce que vivent les roses,   15
    L'espace d'un matin.

Puis quand ainsi serait, que selon ta prière
    Elle aurait obtenu
D'avoir en cheveux blancs terminé sa carrière,
    Qu'en fût-il advenu?   20

Penses-tu que plus vieille en la maison céleste
    Elle eût eu plus d'accueil?
Ou qu'elle eût moins senti la poussière funeste,
    Et les vers du cercueil?

Non, non, mon du Périer, aussitôt que la Parque [20]   25
    Ote l'âme du corps,
L'âge s'évanouit au deçà de la barque, [21]
    Et ne suit point les morts.

Tithon [22] n'a plus les ans qui le firent cigale;
    Et Pluton [23] aujourd'hui,   30

---

[19] Most famous poem of Malherbe, written after June, 1599, the date of the death of his second child. François du Périer was a magistrate in the Parlement of Aix, a great friend of Malherbe.
[20] The Fates.   [21] The boat of Charon, ferryman of the lower regions.
[22] Tithonus who, at the prayer of Aurora, who loved him, was granted immortality but not eternal youth, was in his old age changed into a grasshopper (cf. Tennyson's *Tithonus*).
[23] God of the dead.

Sans égard du passé, les mérites égale
　　D'Archémore [24] et de lui.

Ne te lasse donc plus d'inutiles complaintes;
　　Mais sage à l'avenir,
Aime une ombre comme ombre, et des cendres éteintes　　　35
　　Éteins le souvenir.

C'est bien, je le confesse, une juste coutume,
　　Que le cœur affligé,
Par le canal des yeux vidant son amertume,
　　Cherche d'être allégé.　　　40

Même quand il advient que la tombe sépare
　　Ce que nature a joint,
Celui qui ne s'émeut a l'âme d'un barbare,
　　Ou n'en a du tout point.

Mais d'être inconsolable, et dedans sa mémoire　　　45
　　Enfermer un ennui,
N'est-ce pas se haïr pour acquérir la gloire
　　De bien aimer autrui?

Priam [25] qui vit ses fils abattus par Achille, [26]
　　Dénué de support,
Et hors de tout espoir du salut de sa ville,　　　50
　　Reçut du réconfort.

François, quand la Castille, inégale à ses armes,
　　Lui vola son Dauphin, [27]
Sembla d'un si grand coup devoir jeter des larmes,　　　55
　　Qui n'eussent point de fin.

Il les sécha pourtant, et comme un autre Alcide [28]
　　Contre fortune instruit,
Fit qu'à ses ennemis d'un acte si perfide
　　La honte fut le fruit.　　　60

Leur camp qui la Durance [29] avait presque tarie
　　De bataillons épais,

[24] Opheltes, son of Lycurgus, King of Nemæa, was killed in infancy by a serpent. In his honor the Nemæan games were instituted, and he was surnamed Archemorus.
[25] King of Troy.
[26] Greek hero of the siege of Troy, the conqueror especially of Priam's son, Hector.
[27] Son of Francis I, falsely believed to have been poisoned in 1536 by order of Charles V of Spain.
[28] Hercules.
[29] River in Provence: an allusion to the unsuccessful invasion of Provence in 1536 by Charles V.

Entendant sa constance eut peur de sa furie,
    Et demanda la paix.

De moi, déjà deux fois [30] d'une pareille foudre   65
    Je me suis vu perclus,[31]
Et deux fois la raison m'a si bien fait résoudre,
    Qu'il ne m'en souvient plus.

Non qu'il ne me soit grief que la terre possède
    Ce qui me fut si cher;   70
Mais en un accident qui n'a point de remède,
    Il n'en faut point chercher.

La mort a des rigueurs à nulle autre pareilles;
    On a beau la prier,
La cruelle qu'elle est se bouche les oreilles,   75
    Et nous laisse crier.

Le pauvre en sa cabane, où le chaume le couvre,
    Est sujet à ses lois;
Et la garde qui veille aux barrières du Louvre
    N'en défend point nos Rois.   80

De murmurer contre elle, et perdre patience,
    Il est mal à propos;
Vouloir ce que Dieu veut, est la seule science
    Qui nous met en repos.

3. *LE COMMENTAIRE SUR DESPORTES*

[Malherbe never set forth his critical theories in any formal way. His doctrines are to be found especially in the remarks he noted down in his copy of Desportes' poems, generally known as the *Commentaire sur Desportes*. These remarks form the basis of M. Ferdinand Brunot's excellent exposition of the critical doctrines of Malherbe.]

Chant d'Amour

(The lines in italics are quotations from Desportes' poem, while those in ordinary type give Malherbe's critical comment.)

Puisqu'un amour céleste est roi de ma poitrine.
Pauvre royaume!

En parlant de beauté, la beauté qui m'allume
Vienne seule à ce coup mon courage émouvoir.

---

[30] Malherbe lost two of his children in childhood.   [31] "crippled."

Qu'est-ce a dire: *la beauté qui m'allume vienne émouvoir mon courage?*
Puisqu'elle vous allume, que voulez-vous qu'elle fasse davantage?

> *Aussi les déités. . . .*
> *N'ont rien qui soit égal à leur divin pouvoir.*

Le divin pouvoir des déités! 5

> *C'est un grand dieu qu'Amour. . . .*
> *De lui-même parfait, à lui-même admirable,*
> *Sage, bon, connaissant, et le premier des Dieux.*

Bourre [32]

> *Brûle enfer, la marine, et la terre, et les cieux.* 10

Puisqu'il a dit *la* marine, *la* terre et *les* cieux, il devait dire: *brûle l'enfer,*
et cela est sans doute.

> *Se ravit bienheureuse en voyant sa présence.*

Cheville.[33]

> *Car en entretenant ce qui est en essence* 15
> *Fait que ce qui a fin, n'est jamais finissant.*

Il fait. . . . N'est finissant, mal, pour: *ne finit jamais.*

> *La volupté mignarde en chantant t'environne.*

Tan, ten [34]

> *Tu te prends, courageux, aux plus rudes gendarmes,* 20
> *Et souvent au milieu des combats et des armes.*

Cette rime ne vaut rien.

> *Tu es plaisant et beau, tu as le corps agile,*
> *Prompt, allègre et dispos, à se courber facile.*

Sottise. 25

> *Tu bannis les frayeurs des plus lâches courages,*
> *Rendant l'homme craintif, hautain, et généreux.*

Il semble qu'il fasse devenir l'homme craintif et hautain, ce qui est impertinent.[35] Il se faut autrement expliquer.

> *Si jamais que de toi je n'ai rien voulu dire.* 30

Transposition cruelle.

> *Et si ton feu divin m'a toujours allumé.*

Je garderais cet allumé pour les flambeaux, cierges, etc.

Procès contre Amour au Siège de la Raison [36]

---

[32] "padding." [33] "space-filler."
[34] Malherbe objects to the repetition of the sound in *tant t'en.*
[35] "silly." [36] Poem by Desportes.

UN ENNEMI DE MALHERBE—MATHURIN RÉGNIER

[Malherbe's literary authority was respected in his own time, but was far from being generally accepted. He had only a very few disciples, and these were rather independent. This founder of classicism was rather isolated in an age which was dominantly romantic, and, therefore, distinctly hostile to his reforms. The satirical poet, Régnier (1573–1613), is typical of the large group of writers in the first third of the seventeenth century who refused to accept the poetic rules laid down by Malherbe. As a matter of fact, Malherbe's new classical doctrines did not triumph till a generation after his death.]

CONTRE MALHERBE ET SON ÉCOLE

. . . Comment! il nous faut donc pour faire une œuvre grande,
Qui de la calomnie et du temps se défende,
Qui trouve quelque place entre les bons auteurs,
Parler comme à Saint-Jean parlent les crocheteurs! [37]
Encore je le veux, pourvu qu'ils [37a] puissent faire   5
Que ce beau savoir entre en l'esprit du vulgaire,
Et quand les crocheteurs seront poètes fameux,
Alors sans me fâcher je parlerai comme eux.
Pensent-ils des plus vieux [37b] offensant la mémoire,
Par le mépris d'autrui s'acquérir de la gloire,   10
Et pour quelque vieux mot étrange ou de travers,
Prouver qu'ils ont raison de censurer leurs vers?
Alors qu'une œuvre brille et d'art et de science,
La verve quelquefois s'égaye [38] en la licence . . .
Cependant leur savoir ne s'étend seulement   15
Qu'à regratter [39] un mot douteux au jugement,
Prendre garde qu'un *qui* ne heurte une diphtongue,
Épier si des vers la rime est brève ou longue,
Ou bien si la voyelle à l'autre s'unissant
Ne rend point à l'oreille un vers trop languissant;   20
Et laissent sur le vert [40] le noble de l'ouvrage.
Nul aiguillon divin n'élève leur courage;
Ils rampent bassement, faibles d'inventions,
Et n'osent, peu hardis, tenter les fictions,
Froids à l'imaginer: [41] car s'ils font quelque chose,   25
C'est proser de la rime et rimer de la prose,
Que l'art lime et relime, et polit de façon
Qu'elle rend à l'oreille un agréable son;
Et voyant qu'un beau feu leur cervelle n'embrase,
Ils attifent [42] leurs mots, enjolivent leur phrase,   30
Affectent leur discours tout si relevé d'art,
Et peignent leurs défauts de couleurs et de fard.

---

[37] (See p. 59, n. 13.)   [37a] Malherbe and his disciples.   [37b] The Pléiade.   [38] "takes delight."
[39] "scratch out."   [40] "neglect."   [41] "imagination."   [42] "embellish."

Aussi je les compare à ces femmes jolies
Qui par les affiquets [43] se rendent embellies,
Qui gentes [44] en habits, et sades [44a] en façons,   35
Parmi leur point coupé [45] tendent leurs hameçons;
Dont l'œil rit mollement avec afféterie,[46]
Et de qui le parler n'est rien que flatterie;
De rubans piolés [47] s'agencent proprement,
Et toute leur beauté ne gît qu'en l'ornement;   40
Leur visage reluit de céruse [48] et de peautre; [49]
Propres en leur coiffure, un poil ne passe l'autre.
Où [50] ces divins esprits, hautains et relevés,
Qui des eaux d'Hélicon [51] ont les sens abreuvés,
De verve et de fureur leur ouvrage étincelle;   45
De leurs vers tout divins la grâce est naturelle,
Et sont, comme l'on voit, la parfaite beauté,
Qui, contente de soi, laisse la nouveauté
Que l'art trouve au Palais [52] ou dans le blanc d'Espagne.[53]
Rien que le naturel sa grâce n'accompagne;   50
Son front lavé d'eau claire éclate d'un beau teint,
De roses et de lis la nature l'a peint.
Et, laissant là Mercure [54] et toutes ses malices,
Les nonchalances sont ses plus grands artifices. . . .

—*Satire* IX (A Rapin.)

[43] "adornments."   [44] *propres et nettes.*   [44a] "charming."   [45] "lace."
[46] "affectation."   [47] "of different colors."   [48] "white paint."
[49] Another sort of white cosmetic.   [50] "whereas."   [51] Home of the Muses.
[52] Palais de Justice, seat of the Paris law courts, in whose galleries there were shops dealing in cosmetics.
[53] "whiting."
[54] Regarded as the patron of trickery. The element mercury also enters into certain cosmetics.

BALZAC (1597–1654)

Guez de Balzac bears much the same relation to classical French prose as Malherbe to classical French poetry. He spent most of his life in retirement on his estate in western France, from which he addressed numerous letters and dissertations on moral subjects to his friends at Paris, who looked upon him as a sort of literary oracle. The subject-matter of Balzac's work is negligible. His *Lettres* are usually lacking in spontaneity; his *Dissertations* are elegant discussions of commonplaces handed down from the ancients. He owed his reputation largely to his qualities as a stylist. He taught writers to express their thought in artistic prose, so that each individual idea falls into its proper place in the general development. His contribution to French prose is admirably summed up by Boileau: "Personne n'a mieux su sa langue que lui, et n'a mieux entendu la propriété des mots et la juste mesure des périodes."

"Balzac fut l'instituteur de la société polie. Il a essayé, selon ses propres paroles, «de civiliser la doctrine en la dépaysant des collèges et la délivrant des mains des Pédants»; à ceux qui n'étaient pas des savants, et ne lisaient latin ni grec, aux femmes, il a offert la substance de l'antiquité. Il a jeté dans la circulation tous les excellents lieux communs où consiste la culture supérieure des esprits; en les vulgarisant, il a mis le public en état de goûter les grandes œuvres dont elles seraient le nécessaire fondement. Est-il si malaisé de voir qu'en compagnie de Voiture on ne se prépare à comprendre ni Corneille, ni Pascal, ni Bossuet, mais qu'au sortir des «banalités» de Balzac on est tout prêt?"

Lanson—*Histoire de la littérature française.*

IMPORTANT WORKS:

Lettres (1624–1636); *Le Prince* (1631); *Le Socrate chrétien* (1652).

1. *A LA CAMPAGNE*

Il fit hier un de ces beaux jours sans soleil, que vous dites qui ressemblent à cette belle aveugle,[1] dont Philippe second[2] était amoureux. En vérité je n'eus jamais tant de plaisir à m'entretenir moi-même, et quoique je me promenasse en une campagne toute nue, et qui ne saurait servir à l'usage 5 des hommes que pour être le champ d'une bataille, néanmoins l'ombre que le ciel faisait de tous côtés m'empêchait de désirer celle des grottes et des forêts. La paix était générale depuis la plus haute région de l'air jusque sur la face de la terre; l'eau de la rivière[3] paraissait aussi plate que celle d'un lac, et si en pleine mer un tel calme surprenait pour toujours les vais-

---

[1] The princess of Eboli (1540–1592), mistress of Philip II. She was blind only in one eye (*borgne*).
[2] Philip II, King of Spain (1527–1598).　　　　[3] The Charente, in western France.

seaux, ils ne pourraient jamais ni se sauver ni se perdre. Je vous dis ceci afin que vous regrettiez un jour si heureux que vous avez perdu à la ville, et que vous descendiez quelquefois de votre Angoulême,[4] où vous allez du pair[5] avec nos tours et nos clochers, pour venir recevoir les plaisirs des anciens rois, qui se désaltéraient dans les fontaines et se nourrissaient de ce qui tombe des arbres. Nous sommes ici en un petit rond tout couronné de montagnes, où il reste encore quelques grains de cet or dont les premiers siècles ont été faits.[6] Certainement quand le feu s'allume aux quatre coins de la France,[7] et qu'à cent pas d'ici la terre est toute couverte de troupes, les armées ennemies d'un commun consentement pardonnent toujours à notre village; et le printemps, qui commence les sièges, et les autres entreprises de la guerre, et qui depuis douze ans a été moins attendu pour le changement des saisons que pour celui des affaires, ne nous fait rien voir de nouveau que des violettes et des roses. Notre peuple ne se conserve dans son innocence, ni par la crainte des lois, ni par l'étude de la sagesse; pour bien faire, il suit simplement la bonté de sa nature et tire plus d'avantage de l'ignorance du vice que nous n'en avons de la connaissance de la vertu. De sorte que dans ce royaume de demie lieue on ne sait [ce] que c'est [que] de tromper que les oiseaux et les bêtes, et le style du Palais[7a] est une langue aussi inconnue que celle de l'Amérique, ou de quelque autre nouveau monde, qui s'est sauvé de l'avarice de Ferdinand et de l'ambition d'Isabelle.[8] Les choses qui nuisent à la santé des hommes ou qui offensent leurs yeux en sont généralement bannies. Il ne s'y vit jamais de lézards ni de couleuvres, et de toutes les sortes de reptiles nous ne connaissons que les melons et les fraises. Je ne veux pas vous faire le portrait d'une maison, dont le dessein n'a pas été conduit selon les règles de l'architecture,[9] et la matière n'est pas si précieuse que le marbre et le porphyre. Je vous dirai seulement qu'à la porte il y a un bois, où, en plein midi, il n'entre de jour que ce qu'il en faut pour n'être pas nuit et pour empêcher que toutes les couleurs ne soient noires. Tellement que de l'obscurité et de la lumière il se fait un troisième temps,[10] qui peut être supporté des yeux des malades, et cacher les défauts des femmes qui sont fardées. Les arbres y sont verts jusqu'à la racine, tant de leurs propres feuilles que du lierre qui les embrasse, et pour le fruit qui leur manque, (leurs) branches sont chargées de tourtres[11] et de faisans en toutes les saisons de l'année. De là j'entre en une prairie où je marche sur les tulipes et les anémones que j'ai fait mêler avec les autres fleurs, pour me confirmer en l'opinion que j'ai apportée de mes voyages que les Françaises ne sont pas si belles que les étrangères.

[4] City in western France, former capitol of the province of Angoumois.
[5] "on a level with." Angoulême is built on a hill.   [6] Allusion to the Golden Age.
[7] The early years of the reign of Louis XIII saw a series of civil wars, the most serious of which was the revolt of the Protestant nobles, not ended till the capture of La Rochelle (1628).
[7a] See p. 65, n. 52.
[8] Under Ferdinand V (1468–1516) and his queen, Isabella, Spain laid the foundations of her great colonial empire.
[9] The idea of "rules," a product of the Italian Renaissance, was becoming more and more popular in architectural design following the vogue of the Italian architect, Palladio (1518–1580).
[10] "a third sort of light."   [11] "turtle doves."

Je descends aussi quelquefois dans cette vallée, qui est la plus secrète partie de mon désert [12] et qui jusques ici n'avait été connue de personne. C'est un pays à souhaiter et à peindre, que j'ai choisi pour vaquer à mes plus chères occupations et passer les plus douces heures de ma vie. L'eau et les
5 arbres ne le laissent jamais manquer de frais et de vert. Les cygnes, qui couvraient autrefois toute la rivière, se sont retirés en ce lieu de sûreté et vivent dans un canal, qui fait rêver les plus grands parleurs aussitôt qu'ils s'en approchent, et au bord duquel je suis toujours heureux, soit que je sois joyeux, soit que je sois triste. Pour peu que je m'y arrête, il me semble que
10 je retourne en ma première innocence. Mes désirs, mes craintes et mes espérances cessent tout d'un coup; tous les mouvements de mon âme se relâchent, et je n'ai point de passions, ou si j'en ai, je les gouverne comme des bêtes apprivoisées. Le soleil envoie bien de la clarté jusque-là, mais il n'y fait jamais aller de chaleur; le lieu est si bas, qu'il ne saurait recevoir
15 que les dernières pointes de ses rayons, qui sont d'autant plus beaux qu'ils ont moins de force, et que leur lumière est toute pure. Mais comme c'est moi qui ai découvert cette nouvelle terre, aussi je la possède sans compagnon, et je n'en voudrais pas faire part à mon propre frère. . . .

Au demeurant, par quelque porte que je sorte du logis, et de quelque
20 part que je tourne les yeux en cette agréable solitude, je rencontre toujours la Charente, dans laquelle les animaux qui vont boire voient le ciel aussi clairement que nous faisons, et jouissent de l'avantage qu'ailleurs les hommes leur veulent ôter. Mais cette belle eau aime tellement cette belle terre, qu'elle se divise en mille branches, et fait une infinité d'îles et de
25 détours, afin de s'y amuser davantage; et quand elle se déborde, ce n'est que pour rendre l'année plus riche, et pour nous faire prendre à la campagne ses truites et ses brochets, qui valent bien les crocodiles du Nil et le faux or de toutes les rivières des poètes. . . .

À M. de La Motte-Aigron,
le IV septembre MDCXXII.

2. *SUR LA QUERELLE DU* CID

Monsieur,[13]
30 . . . Ce n'est pas pourtant à moi à connaître du différend qui est entre vous et Monsieur Corneille, et à mon ordinaire, je doute plus volontiers que je ne résous. Bien vous dirai-je qu'il me semble que vous l'attaquez avec force et adresse, et qu'il y a du bon sens, de la subtilité et de la galanterie [14] même, en la plupart des objections que vous lui faites. Considérez néanmoins,
35 Monsieur, que toute la France entre en cause avec lui, et qu'il n'y a pas un des juges,[15] dont le bruit est que vous êtes convenus ensemble, qui n'ait loué ce que vous désirez qu'il condamne. De sorte que, quand vos argu-

---

[12] The regular term in the 17th century for a country estate.
[13] Georges de Scudéry (1601–1667), whose *Observations sur le Cid* started the famous *Querelle du Cid*, so important in the history of French classical tragedy.
[14] "elegance."   [15] The Academicians, to whom the Cid had been submitted for judgment.

ments seraient invincibles, et que votre adversaire même y acquiescerait, il aurait de quoi se consoler glorieusement de la perte de son procès, et vous pourrait dire que d'avoir satisfait tout un royaume, est quelque chose de plus grand et de meilleur que d'avoir fait une pièce régulière.[16] Il n'y a point d'architecte d'Italie qui ne trouve des défauts en la structure de Fon- [5] tainebleau,[17] et qui ne l'appelle un monstre de pierre: ce monstre néan- moins est la belle demeure des rois, et la cour y loge commodément. Il y a des beautés parfaites qui sont effacées par d'autres beautés qui ont plus d'agrément et moins de perfection: et parce que l'acquis [18] n'est pas si noble que le naturel, ni le travail des hommes si estimable que les dons du ciel, [10] on vous pourrait encore dire que savoir l'*art de plaire* ne vaut pas tant que savoir *plaire sans art*. Aristote [19] blâme la *Fleur* d'Agathon,[20] quoiqu'il die qu'elle fût agréable, et l'*Œdipe*,[21] peut-être, n'agréait pas, quoiqu'Aristote l'approuve. Or, s'il est vrai que la satisfaction des spectateurs soit la fin que se proposent les spectacles, et que les maîtres mêmes du métier aient [15] quelquefois appelé de César au peuple, le *Cid* du poète français ayant plu, aussi bien que la *Fleur* du poète grec, ne serait-il point vrai qu'il a obtenu la fin de la représentation, et qu'il est arrivé à son but, encore que ce ne soit pas par le chemin d'Aristote, ni par les adresses de sa *Poétique?* Mais vous dites qu'il a ébloui les yeux du monde et vous l'accusez de charme et [20] d'enchantement. Je connais beaucoup de gens qui feraient vanité d'une telle accusation; et vous me confesserez vous-même que la magie serait une chose excellente, si c'était une chose permise. Ce serait, à dire vrai, une belle chose de pouvoir faire des prodiges innocemment, de faire voir le soleil, quand il est nuit, d'apprêter des festins sans viandes ni officiers,[22] de [25] changer en pistoles [23] les feuilles de chêne, et le verre en diamants. C'est ce que vous reprochez à l'auteur du *Cid;* qui, vous avouant qu'il a violé les règles de l'art, vous oblige de lui avouer qu'il a un secret qui a mieux réussi que l'art même; et ne vous niant pas qu'il a trompé toute la cour et tout le peuple, ne vous laisse conclure de là sinon qu'il est plus fin que toute la [30] cour et que tout le peuple, et que la tromperie qui s'étend à un si grand nombre de personnes est moins une fraude qu'une conquête. Cela étant, Monsieur, je ne doute point que Messieurs de l'Académie [24] ne se trouvent bien em- pêchés [25] dans le jugement de votre procès, et que d'un côté vos raisons ne les ébranlent, et que de l'autre l'approbation publique ne les retienne. Je [35] serais en la même peine, si j'étais en la même délibération, et si de bonne for- tune je ne venais de trouver votre arrêt dans les registres de l'antiquité. Il a été

[16] *Le Cid* was criticized as being "irregular," not in accordance with the classical rules for tragedy.
[17] Famous Renaissance château, south of Paris, constructed at different periods and so lacking in unity of design.
[18] "artificial."
[19] Greek philosopher and critic (384–322 B. C.), especially important for his dramatic theories, the supposed source of the classical rules for drama.
[20] Athenian tragic poet (448–401 B. C.) His *Anthos* (*Fleur*) is criticized by Aristotle for not following the principles laid down in the *Poetics*.
[21] Famous tragedy by Sophocles. [22] "table servants." [23] "ten franc pieces."
[24] Founded in 1635 by Richelieu. [25] "embarrassed."

prononcé il y a plus de quinze cents ans, par un philosophe de la famille stoïque.[26] . . .

Voici les termes de cet authentique arrêt:

. . . ILLUD MULTUM EST PRIMO ASPECTU OCULOS OCCUPASSE, ETIAMSI CONTEM-
5 PLATIO DILIGENS INVENTURA EST QUOD ARGUAT. SI ME INTERROGAS, MAIOR ILLE
EST QUI JUDICIUM ABSTULIT, QUAM QUI MERUIT.[27]

Votre adversaire trouve son compte [28] dans cet arrêt, par ce favorable mot de *maior est:* et vous avez aussi ce que vous pouvez désirer, ne désirant rien à mon avis, que de prouver que *judicium abstulit.* Ainsi vous l'emportez
10 dans le cabinet et il a gagné au théâtre. Si le *Cid* est coupable, c'est d'un crime qui a eu récompense; s'il est puni, ce sera après avoir triomphé. S'il faut que Platon [29] le bannisse de sa République, il faut qu'il le couronne de fleurs en le bannissant, et ne le traite pas plus mal qu'il a traité autrefois Homère; [30] si Aristote trouve quelque chose à désirer en sa conduite, il doit le laisser jouir
15 de la bonne fortune, et ne pas condamner un dessein que le succès a justifié. Vous êtes trop bon, pour en vouloir davantage. . . .

Votre très humble et fidèle serviteur,
Balzac.

Le 27 août, 1637.

[26] Seneca (2–66), Roman philosopher.
[27] "It is a great deal to have caught the public eye at the first sight, even if on mature consideration there may be found room for argument. In my opinion, he is greater who has forced a (favorable) judgment, than he who has deserved it." (Seneca, *Epistle to Lucilius,* Ch. 3.)
[28] "justification."
[29] Greek philosopher (429–347 B. C.), author of the *Republic,* a discussion in dialogue form of the principles of government.
[30] Plato in his *Republic,* X, 7, banishes Homer along with the other poets from his ideal state, but admits him "to be the most poetical and first of tragic poets."

L'ACADÉMIE FRANÇAISE

L'Académie française, the world's most distinctive literary institution, was founded in 1635 by Richelieu for the purpose of imposing upon the French language something of the same order and discipline which the Cardinal was busy establishing in the realm of politics. The Academy, composed of forty members, or *Immortels* as they are sometimes called, has persisted, with a short interruption during the French Revolution, down to the present moment. Its great achievement has been a succession of dictionaries, the first of which appeared in 1694, and which have helped materially to maintain the purity of the French language. The Academy has been much criticized for its conservatism, but on the whole its influence has been a wholesome one, and in the course of its three centuries of honorable existence it has added immensely to the prestige of French letters.

"L'Académie française prit une importance considérable à partir de 1650 et depuis, toujours attaquée par la nouvelle génération littéraire qui n'en est pas encore, la recevant peu à peu dans son sein, et attaquée de nouveau par la suivante, elle est, se trouvant toujours l'objet de toutes les attaques et de tous les vœux, la plus vivante toujours et toujours la plus en lumière de toutes les réunions littéraires."

Faguet—Histoire de la littérature française.

1. L'ÉTABLISSEMENT DE L'ACADÉMIE FRANÇAISE

L'Académie française n'a été établie par édit du Roi qu'en l'année 1635: mais on peut dire que son origine est de quatre ou cinq ans plus ancienne, et qu'elle doit en quelque sorte son institution au hasard. Il est certain que ceux qui la commencèrent ne pensaient presque à rien moins qu'à ce qui en arriva depuis.

Environ l'année 1629, quelques particuliers, logés en divers endroits de Paris, ne trouvant rien de plus incommode dans cette grande ville, que d'aller fort souvent se chercher les uns les autres sans se trouver, résolurent de se voir un jour de la semaine chez l'un d'eux. Ils étaient tous gens de lettres, et d'un mérite fort au-dessus du commun: M. Godeau, maintenant évêque de Grasse, qui n'était pas encore ecclésiastique, M. de Gombauld, M. Chapelain, M. Conrart, M. Giry, feu M. Habert, commissaire de l'artillerie, M. l'abbé de Cérisy, son frère, M. de Serizay, et M. de Malleville.[1]

---

[1] Most of the early Academicians are remembered only as names. A few of them have additional claims to celebrity. Godeau (1605–1672) was the author of light verse, and, in his last years, of a *Morale chrétienne* of some merit. Gombauld (1570–1666) was a poet and minor dramatist. Chapelain (1595–1674) was the most important of the group, a poet and critic, the dispenser of literary favors under Louis XIV. Conrart (1603–1675) was the first *secrétaire perpétuel* of the Academy. Malleville (1597–1647) was a rival of Voiture in *vers de société.*

Ils s'assemblaient chez M. Conrart, qui s'était trouvé le plus commodément logé pour les recevoir, et au cœur de la ville, d'où tous les autres étaient presque également éloignés. Là ils s'entretenaient familièrement, comme ils eussent fait en une visite ordinaire, et de toute sorte de choses, d'affaires, de
5 nouvelles, de belles-lettres. Que [2] si quelqu'un de la compagnie avait fait un ouvrage, comme il arrivait souvent, il le communiquait volontiers à tous les autres, qui lui en disaient librement leur avis; et leurs conférences étaient suivies tantôt d'une promenade, tantôt d'une collation [3] qu'ils faisaient ensemble. Ils continuèrent ainsi trois ou quatre ans, et comme j'ai
10 ouï dire à plusieurs d'entre eux, c'était avec un plaisir extrême et un profit incroyable; de sorte que quand ils parlent encore aujourd'hui de ce temps-là, et de ce premier âge de l'Académie, ils en parlent comme d'un âge d'or, durant lequel avec toute l'innocence et toute la liberté des premiers siècles, sans bruit et sans pompe, et sans autres lois que celles de l'amitié, ils
15 goûtaient ensemble tout ce que la société des esprits et la vie raisonnable ont de plus doux et de plus charmant.

Ils avaient arrêté de n'en parler à personne; et cela fut observé fort exactement pendant ce temps-là. Le premier qui y manqua fut M. de Malleville: car il n'y a point de mal de l'accuser d'une faute qu'un événement si
20 heureux a effacée. Il en dit quelque chose à M. Faret,[4] qui venait alors de faire imprimer son *Honnête homme,* et qui, ayant obtenu de se trouver à une de leurs conférences, y porta un exemplaire de son livre qu'il leur donna. Il s'en retourna avec beaucoup de satisfaction, tant des avis qu'il reçut d'eux sur cet ouvrage, que de tout ce qui se passa dans le reste de la
25 conversation. Mais comme il est difficile qu'un secret que nous avons éventé [5] ne devienne tout public bientôt après, et qu'un autre nous soit plus fidèle que nous ne l'avons été à nous-mêmes, M. Desmarests [6] et M. de Boisrobert [7] eurent connaissance de ces assemblées, par le moyen de M. Faret. M. Desmarests y vint plusieurs fois, et y lut le premier volume de l'*Ariane* qu'il
30 composait alors. M. de Boisrobert désira aussi d'y assister, et il n'y avait point d'apparence de lui en refuser l'entrée; car outre qu'il était ami de la plupart de ces Messieurs, sa fortune même lui donnait quelque autorité, et le rendait plus considérable. Il s'y trouva donc; et quand il eut vu de quelle sorte les ouvrages y étaient examinés, et que ce n'était pas là un commerce de
35 compliments et de flatteries, où chacun donnât des éloges pour en recevoir, mais, qu'on y reprenait hardiment et franchement toutes les fautes jusqu'aux moindres, il en fut rempli de joie et d'admiration. Il était alors en sa plus haute faveur auprès du cardinal de Richelieu; et son plus grand soin était de délasser l'esprit de son maître, après le bruit et l'embarras des affaires,
40 tantôt par ces agréables contes qu'il fait mieux que personne du monde,

---

2 "and."   3 "luncheon."
  4 One of the original members of the French Academy (1600–1646). His *Honnête Homme, ou l'art de plaire à la cour,* was published in 1630. Faret has been much maligned by Boileau and other critics, because his name had the misfortune to rhyme with *cabaret.*
  5 "divulged."   6 Desmarets de Saint-Sorlin (1596–1676), protégé of Richelieu.
  7 French poet (1592–1662), instrumental through his patron, Richelieu, in the creation of the French Academy.

tantôt en lui rapportant toutes les petites nouvelles de la cour et de la ville; et ce divertissement était si utile au Cardinal, que son premier médecin, M. Citois, avait accoutumé de lui dire: «Monseigneur, nous ferons tout ce que nous pourrons pour votre santé; mais toutes nos drogues sont inutiles, si vous n'y mêlez un peu de Boisrobert.»   5

Parmi ces entretiens familiers, M. de Boisrobert qui l'entretenait de tout, ne manqua pas de lui faire un récit avantageux de la petite assemblée qu'il avait vue, et des personnes qui le composaient; et le Cardinal qui avait l'esprit naturellement porté aux grandes choses, qui aimait surtout la langue française, en laquelle il écrivait lui-même fort bien, après avoir loué ce   10 dessein, demanda à M. Boisrobert si ces personnes ne voudraient point faire un corps et s'assembler régulièrement, et sous une autorité publique. M. de Boisrobert ayant répondu qu'à son avis cette proposition serait reçue avec joie, il lui commanda de la faire, et d'offrir à ces Messieurs sa protection pour leur Compagnie, qu'il ferait établir par Lettres Patentes; et à chacun   15 d'eux en particulier, son affection qu'il leur témoignerait en toutes rencontres.

Quand ces offres eurent été faites, et qu'il fut question de résoudre en particulier ce que l'on devait répondre, à peine y eut-il aucun de ces Messieurs qui n'en témoignât du déplaisir, et ne regrettât que l'honneur qu'on leur   20 faisait vînt troubler la douceur et la familiarité de leurs conférences. Quelques-uns même, et surtout MM. de Serizay et de Malleville, étaient d'avis qu'on s'excusât envers le Cardinal le mieux qu'on pourrait.

. . . Ainsi ils n'oublièrent rien pour persuader à la Compagnie ce qu'ils désiraient. A la fin pourtant il passa [7a] à l'opinion contraire, qui était celle de   25 M. Chapelain; car comme il n'avait ni passion, ni intérêt contre le Cardinal, duquel il était connu, et qui lui avait même témoigné l'estime qu'il faisait de lui en lui donnant une pension, il leur représenta qu'à la vérité ils se fussent bien passés [7b] que leurs conférences eussent ainsi éclaté, mais qu'en l'état où les choses se trouvaient réduites, il ne leur était pas libre de suivre   30 le plus agréable de ces deux partis; qu'ils avaient affaire à un homme qui ne voulait pas médiocrement ce qu'il voulait, et qui n'avait pas accoutumé de trouver de la résistance, ou de la souffrir impunément; qu'il tiendrait à injure le mépris qu'on ferait de sa protection, et s'en pourrait ressentir [7c] contre chaque particulier; que du moins, puisque par les lois du royaume   35 toutes sortes d'assemblées qui se faisaient sans autorité du Prince étaient défendues, pour peu qu'il en eût envie, il lui serait fort aisé de faire, malgré eux-mêmes, cesser les leurs, et de rompre par ce moyen une société que chacun d'eux désirait être éternelle.

Sur ces raisons il fut arrêté: «Que M. de Boisrobert serait prié de re-   40 mercier très humblement Monsieur le Cardinal de l'honneur qu'il leur faisait, et de l'assurer qu'encore qu'ils n'eussent jamais eu une si haute pensée, et qu'ils fussent fort surpris du dessein de Son Éminence, ils étaient tous résolus de suivre ses volontés.» Le Cardinal reçut leur réponse avec

[7a] The sense of the passage seems to demand *ils passèrent*.
[7b] "They could very well have got along without . . ."   [7c] "might remember it."

grande satisfaction; et donnant divers témoignages qu'il prenait cet établissement à cœur, commanda à M. de Boisrobert de leur dire, «qu'ils assem-
blassent comme de coutume, et qu'augmentant leur Compagnie, ainsi qu'ils
le jugeraient à propos, ils avisassent entre eux quelle forme et quelles lois
5 il serait bon de lui donner à l'avenir.»

Cela se passait ainsi au commencement de l'année 1634. En ce même
temps, M. Conrart, chez qui les assemblées s'étaient faites jusques alors,
vint à se marier. Ayant donc prié tous ces Messieurs, comme ses amis particuliers, d'assister à son contrat, ils avisèrent entre eux qu'à l'avenir sa
10 maison ne serait plus si propre qu'auparavant pour leurs conférences. Ainsi
on commença à s'assembler chez M. Desmarests, et à penser sérieusement,
suivant l'intention du Cardinal, à l'établissement de l'Académie. . . .

On délibéra aussi, dans ces commencements, du nom que prendrait la
Compagnie, et entre plusieurs qui furent proposés, celui de l'Académie
15 française, qui avait déjà été approuvé par le Cardinal, fut trouvé le meilleur. . . .

L'Académie Française, bien qu'elle s'assemblât cependant et fît les mêmes
conférences qu'aujourd'hui, ne fut toutefois entièrement établie que trois
ans et quelques mois après qu'on eut commencé d'y travailler; car on
20 employa depuis le mois de février de l'année 1634 jusqu'à celui de l'année
suivante 1635, à lui donner la forme qu'elle devait avoir, à dresser ses statuts,
et à faire sceller l'édit de son érection; et depuis ce mois de février 1635
jusqu'à celui de juillet 1637, à faire vérifier cet édit au Parlement.

Pellisson,[8]—*Histoire de L'Académie Française.*

2. *STATUTS ET RÈGLEMENTS DE L'ACADÉMIE FRANÇAISE*

(EXTRAITS)

Premièrement.—Personne ne sera reçu dans l'Académie qui ne soit agré-
25 able à Mgr. le Protecteur,[9] et qui ne soit de bonnes mœurs, de bonne réputation, de bon esprit, et propre aux fonctions académiques.

2.—L'Académie aura un sceau, duquel seront scellés en cire bleue tous
les actes qui s'expédieront par son ordre; dans lequel la figure de Mgr. le cardinal duc de Richelieu sera gravée avec ces mots à l'entour: Armand, Cardinal
30 Duc de Richelieu, Protecteur de L'Académie Françoise, établie l'an mil
six cent xxxv, et un contre-sceau, où sera représentée une couronne de
laurier, avec ce mot: A L'Immortalité;[9a] desquels sceaux l'empreinte ne
pourra jamais être changée pour quelle occasion que ce soit.

3.—Il y aura trois Officiers: Un Directeur, un Chancelier et un Secrétaire,
35 dont les deux premiers seront élus de deux mois en deux mois, et l'autre ne
changera point.[10]

---

[8] First historian of the Academy (1624–1693) and the only Academician ever given a *fauteuil*
without an election.   [9] Cardinal Richelieu.   [9a] Whence the name of *Immortels* given to the Academicians.
[10] For that reason he is called *secrétaire perpétuel.*

10.—La Compagnie ne pourra recevoir, ni destituer un Académicien, si elle n'est assemblée au nombre de vingt pour le moins, lesquels donneront leur avis par des ballottes, dont chacun des Académiciens aura une blanche et une noire; et lorsqu'il s'agira de la réception, il faudra que le nombre des blanches passe de quatre celui des noires; mais pour la destitution, il faudra au contraire que les noires l'emportent de quatre sur les blanches.

11.—En toutes les autres affaires, l'on opinera tout haut et de rang, sans interruption ni jalousie, sans reprendre avec chaleur ou mépris les avis de personne, sans rien dire que le nécessaire et sans répéter ce qui aura été dit.

13.—Si un des Académiciens fait quelque acte indigne d'un homme d'honneur, il sera interdit ou destitué, selon l'importance de sa faute.

21.—Il n'y sera mis en délibération aucune matière concernant la religion; et néanmoins, pource qu'il est impossible qu'il ne se rencontre dans les ouvrages qui seront examinés quelque proposition qui regarde ce sujet, comme le plus noble exercice de l'éloquence et le plus utile entretien de l'esprit, il ne sera rien prononcé sur les maximes de cette qualité, l'Académie soumettant toujours aux lois de l'Église, en ce qui touchera les choses saintes, les avis et les approbations qu'elle donnera pour les termes et la forme des ouvrages seulement.

22.—Les matières politiques ou morales ne seront traitées dans l'Académie que conformément à l'autorité du Prince, à l'état du gouvernement et aux lois du royaume.

23.—L'on prendra garde qu'il ne soit employé dans les ouvrages qui seront publiés sous le nom de l'Académie ou d'un particulier en qualité d'Académicien, aucun terme libertin ou licencieux et qui puisse être équivoqué ou mal interprété.

24.—La principale fonction de l'Académie sera de travailler avec tout le soin et toute la diligence possibles à donner des règles certaines à notre langue et à la rendre pure, éloquente et capable de traiter les arts et les sciences.

25.—Les meilleurs auteurs de la langue française seront distribués aux Académiciens pour observer tant les dictions que les phrases qui peuvent servir de règles générales et en faire rapport à la Compagnie qui jugera de leur travail et s'en servira aux occasions.

26.—Il sera composé un Dictionnaire, une Grammaire,[11] une Rhétorique et une Poétique sur les observations de l'Académie.

27.—Chaque jour d'assemblée ordinaire, un des Académiciens, selon l'ordre du tableau, fera un discours en prose, dont le récit par cœur ou la lecture à son choix durera un quart d'heure ou une demi-heure au plus, sur tel sujet qu'il voudra prendre, et ne se commencera qu'à trois heures. Le reste du temps sera employé à examiner les ouvrages par ceux qui se présenteront, ou à travailler aux pièces générales dont il est fait mention en l'article précédent.

---

[11] The Academy grammar did not appear until 1932; it met with very bitter opposition from some of the greatest French grammatical authorities. The *Rhetoric* and the *Poetics* have apparently been allowed to disappear quietly as an Academy undertaking.

34.—Les remarques des fautes d'un ouvrage se feront avec modestie et civilité, et la correction en sera soufferte de la même sorte.

43.—Les règles générales qui seront faites par l'Académie touchant le langage seront suivies par tous ceux de la Compagnie qui écriront tant en prose qu'en vers.

44.—Ils suivront aussi les règles qui seront faites pour l'orthographe.

45.—L'Académie ne jugera que des ouvrages de ceux dont elle est composée; et, si elle se trouve obligée par quelque considération d'en examiner d'autres, elle donnera seulement ses avis sans en faire aucune censure et sans en donner aussi d'approbation.

46.—S'il arrive que l'on fasse quelques écrits contre l'Académie, aucun des Académiciens n'entreprendra d'y répondre ou de rien publier pour sa défense sans en avoir charge expresse de la Compagnie assemblée au nombre de vingt pour le moins.

47.—Il est expressément défendu à tous ceux qui seront reçus en l'Académie de révéler aucune chose concernant la correction, le refus d'approbation ou tout autre fait de cette nature qui puisse être important au général ou aux particuliers de la Compagnie, sous peine d'en être bannis avec honte sans espérance de rétablissement.

Signé: Le Cardinal de Richelieu.

Et scellé de ses armes.

VAUGELAS (1585–1650)

Claude Vaugelas was one of the original members of the French Academy. He was deeply interested in the study of the language, and was put in charge of the work on the Academy dictionary, which he pushed vigorously in the face of the apathy of some of his colleagues. In 1647 he published his *Remarques sur la langue française,* in which he declares that language should be based on good usage, which he finds in the best practice of the court and the outstanding authors of the time. This definition he applies, however, in a very liberal fashion. His book remained the great authority in matters of language throughout the 17th century.

REMARQUES SUR LA LANGUE FRANÇAISE
(EXTRAIT)

I. Ce ne sont pas ici des lois que je fais pour notre langue de mon autorité privée; je serais bien téméraire, pour ne pas dire insensé; car à quel titre et de quel front prétendre un pouvoir qui n'appartient qu'à l'*Usage,* que chacun reconnaît pour le maître et le souverain des langues vivantes? Il faut pourtant que je m'en justifie d'abord, de peur que ceux qui condamnent 5
les personnes sans les ouïr ne m'en accusent, comme ils ont fait cette illustre et célèbre compagnie [1] qui est aujourd'hui l'un des ornements de Paris et de l'éloquence française. Mon dessein n'est pas de réformer notre langue, ni d'abolir des mots, ni d'en faire, mais seulement de montrer le bon usage de ceux qui sont faits, et, s'il est douteux ou inconnu, de l'éclaircir ou de le 10
faire connaître. Et tant s'en faut que j'entreprenne de me constituer juge des différends de la langue, que je ne prétends passer que pour un simple témoin, qui dépose ce qu'il a vu et ouï, ou pour un homme qui aurait fait un recueil d'arrêts qu'il donnerait au public. C'est pourquoi ce petit ouvrage a pris le nom de *Remarques,* et ne s'est pas chargé du frontispice (titre) 15
fastueux de *Décisions* ou de *Lois* ou de quelque autre semblable; car, encore que ce soient en effet les lois d'un souverain qui est l'Usage, si [2] est-ce que, outre l'aversion que j'ai à ces titres ambitieux, j'ai dû éloigner de moi tout soupçon de vouloir établir ce que je ne fais que rapporter.

II. Pour le mieux faire entendre, il est nécessaire d'expliquer ce que c'est 20
que cet usage dont on parle tant et que tout le monde appelle le roi ou le tyran, l'arbitre ou le maître des langues. Car, si ce n'est autre chose, comme quelques-uns se l'imaginent, que la façon ordinaire de parler d'une nation dans le siège de son empire, ceux qui y sont nés et élevés n'auront qu'à parler le langage de leurs nourrices et de leurs domestiques pour bien parler

---

[1] L'Académie française.　　　　　　　　　　　[2] *ainsi.*

la langue de leur pays; et les provinciaux et les étrangers, pour la bien savoir, n'auront aussi qu'à les imiter. Mais cette opinion choque tellement l'expérience générale qu'elle se réfute d'elle-même; et je n'ai jamais pu comprendre comme un des plus célèbres auteurs de notre temps[3] a été
5 infecté de cette erreur.

Il y a sans doute deux sortes d'usages, un bon et un mauvais. Le mauvais se forme du plus grand nombre de personnes, qui presque en toutes choses n'est pas le meilleur; et le bon, au contraire, est composé non pas de la pluralité, mais de l'élite des voix, et c'est véritablement celui que l'on nomme
10 le maître des langues, celui qu'il faut suivre pour bien parler et pour bien écrire en toutes sortes de styles. . . .

Voici donc comme on définit le bon usage: C'est la façon de parler de la plus saine partie de la cour, conformément à la façon d'écrire de la plus saine partie des auteurs du temps.
15 Quand je dis la cour, j'y comprends les femmes comme les hommes, et plusieurs personnes de la ville où le prince réside, qui, par la communication qu'elles ont avec les gens de la cour, participent à sa politesse.[4] Il est certain que la cour est comme un magasin d'où notre langue tire quantité de beaux termes pour exprimer nos pensées, et que l'éloquence de la chaire ni
20 du barreau n'aurait pas les grâces qu'elle demande si elle ne les empruntait presque toutes de la cour. Je dis *presque* parce que nous avons encore un grand nombre d'autres phrases qui ne viennent pas de la cour, mais qui sont prises de tous les meilleurs auteurs grecs et latins, dont les dépouilles font une partie des richesses de notre langue, et peut-être ce qu'elle a de
25 plus magnifique et de plus pompeux.

Toutefois, quelque avantage que nous donnions à la cour, elle n'est pas suffisante toute seule de servir de règle; il faut que la cour et les bons auteurs y concourent, et ce n'est que de cette conformité qui se trouve entre les deux que l'usage s'établit. . . . Le consentement des bons auteurs est
30 comme le sceau, ou une vérification qui autorise le langage de la cour et qui marque le bon usage. . . .

V. L'usage est celui auquel il se faut entièrement soumettre en notre langue; mais pourtant il n'en exclut pas la raison ni le raisonnement, quoiqu'ils n'aient nulle autorité. Ce qui se voit clairement en ce que[5] ce même usage
35 fait aussi beaucoup de choses contre la raison, qui non seulement ne laissent pas d'être aussi bonnes que celles où la raison se rencontre, que[6] même bien souvent elles sont plus élégantes et meilleures que celles qui sont dans la raison et dans la règle ordinaire, jusque-là qu'elles font une partie de l'orne-ment et de la beauté du langage. En un mot, l'usage fait beaucoup de choses
40 par raison, beaucoup sans raison, et beaucoup contre raison. . . .

Préface des Remarques.

---

[3] p. 59, n. 13.   [4] "culture."   [5] "from the fact that."   [6] "but."

L'HOTEL DE RAMBOUILLET ET LA PRÉCIOSITÉ

Catherine de Vivonne, marquise de Rambouillet,* half Italian by birth, disgusted by the coarseness of court life under Henri IV, decided to make her own Hôtel de Rambouillet a center of real culture in the manner of the Italian courts and salons of the Renaissance. She succeeded so completely in her effort to make over French society that from about 1618 to 1648 the Hôtel de Rambouillet came to represent all that was best in the cultivated social life of the time.

In the Hôtel de Rambouillet and other salons founded in imitation of it, there was developed the social and literary movement known as *Préciosité*. The essence of this movement was distinction. Everything must be refined: there must be not the remotest suggestion of anything commonplace or vulgar. The *Précieux* and *Précieuses* strove to feel, think, act, speak differently from other people. This *esprit de coterie* brought with it inevitably a certain affectation and snobbishness which was destined eventually to wreck the movement. Under the tactful guidance of Madame de Rambouillet these decadent tendencies were held in restraint. With her imitators, however, such as Mlle de Scudéry, who lacked her exquisite taste, the inherent weaknesses of *Préciosité* were allowed to develop to such a point as to merit the satirical attack of Molière in his *Précieuses Ridicules* (1659).

In spite of its affectation which finally made it ridiculous, *Préciosité* exercised on the whole a thoroughly beneficial influence in the development of French letters. Writers, mingling on equal terms with the best society of the time, learned to discuss all questions with distinction and elegance, and to rid themselves of the tendency to academic pedantry inherited from the Renaissance. In the salons they cultivated that taste for psychological analysis which is so characteristic of classical literature. It is rather significant that two, at least, of the masterpieces of the 17th century, the *Maximes* of La Rochefoucauld and the *Caractères* of La Bruyère, were direct outgrowths of certain diversions of the salons.

1. L'HOTEL DE RAMBOUILLET

[The following account was written by Tallemant des Réaux (1619–1692), author of interesting, gossipy anecdotes about seventeenth century society.]

MADAME DE RAMBOUILLET ET L'HOTEL DE RAMBOUILLET

Mme de Rambouillet est fille, comme j'ai déjà dit, de feu M. le marquis de Pisani,[1] et d'une Savelli,[1] veuve d'un Ursins.[1] Sa mère était une habile femme; elle eut soin de l'entretenir dans la langue italienne, afin qu'elle sût également cette langue et la française. On fit toujours cas de cette dame-là à la cour, et Henri IV l'envoya, avec Mme de Guise, surintendante de la ͻ

---

* Born at Rome in 1588, died at Paris in 1665.
[1] Prominent Italian aristocratic families.

79

maison de la Reine, recevoir la Reine-mère [2] à Marseille. Elle maria sa fille
devant douze ans avec M. le vidame du Mans.[3] Mme de Rambouillet dit
qu'elle regarda d'abord son mari, qui avait alors une fois autant d'âge [4]
qu'elle, comme un homme fait, et qu'elle se regarda comme une enfant, et
5 que cela lui est toujours demeuré dans l'esprit, et l'a portée à le respecter
davantage. Hors les procès,[5] jamais il n'y a eu un homme plus complaisant
pour sa femme. Elle m'a avoué qu'il a toujours été amoureux d'elle, et ne
croyait pas qu'on pût avoir plus d'esprit qu'elle en avait. A la vérité, il
n'avait pas grand'peine à lui être complaisant, car elle n'a jamais rien voulu
10 que de raisonnable. Cependant elle jure que si on l'eût laissée jusqu'à
vingt ans, et qu'on ne l'eût point obligée après à se marier, elle fût demeurée
fille. Je la croirais bien capable de cette résolution, quand je considère que
dès vingt ans elle ne voulut plus aller aux assemblées du Louvre. . . . Elle
disait qu'elle n'y trouvait rien de plaisant que [6] de voir comme on se
15 pressait pour y entrer, et que quelquefois il lui est arrivé de se mettre en une
chambre pour se divertir du méchant ordre qu'il y a pour ces choses-là en
France. Ce n'est pas qu'elle n'aimât le divertissement, mais c'était en particulier. . . .
    Elle a toujours aimé les belles choses, et elle allait apprendre le latin, seule-
20 ment pour lire Virgile, quand une maladie l'en empêcha. Depuis, elle n'y
a pas songé, et s'est contentée de l'espagnol. C'est une personne habile en
toutes choses. Elle fut elle-même l'architecte de l'hôtel de Rambouillet, qui
était la maison de son père. Mal satisfaite de tous les dessins qu'on lui faisait
(car alors on ne savait que faire une salle à un côté, une chambre à l'autre,
25 et un escalier au milieu: d'ailleurs la place était fort irrégulière et d'une assez
petite étendue), un soir, après y avoir bien rêvé, elle se mit à crier: «Vite,
du papier; j'ai trouvé le moyen de faire ce que je voulais.» Sur l'heure elle
en fit le dessin, car naturellement elle sait dessiner, et dès qu'elle a vu une
maison, elle en tire le plan fort aisément.
30   . . . On suivit le dessin de Mme de Rambouillet de point en point. C'est
d'elle qu'on a appris à mettre les escaliers à côté, pour avoir une grande suite
de chambres, à exhausser [7] les planchers, et à faire des portes et des
fenêtres hautes et larges et vis-à-vis les unes des autres: et cela est si vrai,
que la Reine-mère, quand elle fit bâtir Luxembourg,[8] ordonna aux archi-
35 tectes d'aller voir l'hôtel de Rambouillet, et ce soin ne leur fut pas inutile.
C'est la première qui s'est avisée de faire peindre une chambre d'autre couleur que de rouge ou de tanné; et c'est ce qui a donné à sa grand'chambre
le nom de la *chambre bleue.*
    . . . L'hôtel de Rambouillet était, pour ainsi dire, le théâtre de tous les di-
40 vertissements, et c'était le rendez-vous de ce qu'il y avait de plus galant à
la cour, et de plus poli parmi les beaux-esprits du siècle. . . .

---

[2] Marie de Médicis, wife of Henri IV, mother of Louis XIII.
[3] Later marquis de Rambouillet.   [4] "twice as old"; he was 23 in 1600.
[5] Arising from financial difficulties.   [6] *rien d'aussi plaisant que.*   [7] "raise."
[8] The Palais du Luxembourg, now the seat of the French Senate.

Jamais il n'y a eu une meilleure amie. M. d'Andilly,[9] qui faisait le professeur en amitié,[10] lui dit un jour qu'il la voulait instruire amplement en cette belle science; il lui faisait des leçons prolixes; elle, pour trancher tout d'un coup, lui dit: «Bien loin de ne pas faire toutes choses au monde pour mes amis, si je savais qu'il y eût un fort honnête homme aux Indes,[11] sans le connaître autrement, je tâcherais de faire pour lui tout ce qui serait à son avantage.—Quoi! s'écria M. d'Andilly, vous en savez jusque là! Je n'ai plus rien à vous montrer.»

Madame de Rambouillet est encore présentement d'humeur à se divertir de tout. Un de ses plus grands plaisirs était de surprendre les gens. Une fois elle fit une galanterie à M. de Lizieux [12] à laquelle il ne s'attendait pas. Il l'alla voir à Rambouillet. Il y a au pied du château une fort grande prairie, au milieu de laquelle, par une bizarrerie de la nature, se trouve comme un cercle de grosses roches, entre lesquelles s'élèvent de grands arbres qui font un ombrage très-agréable. C'est le lieu où Rabelais [13] se divertissait, à ce qu'on dit dans le pays; car le cardinal du Bellay, à qui il était,[14] et messieurs de Rambouillet, comme proches parents, allaient fort souvent passer le temps à cette maison; et encore aujourd'hui on appelle une certaine roche creuse et enfumée *la Marmite de Rabelais*. La marquise proposa donc à M. de Lizieux d'aller se promener dans la prairie. Quand il fut assez près de ces roches pour entrevoir à travers les feuilles des arbres, il aperçut en divers endroits je ne sais quoi de brillant. Étant plus proche, il lui sembla qu'il discernait des femmes, et qu'elles étaient vêtues en nymphes. La marquise, au commencement, ne faisait pas semblant de rien voir de ce qu'il voyait. Enfin, étant parvenus jusqu'aux roches, ils trouvèrent Mlle de Rambouillet et toutes les demoiselles de la maison, vêtues effectivement en nymphes, qui, assises sur ces roches, faisaient le plus agréable spectacle du monde. Le bonhomme en fut si charmé, que depuis il ne voyait jamais la marquise sans lui parler des roches de Rambouillet. . . .

Elle attrapa plaisamment le comte de Guiche, aujourd'hui le maréchal de Gramont.[15] Il était encore fort jeune quand il commença à aller à l'hôtel de Rambouillet. . . .

Un soir qu'il avait mangé force champignons, on gagna son valet de chambre qui donna tous les pourpoints des habits que son maître avait apportés. On les étrécit promptement. Le matin, Chaudebonne [16] le va voir comme il s'habillait; mais quand il voulut mettre son pourpoint, il le trouva trop étroit de quatre grands doigts. «Ce pourpoint-là est bien étroit,» dit-il à son valet de chambre; «donnez-moi celui de l'habit que je mis hier.» Il ne le trouve pas plus large que l'autre. «Essayons-les tous,» dit-il. Mais tous lui étaient également étroits. «Qu'est ceci?, ajouta-t-il, suis-je enflé? serait-ce

---

[9] Arnauld d'Andilly (1588–1674): one of the members of Port-Royal, elder brother of le grand Arnauld.
[10] "was an authority on friendship."   [11] The West Indies or India, probably the former.
[12] Celebrated preacher of the time.   [13] See page 30.   [14] "In whose service he was."
[15] Soldier and author of interesting *Mémoires* (1604–1678).
[16] A close friend of Mme de Rambouillet.

d'avoir trop mangé de champignons?—Cela pourrait bien être, dit Chaudebonne, vous en mangeâtes hier au soir à crever.» Tous ceux qui le virent
lui en dirent autant, et voyez ce que c'est que l'imagination. Il avait, comme
vous pouvez penser, le teint tout aussi bon que la veille; cependant il y
5 découvrait, ce lui semblait, je ne sais quoi de livide. La messe sonne, c'était
un dimanche: il fut contraint d'y aller en robe de chambre. La messe dite, il
commence à s'inquiéter de cette prétendue enflure, et il disait en riant du
bout des dents: [17] «Ce serait pourtant une belle fin que de mourir à vingt
et un ans pour avoir mangé des champignons!» Comme on vit que cela
10 allait trop avant, Chaudebonne dit qu'en attendant qu'on pût avoir du contre-
poison, il était d'avis qu'on fît une recette dont il se souvenait. Il se mit aussitôt
à l'écrire, et la donna au comte. Il y avait: *Recipe de bons ciseaux, et décous ton
pourpoint.* Or, quelque temps après, comme si c'eût été pour venger le comte,
Mlle de Rambouillet et M. de Chaudebonne mangèrent effectivement de
15 mauvais champignons, et on ne sait ce qui en fût arrivé, si Mlle de Rambouillet n'eût trouvé de la thériaque [18] dans un cabinet, où elle chercha à tous
hasards. . . .

Tallemant des Réaux—Historiettes.

PORTRAIT DE LA MARQUISE DE RAMBOUILLET

. . . Imaginez-vous la beauté même, si vous voulez concevoir celle de cette
admirable personne. Je ne vous dis point que vous vous figuriez celle que
20 nos peintres donnent à Vénus, pour comprendre la sienne, car elle ne serait
pas assez modeste; ni celle de Pallas,[19] parce qu'elle serait trop fière; ni
celle de Junon,[20] qui ne serait pas assez charmante; ni celle de Diane,[21] qui
serait un peu trop sauvage; mais je vous dirai que, pour représenter Cléomire,[22] il faudrait prendre de toutes les figures qu'on donne à ces déesses
25 ce qu'elles ont de beau, et l'on en ferait peut-être une passable peinture.
Cléomire est grande et bien faite: tous les traits de son visage sont admirables;
la délicatesse de son teint ne se peut exprimer; la majesté de toute sa personne est digne d'admiration, et il sort je ne sais quel éclat de ses yeux qui
imprime le respect dans l'âme de tous ceux qui la regardent, et pour moi
30 je vous avoue que je n' ai jamais pu approcher Cléomire, sans sentir dans
mon cœur je ne sais quelle crainte respectueuse, qui m'a obligé de songer
plus à moi, étant auprès d'elle, qu'en nul autre lieu du monde où j'aie
jamais été. Au reste, les yeux de Cléomire sont si admirablement beaux,
qu'on ne les a jamais pu bien représenter: ce sont pourtant des yeux qui,
35 en donnant de l'admiration, n'ont pas produit ce que les autres beaux yeux
ont accoutumé de produire dans le cœur de ceux qui les voient; car enfin,
en donnant de l'amour, ils ont toujours donné en même temps de la crainte

---

[17] "Forcing a laugh."   [18] "theriac" or Venetian treacle, a remedy against poison.
[19] Athene, goddess of wisdom.   [20] Wife of Jupiter, goddess of marriage.
[21] Goddess of the chase.
[22] *Précieux* name of Mme de Rambouillet. She is much better known by the name of Arthénice,
anagram of Cathérine.

et du respect, et, par un privilège particulier, ils ont purifié tous les cœurs qu'ils ont embrasés. Il y a même parmi leur éclat et parmi leur douceur une modestie si grande, qu'elle se communique à ceux qui la voient, et je suis fortement persuadé qu'il n'y a point d'homme au monde qui eût l'audace d'avoir une pensée criminelle en la présence de Cléomire. Sa physionomie est la plus belle et la plus noble que je vis jamais, et il paraît une tranquillité sur son visage qui fait voir clairement quelle est celle de son âme. On voit même que toutes ses passions sont soumises à sa raison et ne font point de guerre intestine dans son cœur; en effet, je ne pense point que l'incarnat qu'on voit sur ses joues ait jamais passé ses limites et se soit épanché sur tout son visage, si ce n'a été par la chaleur de l'été ou par la pudeur, mais jamais par la colère ni par aucun dérèglement de l'âme: ainsi Cléomire, étant toujours également tranquille, est toujours également belle. Enfin si on voulait donner un corps à la Chasteté pour la faire adorer par toute la terre, je voudrais représenter Cléomire; si on en voulait donner un à la Gloire pour la faire aimer par tout le monde, je voudrais encore faire sa peinture, et, si l'on en donnait un à la Vertu, je voudrais aussi la représenter.

Au reste, l'esprit et l'âme de cette merveilleuse personne surpassent de beaucoup sa beauté: le premier n'a point de bornes dans son étendue, et l'autre n'a point d'égale en générosité, en constance, en bonté, en justice et en pureté. L'esprit de Cléomire n'est pas un de ces esprits qui n'ont de lumière que celle que la nature leur donne, car elle l'a cultivé soigneusement; et je pense pouvoir dire qu'il n'est point de belles connaissances qu'elle n'ait acquises. Elle sait diverses langues, et n'ignore presque rien de ce qui mérite d'être su; mais, elle le sait sans faire semblant de le savoir, et on dirait, à l'entendre parler, tant elle est modeste, qu'elle ne parle de toutes choses admirablement, comme elle fait, que par le simple sens commun et par le seul usage du monde. Cependant elle se connaît à tout: les sciences les plus élevées ne passent pas sa connaissance; les arts les plus difficiles sont connus d'elle parfaitement. . . . Elle s'est fait faire un palais de son dessin,[23] qui est un des mieux entendus du monde; et elle a trouvé l'art de faire en une place d'une médiocre grandeur un palais d'une vaste étendue. . . . Au reste, jamais personne n'a eu une connaissance si délicate qu'elle pour les beaux ouvrages de prose ni pour les vers; elle en juge pourtant avec une modération merveilleuse, ne quittant jamais la bienséance de son sexe, quoiqu'elle soit beaucoup au-dessus. . . . Il n'y a personne en toute la cour qui ait quelque esprit et quelque vertu, qui n'aille chez elle. Rien n'est trouvé beau, si elle ne l'a approuvé: . . . il ne vient pas même un étranger qui ne veuille voir Cléomire et lui rendre hommage; et il n'est pas jusqu'aux excellents artisans qui ne veuillent que leurs ouvrages aient la gloire d'avoir son approbation. Tout ce qu'il y a de gens qui écrivent en Phénicie [24] ont chanté ses louanges; et elle possède si merveilleusement l'estime de tout le

[23] The famous Hôtel de Rambouillet.
[24] Scene of the novel, *le Grand Cyrus*. Phœnicia, of course, really stands for France.

monde, qu'il ne s'est jamais trouvé personne qui l'ait pu voir, sans dire
d'elle mille choses avantageuses, sans être également charmé de sa beauté, de
son esprit, de sa douceur et de sa générosité. . . .

Mlle de Scudéry—*Artamène ou le Grand Cyrus.*

2. Mlle DE SCUDÉRY (1607–1701)

Mlle de Scudéry Peinte Par Elle-Même

Elle est donc fille d'un homme de qualité appelé Scamandrogine qui
5 était d'un sang si noble qu'il n'y avait point de famille où l'on pût voir une
plus longue suite d'aïeux, ni une généalogie plus illustre ni moins douteuse.
De plus, Sapho [25] a encore eu l'avantage que son père et sa mère avaient
tous deux beaucoup d'esprit et beaucoup de vertu; mais elle eut le malheur
de les perdre de si bonne heure qu'elle ne put recevoir d'eux que les pre-
10 mières inclinations au bien, car elle n'avait que six ans lorsqu'ils moururent.
Il est vrai qu'ils la laissèrent sous la conduite d'une parente qu'elle avait,
appelée Cynégire, qui avait toutes les qualités nécessaires pour bien élever
une jeune personne, et ils la laissèrent avec un bien beaucoup au-dessous
de son mérite, mais pourtant assez considérable pour n'avoir non seulement
15 besoin de personne, mais pour pouvoir même paraître avec assez d'éclat
dans le monde. Sapho a pourtant un frère Charasce [26] qui était alors extrêmement riche; car Scamandrogine en mourant avait partagé son bien
fort inégalement et en avait beaucoup plus laissé à son fils qu'à sa fille,
quoique à la vérité il ne le méritât pas, et qu'elle fût digne de porter une
20 couronne. En effet je ne pense pas que toute la Grèce ait jamais eu une
personne qu'on puisse comparer à Sapho: je ne m'arrêterai pourtant point à
vous dire quelle fut son enfance, car elle fut si peu enfant qu'à douze ans
on commença de parler d'elle comme d'une personne dont la beauté, l'esprit
et le jugement étaient déjà formés et donnaient de l'admiration à tout le
25 monde; mais je vous dirai seulement qu'on n'a jamais remarqué en qui que
ce soit des inclinations plus nobles, ni une facilité plus grande à apprendre
tout ce qu'elle a voulu savoir.

Cependant, quoique Sapho ait été charmante dès le berceau, je ne veux
vous faire la peinture de sa personne et de son esprit qu'en l'état où elle
30 est présentement, afin que vous la connaissiez mieux. Je vous dirai donc
qu'encore que vous m'entendiez parler de Sapho comme de la plus merveilleuse et de la plus charmante personne de toute la Grèce, il ne faut pourtant
pas vous imaginer que sa beauté soit une de ces grandes beautés en qui
l'envie même ne saurait trouver aucun défaut, mais il faut néanmoins que
35 vous compreniez qu'encore que la sienne ne soit pas de celles que je dis,
elle est pourtant capable d'inspirer de plus grandes passions que les plus
grandes beautés de la terre. Mais enfin, madame, pour vous dépeindre

---

[25] Mlle de Scudéry (1607–1701), author of popular romances, *le Grand Cyrus* (1649–1653)
and *Clélie* (1654–1661).
[26] Georges de Scudéry (1601–1667), novelist and dramatist. Mlle de Scudéry published her
novels under his name.

l'admirable Sapho, il faut que je vous dise qu'encore qu'elle se dise petite, lorsqu'elle veut médire d'elle-même, elles est pourtant de taille médiocre, mais si noble et si bien faite qu'on ne peut y rien désirer. Pour le teint, elle ne l'a pas de la dernière blancheur; il a toutefois un si bel éclat qu'on peut dire qu'elle l'a beau. Mais ce que Sapho a de souverainement agréable, c'est 5 qu'elle a les yeux si beaux, si vifs, si amoureux et si pleins d'esprit, qu'on ne peut ni en soutenir l'éclat ni en détacher ses regards. En effet, ils brillent d'un feu si pénétrant et ils ont pourtant une douceur si passionée que la vivacité et la langueur ne sont pas des choses incompatibles dans les beaux yeux de Sapho. Ce qui fait leur plus grand éclat, c'est que jamais il n'y a eu 10 une opposition plus grande que celle du blanc et du noir de ses yeux. Cependant cette grande opposition n'y cause nulle rudesse, et il y a un certain esprit amoureux qui les adoucit d'une si charmante manière que je ne crois pas qu'il y ait jamais eu une personne dont les regards aient été plus redoutables. De plus, elle a des choses qui ne se trouvent pas toujours en- 15 semble, car elle a la physionomie fine et modeste, et elle ne laisse pas aussi d'avoir je ne sais quoi de grand et de relevé dans la mine. Sapho a, de plus, le visage ovale, la bouche petite et incarnate, et les mains si admirables que ce sont en effet des mains à prendre des cœurs, ou, si on la veut considérer comme cette savante fille qui est si chèrement aimée des Muses, ce sont des 20 mains dignes de cueillir les plus belles fleurs du Parnasse.

Mais, Madame, ce n'est pas encore par ce que je viens de vous dire que Sapho est la plus aimable; car les charmes de son esprit surpassent de beaucoup ceux de sa beauté. En effet, elle l'a d'une si vaste étendue, qu'on peut dire que ce qu'elle ne comprend pas, ne peut être compris de personne;[27] 25 et elle a une telle disposition à apprendre facilement tout ce qu'elle veut savoir que, sans que l'on ait presque jamais ouï dire que Sapho ait rien appris,[28] elle sait pourtant toutes choses. Premièrement, elle est née avec une inclination à faire des vers, qu'elle a si heureusement cultivée qu'elle en fait mieux que qui que ce soit, et elle a même inventé des mesures particulières 30 pour en faire qu'Hésiode [29] et Homère ne connaissaient pas, et qui ont une telle approbation que cette sorte de vers portent le nom de celle qui les a inventés et sont appelés saphiques.[30] Elle écrit aussi tout à fait bien en prose, et il y a un caractère si amoureux dans tous les ouvrages de cette admirable fille, qu'elle émeut et qu'elle attendrit le cœur de tous ceux qui lisent ce 35 qu'elle écrit. En effet, je lui ai vu faire un jour une chanson d'improviste qui était mille fois plus touchante que la plus plaintive élégie ne saurait être, et il y a un certain tour amoureux à tout ce qui part de son esprit que nulle autre qu'elle ne saurait avoir. Elle exprime même si délicatement les sentiments les plus difficiles à exprimer, et elle sait si bien faire l'anatomie d'un 40 cœur amoureux,[31] s'il est permis de parler ainsi, qu'elle en sait décrire

[27] A good example of the boastful conceit of the later *Précieux*.
[28] Cf. *Les Précieuses Ridicules*: "Les gens de qualité savent tout sans avoir jamais rien appris."
[29] Greek poet of the 9th century B. C.
[30] The Greek Sapphic metre, named after the poetess, Sappho.
[31] The preoccupation with psychology is one of the characteristics of the novels of Mlle de Scudéry.

exactement toutes les jalousies, toutes les inquiétudes, toutes les impatiences, toutes les joies, tous les dégoûts, tous les murmures, tous les désespoirs, toutes les espérances, toutes les révoltes, et tous ces sentiments tumultueux qui ne sont jamais bien connus que de ceux qui les sentent ou qui les ont
5   senti. Au reste, Sapho ne connaît pas seulement tout ce qui dépend de l'amour, car elle ne connaît pas moins bien tout ce qui appartient à la générosité et elle sait enfin si parfaitement écrire et parler de toutes choses, qu'il n'est rien qui ne tombe sous sa connaissance. Il ne faut pourtant pas s'imaginer que ce soit une science infuse,[32] car Sapho a vu tout ce qui est digne de
10   l'être, et elle s'est donné la peine de s'instruire de tout ce qui est digne de curiosité. Elle sait de plus jouer de la lyre et chanter; elle danse aussi de fort bonne grâce, et elle a même voulu savoir faire tous les ouvrages où les femmes qui n'ont pas l'esprit aussi élevé qu'elle, s'occupent quelquefois pour se divertir. Mais ce qu'il y a d'admirable, c'est que cette personne, qui sait
15   tant de choses différentes, les sait sans faire la savante, sans en avoir aucun orgueil, et sans mépriser celles qui ne les savent pas. En effet, sa conversation est si naturelle, si aisée et si galante qu'on ne lui entend jamais dire en une conversation générale que des choses qu'on peut croire qu'une personne de grand esprit pourrait dire sans avoir appris tout ce qu'elle sait.
20   Ce n'est pas que les gens qui savent les choses ne connaissent bien que la nature toute seule ne pourrait lui avoir ouvert l'esprit au point qu'elle l'a, mais c'est qu'elle songe tellement à demeurer dans la bienséance de son sexe, qu'elle ne parle presque jamais que de ce que les dames doivent parler, et il faut être de ses amis très particuliers pour qu'elle avoue seulement
25   qu'elle ait appris quelque chose. Il ne faut pourtant pas s'imaginer que Sapho affecte une ignorance grossière en sa conversation; au contraire, elle sait si bien l'art de la rendre telle qu'elle veut, qu'on ne sort jamais de chez elle sans y avoir ouï dire mille belles et agréables choses; mais c'est qu'elle a une adresse dans l'esprit qui la rend maîtresse de celui des autres. Ainsi, on
30   peut assurer qu'elle fait presque dire tout ce qu'elle veut aux gens qui sont avec elle, quoiqu'ils pensent ne dire que ce qui leur plaît. Elle a un esprit d'accommodement admirable, et elle parle si également bien des choses sérieuses et des choses galantes et enjouées, qu'on ne peut comprendre qu'une même personne puisse avoir des talents si opposés. Mais ce qu'il y a
35   encore de plus digne de louanges en Sapho, c'est qu'il n'y a pas au monde une meilleure personne qu'elle, ni plus généreuse, ni moins intéressée, ni plus officieuse. De plus, elle est fidèle dans ses amitiés, et elle a l'âme si tendre et le cœur si passionné, qu'on peut sans doute mettre la suprême félicité à être aimé de Sapho, car elle a un esprit si ingénieux à trouver de nouveaux
40   moyens d'obliger ceux qu'elle estime et de leur faire connaître son affection que, bien qu'il ne semble pas qu'elle fasse des choses fort extraordinaires, elle ne laisse pas toutefois de persuader à ceux qu'elle aime qu'elle les aime chèrement. Ce qu'elle a encore d'admirable, c'est qu'elle est incapable d'envie, et qu'elle rend justice au mérite avec tant de générosité qu'elle prend plus de plaisir à louer les autres qu'à être louée. Outre tout ce que je viens de

32 "innate."

dire, elle a encore une complaisance qui, sans avoir rien de lâche, est infiniment commode et infiniment agréable; et si elle refuse quelquefois quelque
chose à ses amis, elle le fait avec tant de civilité et tant de douceur qu'elle
les oblige même en les refusant. Jugez après cela de ce qu'elle peut faire
lorsqu'elle leur accorde son amitié et sa confiance. Voilà quelle est cette 5
merveilleuse Sapho. . . .

Mlle de Scudéry—*Artamène ou le Grand Cyrus.*

3. LA CARTE DE TENDRE

. . . «Vous vous souvenez sans doute bien, Madame, qu'Herminius [33] avait
prié Clélie [33] de lui enseigner par où l'on pouvait aller de Nouvelle Amitié à
Tendre; de sorte qu'il faut commencer par cette première ville, qui est au
bas de cette carte, pour aller aux autres; car afin que vous compreniez mieux 10
le dessin de Clélie, vous verrez qu'elle a imaginé qu'on peut avoir de la
tendresse par trois causes différentes: ou par une grande estime, ou par
reconnaissance, ou par inclination; et c'est ce qui l'a obligée d'établir ces
trois villes de Tendre sur trois rivières qui portent ces trois noms, et de faire
aussi trois routes différentes pour y aller. Si bien que comme on dit Cumes sûr 15
la mer d'Ionie et Cumes [34] sur la mer Tyrrhène,[35] elle fait qu'on dit Tendre
sur Inclination, Tendre sur Estime et Tendre sur Reconnaissance. Cependant, comme elle a présupposé que la tendresse qui naît par inclination
n'a besoin de rien autre chose pour être ce qu'elle est, Clélie, comme vous le
voyez, Madame, n'a mis nul village le long des bords de cette rivière, qui va 20
si vite qu'on n'a que faire de [36] logement le long de ses rives, pour aller de
Nouvelle Amitié à Tendre. Mais pour aller à Tendre sur Estime, il n'en
est pas de même; car Clélie a ingénieusement mis autant de villages qu'il
y a de petites et de grandes choses qui peuvent contribuer à faire naître par
estime cette tendresse dont elle entend parler. En effet, vous voyez que de 25
Nouvelle Amitié on passe à un lieu qu'elle appelle Grand Esprit, parce que
c'est ce qui commence ordinairement l'estime; ensuite vous voyez ces agréables villages de Jolis Vers, de Billet galant, et de Billet doux, qui sont les
opérations les plus ordinaires du grand esprit dans les commencements d'une
amitié.

30

«Ensuite pour faire un plus grand progrès dans cette route, vous voyez
Sincérité, Grand Cœur, Probité, Générosité, Respect, Exactitude, et Bonté,
qui est tout contre Tendre, pour faire connaître qu'il ne peut y avoir de
véritable estime sans bonté, et qu'on ne peut arriver à Tendre de ce côté-là
sans avoir cette précieuse qualité. Après cela, Madame, il faut, s'il vous 35
plaît, retourner à Nouvelle Amitié pour voir par quelle route on va de là
à Tendre sur Reconnaissance. Voyez donc, je vous en prie, comment il faut
aller d'abord de Nouvelle Amitié à Complaisance, ensuite à ce petit village

---

[33] Characters in the novel *Clélie*. Herminius is supposed to represent the writer, Pellisson,
and Clélie Mlle de Longueville, daughter of the famous Duchesse de Longueville.
[34] Cumæ, near Naples, home of the Sibyl.   [35] Mediterranean Sea west of Italy.
[36] "has no need of."

qui se nomme Soumission, et qui en touche un autre fort agréable, qui
s'appelle Petits Soins. Voyez, dis-je, que de là il faut passer par Assiduité,
pour faire entendre que ce n'est pas assez d'avoir pendant quelques jours
tous ces petits soins obligeants qui donnent tant de reconnaissance, si on ne
les a assidûment. Ensuite vous voyez qu'il faut passer à un autre village qui
s'appelle Empressement, et ne faire pas comme certaines gens tranquilles,
qui ne se hâtent pas d'un moment, quelque prière qu'on leur fasse, et qui
sont incapables d'avoir cet empressement qui oblige quelquefois si fort. Après

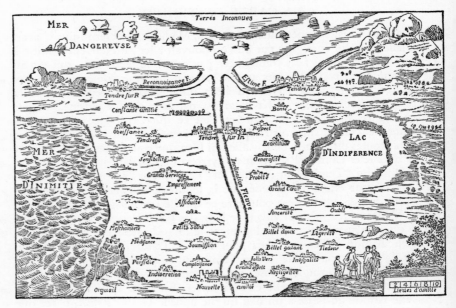

LA CARTE DE TENDRE

cela vous voyez qu'il faut passer à Grands Services, et que pour marquer
qu'il y a peu de gens qui en rendent de tels, ce village est plus petit que les
autres. Ensuite, il faut passer à Sensibilité, pour faire connaître qu'il faut
sentir jusques aux plus petites douleurs de ceux qu'on aime; après, il faut
pour arriver à Tendre passer par Tendresse, car l'amitié attire l'amitié.
Ensuite, il faut aller à Obéissance, n'y ayant presque rien qui engage plus
le cœur de ceux à qui on obéit que de le faire aveuglément, et pour arriver
enfin où l'on veut aller, il faut passer à Constante Amitié, qui est sans doute
le chemin le plus sûr pour arriver à Tendre sur Reconnaissance.

«Mais, Madame, comme il n'y a point de chemins où l'on ne se puisse
égarer, Clélie a fait, comme vous le pouvez voir, que si ceux qui sont à
Nouvelle Amitié prenaient un peu plus à droite, ou un peu plus à gauche,
ils s'égareraient aussi; car, si au partir de Grand Esprit on allait à Négli-

gence, que vous voyez tout contre sur cette carte, qu'ensuite, continuant
cet égarement, on allât à Inégalité, de là à Tiédeur, à Légèreté et à Oubli,
au lieu de se trouver à Tendre sur Estime, on se trouverait au Lac d'Indifférence, que vous voyez marqué sur cette carte, et qui, par ses eaux tranquilles, représente sans doute fort juste la chose dont il porte le nom en   5
cet endroit. De l'autre côté, si au partir de Nouvelle Amitié on prenait un
peu trop à gauche, et qu'on allât à Indiscrétion, à Perfidie, à Orgueil, à
Médisance ou à Méchanceté, au lieu de se trouver à Tendre sur Reconnaissance, on se trouverait à la Mer d'Inimitié, où tous les vaisseaux font nau-
frage, et qui, par l'agitation de ses vagues, convient sans doute fort juste 10
avec cette impétueuse passion que Clélie veut représenter.

«Ainsi elle fait voir par ces routes différentes qu'il faut avoir mille bonnes
qualités pour l'obliger à avoir une amitié tendre, et que ceux qui en ont de
mauvaises ne peuvent avoir part qu'à sa haine ou à son indifférence. Aussi
cette sage fille voulant faire connaître sur cette carte qu'elle n'avait jamais 15
eu d'amour, et qu'elle n'aurait jamais dans le cœur que de la tendresse, fait
que la Rivière d'Inclination se jette dans une mer qu'elle appelle la Mer
Dangereuse, parce qu'il est assez dangereux à une femme d'aller un peu
au delà des dernières bornes de l'amitié; et elle fait ensuite qu'au delà de
cette mer, c'est ce que nous appelons Terres inconnues, parce qu'en effet 20
nous ne savons point ce qu'il y a, et que nous ne croyons pas que personne
ait été plus loin qu'Hercule; [37] de sorte que, de cette façon, elle a trouvé
lieu de faire une agréable morale d'amitié par un simple jeu de son esprit,
et de faire entendre d'une manière assez particulière qu'elle n'a point eu
d'amour et qu'elle n'en peut avoir.

«Aussi trouvâmes-nous [37a] cette carte si galante, que nous la sûmes devant 25
que de nous séparer. Clélie priait pourtant instamment celui pour qui elle
l'avait faite, de ne la montrer qu'à cinq ou six personnes qu'elle aimait assez
pour la leur faire voir; car, comme ce n'était qu'un simple enjouement de
son esprit, elle ne voulait pas que de sottes gens, qui ne sauraient pas le 30
commencement de la chose, et qui ne seraient pas capables d'entendre cette
nouvelle galanterie, allassent en parler selon leur caprice ou la grossièreté de
leur esprit. Elle ne put pourtant être obéie, parce qu'il y eut une certaine con-
stellation [38] qui fit que quoiqu'on ne voulût montrer cette carte qu'à peu de
personnes, elle fit pourtant un si grand bruit par le monde, qu'on ne parlait 35
que de la carte de Tendre. Tout ce qu'il y avait de gens d'esprit à Capoue [39]
écrivirent quelque chose à la louange de cette carte, soit en vers, soit en
prose, car elle servit de sujet à un poème fort ingénieux, à d'autres vers fort
galants, à de fort belles lettres, à de fort agréables billets et à des conversations si divertissantes que Clélie soutenait qu'elles valaient mille fois mieux 40
que sa carte, et l'on ne voyait alors personne à qui l'on ne demandât s'il

[37] The Pillars of Hercules, that is, the cliffs on either side of the Strait of Gibraltar, were supposed to mark the western limits of the known world.
[37a] Aronce, Herminius and the narrator.   [38] "turn of events."
[39] Capua, standing, of course, for Paris.

voulait aller à Tendre. En effet, cela fournit durant quelque temps un si agréable sujet de s'entretenir, qu'il n'y eut jamais rien de plus divertissant.» . . .

Mlle de Scudéry—*Clélie, Histoire romaine*, I.

4. LA LANGUE PRÉCIEUSE

[Somaize's examples are drawn mainly from Molière's *Les Précieuses ridicules*.]

Aimer—avoir un furieux tendre pour
balai—l'instrument de la propreté
cerveau—le sublime
chandelle—le supplément du soleil
5   chapeau—l'effronteur du temps
cheminée—le siège de Vulcan
dents—l'ameublement de la bouche
eau—l'élément liquide
éventail—le zéphir
10   fauteuil—le trône de la ruelle
femme—l'agrément des sociétés *or* la divinité visible
fenêtre—la porte du jour
feu—l'élément combustible
guerre—la fille du Chaos
15   joues—les trônes de la pudeur
langue—la friponne
laquais—un nécessaire
larmes—les perles d'Iris
lit—l'empire de Morphée
20   lune—le flambeau du silence
main—la belle mouvante
miroir—le conseiller des Grâces
mort—la toute puissante
mouche—une tache avantageuse
25   musique—le paradis des oreilles
oreille—la porte de l'entendement
pain—le soutien de la vie
papier—l'interprète muet des cœurs
pieds—les chers souffrants
30   Paris—le centre du bon goût
poisson—un habitant du royaume de Neptune
siège—une commodité de la conversation
soleil—le flambeau du jour
table—l'universelle commodité
35   temps—l'immortel
tout à fait—furieusement

verre d'eau—un bain intérieur
violon—l'âme des pieds

Somaize [40]—*Grand Dictionnaire des Prétieuses.*

5. VOITURE (1598–1648)

Vincent Voiture is the perfect representative of *Préciosité*. In spite of his bourgeois origin, his wit made him the favorite of the Hôtel de Rambouillet, of which he was the *boute-en-train*,[1] the inventor of all sorts of society entertainments to vary the ordinary routine of salon life. But Voiture was above all "le père de l'ingénieuse badinerie," as Tallemant des Réaux calls him, able to say most wittily the lightest of nothings. He excelled in *vers de société,* while his witty letters were the delight of the *Précieux.* In spite of the slight substance of his work, Voiture rendered a real service to the language in giving it a new flexibility and making it a perfect medium for expressing the lighter moods of life.

STANCES

Je me meurs tous les jours en adorant Sylvie;
   Mais dans les maux dont je me sens périr
     Je suis si content de mourir,
   Que ce plaisir me redonne la vie.

Quand je songe aux beautés, par qui je suis la proie   5
   De tant d'ennuis qui me vont tourmentant,
     Ma tristesse me rend content
   Et fait en moi les effets de la joie.

Les plus beaux yeux du monde ont jeté dans mon âme
   Le feu divin qui me rend bien heureux;   10
     Que je vive ou meure pour eux,
   J'aime à brûler d'une si belle flamme.

Que [1a] si dans cet état quelque doute m'agite,
   C'est de penser que dans tous mes tourments
     J'ai de si grands contentements   15
   Que cela seul m'en ôte le mérite.

Ceux qui font en aimant des plaintes éternelles
   Ne doivent pas être bien amoureux.
     Amour rend tous les siens heureux
   Et dans les maux couronne ses fidèles.   20

---

[40] Antoine Baudeau, sieur de Somaize (? – ?), constituted himself the defender of the *Précieux* against the attacks of Molière. His *Dictionnaire des Prétieuses* (1660) and his *Grand Dictionnaire historique des Prétieuses* (1661) are important documents for the history of the *Précieux* movement.

[1] "life of the party."   [1a] *mais.*

Tandis qu'un feu secret me brûle et me dévore,
J'ai des plaisirs à qui rien n'est égal,
Et je vois au plus fort de mon mal
Les cieux ouverts dans les yeux que j'adore.

Une divinité de mille attraits pourvue   25
Depuis longtemps tient mon cœur en ses fers;
Mais tous les maux que j'ai soufferts,
N'égalent point le bien de l'avoir vue.

LA QUERELLE DES SONNETS [2]

I. SONNET A URANIE [3]

Il faut finir mes jours en l'amour d'Uranie:
L'absence ni le temps ne m'en sauraient guérir,
Et je ne vois plus rien qui me pût secourir,
Ni qui sût rappeler ma liberté bannie.

Dès longtemps je connais sa rigueur infinie;   5
Mais pensant aux beautés, pour qui je dois périr,
Je bénis mon martyre, et content de mourir,
Je n'ose murmurer contre sa tyrannie.

Quelquefois ma raison par de faibles discours
M'incite à la révolte et me promet secours;   10
Mais lorsqu'à mon besoin je me veux servir d'elle,

Après beaucoup de peine et d'efforts impuissants,
Elle dit qu'Uranie est seule aimable et belle,
Et m'y rengage plus que ne font tous mes sens.

VOITURE.

II. JOB

Job, de mille tourments atteint,
Vous rendra sa douleur connue,
Et raisonnablement il craint
Que vous n'en soyez pas émue.

Vous verrez sa misère nue: 5
Il s'est lui-même ici dépeint.

---

[2] This was a famous episode in the history of the Hôtel de Rambouillet, a controversy over the respective literary merits of Voiture's sonnet in honor of Uranie and that on Job (given below), by Benserade (1613–1691), another *précieux* poet.

[3] Muse of astronomy. Uranie was the *précieux* name of Julie d'Angennes, Mlle de Rambouillet.

Accoutumez-vous à la vue
D'un homme qui souffre et se plaint.

Bien qu'il eût d'extrêmes souffrances,
On voit aller des patiences
Plus loin que la sienne n'alla.

Il souffrit des maux incroyables;
Il s'en plaignit, il en parla;
J'en connais de plus misérables.

BENSERADE.

III. SUR LES SONNETS DE JOB ET D'URANIE

Deux sonnets partagent la ville,
Deux sonnets partagent la cour,
Et semblent vouloir à leur tour
Rallumer la guerre civile.[3a]

Le plus sot et le plus habile
En mettent leur avis au jour,
Et ce qu'on a pour eux d'amour
A plus d'un échauffe la bile.

Chacun en parle hautement
Suivant son petit jugement,
Et s'il y faut mêler le nôtre,

L'un est sans doute mieux rêvé,
Mieux conduit et mieux achevé,
Mais je voudrais avoir fait l'autre.

PIERRE CORNEILLE.

LETTRE SUR LE MOT CAR

A MLLE DE RAMBOUILLET

MADEMOISELLE,

CAR étant d'une si grande considération dans notre langue, j'approuve extrêmement le ressentiment que vous avez du tort qu'on lui veut faire; et je ne puis bien espérer de l'Académie dont vous me parlez, voyant qu'elle se veut établir par une si grand violence. En un temps où la Fortune joue des tragédies par tous les endroits de l'Europe, je ne vois rien si digne de pitié que quand je vois que l'on est prêt de chasser et faire le procès à un mot qui a si utilement servi cette monarchie, et qui dans toutes les brouilleries du royaume, s'est toujours montré bon Français. Pour moi, je ne puis comprendre quelles raisons ils pourront alléguer contre une diction[3b]

[3a] The wars of *la Fronde.*   [3b] *mot.*

qui marche toujours à la tête de la raison, et qui n'a point d'autre charge
que de l'introduire. Je ne sais pour quel intérêt ils tâchent d'ôter à Car
ce qui lui appartient, pour le donner à pour-ce que,[4] ni pourquoi ils
veulent dire avec trois mots ce qu'ils peuvent dire avec trois lettres? Ce
5 qui est le plus à craindre, Mademoiselle, c'est qu'après cette injustice, on
en entreprendra d'autres; on ne fera point de difficulté d'attaquer Mais,
et je ne sais si Si demeurera en sûreté. De sorte qu'après nous avoir ôté
toutes les paroles qui lient les autres, les beaux esprits nous voudront
réduire au langage des anges; ou si cela ne se peut, ils nous obligeront
10 au moins à ne parler que par signes. Certes, j'avoue qu'il est vrai ce que vous
dites, qu'on ne peut mieux connaître par aucun autre exemple l'incertitude
des choses humaines. Qui [5] m'eût dit il y a quelques années que j'eusse dû
vivre plus longtemps que Car, j'eusse cru qu'il m'eût promis une vie plus
longue que celle des patriarches. Cependant il se trouve qu'après avoir vécu
15 onze cents ans plein de force et de crédit, après avoir été employé dans les
plus importants traités, et assisté toujours honorablement dans le conseil de
nos rois, il tombe tout d'un coup en disgrâce, et est menacé d'une fin violente.
Je n'attends plus que l'heure d'entendre en l'air des voix lamentables qui
diront le grand Car est mort, et le trépas du grand Cam [6] ni du grand Pan [7]
20 ne semblerait pas si important ni si étrange. Je sais que si l'on consulte là-
dessus un des plus beaux esprits de notre siècle,[8] et que j'aime extrêmement, il
dira qu'il faut condamner cette nouveauté, qu'il faut user du Car de nos
pères, aussi bien que de leur terre et de leur soleil; et que l'on ne doit point
chasser un mot qui a été dans la bouche de Charlemagne,[9] et de Saint-Louis.[10]
25 Mais c'est vous principalement, Mademoiselle, qui êtes obligée d'en prendre
la protection; puisque la plus grande force et la plus parfaite beauté de notre
langue est en la vôtre, vous y devez avoir une souveraine puissance, et faire
vivre ou mourir les paroles comme il vous plaît. Aussi crois-je que vous avez
déjà sauvé celle-ci du hasard qu'elle courait, et qu'en l'enfermant dans votre
30 lettre, vous l'avez mise comme dans un asile, et dans un lieu de gloire, où
le temps ni l'envie ne la sauraient toucher. Parmi tout cela, je confesse que
j'ai été étonné de voir combien vos bontés sont bizarres, et que je trouve
étrange, que vous, Mademoiselle, qui laisseriez périr cent hommes sans en
avoir pitié, ne puissiez voir mourir une syllabe. Si vous eussiez eu autant de
35 soin de moi, que vous en avez de Car, j'eusse été bienheureux malgré ma mauvaise fortune; la pauvreté, l'exil, et la douleur, ne m'auraient qu'à peine
touché. Et si vous ne m'eussiez pu ôter ces maux, vous m'en eussiez au moins
ôté le sentiment. Lorsque j'espérais recevoir quelque consolation dans votre
lettre, j'ai trouvé qu'elle était plus pour Car que pour moi, et que son ban-
40 nissement vous mettait plus en peine que le nôtre. J'avoue, Mademoiselle,

[4] Modern *parce que*.   [5] "if anyone."
[6] Title of the Mongol rulers, first used of the great Genghis Khan.
[7] Greek god of nature. The story of the lamentation over the report of the death of the great
god Pan is found in Plutarch's *Morals*.
[8] Balzac, who, writing to Chapelain, calls this letter of Voiture *"une fort jolie chose."*
[9] Charlemagne probably spoke no French.
[10] Louis IX (1215–1270), one of the great French kings.

qu'il est juste de le défendre, mais vous devriez avoir soin de moi aussi bien
que de lui; afin que l'on ne vous reproche pas que vous abandonnez vos
amis pour un mot. Vous ne répondez rien à tout ce que je vous avais écrit;
vous ne parlez point des choses qui me regardent. En trois ou quatre pages,
à peine vous souvient-il une fois de moi, et la raison en est CAR. Considérez- 5
moi davantage une autre fois, s'il vous plaît; et quand vous entreprendrez
la défense des affligés, souvenez-vous que je suis du nombre. Je me servirai
toujours de lui-même pour vous obliger à m'accorder cette grâce; et je vous
assure que vous me la devez, CAR je suis,

MADEMOISELLE,   10
Votre, etc.
[VOITURE.]

LETTRE DE LA BERNE,[11]

A MLLE DE BOURBON [12]

MADEMOISELLE,

Je fus berné vendredi après dîner pour ce que je ne vous avais pas
fait rire dans le temps que l'on m'avait donné pour cela; et Mme de
Rambouillet en donna l'arrêt à la requête de Mlle sa fille et de Mlle Pau- 15
let.[13] . . . J'eus beau crier et me défendre: la couverture fut apportée, et
quatre des plus forts hommes du monde furent choisis pour cela. Ce que je
puis vous dire, Mademoiselle, c'est que jamais personne ne fut si haut que
moi, et que je ne croyais pas que la fortune me dût jamais tant élever. A tous
coups, ils me perdaient de vue et m'envoyaient plus haut que les aigles ne 20
peuvent monter. Je vis les montagnes abaissées au-dessous de moi; je vis les
vents et les nuées cheminer dessous mes pieds; je découvris des pays que
je n'avais jamais vus et des noms que je n'avais point imaginés. Il n'y a rien
de plus divertissant que de voir tant de choses à la fois et de découvrir d'une
seule vue la moitié de la terre.   25

Mais je vous assure, Mademoiselle, qu'on ne voit tout cela qu'avec inquiétude lorsque l'on est en l'air et que l'on est assuré d'aller retomber. Une des
choses qui m'effrayait le plus était que, lorsque j'étais bien haut et que je
regardais en bas, la couverture me paraissait si petite qu'il me semblait impossible que je retombasse dedans; et je vous avoue que cela me donnait quel- 30
que émotion.

Mais parmi tant d'objets différents qui en même temps frappèrent mes
yeux il y en eut un qui, pour quelques moments, m'ôta de crainte et me
toucha d'un véritable plaisir; c'est, Mademoiselle, qu'ayant voulu regarder vers
le Piémont [14] pour voir ce que l'on y faisait, je vous vis dans Lyon que vous 35
passiez la Saône.[15] Au moins, je vis sur l'eau une grande lumière et beau-

---

[11] "blanket-toss."
[12] Daughter of the prince of Condé. Later she became Mme de Longueville, who played an
important rôle in *la Fronde*.
[13] One of the *habitués* of the Hôtel de Rambouillet.   [14] Northwestern Italy.
[15] River which joins the Rhône at Lyon. *Que = au moment que.*

coup de rayons à l'entour du plus beau visage du monde. Je ne pus pas discerner qui était avec vous, parce qu'à cette heure-là j'avais la tête en bas, et je crois que vous ne me vîtes point, car vous regardiez d'un autre côté; je vous fis signe tant que je pus, mais comme vous commençâtes à lever les yeux, je retombais, et une des pointes de la montagne de Tarare [16] vous empêcha de me voir. Dès que je fus en bas, je leur voulus dire de vos nouvelles et les assurai que je vous avais vue. Mais ils se prirent à rire comme si j'eusse dit une chose impossible, et recommencèrent à me faire sauter mieux que devant.

Il arriva un accident étrange, et qui semblera incroyable à ceux qui ne l'ont point vu: une fois qu'ils m'avaient élevé fort haut, en descendant je me trouvai dans un nuage, lequel étant fort épais, et moi extrêmement léger, je fus un grand espace embarrassé dedans sans retomber, de sorte qu'ils demeurèrent longtemps en bas tendant la couverture, et regardant en haut sans se pouvoir imaginer ce que j'étais devenu. De bonne fortune il ne faisait point du tout de vent: car s'il y en eût eu, la nuée, en cheminant, m'eût porté d'un côté ou d'autre; ainsi je fusse tombé à terre, ce qui ne me pouvait arriver sans que je me blessasse bien fort. Mais il survint un plus dangereux accident: le dernier coup qu'ils me jetèrent en l'air, je me trouvai dans une troupe de grues, lesquelles d'abord furent étonnées de me voir si haut; mais quand elles m'eurent approché, elles me prirent pour un des pygmées [17] avec lesquels vous savez bien, Mademoiselle, qu'elles ont guerre de tout temps, et crurent que je les étais venu épier jusque dans la moyenne région de l'air. Aussitôt elles vinrent fondre sur moi à grands coups de bec, et d'une telle violence, que je crus être percé de cent coups de poignards; et une d'elles qui m'avait pris par la jambe me poursuivit si opiniâtrement qu'elle ne me laissa point que je ne fusse dans la couverture.

Cela fit appréhender à ceux qui me tourmentaient de me remettre encore à la merci de mes ennemis: car elles s'étaient amassées en grand nombre, et se tenaient suspendues en l'air attendant que l'on m'y renvoyât. On me rapporta donc en mon logis, dans la même couverture, si abattu qu'il n'est pas possible de l'être plus. Aussi, à dire le vrai, cet exercice est un peu violent pour un homme aussi faible que je suis. Vous pouvez juger, Mademoiselle, combien cette action est tyrannique et par combien de raisons vous êtes obligée de la désapprouver. Et sans mentir, à vous qui êtes née avec tant de qualités pour commander, il vous importe extrêmement de vous accoutumer de bonne heure de haïr l'injustice, et de prendre ceux qu'on opprime en votre protection. Je vous supplie donc, Mademoiselle, de déclarer premièrement cette entreprise un attentat que vous désavouez, et pour réparation de mon honneur et de mes forces, d'ordonner qu'un grand pavillon de gaze me sera dressé dans la chambre bleue de l'hôtel de Rambouillet, où je serai servi et traité magnifiquement huit jours durant par les deux demoiselles qui m'ont été cause de ce malheur; qu'à un des coins de la chambre on fera à toute

---

[16] Group of small mountains near Lyon.

[17] The pygmies are first mentioned by Homer (*Iliad*, III) as a tiny folk, dwelling far in the south, and attacked by the cranes during their winter migration from the inclement weather of the north.

heure des confitures; qu'une d'elles soufflera le fourneau, et l'autre ne fera autre chose que mettre du sirop sur des assiettes, pour le faire refroidir et me l'apporter de temps en temps. Ainsi, Mademoiselle, vous ferez une action de justice, et digne d'une aussi grande et aussi belle princesse que vous êtes; et je serai obligé d'être avec plus de respect et de vérité que personne du 5 monde,

MADEMOISELLE,
Votre, etc.
[VOITURE.]

LETTRE SUR LA MORT DE VOITURE

A MLLE DE RAMBOUILLET

MADEMOISELLE,

   Personne n'est encore mort de votre absence, hormis moi, et je ne 10 crains point de vous le dire ainsi crûment, pour ce que je crois que vous ne vous en soucierez guère. Néanmoins, si vous en voulez parler franchement, à cette heure que cela ne tire plus à conséquence, j'étais un assez joli garçon; et hors que je disputais quelquefois volontiers et que j'étais aussi opiniâtre que vous, je n'avais pas de grands défauts. Vous saurez donc, 15 Mademoiselle, que, depuis mercredi dernier, qui fut le jour de votre partement,[18] je ne mange plus, je ne parle plus, et je ne vois plus; et enfin, il n'y manque rien, sinon, que je ne suis pas enterré. Je ne l'ai pas voulu être sitôt, pour ce, premièrement, que j'ai eu toujours aversion à cela; et puis je suis bien aise que le bruit de ma mort ne coure pas sitôt, et je fais la meilleure mine 20 que je puis afin que l'on ne s'en doute pas. Car si on s'avise que cela m'est arrivé justement sur le point que vous êtes partie, l'on ne s'empêchera jamais de nous mettre ensemble dans les couplets de *L'Année est bonne* [19] qui courent maintenant partout. En vérité, si j'étais encore dans le monde, une des choses qui m'y feraient autant de dépit, serait le peu de discrétion qu'ont 25 certaines gens à faire courir toutes sortes de choses. Les vivants ne font rien, à mon avis, de plus impertinent [20] que cela, et il n'est pas jusqu'à nous autres morts, à qui cela ne déplaise. Je vous supplie, au reste, Mademoiselle, de ne point rire en lisant ceci: car, sans mentir, c'est fort mal de se moquer des trépassés, et si vous étiez en ma place, vous ne seriez pas bien aise qu'on en 30 usât de la sorte. Je vous conjure donc de me plaindre, et puisque vous ne pouvez plus faire autre chose pour moi, d'avoir soin de mon âme, car je vous assure qu'elle souffre extrêmement. Lorsqu'elle se sépara de moi, elle s'en alla sur le grand chemin de Chartres,[21] et de là droit à la Mothe: [22] et même à l'heure que vous lisez ceci, je vous donne avis qu'elle est auprès de 35 vous, et elle ira cette nuit en votre chambre faire cinq ou six grands cris, si cela ne vous tourne point à importunité. Je crois que vous y aurez

---

[18] *départ.*   [19] Poem by Voiture himself.   [20] "silly."
[21] Cathedral city south-west of Paris.
[22] Presumably a château in the vicinity of Rambouillet, where Mlle de Rambouillet was staying at the time.

du plaisir: car elle fait un bruit de diable, et se tourmente, et fait une tempête si étrange qu'il vous semblera que le logis sera prêt à se renverser. J'avais dessein de vous envoyer le corps par le messager, aussi bien que celui de la maréchale de Fervaque; [23] mais il est en un si pitoyable état qu'il eût été en pièces devant que d'être auprès de vous; et puis j'ai eu peur que par le chaud il ne se gâtât. . . .

Votre, etc.

[Voiture.]

[23] Transported in a public conveyance, by order of the duc de Chevreuse, her heir, to save the expense of a private carriage.

DESCARTES (1596-1650)

The life of René Descartes falls into two well-defined periods. In the first he accumulated his vast fund of knowledge and experience. In the second, beginning in 1629, he settled in Holland to devote himself to publishing the results of his long meditations upon the great problems of philosophy. In 1649, in order to escape from possible religious difficulties, he left Holland for Sweden, where he died the following year.

The *Discours de la méthode* (1637) is Descartes' exposition of the principles which served as the point of departure for his philosophy. Descartes was a distinguished mathematician, the inventor of analytical geometry, and his philosophical method is based upon the method of mathematics. He rejects conclusions which rest only upon authority and the scholastic use of the syllogism, and accepts as truth only what his reason tells him to be true. Using this method he discovers the first principle of his philosophy in the famous "Je pense, donc je suis," and on this basis he builds up his elaborate system of Cartesianism, the complete expression of the rationalistic tendencies of the age. Most of the details of the Cartesian philosophy have now been discarded, but Descartes' principle of rational analysis, following the methods of mathematics, has been generally accepted as the safest instrument of investigation in nearly all fields of knowledge.*

Descartes did not apply his rationalistic method of thinking to questions of religion, either because he felt that it would be imprudent to do so or, more probably, because as a sincere Christian he believed that such questions are really beyond the reach of the human reason. It remained for the *Philosophes* of the 18th century to give complete application to Descartes' system of rational doubt with special reference to religion, with the result that religious skepticism became practically universal among the intellectual classes.

From the purely literary viewpoint the *Discours de la méthode* is important as the first attempt on the part of a philosopher to expound his theories in French rather than in Latin, the traditional language of the schools. Descartes' use of the vernacular established the fact that French was now fully capable of expressing the most serious ideas.

"La philosophie de Descartes illumine tout le mouvement intellectuel et littéraire auquel la Renaissance a donné l'impulsion. Elle manifeste, en une forme abstraite et d'autant plus aisément connaissable, l'idée nouvelle qui prend ou aspire à prendre la direction de ce mouvement. Elle consiste essentiellement dans une conception scientifique de l'ensemble des choses, constituant la raison juge souverain du vrai, et lui proposant pour tâche de représenter par l'enchaînement logique de ses idées la liaison nécessaire des vérités: elle fixe une méthode rationnelle pour parvenir à la certitude, écartant toute autre voie, autorité, tradition, révélation; elle espère, elle annonce que par le procédé rationnel, toute vérité sera un jour saisie, et ne fixe aucune limite aux ambitions légitimes de la science."

Lanson—Histoire de la littérature française.

* Nineteenth century systems of philosophy from Hegel to Bergson are not based on mathematics so much as upon history and biology.

Important works:
Discours de la méthode (1637); *Méditations métaphysiques* (1641); *Traité des Passions* (1649).

DISCOURS DE LA MÉTHODE

POUR BIEN CONDUIRE SA RAISON, ET CHERCHER LA VÉRITÉ DANS LES SCIENCES.

PREMIÈRE PARTIE

Diverses considérations touchant les sciences

Le bon sens est la chose du monde la mieux partagée, car chacun pense en être si bien pourvu, que ceux même qui sont les plus difficiles à contenter en toute autre chose n'ont point coutume d'en désirer plus qu'ils n'en ont. En quoi il n'est pas vraisemblable que tous se trompent; mais plutôt cela
5 témoigne que la puissance de bien juger et distinguer le vrai d'avec le faux, qui est proprement ce qu'on nomme le bon sens ou la raison, est naturellement égale en tous les hommes, et ainsi que la diversité de nos opinions ne vient pas de ce que les uns sont plus raisonnables que les autres, mais seulement de ce que nous conduisons nos pensées par diverses voies, et ne con-
10 sidérons pas les mêmes choses. Car ce n'est pas assez d'avoir l'esprit bon, mais le principal est de l'appliquer bien. Les plus grandes âmes sont capables des plus grands vices aussi bien que des plus grandes vertus; et ceux qui ne marchent que fort lentement peuvent avancer beaucoup davantage, s'ils suivent toujours le droit chemin, que ne font ceux qui courent et qui s'en
15 éloignent. . . .

. . . Ainsi mon dessein n'est pas d'enseigner ici la méthode que chacun doit suivre pour bien conduire sa raison, mais seulement de faire voir en quelle sorte j'ai tâché de conduire la mienne. Ceux qui se mêlent de donner des préceptes se doivent estimer plus habiles que ceux auxquels ils
20 les donnent; et s'ils manquent en la moindre chose, ils en sont blâmables. Mais ne proposant cet écrit que comme une histoire, ou, si vous l'aimez mieux, que comme une fable,[1] en laquelle, parmi quelques exemples qu'on peut imiter, on en trouvera peut-être aussi plusieurs autres qu'on aura raison de ne pas suivre, j'espère qu'il sera utile à quelques-uns sans être nuisible à
25 personne, et que tous me sauront gré de ma franchise.

J'ai été nourri aux lettres dès mon enfance, et, pource qu'on me persuadait que par leur moyen on pouvait acquérir une connaissance claire et assurée de tout ce qui est utile à la vie, j'avais un extrême désir de les apprendre. Mais sitôt que j'eus achevé tout ce cours d'études au bout duquel on a
30 coutume d'être reçu au rang des doctes,[1a] je changeai entièrement d'opinion. Car je me trouvais embarrassé de tant de doutes et d'erreurs, qu'il me semblait n'avoir fait autre profit, en tâchant de m'instruire, sinon que j'avais découvert de plus en plus mon ignorance. Et néanmoins j'étais en l'une des plus célèbres écoles de l'Europe,[2] où je pensais qu'il devait y avoir de savants

---

[1] "story."   [1a] *savants.*   [2] The Jesuit college de la Flèche.

hommes, s'il y en avait en aucun endroit de la terre. J'y avais appris tout ce que les autres y apprenaient; et même, ne m'étant pas contenté des sciences qu'on nous enseignait, j'avais parcouru tous les livres traitant de celles qu'on estime les plus curieuses et les plus rares qui avaient pu tomber entre mes mains. Avec cela je savais les jugements que les autres faisaient de moi; et je ne voyais point qu'on m'estimât inférieur à mes condisciples, bien qu'il y en eût déjà entre eux quelques-uns qu'on destinait à remplir les places de nos maîtres. Et enfin notre siècle me semblait aussi fleurissant et aussi fertile en bons esprits qu'ait été aucun des précédents. Ce qui me faisait prendre la liberté de juger par moi de tous les autres, et de penser qu'il n'y avait aucune doctrine dans le monde qui fût telle qu'on m'avait auparavant fait espérer.

Je ne laissais pas toutefois d'estimer les exercices auxquels on s'occupe dans les écoles. Je savais que les langues que l'on y apprend sont nécessaires pour l'intelligence des livres anciens; que la gentillesse des fables réveille l'esprit; que les actions mémorables des histoires le relèvent, et qu'étant lues avec discrétion, elles aident à former le jugement; que la lecture de tous les bons livres est comme une conversation avec les plus honnêtes gens des siècles passés, qui en ont été les auteurs, et même une conversation étudiée, en laquelle ils ne nous découvrent que les meilleures de leurs pensées. . . . Mais je croyais avoir déjà donné assez de temps aux langues, et même aussi à la lecture des livres anciens, et à leurs histoires, et à leurs fables. . . .

J'estimais fort l'éloquence, et j'étais amoureux de la poésie, mais je pensais que l'une et l'autre étaient des dons de l'esprit plutôt que des fruits de l'étude. . . .

Je me plaisais surtout aux mathématiques, à cause de la certitude et de l'évidence de leurs raisons, mais je ne remarquais point encore leur vrai usage, et, pensant qu'elles ne servaient qu'aux arts mécaniques, je m'étonnais de ce que, leurs fondements étant si fermes et si solides, on n'avait rien bâti dessus de plus relevé. . . . Comme, au contraire, je comparais les écrits des anciens païens, qui traitent des mœurs, à des palais fort superbes et fort magnifiques qui n'étaient bâtis que sur du sable et sur de la boue: ils élèvent fort haut les vertus, et les font paraître estimables par-dessus toutes les choses qui sont au monde, mais ils n'enseignent pas assez à les connaître et souvent ce qu'ils appellent d'un si beau nom n'est qu'une insensibilité, ou un orgueil, ou un désespoir, ou un parricide.

Je révérais notre théologie, et prétendais autant qu'aucun autre à gagner le ciel; mais ayant appris, comme chose très assurée, que le chemin n'en est pas moins ouvert aux plus ignorants qu'aux plus doctes, et que les vérités révélées qui y conduisent sont au-dessus de notre intelligence, je n'eusse osé les soumettre à la faiblesse de mes raisonnements, et je pensais que pour entreprendre de les examiner et y réussir il était besoin d'avoir quelque extraordinaire assistance du ciel et d'être plus qu'homme.

Je ne dirai rien de la philosophie, sinon que, voyant qu'elle a été cultivée par les plus excellents esprits qui aient vécu depuis plusieurs siècles, et que néanmoins il ne s'y trouve encore aucune chose dont on ne dispute, et par conséquent qui ne soit douteuse, je n'avais point assez de présomption pour

espérer d'y rencontrer mieux que les autres; et que, considérant combien il peut y avoir de diverses opinions touchant une même matière, qui soient soutenues par des gens doctes, sans qu'il y en puisse avoir jamais plus d'une seule qui soit vraie, je réputais presque pour faux tout ce qui n'était que
5 vraisemblable.

Puis, pour les autres sciences, d'autant qu'elles empruntent leurs principes de la philosophie, je jugeais qu'on ne pouvait avoir rien bâti qui fût solide sur des fondements si peu fermes. . . .

C'est pourquoi, sitôt que l'âge me permit de sortir de la sujétion de mes
10 précepteurs, je quittai entièrement l'étude des lettres; et me résolvant de ne chercher plus d'autre science que celle qui se pourrait trouver en moi-même, ou bien dans le grand livre du monde, j'employai le reste de ma jeunesse à voyager, à voir des cours et des armées, à fréquenter des gens de diverses humeurs et conditions, à recueillir diverses expériences, à m'éprouver moi-
15 même dans les rencontres que la fortune me proposait, et partout à faire telle réflexion sur les choses qui se présentaient que j'en pusse tirer quelque profit. Car il me semblait que je pourrais rencontrer beaucoup plus de vérité dans les raisonnements que chacun fait touchant les affaires qui lui importent, et dont l'événement [2a] le doit punir bientôt après s'il a mal jugé, que dans ceux
20 que fait un homme de lettres dans son cabinet touchant des spéculations qui ne produisent aucun effet, et qui ne lui sont d'autre conséquence, sinon que peut-être il en tirera d'autant plus de vanité qu'elles seront plus éloignées du sens commun, à cause qu'il aura dû employer d'autant plus d'esprit et d'artifice à tâcher de les rendre vraisemblables. Et j'avais toujours un extrême
25 désir d'apprendre à distinguer le vrai d'avec le faux, pour voir clair en mes actions et marcher avec assurance en cette vie.

Il est vrai que pendant que je ne faisais que considérer les mœurs des autres hommes, je n'y trouvais guère de quoi m'assurer, et que j'y remarquais quasi autant de diversité que j'avais fait auparavant entre les opinions des
30 philosophes. En sorte que le plus grand profit que j'en retirais était que, voyant plusieurs choses qui, bien qu'elles nous semblent fort extravagantes et ridicules, ne laissent pas d'être communément reçues et approuvées par d'autres grands peuples, j'apprenais à ne rien croire trop fermement de ce qui ne m'avait été persuadé que par l'exemple et par la coutume; et ainsi
35 je me délivrais peu à peu de beaucoup d'erreurs qui peuvent offusquer notre lumière naturelle et nous rendre moins capables d'entendre raison. Mais, après que j'eus employé quelques années à étudier ainsi dans le livre du monde et à tâcher d'acquérir quelque expérience, je pris un jour résolution d'étudier aussi en moi-même, et d'employer toutes les forces de mon esprit
40 à choisir les chemins que je devais suivre; ce qui me réussit beaucoup mieux, ce me semble, que si je ne me fusse jamais éloigné ni de mon pays ni de mes livres.

[2a] "outcome."

Deuxième Partie

Principales règles de la méthode

J'étais alors en Allemagne où l'occasion des guerres [3] qui n'y sont pas encore finies m'avait appelé; et comme je retournais du couronnement de l'empereur [4] vers l'armée, le commencement de l'hiver m'arrêta en un quartier [5] où, ne trouvant aucune conversation qui me divertît, et n'ayant d'ailleurs, par bonheur, aucuns soins ni passions qui me troublassent, je demeurais tout le jour enfermé seul dans un poêle,[6] où j'avais tout le loisir de m'entretenir de mes pensées. Entre lesquelles l'une des premières fut que je m'avisai de considérer que souvent il n'y a pas tant de perfection dans les ouvrages composés de plusieurs pièces, et faits de la main de divers maîtres, qu'en ceux auxquels un seul a travaillé. Ainsi voit-on que les bâtiments qu'un seul architecte a entrepris et achevés ont coutume d'être plus beaux et mieux ordonnés que ceux que plusieurs ont tâché de raccommoder en faisant servir de vieilles murailles qui avaient été bâties à d'autres fins. Ainsi ces anciennes cités qui, n'ayant été au commencement que des bourgades, sont devenues par succession de temps de grandes villes, sont ordinairement si mal compassées, au prix de [7] ces places régulières qu'un ingénieur trace à sa fantaisie dans une plaine, qu'encore que, considérant leurs édifices chacun à part, on y trouve souvent autant ou plus d'art qu'en ceux des autres, toutefois, à voir comme ils sont arrangés, ici un grand, là un petit, et comme ils rendent les rues courbées et inégales, on dirait plutôt que c'est la fortune que la volonté de quelques hommes usant de raison qui les a ainsi disposés. Et si on considère qu'il y a eu néanmoins de tout temps quelques officiers qui ont eu charge de prendre garde aux bâtiments des particuliers pour les faire servir à l'ornement du public, on connaîtra bien qu'il est malaisé, en ne travaillant que sur les ouvrages d'autrui, de faire des choses fort accomplies. Ainsi je m'imaginai que les peuples qui, ayant été autrefois demi-sauvages, et ne s'étant civilisés que peu à peu, n'ont fait leurs lois qu'à mesure que l'incommodité des crimes et des querelles les y a contraints, ne sauraient être si bien policés que ceux qui, dès le commencement qu'ils se sont assemblés, ont observé les constitutions de quelque prudent législateur, comme il est bien certain que l'état de la vraie religion, dont Dieu seul a fait les ordonnances, doit être incomparablement mieux réglé que tous les autres. Et, pour parler des choses humaines, je crois que si Sparte [8] a été autrefois très florissante, ce n'a pas été à cause de la bonté de chacune de ses lois en particulier, vu que plusieurs étaient fort étranges, et même contraires aux bonnes mœurs; mais à cause que, n'ayant été inventées que par un seul,[9] elles tendaient toutes à même fin. Et ainsi je pensai que les sciences des livres, au moins celles dont les raisons ne sont que probables, et qui n'ont aucunes démonstrations, s'étant composées et grossies peu à peu des opinions de plusieurs diverses

[3] The Thirty Years' War.   [4] Ferdinand II (1619–1637).   [5] At Neuburg in Bavaria.
[6] "in a stove-heated room."   [7] "compared with."   [8] Famous ancient Greek state.
[9] Lycurgus, Spartan legislator, according to tradition the author of the laws and institutions of Sparta (9th century b. c.).

personnes, ne sont point si approchantes de la vérité que les simples raisonnements que peut faire naturellement un homme de bon sens touchant les
choses qui se présentent. Et ainsi encore je pensai que pour ce que nous avons
tous été enfants avant que d'être hommes, et qu'il nous a fallu longtemps être
5 gouvernés par nos appétits et nos précepteurs, qui étaient souvent contraires
les uns aux autres, et qui, ni les uns ni les autres, ne nous conseillaient peut-
être pas toujours le meilleur, il est presque impossible que nos jugements
soient si purs ni si solides qu'ils auraient été si nous avions eu l'usage entier
de notre raison dès le point de notre naissance, et que nous n'eussions jamais
10 été conduits que par elle. . . .

A l'exemple de quoi je me persuadai que, . . . pour toutes les opinions que
j'avais reçues jusqu'alors en ma créance, je ne pouvais mieux faire que d'entreprendre une bonne fois de les en ôter, afin d'y en remettre par après ou
d'autres meilleures, ou bien les mêmes, lorsque je les aurais ajustées au niveau
15 de la raison. Et je crus fermement que par ce moyen je réussirais à conduire
ma vie beaucoup mieux que si je ne bâtissais que sur de vieux fondements,
et que je ne m'appuyasse que sur les principes que je m'étais laissé persuader
en ma jeunesse, sans avoir jamais examiné s'ils étaient vrais. . . .

Mais comme un homme qui marche seul et dans les ténèbres, je me résolus
20 d'aller si lentement et d'user de tant de circonspection en toutes choses, que
si je n'avançais que fort peu, je me garderais bien au moins de tomber. Même
je ne voulus point commencer à rejeter tout à fait aucune des opinions qui
s'étaient pu glisser autrefois en ma créance sans y avoir été introduites par
la raison, que je n'eusse auparavant employé assez de temps à faire le projet
25 de l'ouvrage que j'entreprenais, et à chercher la vraie méthode pour parvenir
à la connaissance de toutes les choses dont mon esprit serait capable.

J'avais un peu étudié, étant plus jeune, entre les parties de la philosophie,
à la logique, et, entre les mathématiques, à l'analyse des géomètres et à l'algèbre, trois arts ou sciences qui semblaient devoir contribuer quelque chose
30 à mon dessein. Mais, en les examinant, je pris garde que, pour la logique,
ses syllogismes et la plupart de ses autres instructions servent plutôt à expliquer à autrui les choses qu'on sait, ou même, comme l'art de Lulle,[10] à
parler sans jugement de celles qu'on ignore, qu'à les apprendre; et bien
qu'elle contienne en effet beaucoup de préceptes très vrais et très bons, il y en
35 a toutefois tant d'autres mêlés parmi [11] qui sont ou nuisibles ou superflus,
qu'il est presque aussi malaisé de les en séparer que de tirer une Diane ou
une Minerve hors d'un bloc de marbre qui n'est point encore ébauché. Puis,
pour l'analyse des anciens et l'algèbre des modernes, outre qu'elles ne s'étendent qu'à des matières fort abstraites, et qui ne semblent d'aucun usage, la
40 première est toujours si astreinte à la considération des figures, qu'elle ne
peut exercer l'entendement sans fatiguer beaucoup l'imagination; et on
s'est tellement assujetti, en la dernière, à certaines règles et à certains chiffres,
qu'on en a fait un art confus et obscur qui embarrasse l'esprit, au lieu d'une

[10] Raymond Lull (1235–1315), Catalan philosopher, who wrote an *Ars veritatis inventiva,* a
sort of mechanical method of thinking.
[11] Supply *eux.*

science qui le cultive. Ce qui fut cause que je pensai qu'il fallait chercher quelque autre méthode qui, comprenant les avantages de ces trois, fût exempte de leurs défauts. Et comme la multitude des lois fournit souvent des excuses aux vices, en sorte qu'un état est bien mieux réglé lorsque, n'en ayant que fort peu, elles y sont fort étroitement observées; ainsi, au lieu de ce grand 5 nombre de préceptes dont la logique est composée, je crus que j'aurais assez des quatre suivants, pourvu que je prisse une ferme et constante résolution de ne manquer pas une seule fois à les observer.

I. Le premier était de ne recevoir jamais aucune chose pour vraie que je ne la connusse évidemment être telle; c'est-à-dire d'éviter soigneusement la 10 précipitation [12] et la prévention,[12a] et de ne comprendre rien de plus en mes jugements que ce qui se présenterait si clairement et si distinctement à mon esprit, que je n'eusse aucune occasion de le mettre en doute.

II. Le second, de diviser chacune des difficultés que j'examinerais en autant de parcelles qu'il se pourrait et qu'il serait requis pour les mieux résoudre. 15

III. Le troisième, de conduire par ordre mes pensées, en commençant par les objets les plus simples et les plus aisés à connaître, pour monter peu à peu comme par degrés jusques à la connaissance des plus composés, et supposant même de l'ordre entre ceux qui ne se précèdent point naturellement les uns les autres. 20

IV. Et le dernier, de faire partout des dénombrements si entiers et des revues si générales, que je fusse assuré de ne rien omettre.

Ces longues chaînes de raisons, toutes simples et faciles, dont les géomètres ont coutume de se servir pour parvenir à leurs plus difficiles démonstrations, m'avaient donné occasion de m'imaginer que toutes les choses qui peuvent 25 tomber sous la connaissance des hommes s'entresuivent en même façon, et que, pourvu seulement qu'on s'abstienne d'en recevoir aucune pour vraie qui ne le soit, et qu'on garde toujours l'ordre qu'il faut pour les déduire les unes des autres, il n'y en peut avoir de si éloignées auxquelles enfin on ne parvienne, ni de si cachées qu'on ne découvre. Et je ne fus pas beaucoup en 30 peine de chercher par lesquelles il était besoin de commencer, car je savais déjà que c'était par les plus simples et les plus aisées à connaître; et, considérant qu'entre tous ceux qui ont ci-devant recherché la vérité dans les sciences, il n'y a eu que les seuls mathématiciens qui ont pu trouver quelques démonstrations, c'est-à-dire quelques raisons certaines et 35 évidentes, je ne doutais point que ce ne fût par les mêmes qu'ils ont examinées; bien que je n'en espérasse aucune autre utilité, sinon qu'elles accoutumeraient mon esprit à se repaître de vérités et ne se contenter point de fausses raisons.

. . . .

Mais ce qui me contentait le plus de cette méthode était que par elle 40 j'étais assuré d'user en tout de ma raison, sinon parfaitement, au moins

---

[12] "haste."   [12a] "prejudice."

le mieux qui fût en mon pouvoir : outre que je sentais, en la pratiquant, que mon esprit s'accoutumait peu à peu à concevoir plus nettement et plus distinctement ses objets ; et que, ne l'ayant point assujettie à aucune matière particulière, je me promettais de l'appliquer aussi utilement aux difficultés des
5 autres sciences que j'avais fait à celles de l'algèbre. Non que pour cela j'osasse entreprendre d'abord d'examiner toutes celles qui se présenteraient, car cela même eût été contraire à l'ordre qu'elle prescrit ; mais ayant pris garde que leurs principes devaient tous être empruntés de la philosophie, en laquelle je n'en trouvais point encore de certains, je pensai qu'il fallait avant tout que
10 je tâchasse d'y en établir ; et que, cela étant la chose du monde la plus importante, et où la précipitation et la prévention étaient le plus à craindre, je ne devais point entreprendre d'en venir à bout que je n'eusse atteint un âge bien plus mûr que celui de vingt-trois ans que j'avais alors, et que je n'eusse auparavant employé beaucoup de temps à m'y préparer, tant en déracinant
15 de mon esprit toutes les mauvaises opinions que j'y avais reçues avant ce temps-là, qu'en faisant amas de plusieurs expériences, pour être après la matière de mes raisonnements, et en m'exerçant toujours en la méthode que je m'étais prescrite, afin de m'y affermir de plus en plus. . . .

CORNEILLE (1606–1684)

Pierre Corneille is the creator of French classical tragedy. After a period of experimentation in various dramatic forms he won great success with *Le Cid* (1636). The discussion aroused by this play produced a new conception of tragedy, which Corneille developed in a series of masterpieces. In 1652 the failure of *Pertharite* caused him for a time to abandon drama in favor of religious poetry. In 1659 he was persuaded to return to the stage, and he continued to produce plays, most of them revealing the decline of his dramatic power, until 1674, when another failure *Suréna,* drove him definitively into retirement.

Corneille, besides his tragedies, wrote a number of comedies, of which *Le Menteur* (1643), a *comédie d'intrigue,* is the best comedy before Molière.

When Corneille began to write his plays, the dramatic form most in vogue was *tragi-comédie,* a romantic type of drama, in which the main interest lay in the working-out of a complicated plot with a happy ending. The discussion over Corneille's *Cid* and· the masterpieces that followed established tragedy as the dominant type of French drama for the next two centuries.

As developed by Corneille tragedy is essentially psychological drama, in which the interest is focussed not upon the external manifestations of a tragic situation in the lives of exalted personages but upon the interplay of motives which produce the situation. The play must also be absolutely serious in tone: there must be no mixture of comedy. The desired concentration of interest on characterization is secured in large measure by the acceptance of the famous doctrine of the "three unities," * developed from Aristotle's suggestions by Italian and French critics.

Corneille, however, never realized the full possibilities of the tragic system he had invented. His romantic imagination led him toward the representation of the extraordinary, both in characters and situations. His characters are men and women of heroic mould, bent upon expressing their heroism by revealing the power of their will to overcome all passions, even love, the strongest of them all. Corneille's characters strike us with astonishment at their strength of will, usually, though not always, working in the interests of the higher motives governing human actions, honor, patriotism, religion. They are not the sort of characters likely to be met with in real life. They are idealized figures, incarnations of will, rather than individuals.

Such exceptional characters demand unusual situations to set in relief their strength of will. They need difficulties far beyond those of ordinary experience to overcome. The subject matter of Corneille's tragedies is almost always, as he himself admits, "hors de l'ordre commun," and this seeking after extraordinary events often results in actual improbability. Naturally this love of complication of incident did not lend itself well to the application of the "unities," which explains why Corneille always accepted them very grudgingly, as if they were forced upon him by the pressure of critical opinion.

* One single action with no sub-plot (unity of action) taking place within twenty-four hours (unity of time), and in one spot (unity of place).

"Il se fit une conception de la grandeur humaine qui devint sa conception de la grandeur tragique. L'exaltation de la volonté, la volonté trouvant dans l'exercice violent d'elle-même, d'âpres, exquises et sublimes jouissances, pliant les passions sous sa loi, "inclinant l'automate," domptant la sensibilité et les sens, très haut idéal, esquissé fortement par les stoïques, entrevu par les moralistes du XVIᵉ siècle, autour duquel, ne l'oublions pas, les dramatistes antérieurs à Corneille ont tourné en quelque sorte, y touchant quelquefois: telle fut l'âme même du théâtre de Corneille pendant une dizaine d'années, et telle fut sa magnifique originalité que, par la force de son génie, il sut faire accepter de ses contemporains."

Faguet—Histoire de la littérature française.

IMPORTANT WORKS:

Le Cid (1636); *Horace* (1640); *Cinna* (1640); *Polyeucte* (1643); *Le Menteur* (1643)—comedy; *Rodogune* (1644); *Nicomède* (1651); *Examens* (1660)—criticisms of his plays. *Discours de l'utilité et des parties du poème dramatique* (1660); *Discours de la tragédie* (1660); *Discours sur les trois unités* (1660).

DISCOURS SUR LES TROIS UNITÉS (1660)

La règle de l'unité de jour a son fondement sur ce mot d'Aristote, «que la tragédie doit renfermer la durée de son action dans un tour du soleil, ou tâcher de ne le passer [1] pas de beaucoup.» Ces paroles donnent lieu à cette dispute fameuse, si elles doivent être entendues d'un jour naturel de vingt-quatre 5 heures ou d'un jour artificiel de douze: [2] ce sont deux opinions dont chacune a des partisans considérables; et, pour moi, je trouve qu'il y a des sujets si malaisés à renfermer en si peu de temps que non seulement je leur accorderais les vingt-quatre heures entières, mais je me servirais même de la licence que donne ce philosophe de les excéder un peu, et les pousserais sans scrupule 10 jusqu'à trente. Nous avons une maxime en droit, qu'il faut élargir la faveur et restreindre les rigueurs, *odia restringenda, favores ampliandi;* et je trouve qu'un auteur est assez gêné par cette contrainte, qui a forcé quelques-uns de nos anciens d'aller jusqu'à l'impossible. Euripide,[3] dans *les Suppliantes,* fait partir Thésée d'Athènes avec une armée, donner une bataille devant les 15 murs de Thèbes,[4] qui en étaient éloignés de douze ou quinze lieues, et revenir victorieux en l'acte suivant: et depuis qu'il est parti jusqu'à l'arrivée du messager qui vient faire le récit de sa victoire, Éthra et le chœur n'ont que trente-six vers à dire. C'est assez bien employer un temps si court. . . . *Le Cid* et *Pompée,*[5] où les actions sont un peu précipitées, sont un peu éloignés de 20 cette licence; et s'ils forcent la vraisemblance commune en quelque chose, du moins ils ne vont point jusqu'à de telles impossibilités.

Beaucoup déclament contre cette règle, qu'ils nomment tyrannique, et auraient raison si elle n'était fondée que sur l'autorité d'Aristote; mais ce qui la doit faire accepter, c'est la raison naturelle qui lui sert d'appui. Le

---

[1] *dépasser.*
[2] One of the great subjects of controversy among the dramatic critics of the Renaissance and early 17th century.
[3] Greek tragic poet (480–405 B. C.).　　　　[4] Ancient capital of Bœotia, north of Athens.
[5] Tragedies by Corneille.

poème dramatique est une imitation, ou, pour en mieux parler, un portrait des actions des hommes; et il est hors de doute que les portraits sont d'autant plus excellents qu'ils ressemblent mieux à l'original. La représentation dure deux heures, et ressemblerait parfaitement, si l'action qu'elle représente n'en demandait pas davantage pour sa réalité. Ainsi ne nous arrêtons point ni aux 5 douze ni aux vingt-quatre heures, mais resserrons l'action du poème dans la moindre durée qu'il nous sera possible, afin que sa représentation ressemble mieux et soit plus parfaite. Ne donnons, s'il se peut, à l'une que les deux heures que l'autre remplit: je ne crois pas que *Rodogune* [6] en demande guère davantage, et peut-être qu'elles suffiraient pour *Cinna*.[6] Si nous ne pouvons la 10 renfermer dans ces deux heures, prenons-en quatre, six, dix: mais ne passons pas de beaucoup les vingt-quatre heures, de peur de tomber dans le dérègle-ment et de réduire tellement le portrait en petit qu'il n'ait plus ses dimensions proportionnées et ne soit qu'imperfection.

Surtout je voudrais laisser cette durée à l'imagination des auditeurs, et ne 15 déterminer jamais le temps qu'elle emporte,[7] si le sujet n'en avait besoin, principalement quand la vraisemblance y est un peu forcée comme au *Cid*, parce qu'alors cela ne sert qu'à les avertir de cette précipitation. Lors même que rien n'est violenté dans un poème par la nécessité d'obéir à cette règle, qu'est-il besoin de marquer à l'ouverture du théâtre que le soleil se lève, qu'il 20 est midi au troisième acte, et qu'il se couche à la fin du dernier? [8] C'est une affectation qui ne fait qu'importuner; il suffit d'établir la possibilité de la chose dans le temps où on la renferme, et qu'on le puisse trouver aisément, si on y veut prendre garde, sans y appliquer l'esprit malgré soi. Dans les actions même qui n'ont point plus de durée que la représentation, cela serait 25 de mauvaise grâce si l'on marquait d'acte en acte qu'il s'est passé une demie-heure de l'un à l'autre.

· · · · · · · · · · · · ·

Quant à l'unité de lieu, je n'en trouve aucun précepte ni dans Aristote ni dans Horace: c'est ce qui porte quelques-uns à croire que la règle ne s'en est établie qu'en conséquence de l'unité de jour, et à se persuader ensuite qu'on 30 le peut étendre jusqu'où un homme peut aller et revenir en vingt-quatre heures. Cette opinion est un peu licencieuse; [9] et si l'on faisait aller un acteur en poste, les deux côtés du théâtre pourraient représenter Paris et Rouen. Je souhaiterais, pour ne point gêner du tout le spectateur, que ce qu'on fait représenter devant lui en deux heures se pût passer en effet en deux heures, et 35 que ce qu'on lui fait voir sur un théâtre, qui ne change point, pût s'arrêter dans une chambre ou dans une salle,[10] suivant le choix qu'on en aurait fait; mais souvent cela est si malaisé, pour ne pas dire impossible, qu'il faut de nécessité trouver quelque élargissement pour le lieu comme pour le temps. . . .

Nos anciens, qui faisaient parler leurs rois en place publique, donnaient 40

---

[6] Tragedies by Corneille.   [7] "involves."
[8] In the printed edition of Desmarest's tragi-comedy, *Mirame* (1641), each act is preceded by a plate indicating the time of the action, from sunset in Act I to evening in Act V.
[9] "over-liberal."   [10] This finally became the established rule for classical drama.

assez aisément l'unité rigoureuse de lieu à leurs tragédies. Sophocle,[11] toutefois, ne l'a pas observée dans son *Ajax,* qui sort du théâtre afin de chercher un lieu écarté pour se tuer. . . . Nous ne prenons pas la même liberté de tirer les rois et les princesses de leurs appartements; et, comme souvent la différence et
5 l'opposition des intérêts de ceux qui sont logés dans le même palais ne souffrent pas qu'ils fassent leurs confidences et ouvrent leurs secrets en même chambre, il nous faut chercher quelque autre accommodement pour l'unité de lieu, si nous la voulons conserver dans tous nos poèmes: autrement il faudrait prononcer contre beaucoup de ceux que nous voyons réussir avec éclat.

10 Je tiens donc qu'il faut chercher cette unité exacte autant qu'il est possible; mais, comme elle ne s'accommode pas avec toute sorte de sujets, j'accorderais très volontiers que ce qu'on ferait passer en une seule ville aurait l'unité de lieu.[12] Ce n'est pas que je voulusse que le théâtre représentât cette ville tout entière, cela serait un peu trop vaste, mais seulement deux ou trois lieux
15 particuliers enfermés dans l'enclos de ses murailles. . . .

Beaucoup de mes pièces manqueront de l'unité de lieu si l'on ne veut point admettre cette modération, dont je me contenterai toujours à l'avenir, quand je ne pourrai satisfaire à la dernière rigueur de la règle. Je n'ai pu y en réduire que trois, *Horace, Polyeucte,* et *Pompée.* Si je me donne trop d'indulgence
20 dans les autres, j'en aurai encore davantage pour ceux dont je verrai réussir les ouvrages sur la scène avec quelque apparence de régularité. Il est facile aux spéculatifs [13] d'être sévères; mais s'ils voulaient donner dix ou douze poèmes de cette nature au public, ils élargiraient peut-être les règles encore plus que je ne fais, sitôt qu'ils auraient reconnu par l'expérience quelle con-
25 trainte apporte leur exactitude et combien de belles choses elle bannit de notre théâtre. Quoi qu'il en soit, voilà mes opinions, ou, si vous voulez, mes hérésies touchant les principaux points de l'art; et je ne sais point mieux accorder les règles anciennes avec les agréments [14] modernes. Je ne doute point qu'il ne soit aisé d'en trouver de meilleurs moyens, et je serai tout prêt de les
30 suivre lorsqu'on les aura mis en pratique aussi heureusement qu'on y a vu les miens.

---

[11] Greek tragic poet (495–405 B. C.)
[12] This more liberal conception of unity of place was not destined to prevail.
[13] "pure theorists."   [14] "pleasures."

PASCAL (1623–1662)

The life of Blaise Pascal was one of inner struggle between the man of science and the man of faith. Up to 1654 Pascal had devoted himself to science, in which he had won a great reputation as one of the leading mathematicians and physicists of his age. His health, never robust, was ruined by the strain of his scientific labors and from the age of nineteen his life was one of almost constant physical suffering. In 1654, following a miraculous escape from death, Pascal was converted to Jansenism, an extremely austere type of Catholicism, centering about the abbey of Port-Royal near Paris. He soon became involved in a violent controversy in defence of his new friends, the Jansenists, against the Jesuits. His contribution to the quarrel was the eighteen pamphlets known as *Les Lettres Provinciales* (1656–1657). Then suddenly abandoning this controversy, Pascal turned to the preparation of a defence of the Christian religion. He asked for only "dix années de santé" to complete his work. These were denied him. His ascetic practices had by this time broken down completely a health already undermined. He died in 1662, at the early age of thirty-nine, leaving his *magnum opus* in the form of fragments, which were later collected and published as his *Pensées* (1670).

The *Lettres Provinciales,* pamphlets published anonymously during the years 1656–1657, so-called because ostensibly addressed to a correspondent in the provinces, was the only part of Pascal's literary production known in his lifetime. Begun as a defence of the Jansenist doctrine of grace, the work soon developed into a bitter attack on the moral philosophy of the Jesuits, especially on their alleged abuse of the system of casuistry with its tendency toward an over-indulgent attitude toward sin. The controversial questions at issue in the *Provinciales* have long since lost their interest, but the work survives by its literary qualities. Pascal suddenly revealed himself as a marvellous literary artist, able to treat a difficult subject with such interesting variety as to appeal to the general intellectual public. The *Lettres Provinciales* is the first of the prose masterpieces of the 17th century.

The *Pensées* is a collection of fragmentary notes made by Pascal during the last years of his life for his projected defence of the Christian religion. Most of these fragments deal with the negative side of Pascal's argument. Following in the footsteps of Montaigne, he seeks to show the utter insufficiency of the human reason to find a satisfactory solution for the ultimate problems of life. Reason alone is not enough: faith in the final analysis is a matter of sentiment. "Le cœur a ses raisons que la raison ne connaît point."

However much the apologetic value of the *Pensées* may be questioned, there is no discussion over the literary qualities of the work. The *Pensées* are accepted as one of the glories of French prose. Their style reflects perfectly Pascal himself in the close intermingling of reason and imagination. Some of the passages such as "les deux infinis" are of genuinely poetic quality. Though writing in prose, Pascal is one of the real poets of his age.

"C'est un des plus grands philosophes français et c'est peut-être le plus grand écrivain français. Moraliste profond, dialecticien subtil et vigoureux, grand orateur, soit dans les *Provinciales,* soit dans les morceaux achevés, soit même dans tel court fragment des *Pensées,* grand poète enfin par une imagination tantôt sombre et tragique, tantôt enflammée par la foi et transversée d'espérance, il n'y a pas d'homme qui fasse plus penser, plus méditer, plus réfléchir, et qui soit plus capable, quand il le veut, d'ouvrir d'un seul coup, pour ainsi dire, l'infini devant nos yeux. Descartes avait créé la langue et le style philosophique; la philosophie éloquente, sans cesser d'être philosophique, date de Pascal."

> Faguet—*Histoire de la littérature française.*

LES PENSÉES

(EXTRAITS)

1. LES DEUX INFINIS

Que l'homme contemple donc la nature entière dans sa haute et pleine majesté; qu'il éloigne sa vue des objets bas [1] qui l'environnent. Qu'il regarde cette éclatante lumière, mise comme une lampe éternelle pour éclairer l'univers; que la terre lui paraisse comme un point au prix [2] du vaste tour que
5   cet astre décrit, et qu'il s'étonne de ce que ce vaste tour lui-même n'est qu'une pointe très délicate à l'égard de celui que les astres qui roulent dans le firmament embrassent.

Mais si notre vue s'arrête là, que l'imagination passe outre; elle se lassera plutôt de concevoir que la nature de fournir. Tout ce monde visible n'est
10 qu'un trait imperceptible dans l'ample sein de la nature. Nulle idée n'en approche. Nous avons beau enfler nos conceptions au delà des espaces imaginables, nous n'enfantons que des atomes au prix de la réalité des choses. C'est une sphère infinie dont le centre est partout, la circonférence nulle part. Enfin c'est le plus grand caractère sensible [3] de la toute-puissance de
15 Dieu, que notre imagination se perde dans cette pensée.

Que l'homme, étant revenu à soi, considère ce qu'il est au prix de ce qui est; qu'il se regarde comme égaré dans ce canton [4] détourné de la nature; et que, de ce petit cachot où il se trouve logé, j'entends l'univers, il apprenne à estimer la terre, les royaumes, les villes et soi-même son juste prix. Qu'est-ce
20 qu'un homme dans l'infini?

Mais pour lui présenter un autre prodige aussi étonnant, qu'il recherche dans ce qu'il connaît les choses les plus délicates.[5] Qu'un ciron [6] lui offre dans la petitesse de son corps des parties incomparablement plus petites, des jambes avec des jointures, des veines dans ces jambes, du sang dans ces veines, des
25 humeurs [7] dans ce sang, des gouttes dans ces humeurs, des vapeurs dans ces gouttes; que, divisant encore ces dernières choses, il épuise ses forces en ces conceptions, et que le dernier objet où il peut arriver soit maintenant celui

---

[1] *sur terre.*   [2] *auprès, en comparaison.*   [3] "obvious manifestation."   [4] *coin.*
[5] "minute."   [6] "mite."   [7] *substances liquides.*

de notre discours; [8] il pensera peut-être que c'est là l'extrême petitesse de la nature. Je veux lui faire voir là dedans un abîme nouveau. Je lui veux peindre non seulement l'univers visible, mais l'immensité qu'on peut concevoir de la nature, dans l'enceinte de ce raccourci [9] d'atome. Qu'il y voie une infinité d'univers, dont chacun a son firmament, ses planètes, sa terre, en la même proportion que le monde visible; dans cette terre, des animaux, et enfin des cirons, dans lesquels il retrouvera ce que les premiers ont donné; et trouvant encore dans les autres la même chose sans fin et sans repos, qu'il se perde dans ces merveilles, aussi étonnantes dans leur petitesse que les autres par leur étendue; car qui n'admirera que notre corps, qui tantôt n'était pas perceptible dans l'univers, imperceptible lui-même dans le sein du tout, soit à présent un colosse, un monde, ou plutôt un tout, à l'égard du néant où l'on ne peut arriver?

Qui se considérera de la sorte s'effraiera de soi-même, et, se considérant soutenu dans la masse que la nature lui a donnée, entre ces deux abîmes de l'infini et du néant, il tremblera dans la vue de ces merveilles; et je crois que sa curiosité se changeant en admiration, il sera plus disposé à les contempler en silence qu'à les rechercher avec présomption.

Car enfin qu'est-ce que l'homme dans la nature? Un néant à l'égard de l'infini, un tout à l'égard du néant, un milieu entre rien et tout. Infiniment éloigné de comprendre les extrêmes, la fin des choses et leur principe sont pour lui invinciblement cachés dans un secret impénétrable, également incapable de voir le néant d'où il est tiré, et l'infini où il est englouti. . . .

2. Grandeur de L'Homme

Je puis bien concevoir un homme sans mains, pieds, tête (car ce n'est que l'expérience qui nous apprend que la tête est plus nécessaire que les pieds). Mais je ne puis concevoir l'homme sans pensée: ce serait une pierre ou une brute.

L'homme n'est qu'un roseau, le plus faible de la nature; mais c'est un roseau pensant. Il ne faut pas que l'univers entier s'arme pour l'écraser; une vapeur, une goutte d'eau suffit pour le tuer. Mais quand l'univers l'écraserait, l'homme serait encore plus noble que ce qui le tue, parce qu'il sait qu'il meurt; et l'avantage que l'univers a sur lui, l'univers n'en sait rien.

Toute notre dignité consiste donc en la pensée. C'est de là qu'il faut nous relever,[10] non de l'espace et de la durée, que nous ne saurions remplir. Travaillons donc à bien penser: voilà le principe de la morale.

La grandeur de l'homme est grande en ce qu'il se connaît misérable. Un arbre ne se connaît pas misérable. C'est donc être misérable que de se connaître misérable; mais c'est être grand que de connaître qu'on est misérable.

Toutes ces misères-là mêmes prouvent sa grandeur. Ce sont misères de grand seigneur, misères d'un roi dépossédé.

---

[8] "discussion."   [9] "epitome."   [10] "lean for support."

3. Misère de l'Homme

1. L'homme n'est donc qu'un sujet plein d'erreur naturelle et ineffaçable sans la grâce. Rien ne lui montre la vérité; tout l'abuse. Ces deux principes de vérité, la raison et les sens, outre qu'ils manquent souvent de sincérité, s'abusent réciproquement l'un l'autre. Les sens abusent la raison par de
5 fausses apparences, et cette même piperie [11] qu'ils lui apportent, ils la reçoivent d'elle à leur tour: elle s'en revanche. Les passions de l'âme troublent les sens, et leur font des impressions fâcheuses. Ils mentent, et se trompent à l'envi.

2. Nous avons un autre principe d'erreur, savoir, les maladies; elles nous
10 gâtent le jugement et le sens; et si les grandes l'altèrent sensiblement, je ne doute point que les petites n'y fassent impression à leur proportion.

3. Notre propre intérêt est encore un merveilleux instrument pour nous crever agréablement les yeux. Il n'est pas permis au plus équitable homme du monde d'être juge en sa cause: j'en sais qui, pour ne pas tomber dans cet
15 amour-propre, ont été les plus injustes du monde, à contre-biais; [12] le moyen sûr de perdre une affaire toute juste était de la leur faire recommander par leurs proches parents.

4. La vanité est si ancrée dans le cœur de l'homme qu'un soldat, un goujat, [13] un cuisinier, un crocheteur [14] se vante et veut avoir ses admirateurs; et
20 les philosophes mêmes en veulent. Et ceux qui écrivent contre veulent avoir la gloire d'avoir bien écrit; et ceux qui le lisent veulent avoir la gloire de l'avoir lu; et moi, qui écris ceci, ai peut-être cette envie; et peut-être que ceux qui le liront. . . .

5. *Imagination.*—C'est cette partie décevante dans l'homme, cette maîtresse
25 d'erreur et de fausseté, et d'autant plus fourbe qu'elle ne l'est pas toujours; car elle serait règle infaillible de vérité, si elle l'était infaillible du mensonge. Mais, étant le plus souvent fausse, elle ne donne aucune marque de sa qualité, marquant du même caractère [15] le vrai et le faux.

Je ne parle pas des fous, je parle des plus sages; et c'est parmi eux que
30 l'imagination a le grand don de persuader les hommes. La raison a beau crier, elle ne peut mettre le prix [16] aux choses.

Cette superbe [17] puissance, ennemie de la raison, qui se plaît à la contrôler et à la dominer, pour montrer combien elle peut en toutes choses, a établi dans l'homme une seconde nature. Elle a ses heureux, ses malheureux, ses
35 sains, ses malades, ses riches, ses pauvres; elle fait croire, douter, nier la raison; elle suspend les sens, elle les fait sentir, elle a ses fous et ses sages: et rien ne nous dépite davantage que de voir qu'elle remplit ses hôtes [18] d'une satisfaction bien autrement [19] pleine et entière que la raison. Les habiles par imagination se plaisent tout autrement [20] à eux-mêmes que les prudents ne se peuvent
40 raisonnablement [21] plaire. Ils regardent les gens avec empire; [22] ils disputent

---

[11] *tromperie.*   [12] "in the opposite way" (leaning over backwards).
[13] "mason's assistant."   [14] "porter."   [15] "characteristic traits."   [16] "set the value."
[17] "proud" (Latin sense).   [18] *ceux en qui elle loge.*   [19] "far more."
[20] *bien davantage.*   [21] *par la raison.*   [22] "imperiously."

avec hardiesse et confiance: les autres, avec crainte et défiance: et cette gaîté de visage leur donne souvent l'avantage dans l'opinion des écoutants, tant les sages imaginaires [23] ont de faveur auprès des juges de même nature. Elle ne peut rendre sages les fous; mais elle les rend heureux, à l'envi de [24] la raison qui ne peut rendre ses amis que misérables, l'une les couvrant de gloire, l'autre de honte.

Ne diriez-vous pas que ce magistrat, dont la vieillesse vénérable impose le respect à tout un peuple, se gouverne par une raison pure et sublime, et qu'il juge des choses par leur nature, sans s'arrêter à ces vaines circonstances qui ne blessent que l'imagination des faibles? Voyez-le entrer dans un sermon où il apporte un zèle tout dévot, renforçant la solidité de la raison par l'ardeur de la charité. Le voilà prêt a l'ouïr [25] avec un respect exemplaire. Que le prédicateur vienne à paraître: si la nature lui a donné une voix enrouée et un tour de visage bizarre, que son barbier l'ait mal rasé, si le hasard l'a encore barbouillé de surcroît,[26] quelques grandes vérités qu'il annonce, je parie la perte de la gravité de notre sénateur. . . .

Nos magistrats ont bien connu ce mystère. Leurs robes rouges, leurs her-mines, dont ils s'emmaillottent en chats fourrés,[27] les palais où ils jugent, les fleurs de lis,[28] tout cet appareil auguste était fort nécessaire; et si les médecins n'avaient des soutanes [29] et des mules,[30] et que les docteurs n'eussent des bonnets carrés et des robes trop amples de quatre parties,[31] jamais ils n'au-raient dupé le monde qui ne peut résister à cette montre [32] si authentique. S'ils avaient la véritable justice et si les médecins avaient le vrai art de guérir, ils n'auraient que faire de bonnets carrés: la majesté de ces sciences serait assez vénérable d'elle-même. Mais n'ayant que des sciences imaginaires, il faut qu'ils prennent ces vains instruments qui frappent l'imagination à laquelle ils ont affaire; et par là, en effet, ils s'attirent le respect. Les seuls gens de guerre ne sont pas déguisés de la sorte, parce qu'en effet leur part est plus es-sentielle,[33] ils s'établissent par la force, les autres par grimace.[34]

4. Inquiétude de L'Homme

1. Nous ne nous tenons jamais au temps présent. Nous anticipons l'avenir comme trop lent à venir, comme pour hâter son cours; ou nous rappelons le passé, pour l'arrêter comme trop prompt: si imprudents que nous errons dans les temps qui ne sont pas nôtres et ne pensons point au seul qui nous ap-partient; et si vains que nous songeons à ceux qui ne sont plus rien et échap-pons sans réflexion le seul qui subsiste. C'est que le présent d'ordinaire nous blesse. Nous le cachons à notre vue, parce qu'il nous afflige; et, s'il nous est agréable, nous regrettons de le voir échapper. Nous tâchons de le soutenir

---

[23] "people who imagine they are wise." [24] "the opposite of."
[25] *entendre.* [26] "in addition."
[27] Name jocularly given to magistrates, because of the fur on their robes. It owes its origin to Rabelais.
[28] Emblem of the old French monarchy.
[29] "robes," originally used only of the priest's cassock. [30] "slippers."
[31] "four-fifths too big." [32] "display." [33] "has more reality." [34] "affectation."

par l'avenir, et pensons à disposer les choses qui ne sont pas en notre puissance, pour un temps où nous n'avons aucune assurance d'arriver.

Que chacun examine ses pensées, il les trouvera toujours occupées au passé et à l'avenir. Nous ne pensons presque point au présent; et si nous y pensons, ce n'est que pour en prendre la lumière pour disposer de l'avenir. Le présent n'est jamais notre fin : le passé et le présent sont nos moyens; le seul avenir est notre fin. Ainsi nous ne vivons jamais, mais nous espérons de vivre; et, nous disposant toujours à être heureux, il est inévitable que nous ne le soyons jamais.

2. *Divertissement.*[35]—Quand je m'y suis mis quelquefois à considérer les diverses agitations des hommes, et les périls et les peines où ils s'exposent, dans la cour, dans la guerre, d'où naissent tant de querelles, de passions, d'entreprises hardies et souvent mauvaises, etc., j'ai découvert que tout le malheur des hommes vient d'une seule chose, qui est de ne savoir pas demeurer en repos dans une chambre. Un homme qui a assez de bien pour vivre, s'il savait demeurer chez soi avec plaisir, n'en sortirait pas pour aller sur la mer ou au siège d'une place. On n'achètera une charge à l'armée si cher, que parce qu'on trouvera insupportable de ne bouger de la ville; et on ne recherche les conversations et les divertissements des jeux que parce qu'on ne peut demeurer chez soi avec plaisir.

Mais quand j'ai pensé de plus près, et qu'après avoir trouvé la cause de tous nos malheurs, j'ai voulu en découvrir la raison, j'ai trouvé qu'il y en a une bien effective,[36] qui consiste dans le malheur naturel de notre condition faible et mortelle, et si misérable, que rien ne peut nous consoler, lorsque nous y pensons de près.

De là vient que le jeu et la conversation des femmes, la guerre, les grands emplois sont si recherchés. Ce n'est pas qu'il y ait en effet du bonheur, ni qu'on s'imagine que la vraie béatitude soit d'avoir l'argent qu'on peut gagner au jeu, ou dans le lièvre qu'on court : on n'en voudrait pas s'il était offert. Ce n'est pas cet usage mol [37] et paisible, et qui nous laisse penser à notre malheureuse condition, qu'on recherche, ni les dangers de la guerre, ni la peine des emplois, mais c'est le tracas qui nous détourne d'y penser et nous divertit. . . .

De là vient que les hommes aiment tant le bruit et le remuement,[38] de là vient que la prison est un supplice si horrible. . . .

3. Tous les hommes recherchent d'être heureux; cela est sans exception. Quelques différents moyens qu'ils y emploient, ils tendent tous à ce but. Ce qui fait que les uns vont à la guerre, et que les autres n'y vont pas, c'est ce même désir qui est dans tous les deux, accompagné de différentes vues. La volonté ne fait jamais la moindre démarche que vers cet objet. C'est le motif de toutes les actions des hommes, jusqu'à ceux qui vont se pendre.

Et cependant, depuis un si grand nombre d'années, jamais personne, sans la foi, n'est arrivé à ce point, où tous tendent continuellement. Tous se plaignent, princes, sujets, nobles, roturiers,[39] vieillards, jeunes, forts, faibles, sa-

---

[35] "distraction."   [36] *vraie.*   [37] *mou.*   [38] *mouvement.*   [39] "commoners."

vants, ignorants, sains, malades, de tous pays, de tous temps, de tous âges et de toutes conditions.

4. Voilà ce que peut l'homme par lui-même, et par ses propres efforts, à l'égard du vrai et du bien. Nous avons une impuissance à prouver, invincible à tout le dogmatisme.[40] Nous avons une idée de la vérité invincible à tout le pyrrhonisme.[41] Nous souhaitons la vérité, et ne trouvons en nous qu'incertitude. Nous cherchons le bonheur, et ne trouvons que misère. Nous sommes incapables de ne pas souhaiter la vérité et le bonheur, et sommes incapables et de certitude et de bonheur. Ce désir nous est laissé, tant pour nous punir que pour nous faire sentir d'où nous sommes tombés.

5. Voilà notre état véritable. C'est ce qui nous rend incapables de savoir certainement et d'ignorer absolument. Nous voguons sur un milieu vaste, toujours incertains et flottants, poussés d'un bout vers l'autre. Quelque terme où nous pensions nous attacher et nous affermir, il branle et nous quitte; et si nous le suivons, il échappe à nos prises, nous glisse et fuit d'une fuite éternelle. Rien ne s'arrête pour nous. C'est l'état qui nous est naturel, et toutefois le plus contraire à notre inclination. Nous brûlons de désir de trouver une assiette ferme et une dernière base constante pour y édifier une tour qui s'élève à l'infini; mais tout notre fondement craque, et la terre s'ouvre jusqu'aux abîmes.

5. Appel aux Libertins [42]

1. . . . . Qu'ils [43] apprennent au moins quelle est la religion qu'ils combattent, avant que de la combattre. Si cette religion se vantait d'avoir une vue claire de Dieu, et de la posséder à découvert et sans voile, ce serait la combattre que de dire qu'on ne voit rien dans le monde qui la montre avec cette évidence. Mais puisqu'elle dit, au contraire, que les hommes sont dans les ténèbres et dans l'éloignement de Dieu, qu'il s'est caché à leur connaissance, que c'est même le nom qu'il se donne dans les Écritures, *Deus absconditus;* [44] et, enfin, si elle travaille également à établir ces deux choses: que Dieu a établi des marques sensibles [45] dans l'Église pour se faire reconnaître à ceux qui le chercheraient sincèrement; et qu'il les a couvertes néanmoins de telle sorte qu'il ne sera aperçu que de ceux qui le cherchent de tout leur cœur, quel avantage peuvent-ils tirer, lorsque dans la négligence où ils font profession d'être de chercher la vérité, ils crient que rien ne la leur montre, puisque cette obscurité où ils sont, et qu'ils objectent à l'Église, ne fait qu'établir une des choses qu'elle soutient, sans toucher à l'autre, et établit sa doctrine, bien loin de la ruiner?

Il faudrait, pour la combattre, qu'ils criassent qu'ils ont fait tous leurs efforts pour la chercher partout, et même dans ce que l'Église propose pour s'en instruire, mais sans aucune satisfaction. S'ils parlaient de la sorte, ils combat-

---

[40] A philosophy which claims that its followers alone possess the whole truth of things.
[41] "Skepticism"; named after Pyrrho (4th century B. C.), who denied that man could ever attain truth.
[42] The free-thinkers or skeptics of the 17th century.
[43] *Les libertins.*
[44] "God hidden" (*Isaiah*, XIV, 15).
[45] "clear."

traient à la vérité une de ses prétentions. Mais j'espère montrer ici qu'il n'y a personne [46] raisonnable qui puisse parler de la sorte; et j'ose même dire que jamais personne ne l'a fait. On sait assez de quelle manière agissent ceux qui sont dans cet esprit. Ils croient avoir fait de grands efforts pour s'instruire, lorsqu'ils ont employé quelques heures à la lecture de quelque livre de l'Écriture, et qu'ils ont interrogé quelque ecclésiastique sur les vérités de la foi. Après cela, ils se vantent d'avoir cherché sans succès dans les livres et parmi les hommes. Mais, en vérité, je leur dirais ce que j'ai dit souvent, que cette négligence n'est pas supportable. Il ne s'agit pas ici de l'intérêt léger de quelque personne étrangère, pour en user de cette façon; il s'agit de nous-mêmes, et de notre tout.

L'immortalité de l'âme est une chose qui nous importe si fort, qui nous touche si profondément, qu'il faut avoir perdu tout sentiment pour être dans l'indifférence de savoir ce qui en est. Toutes nos actions et nos pensées doivent prendre des routes si différentes, selon qu'il y aura des biens éternels à espérer ou non, qu'il est impossible de faire une démarche avec sens et jugement, qu'en la réglant par la vue de ce point, qui doit être notre dernier objet.

Ainsi notre premier intérêt et notre premier devoir est de nous éclaircir sur ce sujet, d'où dépend toute notre conduite. Et c'est pourquoi, entre ceux qui n'en sont pas persuadés, je fais une extrême différence de ceux qui travaillent de toutes leurs forces à s'en instruire, à ceux qui vivent sans s'en mettre en peine et sans y penser.

Je ne puis avoir que de la compassion pour ceux qui gémissent sincèrement dans ce doute, qui le regardent comme le dernier des malheurs, et qui, n'épargnant rien pour en sortir, font de cette recherche leurs principales et leurs plus sérieuses occupations.

Mais pour ceux qui passent leur vie sans penser à cette dernière fin de la vie, et qui, par cette seule raison qu'ils ne trouvent pas en eux-mêmes les lumières qui les en persuadent, négligent de les chercher ailleurs, et d'examiner à fond si cette opinion est de celles que le peuple reçoit par une simplicité crédule, ou de celles qui, quoique obscures d'elles-mêmes, ont néanmoins un fondement très solide et inébranlable, je les considère d'une manière toute différente. . . .

6. Le Pari

Nous connaissons qu'il y a un infini et ignorons sa nature; comme nous savons qu'il est faux que les nombres soient finis, donc il est vrai qu'il y a un infini en nombre; mais nous ne savons ce qu'il est. Il est faux qu'il soit pair, il est faux qu'il soit impair; car en ajoutant l'unité il ne change point de nature. . . . Ainsi on peut bien connaître qu'il y a un Dieu sans savoir ce qu'il est. Parlons maintenant selon les lumières naturelles. . . .

Examinons donc ce point, et disons: «Dieu est, ou il n'est pas.» Mais de quel côté pencherons-nous? La raison n'y peut rien déterminer: il y a un chaos infini qui nous sépare. Il se joue un jeu, à l'extrémité de cette distance infinie,

---

[46] *aucune personne.*

où il arrivera croix, ou pile.[47] Que gagnerez-vous? Par raison, vous ne pouvez faire ni l'un ni l'autre; par raison, vous ne pouvez défendre nul des deux.

Ne blâmez donc pas de fausseté ceux qui ont pris un choix; car vous n'en savez rien.—Non; mais je les blâmerai d'avoir fait, non ce choix, mais un choix; car, encore que celui qui prend croix et l'autre soient en pareille faute, ils sont tous deux en faute: le juste est de ne point parier.

—Oui, mais il faut parier. Cela n'est pas volontaire: vous êtes embarqué. Lequel prendrez-vous donc? Voyons. Puisqu'il faut choisir, voyons ce qui vous intéresse le moins. Vous avez deux choses à perdre: le vrai et le bien, et deux choses à engager: votre raison et votre volonté, votre connaissance et votre béatitude; et votre nature a deux choses à fuir: l'erreur et la misère. Votre raison n'est pas plus blessée, puisqu'il faut nécessairement choisir en choisissant l'un que l'autre. Voilà un point vidé.[48] Mais votre béatitude? Pesons le gain et la perte, en prenant croix[49] que Dieu est. Estimons ces deux cas: si vous gagnez, vous gagnez tout; si vous perdez, vous ne perdez rien. Gagez donc qu'il est, sans hésiter.—Cela est admirable. Oui, il faut gager; mais je gage peut-être trop.—Voyons. Puisqu'il y a pareil hasard de gain et de perte, si vous n'aviez qu'à gagner deux vies pour une, vous pourriez encore gager; mais s'il y en avait trois à gagner, il faudrait jouer (puisque vous êtes dans la nécessité de jouer), et vous seriez imprudent, lorsque vous êtes forcé à jouer, de ne pas hasarder votre vie pour en gagner trois à un jeu où il y a pareil hasard de perte et de gain. Mais il y a une éternité de vie et de bonheur. Et cela étant, quand il y aurait une infinité de hasards dont un seul serait pour vous, vous auriez encore raison de gager un pour avoir deux, et vous agiriez de mauvais sens, étant obligé à jouer, de refuser de jouer une vie contre trois à un jeu où d'une infinité de hasards il y en a un pour vous, s'il y avait une infinité de vie infiniment heureuse à gagner. Mais il y a ici une infinité de vie infiniment heureuse à gagner, un hasard de gain contre un nombre fini de hasards de perte, et ce que vous jouez est fini. Cela ôte tout parti:[50] partout où est l'infini, et où il n'y a pas infinité de hasards de perte contre celui de gain, il n'y a point à balancer, il faut tout donner. Et ainsi, quand on est forcé de jouer, il faut renoncer à la raison pour garder la vie, plutôt que de la hasarder pour le gain infini aussi prêt[50a] à arriver que la perte du néant.[51]

7. Rôle du Sentiment dans la Religion

1. Le cœur a ses raisons que la raison ne connaît point; on le sait en mille choses. Je dis que le cœur aime l'être universel naturellement, et soi-même naturellement, selon qu'il s'y adonne; et il se durcit contre l'un ou l'autre à son choix. Vous avez rejeté l'un et conservé l'autre: est-ce par raison que vous vous aimez?

2. C'est le cœur qui sent Dieu et non la raison. Voilà ce que c'est que la foi. Dieu sensible au cœur non à la raison.

3. Nous connaissons la vérité, non seulement par la raison, mais encore

[47] "heads or tails." [48] "settled." [49] "heads." [50] "hesitation" (*parti à prendre*).
[50a] "likely." [51] *la vie terrestre.*

par le cœur; c'est de cette dernière sorte que nous connaissons les premiers principes, et c'est en vain que le raisonnement, qui n'y a point de part, essaye de les combattre. Les pyrrhoniens,[52] qui n'ont que cela pour objet, y travaillent inutilement. Nous savons que nous ne rêvons point, quelque
5   impuissance où nous soyons de le prouver par raison; cette impuissance ne conclut autre chose que la faiblesse de notre raison, mais non pas l'incertitude de toutes nos connaissances, comme ils le prétendent. Car la connaissance des premiers principes comme qu'il y a *espace, temps, mouvement, nombres,* (est) aussi ferme qu'aucune de celles que nos raisonnements nous donnent.
10 Et c'est sur ces connaissances du cœur et de l'instinct qu'il faut que la raison s'appuie, et qu'elle y fonde tout son discours.[53] Le cœur sent qu'il y a trois dimensions dans l'espace, et que les nombres sont infinis; et la raison démontre ensuite qu'il n'y a point deux nombres carrés dont l'un soit double de l'autre. Les principes se sentent, les propositions se concluent; et le tout
15 avec certitude, quoique par différentes voies. Et il est aussi inutile et aussi ridicule que la raison demande au cœur des preuves de ses premiers principes, pour vouloir y consentir, qu'il serait ridicule que le cœur demandât à la raison un sentiment de toutes les propositions qu'elle démontre, pour vouloir les recevoir.

8. Seulement la Religion Chrétienne Explique L'Homme

20 1. *Prosopopée.*[54]—. . . C'est en vain, ô hommes! que vous cherchez dans vous-mêmes le remède à vos misères. Toutes vos lumières ne peuvent arriver qu'à connaître que ce n'est point dans vous-mêmes que vous trouverez ni la vérité, ni le bien. Les philosophes vous l'ont promis, et ils n'ont pu le faire. Ils ne savent ni quel est votre véritable bien, ni quel est votre véritable
25 état. Comment auraient-ils donné des remèdes à vos maux, puisqu'ils ne les ont pas seulement connus? Vos maladies principales sont l'orgueil, qui vous soustrait[55] de Dieu, la concupiscence, qui vous attache à la terre; et ils n'ont fait autre chose qu'entretenir au moins l'une de ces maladies. S'ils vous ont donné Dieu pour objet, ce n'a été que pour exercer votre superbe:[56] ils vous
30 ont fait penser que vous lui étiez semblables et conformes par votre nature. Et ceux qui ont vu la vanité de cette prétention vous ont jetés dans l'autre précipice, en vous faisant entendre que votre nature était pareille à celle des bêtes, et vous ont portés à chercher votre bien dans les concupiscences qui sont le partage des animaux. Ce n'est pas là le moyen de vous guérir de
35 vos injustices, que ces sages n'ont point connues.

2. Les grandeurs et les misères de l'homme sont tellement visibles, qu'il faut nécessairement que la véritable religion nous enseigne et qu'il y a quelque grand principe de grandeur en l'homme, et qu'il y a un grand principe de misère. Il faut donc qu'elle nous rende raison de ces étonnantes contrariétés.
40 Il faut que, pour rendre l'homme heureux, elle lui montre qu'il y a un Dieu; qu'on est obligé de l'aimer; que notre vraie félicité est d'être en lui, et notre unique mal d'être séparé de lui; qu'elle reconnaisse que nous sommes pleins

[52] "skeptics."   [53] "argument."   [54] "apostrophe" (digression in the form of an address).
[55] "withdraws."   [56] "pride."

de ténèbres qui nous empêchent de le connaître et de l'aimer; et qu'ainsi nos devoirs nous obligeant d'aimer Dieu, et nos concupiscences nous en détournant, nous sommes pleins d'injustice. Il faut qu'elle nous rende raison de ces oppositions que nous avons à Dieu et à notre propre bien. Il faut qu'elle nous enseigne les remèdes à nos impuissances, et les moyens d'obtenir ces remèdes. 5 Qu'on examine sur cela toutes les religions du monde, et qu'on voie s'il y en a une autre que la chrétienne qui y satisfasse.

3. Il faut pour faire qu'une religion soit vraie qu'elle ait connu notre nature; car la vraie nature de l'homme, son vrai bien, la vraie vertu et la vraie religion sont choses dont la connaissance est inséparable. Elle doit 10 avoir connu la grandeur et la bassesse de l'homme, et la raison de l'une et de l'autre. Quelle autre religion que la chrétienne a connu toutes ces choses?

Elle enseigne donc ensemble aux hommes ces deux vérités: et qu'il y a un Dieu dont les hommes sont capables, et qu'il y a une corruption dans la nature qui les en rend indignes. Il importe également aux hommes de connaître l'un 15 et l'autre de ces points; et il est également dangereux à l'homme de connaître Dieu sans connaître sa misère, et de connaître sa misère sans connaître le Rédempteur qui l'en peut guérir. Une seule de ces connaissances fait ou l'orgueil des philosophes, qui ont connu Dieu et non leur misère, ou le désespoir des athées, qui connaissent leur misère sans Rédempteur. Et ainsi, comme il 20 est également de la nécessité de l'homme de connaître ces deux points, il est aussi également de la miséricorde de Dieu de nous les avoir fait connaître. La religion chrétienne le fait; c'est en cela qu'elle consiste. Qu'on examine l'ordre du monde sur cela, et qu'on voie si toutes choses ne tendent pas à l'établissement des deux chefs [57] de cette religion. 25

4. Quelle chimère est-ce donc que l'homme? Quelle nouveauté, quel monstre, quel chaos, quel sujet de contradiction, quel prodige! Juge de toutes choses, imbécile ver de terre; dépositaire du vrai, cloaque d'incertitude et d'erreur; gloire et rebut de l'univers.

Qui démêlera cet embrouillement? la nature confond les pyrrhoniens, et 30 la raison confond les dogmatiques. Que deviendriez-vous donc, ô hommes qui cherchez quelle est votre véritable condition par votre raison naturelle? Vous ne pouvez fuir une de ces sectes, ni subsister dans aucune.

Connaissez donc, superbe, quel paradoxe vous êtes à vous-même. Humiliez-vous, raison impuissante; taisez-vous, nature imbécile: apprenez 35 que l'homme passe infiniment l'homme, et entendez de votre maître votre condition véritable que vous ignorez. Écoutez Dieu.

[57] "chief points."

LA ROCHEFOUCAULD (1613–1680)

François, duc de la Rochefoucauld, was a member of one of the great feudal families of France. He naturally therefore took a very active part in the struggle of the nobles against the efforts of Richelieu and Mazarin to reduce their power. When the centralizing monarchy finally triumphed, he found himself in lasting disfavor with Louis XIV. As a compensation in some degree for this disappointment, he won marked social success in the salons of the time, especially those presided over by Mme de Sablé and Mme de La Fayette, where he was idolized as the representative par excellence of the contemporary "honnête homme."

La Rochefoucauld's reputation rests upon his *Maximes* (1665). This little book, the outgrowth of a salon diversion, is the final expression of La Rochefoucauld's philosophy of life, the bitter fruit of his experiences in that most selfish of all civil wars, La Fronde. Behind almost every action in life, La Rochefoucauld discovers lurking some form of self-interest. Even those virtues which are usually considered most unselfish appear under his searching analysis to be tainted with egoism. All human conduct is governed by selfishness. Unfortunately, there is a large amount of truth in this pessimistic viewpoint. But it is not the whole truth. La Rochefoucauld overlooks, deliberately or otherwise, the certain existence of disinterested virtue. However, although one-sided, the conclusions of the *Maximes* do serve a useful purpose in curing the reader of any silly illusions he may cherish about the essential goodness of man.

The style of the *Maximes* is one of their chief elements of appeal. By dint of some twenty years of polishing, La Rochefoucauld has succeeded in attaining almost complete perfection in the expression of the concise elegance which the maxim demands. The *Maximes* realize perfectly the author's ideal of eloquence, so characteristically classical: "La véritable éloquence consiste à dire tout ce qu'il faut, et à ne dire que ce qu'il faut."

"Pour La Rochefoucauld, chacune de ses réflexions représente une collection de faits, et nous en peut suggérer une analogue. C'est vraiment encore aujourd'hui un précieux recueil, pour qui ne se contente pas de le lire une fois. Autour de ces maximes, chacun de nous peut distribuer son expérience, en prendre conscience, et la préparer pour l'usage en la classant. C'est un guide qui nous désenchante, même de nous-mêmes. Le remède à la naïveté, mais le remède aussi à la vanité, est là, dans ce petit volume presque tout entier excellent et substantiel, dont ceux-là seuls médiront, qui n'auront pas su s'y connaître."

Lanson—*Histoire de la littérature française.*

IMPORTANT WORKS:

Mémoires (1662); *Maximes* (1665).

1. *MAXIMES*

[Numbers in parentheses are those of the definitive (fifth) edition of 1678.]

> *Nos vertus ne sont le plus*
> *souvent que des vices déguisés.*

1. Ce que nous prenons pour des vertus, n'est souvent qu'un assemblage de diverses actions et de divers intérêts que la fortune ou notre industrie[1] savent arranger; et ce n'est pas toujours par valeur et par chasteté que les hommes sont vaillants et que les femmes sont chastes. (1)

2. L'amour-propre est le plus grand de tous les flatteurs. (2)

3. Quelques découvertes que l'on ait faites dans le pays de l'amour-propre, il y reste encore bien des terres inconnues. (3)

4. L'amour-propre est plus habile que le plus habile homme du monde. (4)

5. La passion fait souvent un fou du plus habile homme, et rend souvent habiles les plus sots. (6)

6. Les passions sont les seuls orateurs qui persuadent toujours. Elles sont comme un art de la nature dont les règles sont infaillibles; et l'homme le plus simple qui a de la passion persuade mieux que le plus éloquent qui n'en a point. (8)

7. Les hommes ne sont pas seulement sujets à perdre le souvenir des bienfaits et des injures; ils haïssent même ceux qui les ont obligés, et cessent de haïr ceux qui leur ont fait des outrages. L'application[2] à récompenser le bien et à se venger du mal, leur paraît une servitude à laquelle ils ont peine à se soumettre. (14)

8. Cette clémence, dont on fait une vertu, se pratique, tantôt par vanité, quelquefois par paresse, souvent par crainte, et presque toujours par tous les trois ensemble. (16)

9. La modération est une crainte de tomber dans l'envie et dans le mépris que méritent ceux qui s'enivrent de leur bonheur; c'est une vaine ostentation de la force de notre esprit; enfin la modération des hommes dans leur plus haute élévation est un désir de paraître plus grands que leur fortune. (18)

10. Nous avons tous assez de force pour supporter les maux d'autrui. (19)

11. Nous avons plus de force que de volonté; et c'est souvent pour nous excuser à nous-mêmes, que nous nous imaginons que les choses sont impossibles. (30)

12. Si nous n'avions point de défauts, nous ne prendrions pas tant de plaisir à en remarquer dans les autres. (31)

13. Si nous n'avions point d'orgueil, nous ne nous plaindrions pas de celui des autres. (34)

14. L'orgueil a plus de part que la bonté aux remontrances que nous faisons à ceux qui commettent des fautes; et nous ne les reprenons[3] pas tant pour les en corriger, que pour leur persuader que nous en sommes exempts. (37)

---

[1] *habileté.*　　　[2] *obligation.*　　　[3] "blame" (reprehend).

15. L'intérêt parle toutes sortes de langues, et joue toutes sortes de personnages, même celui de désintéressé. (39)

16. Ceux qui s'appliquent trop aux petites choses deviennent ordinairement incapables des grandes. (41)

17. Nous n'avons pas assez de force pour suivre toute notre raison. (42)

18. La force et la faiblesse de l'esprit sont mal nommées, elles ne sont en effet que la bonne ou la mauvaise disposition des organes du corps. (44)

19. Le mépris des richesses était, dans les philosophes, un désir caché de venger leur mérite de l'injustice de la fortune, par le mépris des mêmes biens dont elle les privait; c'était un secret pour se garantir de l'avilissement de la pauvreté; c'était un chemin détourné pour aller à la considération, qu'ils ne pouvaient avoir par les richesses. (54)

20. La haine pour les favoris n'est autre chose que l'amour de la faveur. Le dépit de ne la pas posséder se console et s'adoucit par le mépris que l'on témoigne de ceux qui la possèdent; et nous leur refusons nos hommages, ne pouvant pas leur ôter ce qui leur attire ceux de tout le monde. (55)

21. Pour s'établir dans le monde, on fait tout ce qu'on peut pour y paraître établi. (56)

22. La sincérité est une ouverture de cœur. On la trouve en fort peu de gens; et celle que l'on voit d'ordinaire n'est qu'une fine dissimulation pour attirer la confiance des autres. (62)

23. L'aversion du mensonge est souvent une imperceptible ambition de rendre nos témoignages considérables, et d'attirer à nos paroles un respect de religion. (63)

24. La vérité ne fait pas autant de bien dans le monde que ses apparences y font de mal. (64)

25. Si on juge l'amour par la plupart de ses effets, il ressemble plus à la haine qu'à l'amitié. (72)

26. Il en est du véritable amour comme de l'apparition des esprits; tout le monde en parle mais peu de gens en ont vu. (76)

27. L'amour prête son nom à un nombre infini de commerces [4] qu'on lui attribue, et où il n'a non plus de part que le doge [5] à ce qui se fait à Venise. (77)

28. L'amour de la justice n'est, en la plupart des hommes, que la crainte de souffrir de l'injustice. (78)

29. L'amitié la plus désintéressée n'est qu'un commerce où notre amour-propre se propose toujours quelque chose à gagner. (81)

30. La réconciliation avec nos ennemis n'est qu'un désir de rendre notre condition meilleure, une lassitude de la guerre, et une crainte de quelque mauvais événement. (82)

31. Nous nous persuadons souvent d'aimer les gens plus puissants que nous, et néanmoins c'est l'intérêt seul qui produit notre amitié; nous ne nous donnons pas à eux pour le bien que nous leur voulons faire, mais pour celui que nous voulons en recevoir. (85)

---

[4] "relations."

[5] Official ruler of Venice. In reality the power was in the hands of the great nobles.

32. L'amour-propre nous augmente ou nous diminue les bonnes qualités de nos amis à proportion de la satisfaction que nous avons d'eux; et nous jugeons de leur mérite par la manière dont ils vivent avec nous. (88)

33. Tout le monde se plaint de sa mémoire, et personne ne se plaint de son jugement. (89)

34. La politesse de l'esprit consiste à penser des choses honnêtes et délicates. (99)

35. La galanterie de l'esprit est de dire des choses flatteuses d'une manière agréable. (100)

36. L'esprit est toujours la dupe du cœur. (102)

37. On ne donne rien si libéralement que ses conseils. (110)

38. Il y a de bons mariages; mais il n'y en a point de délicieux. (113)

39. Il est aussi facile de se tromper soi-même sans s'en apercevoir, qu'il est difficile de tromper les autres sans qu'ils s'en aperçoivent. (115)

40. Rien n'est moins sincère que la manière de demander et de donner des conseils. Celui qui en demande paraît avoir une déférence respectueuse pour les sentiments de son ami, bien qu'il ne pense qu'à lui faire approuver les siens, et à le rendre garant de sa conduite; et celui qui conseille paye la confiance qu'on lui témoigne d'un zèle ardent et désintéressé, quoiqu'il ne cherche le plus souvent dans les conseils qu'il donne que son propre intérêt ou sa gloire. (116)

41. Nous sommes si accoutumés à nous déguiser aux autres, qu'à la fin nous nous déguisons à nous-mêmes. (119)

42. On fait souvent du bien pour pouvoir impunément faire du mal. (121)

43. Les plus habiles affectent toute leur vie de blâmer les finesses, pour s'en servir en quelque grande occasion et pour quelque grand intérêt. (124)

44. Le vrai moyen d'être trompé, c'est de se croire plus fin que les autres. (127)

45. On n'est jamais si ridicule par les qualités que l'on a que par celles que l'on affecte d'avoir. (134)

46. On aime mieux dire du mal de soi-même que de n'en point parler. (138)

47. Une des choses qui font que l'on trouve si peu de gens qui paraissent raisonnables et agréables dans la conversation, c'est qu'il n'y a presque personne qui ne pense plutôt à ce qu'il veut dire qu'à répondre précisément à ce qu'on lui dit. Les plus habiles et les plus complaisants se contentent de montrer seulement une mine attentive, en même temps que l'on voit dans leurs yeux et dans leur esprit un égarement pour ce qu'on leur dit, et une précipitation pour retourner à ce qu'ils veulent dire; au lieu de considérer que c'est un mauvais moyen de plaire aux autres ou de les persuader, que de chercher si fort à se plaire à soi-même, et que bien écouter et bien répondre est une des plus grandes perfections qu'on puisse avoir dans la conversation. (139)

48. Comme c'est le caractère des grands esprits de faire entendre en peu de paroles beaucoup de choses, les petits esprits, au contraire, ont le don de beaucoup parler et de ne rien dire. (142)

49. On n'aime point à louer et ne loue jamais personne sans intérêt. La louange est une flatterie habile, cachée et délicate, qui satisfait différemment celui qui la donne et celui qui la reçoit: l'un la prend comme une récompense de son mérite, l'autre la donne pour faire remarquer son équité et son discernement. (144)

50. On ne loue d'ordinaire que pour être loué. (146)

51. Peu de gens sont assez sages pour préférer le blâme qui leur est utile à la louange qui les trahit. (147)

52. Le refus de la louange est un désir d'être loué deux fois. (149)

53. Pendant que la paresse et la timidité nous retiennent dans notre devoir, notre vertu en a souvent tout l'honneur. (169)

54. Les vertus se perdent dans l'intérêt, comme les fleuves se perdent dans la mer. (171)

55. Il y a diverses sortes de curiosité; l'une d'intérêt, qui nous porte à désirer d'apprendre ce qui nous peut être utile; et l'autre d'orgueil, qui vient du désir de savoir ce que les autres ignorent. (173)

56. Ce qui nous fait aimer les nouvelles connaissances n'est pas tant la lassitude que nous avons des vieilles, ou le plaisir de les changer, que le dégoût de n'être pas assez admirés de ceux qui nous connaissent trop, et l'espérance de l'être davantage de ceux qui ne nous connaissent pas tant. (178)

57. Notre repentir n'est pas tant un regret du mal que nous avons fait, qu'une crainte de celui qui nous en peut arriver. (180)

58. Les vices entrent dans la composition des vertus, comme les poisons entrent dans la composition des remèdes. La prudence les assemble et les tempère, et elle s'en sert utilement contre les maux de la vie. (182)

59. Nous avouons nos défauts pour réparer par notre sincérité le tort qu'ils nous font dans l'esprit des autres. (184)

60. Le nom de la vertu sert à l'intérêt aussi utilement que les vices. (187)

61. Nous oublions aisément nos fautes, lorsqu'elles ne sont sues que de nous. (196)

62. Le désir de paraître habile empêche souvent de le devenir. (199)

63. Celui qui croit pouvoir trouver en soi-même de quoi se passer de tout le monde se trompe fort: mais celui qui croit qu'on ne peut se passer de lui se trompe encore davantage. (201)

64. Le vrai honnête homme est celui qui ne se pique de rien. (203)

65. La sévérité des femmes est un ajustement et un fard qu'elles ajoutent à leur beauté. (204)

66. C'est être véritablement honnête homme que de vouloir être toujours exposé à la vue des honnêtes gens. (206)

67. L'amour de la gloire, la crainte de la honte, le dessein de faire fortune, le désir de rendre notre vie commode et agréable, et l'envie d'abaisser les autres, sont souvent les causes de cette valeur si célèbre parmi les hommes. (213)

68. La parfaite valeur est de faire sans témoins ce qu'on serait capable de faire devant tout le monde. (216)

69. L'hypocrisie est un hommage que le vice rend à la vertu. (218)

70. Il en est de la reconnaissance comme de la bonne foi des marchands: elle entretient le commerce; et souvent nous ne payons pas parce qu'il est juste de nous acquitter, mais pour trouver plus facilement des gens qui nous prêtent. (223)

71. L'orgueil ne veut pas devoir, et l'amour-propre ne veut pas payer. (228)

72. C'est une grande folie de vouloir être sage tout seul. (231)

73. Nous nous consolons aisément des disgrâces de nos amis lorsqu'elles servent à signaler notre tendresse pour eux. (235)

74. C'est une grande habileté que de savoir cacher son habileté. (245)

75. Ce qui paraît générosité n'est souvent qu'une ambition déguisée, qui méprise de petits intérêts pour aller à de plus grands. (246)

76. La fidélité qui paraît en la plupart des hommes n'est qu'une invention de l'amour-propre pour attirer la confiance; c'est un moyen de nous élever au-dessus des autres et de nous rendre dépositaires des choses les plus importantes. (247)

77. La véritable éloquence consiste à dire tout ce qu'il faut, et à ne dire que ce qu'il faut. (250)

78. L'intérêt met en œuvre toutes sortes de vertus et de vices. (253)

79. L'humilité n'est souvent qu'une feinte soumission dont on se sert pour soumettre les autres: c'est un artifice de l'orgueil qui s'abaisse pour s'élever; et, bien qu'il se transforme en mille manières, il n'est jamais mieux déguisé et plus capable de tromper que lorsqu'il se cache sous la figure de l'humilité. (254)

80. La gravité est un mystère du corps inventé pour cacher les défauts de l'esprit. (257)

81. La civilité est un désir d'en recevoir, et d'être estimé poli. (260)

82. Il n'y a point de passion où l'amour de soi-même règne si puissamment que dans l'amour, et l'on est souvent plus disposé à sacrifier le repos de ce qu'on aime qu'à perdre le sien. (262)

83. Ce qu'on nomme libéralité n'est le plus souvent que la vanité de donner, que nous aimons mieux que ce que nous donnons. (263)

84. La pitié est souvent un sentiment de nos propres maux dans les maux d'autrui. C'est une habile prévoyance des malheurs où nous pouvons tomber. Nous donnons du secours aux autres pour les engager à nous en donner en de semblables occasions, et ces services que nous leur rendons sont, à proprement parler, un bien que nous nous faisons à nous-mêmes par avance. (264)

85. C'est se tromper que de croire qu'il n'y ait que les violentes passions, comme l'ambition et l'amour, qui puissent triompher des autres. La paresse, toute languissante qu'elle est, ne laisse pas d'en être souvent la maîtresse; elle usurpe sur tous les desseins et sur toutes les actions de la vie, elle y détruit et y consume insensiblement les passions et les vertus. (266)

86. L'absence diminue les médiocres passions, et augmente les grandes, comme le vent éteint les bougies et allume le feu. (276)

87. Les femmes croient souvent aimer, encore qu'elles n'aiment pas: l'occu-

pation d'une intrigue, l'émotion d'esprit que donne la galanterie, la pente naturelle au plaisir d'être aimées, et la peine de refuser, leur persuadent qu'elles ont de la passion lorsqu'elles n'ont que de la coquetterie. (277)

88. La reconnaissance dans la plupart des hommes, n'est qu'une forte et secrète envie de recevoir de plus grands bienfaits. (298)

89. Quelque bien qu'on nous dise de nous, on ne nous apprend rien de nouveau. (303)

90. Nous pardonnons souvent à ceux qui nous ennuient; mais nous ne pouvons pardonner à ceux que nous ennuyons. (304)

91. L'intérêt, que l'on accuse de tous nos crimes, mérite souvent d'être loué de nos bonnes actions. (305)

92. On ne trouve guère d'ingrats, tant qu'on est en état de faire du bien. (306)

93. Pourquoi faut-il que nous ayons assez de mémoire pour retenir jusqu'aux moindres particularités de ce qui nous est arrivé, et que nous n'en ayons pas assez pour nous souvenir combien de fois nous les avons contées à la même personne? (313)

94. Nous n'avouons de petits défauts que pour persuader que nous n'en avons pas de grands. (327)

95. On croit quelquefois haïr la flatterie; mais on ne hait que la manière de flatter. (329)

96. Nous ne trouvons guère de gens de bon sens que ceux qui sont de notre avis. (347)

97. Le plus grand miracle de l'amour, c'est de guérir de la coquetterie. (349)

98. Ce qui nous donne tant d'aigreur contre ceux qui nous font des finesses,[5a] c'est qu'ils croient être plus habiles que nous. (350)

99. Un honnête homme peut être amoureux comme un fou, mais non pas comme un sot. (353)

100. Nous ne louons d'ordinaire de bon cœur que ceux qui nous admirent. (356)

101. Quelque défiance que nous ayons de la sincérité de ceux qui nous parlent, nous croyons toujours qu'ils nous disent plus vrai qu'aux autres. (366)

102. La plupart des jeunes gens croient être naturels, lorsqu'ils ne sont que mal polis et grossiers. (372)

103. L'envie de parler de nous et de faire voir nos défauts du côté que nous voulons bien les montrer, fait une grande partie de notre sincérité. (383)

104. Ce qui nous rend la vanité des autres insupportable, c'est qu'elle blesse la nôtre. (389)

105. Nous n'avons pas le courage de dire en général que nous n'avons point de défauts et nos ennemis n'ont point de bonnes qualités; mais en détail nous ne sommes pas trop éloignés de le croire. (397)

106. Nous aurions souvent honte de nos plus belles actions si le monde voyait les motifs qui les produisent. (409)

[5a] *nous trompent.*

107. On n'a guère de défauts qui ne soient plus pardonnables que les moyens dont on se sert pour les cacher. (411)

108. La plupart des amis dégoûtent de l'amitié, et la plupart des dévots dégoûtent de la dévotion. (427)

109. Nous pardonnons aisément à nos amis les défauts qui ne nous regardent pas. (428)

110. Rien n'empêche tant d'être naturel que l'envie de le paraître. (431)

111. Nous essayons de nous faire honneur des défauts que nous ne voulons pas corriger. (442)

112. La bienséance est la moindre de toutes les lois et la plus suivie. (447)

113. Nous gagnerions plus de nous laisser voir tels que nous sommes, que d'essayer de paraître ce que nous ne sommes pas. (457)

114. Nos ennemis approchent plus de la vérité dans les jugements qu'ils font de nous, que nous n'en approchons nous-mêmes. (458)

115. L'envie d'être plaint ou d'être admiré fait souvent la plus grande partie de notre confiance. (475)

116. On est d'ordinaire plus médisant par vanité que par malice. (483)

117. Quelque méchants que soient les hommes, ils n'oseraient paraître ennemis de la vertu; et lorsqu'ils la veulent persécuter, ils feignent de croire qu'elle est fausse, ou ils lui supposent des crimes. (489)

118. Les querelles ne dureraient pas longtemps, si le tort n'était que d'un côté. (496)

2. *RÉFLEXIONS*

DE LA SOCIÉTÉ

Mon dessein n'est pas de parler de l'amitié en parlant de la société; bien qu'elles aient quelque rapport, elles sont néanmoins très différentes: la première a plus d'élévation et d'humilité, et le plus grand mérite de l'autre est de lui ressembler.

Je ne parlerai donc présentement que du commerce [6] particulier que les honnêtes gens doivent avoir ensemble. Il serait inutile de dire combien la société est nécessaire aux hommes: tous la désirent et tous la cherchent; mais peu se servent des moyens de la rendre agréable et de la faire durer.

Chacun veut trouver son plaisir et ses avantages aux dépens des autres. On se préfère toujours à ceux avec qui on se propose de vivre, et on leur fait presque toujours sentir cette préférence; c'est ce qui trouble et ce qui détruit la société. Il faudrait du moins savoir cacher ce désir de préférence, puisqu'il est trop naturel en nous pour nous en pouvoir défaire. Il faudrait faire son plaisir de celui des autres, ménager leur amour-propre, et ne le blesser jamais. . . .

Pour rendre la société commode, il faut que chacun conserve sa liberté. Il ne faut point se voir, ou se voir sans sujétion,[7] et pour se divertir ensemble,

---

[6] "relation."

[7] *sens d'obligation.*

Il faut pouvoir se séparer sans que cette séparation apporte de changement. Il faut se pouvoir passer les uns des autres, si on ne veut pas s'exposer à embarrasser quelquefois; et on doit se souvenir qu'on incommode souvent, quand on croit ne pouvoir jamais incommoder. Il faut contribuer, autant
5 qu'on le peut, au divertissement des personnes avec qui on veut vivre; mais il ne faut pas être toujours chargé du soin d'y contribuer.

La complaisance est nécessaire dans la société, mais elle doit avoir des bornes: elle devient une servitude quand elle est excessive. Il faut du moins qu'elle paraisse libre et qu'en suivant le sentiment de nos amis, ils soient
10 persuadés que c'est le nôtre aussi que nous suivons.

Il faut être facile à excuser nos amis, quand leurs défauts sont nés avec eux, et qu'ils sont moindres que leurs bonnes qualités. Il faut souvent éviter de leur faire voir qu'on les ait remarqués, et qu'on en soit choqué. On doit essayer de faire en sorte qu'ils puissent s'en apercevoir eux-mêmes, pour leur
15 laisser le mérite de s'en corriger.

Il y a une sorte de politesse qui est nécessaire dans le commerce des honnêtes gens: elle leur fait entendre raillerie, et elle les empêche d'être choqués, et de choquer les autres par de certaines façons de parler trop sèches et trop dures, qui échappent souvent sans y penser [8] quand on soutient
20 son opinion avec chaleur.

Le commerce des honnêtes gens ne peut subsister sans une certaine sorte de confiance; elle doit être commune entre eux, il faut que chacun ait un air de sûreté et de discrétion qui ne donne jamais lieu de craindre qu'on puisse rien dire par imprudence.

25 Il faut de la variété dans l'esprit; ceux qui n'ont que d'une sorte d'esprit ne peuvent pas plaire longtemps: on peut prendre des routes diverses, n'avoir pas les mêmes talents, pourvu qu'on aide au plaisir de la société, et qu'on y observe la même justesse que les différentes voix et les divers instruments doivent observer dans la musique.

30 Comme il est malaisé que plusieurs personnes puissent avoir les mêmes intérêts, il est nécessaire, au moins pour la douceur de la société, qu'ils n'en aient pas de contraires.

On doit aller au-devant de [9] ce qui peut plaire à ses amis, chercher les moyens de leur être utile, leur épargner des chagrins, leur faire voir qu'on
35 les partage avec eux, quand on ne peut les détourner, les effacer insensiblement sans prétendre de les arracher tout d'un coup, et mettre en la place des objets agréables, ou du moins qui les occupent. On peut leur parler des choses qui les regardent, mais ce n'est qu'autant qu'ils le permettent, et on y doit garder beaucoup de mesure. Il y a de la politesse, et quelquefois même de
40 l'humanité à ne pas entrer trop avant dans les replis de leur cœur; ils ont souvent de la peine à laisser voir tout ce qu'ils en connaissent, et ils en ont encore davantage quand on pénètre [10] ce qu'ils ne connaissent pas bien. Que le commerce que les honnêtes gens ont ensemble leur donne de la familiarité, et leur fournisse un nombre infini de sujets de se parler sincère-
45 ment. . . .

---

[8] *sans que l'on y pense.*　　　[9] "anticipate."　　　[10] "goes deeply into."

De La Conversation

Ce qui fait que peu de personnes sont agréables dans la conversation, c'est que chacun songe plus à ce qu'il a dessein de dire qu'à ce que les autres disent, et que l'on n'écoute guère quand on a bien envie de parler.

Néanmoins il est nécessaire d'écouter ceux qui parlent. Il faut leur donner le temps de se faire entendre et souffrir même qu'ils disent des choses inu- 5 tiles. Bien loin de les contredire et de les interrompre, on doit au contraire entrer dans leur esprit et dans leur goût, montrer qu'on les entend, louer ce qu'ils disent autant qu'il mérite d'être loué, et faire voir que c'est plutôt par choix qu'on les loue que par complaisance.

Pour plaire aux autres, il faut parler de ce qu'ils aiment et de ce qui les 10 touche, éviter les disputes sur des choses indifférentes, leur faire rarement des questions, et ne leur laisser jamais croire qu'on prétend avoir plus de raison qu'eux.

On doit dire les choses d'un air plus ou moins sérieux, et sur des sujets plus ou moins relevés, selon l'humeur et la capacité des personnes que l'on 15 entretient, et leur céder aisément l'avantage de décider, sans les obliger de répondre, quand ils n'ont pas envie de parler.

Évitons surtout de parler souvent de nous-mêmes, et de nous donner pour exemple. Rien n'est plus désagréable qu'un homme qui se cite lui-même à tout propos. . . . 20

Il ne faut jamais rien dire avec un air d'autorité, ni montrer aucune supériorité d'esprit. Fuyons les expressions trop recherchées, les termes durs ou forcés, et ne nous servons point de paroles plus grandes que les choses.

Il n'est pas défendu de conserver ses opinions, si elles sont raisonnables. Mais il faut se rendre à la raison aussitôt qu'elle paraît, de quelque part 25 qu'elle vienne; elle seule doit régner sur nos sentiments, mais suivons-la sans heurter les sentiments des autres, et sans faire paraître du mépris de ce qu'ils ont dit.

Il est dangereux de vouloir être toujours le maître de la conversation, et de pousser trop loin une bonne raison, quand on l'a trouvée. L'honnêteté veut 30 que l'on cache quelquefois la moitié de son esprit, et qu'on ménage un opiniâtre qui se défend mal, pour lui épargner la honte de céder.

On déplaît sûrement quand on parle trop longtemps et trop souvent d'une même chose, et que l'on cherche à détourner la conversation sur des sujets dont on se croit plus instruit que les autres. Il faut entrer indifféremment 35 sur tout ce qui leur est agréable, s'y arrêter autant qu'ils le veulent et s'éloigner de tout ce qui ne leur convient pas.

Toute sorte de conversation, quelque spirituelle qu'elle soit, n'est pas également propre à toutes sortes de gens d'esprit. Il faut choisir ce qui est de leur goût et ce qui est convenable à leur condition, à leur sexe, à leurs talents, et 40 choisir même le temps de le dire.

Observons le lieu, l'occasion, l'humeur où se trouvent les personnes qui nous écoutent. Car s'il y a beaucoup d'art à savoir parler à propos, il n'y en a pas moins à savoir se taire. Il y a un silence éloquent qui sert à approuver et à condamner : il y a un silence de discrétion et de respect. Il y a enfin des tons, des airs et des manières, qui font tout ce qu'il y a d'agréable ou de désagréable, de délicat ou de choquant dans la conversation.

Mais le secret de s'en bien servir est donné à peu de personnes. Ceux mêmes qui en font des règles s'y méprennent souvent : et la plus sûre qu'on en puisse donner, c'est écouter beaucoup, parler peu, et ne rien dire dont on puisse avoir sujet de se repentir.

MADAME DE SÉVIGNÉ (1626–1696)

Marie de Rabutin-Chantal married in 1644 the marquis de Sévigné, a spend-thrift who rapidly dissipated her fortune. After her husband's death in 1651, Mme de Sévigné lived chiefly in Paris, frequenting the court and the best society of the time. She liked also the simple life of the country and spent considerable time on her estate of Les Rochers in Brittany.

It was to entertain her rather cold and unresponsive daughter, Mme de Grignan, that Mme de Sévigné wrote most of the many letters to which she owes her place in French literature. With her, the art of letter-writing, very much cultivated in the 17th century, reaches its perfection. Quite apart from their high literary value, the *Lettres* are extremely interesting as social documents, revealing not only the admirable personality of Mme de Sévigné herself, the best type of the *grande dame* of the period, but also the life of the age seen through the eyes of a very observant and intelligent aristocrat: the great events of contemporary history, court gossip, intimate details of every-day life in city and country. As a vivid picture of the personages and incidents of the reign of Louis XIV, the *Lettres* have been compared to the *Mémoires* of Saint-Simon, but they are much more true to the facts, because relatively free from prejudice.

"Cette force d'imagination dans un tempérament froid fait la valeur de la peinture que Mme de Sévigné a tracée de la société de son temps. Ses *Lettres* nous sont une image merveilleusement fidèle de la vie noble au xviie siècle, dans tous ses aspects et ses emplois, à la cour, en province, aux champs, à la comédie, au sermon, dans l'intimité domestique, dans les relations sociales, dans la représentation des grandes charges: les impressions journalières de Mme de Sévigné font un des documents d'histoire les plus sincères qu'on puisse consulter. On a peut-être trop admiré jadis les lettres *étourdissantes* où elle déploie sa virtuosité: la lettre aux épithètes, la lettre des *foins,* etc. Ce sont là des tours de force ou des gentillesses qui n'ont guère de conséquence. Mais les ardeurs de sa dévotion maternelle, ses sensations de la campagne, ses jugements littéraires, ses inquiétudes métaphysiques, ses tableaux de mœurs, voilà tout autant de catégories de lettres, richement fournies, et dont l'avenir ne baissera pas le prix."

Lanson—Histoire de la littérature française.

LETTRES *

I. LES NOUVELLES DU JOUR

1. Aventure d'un Courtisan

A Monsieur de Pomponne [1]

lundi, 1er décembre (1664).

. . . Il faut que je vous conte une petite historiette, qui est très vraie, et

---

* Unless otherwise indicated, all letters are addressed to Mme de Grignan, Mme de Sévigné's daughter.   [1] Son of the Jansenist, Arnauld d'Andilly.

qui vous divertira. Le Roi se mêle depuis peu de faire des vers; MM. de
Saint-Aignan[2] et Dangeau[3] lui apprennent, comment il s'y faut prendre. Il
fit l'autre jour un petit madrigal, que lui-même ne trouva pas trop joli. Un
matin il dit au maréchal de Gramont:[4] «Monsieur le maréchal, je vous prie,
5　lisez ce petit madrigal, et voyez si vous en avez jamais vu un si impertinent.[4a]
Parce qu'on sait que depuis peu j'aime les vers, on m'en apporte de toutes
les façons.» Le maréchal, après avoir lu, dit au Roi: «Sire, Votre Majesté
juge divinement bien de toutes choses: il est vrai que voilà le plus sot et le
plus ridicule madrigal que j'aie jamais lu.» Le Roi se mit à rire, et lui dit:
10　«N'est-il pas vrai que celui qui l'a fait est bien fat.[5]—Sire, il n'y a pas moyen
de lui donner un autre nom.—Eh bien! dit le Roi, je suis ravi que vous m'en
ayez parlé si bonnement; c'est moi qui l'ai fait.—Ah! Sire, quelle trahison!
Que Votre Majesté me le rende; je l'ai lu brusquement.—Non, Monsieur le
maréchal: les premiers sentiments sont toujours les plus naturels.» Le Roi
15　a fort ri de cette folie, et tout le monde trouve que voilà la plus cruelle petite
chose que l'on puisse faire à un vieux courtisan. Pour moi, qui aime toujours
à faire des réflexions, je voudrais que le Roi en fît là-dessus, et qu'il jugeât
par là combien il est loin de connaître jamais la vérité.

2. Le Mariage de Lauzun

A M. de Coulanges[6]

A Paris, ce lundi 15ᵉ décembre (1670).

20　　Je m'en vais vous mander la chose la plus étonnante, la plus surprenante,
la plus merveilleuse, la plus miraculeuse, la plus triomphante, la plus étourdissante, la plus inouïe, la plus singulière, la plus extraordinaire, la plus incroyable, la plus imprévue, la plus grande, la plus petite, la plus rare, la plus commune, la plus éclatante, la plus secrète jusqu'aujourd'hui, la plus brillante,
25　la plus digne d'envie: enfin une chose dont on ne trouve qu'un exemple[7]
dans les siècles passés, encore cet exemple n'est-il pas juste; une chose que
l'on ne peut pas croire à Paris (comment la pourrait-on croire à Lyon?);[8]
une chose qui fait crier miséricorde à tout le monde; une chose qui comble
de joie Mᵐᵉ de Rohan et Mᵐᵉ d'Hauterive;[9] une chose enfin qui se fera
30　dimanche, où ceux qui la verront croiront avoir la berlue;[10] une chose qui
se fera dimanche, et qui ne sera peut-être pas faite lundi. Je ne puis me
résoudre à la dire; devinez-la: je vous le donne en trois. Jetez-vous votre
langue aux chiens? Eh bien! il faut donc vous la dire: M. de Lauzun[11]
épouse dimanche au Louvre, devinez qui? Je vous le donne en quatre, je

---

[2] Courtier of Louis XIV, in charge of the court fêtes (1607–1686).
[3] The marquis de Dangeau (1638–1720), author of an important *Journal de la cour de Louis XIV*.
[4] See p. 81, n. 15.　　　　　　[4a] "silly."　　　　　　　　[5] "stupid," "a silly ass."
[6] Cousin of Mᵐᵉ de Sévigné.
[7] Perhaps Mary Tudor, widow of Louis XII, who married the Duke of Suffolk.
[8] Where M. de Coulanges was at the time.
[9] Court ladies who had likewise married for love beneath their rank.
[10] "to be losing their sight."　　　　[11] Adventurer of the court of Louis XIV (1632–1723).

vous le donne en dix, je vous le donne en cent. Mme de Coulanges dit:
Voilà qui est bien difficile à deviner; c'est Mme de la Vallière.[12]—Point du
tout, Madame.—C'est donc Mlle de Retz? [12]—Point du tout, vous êtes bien
provinciale.—Vraiment nous sommes bien bêtes, dites-vous, c'est Mlle Colbert.[12]—Encore moins.—C'est assurément Mlle de Créquy.[12]—Vous n'y 5
êtes pas. Il faut donc à la fin vous le dire: il épouse, dimanche, au Louvre,
avec la permission du Roi, Mademoiselle, Mademoiselle de. . . . Mademoiselle . . . devinez le nom: il épouse Mademoiselle, ma foi! par ma foi! ma
foi jurée! Mademoiselle, la grande Mademoiselle; Mademoiselle, fille de feu
Monsieur,[13] Mademoiselle, petite-fille de Henri IV; mademoiselle d'Eu,[14] 10
mademoiselle de Dombes,[14] mademoiselle de Montpensier,[14] mademoiselle
d'Orléans,[14] Mademoiselle, cousine germaine du Roi; Mademoiselle, destinée
au trône; Mademoiselle, le seul parti de France qui fût digne de Monsieur.[15]
Voilà un beau sujet de discourir. Si vous criez, si vous êtes hors de vous-
même, si vous dites que nous avons menti, que cela est faux, qu'on se moque 15
de vous, que voilà une belle raillerie, que cela est bien fade à imaginer; si
enfin vous nous dites des injures: nous trouverons que vous avez raison; nous
en avons fait autant que vous.

Adieu, les lettres qui seront portées par cet ordinaire vous feront voir si
nous disons vrai ou non. 20

A M. de Coulanges

A Paris, ce vendredi 19e décembre (1670).

Ce qui s'appelle tomber du haut des nues, c'est ce qui arriva hier au soir
aux Tuileries; mais il faut reprendre les choses de plus loin. Vous en êtes
à la joie, aux transports, aux ravissements de la princesse et de son bienheureux
amant.[16] Ce fut donc lundi que la chose fut déclarée, comme vous avez su. 25
Le mardi se passa à parler, à s'étonner, à complimenter. Le mercredi, Mademoiselle fit une donation à M. de Lauzun, avec dessein de lui donner les
titres, les noms et les ornements nécessaires pour être nommés dans le contrat
de mariage, qui fut fait le même jour. Elle lui donna donc, en attendant
mieux, quatre duchés: le premier, c'est le comté d'Eu, qui est la première 30
pairie de France et qui donne le premier rang; le duché de Montpensier,
dont il porta hier le nom toute la journée; le duché de Saint-Fargeau, le
duché de Châtellerault: tout cela estimé vingt-deux millions. Le contrat fut
fait ensuite, où il prit le nom de Montpensier. Le jeudi matin, qui était hier,
Mademoiselle espéra que le Roi signerait, comme il l'avait dit; mais sur les 35
sept heures du soir, Sa Majesté étant persuadée par la Reine, Monsieur, et
plusieurs barbons, que cette affaire faisait tort à sa réputation, il se résolut de
la rompre, et après avoir fait venir Mademoiselle et M. de Lauzun, il leur
déclara, devant Monsieur le Prince,[17] qu'il leur défendait de plus songer à

---

[12] Court ladies.   [13] Gaston d'Orléans, brother of Louis XIII.
[14] Various titles of the heroine of the episode.
[15] Philippe d'Orléans, brother of Louis XIV (1640–1701).
[16] "fiancé." *Amant* in the 17th century had not its present unfavorable sense.
[17] Le Grand Condé (1621–1686), cousin of Louis XIV.

ce mariage. M. de Lauzun reçut cet ordre avec tout le respect, toute la soumission, toute la fermeté, et tout le désespoir que méritait une si grande
chute. Pour Mademoiselle, suivant son humeur, elle éclata en pleurs, en cris,
en douleurs violentes, en plaintes excessives; et tout le jour elle n'a pas sorti
de son lit, sans rien avaler que des bouillons. Voilà un beau songe, voilà un
beau sujet de roman ou de tragédie, mais surtout un beau sujet de raisonner
et de parler éternellement: c'est ce que nous faisons jour et nuit, soir et
matin, sans fin, sans cesse. Nous espérons que vous en ferez autant, *e fra
tanto vi bacio le mani*.[18]

A M. de Coulanges

A Paris, ce mercredi 24e décembre (1670).

Vous savez présentement l'histoire romanesque de Mademoiselle et de
M. de Lauzun. C'est le juste [19] sujet d'une tragédie dans toutes les règles du
théâtre. Nous en réglions les actes et les scènes l'autre jour; nous prenions
quatre jours au lieu de vingt-quatre heures, et c'était une pièce parfaite. Jamais il ne s'est vu de tels changements en si peu de temps; jamais vous
n'avez vu une émotion si générale; jamais vous n'avez ouï une si extraordinaire nouvelle. M. de Lauzun a joué son personnage en perfection; il a
soutenu ce malheur avec une fermeté, un courage, et pourtant une douleur
mêlée d'un profond respect, qui l'ont fait admirer de tout le monde. Ce
qu'il a perdu est sans prix; mais les bonnes grâces du Roi, qu'il a conservées,
sont sans prix aussi, et sa fortune ne paraît pas déplorée.[20] Mademoiselle a
fort bien fait aussi; elle a bien pleuré; elle a recommencé aujourd'hui à
rendre ses devoirs au Louvre, dont elle avait reçu toutes les visites. Voilà qui
est fini. Adieu.

A M. de Coulanges

A Paris, ce mercredi 31e décembre (1670).

J'ai reçu vos réponses à mes lettres. Je comprends l'étonnement où vous
avez été de tout ce qui s'est passé depuis le 15 jusqu'au 20 de ce mois: le
sujet le méritait bien. J'admire aussi votre bon esprit, et combien vous avez
jugé droit, en croyant que cette grande machine [21] ne pourrait point aller
depuis le lundi jusqu'au dimanche. La modestie m'empêche de vous louer
à bride abattue [22] là-dessus, parce que j'ai dit et pensé toutes les mêmes
choses que vous. Je le dis à ma fille le lundi: «Jamais ceci n'ira à bon port
jusqu'à dimanche»; et je voulus parier, quoique tout respirât la noce, qu'elle
ne s'achèverait pas. En effet, le jeudi le temps se brouilla, et la nuée creva le
soir à dix heures, comme je vous l'ai mandé. Ce même jeudi, j'allai dès neuf
heures du matin chez Mademoiselle, ayant eu avis qu'elle s'en allait se marier
à la campagne, et que le coadjuteur de Reims faisait la cérémonie. Cela était
ainsi résolu le mercredi au soir; car pour le Louvre [23] cela fut changé dès

---

[18] "And now I kiss your hands," Italian formula of leave-taking.   [19] "just the."
[20] "in a desperate condition."   [21] "scheme."   [22] "unreservedly."
[23] The celebration of the marriage at the Louvre.

le mardi. Mademoiselle écrivait; elle me fit entrer, elle acheva sa lettre, et puis me fit mettre à genoux auprès de son lit. Elle me dit à qui elle écrivait, et pourquoi, et les beaux présents qu'elle avait faits la veille, et le nom qu'elle avait donné; qu'il n'y avait point de parti pour elle en Europe, et qu'elle voulait se marier. Elle me conta une conversation mot à mot qu'elle avait ⁵ eue avec le Roi; elle me parut transportée de joie de faire un homme bienheureux; elle me parla avec tendresse du mérite et de la reconnaissance de M. de Lauzun; et sur tout cela je lui dis: «Mon Dieu, Mademoiselle, vous voilà bien contente; mais que n'avez-vous donc fini promptement cette affaire dès le lundi? Savez-vous bien qu'un si grand retardement donne le ₁₀ temps à tout le royaume de parler, et que c'est tenter Dieu et le Roi que de vouloir conduire si loin une affaire si extraordinaire?» Elle me dit que j'avais raison; mais elle était si pleine de confiance, que ce discours ne lui fit alors qu'une légère impression. Elle retourna [24] sur la maison et sur les bonnes qualités de M. de Lauzun. Je lui dis ces vers de Sévère dans *Polyeucte:* [25] ₁₅

> Du moins ne la peut-on blâmer d'un mauvais choix:
> Polyeucte a du nom, et sort du sang des rois.

Elle m'embrassa fort. Cette conversation dura une heure: il est impossible de la redire toute; mais j'avais été assurément fort agréable durant ce temps, et je le puis dire sans vanité, car elle était aise de parler à quelqu'un: son ₂₀ cœur était trop plein. A dix heures, elle se donna au reste de la France,[26] qui venait lui faire sur cela son compliment. Elle attendait tout le matin des nouvelles, et n'en eut point. L'après-dînée, elle s'amusa à faire ajuster ellemême l'appartement de M. de Montpensier. Le soir, vous savez ce qui arriva. Le lendemain, qui était vendredi, j'allai chez elle; je la trouvai dans ₂₅ son lit; elle redoubla ses cris en me voyant; elle m'appela, m'embrassa, et me mouilla toute de ses larmes. Elle me dit: «Hélas! vous souvient-il de ce que vous me dîtes hier? Ah! quelle cruelle prudence! ah! la prudence!» Elle me fit pleurer à force de pleurer. J'y suis encore retournée deux fois; elle est fort affligée, et m'a toujours traitée comme une personne qui sentait [27] ses dou- ₃₀ leurs; elle ne s'est pas trompée. J'ai retrouvé dans cette occasion des sentiments qu'on ne sent guère pour des personnes d'un tel rang. Ceci entre nous deux et Mme de Coulanges; car vous jugez bien que cette causerie serait entièrement ridicule avec d'autres. Adieu.

3. LA MORT DE VATEL

A Paris, ce dimanche 26ᵉ avril (1671). ₃₅

Il est dimanche 26ᵉ avril; cette lettre ne partira que mercredi; mais ceci n'est pas une lettre, c'est une relation que vient de me faire Moreuil,[28] à votre intention, de ce qui s'est passé à Chantilly [29] touchant Vatel. Je vous

---

[24] "came back to the subject of."
[25] (Act II, Sc. 1) The passage quoted is slightly altered to suit the circumstances.
[26] Referring to Mademoiselle's numerous visitors of high rank.   [27] "sympathized with."
[28] First gentleman-in-waiting of the Prince de Condé.
[29] Château of the Condé family, near Paris.

écrivis vendredi qu'il s'était poignardé: voici l'affaire en détail. Le Roi arriva
jeudi au soir; la chasse, les lanternes, le clair de la lune, la promenade, la
collation dans un lieu tapissé de jonquilles, tout cela fut à souhait. On soupa;
il y eut quelques tables où le rôti manqua, à cause de plusieurs dîners où
5 l'on ne s'était point attendu. Cela saisit [30] Vatel; il dit plusieurs fois: «Je suis
perdu d'honneur; voici un affront que je ne supporterai pas.» Il dit à Gourville: [31] «La tête me tourne, il y a douze nuits que je n'ai dormi; aidez-moi à
donner des ordres.» Gourville le soulagea en ce qu'il put. Ce rôti qui avait
manqué, non pas à la table du Roi, mais aux vingt-cinquièmes, [32] lui revenait
10 toujours à la tête. Gourville le dit à Monsieur le Prince. [33] Monsieur le Prince
alla jusque dans sa chambre, et lui dit: «Vatel, tout va bien, rien n'était si
beau que le souper du Roi.» Il lui dit: «Monseigneur, votre bonté m'achève;
je sais que le rôti a manqué à deux tables.—Point du tout, dit Monsieur le
Prince, ne vous fâchez point, tout va bien.» La nuit vient: le feu d'artifice ne
15 réussit pas, il fut couvert d'un nuage; il coûtait seize mille francs. A quatre
heures du matin, Vatel s'en va partout, il trouve tout endormi, il rencontre
un petit pourvoyeur qui lui apportait seulement deux charges de marée; il
lui demanda: «Est-ce là tout?» Il lui dit: «Oui, Monsieur.» Il ne savait pas
que Vatel avait envoyé à tous les ports de mer. Il attend quelque temps; les
20 autres pourvoyeurs ne viennent point; sa tête s'échauffait, il croit qu'il n'aura
point d'autre marée; il trouve Gourville, et lui dit: «Monsieur, je ne survi-
vrai pas à cet affront-ci; j'ai de l'honneur et de la réputation à perdre.»
Gourville se moqua de lui. Vatel monte à sa chambre, met son épée contre
la porte, et se la passe au travers du cœur; mais ce ne fut qu'au troisième coup,
25 car il s'en donna deux qui n'étaient pas mortels: il tombe mort. La marée
cependant arrive de tous côtés; on cherche Vatel pour la distribuer; on va à
sa chambre; on heurte, on enfonce la porte; on le trouve noyé dans son
sang; on court à Monsieur le Prince, qui fut au désespoir. Monsieur le Duc [34]
pleura; c'était sur Vatel que roulait tout son voyage de Bourgogne. Monsieur
30 le Prince le dit au Roi fort tristement: on dit que c'était à force d'avoir de
l'honneur en sa manière; on le loua fort, on loua et blâma son courage. Le
Roi dit qu'il y avait cinq ans qu'il retardait de venir à Chantilly, parce qu'il
comprenait l'excès de cet embarras. Il dit à Monsieur le Prince qu'il ne devait
avoir que deux tables et ne se point charger de tout le reste. Il jura qu'il ne
35 souffrirait plus que Monsieur le Prince en usât ainsi; mais c'était trop tard
pour le pauvre Vatel. Cependant Gourville tâcha de réparer la perte de Vatel;
elle le fut: on dîna très bien, on fit collation, on soupa, on se promena, on
joua, on fut à la chasse; tout était parfumé de jonquilles, tout était enchanté. [35]
Hier, qui était samedi, on fit encore de même; et le soir, le Roi alla à Lian-
40 court, où il avait commandé un medianoche; [36] il y doit demeurer aujourd'hui.
Voilà ce que m'a dit Moreuil, pour vous mander. Je jette mon bonnet par-

---

[30] "affected deeply."
[31] Factotum of Condé, later counsellor of state, and author of *Mémoires* (1625–1703).
[32] the twenty-fifth table.   [33] Le Grand Condé.
[34] The duc d'Enghien, son of le grand Condé.   [35] "fairy-like."
[36] Repast with meat taken after midnight of a fast day.

dessus le moulin,[37] et je ne sais rien du reste. M. d'Hacqueville, qui était à tout cela, vous fera des relations sans doute; mais comme son écriture n'est pas si lisible que la mienne, j'écris toujours. Voilà bien des détails, mais parce que je les aimerais en pareille occasion, je vous les mande.

4. Les Foins

A M. *de Coulanges*

Aux Rochers, 22ᵉ juillet 1671.

Ce mot sur la semaine est par-dessus le marché de vous écrire seulement tous les quinze jours, et pour vous donner avis, mon cher cousin, que vous aurez bientôt l'honneur de voir Picard; et comme il est frère du laquais de Mᵐᵉ de Coulanges, je suis bien aise de vous rendre compte de mon procédé. Vous savez que Mᵐᵉ la duchesse de Chaulnes [38] est à Vitré; [39] elle y attend le duc, son mari, dans dix ou douze jours, avec les États [40] de Bretagne: vous croyez que j'extravague; elle attend donc son mari avec tous les États, et en attendant, elle est à Vitré toute seule, mourant d'ennui. Vous ne comprenez pas que cela puisse jamais revenir à Picard; elle meurt donc d'ennui; je suis sa seule consolation, et vous croyez bien que je l'emporte d'une grande hauteur sur Mˡˡᵉˢ de Kerbone et de Kerqueoison.[41] Voici un grand circuit, mais pourtant nous arriverons au but. Comme je suis donc sa seule consolation, après l'avoir été voir, elle viendra ici, et je veux qu'elle trouve mon parterre net et mes allées nettes, ces grandes allées que vous aimez. Vous ne comprenez pas encore où cela peut aller; voici une autre petite proposition incidente: vous savez qu'on fait les foins; je n'avais pas d'ouvriers; j'envoie dans cette prairie, que les poètes ont célébrée, prendre tous ceux qui travaillaient, pour venir nettoyer ici: vous n'y voyez encore goutte; et, en leur place, j'envoie tous mes gens faner. Savez-vous ce que c'est que faner? Il faut que je vous l'explique: faner est la plus jolie chose du monde, c'est retourner du foin en batifolant dans une prairie; dès qu'on en sait tant, on sait faner. Tous mes gens y allèrent gaiement; le seul Picard me vint dire qu'il n'irait pas, qu'il n'était pas entré à mon service pour cela, que ce n'était pas son métier, et qu'il aimait mieux s'en aller à Paris. Ma foi! la colère me monte à la tête. Je songeai que c'était la centième sottise qu'il m'avait faite; qu'il n'avait ni cœur, ni affection; en un mot, la mesure était comble. Je l'ai pris au mot, et quoi qu'on m'ait pu dire pour lui, je suis demeurée ferme comme un rocher, et il est parti. C'est une justice de traiter les gens selon leurs bons ou mauvais services. Si vous le revoyez, ne le recevez point, ne le protégez point, ne me blâmez point, et songez que c'est le garçon du monde qui aime le moins à faner, et qui est le plus indigne qu'on le traite bien.

Voilà l'histoire en peu de mots. Pour moi, j'aime les narrations où l'on ne dit que ce qui est nécessaire, où l'on ne s'écarte point ni à droite, ni à gauche,

---

[37] "I don't know how the story ends," a favorite ending for children's stories.
[38] Wife of the governor of Brittany.
[39] Town in Brittany, near Mᵐᵉ de Sévigné's estate of Les Rochers.
[40] Assembly of notables.   [41] Breton society ladies.

où l'on ne reprend point les choses de si loin; enfin je crois que c'est ici, sans vanité, le modèle des narrations agréables.

5. ANECDOTES DE LA COUR

5 février 1674.

Il y a aujourd'hui bien des années, ma fille, qu'il vint au monde une créature destinée à vous aimer préférablement à toutes choses; je prie votre imagination de n'aller ni à droite ni à gauche:

Cet homme-là, Sire, c'était moi-même.[42]

Il y eut hier trois ans que j'eus une des plus sensibles douleurs de ma vie. Vous partîtes pour la Provence, où vous êtes encore; ma lettre serait longue, si je voulais vous expliquer toutes les amertumes que je sentis, et que j'ai senties depuis en conséquence de cette première. Mais revenons: je n'ai point reçu de vos lettres aujourd'hui, je ne sais s'il m'en viendra; je ne le crois pas, il est trop tard: j'en attendais cependant avec impatience; je voulais apprendre votre départ d'Aix,[43] afin de pouvoir supputer[44] un peu juste votre retour; tout le monde m'en assassine, et je ne sais que répondre. Je ne pense qu'à vous et à votre voyage: si je reçois de vos lettres, après avoir envoyé celle-ci, soyez en repos: je ferai assurément tout ce que vous me manderez. Je vous écris aujourd'hui un peu plus tôt qu'à l'ordinaire . . .

Le père Bourdaloue[45] fit un sermon le jour de Notre-Dame, qui transporta tout le monde; il était d'une force à faire trembler les courtisans; jamais prédicateur évangélique n'a prêché si hautement, ni si généreusement les vérités chrétiennes: il était question de faire voir que toute puissance doit être soumise à la loi, à l'exemple de Notre-Seigneur, qui fut présenté au temple; enfin, ma fille, cela fut porté au point de la plus haute perfection, et certains endroits furent poussés comme les aurait poussés l'apôtre Saint-Paul.

L'archevêque de Reims revenait hier fort vite de Saint-Germain, c'était comme un tourbillon: il croit bien être grand seigneur; mais ses gens le croient encore plus que lui. Ils passaient au travers de Nanterre,[46] *tra, tra, tra;* ils rencontrent un homme à cheval, *gare, gare:* ce pauvre homme veut se ranger; son cheval ne veut pas; et enfin le carrosse et les six chevaux renversent cul par-dessus tête le pauvre homme et le cheval, et passent par-dessus, et si bien par-dessus que le carosse en fut versé et renversé: en même temps l'homme et le cheval, au lieu de s'amuser[47] à être roués et estropiés, se relèvent miraculeusement, remontent l'un sur l'autre, et s'enfuient, et courent encore,[48] pendant que les laquais de l'archevêque et le cocher, et l'archevêque même se mettent à crier: «Arrête, arrête ce coquin, qu'on lui donne

---

[42] Quotation from Marot's *Epître au Roi.*   [43] City in southern France, near Marseille.
[44] "figure out."   [45] Famous preacher (1632–1704).
[46] Town between Saint-Germain and Paris.   [47] "delaying."
[48] Probably an allusion to the ending of La Fontaine's fable, *Le Loup et le Chien.*

cent coups.» L'archevêque, en racontant ceci, disait: «Si j'avais tenu ce maraud-là, je lui aurais rompu les bras et coupé les oreilles.» . . .

Adieu, ma très-chère et très-aimable; je ne puis vous dire à quel point [49] je vous souhaite. Je vous adresse encore cette lettre à Lyon, c'est la troisième: il me semble que vous devez y être ou jamais.

6. La Mort de Turenne

A Paris, mercredi 28ᵉ août (1675).

Si l'on pouvait écrire tous les jours, je le trouverais fort bon; et souvent je trouve le moyen de le faire, quoique mes lettres ne partent pas. Le plaisir d'écrire est uniquement pour vous; car à tout le reste du monde, on voudrait avoir écrit,[50] et c'est parce qu'on le doit. Vraiment, ma fille, je m'en vais bien vous parler encore de M. de Turenne.[51] Mᵐᵉ d'Elbeuf,[52] qui demeure pour quelques jours chez le cardinal de Bouillon, me pria hier de dîner avec eux deux, pour parler de leur affliction. Mᵐᵉ de la Fayette [53] y était. Nous fîmes bien précisément ce que nous avions résolu: les yeux ne nous séchèrent pas. Elle avait un portrait divinement bien fait de ce héros, et tout son train était arrivé à onze heures: tous ces pauvres gens étaient fondus en larmes, et déjà tous habillés de deuil. Il vint trois gentilshommes qui pensèrent mourir de voir ce portrait: c'étaient des cris qui faisaient fendre le cœur; ils ne pouvaient prononcer une parole; ses valets de chambre, ses laquais, ses pages, ses trompettes, tout était fondu en larmes et faisait fondre les autres. Le premier qui put prononcer une parole répondit à nos tristes questions: nous nous fîmes raconter sa mort. Il voulait se confesser le soir, et en se cachotant il avait donné les ordres pour le soir, et devait communier le lendemain, qui était le dimanche. Il croyait donner la bataille, et monta à cheval à deux heures le samedi, après avoir mangé. Il avait bien des gens avec lui: il les laissa tous à trente pas de la hauteur où il voulait aller. Il dit au petit d'Elbeuf: «Mon neveu, demeurez là, vous ne faites que tourner autour de moi, vous me feriez reconnaître.» Il trouva M. d'Hamilton [54] près de l'endroit où il allait, qui lui dit: «Monsieur, venez par ici; on tirera où vous allez.—Monsieur, lui dit-il, je m'y en vais: je ne veux point du tout être tué aujourd'hui; cela sera le mieux du monde.» Il tournait son cheval, il aperçut Saint-Hilaire,[55] qui lui dit le chapeau à la main: «Jetez les yeux sur cette batterie que j'ai fait mettre là.» Il retourne deux pas, et sans être arrêté, il reçut le coup qui emporta le bras et la main qui tenaient le chapeau de Saint-Hilaire, et perça le corps après avoir fracassé le bras de ce héros.[56] Ce gentilhomme le regardait toujours; il ne le voit point tomber; le cheval l'emporta où il avait laissé le petit d'Elbeuf; il n'était point encore tombé, mais il était penché le nez sur l'arçon: dans ce moment, le cheval s'arrête, il tomba entre les bras de ses gens;

---

[49] "how much."   [50] "One would like to have it over with."
[51] Greatest French general of his time (1611–1675).   [52] Niece of Turenne.
[53] Close friend of Mᵐᵉ de Sévigné, and leading novelist of the 17th century, **author of** *La Princesse de Clèves* (1634–1692).
[54] Irish gentleman in the French service (1646–1720).
[55] One of Turenne's officers.   [56] Turenne.

il ouvrit deux fois de grands yeux et la bouche et puis demeura tranquille pour jamais: songez qu'il était mort et qu'il avait une partie du cœur emportée. On crie, on pleure; M. d'Hamilton fait cesser ce bruit et ôter le petit d'Elbeuf, qui était jeté sur ce corps, qui ne le voulait pas quitter, et qui se
5 pâmait de crier. On jette un manteau; on le porte dans une haie; on le garde à petit bruit; un carrosse vient; on l'emporte dans sa tente: ce fut là où M. de Lorges, M. de Roye,[57] et beaucoup d'autres pensèrent mourir de douleur; mais il fallut se faire violence et songer aux grandes affaires qu'il avait sur les bras. On lui a fait un service militaire dans le camp, où les larmes et les
10 cris faisaient le véritable deuil: tous les officiers pourtant avaient des écharpes de crêpe; tous les tambours en étaient couverts, qui ne frappaient qu'un coup; les piques traînantes et les mousquets renversés; mais ces cris de toute une armée ne se peuvent pas représenter, sans que l'on n'en soit ému. Ses deux véritables neveux (car pour l'aîné il faut le dégrader)[58] étaient à cette pompe,
15 dans l'état que vous pouvez penser. M. de Roye tout blessé s'y fit porter; car cette messe ne fut dite que quand ils eurent repassé le Rhin. Je pense que le pauvre chevalier[58a] était bien abîmé de douleur. Quand ce corps a quitté son armée, ç'a été encore une autre désolation; partout où il a passé ç'a été des clameurs; mais à Langres[59] ils se sont surpassés: ils allèrent tous au-devant
20 de lui, tous habillés de deuil, au nombre de plus de deux cents, suivis du peuple; tout le clergé en cérémonie; ils firent dire un service solennel dans la ville, et en un moment se cotisèrent tous pour cette dépense, qui monte à cinq mille francs, parce qu'ils reconduisirent le corps jusqu'à la première ville, et voulurent défrayer tout le train. Que dites-vous de ces marques na-
25 turelles d'une affection fondée sur un mérite extraordinaire? Il arrive à Saint-Denis[60] ce soir ou demain; tous ses gens l'allaient reprendre à deux lieues d'ici; il sera dans une chapelle en dépôt, en attendant qu'on prépare la chapelle. Il y aura un service, en attendant celui de Notre-Dame, qui sera solennel.

7. UNE JOURNÉE À VERSAILLES

30 A Paris, mercredi 29ᵉ juillet (1676).

Voici, ma bonne, un changement de scène qui vous paraîtra aussi agréable qu'à tout le monde. Je fus samedi à Versailles avec les Villars[61]: voici comme cela va. Vous connaissez la toilette de la Reine, la messe, le dîner; mais il n'est plus besoin de se faire étouffer, pendant que Leurs Majestés sont à table;
35 car, à trois heures, le Roi, la Reine, Monsieur, Madame, Mademoiselle, tout ce qu'il y a de princes et princesses, Mᵐᵉ de Montespan,[62] toute sa suite, tous les courtisans, toutes les dames, enfin ce qui s'appelle la cour de France, se trouve dans ce bel appartement du Roi que vous connaissez. Tout est meublé divinement, tout est magnifique. On ne sait ce que c'est que d'y avoir

[57] Nephews of Turenne. M. de Lorges took command after his uncle's death.
[58] The duc de Duras, in semi-disgrace for having deserted the royal cause during the Fronde.
[58a] The Chevalier de Grignan, brother-in-law of Mᵐᵉ de Sévigné's daughter.
[59] City in eastern France.   [60] Burial place of the French kings, near Paris.
[61] Marshal of France, famous soldier (1653–1734).   [62] Mistress of Louis XIV.

chaud; on passe d'un lieu à l'autre sans faire la presse [63] en nul lieu. Un jeu de reversi [64] donne la forme, et fixe tout. C'est le Roi (Mme de Montespan tient la carte),[65] Monsieur, la Reine et Mme de Soubise; Dangeau et compagnie; Langlée et compagnie. Mille louis sont répandus sur le tapis, il n'y a point d'autres jetons. Je voyais jouer Dangeau; et j'admirais combien nous sommes sots auprès de lui. Il ne songe qu'à son affaire, et gagne où les autres perdent; il ne néglige rien, il profite de tout, il n'est point distrait: en un mot, sa bonne conduite défie la fortune; aussi les deux cent mille francs en dix jours, les cent mille écus en un mois, tout cela se met sur le livre de sa recette. Il dit [66] que je prenais part à son jeu, de sorte que je fus assise très agréablement et très commodément. Je saluai le Roi, comme vous me l'avez appris; il me rendit mon salut, comme si j'avais été jeune et belle. La Reine me parla aussi longtemps de ma maladie que si c'eût été une couche. Elle me parla aussi de vous. Monsieur le Duc [67] me fit mille de ces caresses à quoi il ne pense pas. Le maréchal de Lorges [68] m'attaqua sous le nom du chevalier de Grignan, enfin *tutti quanti;* [69] vous savez ce que c'est que de recevoir un mot de tout ce qu'on trouve en chemin. Mme de Montespan me parla de Bourbon,[70] et me pria de lui conter Vichy,[70] et comme je m'en étais trouvée; elle dit que Bourbon, au lieu de lui guérir un genou, lui a fait mal aux deux. Je lui trouvai le dos bien plat, comme disait la maréchale de la Meilleraye; mais sérieusement, c'est une chose surprenante que sa beauté, et sa taille qui n'est pas de la moitié si grosse qu'elle était, sans que son teint, ni ses yeux, ni ses lèvres, en soient moins bien. Elle était toute habillée de point [71] de France; coiffée de mille boucles; les deux des tempes lui tombaient fort bas sur les deux joues; des rubans noirs sur la tête, des perles de la maréchale de l'Hospital,[71a] embellies de boucles et de pendeloques [72] de diamants de la dernière beauté, trois ou quatre poinçons,[73] une boîte,[74] point de coiffe, en un mot, une triomphante beauté à faire admirer à tous les ambassadeurs. Elle a su qu'on se plaignait qu'elle empêchait toute la France de voir le Roi; elle l'a redonné, comme vous voyez; et vous ne sauriez croire la joie que tout le monde en a ni de quelle beauté cela rend la cour. Cette agréable confusion, sans confusion, de tout ce qu'il y a de plus choisi, dure jusqu'à six heures depuis trois. S'il vient des courriers, le Roi se retire pour lire ses lettres, et puis revient. Il y a toujours quelque musique qu'il écoute, et qui fait un très bon effet. Il cause avec celles qui ont accoutumé d'avoir cet honneur. Enfin on quitte le jeu à l'heure que je vous ai dit; on n'a du tout point de peine à faire les comptes; il n'y a point de jetons ni de marques; les poules [75] sont au moins de cinq, six ou sept cents louis, les grosses de mille, de douze cents. On en met d'abord vingt chacun, c'est cent; et puis celui qui fait en met dix. On donne chacun quatre louis à celui qui a le quinola,[76] on passe; et quand on fait jouer, et qu'on ne prend pas la poule, on en met seize à la poule, pour

---

[63] "being crowded."   [64] A card game.   [65] "holds the cards" (for the King).
[66] *Vit* would seem to make better sense than *dit*.   [67] The duc d'Enghien, son of Condé.
[68] Nephew of Turenne.   [69] "all of them" (Ital.).   [70] Health resorts in central France.
[71] "lace."   [71a] Famous for her jewels.   [72] "earrings."   [73] "hairpins."
[74] "snuff-box."   [75] "pools."   [76] "knave of hearts." highest card in the game of *reversi*.

apprendre à jouer mal à propos.[77] On parle sans cesse, et rien ne demeure sur le cœur. «Combien avez-vous de cœurs?—J'en ai deux, j'en ai trois, j'en ai un, j'en ai quatre.» Il n'en a donc que trois, que quatre, et de tout ce caquet Dangeau est ravi: il découvre [78] le jeu, il tire ses conséquences, il voit ce qu'il
5 y a à faire; enfin j'étais ravie de voir cet excès d'habileté: vraiment c'est bien lui qui sait le dessous des cartes, car il sait toutes les autres couleurs.[79] A six heures donc on monte en calèche, le Roi, Mme de Montespan, Monsieur, Mme de Thianges, et la bonne d'Heudicourt sur le strapontin,[80] c'est-à-dire comme en paradis, ou dans *la gloire de Niquée*.[81] Vous savez comme ces
10 calèches sont faites: on ne se regarde point, on est tourné du même côté. La Reine était dans une autre avec les princesses et ensuite tout le monde attroupé selon sa fantaisie. On va sur le canal dans des gondoles, on y trouve de la musique, on revient à dix heures, on trouve la comédie, minuit sonne, on fait médianoche: [81a] voilà comme se passa le samedi. Nous revînmes quand on
15 monta en calèche.

De vous dire combien de fois on me parla de vous, combien on me demanda de vos nouvelles, combien on me fit de questions sans attendre la réponse, combien j'en épargnai, combien on s'en souciait peu, combien je m'en souciais encore moins, vous connaîtriez au naturel l'*iniqua corte*.[82]

8. ANECDOTE SUR RACINE ET BOILEAU

Au Comte de Bussy-Rabutin [83]

20   A Livry, ce 3e novembre 1677.

Je suis venue ici achever les beaux jours, et dire adieu aux feuilles; elles sont encore toutes aux arbres; elles n'ont fait que changer de couleur: au lieu d'être vertes elles sont aurores, et de tant de sortes d'aurore, que cela compose un brocart d'or riche et magnifique, que nous voulons trouver plus
25 beau que du vert, quand ce ne serait que pour changer.

Je suis logée à l'hôtel de Carnavalet.[84] C'est une belle et grande maison; je souhaite d'y être longtemps, car le déménagement m'a beaucoup fatiguée. J'y attends la belle Madelonne,[85] qui sera fort aise de savoir que vous l'aimez toujours. J'ai reçu ici votre lettre de Bussy. Vous me parlez fort bien, en
30 vérité, de Racine et de Despréaux.[86] Le Roi leur dit, il y a quatre jours: «Je suis fâché que vous ne soyez venus à cette dernière campagne; vous auriez vu la guerre, et votre voyage n'eût pas été long.» Racine lui répondit: «Sire, nous sommes deux bourgeois qui n'avons que des habits de ville; nous en commandâmes de campagne; mais les places que vous attaquiez furent plus

---

[77] "as a lesson not to play wrong." The procedure here is not expressed very clearly.
[78] "fathoms."   [79] "suits."   [80] "folding-seat."
[81] Allusion to an episode in the *Amadis de Gaule,* where the princess Niquée sees in a magic mirror the image of Amadis. So the king's image is reflected in the glass front of the carriage.
[81a] See p. 138, n. 36.
[82] "The wicked court," quoted from Tasso's *Jerusalem Delivered.*
[83] Cousin of Mme de Sévigné.
[84] Paris residence of Mme de Sévigné, now the seat of the municipal museum of Paris.
[85] Mme de Grignan.   [86] Boileau.

tôt prises que nos habits ne furent faits.» Cela fut reçu agréablement. Ah! que je connais un homme de qualité à qui j'aurais bien plutôt fait écrire mon histoire qu'à ces bourgeois-là, si j'étais son maître! C'est cela qui serait digne de la postérité!

9. Mort de la Rochefoucauld

A Paris, dimanche 17ᵉ mars (1680). ₅

Quoique cette lettre ne parte que mercredi, je ne puis m'empêcher de la commencer aujourd'hui, pour vous dire que M. de la Rochefoucauld est mort cette nuit. J'ai la tête si pleine de ce malheur, et de l'extrême affliction de notre pauvre amie,[86a] qu'il faut que je vous en parle. Hier samedi, le remède de l'Anglais [87] avait fait des merveilles; toutes les espérances de vendredi, que ₁₀ je vous écrivais, étaient augmentées; on chantait victoire, la poitrine était dégagée, la tête libre, la fièvre moindre, des évacuations salutaires; dans cet état, hier à six heures, il se tourne à la mort: tout d'un coup les redoublements de fièvre, l'oppression, les rêveries; en un mot, la goutte l'étrangle traîtreusement; et quoiqu'il eût beaucoup de force, et qu'il ne fût point abattu des ₁₅ saignées, il n'a fallu que quatre ou cinq heures pour l'emporter; et à minuit il a rendu l'âme entre les mains de Monsieur de Condom.[88] M. de Marsillac [89] ne l'a pas quitté d'un moment; il est mort entre ses bras, dans cette chaise que vous connaissez. Il lui a parlé de Dieu avec courage. Il est dans une affliction qui ne se peut représenter; mais il retrouvera le Roi et la cour; toute ₂₀ sa famille se retrouvera en sa place; mais où Mᵐᵉ de la Fayette retrouvera-t-elle un tel ami,[90] une telle société, une pareille douceur, un agrément, une confiance, une considération pour elle et pour son fils? Elle est infirme, elle est toujours dans sa chambre, elle ne court point les rues; M. de la Rochefoucauld était sédentaire aussi: cet état les rendait nécessaires l'un à l'autre; ₂₅ rien ne pouvait être comparé à la confiance et aux charmes de leur amitié. Ma fille, songez-y, vous trouverez qu'il est impossible de faire une perte plus sensible, et dont le temps puisse moins consoler. Je ne l'ai pas quittée tous ces jours: elle n'allait point faire la presse [91] parmi cette famille; ainsi elle avait besoin qu'on eût pitié d'elle. Mᵐᵉ de Coulanges a ₃₀ très bien fait aussi, et nous continuerons encore quelque temps au dépens de notre rate, qui est toute pleine de tristesse. . . .

Mercredi 20 mars.

Il est enfin mercredi. M. de la Rochefoucauld est toujours mort, et M. de Marsillac toujours affligé, et si bien enfermé qu'il ne semble pas qu'il songe à ₃₅ sortir de cette maison. La petite santé de Mᵐᵉ de la Fayette soutient mal une

---

[86a] Mᵐᵉ de La Fayette.
[87] The chevalier Talbot, who introduced into France the use of quinine, instead of the traditional treatment by bleeding.
[88] Bossuet. [89] Son of La Rochefoucauld.
[90] The last years of La Rochefoucauld were sweetened by the friendship of Mᵐᵉ de La Fayette. It is said that this friendship was responsible for the attenuation of the pessimism in many of the maxims in the later editions of La Rochefoucauld's book.
[91] "join the crowd."

telle douleur: elle en a la fièvre; et il ne sera pas au pouvoir du temps de lui
ôter l'ennui de cette privation; sa vie est tournée d'une manière qu'elle le
trouvera tous les jours à dire.[91a] Vous devez me dire tout au moins quelque
chose pour elle dans ce que vous m'écrivez; je vous prie toujours que cela
5 ne passe pas une page. . . .

10. Une Représentation d'Esther

21e février, 1689.

. . . Je fis ma cour l'autre jour à Saint-Cyr,[92] plus agréablement que je
n'eusse jamais pensé. Nous y allâmes samedi, Mme de Coulanges, Mme de
Bagnols, l'abbé Têtu et moi. Nous trouvâmes nos places gardées. Un officier
10 dit à Mme de Coulanges que Mme de Maintenon lui faisait garder un siège
auprès d'elle: vous voyez quel honneur. «Pour vous, Madame, me dit-il, vous
pouvez choisir.» Je me mis avec Mme de Bagnols au second banc derrière les
duchesses. Le maréchal de Bellefonds [93] vint se mettre, par choix, à mon
côté droit, et devant c'étaient Mmes d'Auvergne, de Coislin, de Sully. Nous
15 écoutâmes, le maréchal et moi, cette tragédie [94] avec une attention qui fut
remarquée, et de certaines louanges sourdes et bien placées, qui n'étaient peut-
être pas sous les fontanges [95] de toutes les dames. Je ne puis vous dire l'excès
de l'agrément de cette pièce: c'est une chose qui n'est pas aisée à représenter,
et qui ne sera jamais imitée; c'est un rapport de la musique, des vers, des
20 chants, des personnes, si parfait et si complet, qu'on n'y souhaite rien; les
filles qui font des rois et des personnages [96] sont faites exprès: on est attentif,
et on n'a point d'autre peine que celle de voir finir une si aimable pièce; tout
y est simple, tout y est innocent, tout y est sublime et touchant: cette fidélité
de l'histoire sainte donne du respect; tous les chants, convenables aux paroles,
25 qui sont tirées des *Psaumes* ou de la *Sagesse*,[97] et mis dans le sujet, sont d'une
beauté qu'on ne soutient pas sans larmes: la mesure de l'approbation qu'on
donne à cette pièce, c'est celle du goût et de l'attention. J'en fus charmée, et
le maréchal aussi, qui sortit de sa place, pour aller dire au Roi combien il
était content, et qu'il était auprès d'une dame qui était bien digne d'avoir vu
30 *Esther*. Le Roi vint vers nos places, et après avoir tourné, il s'adressa à moi,
et me dit: «Madame, je suis assuré que vous avez été contente.» Moi, sans
m'étonner, je répondis: «Sire, je suis charmée, ce que je sens est au-dessus
des paroles.» Le Roi me dit: «Racine a bien de l'esprit.» Je lui dis: «Sire, il en
a beaucoup; mais en vérité ces jeunes personnes en ont beaucoup aussi: elles
35 entrent dans le sujet comme si elles n'avaient jamais fait autre chose.» Il
me dit: «Ah! pour cela, il est vrai.» Et puis Sa Majesté s'en alla, et me laissa
l'objet de l'envie: comme il n'y avait quasi que moi de nouvelle venue, il
eut quelque plaisir de voir mes sincères admirations sans bruit et sans éclat.

91a "miss him" (*le trouvera à regretter*).
92 A school for needy girls of the nobility, founded by Mme de Maintenon.
93 Soldier and diplomat (1630–1694).   94 The *Esther* of Racine.
95 An elaborate headdress in several tiers.   96 "who play kings and notables."
97 *The Wisdom of Solomon*, one of the Old Testament books of the Vulgate, not included in
the Protestant Bible.

Monsieur le Prince, Madame la Princesse me vinrent dire un mot; Mme de Maintenon, un éclair:[98] elle s'en allait avec le Roi; je répondis à tout, car j'étais en fortune. Nous revînmes le soir aux flambeaux. . . .

11. Boileau et le Jésuite

Aux Rochers, ce dimanche 15e janvier 1690.

. . . A propos de Corbinelli,[99] il m'écrivit l'autre jour un fort joli billet; il me rendait compte d'une conversation et d'un dîner chez M. de Lamoignon:[100] les acteurs étaient les maîtres du logis, Monsieur de Troyes,[101] Monsieur de Toulon,[101] le P. Bourdaloue,[102] son compagnon,[102a] Despréaux [103] et Corbinelli. On parla des ouvrages des anciens et des modernes; Despréaux soutint les anciens, à la réserve d'un seul moderne, qui surpassait à son goût et les vieux et les nouveaux. Le compagnon de Bourdaloue qui faisait l'entendu,[104] et qui s'était attaché à Despréaux et à Corbinelli, lui demanda quel était donc ce livre si distingué dans son esprit? Il ne voulut pas le nommer. Corbinelli lui dit: «Monsieur, je vous conjure de me le dire, afin que je le lise toute la nuit.» Despréaux lui répondit en riant: «Ah! Monsieur, vous l'avez lu plus d'une fois, j'en suis assuré.» Le jésuite reprend, avec un air dédaigneux, *un cotal riso amaro,*[105] et presse Despréaux de nommer cet auteur si merveilleux. Despréaux lui dit: «Mon Père, ne me pressez point.» Le Père continue. Enfin Despréaux le prend par le bras, et le serrant bien fort, lui dit: «Mon Père, vous le voulez: eh bien! c'est Pascal, morbleu!—Pascal, dit le Père tout rouge, tout étonné, Pascal est beau autant que le faux peut l'être.—Le faux, dit Despréaux, le faux! sachez qu'il est aussi vrai qu'il est inimitable; on vient de le traduire en trois langues.» Le Père répond: «Il n'en est pas plus vrai.» Despréaux s'échauffe, et criant comme un fou: «Quoi? mon Père, direz-vous qu'un des vôtres n'ait pas fait imprimer dans un de ses livres, qu'un chrétien n'est pas obligé d'aimer Dieu? Osez-vous dire que cela est faux?—Monsieur, dit le Père en fureur, il faut distinguer.[106]—Distinguer, dit Despréaux, distinguer, morbleu! distinguer, distinguer si nous sommes obligés d'aimer Dieu!» et prenant Corbinelli par le bras, s'enfuit au bout de la chambre; puis revenant, et courant comme un forcené, il ne voulut jamais se rapprocher du Père, s'en alla rejoindre la compagnie, qui était demeurée dans la salle où l'on mange; ici finit l'histoire, le rideau tombe. Corbinelli me promet le reste dans une conversation; mais moi, qui suis persuadée que vous trouverez cette scène aussi plaisante que je l'ai trouvée, je vous écris, et je crois que si vous la lisez avec vos bons tons, vous la trouverez assez bonne. . . .

---

[98] "for a moment only."　　　　[99] Friend of Mme de Sévigné.
[100] President of the Parlement of Paris.　　　[101] The bishops of Troyes and Toulon.
[102] Famous Jesuit preacher of the time (1632–1704).
[102a] The Jesuit of the story. It was the custom for a Jesuit to be accompanied by another member of his order.
[103] Boileau.　　　　　　　　[104] "pretended to know everything."
[105] "such a bitter smile" (Tasso—*Jerusalem delivered*).
[106] One of the great arguments used by the Jesuit father in Pascal's *Provinciales*.

II. AMOUR MATERNEL

mercredi le 3ᵉ mars, (1671).

Ah! ma bonne, quelle peinture de l'état où vous avez été! et que je vous
aurais mal tenu ma parole, si je vous avais promis de n'être point effrayée d'un
si grand péril! Mais il est impossible de se représenter votre vie si proche de
5   sa fin, sans frémir. Ce Rhône qui fait peur à tout le monde, ce pont d'Avignon [106a] où l'on a tort de passer même après avoir pris toutes ses mesures! un
tourbillon de vent vous jette violemment sous une arche. Par quel miracle
n'avez-vous pas été brisés et noyés dans un moment? Et M. de Grignan vous
laisse embarquer pendant un orage; et quand vous êtes téméraire, il trouve
10 plaisant de l'être encore plus que vous; au lieu de vous faire attendre que
l'orage soit passé, il veut bien vous exposer. Ah mon Dieu! qu'il eût été bien
mieux d'être timide, et de vous dire que si vous n'aviez point de peur, il en
avait, lui, et de ne point souffrir que vous traversassiez le Rhône par un temps
comme celui qu'il faisait! Que j'ai de peine à comprendre sa tendresse en
15 cette occasion! Je ne soutiens pas cette pensée, j'en frissonne, et je m'en suis
réveillée avec des sursauts dont je ne suis pas la maîtresse. Trouvez-vous
toujours que le Rhône ne soit que de l'eau? De bonne foi, n'avez-vous point
été effrayée d'une mort si proche et si inévitable? Mais encore serais-je un
peu consolée si cela vous rendait moins hasardeuse à l'avenir, et si une aven-
20 ture comme celle-là vous faisait voir les dangers comme ils sont. Je vous prie
de m'avouer ce qui vous en est resté; je crois du moins que vous aurez rendu
grâces à Dieu de vous avoir sauvée. Pour moi, je suis persuadée que les messes
que j'ai fait dire tous les jours pour vous ont fait ce miracle, et je suis plus
obligée à Dieu de vous avoir conservée dans cette occasion que de m'avoir
25 fait naître. C'est à M. de Grignan que je m'en prends. . . . Cette lettre vous
paraîtra bien ridicule; vous la recevrez dans un temps où vous ne songerez
plus au pont d'Avignon. Faut-il que j'y pense, moi, présentement? C'est le
malheur des commerces si éloignés; [106b] il faut s'y résoudre, et ne pas même se
révolter contre cet inconvénient: cela est naturel, et la contrainte serait trop
30 grande d'étouffer toutes ses pensées. Il faut entrer dans l'état naturel où l'on
est, en répondant à une chose qui tient au cœur: vous serez donc obligée de
m'excuser souvent. J'attends des relations de votre séjour à Arles; je sais que
vous y aurez trouvé bien du monde. . . .

III. RÉFLEXIONS SUR LA VIE ET SUR LA MORT

I.

A Paris, mercredi 16ᵉ mars 1672.

35   . . . Vous me demandez, ma chère enfant, si j'aime toujours bien la vie.
Je vous avoue que j'y trouve des chagrins cuisants; mais je suis encore

---

[106a] Avignon and Arles below are cities in Provence, of which M. de Grignan was lieutenant-
général.
[106b] "being so far apart."

plus dégoûtée de la mort: je me trouve si malheureuse d'avoir à finir tout
ceci par elle, que si je pouvais retourner en arrière, je ne demanderais pas
mieux.

Je me trouve dans un engagement qui m'embarrasse: je suis embarquée
dans la vie sans mon consentement; il faut que j'en sorte, cela m'assomme; 5
et comment en sortirai-je?

Par où? par quelle porte? quand sera-ce? en quelle disposition?

Souffrirai-je mille et mille douleurs, qui me feront mourir désespérée?
aurai-je un transport au cerveau? mourrai-je d'un accident?

Comment serai-je avec Dieu? qu'aurai-je à lui présenter? la crainte, la 10
nécessité feront-elles mon retour vers lui? N'aurai-je aucun autre sentiment
que celui de la peur?

Que puis-je espérer? suis-je digne du paradis? suis-je digne de l'enfer?
Quelle alternative! Quel embarras!

Rien n'est si fou que de mettre son salut dans l'incertitude; mais rien n'est 15
si naturel, et la sotte vie que je mène est la chose du monde la plus aisée à
comprendre.

Je m'abîme dans ces pensées, et je trouve la mort si terrible, que je hais
plus la vie parce qu'elle m'y mène, que par les épines qui s'y rencontrent.
Vous me direz que je veux vivre éternellement. Point du tout; mais si on 20
m'avait demandé mon avis, j'aurais bien aimé à mourir entre les bras de ma
nourrice: cela m'aurait ôté bien des ennuis, et m'aurait donné le Ciel bien
sûrement et bien aisément; mais parlons d'autre chose.

2.

Aux Rochers, mercredi 30ᵉ novembre 1689.
Vous avez donc été frappée du mot de Mᵐᵉ de la Fayette,[107] mêlé avec tant 25
d'amitié. Quoique je ne me laisse pas oublier cette vérité, j'avoue que j'en
fus tout étonnée; car je ne me sens aucune décadence encore qui m'en fasse
souvenir. Je ne laisse pas cependant de faire souvent des réflexions et des
supputations,[107a] et je trouve les conditions de la vie assez dures. Il me semble
que j'ai été traînée, malgré moi, à ce point fatal où il faut souffrir la vieillesse: 30
je la vois, m'y voilà, et je voudrais bien, au moins, ménager de ne pas aller
plus loin, de ne point avancer dans ce chemin des infirmités, des douleurs,
des pertes de mémoire, des défigurements qui sont près de m'outrager; et
j'entends une voix qui dit: «Il faut marcher malgré vous, ou bien, si vous
ne voulez pas, il faut mourir,» qui est une autre extrémité à quoi la nature 35
répugne. Voilà pourtant le sort de tout ce qui avance un peu trop; mais un
retour à la volonté de Dieu, et à cette loi universelle où nous sommes condamnés, remet la raison à sa place, et fait prendre patience: prenez-la donc
aussi, ma très chère, et que votre amitié trop tendre ne vous fasse point jeter
des larmes que votre raison doit condamner. 40

[107] Remarks on old age in a letter of October 8.
[107a] "computations."

IV. GOÛTS LITTÉRAIRES

I.

12ᵉ juillet, 1671.

. . . Nous achevons le Tasse [108] avec plaisir, nous y trouvons des beautés qu'on ne voit point quand on n'a qu'une demi-science. Nous avons commencé la *Morale,*[109] c'est de la même étoffe que Pascal. A propos de Pascal,
5 je suis en fantaisie d'admirer l'honnêteté de ces messieurs les postillons, qui sont incessamment sur les chemins pour porter et reporter nos lettres; enfin, il n'y a jour dans la semaine qu'ils n'en portent quelqu'une à vous et à moi; il y en a toujours et à toutes les heures par la campagne: les honnêtes gens! qu'ils sont obligeants! et que c'est une belle invention que la poste, et un
10 bel effet de la Providence que la cupidité! J'ai quelquefois envie de leur écrire pour leur témoigner ma reconnaissance, et je crois que je l'aurais déjà fait, sans que je me souviens de ce chapitre de Pascal,[110] et qu'ils ont peut-être envie de me remercier de ce que j'écris, comme j'ai envie de les remercier de ce qu'ils portent mes lettres: voilà une belle digression.
15 Je reviens à nos lectures, et sans préjudice de *Cléopâtre* [111] que j'ai gagé d'achever: vous savez comme je soutiens mes gageures. Je songe quelquefois d'où vient la folie que j'ai pour ces sottises-là; j'ai peine à le comprendre. Vous vous souvenez peut-être assez de moi pour savoir que je suis assez blessée des méchants styles; j'ai quelque lumière pour les bons, et personne
20 n'est plus touchée que moi des charmes de l'éloquence. Le style de la Calprenède est maudit en mille endroits: de grandes périodes de romans, de méchants mots, je sens tout cela. J'écrivis l'autre jour une lettre à mon fils de ce style, qui était fort plaisante. Je trouve donc qu'il est détestable, et je ne laisse pas de m'y prendre comme à de la glu. La beauté des sentiments, la violence des
25 passions, la grandeur des événements et le succès miraculeux de leur redoutable épée, tout cela m'entraîne comme une petite fille; j'entre dans leurs affaires; et si je n'avais M. de la Rochefoucauld pour me consoler, je me pendrais de trouver encore en moi cette faiblesse. Vous m'apparaissez pour me faire honte; mais je me dis de méchantes raisons, et je continue.

2.

30
16ᵉ mars, 1672.

Je suis au désespoir que vous ayez eu *Bajazet* [112] par d'autres que par moi. C'est ce chien de Barbin [113] qui me hait, parce que je ne fais pas des *Princesses de Clèves* et *de Montpensier.*[114] Vous en avez jugé très juste et très bien, et vous aurez vu que je suis de votre avis. Je voulais vous envoyer la
35 Champmeslé [115] pour vous réchauffer la pièce. Le personnage de Bajazet est glacé; les mœurs des Turcs y sont mal observées; ils ne font point tant de

---

[108] Italian epic poet, a favorite writer of Mᵐᵉ de Sévigné.
[109] Religious work by the Jansenist Nicole.   [110] On the subject of "divertissement."
[111] Novel of la Calprenède.   [112] Tragedy of Racine.   [113] Publisher of the time.
[114] Novels of Mᵐᵉ de La Fayette.
[115] Tragic actress, creator of some of Racine's great rôles.

façons pour se marier; le dénouement n'est point bien préparé: on n'entre point dans les raisons de cette grande tuerie. Il y a pourtant des choses agréables, mais rien de parfaitement beau, rien qui enlève, point de ces tirades de Corneille qui font frissonner. Ma fille, gardons-nous bien de lui comparer Racine, sentons-en la différence. Il y a des endroits froids et faibles, et jamais il n'ira plus loin qu'*Alexandre* et qu'*Andromaque*.[116] *Bajazet* est au-dessous, au sentiment de bien des gens, et au mien, si j'ose me citer. Racine fait des comédies[117] pour la Champmeslé: ce n'est pas pour les siècles à venir. Si jamais il n'est plus jeune, et qu'il cesse d'être amoureux, ce ne sera plus la même chose. Vive donc notre vieil ami Corneille! Pardonnons-lui de méchants vers, en faveur des divines et sublimes beautés qui nous transportent: ce sont des traits de maître qui sont inimitables. Despréaux[118] en dit encore plus que moi; et en un mot, c'est le bon goût: tenez-vous-y.

3.

A Bussy-Rabutin

20ᵉ juillet 1679.

... Faites-vous envoyer promptement les *Fables* de la Fontaine: elles sont divines. On croit d'abord en distinguer quelques-unes et à force de les relire on les trouve toutes bonnes. C'est une manière de narrer et un style à quoi l'on ne s'accoutume pas. ...

4.

Au Comte de Bussy-Rabutin

A Paris, ce 14ᵉ mai 1686.

... Tous vos plaisirs, vos amusements, vos tromperies, vos lettres et vos vers, m'ont donné une véritable joie, et surtout ce que vous écrivez pour défendre Benserade[119] et la Fontaine contre ce vilain factum.[120] Je l'avais déjà fait, en basse note,[121] à tous ceux qui voulaient louer cette noire satire. Je trouve que l'auteur fait voir clairement qu'il n'est ni du monde, ni de la cour, et que son goût est d'une pédanterie qu'on ne peut pas même espérer de corriger. Il y a de certaines choses qu'on n'entend[122] jamais, quand on ne les entend pas d'abord: on ne fait point entrer certains esprits durs et farouches dans le charme et dans la facilité des ballets de Benserade et des fables de la Fontaine; cette porte leur est fermée, et la mienne aussi; ils sont indignes de jamais comprendre ces sortes de beautés, et sont condamnés au malheur de les improuver[123] et d'être improuvés aussi des gens d'esprit. Nous avons trouvé beaucoup de ces pédants. Mon premier mouvement est toujours de me mettre en colère, et puis de tâcher de les instruire; mais j'ai trouvé la chose absolument impossible. C'est un bâtiment qu'il faudrait reprendre

---

[116] Tragedies of Racine. [117] "Comedies" in the old general sense of "plays."
[118] Boileau. [119] Court poet (1612–1691), very popular in the 17th century.
[120] Furetière, expelled from the Academy for having published a rival dictionary, had written a series of pamphlets attacking the Academicians, including Benserade and La Fontaine.
[121] "quietly." [122] *comprend.* [123] *critiquer.*

par le pied:[124] il y aurait trop d'affaires à le vouloir réparer; et enfin nous
trouvions qu'il n'y avait qu'à prier Dieu pour eux; car nulle puissance humaine n'est capable de les éclairer. C'est le sentiment que j'aurai toujours pour
un homme qui condamne le beau feu et les vers de Benserade, dont le Roi
5 et toute la cour a fait ses délices, et qui ne connaît pas les charmes des fables
de la Fontaine. Je ne m'en dédis point, il n'y a qu'à prier Dieu pour un tel
homme, et qu'à souhaiter de n'avoir point de commerce avec lui.

V. LE SENTIMENT DE LA NATURE

1. Le Printemps

Livry, 29ᵉ avril 1671.

. . . Je vins ici, où je trouvai tout le triomphe du mois de mai: le rossignol,
10 le coucou, la fauvette,

Dans nos forêts ont ouvert le printemps

Je m'y suis promenée tout le soir toute seule. J'y ai trouvé toutes mes tristes
pensées; mais je ne veux plus vous en parler. J'ai destiné une partie de cette
après-dînée à vous écrire dans le jardin, où je suis étourdie de trois ou quatre
15 rossignols qui sont sur ma tête. . . .

Aux Rochers, 19ᵉ avril 1690.

Je reviens encore à vous, ma bonne, pour vous dire que si vous avez envie
de savoir, en détail, ce que c'est qu'un printemps, il faut venir à moi. Je n'en
connaissais moi-même que la superficie; j'en examine cette année jusqu'aux
20 premiers petits commencements. Que pensez-vous donc que ce soit que la
couleur des arbres depuis huit jours? répondez. Vous allez dire: «Du vert.»
Point du tout, c'est du rouge. Nous couvons tout cela des yeux; nous parions
de grosses sommes—mais c'est à ne jamais payer—que ce bout d'allée sera
tout vert dans deux heures; on dit que non; on parie. Les charmes ont leur
25 manière, les hêtres une autre. Enfin je sais sur cela tout ce que l'on peut
savoir. . . .

2. Clair de Lune

12ᵉ juin 1680.

L'autre jour on vint me dire: «Madame, il fait chaud dans le mail;[125] il
n'y a pas un brin de vent; la lune y fait des effets les plus plaisants du monde.»
30 Je ne pus résister à la tentation; . . . je vais dans ce mail, dont l'air est
comme celui de ma chambre, je trouve mille coquecigrues,[126] des moines
blancs et noirs, plusieurs religieuses grises et blanches, du linge jeté par ci,
par là, des hommes noirs, d'autres ensevelis tout droits[127] contre des arbres,
de petits hommes cachés, qui ne montraient que la tête, des prêtres qui

---

124 "from the very foundations."
125 The *mail* in the 17th century was a shaded spot, where the game of *mail,* a sort of rudi-
mentary croquet, was played.
126 "fantastic animals."   127 "standing up."

n'osaient approcher. Après avoir ri de toutes ces figures, et nous être persuadés que voilà ce qui s'appelle des esprits, et que notre imagination en est le théâtre, nous nous en revînmes sans nous arrêter, et sans avoir senti la moindre humidité. Ma chère enfant, je vous demande pardon, je me crus obligée à l'exemple des anciens, comme disait ce fou que nous trouvâmes 5 dans le jardin de Livry, de donner cette marque de respect à la lune: je vous assure que je m'en porte fort bien. . . .

LA FONTAINE (1621–1695)

La Fontaine's life was the rather uneventful one of the man of letters, devoted to his art and to his friends. His friendship with Boileau, Molière, and Racine, beneficial to all concerned, is one of the great literary episodes of the century. La Fontaine tried his hand at a great variety of literary forms, but it is as the author of the *Fables* that he is now chiefly remembered.

La Fontaine transforms the fable, essentially a didactic genre, into a work of art. Although he lays some stress on the instructional side of his work, his purpose is really to please rather than to teach. His subjects are rarely of his own invention: his originality lies in the artistic handling of traditional material. The form of the *Fables* is usually dramatic—"une ample comédie à cent actes divers." It is this dominant dramatic quality which makes him so infinitely superior to his predecessors. The action of these little dramas is carried on chiefly by animals, painted with picturesque precision rather than with scientific accuracy, and in keeping with the character of the fable, presented as types of human passions. Many of the fables are given a charming natural setting. La Fontaine is one of the few writers of the 17th century who shows any real feeling for external nature. His attitude, however, is classical rather than modern. He loves nature as an epicurean: it is its beautiful aspects that appeal to him. He has no feeling for its mystery nor does he try, like the later Romanticists, to read into nature his own moods. His method of description is also classical: he suggests rather than paints in detail.

La Fontaine's picture of humanity, as reflected in his animals, is a distinctly pessimistic one. There is nothing idealistic about the morality of the *Fables,* nothing of the teachings of Christianity. It is a morality based on shrewdness rather than real goodness. The hero of the *Fables* is the fox. Success in life is best attained by the practice of the virtue of prudence. Resignation is the highest lesson taught by life. However, this misanthropic outlook may be largely discounted on the ground that La Fontaine as a satirist is preoccupied with the weaker sides of human nature.

Perhaps the most original part of La Fontaine's work is his style. It is absolutely personal, exactly the contrary of the conventional *style noble* of his contemporaries. Its two chief elements are naturalness and variety, expressed both in the language and the versification. La Fontaine considerably enriched the poetic vocabulary, introducing all sorts of words and expressions condemned by classical good taste. His verse forms are infinitely varied so as to reflect the thought more perfectly. Only Hugo can compare with him for perfect mastery of all the possibilities of French verse.

"A vrai dire, le lyrisme est partout dans ces *fables:* l'individualité du poète s'épanche avec une grâce charmante, une individualité qui n'a rien de romantique, de fougueux, de tapageur, qui est toute en finesse ironique, en sensibilité discrète. Il se fait un mélange singulier de description objective et d'expansion subjective, un continuel et facile passage de l'une à l'autre. On se demande parfois où est la poésie lyrique dans le xvii⁰ siècle classique: elle est là, dans ces *Fables,* qui offrent précisément et la dose et la forme du lyrisme que l'esprit d'alors était capable de goûter. C'est une combinaison unique de représentation impersonnelle et d'émotion personnelle. La Fontaine tempère le lyrisme par les éléments narratifs ou dramatiques; il l'impose ainsi à un public positif, peu rêveur et peu sentimental; et ce public s'étonne du charme singulier de ces petits récits et de ces petites comédies, sans se douter que cette douceur pénétrante, d'une essence inconnue, vient précisément des émotions lyriques dont cette âme de poète a imprégné sa matière.

Lanson—Histoire de la littérature française.

IMPORTANT WORKS:

Contes (1665–1695); *Fables* (1668–1694); *Discours à Mme de la Sablière* (1684); *Epître à Huet* (1687).

LES FABLES

1. A Monseigneur le Dauphin [1]

Je chante les héros dont Ésope [2] est le père:
Troupe de qui l'histoire, encor que mensongère,
Contient des vérités qui servent de leçons.
Tout parle en mon ouvrage, et même les poissons:
Ce qu'ils disent s'adresse à tous tant que nous sommes;   5
Je me sers d'animaux pour instruire les hommes.
Illustre rejeton d'un prince [3] aimé des cieux
Sur qui le monde entier a maintenant les yeux,
Et qui, faisant fléchir les plus superbes têtes,
Comptera désormais ses jours par ses conquêtes,   10
Quelque autre [4] te dira d'une plus forte voix
Les faits de tes aïeux et les vertus des rois.
Je vais t'entretenir de moindres aventures,
Te tracer en ces vers de légères peintures;
Et si de t'agréer je n'emporte le prix,   15
J'aurai du moins l'honneur de l'avoir entrepris.

2. La Fontaine sur ses *Fables*

. . . Quant au principal but [5] qu'Ésope se propose,
   J'y tombe [6] au moins mal que je puis.
Enfin, si dans ces vers je ne plais et n'instruis,
Il ne tient pas à moi; c'est toujours quelque chose.
   Comme la force est un point   5
   Dont je ne me pique point,
Je tâche d'y tourner le vice en ridicule,
Ne pouvant l'attaquer avec des bras d'Hercule.

[1] Heir to the French throne.   [2] Greek fabulist.   [3] Louis XIV.
[4] Bossuet, preceptor of the Dauphin, for whom he wrote historical texts.
[5] The moral lesson.   [6] "attain it."

C'est là tout mon talent; je ne sais s'il suffit.

    Tantôt je peins en un récit   10

La sotte vanité jointe avecque l'envie,

Deux pivots sur qui roule aujourd'hui notre vie:

    Tel est ce chétif animal

Qui voulut en grosseur au bœuf se rendre égal.[7]

J'oppose quelquefois par une double image   15

Le vice à la vertu, la sottise au bon sens,

    Les agneaux aux loups ravissants,[8]

La mouche à la fourmi; [9] faisant de cet ouvrage

Une ample comédie à cent actes divers,

Et dont la scène est l'univers.   20

Hommes, dieux, animaux, tout y fait quelque rôle,

Jupiter comme un autre. . . .

           —*Le Bûcheron et Mercure* (V, 1)

3. La Cigale et la Fourmi (I, 1)

La cigale, ayant chanté

    Tout l'été,

Se trouva fort dépourvue,[10]

Quand la bise fut venue.

Pas un seul petit morceau   5

De mouche ou de vermisseau.

Elle alla crier famine

Chez la fourmi, sa voisine,

La priant de lui prêter

Quelque grain pour subsister   10

Jusqu'à la saison nouvelle.

«Je vous paierai, lui dit-elle,

Avant l'oût,[11] foi d'animal,

Intérêt et principal.»

La fourmi n'est pas prêteuse: 15

C'est là son moindre défaut.[12]

«Que faisiez-vous au temps chaud?

Dit-elle à cette emprunteuse.

—Nuit et jour à tout venant

Je chantais, ne vous déplaise.[13]   20

—Vous chantiez? j'en suis fort aise:

Eh bien! dansez maintenant.»

4. Le Corbeau et le Renard (I, 2)

Maître corbeau, sur un arbre perché,

    Tenait en son bec un fromage.

---

[7] The frog (I, 3).   [8] I, 10.   [9] IV, 3.   [10] "destitute."   [11] *aoút.*
[12] "the least fault of which she is guilty."   [13] "may it not displease you."

Maître renard, par l'odeur alléché,
Lui tint à peu près ce langage:
«Hé! bonjour, monsieur du [14] Corbeau.
Que vous êtes joli! que vous me semblez beau!
Sans mentir, si votre ramage
Se rapporte à votre plumage,
Vous êtes le phénix [15] des hôtes de ces bois.»
A ces mots le corbeau ne se sent pas de joie; [16]
Et, pour montrer sa belle voix,
Il ouvre un large bec, laisse tomber sa proie.
Le renard s'en saisit, et dit: «Mon bon monsieur,
Apprenez que tout flatteur
Vit aux dépens de celui qui l'écoute:
Cette leçon vaut bien un fromage, sans doute.»
Le corbeau, honteux et confus,
Jura, mais un peu tard, qu'on ne l'y prendrait plus.

5. Le Loup et le Chien (I, 5)

Un loup n'avait que les os et la peau,
Tant les chiens faisaient bonne garde:
Ce loup rencontre un dogue aussi puissant que beau,
Gras, poli, qui s'était fourvoyé par mégarde.
L'attaquer, le mettre en quartiers
Sire loup l'eût fait volontiers;
Mais il fallait livrer bataille,
Et le mâtin était de taille
A se défendre hardiment.
Le loup donc l'aborde humblement,
Entre en propos, et lui fait compliment
Sur son embonpoint qu'il admire.
«Il ne tiendra qu'à vous, beau sire,
D'être aussi gras que moi, lui repartit le chien.
Quittez les bois, vous ferez bien:
Vos pareils y sont misérables,
Cancres,[17] hères [18] et pauvres diables,
Dont la condition est de mourir de faim.
Car, quoi? rien d'assuré; point de franche lippée!; [19]
Tout à la pointe de l'épée.
Suivez-moi, vous aurez un bien meilleur destin.»
Le loup reprit: «Que me faudra-t-il faire?
—Presque rien, dit le chien: donner la chasse aux gens

[14] Aristocratic particle *de,* used to flatter the crow.
[15] "marvel." The phœnix was a fabulous bird, the only one of its species, since the bird sprang from the ashes of its predecessor.
[16] "is beside himself with joy."   [17] "wretches."
[18] "miserable creatures."   [19] "free food."

Portants [20] bâtons et mendiants;
Flatter ceux du logis, à son maître complaire: 25
    Moyennant quoi votre salaire
Sera force reliefs [21] de toutes les façons,
        Os de poulets, os de pigeons;
    Sans parler de mainte [22] caresse.»
            Le loup déjà se forge une félicité   30
            Qui le fait pleurer de tendresse.
Chemin faisant, il vit le col [23] du chien pelé.
«Qu'est-ce là?, lui dit-il.—Rien.—Quoi? rien?—Peu de chose.
    —Mais encor?—Le collier dont je suis attaché
De ce que vous voyez est peût-être la cause.   35
        —Attaché? dit le loup: vous ne courez donc pas
    Où vous voulez?—Pas toujours; mais qu'importe?
        —Il importe si bien, que de tous vos repas
            Je ne veux en aucune sorte,
Et ne voudrais pas même à ce prix un trésor.»   40
Cela dit, maître loup s'enfuit, et court encore.

6. Le Rat de Ville et le Rat des Champs (I, 9)

        Autrefois le rat de ville
        Invita le rat des champs,
        D'une façon fort civile,
        A des reliefs d'ortolans. [24]

        Sur un tapis de Turquie   5
        Le couvert se trouva mis.
        Je laisse à penser la vie
        Que firent ces deux amis.

        Le régal fut fort honnête:
        Rien ne manquait au festin;   10
        Mais quelqu'un troubla la fête
        Pendant qu'ils étaient en train.

        A la porte de la salle
        Ils entendirent du bruit:
        Le rat de ville détale,   15
        Son camarade le suit.

        Le bruit cesse, on se retire:
        Rats en campagne aussitôt;
        Et le citadin de dire: [25]
        «Achevons tout notre rôt. [26]   20

---

[20] Old agreement of the present participle.   [21] "many scraps."   [22] "many a."
[23] *cou*.   [24] "garden-bunting," a small bird highly esteemed as a table delicacy.
[25] Historical infinitive.   [26] *rôti* = "repast."

—C'est assez, dit le rustique;
Demain vous viendrez chez moi.
Ce n'est pas que je me pique
De tous vos festins de roi;

Mais rien ne vient m'interrompre :   25
Je mange tout à loisir.
Adieu donc. Fi du plaisir
Que la crainte peut corrompre!»

7. Le Loup et l'Agneau (I, 10)

La raison du plus fort est toujours la meilleure :
Nous l'allons montrer tout à l'heure.[27]

Un agneau se désaltérait
Dans le courant d'une onde pure.
Un loup survient à jeun, qui cherchait aventure,   5
    Et que la faim en ces lieux attirait.
«Qui te rend si hardi, de troubler mon breuvage?
    Dit cet animal plein de rage :
Tu seras châtié de ta témérité.
—Sire, répond l'agneau, que Votre Majesté   10
    Ne se mette pas en colère;
    Mais plutôt qu'elle considère
    Que je me vas désaltérant
        Dans le courant,
    Plus de vingt pas au-dessous d'elle;   15
Et que, par conséquent, en aucune façon
    Je ne puis troubler sa boisson.
—Tu la troubles, reprit cette bête cruelle;
Et je sais que de moi tu médis l'an passé.
—Comment l'aurais-je fait si je n'étais pas né?   20
    Reprit l'agneau; je tette[28] encor ma mère.
    —Si ce n'est toi, c'est donc ton frère.
    —Je n'en ai point.—C'est donc quelqu'un des tiens;
    Car vous ne m'épargnez guère,
    Vous, vos bergers et vos chiens.
On me l'a dit : il faut que je me venge.»   25
    Là-dessus, au fond des forêts
    Le loup l'emporte, et puis le mange,
    Sans autre forme de procès.[29]

---

[27] at once.   [28] "suck" (milk).   [29] "law." "trial."

8. La Mort et le Bûcheron (I, 16)

Un pauvre bûcheron, tout couvert de ramée,
Sous le faix [30] du fagot aussi bien que des ans
Gémissant et courbé, marchait à pas pesants,
Et tâchait de gagner sa chaumine [31] enfumée.
Enfin, n'en pouvant plus d'effort et de douleur,   5
Il met bas son fagot, il songe à son malheur.
«Quel plaisir a-t-il eu depuis qu'il est au monde?
En est-il un plus pauvre en la machine ronde? [32]
Point de pain quelquefois, et jamais de repos.»
Sa femme, ses enfants, les soldats, [33] les impôts,   10
     Le créancier, et la corvée [34]
Lui font d'un malheureux la peinture achevée.
Il appelle la Mort. Elle vient sans tarder,
     Lui demande ce qu'il faut faire.
     «C'est, dit-il, afin de m'aider   15
A recharger ce bois; tu ne tarderas guère.» [35]

     Le trépas vient tout guérir;
     Mais ne bougeons d'où nous sommes:
     Plutôt souffrir que mourir,
     C'est la devise [36] des hommes.   20

9. Le Chêne et le Roseau (I, 22)

Le chêne un jour dit au roseau:
«Vous avez bien sujet d'accuser la Nature;
Un roitelet [37] pour vous est un pesant fardeau;
     Le moindre vent qui d'aventure
     Fait rider la face de l'eau,   5
     Vous oblige à baisser la tête;
Cependant que [38] mon front, au Caucase [39] pareil,
Non content d'arrêter les rayons du soleil,
     Brave l'effort de la tempête.
Tout vous est aquilon, [40] tout me semble zéphyr.   10
Encor si [41] vous naissiez à l'abri du feuillage
     Dont je couvre le voisinage,
     Vous n'auriez pas tant à souffrir:
     Je vous défendrais de l'orage;
     Mais vous naissez le plus souvent   15
Sur les humides bords des royaumes du vent. [42]
La nature envers vous me semble bien injuste.
—Votre compassion, lui répondit l'arbuste,

---

[30] "weight."   [31] "cottage."   [32] "world."   [33] Billeting of soldiers on the peasants.
[34] "forced labor."   [35] "It won't take you long."   [36] "motto," "slogan."   [37] "wren."
[38] *Tandis que.*   [39] Caucasus Mountains.   [40] "north wind."
[41] "if only."   [42] "bodies of water."

Part d'un bon naturel; mais quittez ce souci:
   Les vents me sont moins qu'à vous redoutables; 20
Je plie, et ne romps pas. Vous avez jusqu'ici
   Contre leurs coups épouvantables
   Résisté sans courber le dos;
Mais attendons la fin.» Comme il disait ces mots,
Du bout de l'horizon accourt avec furie 25
   Le plus terrible des enfants
Que le Nord eût portés jusque-là dans ses flancs.
   L'arbre tient bon; le roseau plie.
   Le vent redouble ses efforts,
   Et fait si bien qu'il déracine 30
Celui de qui la tête au ciel était voisine
Et dont les pieds touchaient à l'empire des morts.

10. Conseil Tenu par les Rats (II, 2)

   Un chat nommé Rodilardus [43]
Faisait des rats telle déconfiture [44]
   Que l'on n'en voyait presque plus,
Tant il en avait mis dedans la sépulture.
Le peu qu'il en restait, n'osant quitter son trou, 5
Ne trouvait à manger que le quart de son soûl, [45]
Et Rodilard passait, chez la gent [46] misérable,
   Non pour un chat, mais pour un diable.
   Or, un jour qu'au haut et au loin
   Le galant [47] alla chercher femme, 10
Pendant tout le sabbat qu'il fit avec sa dame,
Le demeurant [48] des rats tint chapitre [49] en un coin
   Sur la nécessité présente.
Dès l'abord [50] leur doyen, personne fort prudente,
Opina qu'il fallait, et plus tôt que plus tard, 15
Attacher un grelot au cou de Rodilard;
   Qu'ainsi, quand il irait en guerre,
De sa marche avertis, ils s'enfuiraient sous terre;
   Qu'il n'y savait que ce moyen.
Chacun fut de l'avis de monsieur le doyen: 20
Chose ne leur parut à tous plus salutaire.
La difficulté fut d'attacher le grelot.
L'un dit: «Je n'y vas point, je ne suis pas si sot;»
L'autre: «Je ne saurais.» Si bien que sans rien faire
   On se quitta. J'ai maints chapitres vus 25
   Qui pour néant [51] se sont ainsi tenus;

---

[43] "Bacon-eater" (*Ronge-lard*)—more applicable to a rat than to a cat.
[44] "destruction."   [45] "fill."   [46] "people," "race."   [47] "rascal."
[48] "remnant," "what was left."   [49] "chapter-meeting."   [50] "at once."   [51] "nothing."

Chapitres, non de rats mais chapitres de moines,
Voire [52] chapitres de chanoines.[53]

Ne faut-il que délibérer,
La cour en conseillers foisonne; [54]
Est-il besoin d'exécuter,
L'on ne rencontre plus personne.

11. Le Meunier, Son Fils et l'Ane (III, 1)

L'invention des arts étant un droit d'aînesse,
Nous devons l'apologue à l'ancienne Grèce;
Mais ce champ ne se peut tellement moissonner
Que les derniers venus n'y trouvent à glaner.
La feinte [55] est un pays plein de terres désertes; 5
Tous les jours nos auteurs y font des découvertes.
Je t'en veux dire un trait assez bien inventé:
Autrefois à Racan [55a] Malherbe l'a conté.

Ces deux rivaux d'Horace, héritiers de sa lyre,
Disciples d'Apollon,[56] nos maîtres, pour mieux dire, 10
Se rencontrant un jour tout seuls et sans témoins,
(Comme ils se confiaient leurs pensers et leurs soins),
Racan commence ainsi: «Dites-moi, je vous prie,
Vous qui devez savoir les choses de la vie,
Qui par tous ses degrés avez déjà passé, 15
Et que rien ne doit fuir [56a] en cet âge avancé,
A quoi me résoudrai-je? Il est temps que j'y pense.
Vous connaissez mon bien, mon talent, ma naissance:
Dois-je dans la province établir mon séjour,
Prendre emploi dans l'armée, ou bien charge à la cour? 20
Tout au monde est mêlé d'amertume et de charmes:
La guerre a ses douceurs, l'hymen a ses alarmes.
Si je suivais mon goût, je saurais où buter,[57]
Mais j'ai les miens, la cour, le peuple à contenter.»
Malherbe là-dessus: «Contenter tout le monde! 25
Écoutez ce récit avant que je réponde.

«J'ai lu dans quelque endroit qu'un meunier, et son fils,
L'un vieillard, l'autre enfant, non pas des plus petits,
Mais garçon de quinze ans, si j'ai bonne mémoire,
Allaient vendre leur âne, un certain jour de foire. 30
Afin qu'il fût plus frais et de meilleur débit,[58]
On lui lia les pieds, on vous [59] le suspendit;
Puis cet homme et son fils le portent comme un lustre.[60]

---

[52] "indeed." [53] "canons" (members of a bishop's council). [54] "abounds."
[55] "fiction." [55a] See p. 59, n. 15. [56] Apollo, god of poetry. [56a] "escape." [57] "aim."
[58] "more marketable." [59] Ethical dative (not to be translated). [60] "chandelier."

Pauvres gens, idiots, couple ignorant et rustre!
Le premier qui les vit de rire s'éclata: 35
«Quelle farce, dit-il, vont jouer ces gens-là?
«Le plus âne des trois n'est pas celui qu'on pense.»
Le meunier, à ces mots, connaît [61] son ignorance;
Il met sur pieds sa bête, et la fait détaler.
L'âne, qui goûtait fort l'autre façon d'aller,   40
Se plaint en son patois. Le meunier n'en a cure; [62]
Il fait monter son fils, il suit, et, d'aventure
Passent trois bons marchands. Cet objet [63] leur déplut.
Le plus vieux au garçon s'écria tant qu'il put: [64]
«Oh là oh, descendez, que l'on ne vous le dise,   45
«Jeune homme, qui menez laquais à barbe grise!
«C'était à vous de suivre, au vieillard de monter.
—«Messieurs, dit le meunier, il vous faut contenter.»
L'enfant met pied à terre, et puis le vieillard monte,
Quand trois filles passant, l'une dit: «C'est grand'honte   50
«Qu'il faille voir ainsi clocher [65] ce jeune fils,
«Tandis que ce nigaud, comme un évêque assis,
«Fait le veau [66] sur son âne, et pense être bien sage.
—«Il n'est, dit le meunier, plus de veaux [67] à mon âge:
«Passez votre chemin, la fille, et m'en croyez.»   55
Après maints quolibets [68] coup sur coup renvoyés,
L'homme crut avoir tort et mit son fils en croupe.
Au bout de trente pas, une troisième troupe
Trouve encore à gloser.[69] L'un dit: «Ces gens sont fous;
«Le baudet n'en peut plus; il mourra sous leurs coups.   60
«Hé quoi? charger ainsi cette pauvre bourrique!
«N'ont-ils point de pitié de leur vieux domestique?
«Sans doute qu' à la foire ils vont vendre sa peau.
—«Parbleu! dit le meunier, est bien fou du cerveau
«Qui prétend contenter tout le monde et son père.   65
«Essayons toutefois si par quelque manière
«Nous en viendrons à bout.» Ils descendent tous deux.
L'âne se prélassant [70] marche seul devant eux.
Un quidam [71] les rencontre, et dit: «Est-ce la mode
«Que baudet aille à l'aise et meunier s'incommode?   70
«Qui de l'âne ou du maître est fait pour se lasser?
«Je conseille à ces gens de le faire enchâsser.[72]
«Ils usent leurs souliers et conservent leur âne.
«Nicolas, au rebours; [73] car, quand il va voir Jeanne,

[61] "realizes."   [62] "doesn't care."   [63] "sight."   [64] "as loudly as he could."
[65] "limp along."   [66] "takes his ease."
[67] "one is no longer a calf"—implying that he is too old to care what girls say.
[68] "remarks."   [69] "criticize."   [70] "strutting along" (like a prelate).
[71] "certain individual."   [72] "put in a glass case."
[73] (is) "just the opposite"—allusion to a popular song.

«Il monte sur sa bête; et la chanson le dit.   75
«Beau trio de baudets!» Le meunier repartit:
«Je suis âne, il est vrai, j'en conviens, je l'avoue;
«Mais que dorénavant on me blâme, on me loue,
«Qu'on dise quelque chose ou qu'on ne dise rien,
«J'en veux faire à ma tête.» [74] Il le fit, et fit bien.   80

Quant à vous,[75] suivez Mars,[76] ou l'Amour, ou le Prince;
Allez, venez, courez; demeurez en province;
Prenez femme, abbaye,[77] emploi,[78] gouvernement: [79]
Les gens en parleront, n'en doutez nullement.»

12. Phébus et Borée (VI, 3)

Borée [80] et le Soleil virent un voyageur
    Qui s'était muni par bonheur
Contre le mauvais temps. On entrait dans l'automne,
Quand la précaution aux voyageurs est bonne:
Il pleut, le soleil luit, et l'écharpe d'Iris [81]   5
    Rend ceux qui sortent avertis [82]
Qu'en ces mois le manteau leur est fort nécessaire;
Les Latins les nommaient douteux,[83] pour cette affaire.
Notre homme s'était donc à la pluie attendu:
Bon manteau bien doublé, bonne étoffe bien forte.   10
«Celui-ci, dit le Vent, prétend avoir pourvu
A tous les accidents; mais il n'a pas prévu
    Que je saurai souffler de sorte
Qu'il n'est bouton qui tienne; il faudra, si je veux,
    Que le manteau s'en aille au diable.   15
L'ébattement [84] pourrait nous en être agréable:
Vous plaît-il de l'avoir?—Eh bien, gageons nous deux,
    Dit Phébus, sans tant de paroles,
A qui plus tôt aura dégarni [85] les épaules
    Du cavalier que nous voyons.   20
Commencez: je vous laisse obscurcir mes rayons.»
Il n'en fallut pas plus. Notre souffleur à gage [86]
    Se gorge de vapeurs, s'enfle comme un ballon,
    Fait un vacarme de démon,
Siffle, souffle, tempête, et brise en son passage   25
Maint toit qui n'en peut mais,[87] fait périr maint bateau,
    Le tout au sujet d'un manteau.

---

[74] "as I like."   [75] Malherbe applies the lesson of the fable to Racan.   [76] God of war.
[77] An ecclesiastical career.   [78] A position at court.   [79] A government position.
[80] "north wind."   [81] "rainbow."   [82] "warns" (*avertit*).   [83] "uncertain."
[84] "sport."   [85] "stripped."
[86] "on a wager" (which he is doing his utmost to win).
[87] "is helpless," "which cannot help itself."

Le cavalier eut soin d'empêcher que l'orage
    Ne se pût engouffrer dedans.
Cela le préserva. Le Vent perdit son temps: 30
Plus il se tourmentait, plus l'autre tenait ferme;
Il eut beau faire agir [88] le collet et les plis.
    Sitôt qu'il fut au bout du terme [89]
    Qu'à la gageure on avait mis,
    Le Soleil dissipe la nue,   35
Récrée [90] et puis pénètre enfin le cavalier,
    Sous son balandras [91] fait qu'il sue,
    Le contraint de s'en dépouiller:
Encor n'usa-t-il pas de toute sa puissance.

    Plus fait douceur que violence.   40

13. Le Lièvre et la Tortue (VI, 10)

Rien ne sert de courir; il faut partir à point: [92]
Le lièvre et la tortue en sont un témoignage.
«Gageons, dit celle-ci, que vous n'atteindrez point
Sitôt que moi ce but.—Sitôt! êtes-vous sage? [93]
    Repartit l'animal léger: 5
    Ma commère, [94] il vous faut purger
Avec quatre grains d'ellébore. [95]
    —Sage ou non, je parie encore.»
    Ainsi fut fait; et de tous deux
    On mit près du but les enjeux. [96]   10
    Savoir quoi, ce n'est pas l'affaire,
    Ni de quel juge l'on convint.
Notre lièvre n'avait que quatre pas à faire;
J'entends de ceux qu'il fait lorsque, prêt d'être atteint,
Il s'éloigne des chiens, les renvoie aux calendes, [97]   15
    Et leur fait arpenter les landes. [98]
Ayant, dis-je, du temps de reste [99] pour brouter,
    Pour dormir, et pour écouter
    D'où vient le vent, il laisse la tortue
    Aller son train de sénateur.   20

    Elle part, elle s'évertue; [100]
    Elle se hâte avec lenteur. [101]
Lui cependant méprise une telle victoire,

[88] "shake."   [89] "time-limit."   [90] "warms up again."   [91] "cloak."   [92] "on time."
[93] "Are you in your right mind?"   [94] "dear friend."
[95] "hellebore," supposed to cure madness.   [96] "stakes."
[97] "sends to the Greek Kalends" (which did not exist); hence "puts off indefinitely," "outwits."
[98] "moors."   [99] "to spare."   [100] "strives hard."
[101] Adapted from the Latin proverb, *festina lente*.

Tient la gageure à peu de gloire.[102]
Croit qu'il y va de son honneur [103]   25
De partir tard. Il broute, il se repose;
Il s'amuse [104] à toute autre chose
Qu'à la gageure. A la fin quand il vit
Que l'autre touchait presque au bout de la carrière,
Il partit comme un trait; mais les élans qu'il fit   30
Furent vains: la tortue arriva la première.
«Eh bien! lui cria-t-elle, avais-je pas raison?
  De quoi vous sert votre vitesse?
  Moi l'emporter! [105] et que serait-ce
  Si vous portiez une maison?»   35

14. Les Animaux Malades de la Peste (VII, 1)

  Un mal qui répand la terreur,
  Mal que le ciel en sa fureur
Inventa pour punir les crimes de la terre,
La peste (puisqu'il faut l'appeler par son nom),
Capable d'enrichir en un jour l'Achéron,[106]   5
  Faisait aux animaux la guerre.
Ils ne mouraient pas tous, mais tous étaient frappés:
  On n'en voyait point d'occupés
A chercher le soutien d'une mourante vie;
  Nul mets n'excitait leur envie;   10
  Ni loups ni renards n'épiaient
  La douce et l'innocente proie;
  Les tourterelles se fuyaient:
  Plus d'amour, partant plus de joie.

Le lion tint conseil, et dit: «Mes chers amis,   15
  Je crois que le ciel a permis
  Pour nos péchés cette infortune.
  Que le plus coupable de nous
Se sacrifie aux traits du céleste courroux;
Peut-être il obtiendra la guérison commune.   20
L'histoire nous apprend qu'en de tels accidents [107]
On fait de pareils dévouements.[108]
Ne nous flattons donc point; voyons sans indulgence
  L'état de notre conscience.
Pour moi, satisfaisant mes appétits gloutons,   25
  J'ai dévoré force moutons.
  Que m'avaient-ils fait? Nulle offense;

102 "takes lightly." 103 "his honor demands." 104 "whiles away the time."
105 "The idea of my winning!" 106 River of the lower regions.
107 "misfortunes." 108 "sacrifices."

Même il m'est arrivé quelquefois de manger
    Le berger.
Je me dévouerai donc, s'il le faut: mais je pense   30
Qu'il est bon que chacun s'accuse ainsi que moi:
Car on doit souhaiter, selon toute justice,
    Que le plus coupable périsse.
    —Sire, dit le renard, vous êtes trop bon roi;
Vos scrupules font voir trop de délicatesse.   35
Eh bien! manger moutons, canaille, sotte espèce,
Est-ce un péché? Non, non. Vous leur fîtes, Seigneur,
    En les croquant, beaucoup d'honneur;
    Et quant au berger, l'on peut dire
    Qu'il était digne de tous maux,   40
Étant de ces gens-là qui sur les animaux
    Se font un chimérique empire.»
Ainsi dit le renard; et flatteurs d'applaudir.[109]
    On n'osa trop approfondir
Du tigre, ni de l'ours, ni des autres puissances,   45
    Les moins pardonnables offenses.
Tous les gens querelleurs, jusqu'aux simples mâtins,
Au dire de chacun, étaient de petits saints.
L'âne vint à son tour, et dit: «J'ai souvenance
    Qu'en un pré de moines passant,   50
La faim, l'occasion, l'herbe tendre, et, je pense,
    Quelque diable aussi me poussant,
Je tondis de ce pré la largeur de ma langue.
Je n'en avais nul droit, puisqu'il faut parler net.»
A ces mots on cria haro [110] sur le baudet.   55
Un loup, quelque peu clerc,[111] prouva par sa harangue
Qu'il fallait dévouer ce maudit animal,
Ce pelé, ce galeux, d'où venait tout leur mal.
Sa peccadille fut jugée un cas pendable.
Manger l'herbe d'autrui! quel crime abominable!   60
    Rien que la mort n'était capable
D'expier son forfait: on le lui fit bien voir.

Selon que vous serez puissant ou misérable,
Les jugements de cour vous rendront blanc ou noir.

15. LE COCHE ET LA MOUCHE (VII, 9)

Dans un chemin montant, sablonneux, malaisé,
Et de tous les côtés au soleil exposé,
    Six forts chevaux tiraient un coche.
Femmes, moine, vieillards, tout était descendu:

---

[109] Historical infinitive.   [110] "There was a hue and cry."   [111] "scholar."

L'attelage suait, soufflait, était rendu.[112]

Une mouche survient, et des chevaux s'approche,

Prétend les animer par son bourdonnement,

Pique l'un, pique l'autre, et pense à tout moment

  Qu'elle fait aller la machine,

S'assied sur le timon,[113] sur le nez du cocher.

  Aussitôt que le char chemine,

  Et qu'elle voit les gens marcher,

Elle s'en attribue uniquement la gloire;

Va, vient, fait l'empressée:[114] il semble que ce soit

Un sergent de bataille[115] allant en chaque endroit

Faire avancer ses gens, et hâter la victoire.

  La mouche, en ce commun besoin,

Se plaint qu'elle agit seule, et qu'elle a tout le soin;

Qu'aucun n'aide aux chevaux à se tirer d'affaire.

Le moine disait son bréviaire:

Il prenait bien son temps! une femme chantait:

C'était bien de chansons qu'alors il s'agissait!

Dame mouche s'en va chanter à leurs oreilles,

  Et fait cent sottises pareilles.

Après bien du travail, le coche arrive au haut:

«Respirons maintenant! dit la mouche aussitôt.

J'ai tant fait que nos gens sont enfin dans la plaine.

Çà,[116] messieurs les chevaux, payez-moi de ma peine.»

Ainsi certaines gens, faisant les empressés,

  S'introduisent dans les affaires:

  Ils font partout les nécessaires,

Et, partout importuns, devraient être chassés.

16. La Laitière et le Pot au Lait (VII, 10)

Perrette, sur sa tête ayant un pot au lait

  Bien posé sur un coussinet,

Prétendait arriver sans encombre à la ville.

Légère et court vêtue, elle allait à grand pas,

Ayant mis ce jour-là, pour être plus agile,

  Cotillon[117] simple et souliers plats.

  Notre laitière ainsi troussée[118]

  Comptait déjà dans sa pensée

Tout le prix de son lait, en employait l'argent;

Achetait un cent d'œufs, faisait triple couvée:[119]

La chose allait à bien[120] par son soin diligent.

  «Il m'est, disait-elle, facile

---

[112] "exhausted." [113] "tongue." [114] "busybody." [115] "marshal."
[116] "come! look here!" [117] "skirt." [118] "dressed." [119] "brood."
[120] "was succeeding."

D'élever des poulets autour de ma maison;
    Le renard sera bien habile
S'il ne m'en laisse assez pour avoir un cochon.   15
Le porc à s'engraisser coûtera peu de son;
Il était, quand je l'eus, de grosseur raisonnable:
J'aurai, le revendant, de l'argent bel et bon.
Et qui m'empêchera de mettre en notre étable,
Vu le prix dont il est, une vache et son veau,   20
Que je verrai sauter au milieu du troupeau?»
Perrette là-dessus saute aussi, transportée;
Le lait tombe; adieu veau, vache, cochon, couvée.
La dame [121] de ces biens, quittant d'un œil marri [122]
    Sa fortune ainsi répandue,   25
    Va s'excuser à son mari,
    En grand danger d'être battue.
    Le récit en farce en fut fait;
    On l'appela le *Pot au lait*.

    Quel esprit ne bat la campagne? [123]   30
    Qui ne fait châteaux en Espagne? [124]
Picrochole,[125] Pyrrhus,[126] la laitière, enfin tous,
    Autant les sages que les fous.
Chacun songe [127] en veillant; il n'est rien de plus doux:
Une flatteuse erreur emporte alors nos âmes;   35
    Tout le bien du monde est à nous,
    Tous les honneurs, toutes les femmes.
Quand je suis seul, je fais au plus brave un défi;
Je m'écarte, je vais détroner le Sophi; [128]
    On m'élit roi, mon peuple m'aime;   40
Les diadèmes vont sur ma tête pleuvant:
Quelque accident fait-il que je rentre en moi-même,
    Je suis gros Jean [129] comme devant.

17. LE SAVETIER ET LE FINANCIER (VIII, 2)

Un savetier chantait du matin jusqu'au soir;
    C'était merveilles de le voir,
Merveilles de l'ouïr; il faisait des passages,[130]
    Plus content qu'aucun des sept Sages.[131]
Son voisin, au contraire, étant tout cousu d'or,[132]   5
    Chantait peu, dormait moins encor;

---

[121] "mistress."   [122] "sad."   [123] "wander."   [124] "air-castles."
[125] Imperialistic King in Rabelais' *Gargantua*.
[126] King of Epirus, famous for his ambition to conquer Rome.   [127] "dreams."
[128] Shah of Persia.
[129] Proverbial expression found in Rabelais: "a simpleton"—an allusion to La Fontaine himself, whose name was Jean.
[130] "trills."   [131] Seven Wise Men of Greece.   [132] "rolling in wealth."

C'était un homme de finance.
Si, sur le point du jour, parfois il sommeillait,
Le savetier alors en chantant l'éveillait;
   Et le financier se plaignait   10
   Que les soins de la Providence
N'eussent pas au marché fait vendre le dormir,
   Comme le manger et le boire.
   En son hôtel il fait venir
Le chanteur, et lui dit: «Or çà,[133] sire Grégoire,   15
Que gagnez-vous par an?—Par an! ma foi, monsieur,
   Dit avec un ton de rieur,
Le gaillard [134] savetier, ce n'est point ma manière
De compter de la sorte; et je n'entasse guère
Un jour sur l'autre: il suffit qu'à la fin   20
   J'attrape le bout de l'année;
   Chaque jour amène son pain.
—Eh bien! que gagnez-vous, dites-moi, par journée?
—Tantôt plus, tantôt moins: le mal est que toujours
(Et sans cela nos gains seraient assez honnêtes),[135]   25
Le mal est que dans l'an s'entremêlent des jours
   Qu'il faut chômer; on nous ruine en fêtes:
L'une fait tort à l'autre; [136] et Monsieur le curé
De quelque nouveau saint charge toujours son prône.» [137]
Le financier, riant de sa naïveté,   30
Lui dit: «Je vous veux mettre aujourd'hui sur le trône.[138]
Prenez ces cent écus; gardez-les avec soin,
   Pour vous en servir au besoin.»
Le savetier crut voir tout l'argent que la terre
   Avait, depuis plus de cent ans,   35
   Produit pour l'usage des gens.
Il retourne chez lui; dans sa cave il enserre [138a]
   L'argent, et sa joie à la fois.
   Plus de chant: il perdit la voix,
Du moment qu'il gagna ce qui cause nos peines.   40
   Le sommeil quitta son logis;
   Il eut pour hôtes les soucis,
   Les soupçons, les alarmes vaines;
Tout le jour il avait l'œil au guet et la nuit,
   Si quelque chat faisait du bruit,   45
Le chat prenait l'argent. A la fin le pauvre homme
S'en courut chez celui qu'il ne réveillait plus:
«Rendez-moi, lui dit-il, mes chansons et mon somme,
   Et reprenez vos cent écus.»

[133] "see here."   [134] "jolly."   [135] "decent" (reasonable).   [136] "One crowds out the other."
[137] "sermon."   [138] "make a king of you."   [138a] "hides."

18. Les Deux Amis (VIII, 11)

Deux vrais amis vivaient au Monomotapa: [139]
L'un ne possédait rien qui n'appartînt à l'autre.
   Les amis de ce pays-là
   Valent bien, dit-on, ceux du nôtre.
Une nuit que chacun s'occupait au sommeil,   5
Et mettait à profit l'absence du soleil,
Un de nos deux amis sort du lit en alarme;
Il court chez son intime, éveille les valets:
Morphée [140] avait touché le seuil de ce palais.
L'ami couché s'étonne; il prend sa bourse, il s'arme,   10
Vient trouver l'autre, et dit: «Il vous arrive peu
De courir quand on dort; vous me paraissiez homme
A mieux user du temps destiné pour le somme:
N'auriez-vous point perdu tout votre argent au jeu?
En voici. S'il vous est venu quelque querelle,   15
J'ai mon épée, allons. . . .
—Non, dit l'ami, ce n'est ni l'un ni l'autre point:
   Je vous rends grâce de ce zèle.
Vous m'êtes, en dormant, un peu triste apparu;
J'ai craint qu'il ne fût vrai; je suis vite accouru.   20
   Ce maudit songe en est la cause.»

Qui d'eux aimait le mieux? Que t'en semble, lecteur?
Cette difficulté vaut bien qu'on la propose.
Qu'un ami véritable est une douce chose!
Il cherche vos besoins au fond de votre cœur;   25
   Il vous épargne la pudeur
   De les lui découvrir vous-même;
   Un songe, un rien, tout lui fait peur,
   Quand il s'agit de ce qu'il aime.

19. Les Deux Pigeons [140a] (IX, 2)

Deux Pigeons s'aimaient d'amour tendre:
   L'un d'eux, s'ennuyant au logis,
Fut assez fou pour entreprendre
   Un voyage en lointain pays.
L'autre lui dit: «Qu'allez-vous faire?   5
Voulez-vous quitter votre frère?
L'absence est le plus grand des maux:
Non pas pour vous, cruel! Au moins, que les travaux,

---

[139] Region in south-east Africa, in the Zambesi basin.   [140] God of dreams.
[140a] One of the most personal of the fables.

Les dangers, les soins du voyage,
        Changent un peu votre courage.[141]   10
Encor, si la saison s'avançait davantage!
Attendez les zéphyrs: qui vous presse? un corbeau
Tout à l'heure annonçait malheur à quelque oiseau.[142]
Je ne songerai plus que rencontre funeste,
Que faucons, que réseaux. «Hélas! dirai-je, il pleut: 15
        «Mon frère a-t-il tout ce qu'il veut,
        «Bon souper, bon gîte, et le reste?»
        Ce discours ébranla le cœur
        De notre imprudent voyageur;
Mais le désir de voir et l'humeur inquiète   20
L'emportèrent enfin. Il dit: «Ne pleurez point;
Trois jours au plus rendront mon âme satisfaite;
Je reviendrai dans peu conter de point en point [143]
        Mes aventures à mon frère;
Je le désennuierai. Quiconque ne voit guère   25
N'a guère à dire aussi. Mon voyage dépeint
        Vous sera d'un plaisir extrême.
Je dirai: «J'étais là; telle chose m'avint»; [144]
        Vous y croirez être vous-même.»
A ces mots, en pleurant, ils se dirent adieu.   30
Le voyageur s'éloigne; et voilà qu'un nuage
L'oblige de chercher retraite en quelque lieu.
Un seul arbre s'offrit, tel encor [145] que l'orage
Maltraita le pigeon en dépit du feuillage.
L'air devenu serein, il part tout morfondu,[146]   35
Sèche du mieux qu'il peut son corps chargé de pluie,
Dans un champ à l'écart voit du blé répandu,
Voit un pigeon auprès: cela lui donne envie;
Il y vole, il est pris: ce blé couvrait d'un lacs [147]
        Les menteurs et traîtres appâts.   40
Le lacs était usé: si bien que, de son aile,
De ses pieds, de son bec, l'oiseau le rompt enfin;
Quelque plume y périt; et le pis du destin
Fut qu'un certain vautour, à la serre cruelle,
Vit notre malheureux, qui, traînant la ficelle   45
Et les morceaux du lacs qui l'avait attrapé,
        Semblait un forçat échappé.
Le vautour s'en allait le lier,[148] quand des nues
Fond à son tour un aigle aux ailes étendues.
Le pigeon profita du conflit des voleurs,   50
S'envola, s'abattit auprès d'une masure,

---

141 "heart."   142 The croaking of a raven was supposed to forbode evil.
143 "in detail."   144 "happened."   145 "but such a one that."
146 "chilled to the bone."   147 "snare."   148 "seize."

Crut, pour ce coup,[149] que ses malheurs
   Finiraient par cette aventure;
Mais un fripon d'enfant (cet âge est sans pitié)
Prit sa fronde et, du coup, tua plus d'à moitié   55
   La volatile [150] malheureuse,
   Qui maudissant sa curiosité,
   Traînant l'aile et tirant le pié,
   Demi-morte et demi-boiteuse,
   Droit au logis s'en retourna;   60
   Que bien que mal,[151] elle arriva
   Sans autre aventure fâcheuse.
Voilà nos gens rejoints; et je laisse à juger
De combien de plaisirs ils payèrent leurs peines.

Amants, heureux amants, voulez-vous voyager?   65
   Que ce soit aux rives prochaines.
Soyez-vous l'un à l'autre un monde toujours beau,
   Toujours divers, toujours nouveau;
Tenez-vous lieu de tout,[152] comptez pour rien le reste.
J'ai quelquefois [153] aimé: je n'aurais pas alors,   70
   Contre le Louvre [154] et ses trésors,
Contre le firmament et sa voûte céleste,
   Changé les bois, changé les lieux
Honorés par les pas, éclairés par les yeux
   De l'aimable et jeune bergère,   75
   Pour qui, sous le fils de Cythère,[155]
Je servis, engagé par mes premiers serments.
Hélas! quand reviendront de semblables moments!
Faut-il que tant d'objets si doux et si charmants [156]
Me laissent vivre au gré de mon âme inquiète!   80
Ah! si mon cœur osait encor se renflammer!
Ne sentirai-je plus de charme qui m'arrête?
   Ai-je passé le temps d'aimer?

20. L'Huître et les Plaideurs (IX, 9)

Un jour deux pèlerins [157] sur le sable rencontrent
Une huître, que le flot y venait d'apporter:
Ils l'avalent des yeux, du doigt ils se la montrent;
A l'égard de la dent,[158] il fallut contester.
L'un se baissait déjà pour amasser [159] la proie;   5
L'autre le pousse, et dit: «Il est bon de savoir
   Qui de nous en aura la joie:

---

149 "time."   150 "bird."   151 *tant bien que mal,* "as best he could."
152 "be to each other all in all."   153 "once especially."   154 Royal palace.
155 Venus—Her son is Cupid.   156 "bewitching," "fascinating."   157 "travellers."
158 "as to who should eat it."   159 "pick up" (*ramasser*).

Celui qui le premier a pu l'apercevoir
En sera le gobeur; [160] l'autre le verra faire.
  —Si par là l'on juge l'affaire,   10
Reprit son compagnon, j'ai l'œil bon, Dieu merci.
    —Je ne l'ai pas mauvais aussi,[161]
Dit l'autre; et je l'ai vue avant vous, sur ma vie.
—Eh bien! vous l'avez vue; et moi je l'ai sentie.»
  Pendant tout ce bel incident,   15
Perrin Dandin [162] arrive: ils le prennent pour juge.
Perrin, fort gravement, ouvre l'huître, et la gruge,[163]
  Nos deux messieurs le regardant.
Ce repas fait, il dit d'un ton de président: [164]
«Tenez, la cour vous donne à chacun une écaille 20
Sans dépens; [165] et qu'en paix chacun chez soi s'en aille.»

Mettez ce qu'il en coûte à plaider aujourd'hui;
Comptez ce qu'il en reste à beaucoup de familles:
Vous verrez que Perrin tire l'argent à lui,
Et ne laisse aux plaideurs que le sac et les quilles.[166] 25

21. Rien de Trop (IX, 11)

  Je ne vois point de créature
  Se comporter modérément.
  Il est certain tempérament [167]
  Que le Maître de la nature
Veut que l'on garde en tout. Le fait-on? nullement. 5
Soit en bien, soit en mal, cela n'arrive guère.
Le blé, riche présent de la blonde Cérès,[168]
Trop touffu bien souvent, épuise les guérets:
En superfluités s'épandant d'ordinaire,
  Et poussant trop abondamment,   10
  Il ôte à son fruit l'aliment.
L'arbre n'en fait pas moins: tant le luxe [169] sait plaire!
Pour corriger le blé, Dieu permit aux moutons
De retrancher l'excès des prodigues moissons:
  Tout au travers ils se jetèrent,   15
  Gâtèrent tout, et tout broutèrent;
  Tant que [170] le ciel permit aux loups
D'en croquer quelques-uns: ils les croquèrent tous;

---

160 "eater."   161 "either" (*non plus*).
162 Name of the judge in Racine's comedy, *Les Plaideurs*. 163 "devours."
164 "presiding judge."   165 "costs."
166 "nine-pins." Perrin acts like the player who leaves the pins (with their bag), and makes off with the stakes of the game.
167 "moderation."   168 Goddess of agriculture.   169 "luxuriance," "superfluity."
170 "so much so that."

S'ils ne le firent pas, du moins ils y tâchèrent.
    Puis le ciel permit aux humains   20
De punir ces derniers: les humains abusèrent
    A leur tour des ordres divins.
De tous les animaux, l'homme a le plus de pente
    A se porter dedans l'excès.
    Il faudrait faire le procès   25
Aux petits comme aux grands. Il n'est âme vivante
Qui ne pèche en ceci. *Rien de trop* [171] est un point
Dont on parle sans cesse, et qu'on n'observe point.

22. Le Songe d'un Habitant du Mogol [172] (XI, 4)

Jadis certain Mogol [173] vit en songe un vizir [174]
Aux Champs-Élysiens [175] possesseur d'un plaisir
Aussi pur qu'infini, tant en prix qu'en durée:
Le même songeur vit en une autre contrée [176]
    Un ermite entouré de feux   5
Qui touchait de pitié même les malheureux.
Le cas parut étrange, et contre l'ordinaire:
Minos [177] en ces deux morts semblait s'être mépris.
Le dormeur s'éveilla, tant il en fut surpris.
Dans ce songe pourtant soupçonnant du mystère,   10
    Il se fit expliquer l'affaire.
L'interprète lui dit: «Ne vous étonnez point;
Votre songe a du sens; et, si j'ai sur ce point
    Acquis tant soit peu d'habitude,
C'est un avis des Dieux. Pendant l'humain séjour,[178]   15
Ce vizir quelquefois cherchait la solitude;
Cet ermite aux vizirs allait faire sa cour.»

    Si j'osais ajouter au mot de l'interprète,
J'inspirerais ici l'amour de la retraite:
Elle offre à ses amants des biens sans embarras,   20
Biens purs, présents du ciel, qui naissent sous les pas.
Solitude, où je trouve une douceur secrète,
Lieux que j'aimai toujours, ne pourrai-je jamais,
Loin du monde et du bruit, goûter l'ombre et le frais?
Oh! qui m'arrêtera sous vos sombres asiles? [179]   25
Quand pourront les neuf sœurs,[180] loin des cours et des villes,
M'occuper tout entier, et m'apprendre des cieux

---

[171] One of the essential doctrines of classicism.
[172] Interesting as bringing out La Fontaine's love of solitude.
[173] "Indian" (Mongol). In the title the word means India, center of the great Mogul empire.
[174] "minister."   [175] Abode of the blest.   [176] "region:"
[177] One of the three judges of the lower regions.   [178] "sojourn on earth."
[179] "shady retreat."   [180] The Muses.

Les divers mouvements inconnus à nos yeux,
Les noms et les vertus de ces clartés errantes,[181]
Par qui sont nos destins et nos mœurs différentes!　　　　30
Que si je ne suis né pour de si grands projets,
Du moins que les ruisseaux m'offrent de doux objets!
Que je peigne en mes vers quelque rive fleurie!
La Parque [182] à filets d'or n'ourdira point ma vie,[183]
Je ne dormirai point sous de riches lambris.[184]　　　　35
Mais voit-on que le somme en perde de son prix?
En est-il moins profond, et moins plein de délices?
Je lui voue au désert de nouveaux sacrifices.
Quand le moment viendra d'aller trouver les morts,
J'aurai vécu sans soins,[185] et mourrai sans remords.　　　　40

23. Le Paysan du Danube (XI, 7)

Il ne faut point juger des gens sur l'apparence.
Le conseil en est bon, mais il n'est pas nouveau.
　　Jadis l'erreur du souriceau [186]
Me servit à prouver le discours que j'avance:
　　J'ai, pour le fonder à présent,　　　　5
Le bon Socrate,[187] Ésope,[188] et certain paysan
Des rives du Danube, homme dont Marc-Aurèle [189]
　　Nous fait un portrait fort fidèle.
On connaît les premiers: quant à l'autre, voici
　　Le personnage en raccourci.　　　　10
Son menton nourrissait une barbe touffue;
　　Toute sa personne velue
Representait un ours, mais un ours mal léché:[190]
Sous un sourcil épais il avait l'œil caché,
Le regard de travers, nez tortu, grosse lèvre,　　　　15
　　Portait sayon [191] de poil de chèvre,
　　Et ceinture de joncs marins.
Cet homme ainsi bâti fut député des villes
Que lave le Danube. Il n'était point d'asiles
　　Où l'avarice [192] des Romains　　　　20
Ne pénétrât alors, et ne portât les mains.
Le député vint donc, et fit cette harangue:
«Romains, et vous Sénat assis pour m'écouter,

---

[181] The stars.　　[182] One of the Fates.　　[183] "will not spin my destiny."
[184] "hangings."　　[185] "worries."
[186] Allusion to a preceding fable dealing with the narrow escape of a young mouse.
[187] Greek philosopher.
[188] Greek fabulist, said to have been, like Socrates, personally very unprepossessing.
[189] Roman Emperor (161–180 A. D.). La Fontaine, however, got his story not from Marcus Aurelius himself, but from Guevara's idealized life of the emperor, the *Reloj de Príncipes* (1529), of which there were numerous translations.
[190] "unkempt."　　[191] "smock."　　[192] "cupidity," "greed."

Veuillent les Immortels, conducteurs de ma langue,
Que je ne dise rien qui doive être repris! [193]   25
Sans leur aide, il ne peut entrer dans les esprits
    Que tout mal et toute injustice:
Faute d'y recourir, on viole leurs lois.
Témoin nous que punit la romaine avarice:
Rome est, par nos forfaits, plus que par ses exploits,   30
    L'instrument de notre supplice.
Craignez, Romains, craignez que le Ciel quelque jour
Ne transporte chez vous les pleurs et la misère;
Et mettant en nos mains, par un juste retour,
Les armes dont se sert sa vengeance sévère,   35
    Il ne vous fasse, en sa colère,
    Nos esclaves à votre tour.
Et pourquoi sommes-nous les vôtres? Qu'on me die [194]
En quoi vous valez mieux que cent peuples divers.
Quel droit vous a rendus maîtres de l'univers?   40
Pourquoi venir troubler une innocente vie?
Nous cultivions en paix d'heureux champs; et nos mains
Étaient propres aux arts, ainsi qu'au labourage.
    Qu'avez-vous appris aux Germains?
    Ils ont l'adresse et le courage: 45
    S'ils avaient eu l'avidité,
    Comme vous, et la violence,
Peut-être en votre place ils auraient la puissance,
Et sauraient en user sans inhumanité.
Celle que vos préteurs [195] ont sur nous exercée   50
    N'entre qu'à peine en la pensée.
    La majesté de vos autels
    Elle-même en est offensée;
    Car sachez que les Immortels
Ont les regards sur nous. Grâce à vos exemples,   55
Ils n'ont devant les yeux que des objets d'horreur,
    De mépris d'eux et de leurs temples,
D'avarice qui va jusques à la fureur.[196]
Rien ne suffit aux gens qui nous viennent de Rome:
    La terre et le travail de l'homme   60
Font pour les assouvir [197] des efforts superflus.
    Retirez-les: on ne veut plus
    Cultiver pour eux les campagnes.
Nous quittons les cités, nous fuyons aux montagnes,
    Nous laissons nos chères compagnes;   65
Nous ne conversons [198] plus qu'avec des ours affreux,
Découragés de mettre au jour des malheureux

---

[193] "blamed."   [194] *dise*.   [195] "magistrates."   [196] "madness."   [197] "satisfy."
[198] "live," "associate."

Et de peupler pour Rome un pays qu'elle opprime.
　　Quant à nos enfants déjà nés,
Nous souhaitons de voir leurs jours bientôt bornés: [199]　　　　70
Vos préteurs au malheur nous font joindre le crime.
　　Retirez-les: ils ne nous apprendront
　　Que la mollesse [200] et que le vice;
　　Les Germains comme eux deviendront
　　Gens de rapine et d'avarice.　　　　　　　　　　75
C'est tout ce que j'ai vu dans Rome à mon abord.[201]
　　N'a-t-on point de présent à faire,
Point de pourpre à donner: c'est en vain qu'on espère
Quelque refuge aux lois; encor leur ministère [202]
A-t-il mille longueurs. Ce discours, un peu fort,　　　80
　　Doit commencer à vous déplaire.
　　Je finis. Punissez de mort
　　Une plainte un peu trop sincère.»
A ces mots, il se couche; [203] et chacun étonné [204]
Admire le grand cœur, le bon sens, l'éloquence　　　85
　　Du sauvage ainsi prosterné.
On le créa patrice [205] et ce fut la vengeance
Qu'on crut qu'un tel discours méritait. On choisit
　　D'autres préteurs; et par écrit
Le sénat demanda ce qu'avait dit cet homme,　　　90
Pour servir de modèle aux parleurs à venir.
　　On ne sut pas longtemps à Rome
　　Cette éloquence entretenir.[206]

---

[199] "cut short."　　　[200] "effeminacy."　　　[201] "arrival."　　　[202] "administration."
[203] "prostrates himself" (awaiting his fate).
[204] "struck with surprise" (as if by lightning).　　　[205] "noble."　　　[206] "maintain."

MOLIÈRE (1622–1673)

Jean-Baptiste Poquelin, better known by his stage name of Molière, greatest of all purely comic writers, is one of the great contributions of France to world literature.

Molière's life was devoted entirely to his chosen profession. He was early attracted to the stage, and gave up his law studies to join a troupe of players known as *L'Illustre Théâtre,* of which he soon became director. Unsuccessful in Paris, Molière determined to try his luck in the provinces, and for twelve years (1646–1658) he and his troupe toured the rural towns, perfecting their art in the hard school of experience. During these years Molière began to write comedies for the use of his players. In 1658 the troupe returned to Paris under the patronage of Monsieur, the King's brother. In 1659 Molière won his first great success in *Les Précieuses ridicules,* a satirical attack on *Préciosité.* The next fourteen years were years of great dramatic activity and of growing success, thanks largely to the support of Louis XIV, which helped him to overcome the bitter opposition to the boldness of certain of his plays, such as *Tartuffe* (1664). Molière died literally in harness. He was seized with a fit of coughing during the performance of *Le Malade imaginaire* (1673) and expired a few hours later.

Molière is the great creator of modern French comedy. Before him comedy had been merely amusing, depending for its interest either on complication of plot in the Spanish manner, or on the exploitation of certain stock character types, developed by the Italian comedy of masks. Molière's comic verve never allowed him to neglect the purely amusing function of comedy. There is a generous sprinkling of farce in all his plays, even the most serious ones, which almost border at times on tragedy. For this he has been much berated by the critics, from his friend Boileau down to our own time. But always Molière was working toward what is known as "high comedy," which George Meredith defines as that form of comedy which produces "thoughtful laughter," a comedy in which the emphasis is shifted from intrigue and mere fun to characterization.

"The business of comedy," says Molière, "is to represent all the defects of men in general, and principally of the men of our time." His main interest, then, is essentially in his characterization of universal types of mankind and in his social satire. This satire is directed especially against certain weaknesses in the bourgeois, the class he knew best, but few phases of his age which deserved criticism escaped his penetrating eye, except those of a political character, which it was dangerous to discuss in a despotic age like the seventeenth century.

But Molière is greatest as a painter of portraits of universal significance. His method of characterization is classical, based on the principle of concentration on one special side of a person's nature, neglecting almost entirely the other aspects. Compared with the many-sided creations of Shakespeare, Molière's characters may seem rather over-simplified, types rather than real human beings. But their lack of complexity may easily be exaggerated. Molière is able to breathe enough individuality into his characters to raise them above mere incarnations of certain vices, so that we can feel a certain human kinship with them. And there can be no denying the fact that through the very limitations of his method, Molière has created some tremendously powerful characters (Harpagon, Tartuffe, Alceste), whose names have become almost synonymous with the vices or foibles they typify.

On the purely formal side, Molière is one of the least classical of the great classical writers. In general his plays are substantially in accord with the so-called "rules," because he shared the taste of his age for highly simplified and concentrated plots, dealing with the crisis of an action. But he has no religious veneration for the rules, and he does not hesitate to throw them overboard, as in *Don Juan,* if they seem to hamper the full development of his conception. He is at times rather careless about his handling of plot: he has been much criticized especially for the artificial character of some of his dénouements. Although his verse lacks the highly polished, classical beauty which is associated with the poetry of Racine, Molière is by no means a mediocre poet. Apparently more at home in prose, he can nevertheless handle the verse form with excellent effect. Boileau envied him the ease and felicity of his rhymes. Any deficiencies found in his poetic expression probably are to be explained in part by the haste with which he was forced to produce most of his plays, but especially by the fact that he wrote his dialogue to be heard rather than read. All these weaknesses, however, if such they are, disappear before the sweep of Molière's comic verve, which makes him beyond question the incomparable comic genius of all time.

Molière's attitude toward life, as reflected in his comedies, is based upon the favorite classical principle of moderation, the doctrine of the golden mean (*aurea mediocritas*). Man with all his absurdities is not entirely hopeless if he will only follow the dictates of common sense and live life moderately, without allowing himself to fall into excess. Molière stresses especially the social virtues, good sense, reasonableness, moderation. This philosophy, if such it may be called, is excellent so far as it goes, but it is rather lacking in the elevation of thought, the idealism which we associate with the greatest poets. It must be admitted that Molière is not a poet in the highest sense. But he is thoroughly French in offering for our guidance a supremely sane view of life.

"Le trait de génie de Molière était d'avoir le génie du théâtre en même temps qu'il était un des plus grands observateurs et un des plus adroits moralistes que l'humanité ait connus. Ces choses, le plus souvent séparées, étaient unies en lui absolument, en telle sorte qu'il ne pouvait pas observer un caractère sans le voir du même coup transformé en personnage, agir et parler sur la scène, et qu'il ne pouvait point, comme on le voit par *l'Impromptu de Versailles,* faire son métier d'homme de théâtre et de directeur sans observer en même temps et scruter les caractères. C'était un œil toujours ouvert et un cerveau mettant sans cesse au point de l'optique théâtrale les données de la réalité.

Avec tout cela, il avait le don du mouvement, la verve entraînante, une extrême impétuosité dans une clarté toujours absolue, le style le plus approprié au théâtre, vif, souple, d'un incroyable relief, peut-être un peu trop oratoire dans les grandes comédies en vers, mais le plus souvent si juste et si naturel qu'il est resté absolument vivant après deux siècles et demi et que l'on peut parler la langue de Molière sans le moindre air archaïque, ce qui n'est possible avec la langue d'aucun de ses contemporains."

Faguet—*Histoire de la littérature française.*

IMPORTANT WORKS:

Farces: *Le Médecin malgré lui* (1666); *Les Fourberies de Scapin* (1671).
Comedies of manners: *Les Précieuses ridicules* (1659); *L'École des Femmes* (1662); *Georges Dandin* (1668); *Le Bourgeois Gentilhomme* (1670); *Les Femmes Savantes* (1672); *Le Malade imaginaire* (1673).
Comedies of character: *Le Tartuffe* (1664); *Don Juan* (1665); *Le Misanthrope* (1666); *L'Avare* (1668).
Comedies of dramatic criticism: *La Critique de l'École des Femmes* (1663); *L'Impromptu de Versailles* (1663).

I. *LA CRITIQUE DE L'ÉCOLE DES FEMMES*
(EXTRAITS)

I.

LE MARQUIS: Il ne faut que voir les continuels éclats de rire que le parterre y fait. Je ne veux point d'autre chose pour témoigner qu'elle ne vaut rien.

DORANTE: Tu es donc, Marquis, de ces Messieurs du bel air,[1] qui ne veulent pas que le parterre ait du sens commun, et qui seraient fâchés d'avoir ri avec lui, fût-ce de la meilleure chose du monde? Je vis l'autre jour sur le 5
théâtre un de nos amis, qui se rendit ridicule par là. Il écouta toute la pièce avec un sérieux le plus sombre du monde; et tout ce qui égayait les autres, ridait son front. A tous les éclats de rire, il haussait les épaules, et regardait le parterre en pitié; et quelquefois aussi le regardant avec dépit, il lui disait tout haut: «Ris donc, parterre, ris donc.» Ce fut une seconde comédie que le 10
chagrin de notre ami. Il la donna en galant homme à toute l'assemblée, et chacun demeura d'accord qu'on ne pouvait pas mieux jouer qu'il fit. Apprends, Marquis, je te prie, et les autres aussi, que le bon sens n'a point de place déterminée à la comédie; que la différence du demi-louis d'or et de la pièce de quinze sols[2] ne fait rien du tout au bon goût; que debout[3] et 15
assis, on peut donner un mauvais jugement; et qu'enfin, à le prendre en général, je me fierais assez à l'approbation du parterre, par la raison qu'entre ceux qui le composent, il y en a plusieurs qui sont capables de juger d'une pièce selon les règles, et que les autres en jugent par la bonne façon d'en juger, qui est de se laisser prendre aux choses, et de n'avoir ni prévention[4] 20
aveugle, ni complaisance affectée, ni délicatesse ridicule.

LE MARQUIS: Te voilà donc, Chevalier, le défenseur du parterre? Parbleu! je m'en réjouis, et je ne manquerai pas de l'avertir que tu es de ses amis. Hay, hay, hay, hay, hay, hay.[4a]

---

[1] "society."   [2] *sous.*
[3] In the 17th century in France, as in Elizabethan England, only the wealthy play-goers occupied seats; most of the audience stood in the *parterre* or pit of the theatre.
[4] "prejudice."   [4a] Indicates laughter.

DORANTE: Ris tant que tu voudras. Je suis pour le bon sens, et ne saurais souffrir les ébullitions de cerveau de nos marquis de Mascarille.[5]

Sc. V

2.

DORANTE: Vous croyez donc, Monsieur Lysidas, que tout l'esprit et toute la beauté sont dans les poèmes sérieux, et que les pièces comiques sont des
5 niaiseries qui ne méritent aucune louange?

URANIE: Ce n'est pas mon sentiment, pour moi. La tragédie, sans doute, est quelque chose de beau quand elle est bien touchée; mais la comédie a ses charmes, et je tiens que l'une n'est pas moins difficile à faire que l'autre.

DORANTE: Assurément, Madame; et quand, pour la difficulté, vous mettriez
10 un *plus* du côté de la comédie, peut-être que vous ne vous abuseriez [6] pas. Car enfin, je trouve qu'il est bien plus aisé de se guinder [7] sur de grands sentiments, de braver en vers la Fortune, accuser les Destins, et dire des injures aux Dieux, que d'entrer comme il faut dans le ridicule des hommes, et de rendre agréablement sur le théâtre les défauts de tout le monde.
15 Lorsque vous peignez des héros, vous faites ce que vous voulez. Ce sont des portraits à plaisir, où l'on ne cherche point de ressemblance; et vous n'avez qu'à suivre les traits d'une imagination qui se donne l'essor, et qui souvent laisse le vrai pour attraper le merveilleux. Mais lorsque vous peignez les hommes, il faut peindre d'après nature. On veut que ces portraits ressem-
20 blent; et vous n'avez rien fait, si vous n'y faites reconnaître les gens de votre siècle. En un mot, dans les pièces sérieuses, il suffit, pour n'être point blâmé, de dire des choses qui soient de bon sens et bien écrites; mais ce n'est pas assez dans les autres, il y faut plaisanter; et c'est une étrange entreprise que celle de faire rire les honnêtes gens.[8]

Sc. VI

3.

25 LYSIDAS: Molière est bien heureux, Monsieur, d'avoir un protecteur aussi chaud que vous. Mais enfin, pour venir au fait, il est question de savoir si sa pièce est bonne, et je m'offre d'y montrer partout cent défauts visibles.

URANIE: C'est une étrange chose de vous autres Messieurs les poètes, que vous condamniez toujours les pièces où tout le monde court, et ne disiez
30 jamais du bien que de celles où personne ne va. Vous montrez pour les unes une haine invincible, et pour les autres une tendresse qui n'est pas concevable.

DORANTE: C'est qu'il est généreux de se ranger du côté des affligés.

URANIE: Mais, de grâce, Monsieur Lysidas, faites-nous voir ces défauts,
35 dont je ne me suis point aperçue.

LYSIDAS: Ceux qui possèdent [9] Aristote et Horace voient d'abord, Madame, que cette comédie pèche contre toutes les règles de l'art.

---

[5] Valet who plays the rôle of a marquis in *Les Précieuses Ridicules.* [6] *tromperiez.*
[7] "speak in an affected manner."   [8] "refined people."   [9] "know well."

URANIE: Je vous avoue que je n'ai aucune habitude [10] avec ces Messieurs-là, et que je ne sais point les règles de l'art.

DORANTE: Vous êtes de plaisantes gens avec vos règles, dont vous embarrassez les ignorants et nous étourdissez tous les jours. Il semble, à vous ouïr parler, que ces règles de l'art soient les plus grands mystères du monde; et cependant ce ne sont que quelques observations aisées, que le bon sens a faites sur ce qui peut ôter le plaisir que l'on prend à ces sortes de poèmes; et le même bon sens qui a fait autrefois ces observations les fait aisément tous les jours, sans le secours d'Horace et d'Aristote. Je voudrais bien savoir si la grande règle de toutes les règles n'est pas de plaire, et si une pièce de théâtre qui a attrapé son but n'a pas suivi un bon chemin. Veut-on que tout un public s'abuse sur ces sortes de choses, et que chacun n'y soit pas juge du plaisir qu'il y prend?

URANIE: J'ai remarqué une chose de ces Messieurs-là; c'est que ceux qui parlent le plus des règles, et qui les savent mieux que les autres, font des comédies que personne ne trouve belles.

DORANTE: Et c'est ce qui marque, Madame, comme on doit s'arrêter peu à leurs disputes embarrassées. Car enfin, si les pièces qui sont selon les règles ne plaisent pas et que celles qui plaisent ne soient pas selon les règles, il faudrait de nécessité que les règles eussent été mal faites. Moquons-nous donc de cette chicane où ils veulent assujettir le goût du public, et ne consultons dans une comédie que l'effet qu'elle fait sur nous. Laissons-nous aller de bonne foi aux choses qui nous prennent par les entrailles,[11] et ne cherchons point de raisonnements pour nous empêcher d'avoir du plaisir.

URANIE: Pour moi, quand je vois une comédie, je regarde seulement si les choses me touchent; et, lorsque je m'y suis bien divertie, je ne vais point demander si j'ai eu tort, et si les règles d'Aristote me défendaient de rire.

. . . .

LYSIDAS: Enfin, Monsieur, toute votre raison, c'est que *l'École des femmes* a plu; et vous ne vous souciez point qu'elle soit dans les règles, pourvu. . . .

DORANTE: Tout beau, Monsieur Lysidas, je ne vous accorde pas cela. Je dis bien que le grand art est de plaire, et que cette comédie ayant plu à ceux pour qui elle est faite, je trouve que c'est assez pour elle et qu'elle doit peu se soucier du reste. Mais, avec cela, je soutiens qu'elle ne pèche contre aucune des règles dont vous parlez. Je les ai lues, Dieu merci, autant qu'un autre; et je ferais voir aisément que peut-être n'avons-nous point de pièce au théâtre plus régulière que celle-là.

Sc. VI

4.

CLIMÈNE: Rendez-vous, ou ne vous rendez pas, je sais fort bien que vous ne me persuaderez point de souffrir les immodesties de cette pièce, non plus que les satires désobligeantes qu'on y voit contre les femmes.

[10] "intimate acquaintance."   [11] "grip us."

URANIE: Pour moi, je me garderai bien de m'en offenser et de prendre rien sur mon compte de tout ce qui s'y dit. Ces sortes de satires tombent directement sur les mœurs, et ne frappent les personnes que par réflexion. N'allons point nous appliquer nous-mêmes les traits d'une censure générale;
5 et profitons de la leçon, si nous pouvons, sans faire semblant qu'on parle à nous. Toutes les peintures ridicules qu'on expose sur les théâtres doivent être regardées sans chagrin de tout le monde. Ce sont miroirs publics, où il ne faut jamais témoigner qu'on se voie; et c'est se taxer hautement[11a] d'un défaut, que se scandaliser qu'on le reprenne.[12]

Sc. VI

II. L'IMPROMPTU DE VERSAILLES
(EXTRAIT)

10 BRÉCOURT: Et moi, je juge que ce n'est ni l'un ni l'autre. Vous êtes fous tous deux, de vouloir vous appliquer ces sortes de choses; et voilà de quoi j'ouïs l'autre jour se plaindre Molière, parlant à des personnes qui le chargeaient de la même chose que vous. Il disait que rien ne lui donnait du déplaisir comme d'être accusé de regarder quelqu'un dans les portraits qu'il
15 fait; que son dessein est de peindre les mœurs sans vouloir toucher aux personnes, et que tous les personnages qu'il représente sont des personnages en l'air,[13] et des fantômes proprement, qu'il habille à sa fantaisie, pour réjouir les spectateurs; qu'il serait bien fâché d'y avoir jamais marqué qui que ce soit; et que si quelque chose était capable de le dégoûter de faire des
20 comédies, c'était les ressemblances qu'on y voulait toujours trouver, et dont ses ennemis tâchaient malicieusement d'appuyer la pensée, pour lui rendre de mauvais offices auprès de certaines personnes à qui il n'a jamais pensé. Et en effet je trouve qu'il a raison; car pourquoi vouloir, je vous prie, appliquer tous ses gestes et toutes ses paroles, et chercher à lui faire des
25 affaires[13a] en disant hautement: «Il joue un tel,» lorsque ce sont des choses qui peuvent convenir à cent personnes? Comme l'affaire de la comédie est de représenter en général tous les défauts des hommes, et principalement des hommes de notre siècle, il est impossible à Molière de faire aucun caractère qui ne rencontre quelqu'un dans le monde; et s'il faut qu'on l'accuse d'avoir
30 songé[14] toutes les personnes où l'on peut trouver les défauts qu'il peint, il faut sans doute qu'il ne fasse plus de comédies.

Sc. IV

[11a] "openly."   [12] "blames."
[13] "creatures of the imagination." It is certain none the less that Molière did put some of his contemporaries into his plays.
[13a] "get him into trouble."   [14] "had in mind" = *songé à.*

III. *PRÉFACE DE TARTUFFE*
(EXTRAITS)

1.

Si l'emploi de la comédie est de corriger les vices des hommes, je ne vois pas par quelle raison il y en aura de privilégiés. Celui-ci[15] est, dans l'état, d'une conséquence bien plus dangereuse que tous les autres; et nous avons vu que le théâtre a une grande vertu pour la correction. Les plus beaux traits d'une sérieuse morale sont moins puissants le plus souvent que ceux de la satire; et rien ne reprend mieux la plupart des hommes que la peinture le leurs défauts. C'est une grande atteinte aux vices que de les exposer à la risée de tout le monde. On souffre aisément des répréhensions, mais on ne souffre point la raillerie. On veut bien être méchant, mais on ne veut point être ridicule. . . .

2.

L'on doit approuver la comédie du *Tartuffe,* ou condamner généralement toutes les comédies. C'est à quoi l'on s'attache furieusement depuis un temps, et jamais on ne s'était si fort déchaîné contre le théâtre.[16] Je ne puis pas nier qu'il y ait eu des Pères de l'Église qui ont condamné la comédie; mais on ne peut pas me nier aussi qu'il n'y en ait eu quelques-uns qui l'ont traitée un peu plus doucement. Ainsi l'autorité dont on prétend appuyer la censure est détruite par ce partage; et toute la conséquence qu'on peut tirer de cette diversité d'opinions en des esprits éclairés des mêmes lumières, c'est qu'ils ont pris la comédie différemment, et que les uns l'ont considérée dans sa pureté, lorsque les autres l'ont regardée dans sa corruption et confondue avec tous ces vilains spectacles qu'on a eu raison de nommer des spectacles de turpitude. . . .[17]

Et si nous voulons ouïr là-dessus le témoignage de l'antiquité, elle nous dira que ses plus célèbres philosophes ont donné des louanges à la comédie, eux qui faisaient profession d'une sagesse si austère, et qui criaient sans cesse après les vices de leur siècle; elle nous fera voir qu'Aristote a consacré des veilles au théâtre, et s'est donné le soin de réduire en préceptes l'art de faire des comédies;[18] elle nous apprendra que de ses plus grands hommes, et des premiers en dignité, ont fait gloire d'en composer eux-mêmes, qu'il y en a eu d'autres qui n'ont pas dédaigné de réciter en public celles qu'ils avaient composées, que la Grèce a fait pour cet art éclater son estime par les prix glorieux et par les superbes théâtres dont elle a voulu l'honorer, et que, dans Rome enfin, ce même art a reçu aussi des honneurs extraordinaires: je ne dis pas dans Rome débauchée et sous la licence des empereurs, mais dans

---

[15] Religious hypocrisy: the theme of *Tartuffe*.
[16] Molière refers especially to the attacks directed against the drama by the Prince de Conti, in his *Traité de la Comédie* (1666) and by Nicole in his *Traité de la Comédie* (1667).
[17] Translation of the *caveae turpitudinum* of Saint Augustine.　　　[18] In his *Poetics*.

Rome disciplinée, sous la sagesse des consuls, et dans le temps de la vigueur de la vertu romaine.

J'avoue qu'il y a eu des temps où la comédie s'est corrompue. Et qu'est-ce que dans le monde on ne corrompt point tous les jours? Il n'y a chose si
5 innocente où les hommes ne puissent porter du crime, point d'art si salutaire dont ils ne soient capables de renverser les intentions, rien de si bon en soi qu'ils ne puissent tourner à de mauvais usages. La médecine est un art profitable, et chacun la révère comme une des plus excellentes choses que nous ayons; et cependant il y a eu des temps où elle s'est rendue odieuse, et
10 souvent on en a fait un art d'empoisonner les hommes. La philosophie est un présent du Ciel; elle nous a été donnée pour porter nos esprits à la connaissance d'un Dieu par la contemplation des merveilles de la nature; et pourtant on n'ignore pas que souvent on l'a détournée de son emploi, et qu'on l'a occupée publiquement à soutenir l'impiété. Les choses même les
15 plus saintes ne sont point à couvert de la corruption des hommes; et nous voyons des scélérats qui, tous les jours, abusent de la piété, et la font servir méchamment aux crimes les plus grands. Mais on ne laisse pas pour cela de faire les distinctions qu'il est besoin de faire; on n'enveloppe point, dans une fausse conséquence, la bonté des choses que l'on corrompt avec la malice des
20 corrupteurs; on sépare toujours le mauvais usage d'avec l'intention de l'art; et comme on ne s'avise point de défendre la médecine, pour avoir été bannie de Rome,[19] ni la philosophie, pour avoir été condamnée publiquement dans Athènes,[20] on ne doit point aussi vouloir interdire la comédie, pour avoir été censurée en de certains temps. . . .

[19] Pliny mentions a Roman decree banishing Greeks, in which physicians are especially mentioned.

[20] Molière is here probably thinking especially of the condemnation of Socrates.

RACINE (1639–1699)

If Corneille was the creator of classical tragedy, it was Jean Racine who brought the genre to its perfection.

Educated under the Jansenists of Port-Royal, Racine early broke away from their austere influence to indulge his taste for the drama, to which his masters were irrevocably opposed. *Andromaque* (1667) was almost as great a success as Corneille's *Cid* thirty years before. In the next ten years Racine produced a series of masterpieces, ending with *Phèdre* (1677) which proved a failure on its first performance as the result of the intrigues of the enemies he had made by his growing success. Racine, discouraged by this check, became reconciled with the Jansenists, and for twelve years renounced writing for the stage. In 1689, at the request of Madame de Maintenon, he wrote *Esther* for the girls' school at Saint-Cyr, followed by *Athalie* two years later. Increasingly in disfavor at court because of his loyalty to Port-Royal and Jansenism, Racine lived in retirement from 1691 until his death in 1699.

Beginning with two pieces in the manner of Corneille, Racine soon gave up heroic drama for the special type of tragedy in which he was to show himself supreme. Corneille had shown the power of the will to triumph over the passions: in Racine the victory lies with the latter, and especially love, strongest and blindest of human emotions. Racine the Jansenist has no faith in the power of the will. Man can be saved from his sinful impulses only by the intervention of divine grace: left to himself, he is powerless against them. So Racine's tragedy shows passion, especially that of love, driving its victims in spite of themselves to all sorts of crimes. The famous line of *Phèdre:* "C'est Vénus tout entière à sa proie attachée," expresses rather aptly the essential character of Racinian tragedy. The note of Racine is one of profound pessimism, since most of his heroes and heroines are doomed to go down to defeat before the power of passion. We *admire* the characters of Corneille for their moral strength: we *sympathize* with those of Racine, because we feel a kinship with their moral weakness.

To enhance the dramatic effect, Racine presents this subject matter in plays of extraordinary concentration, dealing with a moral crisis in the lives of his hero or heroine. When the curtain goes up the emotions have already reached a high pitch and the situation calls for immediate decisions. From the first all moves rapidly toward the inevitable dénouement. In the irresistible sweep of passion everything extraneous is thrust aside. With this conception of drama Racine found it easy to observe the unities, which had caused Corneille such great difficulty because of his romantic fondness for complex plots. Racine uses the simplest of situations, his main interest being the interplay of motives. His successors lacked the genius to interest an audience by such masterly psychological analysis, and were forced to revert to the use of extraordinary situations, which resulted in the 18th century in melodrama masquerading in the disguise of tragedy, as in Crébillon and Voltaire.

Racine is regarded by French critics as the perfection of the classical style as applied to poetry. His poetic art reveals the same qualities that distinguish him as a dramatist, concentration and simplicity. It is an art resulting from a perfect adaptation of means to ends. Forced to use a highly restricted vocabulary, the heritage of the purist movement inaugurated by Malherbe, hampered at every turn by the demands of a highly conventionalized system of versification, Racine is able nevertheless to produce deeply moving poetic effects, all the more striking because of the simplicity of the means employed. His style, like his dramatic construction, is marked by perfect proportion: every phrase, every word seems to be exactly in the place best fitted to produce the desired dramatic effect. It is classical art at its height, with its predominance of intellectual over imaginative qualities.

"C'était le plus adroit et le plus sûr des ouvriers dramatiques; mais ce travail de disposition et d'ajustage, on ne s'en apercevait point, on en jouissait sans s'en apercevoir, parce que, secret qui n'est pas à la portée de beaucoup, Racine le faisait oublier à mesure, le recouvrait en quelque sorte par le charme du discours, l'émotion du dialogue, la poésie répandue partout. C'était un dramatiste uni inséparablement à un poète, sans que l'un fît jamais tort à l'autre, sans que celui-ci rougît de celui-là et sans que celui-là persuadât jamais à l'autre qu'il était inutile. . . .

Cet homme étonnant par les dons multipliés de génie, dramatiste, moraliste, poète, le tout également, et le tout, sinon sans application, du moins sans effort, donne l'idée la plus voisine de l'idée de perfection qu'on puisse avoir."

Faguet—*Histoire de la littérature française.*

IMPORTANT WORKS:

Andromaque (1667); *Les Plaideurs* (1668)—comedy; *Britannicus* (1669); *Bérénice* (1670); *Bajazet* (1672); *Phèdre* (1677); *Esther* (1689); *Athalie* (1691).

PRÉFACE DE BÉRÉNICE

Titus, reginam Berenicem . . . cui etiam nuptias pollicitus ferebatur . . . statim ab Urbe dimisit invitus invitam.[1]

C'est-à-dire que «Titus, qui aimait passionnément Bérénice, et qui même, à ce qu'on croyait, lui avait promis de l'épouser, la renvoya de Rome, malgré
5 lui et malgré elle, dès les premiers jours de son empire.» Cette action est très fameuse dans l'histoire; et je l'ai trouvée très propre pour le théâtre, par la violence des passions qu'elle y pouvait exciter. En effet nous n'avons rien de plus touchant dans tous les poètes que la séparation d'Énée et de Didon[2] dans Virgile. Et qui doute que ce qui a pu fournir assez de matière pour
10 tout un chant d'un poème héroïque, où l'action dure plusieurs jours, ne puisse suffire pour le sujet d'une tragédie, dont la durée ne doit être que de quelques heures?[3] Il est vrai que je n'ai point poussé Bérénice jusqu'à se tuer, comme Didon, parce que Bérénice n'ayant pas ici avec Titus les derniers engagements que Didon avait avec Énée, elle n'est pas obligée, comme elle,

[1] Suetonius (*Titus*, Ch. VII).
[2] Dido, Queen of Carthage, in love with the Trojan Æneas, commits suicide when deserted by him (*Æneid*, IV).
[3] According to the rule of unity of time.

de renoncer à la vie. A cela près,[4] le dernier adieu qu'elle dit à Titus, et l'effort qu'elle se fait pour s'en séparer, n'est pas le moins tragique de la pièce; et j'ose dire qu'il renouvelle assez bien dans le cœur des spectateurs l'émotion que le reste y avait pu exciter. Ce n'est point une nécessité qu'il y ait du sang et des morts dans une tragédie: il suffit que l'action en soit grande, que les acteurs [5] en soient héroïques, que les passions y soient excitées, et que tout s'y ressente de cette tristesse majestueuse qui fait tout le plaisir de la tragédie.[6]

Je crus que je pourrais rencontrer toutes ces parties [7] dans mon sujet; mais ce qui m'en plut davantage, c'est que je le trouvai extrêmement simple. Il y avait longtemps que je voulais essayer si je pourrais faire une tragédie avec cette simplicité d'action qui a été si fort du goût des anciens,[8] car c'est un des premiers préceptes qu'ils nous ont laissés: «Que ce que vous ferez, dit Horace, soit toujours simple et ne soit qu'un.» [9] Ils ont admiré l'*Ajax* de Sophocle, qui n'est autre chose qu'Ajax qui se tue de regret, à cause de la fureur où il était tombé après le refus qu'on lui avait fait des armes d'Achille. Ils ont admiré le *Philoctète*,[10] dont tout le sujet est Ulysse qui vient pour surprendre les flèches d'Hercule. L'*Œdipe* [11] même, quoique tout plein de reconnaissances, est moins chargé de matière que la plus simple tragédie de nos jours. Nous voyons enfin que les partisans de Térence,[12] qui l'élèvent avec raison au-dessus de tous les poètes comiques, pour l'élégance de sa diction et pour la vraisemblance de ses mœurs, ne laissent pas de confesser que Plaute [12] a un grand avantage sur lui par la simplicité qui est dans la plupart des sujets de Plaute; et c'est sans doute cette simplicité merveilleuse qui a attiré à ce dernier toutes les louanges que les anciens lui ont données. Combien Ménandre [13] était-il encore plus simple, puisque Térence est obligé de prendre deux comédies de ce poète pour en faire une des siennes!

Et il ne faut point croire que cette règle ne soit fondée que sur la fantaisie de ceux qui l'ont faite: il n'y a que le vraisemblable qui touche dans la tragédie, et quelle vraisemblance y a-t-il qu'il arrive en un jour une multitude de choses qui pourraient à peine arriver en plusieurs semaines? Il y en a qui pensent que cette simplicité est une marque de peu d'invention. Ils ne songent pas qu'au contraire toute l'invention consiste à faire quelque chose de rien,[14] et que tout ce grand nombre d'incidents a toujours été le refuge des poètes qui ne sentaient dans leur génie ni assez d'abondance ni assez de force pour attacher durant cinq actes leurs spectateurs par une action simple, soutenue de la violence des passions, de la beauté des sentiments et de l'élégance de l'expression. Je suis bien éloigné de croire que toutes ces choses se rencontrent dans mon ouvrage; mais aussi je ne puis croire que le public me sache mauvais gré de lui avoir donné une tragédie qui a été honorée de

---

[4] "apart from that."   [5] "characters."
[6] Racine is trying to show that his conception of tragedy is that of Aristotle.   [7] "qualities."
[8] Racine was always possessed by the idea of reviving the austere dignity and simplicity of Greek tragedy.
[9] Horace, *Ars poetica* (*Epistles*, II, III, v. 23).   [10] Tragedy of Sophocles.
[11] Also by Sophocles.   [12] Terence and Plautus, the two masters of Roman comedy.
[13] Greek comic dramatist (342–292 B. C.).   [14] *Bérénice* is the best proof of this theory.

tant de larmes, et dont la trentième représentation a été aussi suivie que la première.[15]

Ce n'est pas que quelques personnes ne m'aient reproché cette même simplicité que j'avais recherchée avec tant de soin. Ils ont cru qu'une tragédie
5 qui était si peu chargée d'intrigues ne pouvait être selon les règles du théâtre. Je m'informai s'ils se plaignaient qu'elle les eût ennuyés. On me dit qu'ils avouaient tous qu'elle n'ennuyait point, qu'elle les touchait même en plusieurs endroits, et qu'ils la verraient encore avec plaisir. Que veulent-ils davantage? Je les conjure d'avoir assez bonne opinion d'eux-mêmes pour ne
10 pas croire qu'une pièce qui les touche et qui leur donne du plaisir puisse être absolument contre les règles. La principale règle est de plaire et de toucher: [16] toutes les autres ne sont faites que pour parvenir à cette première. Mais toutes ces règles sont d'un long détail, dont je ne leur conseille pas de s'embarrasser: ils ont des occupations plus importantes. Qu'ils se reposent sur nous de la
15 fatigue d'éclaircir les difficultés de la *Poétique* d'Aristote; [17] qu'ils se réservent le plaisir de pleurer et d'être attendris; et qu'ils me permettent de leur dire ce qu'un musicien disait à Philippe,[18] roi de Macédoine, qui prétendait qu'une chanson n'était pas selon les règles: «A Dieu ne plaise, seigneur, que vous soyez jamais si malheureux que de savoir ces choses-là mieux que
20 moi!»

Voilà tout ce que j'ai à dire à ces personnes à qui je ferai toujours gloire de plaire; car, pour le libelle [19] que l'on a fait contre moi, je crois que les lecteurs me dispenseront volontiers d'y répondre. Et que répondrais-je à un homme qui ne pense rien et qui ne sait pas même construire ce qu'il pense? Il parle
25 de protase [20] comme s'il entendait ce mot, et veut que cette première des quatre parties de la tragédie soit toujours la plus proche de la dernière, qui est la catastrophe. Il se plaint que la trop grande connaissance des règles l'empêche de se divertir à la comédie. Certainement, si l'on en juge par sa dissertation, il n'y eut jamais de plainte plus mal fondée. Il paraît bien qu'il
30 n'a jamais lu Sophocle, qu'il loue très injustement d'*une grande multiplicité d'incidents,* et qu'il n'a même jamais rien lu de la *Poétique,*[21] que dans quelques préfaces de tragédies. Mais je lui pardonne de ne pas savoir les règles du théâtre, puisque, heureusement pour le public, il ne s'applique pas à ce genre d'écrire. Ce que je ne lui pardonne pas, c'est de savoir si peu les règles de la
35 bonne plaisanterie, lui qui ne veut pas dire un mot sans plaisanter. Croit-il réjouir beaucoup les honnêtes gens par ces *hélas! de poche,* ces *Mesdemoiselles mes règles,*[22] et quantité d'autres basses affectations qu'il trouvera condamnées dans tous les bons auteurs, s'il se mêle jamais de les lire?

[15] A malicious allusion to the lack of success of Corneille's *Tite et Bérénice,* written at the same time as *Bérénice.* The theme is said to have been suggested to both poets by Henriette d'Angleterre.

[16] This statement should be compared with Molière's views on the rules as expressed in *La Critique de l'École des Femmes.*

[17] The basis of all classical dramatic criticism.

[18] Father of Alexander the Great (4th century B. C.).

[19] *La Critique de Bérénice* (1671) by the Abbé de Villars.

[20] "exposition." Racine makes Villars out as much more stupid than he really was.

[21] Aristotle's *Poetics.*   [22] Expressions used by the Abbé de Villars.

Toutes ces critiques sont le partage [23] de quatre ou cinq petits auteurs infortunés qui n'ont jamais pu par eux-mêmes exciter la curiosité du public. Ils attendent toujours l'occasion de quelque ouvrage qui réussisse, pour l'attaquer, non point par jalousie, car sur quel fondement seraient-ils jaloux? mais dans l'espérance qu'on se donnera la peine de leur répondre, et qu'on les 5 tirera de l'obscurité où leurs propres ouvrages les auraient laissés toute leur vie.

[23] "come from" ("belong to").

BOILEAU (1636–1711)

The life of Nicolas Boileau-Despréaux was devoted entirely to literature, and especially to literary criticism. His campaign against bad taste in literature made him many enemies, but in compensation, won him the lasting friendship of the really significant writers, Molière, Racine, and La Fontaine. In 1674 he published his great work, *L'Art Poétique*. Ten years later the Academy, under pressure of Louis XIV, opened its doors to him.

Boileau does not belong to the select band of great poets. In general, the essence of poetry escapes him; he belongs to its lower realms, where it tends to shade off into prose. He must be ranked with poets like Pope and Dryden, whose verse springs not from genuine poetic inspiration but from reason. Hence, he is most at home in satire, which is poetry used as a medium of criticism, in which reason is the chief ingredient.

In his formal satires, imitated from classical models, Boileau shows no great originality, beyond a certain vigorous realism. Where he is supreme is in literary satire through which he seeks to discredit all forms of what he considers literary bad taste, and to lay down the principles which seem to him to form the basis of good literature. This literary criticism culminates in his *Art Poétique,* which is at the same time a criticism of bad poets and a practical manual of precepts for good poetry. In this work he invents no new principles: he merely gives final expression to the classical theories and practices which had been gradually gaining ground since the Renaissance. The conception of Boileau as "le législateur du Parnasse," impressing arbitrary rules upon French poetry, is a later development.

The fundamental error in Boileau's classical doctrine as set forth in the *Art Poétique* is the excessive importance attributed to reason. Brunetière's criticism of Malherbe applies equally well to Boileau: "He substituted for the inner qualities of feeling, fancy and imagination, which formed for Ronsard and his disciples the essence of poetry, the external or formal qualities of order, clearness, logic, precision, moderation, which were to become for a century or two not all the qualities, but the most apparent and the most universal qualities of our poetry." (Brunetière—*Évolution des genres,* I.)

"Le poème (l'*Art poétique*) eut un très grand succès. Le siècle y reconnut son goût, un peu parce qu'il n'y remarqua que ce qui était adéquat à son goût. La Querelle des Anciens et des Modernes . . . montra que l'accord n'était pas parfait entre l'auteur de l'*Art poétique* et le monde qui l'admirait. Mais, au contraire, l'accord était parfait entre Boileau et le groupe des grands écrivains qui ont illustré la fin du siècle: l'*art naturaliste* qu'il s'est appliqué à définir nous donne la formule même des chefs-d'œuvre. Il a eu conscience de ce qu'on pouvait faire en son temps, et il a aidé de plus grands génies que lui, La Fontaine, Racine, Molière, à en prendre conscience. De là l'autorité qu'ils lui ont reconnue. Ne serait-il que le théoricien du XVIIᵉ siècle, sa place dans notre littérature serait grande. Mais il se pourrait que son naturalisme, dans lequel un rationalisme positiviste se combine avec la recherche d'une forme esthétique, et qui pose ces trois termes comme identiques ou inséparables, *plaisir, beauté, vérité:* il se pourrait que ce fût en somme la doctrine littéraire la plus appropriée aux qualités et aux besoins permanents de notre esprit."

Lanson—*Histoire de la littérature française.*

IMPORTANT WORKS:

Satires (1660–1711); *Épîtres* (1669–1698); *Dialogues des Héros de roman* (1665), a satire on the fashionable romances; *L'Art poétique* (1674); *Le Lutrin* (1673–1683), a mock-heroic poem; *Réflexions sur Longin* (1694–1710), Boileau's chief contribution to the Ancients and Moderns controversy.

L'ART POÉTIQUE
(EXTRAITS)

CHANT I
(Idées générales sur la poésie)

C'est en vain qu'au Parnasse un téméraire auteur
Pense de l'art des vers atteindre la hauteur:
S'il ne sent point du ciel l'influence secrète,[1]
Si son astre en naissant ne l'a formé poète,
Dans son génie étroit il est toujours captif: 5
Pour lui Phébus [2] est sourd, et Pégase [3] est rétif.
    O vous donc qui, brûlant d'une ardeur périlleuse,
Courez du bel esprit la carrière épineuse,
N'allez pas sur des vers sans fruit vous consumer,
Ni prendre pour génie un amour de rimer: 10
Craignez d'un vain plaisir les trompeuses amorces,
Et consultez longtemps votre esprit et vos forces.
    La nature, fertile en esprits excellents,
Sait entre les auteurs partager les talents:
L'un peut tracer en vers une amoureuse flamme;   15
L'autre d'un trait plaisant aiguiser l'épigramme;
Malherbe d'un héros peut vanter les exploits;
Racan,[4] chanter Philis,[4a] les bergers et les bois:
Mais souvent un esprit qui se flatte et qui s'aime
Méconnaît son génie, et s'ignore soi-même. . . .   20
    Quelque sujet qu'on traite, ou plaisant, ou sublime,
Que toujours le bon sens s'accorde avec la rime:
L'un l'autre vainement ils semblent se haïr;
La rime est une esclave, et ne doit qu'obéir.
Lorsqu'à la bien chercher d'abord on s'évertue,   25
L'esprit à la trouver aisément s'habitue;

---

[1] Note that Boileau insists on the absolute necessity of inspiration.
[2] Apollo, god of poetry.   [3] Wingèd horse, symbol of poetic inspiration.
[4] See p. 59, n. 15.   [4a] Favorite pastoral name.

Au joug de la raison sans peine elle fléchit,
Et, loin de la gêner, la sert et l'enrichit.
Mais lorsqu'on la néglige, elle devient rebelle,
Et pour la rattraper le sens court après elle.　　　　30
Aimez donc la raison: [5] que toujours vos écrits
Empruntent d'elle seule et leur lustre et leur prix.
　　La plupart, emportés d'une fougue insensée,
Toujours loin du droit sens vont chercher leur pensée:
Ils croiraient s'abaisser, dans leurs vers monstrueux,　　35
S'ils pensaient ce qu'un autre a pu penser comme eux.
Evitons ces excès: laissons à l'Italie [6]
De tous ces faux brillants l'éclatante folie.
Tout doit tendre au bon sens: mais, pour y parvenir,
Le chemin est glissant et pénible à tenir;　　　　40
Pour peu qu'on s'en écarte, aussitôt l'on se noie.
La raison pour marcher n'a souvent qu'une voie.
　　Un auteur quelquefois trop plein de son objet,
Jamais sans l'épuiser n'abandonne un sujet. . . .
Fuyez de ces auteurs l'abondance stérile,　　　　45
Et ne vous chargez point d'un détail inutile:
Tout ce qu'on dit de trop est fade et rebutant;
L'esprit rassasié le rejette à l'instant.
Qui ne sait se borner ne sut jamais écrire.
　　Souvent la peur d'un mal nous conduit dans un pire.　　50
Un vers était trop faible, et vous le rendez dur;
J'évite d'être long, et je deviens obscur;
L'un n'est point trop fardé, mais sa muse est trop nue;
L'autre a peur de ramper, il se perd dans la nue.
　　Voulez-vous du public mériter les amours,　　　55
Sans cesse en écrivant variez vos discours.
Un style trop égal et toujours uniforme,
En vain brille à nos yeux, il faut qu'il nous endorme.
On lit peu ces auteurs, nés pour nous ennuyer,
Qui toujours sur un ton semblent psalmodier.　　　60
　　Heureux qui, dans ses vers, sait d'une voix légère
Passer du grave au doux, du plaisant au sévère!
Son livre, aimé du ciel, et chéri des lecteurs,
Est souvent chez Barbin [7] entouré d'acheteurs.
　　Quoi que vous écriviez, évitez la bassesse:　　　65
Le style le moins noble a pourtant sa noblesse.
Au mépris du bon sens, le burlesque [8] effronté

---

[5] The guiding principle of Boileau's poetic theory.
[6] Allusion to Italian influence in French poetry, with special reference to Marini, whose fondness for conceits was imitated by the *Précieux*.
[7] Well-known bookseller of the time.
[8] Style of writing very much in vogue in the first half of the century. Scarron is its best representative.

Trompa les yeux d'abord, plut par sa nouveauté:
On ne vit plus en vers que pointes triviales;
Le Parnasse parla le langage des halles. . . .   70
Imitons de Marot l'élégant badinage,
Et laissons le burlesque aux plaisants du Pont-Neuf.[9]

. . . .

N'offrez rien au lecteur que ce qui peut lui plaire.
Ayez pour la cadence une oreille sévère:
Que toujours dans vos vers le sens coupant les mots,   75
Suspende l'hémistiche, en marque le repos.[10]
Gardez qu'une voyelle à courir trop hâtée
Ne soit d'une voyelle en son chemin heurtée.[11]
Il est un heureux choix de mots harmonieux.
Fuyez des mauvais sons le concours odieux: 80
Le vers le mieux rempli, la plus noble pensée
Ne peut plaire à l'esprit quand l'oreille est blessée.
Durant les premiers ans du Parnasse françois
Le caprice tout seul faisait toutes les lois.[12] . . .
Enfin Malherbe vint, et, le premier en France,   85
Fit sentir dans les vers une juste cadence,
D'un mot mis en sa place enseigna le pouvoir,
Et réduisit la muse aux règles du devoir.
Par ce sage écrivain la langue réparée
N'offrit plus rien de rude à l'oreille épurée.   90
Les stances avec grâce apprirent à tomber,
Et le vers sur le vers n'osa plus enjamber.[13]
Tout reconnut ses lois; et ce guide fidèle
Aux auteurs de ce temps sert encor de modèle.
Marchez donc sur ses pas; aimez sa pureté;   95
Et de son tour heureux imitez la clarté.
Si le sens de vos vers tarde à se faire entendre,
Mon esprit aussitôt commence à se détendre;
Et, de vos vains discours prompt à se détacher,
Ne suit point un auteur qu'il faut toujours chercher.   100
Il est certains esprits, dont les sombres pensées
Sont d'un nuage épais toujours embarrassées:
Le jour de la raison ne le saurait percer.
Avant donc que d'écrire, apprenez à penser.
Selon que notre idée est plus ou moins obscure,   105
L'expression la suit, ou moins nette, ou plus pure;

[9] Favorite resort of charlatans and mountebanks.   [10] Boileau insists on a clear-cut caesura.
[11] Hiatus is thus strictly forbidden by Boileau, following Malherbe.
[12] Boileau here shows his complete ignorance of old French poetry, whose greatest weakness was not its caprice but its excessive formalism.
[13] Boileau approves of Malherbe's rejection of *enjambement*, that is, the use of run-over lines to complete the sense.

Ce que l'on conçoit bien s'énonce clairement,
Et les mots pour le dire arrivent aisément.
    Surtout qu'en vos écrits la langue révérée
Dans vos plus grands excès vous soit toujours sacrée.   110
En vain, vous me frappez d'un son mélodieux,
Si le terme est impropre, ou le tour vicieux:
Mon esprit n'admet point un pompeux barbarisme,[14]
Ni d'un vers ampoulé l'orgueilleux solécisme.[15]
Sans la langue, en un mot, l'auteur le plus divin,   115
Est toujours, quoi qu'il fasse, un méchant écrivain.
    Travaillez à loisir, quelque ordre qui vous presse,
Et ne vous piquez point d'une folle vitesse:
Un style si rapide, et qui court en rimant,
Marque moins trop d'esprit, que peu de jugement.   120
J'aime mieux un ruisseau, qui sur la molle arène,
Dans un pré plein de fleurs lentement se promène,
Qu'un torrent débordé, qui, d'un cours orageux,
Roule, plein de gravier, sur un terrain fangeux.
Hâtez-vous lentement; et, sans perdre courage,   125
Vingt fois sur le métier remettez votre ouvrage;
Polissez-le sans cesse et le repolissez;
Ajoutez quelquefois, et souvent effacez.
    C'est peu, qu'en un ouvrage où les fautes fourmillent,
Des traits d'esprit, semés de temps en temps, pétillent.   130
Il faut que chaque chose y soit mise en son lieu;
Que le début, la fin, répondent au milieu;
Que d'un art délicat les pièces assorties
N'y forment qu'un seul tout de diverses parties;
Que jamais du sujet le discours s'écartant   135
N'aille chercher trop loin quelque mot éclatant.
    Craignez-vous pour vos vers la censure publique?
Soyez-vous à vous-même un sévère critique.
L'ignorance toujours est prête à s'admirer.
Faites-vous des amis prompts à vous censurer: 140
Qu'ils soient de vos écrits les confidents sincères,
Et de tous vos défauts les zélés adversaires.
Dépouillez devant eux l'arrogance d'auteur.
Mais, sachez de l'ami discerner le flatteur:
Tel vous semble applaudir, qui vous raille et vous joue.   145
Aimez qu'on vous conseille, et non pas qu'on vous loue.

. . . .

[14] Word coined, or incorrectly used.   [15] Mistake of syntax.

CHANT III

(La tragédie et la comédie)

Il n'est point de serpent ni de monstre odieux,
Qui, par l'art imité, ne puisse plaire aux yeux:
D'un pinceau délicat, l'artifice agréable
Du plus affreux objet fait un objet aimable.   5
Ainsi, pour nous charmer, la Tragédie en pleurs,
D'Œdipe [16] tout sanglant fit parler les douleurs,
D'Oreste [17] parricide exprima les alarmes,
Et, pour nous divertir, nous arracha des larmes.
Vous donc, qui d'un beau feu pour le théâtre épris,   10
Venez en vers pompeux [18] y disputer le prix,
Voulez-vous sur la scène étaler des ouvrages
Où tout Paris en foule apporte ses suffrages,
Et qui, toujours plus beaux, plus ils sont regardés,
Soient au bout de vingt ans encor redemandés?   15
Que dans tous vos discours la passion émue
Aille chercher le cœur, l'échauffe et le remue.
Si d'un beau mouvement [19] l'agréable fureur
Souvent ne nous remplit d'une douce «terreur,» [20]
Ou n'excite en notre âme une «pitié» charmante,   20
En vain vous étalez une scène savante;
Vos froids raisonnements ne feront qu'attiédir
Un spectateur toujours paresseux d'applaudir,
Et qui, des vains efforts de votre rhétorique
Justement fatigué, s'endort ou vous critique.   25
Le secret est d'abord de plaire et de toucher.
Inventez des ressorts qui puissent m'attacher.
Que dès les premiers vers l'action préparée
Sans peine du sujet aplanisse l'entrée:
Je me ris d'un acteur qui, lent à s'exprimer,   30
De ce qu'il veut, d'abord ne sait pas m'informer;
Et qui, débrouillant mal une pénible intrigue,
D'un divertissement me fait une fatigue.
J'aimerais mieux encor qu'il déclinât son nom,
Et dît: «Je suis Oreste ou bien Agamemnon,» [21]   35
Que d'aller, par un tas de confuses merveilles,
Sans rien dire à l'esprit, étourdir les oreilles.
Le sujet n'est jamais assez tôt expliqué.
Que le lieu de la scène y soit fixe et marqué.
Un rimeur, sans péril, delà les Pyrénées,[22]   40

[16] Hero of a tragedy of Sophocles.   [17] Hero of one of Æschylus' tragedies.
[18] *élégants.*   [19] "emotion."   [20] Allusion to Aristotle's doctrine of "catharsis."
[21] Heroes of Greek tragedies.
[22] The Spanish dramatic poets did not observe the "unities."

Sur la scène en un jour renferme des années.
Là souvent le héros d'un spectacle grossier,
Enfant au premier acte, est barbon au dernier.
Mais nous, que la raison à ses règles engage,
Nous voulons qu'avec art l'action se ménage;   45
Qu'en un lieu, qu'en un jour, un seul fait accompli
Tienne jusqu'à la fin le théâtre rempli.[23]
    Jamais au spectateur n'offrez rien d'incroyable:
Le vrai peut quelquefois n'être pas vraisemblable;
Une merveille absurde est pour moi sans appas;   50
L'esprit n'est point ému de ce qu'il ne croit pas.
Ce qu'on ne doit point voir, qu'un récit nous l'expose:
Les yeux en le voyant saisiraient mieux la chose;
Mais il est des objets que l'art judicieux
Doit offrir à l'oreille et reculer des yeux.[24]   55
    Que le trouble,[25] toujours croissant de scène en scène,
A son comble arrivé se débrouille sans peine.
L'esprit ne se sent point plus vivement frappé
Que, lorsqu'en un sujet d'intrigue enveloppé,
D'un secret tout à coup la vérité connue   60
Change tout, donne à tout une face imprévue.

.   .   .   .

    Le théâtre, fertile en censeurs pointilleux,
Chez nous pour se produire est un champ périlleux.
Un auteur n'y fait pas de faciles conquêtes;
Il trouve à le siffler des bouches toujours prêtes.   65
Chacun le peut traiter de fat [26] et d'ignorant:
C'est un droit qu'à la porte on achète en entrant.
Il faut qu'en cent façons, pour plaire, il se replie; [27]
Que tantôt il s'élève, et tantôt s'humilie; [28]
Qu'en nobles sentiments il soit partout fécond;   70
Qu'il soit aisé, solide, agréable, profond;
Que de traits surprenants [29] sans cesse il nous réveille;
Qu'il coure dans ses vers de merveille en merveille;
Et que tout ce qu'il dit, facile à retenir,
De son ouvrage en nous laisse un bon souvenir.   75
Ainsi la tragédie agit, marche, et s'explique.[30]

.   .   .   .

    Que la nature [31] donc soit votre étude unique,
Auteurs qui prétendez aux honneurs du comique.
Quiconque voit bien l'homme, et, d'un esprit profond,
De tant de cœurs cachés a pénétré le fond;   80

[23] Boileau's statement of the "unities."
[24] Classical doctrine of decorum, which prohibited violent action on the stage.
[25] "complication."   [26] "fool."   [27] "adapt himself."   [28] "stoop."   [29] "striking."
[30] "unfold."   [31] "human nature."

Qui sait bien ce que c'est qu'un prodigue, un avare,
Un honnête homme, un fat, un jaloux, un bizarre;
Sur une scène heureuse [32] il peut les étaler,
Et les faire à nos yeux vivre, agir, et parler.
Présentez-en partout les images naïves,[33]   85
Que chacun y soit peint des couleurs les plus vives.
La nature, féconde en bizarres portraits,
Dans chaque âme est marquée à de différents traits;
Un geste la découvre, un rien la fait paraître.
Mais tout esprit n'a pas des yeux pour [34] la connaître.   90
    Le temps, qui change tout, change aussi nos humeurs;
Chaque âge a ses plaisirs, son esprit et ses mœurs:
Un jeune homme, toujours bouillant dans ses caprices,
Est prompt à recevoir l'impression des vices,
Est vain dans ses discours,[35] volage en ses désirs,   95
Rétif à la censure, et fou dans les plaisirs.
L'âge viril, plus mûr, inspire un air plus sage,
Se pousse auprès des grands, s'intrigue,[36] se ménage,[37]
Contre les coups du sort songe à se maintenir,
Et loin dans le présent regarde l'avenir.   100
La vieillesse chagrine incessamment amasse,
Garde, non pas pour soi, les trésors qu'elle entasse;
Marche en tous ses desseins d'un pas lent et glacé;
Toujours plaint [38] le présent, et vante le passé;
Inhabile aux plaisirs, dont la jeunesse abuse,   105
Blâme en eux les douceurs que l'âge lui refuse.
Ne faites point parler vos acteurs au hasard,
Un vieillard en jeune homme, un jeune homme en vieillard.
    Étudiez la cour,[39] et connaissez la ville; [39]
L'une et l'autre est toujours en modèles fertile.   110
C'est par là que Molière, illustrant ses écrits,
Peut-être de son art eût remporté le prix,
Si, moins ami du peuple, en ses doctes peintures
Il n'eût point fait souvent grimacer ses figures,[40]
Quitté, pour le bouffon l'agréable et le fin,   115
Et sans honte à Térence [41] allié Tabarin.[42]
Dans ce sac ridicule où Scapin s'enveloppe,[43]
Je ne reconnais plus l'auteur du *Misanthrope*.
    Le comique, ennemi des soupirs et des pleurs,
N'admet point en ses vers de tragiques douleurs;   120

---

[32] Translate as an adverb: "happily," "successfully."   [33] "natural."   [34] "capable of."
[35] language."   [36] "schemes."   [37] "is tactful."   [38] *se plaint de.*
[39] Versailles and Paris, which together about summed up what was considered socially worth
while in France.
[40] "characters."   [41] Roman comic dramatist (194–159 B. C.).   [42] Actor of farces.
[43] Allusion to a situation in Molière's *Fourberies de Scapin*. Boileau's statement has never
been satisfactorily explained.

Mais son emploi n'est pas d'aller, dans une place,
De mots sales et bas charmer la populace.
Il faut que ses acteurs badinent noblement;
Que son nœud bien formé se dénoue aisément;
Que l'action, marchant où la raison la guide,   125
Ne se perde jamais dans une scène vide; [44]
Que son style humble et doux se relève à propos;
Que ses discours, partout fertiles en bons mots,
Soient pleins de passions finement maniées,
Et les scènes toujours l'une à l'autre liées.   130
Aux dépens du bon sens gardez de plaisanter.
Jamais de la nature il ne faut s'écarter.
Contemplez de quel air un père dans Térence,
Vient d'un fils amoureux gourmander l'imprudence;
De quel air cet amant écoute ses leçons,   135
Et court chez sa maîtresse oublier ces chansons. [45]
Ce n'est pas un portrait, une image semblable,
C'est un amant, un fils, un père véritable.

   J'aime sur le théâtre un agréable auteur
Qui, sans se diffamer [46] aux yeux du spectateur,   140
Plaît par la raison seule, et jamais ne la choque.
Mais, pour un faux plaisant, à grossière équivoque,
Qui pour me divertir n'a que la saleté,
Qu'il s'en aille, s'il veut, sur deux tréteaux monté,
Amusant le Pont-Neuf [47] de ses sornettes fades,   145
Aux laquais assemblés jouer ses mascarades.

CHANT IV

(Conseils généraux pour le poète)

.   .   .   .

   Soyez plutôt maçon, si c'est votre talent,
Ouvrier estimé dans un art nécessaire,
Qu'écrivain du commun et poète vulgaire.
Il est dans tout autre art des degrés différents;   5
On peut avec honneur remplir les seconds rangs;
Mais dans l'art dangereux de rimer et d'écrire,
Il n'est point de degré du médiocre au pire.

.   .   .   .

   Ne vous enivrez point des éloges flatteurs,
Qu'un amas quelquefois de vains admirateurs   10
Vous donne en ces réduits, [48] prompts à crier merveille!

---

[44] "useless."   [45] "this nonsense."   [46] "arousing contempt."
[47] Scene of popular farces.   [48] *salons précieux.*

Tel écrit récité se soutint à l'oreille,
Qui, dans l'impression [49] au grand jour se montrant,
Ne soutient pas des yeux le regard pénétrant.

. . . .

Écoutez tout le monde, assidu consultant: 15
Un fat quelquefois ouvre un avis important.
Quelques vers toutefois qu'Apollon vous inspire,
En tous lieux aussitôt ne courez pas les lire.
Gardez-vous d'imiter ce rimeur furieux,
Qui, de ses vains écrits lecteur harmonieux,   20
Aborde en récitant quiconque le salue,
Et poursuit de ses vers les passants dans la rue.[50]
Il n'est temple si saint, des anges respecté,
Qui soit contre sa muse un lieu de sûreté.
Je vous ai déjà dit,[51] aimez qu'on vous censure,   25
Et, souple à la raison, corrigez sans murmure.
Mais ne vous rendez pas dès qu'un sot vous reprend.

. . . .

Faites choix d'un censeur solide et salutaire,
Que la raison conduise et le savoir éclaire,
Et dont le crayon sûr d'abord aille chercher   30
L'endroit que l'on sent faible, et qu'on se veut cacher.
Lui seul éclaircira vos doutes ridicules,
De votre esprit tremblant lèvera les scrupules.
C'est lui qui vous dira par quel transport heureux
Quelquefois dans sa course un esprit vigoureux,   35
Trop resserré par l'art, sort des règles prescrites,[51a]
Et de l'art même apprend à franchir leurs limites.
Mais ce parfait censeur se trouve rarement.

. . . .

Auteurs, prêtez l'oreille à mes instructions.
Voulez-vous faire aimer vos riches fictions?   40
Qu'en savantes leçons votre muse fertile
Partout joigne au plaisant le solide et l'utile.
Un lecteur sage fuit un vain amusement;
Et veut mettre à profit son divertissement.
Que votre âme et vos mœurs, peintes dans vos ouvrages,   45
N'offrent jamais de vous que de nobles images.
Je ne puis estimer ces dangereux auteurs
Qui de l'honneur, en vers, infâmes déserteurs,

[49] "in cold print."   [50] Suggested probably by the closing lines of Horace's *Ars poetica*.
[51] Cf. I, 137 ff.   [51a] Boileau is here more liberal than his classical disciples.

Trahissant la vertu sur un papier coupable,
Aux yeux de leurs lecteurs rendent le vice aimable.   50

.   .   .   .

Aimez donc la vertu, nourrissez-en votre âme:
En vain l'esprit est plein d'une noble vigueur;
Le vers se sent toujours des bassesses du cœur.
Fuyez surtout, fuyez ces basses jalousies,
Des vulgaires esprits malignes frénésies.   55
Un sublime écrivain n'en peut être infecté;
C'est un vice qui suit la médiocrité.
Du mérite éclatant cette sombre rivale
Contre lui chez les grands incessamment cabale,
Et, sur les pieds en vain tâchant de se hausser,   60
Pour s'égaler à lui, cherche à le rabaisser.
Ne descendons jamais dans ces lâches intrigues:
N'allons point à l'honneur par de honteuses brigues.
Que les vers ne soient pas votre éternel emploi.
Cultivez vos amis, soyez homme de foi: 65
C'est peu d'être agréable et charmant dans un livre,
Il faut savoir encore et converser et vivre.
Travaillez pour la gloire, et qu'un sordide gain
Ne soit jamais l'objet d'un illustre écrivain.
Je sais qu'un noble esprit peut, sans honte et sans crime, 70
Tirer de son travail un tribut légitime;
Mais je ne puis souffrir ces auteurs renommés,
Qui, dégoûtés de gloire et d'argent affamés,
Mettent leur Apollon aux gages d'un libraire,
Et font d'un art divin un métier mercenaire.   75

.   .   .   .

A MOLIÈRE

En vain mille jaloux esprits,
Molière, osent avec mépris,
Censurer ton plus bel ouvrage: [52]
Sa charmante naïveté [53]
S'en va pour jamais d'âge en âge   5
Divertir la postérité.

Que tu ris agréablement!
Que tu badines savamment!
Celui qui sut vaincre Numance, [54]
Qui mit Carthage sous sa loi,   10

[52] *L'École des Femmes* (1662) stirred up a great literary controversy.
[53] "truth to nature."   [54] Scipio Africanus.

Jadis sous le nom de Térence [55]
Sut-il mieux badiner que toi?

Ta muse avec utilité
Dit plaisamment la vérité;
Chacun profite à ton école: 15
Tout en est beau, tout en est bon:
Et ta plus burlesque parole
Est souvent un docte sermon.

Laisse gronder tes envieux;
Ils ont beau crier en tous lieux   20
Qu'en vain tu charmes le vulgaire,
Que tes vers n'ont rien de plaisant:
Si tu savais un peu moins plaire,
Tu ne leur déplairais pas tant.

Satire II (1664).

DE L'UTILITÉ DES ENNEMIS

A M. RACINE

Que tu sais bien, Racine, à l'aide d'un acteur,
Émouvoir, étonner,[56] ravir un spectateur!
Jamais Iphigénie [57] en Aulide immolée
N'a coûté tant de pleurs à la Grèce assemblée,
Que, dans l'heureux spectacle à nos yeux étalé,   5
En a fait sous son nom verser la Champmeslé.[58]
Ne crois pas toutefois, par tes savants [59] ouvrages,
Entraînant tous les cœurs, gagner tous les suffrages.
Sitôt que d'Apollon un génie inspiré,
Trouve loin du vulgaire un chemin ignoré,   10
En cent lieux contre lui les cabales [60] s'amassent;
Ses rivaux obscurcis autour de lui croassent;
Et son trop de lumière, importunant les yeux,
De ses propres amis lui fait des envieux.
La mort seule ici-bas, en terminant sa vie,   15
Peut calmer sur son nom l'injustice et l'envie;
Faire au poids du bon sens peser tous ses écrits;
Et donner à ses vers leur légitime prix.
    Avant qu'un peu de terre, obtenu par prière,
Pour jamais sous la tombe eût enfermé Molière,[61]   20

[55] Terence was believed by some to be merely a pen name for Scipio.
[56] "astound."   [57] Heroine of a tragedy by Racine.
[58] Famous actress who created several of Racine's great rôles.   [59] "well-constructed."
[60] Allusion to the cabal against *Phèdre* (1677).
[61] Allusion to the difficulties with the church over Molière's burial.

Mille de ces beaux traits, aujourd'hui si vantés,
Furent des sots esprits à nos yeux rebutés.
L'ignorance et l'erreur, à ses naissantes [62] pièces,
En habits de marquis, en robes de comtesses,
Venaient pour diffamer son chef-d'œuvre nouveau,   25
Et secouaient la tête à l'endroit le plus beau;
Le commandeur voulait la scène plus exacte;
Le vicomte, indigné, sortait au second acte;
L'un, défenseur zélé des bigots [63] mis en jeu,
Pour prix de ses bons mots le condamnait au feu;   30
L'autre, fougueux marquis, lui déclarant la guerre,
Voulait venger la cour immolée au parterre.[64]
Mais, sitôt que d'un trait de ses fatales mains
La Parque [65] l'eût rayé du nombre des humains,
On reconnut le prix de sa muse éclipsée.   35
L'aimable comédie, avec lui terrassée,
En vain d'un coup si rude espéra revenir,
Et sur ses brodequins [66] ne put plus se tenir.
Tel fut chez nous le sort du théâtre comique.
    Toi donc, qui t'élevant sur la scène tragique,   40
Suis les pas de Sophocle, et, seul de tant d'esprits,
De Corneille vieilli sais consoler Paris,
Cesse de t'étonner, si l'envie animée,
Attachant à ton nom sa rouille envenimée,
La calomnie en main, quelquefois te poursuit.   45
En cela, comme en tout, le ciel qui nous conduit,
Racine, fait briller sa profonde sagesse.
Le mérite en repos s'endort dans la paresse;
Mais, par les envieux un génie excité,
Au comble de son art est mille fois monté;   50
Plus on veut l'affaiblir, plus il croît et s'élance;
Au *Cid* [67] persécuté *Cinna* [67] doit sa naissance,
Et, peut-être, ta plume, aux censeurs de Pyrrhus [68]
Doit les plus nobles traits dont tu peignis Burrhus.[69]
    Moi-même, dont la gloire ici moins répandue   55
Des pâles envieux ne blesse point la vue,
Mais qu'une humeur trop libre, un esprit peu soumis,
De bonne heure a pourvu d'utiles ennemis,
Je dois plus à leur haine, il faut que je l'avoue,
Qu'au faible et vain talent dont la France me loue.   60
Leur venin, qui sur moi brûle de s'épancher,
Tous les jours, en marchant,[70] m'empêche de broncher.

[62] "first."   [63] "hypocrites"—an allusion to *Tartuffe*.
[64] That is, the courtiers, *les marquis,* exposed to the laughter of the audience.
[65] Death.   [66] Shoes worn by the actors of ancient comedy.   [67] Plays by Corneille.
[68] Character in Racine's *Andromaque*.   [69] Character in Racine's *Britannicus*.
[70] "as I walk."

Je songe, à chaque trait que ma plume hasarde,
Que d'un œil dangereux leur troupe me regarde.
Je sais sur leur avis corriger mes erreurs,   65
Et je mets à profit leurs malignes [71] fureurs.
Sitôt que sur un vice ils pensent me confondre,
C'est en m'en guérissant que je sais leur répondre:
Et, plus en criminel ils pensent m'ériger,
Plus, croissant en vertu, je songe à me venger.   70

  Imite mon exemple; et, lorsqu'une cabale,
Un flot de vains auteurs follement te ravale,[72]
Profite de leur haine et de leur mauvais sens,[73]
Ris du bruit passager de leurs cris impuissants.
Que peut contre tes vers une ignorance vaine?   75
Le Parnasse français, ennobli par ta veine,
Contre tous ces complots saura te maintenir,
Et soulever pour toi l'équitable avenir.
Et, qui, voyant un jour la douleur vertueuse
De Phèdre,[74] malgré soi perfide, incestueuse,   80
D'un si noble travail justement étonné,
Ne bénira d'abord le siècle fortuné
Qui, rendu plus fameux par tes illustres veilles,
Vit naître sous ta main ces pompeuses [75] merveilles?

  Cependant, laisse ici gronder quelques censeurs   85
Qu'aigrissent de tes vers les charmantes douceurs.
Et, qu'importe à nos vers que Perrin [76] les admire;
Que l'auteur du *Jonas* [77] s'empresse pour les lire;
Qu'ils charment de Senlis le poète idiot,[78]
Ou le sec traducteur du français d'Amyot; [79]   90
Pourvu qu'avec éclat leurs rimes débitées [80]
Soient du peuple, des grands, des provinces goûtées;
Pourvu qu'ils sachent plaire au plus puissant des rois,
Qu'à Chantilly [81] Condé les souffre quelquefois;
Qu'Enghien [82] en soit touché; que Colbert [83] et Vivonne,[84]   95
Que La Rochefoucauld, Marsillac,[85] et Pomponne,[86]
Et mille autres qu'ici je ne puis faire entrer,
A leurs traits délicats se laissent pénétrer?
Et, plût au ciel encor, pour couronner l'ouvrage,

---

[71] "wicked."   [72] "humiliates."   [73] "taste."
[74] Heroine of Racine's tragedy of that name.   [75] "splendid."
[76] L'Abbé Perrin, translater of the *Æneid.*
[77] Coras, one of the victims of Boileau's satire.
[78] Linière, friend of Cyrano de Bergerac.
[79] François Tallemant (1620–1692), brother of the more famous Tallemant des Réaux. He translated Plutarch's *Lives.* Boileau implies that he was a fool to do over again what Amyot (1513–1593) had already done perfectly.
[80] *récitées.*   [81] See p. 137, n. 29.   [82] Son of Le Grand Condé.
[83] Minister of Louis XIV.   [84] French admiral.   [85] See p. 145, n. 89.
[86] Minister of Louis XIV.

Que Montausier [87] voulût leur donner son suffrage!   100
  C'est à de tels lecteurs que j'offre mes écrits;
Mais, pour un tas grossier de frivoles esprits,
Admirateurs zélés de toute œuvre insipide,
Que, non loin de la place où Brioche [88] préside,   105
Sans chercher dans les vers ni cadence ni son,
Il s'en aille admirer le savoir de Pradon. [89]

Épître VII (1677),

RIEN N'EST BEAU QUE LE VRAI

A M. LE MARQUIS DE SEIGNELAY [90]

.   .   .   .

Sais-tu pourquoi mes vers sont lus dans les provinces,
Sont recherchés du peuple et reçus chez les princes?
Ce n'est pas que leurs sons, agréables, nombreux, [91]
Soient toujours à l'oreille également heureux;
Qu'en plus d'un lieu le sens n'y gêne la mesure,   5
Et qu'un mot quelquefois n'y brave la césure:
Mais c'est qu'en eux le vrai, du mensonge vainqueur,
Partout se montre aux yeux, et va saisir le cœur;
Que le bien et le mal y sont prisés au juste;
Que jamais un faquin n'y tint un rang auguste;   10
Et que mon cœur, toujours conduisant mon esprit,
Ne dit rien aux lecteurs qu'à soi-même il n'ait dit.
Ma pensée au grand jour partout s'offre et s'expose;
Et mon vers, bien ou mal, dit toujours quelque chose.
C'est par là quelquefois que ma rime surprend;   15
C'est là ce que n'ont point *Jonas* [92] ni *Childebrand,*
Ni tous ces vains amas de frivoles sornettes,
  Montre, [93] *Miroir d'amour,* [94] *Amitiés, Amourettes,* [95]
Dont le titre souvent est l'unique soutien,
Et qui, parlant beaucoup, ne disent jamais rien.   20

  Mais peut-être, enivré des vapeurs de ma muse,
Moi-même en ma faveur, Seignelay, je m'abuse;
Cessons de nous flatter. Il n'est esprit si droit
Qui ne soit imposteur et faux par quelque endroit.

[87] A touch of delicate flattery, which is said to have won Boileau the favor of Montausier.
[88] Player of marionettes.   [89] Rival of Racine.
[90] Son of Colbert, and himself a minister of Louis XIV.   [91] "rhythmical."
[92] This work and the following are by authors whose bad taste Boileau made it his business to bring into disrepute. *Jonas* is an epic poem by Coras, while Childebrand is the hero of an epic, *Les Sarrasins chassés,* by Carel de Sainte-Garde.
[93] Title of a volume by Bonnecorse.   [94] Title of one of Perrault's *contes.*
[95] Volume of verse by Le Pays.

Sans cesse on prend le masque, et quittant la nature,   25
On craint de se montrer sous sa propre figure.
Par là le plus sincère assez souvent déplaît.
Rarement un esprit ose être ce qu'il est.
Vois-tu cet importun que tout le monde évite,
Cet homme à toujours fuir, qui jamais ne vous quitte?   30
Il n'est pas sans esprit; mais, né triste et pesant,
Il veut être folâtre, évaporé,[95a] plaisant;
Il s'est fait de sa joie une loi nécessaire;
Et ne déplaît enfin que pour vouloir trop plaire.
La simplicité plaît sans étude et sans art.   35
Tout charme en un enfant, dont la langue sans fard
A peine du filet [96] encor débarrassée,
Sait d'un air innocent bégayer sa pensée.
Le faux est toujours fade, ennuyeux, languissant;
Mais la nature est vraie, et d'abord on la sent;   40
C'est elle seule en tout qu'on admire et qu'on aime.
Un esprit né chagrin plaît par son chagrin même.
Chacun, pris dans son air, est agréable en soi:
Ce n'est que l'air d'autrui qui peut déplaire en moi.

    Ce marquis était né doux, commode, agréable;   45
On vantait en tous lieux son ignorance aimable:
Mais, depuis quelques mois, devenu grand docteur,
Il a pris un faux air, une sotte hauteur;
Il ne veut plus parler que de rime et de prose;
Des auteurs décriés il prend en main la cause;   50
Il rit du mauvais goût de tant d'hommes divers,
Et va voir l'opéra seulement pour les vers.
Voulant se redresser, soi-même on s'estropie,
Et d'un original on fait une copie.
L'ignorance vaut mieux qu'un savoir affecté.   55
Rien n'est beau, je reviens,[97] que par la vérité:
C'est par elle qu'on plaît et qu'on peut longtemps plaire.
L'esprit lasse aisément si le cœur n'est sincère.
En vain, par sa grimace, un bouffon odieux
A table nous fait rire et divertit nos yeux;   60
Ses bons mots ont besoin de farine et de plâtre.
Prenez-le tête à tête, ôtez-lui son théâtre,
Ce n'est plus qu'un cœur bas, un coquin ténébreux; [98]
Son visage essuyé n'a plus rien que d'affreux.
J'aime un esprit aisé qui se montre, qui s'ouvre,   65
Et qui plaît d'autant plus que plus il se découvre.
Mais la seule vertu peut souffrir la clarté.

[95a] "giddy."   [96] "frenum" or "bridle."   [97] *Je répète.*   [98] "underhand."

Le vice, toujours sombre, aime l'obscurité;
Pour paraître au grand jour il faut qu'il se déguise;
C'est lui qui de nos mœurs a banni la franchise. 70

Jadis l'homme vivait au travail occupé,
Et, ne trompant jamais, n'était jamais trompé:
On ne connaissait point la ruse et l'imposture;
Le Normand même [99] alors ignorait le parjure;
Aucun rhéteur encore, arrangeant le discours, 75
N'avait d'un art menteur enseigné les détours.
Mais sitôt qu'aux humains, faciles à séduire,
L'Abondance eut donné le loisir de se nuire,
La Mollesse amena la fausse vanité;
Chacun chercha pour plaire un visage emprunté. 80
Pour éblouir les yeux, la fortune arrogante
Affecta d'étaler une pompe insolente;
L'or éclata partout sur les riches habits;
On polit l'émeraude, on tailla le rubis:
Et la laine et la soie, en cent façons nouvelles, 85
Apprirent à quitter leurs couleurs naturelles.
La trop courte beauté monta sur des patins;
La coquette tendit ses lacs [100] tous les matins;
Et, mettant la céruse et le plâtre en usage,
Composa de sa main les fleurs de son visage. 90
L'ardeur de s'enrichir chassa la bonne foi;
Le courtisan n'eut plus de sentiments à soi.
Tout ne fut plus que fard, qu'erreur, que tromperie;
On vit partout régner la basse flatterie.
Le Parnasse [101] surtout, fécond en imposteurs, 95
Diffama le papier par ses propos menteurs.
De là vint cet amas d'ouvrages mercenaires,
Stances, odes, sonnets, épîtres liminaires,[102]
Où toujours le héros passe pour sans pareil,
Et, fût-il louche ou borgne, est réputé soleil. 100

Ne crois pas toutefois, sur ce discours bizarre,
Que d'un frivole encens malignement avare,
J'en veuille sans raison frustrer tout l'univers.
La louange agréable est l'âme des beaux vers.
Mais je tiens, comme toi, qu'il faut qu'elle soit vraie, 105
Et que son tour adroit n'ait rien qui nous effraie.

· · · · · · · · · · · · · · · · ·

Épître IX.

---

[99] Boileau likes to poke fun at the Norman love for lawsuits, in which perjury was common. [100] "snares." [101] "poetry." [102] "prefatory."

LA QUERELLE DES ANCIENS ET DES MODERNES

The closing years of the 17th century saw the development of a bitter literary controversy known as the Quarrel of the Ancients and Moderns, over the relative merits of the literature of antiquity and that of the age of Louis XIV. The Quarrel was long regarded as of no special importance, a rather ridiculous episode in the history of literature. Auguste Comte was one of the first to lay stress on the deeper significance of the dispute for the history of ideas. In defending the literature of their day against the prestige of antiquity, the Moderns were sponsoring the general doctrine of progress, which was to form the very basis of 18th century thought.

The Quarrel, the antecedents of which go back to the Renaissance, had its immediate origin, so far as France was concerned, in the discussion of the use of the Christian *merveilleux* * in the modern epic. The battle really began in 1670 with the appearance of the *Comparaison de la langue et de la poésie françaises avec la langue et la poésie grecques et latines* by Desmarets de Saint-Sorlin,† in which the author proclaims the superiority of modern poetry over that of the ancients on the ground that the modern age must be considered the maturity of the world, while antiquity represents its youth. Boileau replied with an attack on Desmaret's Christian epic of *Clovis* in the *Art poétique* (III). Desmarets, feeling the need of help against so formidable an antagonist, called upon his friend, Charles Perrault,‡ to defend the cause of modern writers,§ and it is with Perrault's poem, *Le Siècle de Louis-le-Grand,* read before the French Academy in 1687, that the Quarrel begins to take shape as a major literary controversy.

Perrault's poem, which is rather a glorification of the age of Louis XIV than an attack on the ancients, was regarded by the partisans of antiquity as a direct challenge. La Fontaine wrote in reply his charming epistle to Huet, bishop of Soissons, in which he confesses his preference for the ancients, though he admires, also, certain of the moderns. Racine professed to see in Perrault's poem nothing more than a *jeu d'esprit.* Boileau was furious, and announced that he would at once undertake a complete refutation of Perrault's arguments.

Before Boileau's answer was forthcoming, Fontenelle ¶ came to the defence of Perrault in his *Digression sur les Anciens et les Modernes* (1688), which, in spite of a certain superficiality, is perhaps the outstanding contribution of the whole controversy. Meanwhile Perrault had begun to elaborate his arguments in

* Supernatural beings, such as angels and demons, corresponding to the gods of ancient mythology.
† French poet (1595–1676), author of Christian epics and the comedy, *les Visionnaires.*
‡ Charles Perrault (1628–1703), is remembered, in addition to his rôle in the *Querelle,* as the real creator of the new literary genre of the fairy-story. His *Contes du temps passé* were published in 1697, though the separate tales had begun to appear as early as 1691.
§ In his poem, *La Défense de la poésie et de la langue françaises* (1674).
¶ French man of letters (1657–1757), a curious combination of *bel esprit* and *philosophe,* one of the precursors of 18th century thought. He is best known through his *Entretiens sur la pluralité des mondes* (1686), an attempt to popularize the latest astronomical theories.

his prose *Parallèles des Anciens et des Modernes* (1688–1697), a series of witty dialogues in which an abbé, who clearly is the mouthpiece of Perrault himself, defends the moderns in every field against a *président,* who is a blind worshipper of the ancients. His one great argument is based on the law of progress: the moderns must be superior to the ancients, because they represent the maturity of the human mind.

Boileau's long-delayed reply to Perrault appeared only in 1694 in his *Réflexions sur Longin,** which is mainly devoted to an exposé of Perrault's blunders concerning Homer, but develops also some very suggestive general ideas. Soon afterwards the two opponents were reconciled through the efforts of Arnauld,† though neither would admit that the other had the better of the argument. With this reconciliation, the violent phase of the Quarrel died down, to flare up again for a brief period at the very end of the reign of Louis XIV, in the dispute over Homer, between Mme Dacier,‡ the champion of the ancients, and Houdar de La Motte,§ who was ultra modern in his literary sympathies. It was in connection with this new phase of the Quarrel that Fénelon set forth his ideas on the subject in his *Lettre à l'Académie* (1714). Fénelon tries to be just to both sides, but it is rather significant that almost all his illustrative quotations are taken from the ancients.

"Or le succès de Perrault, qui affranchit la littérature moderne de l'imitation et du respect de l'antiquité, ce n'est rien moins que l'élimination de l'art, qui va être rejeté hors de la littérature moderne. Mais avec l'art s'en iront la poésie et l'éloquence. Cette exclusion de l'art est, littérairement, la grande différence qui sépare la littérature du xviiie siècle de celle du xviie. Et l'idée qui a exclu l'art, cette idée de progrès qui fournit aux modernes leur principal argument, c'est l'idée maîtresse de la philosophie du xviiie siècle. Ainsi, dans le débat sur les anciens et les modernes, j'aperçois le xviiie siècle qui apparaît et qui détruit le xviie siècle en s'en dégageant."

Lanson—*Histoire de la littérature française.*

I. CHARLES PERRAULT

1. *LE SIÈCLE DE LOUIS-LE-GRAND,* (*1687*)

(EXTRAITS)

La belle antiquité fut toujours vénérable,
Mais je ne crus jamais qu'elle fût adorable.
Je vois les anciens sans plier les genoux;
Ils sont grands, il est vrai, mais hommes comme nous;
Et l'on peut comparer, sans crainte d'être injuste,   5
Le siècle de LOUIS au beau siècle d'Auguste.
En quel temps sut-on mieux le dur métier de Mars?

---

* Greek rhetorician (3rd century B. C.), famous for his *Treatise on the Sublime,* translated by Boileau.
† Antoine Arnauld (1612–1694), called le Grand Arnauld. Jansenist philosopher and theologian, closely associated with the *Provinciales* controversy.
‡ Classical scholar (1651–1720), translator of the *Iliad* and the *Odyssey.*
§ Poet and critic (1672–1731).

Quand d'un plus vif assaut força-t-on des remparts?
Et quand vit-on monter au sommet de la gloire
D'un plus rapide cours le char de la victoire?   10
Si nous voulions ôter le voile spécieux
Que la prévention nous met devant les yeux,
Et, lassés d'applaudir à mille erreurs grossières,
Nous servir quelquefois de nos propres lumières,
Nous verrions clairement que sans témérité   15
On peut n'adorer pas toute l'antiquité,
Et, qu'enfin, dans nos jours, sans trop de confiance,
On lui peut disputer le prix de la science.

Platon, qui fut divin du temps de nos aïeux,
Commence à devenir quelquefois ennuyeux: 20
En vain son traducteur [1] partisan de l'antique,
En conserve la grâce et tout le sel attique,
Du lecteur le plus âpre et le plus résolu,
Un dialogue entier ne saurait être lu.

Chacun sait le décri du fameux Aristote,   25
En physique moins sûr qu'en histoire Hérodote; [2]
Ses écrits qui charmaient les plus intelligents,
Sont à peine reçus de nos moindres régents.[3]
Pourquoi s'en étonner? Dans cette nuit obscure,
Où se cache à nos yeux la secrète nature,   30
Quoique le plus savant d'entre tous les humains,
Il ne voyait alors que des fantômes vains. . . .

O ciel! depuis le jour qu'un art incomparable
Trouva l'heureux secret de ce verre [4] admirable,
Par qui rien sur la terre et dans le haut des cieux,   35
Quelque éloigné qu'il soit, n'est trop loin de nos yeux,
De quel nombre d'objets d'une grandeur immense,
S'est accrue en nos jours l'humaine connaissance.
Dans l'enclos incertain de ce vaste univers,
Mille mondes nouveaux ont été découverts,   40
Et de nouveaux soleils quand la nuit tend ses voiles
Égalent désormais le nombre des étoiles.
Par des verres [5] encore non moins ingénieux,
L'œil voit croître sous lui mille objets curieux.
Il voit lorsqu'en un point sa force est réunie,   45
De l'atome au néant la distance infinie;
Il entre dans le sein des moindres petits corps,
De la sage nature il y voit les ressorts,
Et portant ses regards jusqu'en son sanctuaire,

[1] L'abbé de Maucroix.
[2] Greek historian (5th century B. C.). Perrault exaggerates the inaccuracy of Herodotus'
history, which in its essential parts has been accepted as true by modern historians.
[3] "our humblest teachers."   [4] The telescope.   [5] The microscope.

Admire avec quel art en secret elle opère. . . .   5

Non, non! Sur la grandeur des miracles divers,
Dont le souverain maître a rempli l'univers,
La docte antiquité dans toute sa durée
A l'égal de nos jours ne fut point éclairée.[6]

.   .   .   .

Père de tous les arts, à qui du dieu des vers   5
Les mystères profonds ont été découverts,
Vaste et puissant génie, inimitable Homère,
D'un respect infini ma muse te révère.
Non, ce n'est pas à tort que tes inventions
En tout temps ont charmé toutes les nations;   6
Que de tes deux héros les hautes aventures
Sont le noble sujet des plus doctes peintures,
Et que des grands palais les murs et les lambris
Prennent leurs ornements de tes divins écrits.
Cependant, si le ciel favorable à la France,   6
Au siècle où nous vivons eût remis ta naissance,
Cent défauts qu'on impute au siècle où tu naquis
Ne profaneraient pas tes ouvrages exquis.
Tes superbes guerriers, prodiges de vaillance,
Prêts de s'entrepercer du long fer de leur lance,   7
N'auraient pas si longtemps tenu le bras levé;
Et lorsque le combat devrait être achevé,
Ennuyé les lecteurs d'une longue préface
Sur les faits éclatants des héros de leur race.

.   .   .   .

Ton génie abondant en ses descriptions,   7
Ne t'aurait pas permis tant de digressions:
Et modérant l'excès de tes allégories,
Eût encore retranché cent doctes rêveries,
Où ton esprit s'égare et prend de tels efforts,
Qu'Horace te fait grâce en disant que tu dors.[7]   8
  Ménandre,[8] j'en conviens, eut un rare génie,
Et pour plaire au théâtre une adresse infinie.
Virgile, j'y consens, mérite des autels,
Ovide est digne encor des honneurs immortels:
Mais ces rares auteurs qu'aujourd'hui l'on adore,   8
Étaient-ils adorés quand ils vivaient encore? . . .

[6] One of the essential ideas of the Modernes—the inferiority of the ancients in scientifi
knowledge.
[7] In his Ars poetica (Epistles, II, iii, ll. 359–360) Horace excuses Homer's occasional lapse
on the grounds of the great length of his poem.
[8] Greek comic writer (342–292 B.C.), creator of the so-called New Comedy.

Ce n'est qu'avec le temps que leur nom s'accroissant,
Et toujours plus fameux d'âge en âge passant,
A la fin s'est acquis cette gloire éclatante,
Qui de tant de degrés a passé leur attente.   90
Tel à flots épandus un fleuve impétueux,
En abordant la mer coule majestueux,
Qui, sortant de son roc sur l'herbe de ses rives,
Y roulait inconnu ses ondes fugitives.

Donc quel haut rang d'honneur ne devront point tenir   95
Dans les fastes sacrés des siècles à venir,
Les Régniers,[9] les Maynards,[10] les Gombauds,[11] les Malherbes,
Les Godeaux,[12] les Racans,[13] dont les écrits superbes,
En sortant de leur veine et dès qu'ils furent nés,
D'un laurier immortel se virent couronnés.   100
Combien seront chéris par les races futures
Les galants Sarrasins,[14] les aimables Voitures,
Les Molières naïfs,[15] les Rotrous,[16] les Tristans,[17]
Et cent autres encore, délices de leur temps! [18]
Mais quel sera le sort du célèbre Corneille,[19]   105
Du théâtre français l'honneur et la merveille,
Qui sut si bien mêler aux grands événements
L'héroïque beauté des nobles sentiments?
Qui des peuples pressés vit cent fois l'affluence
Par de longs cris de joie honorer sa présence,   110
Et les plus sages rois de sa veine charmés,
Écouter les héros qu'il avait animés.
De ces rares auteurs, au temple de mémoire
On ne peut concevoir quelle sera la gloire,
Lorsqu'insensiblement consacrant leurs écrits,   115
Le temps aura pour eux gagné tous les esprits,
Et par ce haut relief qu'il donne à toute chose,
Amené le moment de leur apothéose.

. . . .

[9] See p. 58, n. 7.   [10] Early 17th century poet, follower of Malherbe (1582–1646).
[11] Précieux poet, habitué of the Hôtel de Rambouillet (1570–1666).
[12] Another Précieux poet (1605–1672).   [13] See p. 59, n. 15.
[14] Still another minor poet of the Précieux group (1603–1654).
[15] "True to nature," as compared with ultra-refined writers like Sarrasin and Voiture.
In this passage Perrault puts Molière in rather strange company, with the possible exception
of Rotrou. The great comic genius was as yet far from being appreciated at his true worth.
[16] Tragic poet (1609–1650), contemporary of Corneille.
[17] Minor dramatist (1601–1655), author of Mariamne (1636).
[18] It will be noted that the names of Perrault's three great contemporaries, Boileau, Racine,
and La Fontaine, are missing from this list of "rare authors." Was the omission made because
all three were Anciens?
[19] Corneille was very highly regarded by his century as the first great representative of
a glorious literary epoch. This serves to explain Mme de Sévigné's enthusiasm for Corneille's
tragedy, even when it seemed to be overshadowed by that of Racine.

Tout art n'est composé que de secrets divers
Qu'aux hommes curieux l'usage a découverts,   120
Et cet utile amas des choses qu'on invente,
Sans cesse chaque jour, ou s'épure ou s'augmente;
Ainsi les humbles toits de nos premiers aïeux,
Couverts négligemment de joncs et de glayeux,[20]
N'eurent rien de pareil en leur architecture   125
A nos riches palais d'éternelle structure;
Ainsi le jeune chêne en son âge naissant,
Ne se peut comparer au chêne vieillissant,
Qui jetant sur la terre un spacieux ombrage,
Avoisine le ciel de son vaste branchage.   130

  Mais c'est peu, dira-t-on, que par un long progrès,
Le temps de tous les arts découvre les secrets,
La nature affaiblie en ce siècle où nous sommes,
Ne peut plus enfanter de ces merveilleux hommes,
Dont avec abondance, en mille endroits divers,   135
Elle ornait les beaux jours du naissant univers,
Et que tous pleins d'ardeur, de force et de lumière,
Elle donnait au monde en sa vigueur première.

  A former les esprits comme à former les corps,
La nature en tous temps fait les mêmes efforts.   140
Son être est immuable, et cette force aisée
Dont elle produit tout, ne s'est point épuisée:
Jamais l'astre du jour qu'aujourd'hui nous voyons,
N'eût le front couronné de plus brillants rayons;
Jamais dans le printemps les roses empourprées,   145
D'un plus vif incarnat ne furent colorées;
Non moins blanc qu'autrefois brille dans nos jardins
L'éblouissant émail des lis et des jasmins;
Et dans le siècle d'or la tendre Philomèle,[20a]
Qui charmait nos aïeux de sa chanson nouvelle,   150
N'avait rien de plus doux que celle dont la voix
Réveille les échos qui dorment dans nos bois;
De cette même main les forces infinies
Produisent en tous temps de semblables génies.

  Les siècles, il est vrai, sont entre eux différents;   155
Il en fut d'éclairés, il en fut d'ignorants:
Mais si le règne heureux d'un excellent monarque
Fut toujours de leur prix et la cause et la marque,
Quel siècle pour ses rois, des hommes révéré,
Au siècle de LOUIS peut être préféré?   160
De LOUIS qu'environne une gloire immortelle,
De LOUIS des grands rois le plus parfait modèle.

---

20 *glaïeuls*—"wild iris."   20a The nightingale.

2. PARALLÈLES DES ANCIENS ET DES MODERNES (1688–1697)
(EXTRAITS)

(1) De la prévention en faveur des Anciens

Michel-Ange, architecte, peintre et sculpteur, mais surtout sculpteur excellent, ne pouvant digérer la préférence continuelle que les prétendus con-
naisseurs de son temps donnaient aux ouvrages des anciens sculpteurs sur
tous ceux des modernes, et d'ailleurs indigné de ce que quelques-uns d'entre
eux avaient osé lui dire en face que la moindre des figures antiques était cent   5
fois plus belle que tout ce qu'il avait fait et ferait jamais en sa vie, imagina
un moyen sûr de les confondre. Il fit secrètement une figure de marbre où
il épuisa tout son art et tout son génie. Après l'avoir conduite à sa dernière
perfection, il lui cassa un bras, qu'il cacha, et, donnant au reste de la figure
par le moyen de certaines teintes rousses qu'il savait faire, la couleur vénérable   10
des sculptures antiques, il alla lui-même la nuit l'enfouir dans un endroit
où l'on devait bientôt jeter les fondements d'un édifice. Le temps venu, et
les ouvriers ayant trouvé cette figure en fouillant la terre, il se fit un concours
de curieux pour admirer cette merveille incomparable. «Voilà la plus belle
chose qui se soit jamais vue,» criait-on de tous côtés. «Elle est de Phi-   15
dias,» [20b] disaient les uns. «Elle est de Polyclète,» [20b] disaient les autres. «Qu'on
est éloigné, disaient-ils tous, de rien faire qui en approche! Mais quel dommage
qu'il lui manque un bras! car enfin, nous n'avons personne qui puisse
restaurer dignement cette figure.» Michel-Ange, qui était accouru comme
les autres, eut le plaisir d'entendre les folles exagérations des curieux, et, plus   20
content mille fois de leurs insultes qu'il ne l'aurait été de leurs louanges, dit
qu'il avait chez lui un bras de marbre qui peut-être pourrait servir en la
place de celui qui manquait. On se mit à rire de cette proposition. Mais on
fut bien surpris lorsque, Michel-Ange ayant apporté ce bras et l'ayant
présenté à l'épaule de la figure, il s'y joignit parfaitement et fit voir que le   25
sculpteur qu'ils estimaient si inférieur aux anciens était le Phidias et le
Polyclète de ce chef-d'œuvre.

.   .   .   .

J'estime autant que personne les anciens et leurs ouvrages, mais je ne
les adore pas, et je ne suis point persuadé qu'on ne fasse plus rien qui en
approche. Le mépris qu'on aurait pour leurs ouvrages serait injuste: il y   30
en a de très excellents, et qu'on ne peut pas ne point admirer sans être
stupide ou insensible. Ce mépris serait encore d'une conséquence périlleuse
pour la jeunesse à qui on ne saurait imprimer trop de respect pour les auteurs
qu'on leur enseigne, mais je voudrais qu'on gardât quelque modération
dans les éloges qu'on leur donne et qu'on eût un peu moins de mépris pour   35
les modernes. . . .
Quoi qu'il en soit, je crois avoir fait voir que cette grande préférence qu'on

[20b] Greek sculptors of the 5th century B. C.

donne aux anciens sur les modernes n'est autre chose que l'effet d'une aveugle
et injuste prévention. Nous descendrons quand vous voudrez dans le détail,
et j'espère faire voir qu'il n'y a aucun art ni aucune science où même
les anciens aient excellé, que les modernes n'aient porté à un plus haut point
5 de perfection. . . .

1er Dialogue.

(2) *Supériorité de la psychologie moderne*

Pourquoi voulez-vous que l'éloquence et la poésie n'aient pas eu besoin
d'autant de siècles pour se perfectionner que la physique et l'astronomie?
Le cœur de l'homme, qu'il faut connaître pour le persuader et pour lui plaire,
est-il plus aisé à pénétrer que les secrets de la nature, et n'a-t-il pas de tout
10 temps été regardé comme le plus creux de tous les abîmes, où l'on découvre
tous les jours quelque chose de nouveau, et dont il n'y a que Dieu seul qui
puisse sonder toute la profondeur? Comme les anciens connaissaient en gros
aussi bien que nous les sept planètes et les étoiles les plus remarquables, mais
non pas les satellites des planètes et ce grand nombre de petits astres que
15 nous avons découverts, de même ils connaissaient en gros aussi bien que nous
les passions de l'âme, mais non pas une infinité de petites affections et de
petites circonstances qui les accompagnent, et qui en sont comme les satellites.
Ce n'a été que dans ces derniers temps que l'on a fait et dans l'astronomie
et dans la morale, ainsi qu'en mille autres choses, ces belles et curieuses
20 découvertes. En un mot, comme l'anatomie a trouvé dans le cœur des conduits, des valvules, des fibres, des mouvements et des symptômes qui ont
échappé à la connaissance des anciens, la morale y a aussi trouvé des inclinations, des aversions, des désirs et des dégoûts que les mêmes anciens n'ont
jamais connus. Je pourrais vous faire voir ce que j'avance en examinant
25 toutes les passions l'une après l'autre, et vous convaincre qu'il y a mille sentiments délicats sur chacune d'elles dans les ouvrages de nos auteurs, dans
leurs traités de morale, dans leurs tragédies, dans leurs romans, dans leurs
pièces d'éloquence, qui ne se rencontrent point chez les anciens. Dans
les seules tragédies de Corneille il y a plus de pensées fines et délicates sur
30 l'ambition, sur la vengeance, sur la jalousie, qu'il n'y en a dans tous les
livres de l'antiquité.

3e Dialogue.

(3) *Pourquoi les modernes doivent l'emporter sur les anciens en matière d'éloquence*

Je ne puis guère vous rapporter d'autres causes du progrès qu'a fait l'éloquence ²¹ de notre siècle au delà de l'éloquence des anciens que celles que
j'ai déjà touchées mais, puisqu'il me paraît, monsieur le chevalier,²² que vous

---

21 The same arguments would apply equally to other fields of intellectual activity.
22 The third interlocutor of Perrault's dialogue, the mouthpiece of the author's facetious
and paradoxical arguments on behalf of the *Modernes.*

n'y avez pas fait d'attention, je vais vous les redire en peu de paroles.

1. La première est le temps, dont l'effet ordinaire est de perfectionner les arts et les sciences, et qui a rendu les hommes en général plus éloquents après plusieurs siècles d'expérience, de même qu'il les rend plus éloquents chacun en particulier après plusieurs années d'étude.   5

2. La seconde (est) la connaissance plus profonde et plus exacte qu'on s'est acquise du cœur de l'homme, et de ses sentiments les plus délicats et les plus fins à force de l'examiner et de le pénétrer.

3. La troisième (est) l'usage de la méthode,[23] presque inconnue aux anciens et si familière aujourd'hui à tous ceux qui parlent ou qui écrivent, et qui sert   10 si utilement à parvenir aux trois fins principales de l'éloquence, qui sont, comme nous l'avons dit, d'instruire, de plaire, et de persuader.

4. La quatrième (est) l'impression,[24] qui ayant mis tous les livres dans les mains de tout le monde, y a répandu en même temps la connaissance de ce qu'il y a de plus beau, de meilleur et de plus curieux dans tous les arts et dans   15 toutes les sciences, et qui dans une seule bibliothèque fournit plus de secours à un orateur que l'étude, les voyages et la conversation n'en ont pu donner aux plus vigilants et aux plus studieux des anciens.

5. La cinquième (est) le grand nombre d'occasions et de besoins que l'on a d'employer l'éloquence que n'avaient point les hommes des siècles éloignés,   20 car outre les plaidoyers, les harangues et les oraisons funèbres qui nous sont communes avec eux, nous avons les sermons et les panégyriques des saints, matières qu'ils n'avaient point, et qui donnent lieu sans cesse à la belle éloquence de déployer ses plus grandes voiles.[25]

6. La sixième cause enfin de la perfection où ce bel art est arrivé est le nombre   25 incroyable des récompenses qu'elle obtient tous les jours, au delà de celles qu'elle pouvait espérer chez les anciens, car enfin elle en reçoit plus en une année de l'église seule qu'elle n'en a tiré autrefois en plusieurs siècles des empires et des républiques.

Il peut y avoir beaucoup d'autres causes de la perfection de l'éloquence   30 d'aujourd'hui qui ne me reviennent pas présentement dans la mémoire, mais qui pourraient servir encore à établir la vérité de ma proposition.

3ᵉ Dialogue.

(4) *Rôle du génie dans le développement des arts*

Quand nous avons parlé de la peinture, je suis demeuré d'accord que le *saint-Michel* et la *Sainte Famille de Raphaël* que nous vîmes hier dans le grand appartement du roi [26] sont deux tableaux préférables à ceux de M. Le   35 Brun,[27] mais j'ai soutenu et soutiendrai toujours que M. Le Brun a su plus parfaitement que Raphaël l'art de la peinture dans toute son étendue, parce

---

[23] Perrault has special reference to the rational "method" of Descartes.
[24] The invention of printing is traditionally attributed to Gutenberg (c. 1397–1468).
[25] A favorite argument of the *Modernes* is the broadened outlook associated with the coming of Christianity.
[26] At Versailles, which is the scene of Perrault's dialogues.
[27] French artist (1619–1690), the official painter of Louis XIV.

qu'on a découvert avec le temps une infinité de secrets dans cet art que Raphaël n'a point connus. J'ai dit la même chose touchant la sculpture, et j'ai fait voir que nos bons sculpteurs étaient mieux instruits que les Phidias et les Polyclète, quoique quelques-unes des figures qui nous restent de ces
5   grands maîtres soient plus estimables que celles de nos meilleurs sculpteurs. Il y a deux choses dans tout artisan qui contribuent à la beauté de son ouvrage: la connaissance des règles de son art et la force de son génie. De là il peut arriver et souvent il arrive que l'ouvrage de celui qui est le moins savant, mais qui a le plus de génie, est meilleur que l'ouvrage de celui qui
10 sait mieux les règles de son art et dont le génie a moins de force.

Suivant ce principe, Virgile a pu faire un poème épique plus excellent que tous les autres, parce qu'il a eu plus de génie que tous les poètes qui l'ont suivi, et il peut en même temps avoir moins su toutes les règles du poème épique, ce qui me suffit, mon problème consistant uniquement en cette proposition
15 que tous les arts ont été portés dans notre siècle à un plus haut degré de perfection que celui où ils étaient parmi les anciens, parce que le temps a découvert plusieurs secrets dans tous les arts, qui, joints à ceux que les anciens nous ont laissés, les ont rendus plus accomplis, l'art n'étant autre chose, selon Aristote même, qu'un amas de préceptes pour bien faire l'ouvrage qu'il
20 a pour objet.

Or, quand j'ai fait voir qu'Homère et Virgile ont fait une infinité de fautes où les modernes ne tombent plus, je crois avoir prouvé qu'ils n'avaient pas toutes les règles que nous avons, puisque l'effet naturel des règles est d'empêcher qu'on ne fasse des fautes. De sorte que, s'il plaisait au ciel de
25 faire naître un homme qui eût un génie de la force de celui de Virgile, il est sûr qu'il ferait un plus beau poème que l'*Énéide,* parce qu'il aurait, suivant ma supposition, autant de génie que Virgile, et qu'il aurait en même temps un plus grand amas de préceptes pour se conduire. Cet homme pouvait naître en ce siècle de même qu'en celui d'Auguste, puisque la nature est toujours la
30 même et qu'elle ne s'est point affaiblie par la suite des temps. . . .

4ᵉ Dialogue.

II. LA FONTAINE

ÉPÎTRE A HUET [29] (1687)

(EXTRAIT)

Je vous fais un présent capable de me nuire:
Chez vous [30] Quintilien [31] s'en va tous nous [32] détruire;
Car enfin qui le suit? qui de nous aujourd'hui
S'égale aux Anciens tant estimés chez lui?
Tel est mon sentiment, tel doit être le vôtre.   5
Mais si votre suffrage en entraîne quelque autre,

[29] Bishop of Soissons, member of the French Academy.   [30] "in your mind."
[31] Roman rhetorician of 1st century.   [32] "us modern writers."

Il ne fait pas la foule; et je vois des auteurs [33]
Qui, plus savants que moi, sont moins admirateurs.
Si vous les en croyez, on ne peut, sans faiblesse,
Rendre hommage aux esprits de Rome et de la Grèce: 10
«Craindre ces écrivains! on écrit tant chez nous.
La France excelle aux arts, ils y fleurissent tous;
Notre prince [34] avec art nous conduit aux alarmes,[35]
Et sans art nous louerions le succès de ses armes?
Dieu n'aimerait-il plus à former des talents? 15
Les Romains et les Grecs sont-ils seuls excellents?»
Ces discours sont fort beaux, mais fort souvent frivoles.
Je ne vois point l'effet répondre à ces paroles;
Et, faute d'admirer les Grecs et les Romains,
On s'égare en voulant tenir d'autres chemins. 20
Quelques imitateurs, sot bétail, je l'avoue,
Suivent en vrais moutons le pasteur de Mantoue; [36]
J'en use [37] d'autre sorte; et, me laissant guider,[38]
Souvent à marcher seul j'ose me hasarder.
On me verra toujours pratiquer cet usage; 25
Mon imitation n'est point un esclavage;
Je ne prends que l'idée, et les tours, et les lois,
Que nos maîtres suivaient eux-mêmes autrefois.
Si d'ailleurs quelque endroit plein chez eux d'excellence
Peut entrer dans mes vers sans nulle violence, 30
Je l'y transporte, et veux qu'il n'ait rien d'affecté,
Tâchant de rendre mien cet air d'antiquité.
Je vois avec douleur ces routes méprisées:
Art et guides, tout est dans les Champs Élysées.[39]
J'ai beau les évoquer, j'ai beau vanter leurs traits, 35
On me laisse tout seul admirer leurs attraits.
Térence [40] est dans mes mains; je m'instruis dans Horace; [40]
Homère et son rival [41] sont mes dieux du Parnasse.
Je le dis aux rochers; [42] on veut d'autres discours:
Ne pas louer son siècle est parler à des sourds. 40
Je le loue, et je sais qu'il n'est pas sans mérite;
Mais près de ces grands noms notre gloire est petite:
Tel de nous, dépourvu de leur solidité,
N'a qu'un peu d'agrément, sans nul fonds de beauté;
Je ne nomme personne: on peut tous nous connaître.[43] 45
Je pris certain auteur [44] autrefois pour mon maître;
Il pensa me gâter.[45] A la fin, grâce aux dieux,

[33] The Moderns.   [34] Louis XIV.   [35] *à la guerre.*   [36] Virgil.   [37] "proceed."
[38] La Fontaine's theory of assimilative imitation (which is also that of classicism).
[39] *Chez les morts.*   [40] Latin poets.
[41] Virgil, the other great epic poet of antiquity.   [42] "No one listens to me."
[43] *reconnaître.*   [44] Voiture(?).   [45] "He came near spoiling me."

Horace, par bonheur, me dessilla les yeux.
L'auteur avait du bon, du meilleur; et la France
Estimait dans ses vers le tour et la cadence.   50
Qui ne les eût prisés? J'en demeurai ravi;
Mais ses traits ont perdu quiconque l'a suivi.
Son trop d'esprit s'épand en trop de belles choses:
Tous métaux y sont or, toutes fleurs y sont roses.[46]
On me dit là-dessus: «De quoi vous plaignez-vous?»   55
De quoi? Voilà mes gens aussitôt en courroux;
Ils se moquent de moi, qui, plein de ma lecture,
Vais partout prêchant l'art de la simple nature.
Ennemi de ma gloire et de mon propre bien,
Malheureux, je m'attache à ce goût ancien.   60
«Qu'a-t-il sur nous, dit-on, soit en vers, soit en prose?
L'antiquité des noms ne fait rien à la chose,
L'autorité non plus, ni tout Quintilien.»
Confus à ces propos, j'écoute, et ne dis rien.
J'avouerai cependant qu'entre ceux qui les tiennent, 65
J'en vois dont les écrits sont beaux et se soutiennent:
Je les prise, et prétends qu'ils me laissent aussi
Révérer les héros [47] du livre que voici.
Recevez leur tribut des mains de Toscanelle. . . .[48]

III. FONTENELLE

DIGRESSION SUR LES ANCIENS ET LES MODERNES (1688)

Toute la question de la prééminence entre les anciens et les modernes étant
une fois bien entendue, se réduit à savoir si les arbres qui étaient autrefois
dans nos campagnes étaient plus grands que ceux d'aujourd'hui. En cas qu'ils
l'aient été, Homère, Platon, Démosthène ne peuvent être égalés dans ces
5 derniers siècles; mais si nos arbres sont aussi grands que ceux d'autrefois,
nous pouvons égaler Homère, Platon et Démosthène.

Éclaircissons ce paradoxe. Si les anciens avaient plus d'esprit que nous, c'est
donc que les cerveaux de ce temps-là étaient mieux disposés, formés de
fibres plus fermes ou plus délicates, remplis de plus d'esprits animaux,[49] mais
10 en vertu de quoi les cerveaux de ce temps-là auraient-ils été mieux disposés?
Les arbres auraient donc été aussi plus grands et plus beaux; car si la nature
était alors plus jeune et plus vigoureuse, les arbres, aussi bien que les cerveaux
des hommes, auraient dû se sentir de cette vigueur et de cette jeunesse.

Que les admirateurs des anciens y prennent un peu garde, quand ils nous
15 disent que ces gens-là sont les sources du bon goût et de la raison, et les

---

[46] A verse borrowed from Malherbe.
[47] The Greek and Latin authors cited as models by Quintilian.
[48] Italian translator of Quintilian.
[49] Fluid formerly believed to be formed in the heart and brain, and to be distributed to all parts of the body through the nerves.

lumières destinées à éclairer tous les autres hommes; que l'on n'a d'esprit qu'autant qu'on les admire; que la nature s'est épuisée à produire ces grands originaux; en vérité ils nous les font d'une autre espèce que nous, et la physique n'est pas d'accord avec toutes ces belles phrases. La nature a entre les mains une certaine pâte qui est toujours la même, qu'elle tourne et re- 5
tourne sans cesse en mille façons, et dont elle forme les hommes, les animaux, les plantes; et certainement elle n'a point formé Platon, Démosthène ni Ho-mère d'une argile plus fine ni mieux préparée que nos philosophes, nos ora-teurs et nos poètes d'aujourd'hui. Je ne regarde ici dans nos esprits, qui ne sont pas d'une nature matérielle, que la liaison qu'ils ont avec le cerveau, 10
qui est matériel, et qui par ses différentes dispositions produit toutes les dif-férences qui sont entre eux. . . .

Quoi qu'il en soit, voilà, ce me semble, la grande question des anciens et des modernes vidée. Les siècles ne mettent aucune différence naturelle entre les hommes. Le climat de la Grèce ou de l'Italie, et celui de la France, sont 15
trop voisins pour mettre quelque différence sensible entre les Grecs ou les Latins et nous. Quand ils y mettraient quelqu'une, elle serait fort aisée à effacer, et enfin elle ne serait pas plus à leur avantage qu'au nôtre. Nous voilà donc tous parfaitement égaux, anciens et modernes, Grecs, Latins et Fran-çais. . . . 20

Les anciens ont tout inventé, c'est sur ce point que leurs partisans triom-phent; donc ils avaient beaucoup plus d'esprit que nous; point du tout, mais ils étaient avant nous. J'aimerais autant qu'on les vantât sur ce qu'ils ont bu les premiers l'eau de nos rivières, et que l'on nous insultât sur ce que nous ne buvons plus que leurs restes. Si l'on nous avait mis en leur place, nous 25
aurions inventé; s'ils étaient en la nôtre, ils ajouteraient à ce qu'ils trou-veraient inventé; il n'y a pas là grand mystère. . . .

Je pousse si loin l'équité dont je suis sur cet article, que je tiens même compte aux anciens d'une infinité de vues fausses qu'ils ont eues, de mauvais raisonnements qu'ils ont faits, de sottises qu'ils ont dites. Telle est notre 30
condition, qu'il ne nous est point permis d'arriver tout d'un coup à rien de raisonnable sur quelque matière que ce soit; il faut avant cela que nous nous égarions longtemps, et que nous passions par diverses sortes d'erreurs et par divers degrés d'impertinences. Il eût toujours dû être bien facile, à ce qu'il semble, de s'aviser que tout le jeu de la nature consiste dans les figures 35
et dans les mouvements des corps; cependant avant que d'en venir là, il a fallu essayer des idées de Platon,[50] des nombres de Pythagore,[51] des qualités d'Aristote;[52] et tout cela ayant été reconnu pour faux, on a été réduit à prendre le vrai système.[53] Je dis qu'on y a été réduit, car en vérité il n'en restait plus d'autre, et il semble qu'on s'est défendu de le prendre aussi longtemps qu'on 40
a pu. Nous avons l'obligation aux anciens de nous avoir épuisé la plus grande partie des idées fausses qu'on se pouvait faire; il fallait absolument

---

[50] Plato believes in the reality of abstract ideas.
[51] The speculations of Pythagoras are all connected with the idea of number.
[52] Aristotle's philosophy is based on the belief in individual "substances" or qualities.
[53] That of Descartes.

payer à l'erreur et à l'ignorance le tribut qu'ils ont payé, et nous ne devons pas manquer de reconnaissance envers ceux qui nous en ont acquittés. . . .

Cependant, afin que les modernes puissent toujours enchérir sur les anciens, il faut que les choses soient d'une espèce à le permettre. L'éloquence
5 et la poésie ne demandent qu'un certain nombre de vues assez borné par rapport à d'autres arts, et elles dépendent principalement de la vivacité de l'imagination. Or les hommes peuvent avoir amassé en peu de siècles un petit nombre de vues; et la vivacité de l'imagination n'a pas besoin d'une longue suite d'expériences, ni d'une grande quantité de règles, pour avoir
10 toute la perfection dont elle est capable. Mais la physique, la médecine, les mathématiques sont composées d'un nombre infini de vues, et dépendent de la justesse du raisonnement, qui se perfectionne avec une extrême lenteur, et se perfectionne toujours; il faut même souvent qu'elles soient aidées par des expériences que le hasard seul fait naître, et qu'il n'amène pas à point nommé.
15 Il est évident que tout cela n'a point de fin, et que les derniers physiciens ou mathématiciens devront naturellement être les plus habiles. . . .

. . . Avant M. Descartes on raisonnait plus commodément; les siècles passés sont bienheureux de n'avoir pas eu cet homme-là. C'est lui, à ce qu'il me semble, qui a amené cette nouvelle méthode de raisonner, beaucoup plus
20 estimable que sa philosophie même, dont une bonne partie se trouve fausse ou fort incertaine, selon les propres règles qu'il nous a apprises. Enfin il règne non seulement dans nos bons ouvrages de physique et de métaphysique, mais dans ceux de religion, de morale, de critique, une précision et une justesse qui jusqu'à présent n'avaient été guère connues.
25 Je suis même fort persuadé qu'elles iront encore plus loin. Il ne laisse pas de se glisser encore dans nos meilleurs livres quelques raisonnements à l'antique; mais nous serons quelque jour anciens, et ne sera-t-il pas bien juste que notre postérité à son tour nous redresse et nous surpasse, principalement sur la manière de raisonner, qui est une science à part, et la plus difficile, et
30 la moins cultivée de toutes? . . .

Quand nous aurons trouvé que les anciens ont atteint sur quelque chose le point de la perfection, contentons-nous de dire qu'ils ne peuvent être surpassés; mais ne disons pas qu'ils ne peuvent être égalés, manière de parler très familière de leurs admirateurs. Pourquoi ne les égalerions-nous pas? En
35 qualité d'hommes nous avons toujours droit d'y prétendre. N'est-il pas plaisant qu'il soit besoin de nous relever le courage sur ce point-là, et que nous qui avons souvent une vanité si mal entendue, nous ayons quelquefois une humilité qui ne l'est pas moins? Il est donc bien déterminé qu'aucune sorte de ridicule ne nous manquera. . . .
40 Les siècles barbares qui ont suivi celui d'Auguste, et précédé celui-ci, fournissent aux partisans de l'antiquité celui de tous leurs raisonnements qui a le plus d'apparence d'être bon. D'où vient, disent-ils, que dans ces siècles-là l'ignorance était si épaisse et si profonde? C'est que l'on n'y connaissait plus les Grecs et les Latins, on ne les lisait plus; mais du moment [54] que l'on se

---

[54] The Renaissance.

remit devant les yeux ces excellents modèles, on vit renaître la raison et le
bon goût. Cela est vrai, et ne prouve pourtant rien. Si un homme qui aurait
de bons commencements des sciences, des belles-lettres, venait à avoir une
maladie qui les lui fît oublier, serait-ce à dire qu'il en fût devenu incapable?
Non, il pourrait les reprendre quand il voudrait, en recommençant dès les   5
premiers éléments. Si quelque remède lui rendait la mémoire tout à coup, ce
serait bien de la peine épargnée, il se trouverait sachant tout ce qu'il avait su,
et pour continuer il n'aurait qu'à reprendre où il aurait fini. La lecture des
anciens a dissipé l'ignorance et la barbarie des siècles précédents. Je le crois
bien. Elle nous rendit tout d'un coup des idées du vrai et du beau, que nous   10
aurions été longtemps à rattraper, mais que nous eussions rattrapées à la fin
sans le secours des Grecs et des Latins, si nous les avions bien cherchées. Et
où les eussions-nous prises? Où les avaient prises les anciens. Les anciens
mêmes, avant que de les prendre, tâtonnèrent bien longtemps.

La comparaison que nous venons de faire des hommes de tous les siècles   15
et un seul homme, peut s'étendre sur toute notre question des anciens et des
modernes. Un bon esprit cultivé est, pour ainsi dire, composé de tous les
esprits des siècles précédents; ce n'est qu'un même esprit qui s'est cultivé
pendant tout ce temps-là. Ainsi cet homme qui a vécu depuis le commencement du monde jusqu'à présent a eu son enfance où il ne s'est occupé que des   20
besoins les plus pressants de la vie; sa jeunesse, où il a assez bien réussi aux
choses d'imagination, telles que la poésie et l'éloquence, et où même il commence à raisonner, mais avec moins de solidité que de feu. Il est maintenant
dans l'âge de virilité, où il raisonne avec plus de force, et a plus de lumières
que jamais; mais il serait bien plus avancé, si la passion de la guerre ne l'avait   25
occupé longtemps, et ne lui avait donné du mépris pour les sciences auxquelles il est enfin revenu.

Il est fâcheux de ne pouvoir pas pousser jusqu'au bout une comparaison qui
est en si beau train; mais je suis obligé d'avouer que cet homme-là n'aura
point de vieillesse, il sera toujours également capable des choses auxquelles   30
sa jeunesse était propre, et il le sera toujours de plus en plus de celles qui
conviennent à l'âge de virilité; c'est-à-dire, pour quitter l'allégorie, que les
hommes ne dégénéreront jamais [55] et que les vues saines de tous les bons
esprits qui se succéderont, s'ajouteront toujours les unes aux autres.

Si les grands hommes de ce siècle avaient des sentiments charitables pour   35
la postérité, ils l'avertiraient de ne les admirer point trop, et d'aspirer toujours
du moins à les égaler. Rien n'arrête tant le progrès des choses, rien ne borne
tant les esprits, que l'admiration excessive des anciens. Parce qu'on s'était
dévoué à l'autorité d'Aristote, et qu'on ne cherchait la vérité que dans ses
écrits énigmatiques, et jamais dans la nature, non seulement la philosophie   40
n'avançait en aucune façon, mais elle était tombée dans une abîme de galimatias et d'idées inintelligibles, d'où l'on a eu toutes les peines du monde à
la retirer. Aristote n'a jamais fait un vrai philosophe, mais il en a beaucoup
étouffé qui le fussent devenus, s'il eût été permis. Et le mal est qu'une fan-

[55] This idea of indefinite intellectual progress is Fontenelle's great contribution to the
Querelle.

taisie de cette espèce une fois établie parmi les hommes, en voilà pour longtemps; on sera des siècles entiers à en revenir, même après qu'on en aura
reconnu le ridicule. Si l'on allait s'entêter un jour de Descartes, et le mettre
à la place d'Aristote, ce serait à peu près le même inconvénient. . . .

IV. BOILEAU

RÉFLEXIONS CRITIQUES SUR QUELQUES PASSAGES DU RHÉTEUR LONGIN (1694)

Réflexion VII

«Il faut songer au jugement que toute la postérité fera de nos écrits.»
(Paroles de Longin, ch. XII).

5   Il n'y a en effet que l'approbation de la postérité qui puisse établir le vrai
mérite des ouvrages. Quelque éclat qu'ait fait un écrivain durant sa vie, quelques éloges qu'il ait reçus, on ne peut pas pour cela infailliblement conclure
que ses ouvrages soient excellents. De faux brillants, la nouveauté du style,
un tour d'esprit qui était à la mode, peuvent les avoir fait valoir; et il arrivera
10   peut-être que dans le siècle suivant on ouvrira les yeux, et que l'on méprisera
ce que l'on a admiré. Nous en avons un bel exemple dans Ronsard et dans
ses imitateurs comme du Bellay,[56] du Bartas,[57] Desportes,[58] qui dans le
siècle précédent, ont été l'admiration de tout le monde, et qui aujourd'hui ne
trouvent pas même de lecteurs.
15   La même chose était arrivée, chez les Romains, à Nævius, à Livius, et à
Ennius,[59] qui, du temps d'Horace, comme nous l'apprenons de ce poète,
trouvaient encore beaucoup de gens qui les admiraient, mais qui à la fin
furent entièrement décriés. Et il ne faut point s'imaginer que la chute de ces
auteurs, tant les Français que les Latins, soit venue de ce que les langues de
20   leur pays ont changé. Elle n'est venue que de ce qu'ils n'avaient point attrapé
dans ces langues le point de solidité et de perfection qui est nécessaire pour
faire durer, et pour faire à jamais priser des ouvrages. En effet la langue
latine, par exemple, qu'ont écrite Cicéron et Virgile, était déjà fort changée
du temps de Quintilien,[60] et encore plus du temps d'Aulu-Gelle.[61] Cependant
25   Cicéron et Virgile y étaient encore plus estimés que de leur temps même,
parce qu'ils avaient comme fixé la langue par leurs écrits, ayant atteint le
point de perfection que j'ai dit.

.   .   .   .

[56] See p. 32, *La Pléiade* (Introduction).
[57] Huguenot poet of the Renaissance (1544–1590), follower of Ronsard; author of *La Semaine* (1578), an epic poem dealing with the Creation, which enjoyed a wide contemporary popularity.
[58] Another disciple of Ronsard (1545–1606), remembered chiefly for Malherbe's attack on his poetry. (See p. 62).
[59] Latin poets of the 3rd century B.C.   [60] Latin rhetorician of the 1st century.
[61] Latin grammarian of the 2nd century.

Mais lorsque des écrivains ont été admirés durant un fort grand nombre de siècles, et n'ont été méprisés que par quelques gens de goût bizarre, car il se trouve toujours des goûts dépravés: alors non seulement il y a de la témérité, mais il y a de la folie à vouloir douter du mérite de ces écrivains. Que si vous ne voyez point les beautés de leurs écrits, il ne faut pas conclure qu'elles n'y 5 sont point, mais que vous êtes aveugle, et que vous n'avez point de goût. *Le gros des hommes, à la longue, ne se trompe point sur les ouvrages d'esprit.* Il n'est plus question, à l'heure qu'il est, de savoir si Homère, Platon, Cicéron, Virgile, sont des hommes merveilleux; c'est une chose sans contestation, puisque vingt siècles en sont convenus; il s'agit de savoir en quoi consiste ce mer- 10 veilleux qui les a fait admirer de tant de siècles; et il faut trouver moyen de le voir, ou renoncer aux belles-lettres, auxquelles vous devez croire que vous n'avez ni goût ni génie, puisque vous ne sentez point ce qu'ont senti tous les hommes.

Quand je dis cela, néanmoins, je suppose que vous sachiez la langue de 15 ces auteurs; car si vous ne la savez point, et si vous ne vous l'êtes point familiarisée, je ne vous blâmerai pas de n'en point voir les beautés: je vous blâmerai seulement d'en parler. Et c'est en quoi on ne saurait trop condamner M. Perrault, qui, ne sachant point la langue d'Homère,[61a] vient hardiment lui faire son procès sur les bassesses de ses traducteurs, et dire au genre humain, qui 20 a admiré les ouvrages de ce grand poète durant tant de siècles: «Vous avez admiré des sottises.» C'est à peu près la même chose qu'un aveugle-né qui s'en irait crier par toutes les rues: «Messieurs, je sais que le soleil que vous voyez vous paraît fort beau; mais moi, qui ne l'ai jamais vu, je vous déclare qu'il est fort laid.» 25

Mais pour revenir à ce que je disais, puisque c'est la postérité seule qui met le véritable prix aux ouvrages, il ne faut pas, quelque admirable que vous paraisse un écrivain moderne, le mettre aisément en parallèle avec ces écrivains admirés durant un si grand nombre de siècles, puisqu'il n'est pas même sûr que ses ouvrages passent avec gloire au siècle suivant. En effet, sans aller 30 chercher des exemples éloignés, combien n'avons-nous point vu d'auteurs admirés dans notre siècle dont la gloire est déchue en très peu d'années! Dans quelle estime n'ont point été, il y a trente ans, les ouvrages de Balzac! On ne parlait pas de lui simplement comme du plus éloquent homme de son siècle, mais comme du seul éloquent. Il a effectivement[62] des qualités merveilleuses. 35 On peut dire que jamais personne n'a mieux su sa langue que lui, et n'a mieux entendu la propriété des mots et la juste mesure des périodes: c'est une louange que tout le monde lui donne encore. Mais on s'est aperçu tout d'un coup que l'art où il s'est employé toute sa vie était l'art qu'il savait le moins, je veux dire l'art de faire une lettre: car, bien que les siennes soient toutes pleines d'esprit et 40 de choses admirablement dites, on y remarque partout les deux vices les plus opposés au genre épistolaire, c'est à savoir l'affectation et l'enflure; et on ne

---

[61a] This is Boileau's chief argument against Perrault. Eight of the nine *Réflexions* are devoted especially to exposing Perrault's mistakes about Homer.
[62] "in fact."

peut plus lui pardonner ce soin vicieux qu'il a de dire toutes choses autrement que ne le disent les autres hommes. De sorte que tous les jours on rétorque [63] contre lui ce même vers que Maynard [64] a fait autrefois à sa louange:

Il n'est point de mortel qui parle comme lui.

5   Il y a pourtant encore des gens qui le lisent; mais il n'y a plus personne qui ose imiter son style, ceux qui l'ont fait s'étant rendus la risée de tout le monde.

Mais, pour chercher un exemple encore plus illustre que celui de Balzac, Corneille est celui de tous nos poètes qui a fait le plus d'éclat en notre temps; 10 et on ne croyait pas qu'il pût jamais y avoir en France un poète digne de lui être égalé. Il n'y en a point en effet qui ait eu plus d'élévation de génie, ni qui ait plus composé. Tout son mérite pourtant, à l'heure qu'il est, ayant été mis par le temps comme dans un creuset, se réduit à huit ou neuf pièces de théâtre qu'on admire, et qui sont, s'il faut ainsi parler, comme le midi de sa 15 poésie, dont l'orient et l'occident n'ont rien valu. Encore, dans ce petit nombre de bonnes pièces, outre les fautes de langue qui y sont assez fréquentes, on commence à s'apercevoir de beaucoup d'endroits de déclamation qu'on n'y voyait point autrefois. Ainsi, non seulement on ne trouve point mauvais qu'on lui compare aujourd'hui M. Racine, mais il se trouve même quantité 20 de gens qui le lui préfèrent. La postérité jugera qui vaut le mieux des deux; car je suis persuadé que les écrits de l'un et de l'autre passeront aux siècles suivants. Mais jusque-là ni l'un ni l'autre ne doit être mis en parallèle avec Euripide et avec Sophocle, puisque leurs ouvrages n'ont point encore le sceau qu'ont les ouvrages d'Euripide et de Sophocle, je veux dire l'approbation de 25 plusieurs siècles.

Au reste, il ne faut pas s'imaginer que, dans ce nombre d'écrivains approuvés de tous les siècles, je veuille ici comprendre ces auteurs à la vérité anciens, mais qui ne se sont acquis qu'une médiocre estime, comme Lycophron,[65] Nonnus,[66] Silius Italicus,[67] l'auteur des tragédies attribuées à Sé- 30 nèque, et plusieurs autres, à qui on peut non seulement comparer, mais à qui on peut, à mon avis, justement préférer beaucoup d'écrivains modernes. Je n'admets dans ce haut rang que ce petit nombre d'écrivains merveilleux dont le nom seul fait l'éloge, comme Homère, Platon, Cicéron, Virgile, etc. Et je ne règle point l'estime que je fais d'eux par le temps qu'il y a que leurs 35 ouvrages durent, mais par le temps qu'il y a qu'on les admire. C'est de quoi il est bon d'avertir beaucoup de gens qui pourraient mal à propos croire ce que veut insinuer notre censeur,[68] qu'on ne loue les anciens que parce qu'ils sont anciens, et qu'on ne blâme les modernes que parce qu'ils sont modernes; ce qui n'est point du tout véritable, y ayant beaucoup d'anciens qu'on n'ad- 40 mire point, et beaucoup de modernes que tout le monde loue. L'antiquité d'un écrivain n'est pas un titre certain de son mérite; mais l'antique et constante admiration qu'on a toujours eue pour ses ouvrages est une preuve sûre et infaillible qu'on doit les admirer.

[33] "turns."   [64] See p. 213, n. 10.   [65] Greek poet of the 3rd century B. C.
[66] Greek epic poet of the 5th century.   [67] Latin poet of the 1st century.   [68] Perrault.

V. FÉNELON

LETTRE A L'ACADÉMIE (1714)
(EXTRAIT)

... Il est vrai que l'Académie pourrait se trouver souvent partagée sur ces questions: l'amour des anciens dans les uns, et celui des modernes dans les autres, pourrait les empêcher d'être d'accord. Mais je ne suis nullement alarmé d'une guerre civile qui serait si douce, si polie et si modérée. Il s'agit d'une matière où chacun peut suivre en liberté son goût et ses idées. Cette 5 émulation peut être utile aux lettres. Oserai-je proposer ici ce que je pense là-dessus?

1° Je commence par souhaiter que les modernes surpassent les anciens. Je serais charmé de voir, dans notre siècle et dans notre nation, des orateurs plus véhéments que Démosthène et des poètes plus sublimes qu'Homère. Le 10 monde, loin d'y perdre, y gagnerait beaucoup. Les anciens ne seraient pas moins excellents qu'ils l'ont toujours été, et les modernes donneraient un nouvel ornement au genre humain. Il resterait toujours aux anciens la gloire d'avoir commencé, d'avoir montré le chemin aux autres, et de leur avoir donné de quoi enchérir sur eux. 15

2° Il y aurait de l'entêtement à juger d'un ouvrage par sa date. ...
Si Virgile n'avait point osé marcher sur les pas d'Homère, si Horace n'avait pas espéré de suivre de près Pindare, que n'aurions-nous pas perdu! Homère et Pindare mêmes ne sont point parvenus tout à coup à cette haute perfection: ils ont eu sans doute avant eux d'autres poètes qui leur avaient aplani 20 la voie, et qu'ils ont enfin surpassés. Pourquoi les nôtres n'auraient-ils pas la même espérance? ...

3° J'avoue que l'émulation des modernes serait dangereuse, si elle se tournait à mépriser les anciens, et à négliger de les étudier. Le vrai moyen de les vaincre est de profiter de tout ce qu'ils ont d'exquis, et de tâcher de suivre 25 encore plus qu'eux leurs idées sur l'imitation de la belle nature. ...

4° Un auteur sage et modeste doit se défier de soi, et des louanges de ses amis les plus estimables. ... On a un esprit borné avec un cœur faible et vain, quand on est bien content de soi et de son ouvrage. L'auteur content de soi est d'ordinaire content tout seul. Un tel auteur peut avoir de rares talents; 30 mais il faut qu'il ait plus d'imagination que de jugement et de saine critique. Il faut, au contraire, pour former un poète égal aux anciens, qu'il montre un jugement supérieur à l'imagination la plus vive et la plus féconde. Il faut qu'un auteur résiste à tous ses amis, qu'il retouche souvent ce qui a été déjà applaudi. ... 35

5° Je suis charmé d'un auteur qui s'efforce de vaincre les anciens, supposé même qu'il ne parvienne pas à les égaler. Le public doit louer ses efforts, l'encourager, espérer qu'il pourra atteindre encore plus haut dans la suite, et admirer ce qu'il a déjà d'approchant des anciens modèles. ...

6° Je ne crains pas de dire que les anciens les plus parfaits ont des imper- 40

fections: l'humanité n'a permis en aucun temps d'atteindre à une perfection absolue. Si j'étais réduit à ne juger des anciens que par ma seule critique, je serais timide en ce point. . . . Mais je parle des anciens sur l'autorité des anciens mêmes. Horace, ce critique si pénétrant, et si charmé d'Homère, est
5 mon garant, quand j'ose soutenir que ce grand poète s'assoupit un peu quelquefois dans un long poème.[69] . . . Veut-on, par une prévention manifeste, donner à l'antiquité plus qu'elle ne demande, et condamner Horace pour soutenir, contre l'évidence du fait, qu'Homère n'a jamais aucune inégalité?

7° S'il m'est permis de proposer ma pensée, sans vouloir contredire celle des
10 personnes plus éclairées que moi, j'avouerai qu'il me semble voir divers défauts dans les anciens les plus estimables. Par exemple, je ne puis goûter les chœurs dans les tragédies: ils interrompent la vraie action; je n'y trouve point une exacte vraisemblance, parce que certaines scènes ne doivent point avoir une troupe de spectateurs; les discours du chœur sont souvent vagues
15 et insipides. . . .

8° Les anciens les plus sages ont pu espérer, comme les modernes, de surpasser les modèles mis devant leurs yeux. Par exemple, pourquoi Virgile n'aurait-il pas espéré de surpasser, par la descente d'Énée aux enfers, dans son sixième livre, cette évocation des ombres qu'Homère nous représente
20 dans le pays des Cimmériens?[70] Il est naturel de croire que Virgile, malgré sa modestie, a pris plaisir à traiter, dans son quatrième livre de *l'Énéide,* quelque chose d'original qu'Homère n'avait point touché.

9° J'avoue que les anciens ont un grand désavantage par le défaut de leur religion[71] et par la grossièreté de leur philosophie. Du temps d'Homère, leur
25 religion n'était qu'un tissu monstrueux de fables aussi ridicules que les contes de fées; leur philosophie n'avait rien que de vain et de superstitieux. Avant Socrate, la morale était très imparfaite, quoique les législateurs[72] eussent donné d'excellentes règles pour le gouvernement des peuples. Il faut même avouer que Platon fait raisonner faiblement Socrate sur l'immortalité de
30 l'âme. . . .

10° Il faut avouer qu'il y a parmi les anciens peu d'auteurs excellents, et que les modernes en ont quelques-uns dont les ouvrages sont précieux. . . . Il me serait facile de nommer beaucoup d'anciens, comme Aristophane, Plaute, Sénèque le tragique,[73] Lucain,[74] et Ovide même, dont on se passe
35 volontiers. Je nommerais aussi sans peine un nombre assez considérable d'auteurs modernes qu'on goûte et qu'on admire avec raison; mais je ne veux nommer personne, de peur de blesser la modestie de ceux que je nommerais, et de manquer aux autres en ne les nommant pas.

.   .   .   .

[69] Horace, *Epistles,* II, III, ll. 359–360.
[70] *Odyssey,* XI—Fénelon likewise imitates Virgil in Book XIV of *Télémaque.*
[71] This argument had been already advanced by Desmarets de Saint-Sorlin.
[72] Lycurgus and Solon.
[73] Fénelon falls into the common error of distinguishing between Seneca the tragic poet and Seneca the philosopher, who were in reality the same person.
[74] Latin epic poet (39–65), author of *Pharsalia.*

Il est naturel que les modernes, qui ont beaucoup d'élégance et de tours ingénieux, se flattent de surpasser les anciens, qui n'ont que la simple nature. Mais je demande la permission de faire ici une espèce d'apologue. Les inventeurs de l'architecture qu'on nomme *gothique,* et qui est, dit-on, celle des Arabes,[75] crurent sans doute avoir surpassé les architectes grecs. Un édifice grec n'a aucun ornement qui ne serve qu'à orner l'ouvrage; les pièces nécessaires pour le soutenir ou pour le mettre à couvert, comme les colonnes et la corniche, se tournent seulement en grâce par leurs proportions; tout est simple, tout est mesuré, tout est borné à l'usage; on n'y voit ni hardiesse ni caprice qui impose aux yeux; les proportions sont si justes, que rien ne paraît fort grand, quoique tout le soit; tout est borné à contenter la vraie raison. Au contraire l'architecte gothique élève sur des piliers très minces une voûte immense qui monte jusqu'aux nues; on croit que tout va tomber, mais tout dure pendant bien des siècles; tout est plein de fenêtres, de roses [76] et de pointes,[77] la pierre semble découpée comme du carton; tout est à jour,[78] tout est en l'air. N'est-il pas naturel que les premiers architectes gothiques se soient flattés d'avoir surpassé, par leur vain raffinement, la simplicité grecque? Changez seulement les noms, mettez les poètes et les orateurs en la place des architectes: Lucain devait naturellement croire qu'il était plus grand que Virgile; Sénèque le tragique pouvait s'imaginer qu'il brillait bien plus que Sophocle; le Tasse a pu espérer de laisser derrière lui Virgile et Homère. Ces auteurs se seraient trompés en pensant ainsi: les plus excellents auteurs de nos jours doivent craindre de se tromper de même.

Je n'ai garde de vouloir juger en parlant ainsi; je propose seulement aux hommes qui ornent notre siècle de ne mépriser point ceux que tant de siècles ont admirés. Je ne vante point les anciens comme des modèles sans imperfection; je ne veux point ôter à personne l'espérance de les vaincre; je souhaite au contraire de voir les modernes victorieux par l'étude des anciens mêmes qu'ils auront vaincus. Mais je croirais m'égarer au delà de mes bornes, si je me mêlais de juger jamais pour le prix entre les combattants:

> Non nostrum inter vos tantas componere lites:
> Et vitula tu dignus, et hic.[79] . . .

---

[75] Gothic architecture is now believed to have been a native French creation.
[76] "rose-windows."   [77] "pointed arches."   [78] "open-work."
[79] "It is not for us to settle between you such disputes: you are worthy of the prize and your adversary also." (Virgil—*Eclogues,* III, ll. 106–109.)

BOSSUET (1627-1704)

Jacques-Bénigne Bossuet, bishop of Meaux, is the great champion of orthodox religion in the 17th century. "He was born, lived, and died in the Church. His existence was nothing but a sermon." These words of Lamartine bring out clearly the essential unity of Bossuet's life, one of absolute devotion to the service of the Church, which he defended vigorously in a number of important religious controversies.

For the Dauphin, whose tutor he was from 1670 to 1679, Bossuet wrote his *Discours sur l'histoire universelle* in which he develops the idea that all history shows the guiding hand of God directing the course of events toward the final triumph of the Christian Church. This interpretation of history is, of course, quite unacceptable, but in seeking to find a real philosophy underlying the facts of history, to get at "les secrètes dispositions qui ont préparé les grands changements," Bossuet was helping to lay the foundations for modern scientific history.

Bossuet's literary reputation rests chiefly upon his series of twelve *Oraisons Funèbres,* funeral orations in honor of distinguished personages of the time. He completely transformed the genre of the *oraison funèbre,* substituting for pompous flattery of the dead an instructive lesson for the living. The *Oraisons Funèbres* are really sermons on the vanity of this world, combined with a biographical sketch of the deceased, as exact as the circumstances would permit. Some of Bossuet's characterizations are masterpieces of psychological insight.

On the formal side, the *Oraisons Funèbres* represent perhaps the highest reach of classical prose applied to lofty subjects. Bossuet is a master of the oratorical period, well-organized, carefully balanced, smooth flowing, but occasionally he can be simple and direct. He has also moments of emotional warmth and flashes of imaginative color which give his prose a highly poetic quality. If today the style of the *Oraisons Funèbres* seems somewhat pompous and rhetorical, such a style, it should be remembered, was perfectly in keeping with the solemn circumstances under which the sermons were delivered.

"Mais, tout en étant orthodoxe, Bossuet a une façon à lui de grouper, sérier, présenter les dogmes: dans la prédominance qu'il donne à l'un ou à l'autre, dans la complaisance avec laquelle il expose celui-ci ou celui-là, s'affirme un tempérament, et se dessine une philosophie. Or, en regardant la vie, Bossuet est frappé de la mort. La mort est l'immense, universelle, irréparable injustice de ce monde. Mais son tempérament de juriste a besoin de justice: le dogme de la Providence corrige l'immoralité de la réalité, et rend à chacun selon son mérite. Que l'on regarde toute l'œuvre de Bossuet, en dehors des controverses définies, on peut dire qu'elle est toute consacrée à mettre en lumière le fait, c'est-à-dire la mort, et le correctif du fait, c'est-à-dire la Providence. De la mort sort la tendresse émue, la triste sympathie qui s'étendent sur les choses éphémères; de la Provi-

dence, la confiance robuste et joyeuse, l'optimisme définitif, dont il regarde tant
de misères et de bassesses, qui sont la vie et qui sont l'homme.

Lanson—Histoire de la littérature française.

IMPORTANT WORKS:

Oraisons Funèbres:
  Henriette de France (1669).
  Henriette d'Angleterre (1670).
  Le Grand Condé (1687).
Histoire des variations des églises protestantes (1688).
Discours sur l'histoire universelle * (1681).
Politique tirée de l'Ecriture sainte * (1709).
Maximes et réflexions sur la comédie (1694).

ORAISON FUNÈBRE DE HENRIETTE-ANNE D'ANGLETERRE, DUCHESSE D'ORLÉANS (1670)

Vanitas vanitatum, dixit Ecclesiastes; vanitas vanitatum, et omnia vanitas.
Vanité des vanités, a dit l'Ecclésiaste; vanité des vanités, et tout est vanité. *Eccl.*, 1, 2.

MONSEIGNEUR,[1]

J'étais donc encore destiné à rendre ce devoir funèbre à très haute et très
puissante princesse Henriette-Anne d'Angleterre, duchesse d'Orléans.[2] Elle,
que j'avais vue si attentive pendant que je rendais le même devoir à la reine
sa mère,[3] devait être si tôt après le sujet d'un discours semblable; et ma triste 5
voix était réservée à ce déplorable ministère. O vanité! ô néant! ô mortels
ignorants de leurs destinées! L'eût-elle cru il y a dix mois?[4] Et vous, Messieurs, eussiez-vous pensé, pendant qu'elle versait tant de larmes en ce lieu,[5]
qu'elle dût si tôt vous y rassembler pour la pleurer elle-même? Princesse, le
digne objet de l'admiration de deux grands royaumes, n'était-ce pas assez que 10
l'Angleterre pleurât votre absence, sans être encore réduite à pleurer votre
mort? et la France, qui vous revit, avec tant de joie, environnée d'un nouvel
éclat, n'avait-elle plus d'autres pompes et d'autres triomphes pour vous, au
retour de ce voyage fameux,[6] d'où vous aviez remporté tant de gloire et de
si belles espérances? «Vanité des vanités, et tout est vanité»: c'est la seule 15
parole qui me reste, c'est la seule réflexion que me permet, dans un accident
si étrange, une si juste et si sensible douleur. Aussi n'ai-je point parcouru les
livres sacrés pour y trouver quelque texte que je pusse appliquer à cette princesse. J'ai pris, sans étude et sans choix, les premières paroles que me présente

---

* Written for the education of the Dauphin.
[1] The Prince de Condé, representative of Louis XIV.
[2] Youngest child of Charles I of England. In 1661 she married the Duc d'Orléans, brother
of Louis XIV. She died suddenly in 1670. The early suspicion that she had been poisoned has
since been proved unfounded. Bossuet had attended her in her last hours.
[3] Henriette de France (1609–1669), widow of Charles I of England.
[4] At the funeral service of her mother, conducted by Bossuet at the Chaillot convent in
Paris, Nov. 16, 1669.
[5] At Saint-Denis, where the Bishop of Amiens had also delivered a funeral oration for the
English queen, and where the service for her daughter was now being held.
[6] In 1670 Henriette had gone on a diplomatic mission to her brother, Charles II, which
had resulted in a secret treaty between the English and French kings.

l'Ecclésiaste, où, quoique la vanité ait été si souvent nommée, elle ne l'est pas encore assez à mon gré pour le dessein que je me propose. Je veux dans un seul malheur déplorer toutes les calamités du genre humain, et dans une seule mort faire voir la mort et le néant de toutes les grandeurs humaines.[7]

5 Ce texte, qui convient à tous les états et à tous les événements de notre vie, par une raison particulière devient propre à mon lamentable sujet, puisque jamais les vanités de la terre n'ont été si clairement découvertes, ni si hautement confondues. Non, après ce que nous venons de voir, la santé n'est qu'un nom, la vie n'est qu'un songe, la gloire n'est qu'une apparence, les grâces et

10 les plaisirs ne sont qu'un dangereux amusement: tout est vain en nous, excepté le sincère aveu que nous faisons devant Dieu de nos vanités, et le jugement arrêté qui nous fait mépriser tout ce que nous sommes.

Mais dis-je la vérité? L'homme, que Dieu a fait à son image, n'est-il qu'une ombre? Ce que Jésus-Christ est venu chercher du ciel en la terre, ce qu'il a

15 cru pouvoir, sans se ravilir, acheter de tout son sang, n'est-ce qu'un rien? Reconnaissons notre erreur. Sans doute ce triste spectacle des vanités humaines nous imposait;[8] et l'espérance publique, frustrée tout à coup par la mort de cette princesse, nous poussait trop loin. Il ne faut pas permettre à l'homme de se mépriser tout entier, de peur que, croyant avec les impies que

20 notre vie n'est qu'un jeu où règne le hasard, il ne marche sans règle et sans conduite au gré de ses aveugles désirs. C'est pour cela que l'Ecclésiaste, après avoir commencé son divin ouvrage par les paroles que j'ai récitées, après en avoir rempli toutes les pages du mépris des choses humaines, veut enfin montrer à l'homme quelque chose de plus solide, et conclut tout son discours,

25 en lui disant: «Crains Dieu, et garde ses commandements; car c'est là tout l'homme: et sache que le Seigneur examinera dans son jugement tout ce que nous aurons fait de bien et de mal.»[9] Ainsi tout est vain en l'homme, si nous regardons ce qu'il donne au monde; mais, au contraire, tout est important, si nous considérons ce qu'il doit à Dieu. Encore une fois tout est vain en

30 l'homme, si nous regardons le cours de sa vie mortelle; mais tout est précieux, tout est important, si nous contemplons le terme où elle aboutit, et le compte qu'il en faut rendre. Méditons donc aujourd'hui, à la vue de cet autel et de ce tombeau, la première et la dernière parole de l'Ecclésiaste; l'une qui montre le néant de l'homme, l'autre qui établit sa grandeur.[10] Que ce tombeau nous

35 convainque de notre néant, pourvu que cet autel, où l'on offre tous les jours pour nous une victime d'un si grand prix, nous apprenne en même temps notre dignité. La princesse que nous pleurons sera un témoin fidèle de l'un et de l'autre. Voyons ce qu'une mort soudaine lui a ravi; voyons ce qu'une sainte mort lui a donné. Ainsi nous apprendrons à mépriser ce qu'elle a quitté

40 sans peine, afin d'attacher toute notre estime à ce qu'elle a embrassé avec tant d'ardeur, lorsque son âme, épurée de tous les sentiments de la terre, et pleine du ciel où elle touchait, a vu la lumière toute manifeste. Voilà les vérités que

---

[7] Bossuet clearly sets forth the plan of his oration.
[8] "deceived."   [9] *Ecclesiastes* XII, 13–14.
[10] Bossuet makes the same contrast as Pascal between the *néant* of man and his *grandeur*.

j'ai à traiter, et que j'ai cru dignes d'être proposées à un si grand prince, et à la plus illustre assemblée de l'univers.[11]

I

«Nous mourons tous, disait cette femme dont l'Écriture a loué la prudence au second livre des Rois,[12] et nous allons sans cesse au tombeau, ainsi que des eaux qui se perdent sans retour.» En effet, nous ressemblons tous à 5 des eaux courantes. De quelque superbe distinction que se flattent les hommes, ils ont tous une même origine; et cette origine est petite. Leurs années se poussent successivement comme des flots: ils ne cessent de s'écouler; tant qu'enfin, après avoir fait un peu plus de bruit et traversé un peu plus de pays les uns que les autres, ils vont tous ensemble se confondre dans un abîme 10 où l'on ne reconnaît plus ni princes, ni rois, ni toutes ces autres qualités superbes qui distinguent les hommes; de même que ces fleuves tant vantés demeurent sans nom et sans gloire, mêlés dans l'Océan avec les rivières les plus inconnues.[13]

Et certainement, Messieurs, si quelque chose pouvait élever les hommes 15 au-dessus de leur infirmité naturelle, si l'origine qui nous est commune souffrait quelque distinction solide et durable entre ceux que Dieu a formés de la terre, qu'y aurait-il dans l'univers de plus distingué que la princesse dont je parle? Tout ce que peuvent faire non seulement la naissance et la fortune, mais encore les grandes qualités de l'esprit, pour l'élévation d'une princesse, 20 se trouve rassemblé, et puis anéanti dans la nôtre. De quelque côté que je suive les traces de sa glorieuse origine, je ne découvre que des rois,[14] et partout je suis ébloui de l'éclat des plus augustes couronnes. Je vois la maison de France, la plus grande, sans comparaison, de tout l'univers, et à qui les plus puissantes maisons peuvent bien céder sans envie, puisqu'elles tâchent de tirer 25 leur gloire de cette source. Je vois les rois d'Écosse,[15] les rois d'Angleterre, qui ont régné depuis tant de siècles sur une des plus belliqueuses nations de l'univers, plus encore par leur courage que par l'autorité de leur sceptre.[16] Mais cette princesse, née sur le trône, avait l'esprit et le cœur plus haut que sa naissance. Les malheurs de sa maison [17] n'ont pu l'accabler dans sa première 30 jeunesse; et dès lors on voyait en elle une grandeur qui ne devait rien à la fortune. Nous disions avec joie que le ciel l'avait arrachée, comme par miracle, des mains des ennemis du roi son père, pour la donner à la France: [18] don précieux, inestimable présent, si seulement la possession en avait été plus

[11] This is no mere empty compliment. The French court of 1670 was actually the most illustrious of its day.
[12] II *Samuel* XIV, 14. The Vulgate Bible counts the two books of *Samuel* as the first two books of *Kings*.
[13] One of Bossuet's finest passages.
[14] Henriette united in herself the royal houses of France, England, and Scotland.
[15] Henriette's grandfather had been James VI of Scotland before becoming James I of England.
[16] An allusion to the struggles of the English Kings with their parliaments.
[17] The defeat of Charles I by the troops of the Parliament.
[18] Henriette had been made prisoner, but her governess had contrived her escape to France.

durable! Mais pourquoi ce souvenir vient-il m'interrompre? Hélas! nous ne pouvons un moment arrêter les yeux sur la gloire de la princesse, sans que la mort s'y mêle aussitôt pour tout offusquer de son ombre. O mort, éloigne-toi de notre pensée, et laisse-nous tromper pour un peu de temps la violence de

5 notre douleur par le souvenir de notre joie! Souvenez-vous donc, Messieurs, de l'admiration que la princesse d'Angleterre donnait à toute la cour. Votre mémoire vous la peindra mieux avec tous ses traits et son incomparable douceur, que ne pourront jamais le faire toutes mes paroles. Elle croissait au milieu des bénédictions de tous les peuples, et les années ne cessaient de lui

10 apporter de nouvelles grâces. Aussi la reine sa mère, dont elle a toujours été la consolation, ne l'aimait pas plus tendrement que faisait Anne d'Espagne.[19] Anne, vous le savez, Messieurs, ne trouvait rien au-dessus de cette princesse. Après nous avoir donné une reine,[20] seule capable par sa piété, et par ses autres vertus royales, de soutenir la réputation d'une tante si illustre, elle

15 voulut, pour mettre dans sa famille ce que l'univers avait de plus grand, que Philippe de France, son second fils,[21] épousât la princesse Henriette; et quoi-que le roi d'Angleterre,[22] dont le cœur égale la sagesse, sût que la princesse sa sœur, recherchée de tant de rois,[23] pouvait honorer un trône, il lui vit remplir avec joie la seconde place de France, que la dignité d'un si grand

20 royaume peut mettre en comparaison avec les premières du reste du monde.

Que[24] si son rang la distinguait, j'ai eu raison de vous dire qu'elle était encore plus distinguée par son mérite. Je pourrais vous faire remarquer qu'elle connaissait si bien la beauté des ouvrages de l'esprit,[25] que l'on croyait avoir atteint la perfection, quand on avait su plaire à Madame.[25a] Je pourrais

25 encore ajouter que les plus sages et les plus expérimentés admiraient cet esprit vif et perçant, qui embrassait sans peine les plus grandes affaires, et pénétrait avec tant de facilité dans les plus secrets intérêts. Mais pourquoi m'étendre sur une matière où je puis tout dire en un mot? Le roi, dont le jugement est une règle toujours sûre, a estimé la capacité de cette princesse,

30 et l'a mise par son estime au-dessus de tous nos éloges.[26]

Cependant ni cette estime, ni tous ces grands avantages, n'ont pu donner atteinte à sa modestie. Tout éclairée qu'elle était, elle n'a point présumé de ses connaissances, et jamais ses lumières ne l'ont éblouie. Rendez témoignage à ce que je dis, vous que cette grande princesse a honorés de sa confiance. Quel

35 esprit avez-vous trouvé plus élevé? mais quel esprit avez-vous trouvé plus do-cile? Plusieurs, dans la crainte d'être trop faciles, se rendent inflexibles à la

---

[19] Anne d'Autriche, wife of Louis XIII, mother of Louis XIV.

[20] Marie Thérèse, wife of Louis XIV.

[21] Philippe d'Orléans, known as Monsieur. [22] Charles II.

[23] Before her marriage to Monsieur, Henriette had been sought in marriage by the Emperor of Austria, the King of Portugal and the Duke of Savoy.

[24] Omit in translation.

[25] Henriette was interested in literature. She is said to have suggested to Corneille and Racine the subject of Bérénice, which both treated, the former in *Tite et Bérénice,* the latter in *Bérénice.*

[25a] Henriette was known as "Madame," this being the name regularly given to the wife of the king's brother.

[26] Louis XIV showed such marked interest in his sister-in-law as to arouse scandal.

raison, et s'affermissent contre elle. Madame s'éloignait toujours autant de la présomption que de la faiblesse: également estimable, et de ce qu'elle savait trouver les sages conseils, et de ce qu'elle était capable de les recevoir. On les sait bien connaître, quand on fait sérieusement l'étude qui plaisait tant à cette princesse; nouveau genre d'étude, et presque inconnu aux personnes de son 5 âge et de son rang; ajoutons, si vous voulez, de son sexe. Elle étudiait ses défauts; elle aimait qu'on lui en fît des leçons sincères: marque assurée d'une âme forte que ses fautes ne dominent pas, et qui ne craint point de les envisager de près, par une secrète confiance des ressources qu'elle sent pour les surmonter. C'était le dessein d'avancer dans cette étude de sagesse, qui la tenait si 10 attachée à la lecture de l'histoire, qu'on appelle avec raison la sage conseillère des princes. C'est là que les plus grands rois n'ont plus de rang que par leurs vertus, et que, dégradés à jamais par les mains de la mort, ils viennent subir sans cour et sans suite le jugement de tous les peuples et de tous les siècles. C'est là qu'on découvre que le lustre qui vient de la flatterie est superficiel, 15 et que les fausses couleurs, quelque industrieusement [27] qu'on les applique, ne tiennent pas. Là notre admirable princesse étudiait les devoirs de ceux dont la vie compose l'histoire: elle y perdait insensiblement le goût des romans, et de leurs fades héros; [28] et, soigneuse de se former sur le vrai, elle méprisait ces froides et dangereuses fictions. Ainsi, sous un visage riant, 20 sous cet air de jeunesse qui semblait ne promettre que des jeux, elle cachait un sens et un sérieux dont ceux qui traitaient avec elle étaient surpris.

Aussi pouvait-on sans crainte lui confier les plus grands secrets. Loin du commerce des affaires et de la société des hommes, ces âmes sans force, aussi bien que sans foi, qui ne savent pas retenir leur langue indiscrète! 25 «Ils ressemblent, dit le Sage, à une ville sans murailles, qui est ouverte de toutes parts,» [29] et qui devient la proie du premier venu. Que Madame était au-dessus de cette faiblesse! Ni la surprise, ni l'intérêt, ni la vanité, ni l'appât d'une flatterie délicate, ou d'une douce conversation qui souvent épanchant le cœur en fait échapper le secret, n'était capable de lui faire découvrir le sien; 30 et la sûreté qu'on trouvait en cette princesse, que son esprit rendait si propre aux grandes affaires, lui faisait confier les plus importantes.

Ne pensez pas que je veuille, en interprète téméraire des secrets d'État, discourir sur le voyage d'Angleterre,[30] ni que j'imite ces politiques spéculatifs qui arrangent suivant leurs idées les conseils des rois, et composent sans 35 instruction les annales de leur siècle. Je ne parlerai de ce voyage glorieux que pour dire que Madame y fut admirée plus que jamais. On ne parlait qu'avec transport de la bonté de cette princesse, qui, malgré les divisions trop ordinaires dans les cours, lui gagna d'abord tous les esprits. On ne pouvait assez louer son incroyable dextérité à traiter les affaires les plus délicates, à 40 guérir ces défiances cachées qui souvent les tiennent en suspens, et à terminer tous les différends d'une manière qui conciliait les intérêts les plus opposés. Mais qui pourrait penser sans verser des larmes aux marques d'estime et de

---

[27] "carefully."
[28] Allusion to the romances of the time, fallen into disrepute under the attacks of Boileau.
[29] *Proverbs* XXV, 28.   [30] See page 231, n. 6.

tendresse que lui donna le roi son frère? Ce grand roi,[81] plus capable encore
d'être touché par le mérite que par le sang, ne se lassait point d'admirer les
excellentes qualités de Madame. O plaie irrémédiable! ce qui fut en ce
voyage le sujet d'une si juste admiration, est devenu pour ce prince le sujet
5 d'une douleur qui n'a point de bornes. Princesse, le digne lien des deux plus
grands rois du monde, pourquoi leur avez-vous été sitôt ravie? Ces deux
grands rois se connaissent;[82] c'est l'effet des soins de Madame: ainsi leurs
nobles inclinations concilieront leurs esprits, et la vertu sera entre eux une
immortelle médiatrice. Mais si leur union ne perd rien de sa fermeté, nous
10 déplorerons éternellement qu'elle ait perdu son agrément le plus doux; et
qu'une princesse si chérie de tout l'univers ait été précipitée dans le tombeau,
pendant que la confiance de deux si grands rois l'élevait au comble de la
grandeur et de la gloire.

La grandeur et la gloire! Pouvons-nous encore entendre ces noms dans
15 ce triomphe de la mort? Non, Messieurs, je ne puis plus soutenir ces grandes
paroles, par lesquelles l'arrogance humaine tâche de s'étourdir elle-même
pour ne pas apercevoir son néant. Il est temps de faire voir que tout ce qui
est mortel, quoi qu'on ajoute par le dehors pour le faire paraître grand, est
par son fond incapable d'élévation. . . .

20 . . . Ainsi je n'ai rien fait pour Madame, quand je vous ai représenté tant de
belles qualités qui la rendaient admirable au monde, et capable des plus
hauts desseins où une princesse puisse s'élever. Jusqu'à ce que je commence
à vous raconter ce qui l'unit à Dieu, une si illustre princesse ne paraîtra dans
ce discours que comme un exemple le plus grand qu'on se puisse proposer,
25 et le plus capable de persuader aux ambitieux qu'ils n'ont aucun moyen de
se distinguer, ni par leur naissance, ni par leur grandeur, ni par leur esprit;
puisque la mort, qui égale tout, les domine de tous côtés avec tant d'empire,
et que d'une main si prompte et si souveraine elle renverse les têtes les plus
respectées.

30 Considérez, Messieurs, ces grandes puissances que nous regardons de si
bas. Pendant que nous tremblons sous leur main, Dieu les frappe pour nous
avertir. Leur élévation en est la cause; et il les épargne si peu qu'il ne
craint pas de les sacrifier à l'instruction du reste des hommes. Chrétiens, ne
murmurez pas si Madame a été choisie pour nous donner une telle instruc-
35 tion. Il n'y a rien ici de rude pour elle, puisque, comme vous le verrez dans la
suite, Dieu la sauve par le même coup qui nous instruit. Nous devrions être
assez convaincus de notre néant; mais s'il faut des coups de surprise à nos
cœurs enchantés de l'amour du monde, celui-ci est assez grand et assez terrible.

40 O nuit désastreuse![33] ô nuit effroyable, où retentit tout à coup, comme un
éclat de tonnerre, cette étonnante nouvelle: Madame se meurt! Madame est
morte! Qui de nous ne se sentit frappé à ce coup, comme si quelque tragique

---

[81] Charles II hardly deserves this name, in the light of modern research.
[82] Reference to the secret treaty of 1670, which sealed the understanding between the
two kings.
[33] One of the famous passages in Bossuet.

accident avait désolé sa famille? Au premier bruit d'un mal si étrange, on accourut à Saint-Cloud [34] de toutes parts; on trouve tout consterné, excepté le cœur de cette princesse. Partout on entend des cris; partout on voit la douleur et le désespoir, et l'image de la mort.[35] Le roi, la reine, Monsieur,[36] toute la cour, tout le peuple, tout est abattu, tout est désespéré; et il me semble que je vois l'accomplissement de cette parole du prophète: «Le roi pleurera, le prince sera désolé, et les mains tomberont au peuple de douleur et d'étonnement.» [37]

Mais et les princes et les peuples gémissaient en vain. En vain Monsieur, en vain le roi même tenait Madame serrée par de si étroits embrassements. ... La princesse leur échappait parmi des embrassements si tendres, et la mort plus puissante nous l'enlevait entre ces royales mains. Quoi donc, elle devait périr sitôt! Dans la plupart des hommes, les changements se font peu à peu, et la mort les prépare ordinairement à son dernier coup. Madame cependant a passé du matin au soir, ainsi que l'herbe des champs.[38] Le matin elle fleurissait; avec quelles grâces, vous le savez: le soir nous la vîmes séchée; et ces fortes expressions par lesquelles l'Écriture sainte exagère l'inconstance des choses humaines, devaient être pour cette princesse si précises et si littérales. Hélas! nous composions son histoire de tout ce qu'on peut imaginer de plus glorieux! Le passé et le présent nous garantissaient l'avenir, et on pouvait tout attendre de tant d'excellentes qualités. Elle allait s'acquérir deux puissants royaumes [39] par des moyens agréables; toujours douce, toujours paisible, autant que généreuse et bienfaisante, son crédit n'y aurait jamais été odieux; on ne l'eût point vue s'attirer la gloire avec une ardeur inquiète et précipitée; elle l'eût attendue sans impatience, comme sûre de la posséder. Cet attachement qu'elle a montré si fidèle pour le roi jusques à la mort lui en donnait les moyens. Et certes, c'est le bonheur de nos jours, que l'estime se puisse joindre avec le devoir, et qu'on puisse autant s'attacher au mérite et à la personne du prince qu'on en révère la puissance et la majesté. Les inclinations de Madame ne l'attachaient pas moins fortement à tous ses autres devoirs. La passion qu'elle ressentait pour la gloire de Monsieur n'avait point de bornes. Pendant que ce grand prince, marchant sur les pas de son invincible frère,[40] secondait avec tant de valeur et de succès ses grands et héroïques desseins dans la campagne de Flandre,[41] la joie de cette princesse était incroyable. C'est ainsi que ses généreuses inclinations la menaient à la gloire par les voies que le monde trouve les plus belles; et si quelque chose manquait encore à son bonheur,[42] elle eût tout gagné par sa douceur et par sa conduite. ...

Toutefois c'est par cet endroit que tout se dissipe en un moment. Au lieu de l'histoire d'une belle vie, nous sommes réduits à faire l'histoire d'une

[34] Palace on the Seine, near Paris, scene of the death of Madame.   [35] Cf. *Æneid* II, 369.
[36] As a matter of fact, Monsieur seems to have been but little affected, like most of those present at Saint-Cloud. Madame's illness was not regarded as serious until the very end.
[37] *Ezekiel* VII, 27.   [38] Bossuet is here paraphrasing *Psalms* CIII, 15–16, or *Isaiah* XL, 6–8.
[39] England and France, united in interest by the treaty of Dover.   [40] Louis XIV.
[41] Fought in the year 1667.
[42] Monsieur was jealous of Madame's favor with Louis XIV.

admirable mais triste mort. A la vérité, Messieurs, rien n'a jamais égalé la fermeté de son âme, ni ce courage paisible qui, sans faire effort pour s'élever, s'est trouvé par sa naturelle situation au-dessus des accidents les plus redoutables. Oui, Madame fut douce envers la mort, comme elle l'était envers tout
5 le monde. Son grand cœur ni ne s'aigrit, ni ne s'emporta contre elle. Elle ne la brave non plus avec fierté, contente de l'envisager sans émotion et de la recevoir sans trouble. Triste consolation, puisque, malgré ce grand courage, nous l'avons perdue! C'est la grande vanité des choses humaines. Après que, par le dernier effet de notre courage, nous avons, pour ainsi dire, surmonté
10 la mort, elle éteint en nous jusqu'à ce courage par lequel nous semblions la défier. La voilà, malgré ce grand cœur, cette princesse si admirée et si chérie; la voilà telle que la mort nous l'a faite: encore ce reste tel quel va-t-il disparaître, cette ombre de gloire va s'évanouir; et nous l'allons voir dépouillée même de cette triste décoration.[43] Elle va descendre à ces sombres
15 lieux, à ces demeures souterraines,[44] pour y dormir dans la poussière avec les grands de la terre. . . .

C'est ainsi que la puissance divine, justement irritée contre notre orgueil, le pousse jusqu'au néant, et que, pour égaler à jamais les conditions, elle ne fait de nous tous qu'une même cendre. Peut-on bâtir sur ces ruines? Peut-on
20 appuyer quelque grand dessein sur ce débris inévitable des choses humaines? Mais quoi, Messieurs, tout est-il donc désespéré pour nous? Dieu, qui foudroie toutes nos grandeurs jusqu'à les réduire en poudre, ne nous laisse-t-il aucune espérance? Lui, aux yeux de qui rien ne se perd, et qui suit toutes les parcelles de nos corps, en quelque endroit écarté du monde que la corruption ou le
25 hasard les jette, verra-t-il périr sans ressource ce qu'il a fait capable de le connaître et de l'aimer? Ici un nouvel ordre de choses se présente à moi, les ombres de la mort se dissipent: «Les voies me sont ouvertes à la véritable vie.» [44a] Madame n'est plus dans le tombeau; la mort, qui semblait tout détruire, a tout établi: voici le secret de l'Ecclésiaste, que je vous avais marqué dès
30 le commencement de ce discours, et dont il faut maintenant découvrir le fond.

II

[Bossuet, having shown the vanity of man, now proceeds to show his greatness in his relation to God.]

Il faut donc penser, chrétiens, qu'outre le rapport que nous avons du côté du corps avec la nature changeante et mortelle, nous avons d'un autre côté un rapport intime, et une secrète affinité avec Dieu, parce que Dieu même a mis quelque chose en nous, qui peut confesser la vérité de son être, en adorer
35 la perfection, en admirer la plénitude; quelque chose qui peut se soumettre à sa souveraine puissance, s'abandonner à sa haute et incompréhensible sagesse, se confier en sa bonté, craindre sa justice, espérer son éternité. De ce côté, Messieurs, si l'homme croit avoir en lui de l'élévation, il ne se trompera pas. Car comme il est nécessaire que chaque chose soit réunie à son principe, et que c'est
40 pour cette raison, dit l'Ecclésiaste, «que le corps retourne à la terre, dont il a été

---

[43] The Church of Saint-Denis was hung with black on the occasion of royal funeral services.
[44] The vaults, containing the tombs of the French Kings. [44a] *Psalms*, XV, 10.

tiré»: [45] il faut, par la suite du même raisonnement, que ce qui porte en nous la marque divine, ce qui est capable de s'unir à Dieu, y soit aussi rappelé. Or, ce qui doit retourner à Dieu, qui est la grandeur primitive et essentielle, n'est-il pas grand et élevé? C'est pourquoi, quand je vous ai dit que la grandeur et la gloire n'étaient parmi nous que des noms pompeux, vides de sens et de choses, je regardais le mauvais usage que nous faisons de ces termes. Mais, pour dire la vérité dans toute son étendue, ce n'est ni l'erreur ni la vanité qui ont inventé ces noms magnifiques; au contraire, nous ne les aurions jamais trouvés, si nous n'en avions porté le fonds en nous-mêmes. Car où prendre ces nobles idées dans le néant? La faute que nous faisons n'est donc pas de nous être servis de ces noms; c'est de les avoir appliqués à des objets trop indignes. . . .

En effet, jusqu'à ce que nous ayons trouvé la véritable sagesse, tant que nous regarderons l'homme par les yeux du corps, sans y démêler par l'intelligence ce secret principe de toutes nos actions, qui, étant capable de s'unir à Dieu, doit nécessairement y retourner, que verrons-nous autre chose dans notre vie que de folles inquiétudes? et que verrons-nous dans notre mort qu'une vapeur qui s'exhale, que des esprits qui s'épuisent, que des ressorts qui se démontent et se déconcertent,[46] enfin qu'une machine qui se dissout et qui se met en pièces? Ennuyés [47] de ces vanités, cherchons ce qu'il y a de grand et de solide en nous. Le Sage nous l'a montré dans les dernières paroles de l'Ecclésiaste; et bientôt Madame nous le fera paraître dans les dernières actions de sa vie. «Crains Dieu, et observe ses commandements; car c'est là tout l'homme»; comme s'il disait: ce n'est pas l'homme que j'ai méprisé, ne le croyez pas; ce sont les opinions, ce sont les erreurs par lesquelles l'homme abusé se déshonore lui-même. Voulez-vous savoir en un mot ce que c'est que l'homme? Tout son devoir, tout son objet, toute sa nature, c'est de craindre Dieu: tout le reste est vain, je le déclare; mais aussi tout le reste n'est pas l'homme. Voici ce qui est réel et solide, et ce que la mort ne peut enlever: car, ajoute l'Ecclésiaste: «Dieu examinera dans son jugement tout ce que nous aurons fait de bien et de mal.» [48] Il est donc maintenant aisé de concilier toutes choses. Le Psalmiste dit «qu'à la mort périront toutes nos pensées»; [49] oui: celles que nous aurons laissé emporter au monde dont la figure passe et s'évanouit.[50] Car encore que notre esprit soit de nature à vivre toujours, il abandonne à la mort tout ce qu'il consacre aux choses mortelles; de sorte que nos pensées, qui devraient être incorruptibles du côté de leur principe, deviennent périssables du côté de leur objet. Voulez-vous sauver quelque chose de ce débris si universel, si inévitable? Donnez à Dieu vos affections; nulle force ne vous ravira ce que vous aurez déposé en ces mains divines. Vous pourrez hardiment mépriser la mort, à l'exemple de notre héroïne chrétienne. Mais afin de tirer d'un si bel exemple toute l'instruction qu'il nous peut donner, entrons dans une profonde considération des conduites de Dieu sur elle, et adorons en cette princesse le mystère de la prédestination et de la grâce. . . .

[25] *Ecclesiastes* XII, 7. [46] "get out of order and cease to work together."
[47] "saddened." [48] *Ecclesiastes* XII, 14. [49] *Psalms* CXLVI, 4.
[50] I *Corinthians* VII, 31.

Toute la vie du chrétien, et dans le temps qu'il espère, et dans le temps qu'il jouit, est un miracle de grâce. Que ces deux principaux moments de la grâce ont été bien marqués par les merveilles que Dieu a faites pour le salut éternel de Henriette d'Angleterre! Pour la donner à l'Église, il a fallu
5 renverser tout un grand royaume.[51] La grandeur de la maison d'où elle est sortie n'était pour elle qu'un engagement plus étroit dans le schisme de ses ancêtres: disons, des derniers de ses ancêtres;[52] puisque tout ce qui les précède, à remonter jusqu'aux premiers temps, est si pieux et si catholique. Mais si les lois de l'État s'opposent à son salut éternel, Dieu ébranlera tout
10 l'État pour l'affranchir de ces lois. Il met les âmes à ce prix; il remue le ciel et la terre pour enfanter ses élus; et comme rien ne lui est cher que ces enfants de sa dilection éternelle, que ces membres inséparables de son Fils bien-aimé, rien ne lui coûte, pourvu qu'il les sauve. Notre princesse est persécutée avant que de naître, délaissée[53] aussitôt que mise au monde;
15 arrachée, en naissant, à la piété d'une mère catholique; captive, dès le berceau,[54] des ennemis implacables de sa maison; et ce qui était plus déplorable, captive des ennemis de l'Eglise; par conséquent destinée premièrement par sa glorieuse naissance, et ensuite par sa malheureuse captivité, à l'erreur et à l'hérésie. Mais le sceau de Dieu était sur elle. Elle pouvait dire
20 avec le Prophète: «Mon père et ma mère m'ont abandonnée; mais le Seigneur m'a reçue en sa protection.»[55] Délaissée de toute la terre dès ma naissance, «je fus comme jetée entre les bras de sa providence paternelle; et dès le ventre de ma mère il se déclara mon Dieu.»[56] Ce fut à cette garde fidèle que la reine sa mère commit ce précieux dépôt. Elle ne fut point trompée dans sa
25 confiance. Deux ans après, un coup imprévu et qui tenait du miracle, délivra la princesse des mains des rebelles. Malgré les tempêtes de l'océan, et les agitations encore plus violentes de la terre, Dieu la prenant sur ses ailes, comme l'aigle prend ses petits,[57] la porta lui-même dans ce royaume,[58] lui-même la posa dans le sein de la reine sa mère, ou plutôt dans le sein de
30 l'Église catholique. Là elle apprit les maximes de la piété véritable, moins par les instructions qu'elle y recevait, que par les exemples vivants de cette grande et religieuse reine. Ella a imité ses pieuses libéralités. Ses aumônes toujours abondantes se sont répandues principalement sur les catholiques d'Angleterre, dont elle a été la fidèle protectrice. Digne fille de saint
35 Édouard[59] et de saint Louis,[60] elle s'attacha du fond de son cœur à la foi de ces deux grands rois. Qui pourrait assez exprimer le zèle dont elle brûlait pour le rétablissement de cette foi dans le royaume d'Angleterre, où l'on en

---

[51] Had it not been for the defeat of Charles I by the Parliament, Henriette would likely have been brought up as an Episcopalian.
[52] Until Henry VIII broke with the Church (1534–1539), all the English kings had been Catholics.
[53] Her mother was forced to abandon her when she was only two weeks old.
[54] In reality her captivity came some two years later.
[55] *Psalms* XXVII, 10.   [56] *Psalms* XXII, 10.   [57] Cf. *Exodus* XIX, 4.
[58] Henriette, after her escape from the hands of the Parliament, was brought up in France.
[59] Edward the Confessor (1042–1066), famous for his sanctity.
[60] Louis IX (1226–1270). Madame thus had saints in both her English and French ancestry.

conserve encore tant de précieux monuments?[61] Nous savons qu'elle n'eût pas craint d'exposer sa vie pour un si pieux dessein: et le ciel nous l'a ravie! O Dieu! que prépare ici votre éternelle providence? Me permettez-vous, ô Seigneur, d'envisager en tremblant vos saints et redoutables conseils? Est-ce que les temps de confusion ne sont pas encore accomplis? Est-ce que le crime qui fit céder vos vérités saintes à des passions malheureuses[62] est encore devant vos yeux, et que vous ne l'avez pas assez puni par un aveuglement de plus d'un siècle? Nous ravissez-vous Henriette, par un effet du même jugement qui abrège les jours de la reine Marie,[63] et son règne si favorable à l'Église? ou bien voulez-vous triompher seul? et en nous ôtant les moyens dont nos désirs se flattaient, réservez-vous dans les temps marqués par votre prédestination éternelle de secrets retours à l'État et à la maison d'Angleterre? Quoi qu'il en soit, ô grand Dieu! recevez-en aujourd'hui les bienheureuses prémices en la personne de cette princesse. Puisse toute sa maison et tout le royaume suivre l'exemple de sa foi! Ce grand roi,[64] qui remplit de tant de vertus le trône de ses ancêtres, et fait louer tous les jours la divine main qui l'y a rétabli comme par miracle,[65] n'improuvera[66] pas notre zèle, si nous souhaitons devant Dieu que lui et tous ses peuples soient comme nous. . . . Que l'Angleterre, trop libre dans sa croyance,[67] trop licencieuse dans ses sentiments, soit enchaînée comme nous de ces bienheureux liens qui empêchent l'orgueil humain de s'égarer dans ses pensées, en le captivant sous l'autorité du Saint-Esprit et de l'Église.

Après vous avoir exposé le premier effet de la grâce de Jésus-Christ en notre princesse, il me reste, Messieurs, de vous faire considérer le dernier qui couronnera tous les autres. C'est par cette dernière grâce que la mort change de nature pour les chrétiens, puisqu'au lieu qu'elle semblait être faite pour nous dépouiller de tout, elle commence, comme dit l'Apôtre,[68] à nous revêtir, et nous assure éternellement la possession des biens véritables. . . . Donc, Messieurs, si je vous fais voir encore une fois Madame aux prises avec la mort, n'appréhendez rien pour elle: quelque cruelle que la mort vous paraisse, elle ne doit servir à cette fois que pour accomplir l'œuvre de la grâce et sceller en cette princesse le conseil de son éternelle prédestination. Voyons donc ce dernier combat; mais encore un coup affermissons-nous. Ne mêlons point de faiblesse à une si forte action, et ne déshonorons point par nos larmes une si belle victoire.

Voulez-vous voir combien la grâce qui a fait triompher Madame a été puissante? voyez combien la mort a été terrible. Premièrement elle a plus de prise sur une princesse qui a tant à perdre. Que d'années elle va ravir à cette jeunesse! que de joie elle enlève à cette fortune! que de gloire elle ôte

---

[61] The great English cathedrals.
[62] It was the passion of Henry VIII for Anne Boleyn which led to his break with the Pope.
[63] Mary Tudor (1553–1558), "Bloody Mary," whose reign is not so favorably regarded in England.
[64] Charles II. Bossuet's eulogy of him is widely at variance with the accepted idea of his character.
[65] At the Restoration of 1660.   [66] "blame."   [67] Because Protestant.
[68] II *Corinthians* V, 1–4.

à ce mérite! D'ailleurs, peut-elle venir ou plus prompte ou plus cruelle? C'est ramasser toutes ses forces, c'est unir tout ce qu'elle a de plus redoutable, que de joindre, comme elle fait, aux plus vives douleurs l'attaque la plus imprévue. Mais quoique, sans menacer et sans avertir, elle se fasse sentir tout
5 entière dès le premier coup, elle trouve la princesse prête. La grâce plus active encore l'a déjà mise en défense. Ni la gloire ni la jeunesse n'auront un soupir. Un regret immense de ses péchés ne lui permet pas de regretter autre chose. Elle demande le crucifix sur lequel elle avait vu expirer la reine sa belle-mère,[69] comme pour y recueillir les impressions[70] de constance et de
10 piété que cette âme vraiment chrétienne y avait laissées avec les derniers soupirs.

A la vue d'un si grand objet, n'attendez pas de cette princesse des discours étudiés et magnifiques: une sainte simplicité fait ici toute la grandeur. Elle s'écrie: «O mon Dieu, pourquoi n'ai-je pas toujours mis en vous ma con-
15 fiance?» Elle s'afflige, elle se rassure, elle confesse humblement et avec tous les sentiments d'une profonde douleur que de ce jour seulement elle commence à connaître Dieu, n'appelant pas le connaître que de regarder encore tant soit peu le monde. Qu'elle nous parut au-dessus de ces lâches chrétiens qui s'imaginent avancer leur mort quand ils préparent leur confession; qui
20 ne reçoivent les saints sacrements que par force; dignes certes de recevoir pour leur jugement ce mystère de piété qu'ils ne reçoivent qu'avec répugnance. Madame appelle les prêtres plutôt que les médecins. Elle demande d'elle-même les sacrements de l'Église: la pénitence avec componction; l'Eucharistie avec crainte et puis avec confiance; la sainte onction des mourants avec
25 un pieux empressement. Bien loin d'en être effrayée, elle veut la recevoir avec connaissance; elle écoute l'explication de ces saintes cérémonies, de ces prières apostoliques qui, par une espèce de charme divin, suspendent les douleurs les plus violentes, qui font oublier la mort (je l'ai vu souvent) à qui les écoute avec foi; elle les suit, elle s'y conforme; on lui voit paisiblement
30 présenter son corps à cette huile sacrée, ou plutôt au sang de Jésus, qui coule si abondamment avec cette précieuse liqueur.

Ne croyez pas que ces excessives et insupportables douleurs aient tant soit peu troublé sa grande âme. Ah! je ne veux plus tant admirer les braves ni les conquérants. Madame m'a fait connaître la vérité de cette parole du
35 Sage: «Le patient vaut mieux que le fort,[71] et celui qui dompte son cœur vaut mieux que celui qui prend des villes.»[72] Combien a-t-elle été maîtresse du sien! Avec quelle tranquillité a-t-elle satisfait à tous ses devoirs! Rappelez en votre pensée ce qu'elle dit à Monsieur.[73] Quelle force! quelle tendresse! O paroles qu'on voyait sortir de l'abondance d'un cœur qui se sent au-dessus
40 de tout; paroles que la mort présente et que Dieu plus présent encore ont consacrées; sincère production d'une âme qui, tenant au ciel, ne doit plus

---

[69] Anne of Austria, mother of Louis XIV and of Philippe d'Orleans.
[70] "imprints."   [71] "hero."   [72] *Proverbs* XVI, 32.
[73] According to Mme de La Fayette, her intimate friend, Madame said to her husband: "Hélas! Monsieur, vous ne m'aimez plus, il y a longtemps: mais cela est injuste, je ne vous ai jamais manqué."

rien a la terre que la vérité: vous vivrez éternellement dans la mémoire des
hommes, mais surtout vous vivrez éternellement dans le cœur de ce grand
prince. Madame ne peut plus résister aux larmes qu'elle lui voit répandre.
Invincible par tout autre endroit, ici elle est contrainte de céder. Elle prie
Monsieur de se retirer, parce qu'elle ne veut plus sentir de tendresse que pour   5
ce Dieu crucifié qui lui tend les bras.

Alors qu'avons-nous vu? qu'avons-nous ouï? Elle se conformait aux
ordres de Dieu; elle lui offrait ses souffrances en expiation de ses fautes; elle
professait hautement la foi catholique et la résurrection des morts, cette
précieuse consolation des fidèles mourants. Elle excitait le zèle de ceux   10
qu'elle avait appelés pour l'exciter elle-même, et ne voulait point qu'ils cessas-
sent un moment de l'entretenir des vérités chrétiennes. Elle souhaita mille
fois d'être plongée au sang de l'Agneau: c'était un nouveau langage que la
grâce lui apprenait. Nous ne voyions en elle ni cette ostentation par laquelle
on veut tromper les autres, ni ces émotions d'une âme alarmée par lesquelles   15
on se trompe soi-même. Tout était simple, tout était solide, tout était tranquille; tout partait d'une âme soumise et d'une source sanctifiée par le Saint-
Esprit.

En cet état, Messieurs, qu'avions-nous à demander à Dieu pour cette
princesse, sinon qu'il l'affermît dans le bien, et qu'il conservât en elle les   20
dons de sa grâce? Ce grand Dieu nous exauçait; mais souvent, dit saint
Augustin, en nous exauçant il trompe heureusement notre prévoyance. La
princesse est affermie dans le bien d'une manière plus haute que celle que
nous entendions. Comme Dieu ne voulait plus exposer aux illusions du
monde les sentiments d'une piété si sincère, il a fait ce que dit le Sage: «Il   25
s'est hâté.» [74] En effet, quelle diligence! [75] en neuf heures l'ouvrage est
accompli. «Il s'est hâté de la tirer du milieu des iniquités.» Voilà, dit le
grand saint Ambroise,[76] la merveille de la mort dans les chrétiens: elle ne
finit pas leur vie; elle ne finit que leurs péchés et les périls où ils sont exposés.
Nous nous sommes plaints que la mort ennemie des fruits que nous promet-   30
tait la princesse, les a ravagés dans la fleur; qu'elle a effacé, pour ainsi dire,
sous le pinceau même, un tableau qui s'avançait à la perfection avec une
incroyable diligence, dont les premiers traits, dont le seul dessin montrait
déjà tant de grandeur. Changeons maintenant de langage; ne disons plus que
la mort a tout d'un coup arrêté le cours de la plus belle vie du monde et de   35
l'histoire qui se commençait le plus noblement; disons qu'elle a mis fin aux
plus grands périls dont une âme chrétienne peut être assaillie.

Et pour ne point parler ici des tentations infinies qui attaquent à chaque
pas la faiblesse humaine, quel péril n'eût point trouvé cette princesse dans sa
propre gloire? La gloire, qu'y a-t-il pour le chrétien de plus pernicieux et de   40
plus mortel; quel appât plus dangereux? quelle fumée plus capable de faire
tourner les meilleures têtes? Considérez la princesse; représentez-vous cet

---

[74] Bossuet quotes here from the *Book of Wisdom*, IV, 14, an apochryphal book attributed
to Solomon.
[75] "haste."
[76] Ambrosius, bishop of Milan (340–397), one of the great church fathers.

esprit qui, répandu par tout son extérieur, en rendait les grâces si vives: tout
était esprit, tout était bonté. Affable à tous avec dignité, elle savait estimer
les uns sans fâcher les autres; et quoique le mérite fût distingué, la faiblesse
ne se sentait pas dédaignée. Quand quelqu'un traitait avec elle, il semblait
5 qu'elle eût oublié son rang pour ne se soutenir que par sa raison. On ne
s'apercevait presque pas qu'on parlât à une personne si élevée; on sentait
seulement au fond de son cœur qu'on eût voulu lui rendre au centuple la
grandeur dont elle se dépouillait si obligeamment. Fidèle en ses paroles, incapable de déguisement, sûre à ses amis, par la lumière et la droiture de son
10 esprit elle les mettait à couvert de vains ombrages et ne leur laissait à craindre
que leurs propres fautes. Très reconnaissante des services, elle aimait à
prévenir les injures par sa bonté: vive à les sentir, facile à les pardonner. Que
dirai-je de sa libéralité? Elle donnait non seulement avec joie, mais avec une
hauteur d'âme qui marquait tout ensemble et le mépris du don et l'estime
15 de la personne; tantôt par des paroles touchantes, tantôt même par son
silence, elle relevait ses présents; et cet art de donner agréablement qu'elle
avait si bien pratiqué durant sa vie, l'a suivie, je le sais,[77] jusqu'entre les bras
de la mort.

Avec tant de grandes et tant d'aimables qualités, qui eût pu lui refuser son
20 admiration? Mais, avec son crédit, avec sa puissance, qui n'eût voulu
s'attacher à elle? N'allait-elle pas gagner tous les cœurs, c'est-à-dire la seule
chose qu'ont à gagner ceux à qui la naissance et la fortune semblent tout
donner? Et si cette haute élévation est un précipice affreux pour les chrétiens,
ne puis-je pas dire, Messieurs, pour me servir des paroles fortes du plus grave
25 des historiens,[78] «qu'elle allait être précipitée dans la gloire»? Car quelle
créature fut jamais plus propre à être l'idole du monde? Mais ces idoles que
le monde adore, à combien de tentations délicates ne sont-elles pas exposées?
La gloire, il est vrai, les défend de quelques faiblesses; mais la gloire les
défend-elle de la gloire même? ne s'adorent-elles pas secrètement? ne veulent-
30 elles pas être adorées? que n'ont-elles pas à craindre de leur amour-propre?
et que se peut refuser la faiblesse humaine, pendant que le monde lui accorde
tout? n'est-ce pas là qu'on apprend à faire servir à l'ambition, à la grandeur,
à la politique, et la vertu, et la religion, et le nom de Dieu? La modération
que le monde affecte n'étouffe pas les mouvements de la vanité: elle ne sert
35 qu'à les cacher; et plus elle ménage le dehors, plus elle livre le cœur aux
sentiments les plus délicats et les plus dangereux de la fausse gloire. On ne
compte plus que soi-même, et on dit au fond de son cœur: «Je suis, et il n'y a
que moi sur la terre.» [79] En cet état, Messieurs, la vie n'est-elle pas un péril,
la mort n'est-elle pas une grâce? Que ne doit-on pas craindre de ses vices, si
40 les bonnes qualités sont si dangereuses? N'est-ce donc pas un bienfait de Dieu
d'avoir abrégé les tentations avec les jours de Madame; de l'avoir arrachée
à sa propre gloire, avant que cette gloire par son excès eût mis en hasard sa
modération? Qu'importe que sa vie ait été si courte? jamais ce qui doit finir

---

[77] Madame left a ring for Bossuet, to be given to him after her death. Bossuet was deeply
touched by this remembrance of their friendship.
[78] Tacitus (55–120) in his *Agricola*, 12.   [79] *Isaiah* XLVII, 10.

ne peut être long. Quand nous ne compterions point ses confessions plus exactes, ses entretiens de dévotion plus fréquents, son application plus forte à la piété dans les derniers temps de sa vie; ce peu d'heures, saintement passées parmi les plus rudes épreuves et dans les sentiments les plus purs du christianisme, tiennent lieu toutes seules d'un âge accompli. Le temps a été court, je l'avoue; mais l'opération de la grâce a été forte, mais la fidélité de l'âme a été parfaite. C'est l'effet d'un art consommé de réduire en petit tout un grand ouvrage; et la grâce, cette excellente ouvrière, se plaît quelquefois à renfermer en un jour la perfection d'une longue vie. Je sais que Dieu ne veut pas qu'on s'attende à de tels miracles; mais si la témérité insensée des hommes abuse de ses bontés, son bras pour cela n'est pas raccourci et sa main n'est pas affaiblie. Je me confie pour Madame en cette miséricorde qu'elle a si sincèrement et si humblement réclamée. Il semble que Dieu ne lui ait conservé le jugement libre jusques au dernier soupir qu'afin de faire durer les témoignages de sa foi. Elle a aimé en mourant le Sauveur Jésus; les bras lui ont manqué plutôt que l'ardeur d'embrasser la croix; j'ai vu sa main défaillante chercher encore en tombant de nouvelles forces pour appliquer sur ses lèvres ce bienheureux signe de notre rédemption; n'est-ce pas mourir entre les bras et dans le baiser du Seigneur? Ah! nous pouvons achever ce saint sacrifice [80] pour le repos de Madame avec une pieuse confiance. Ce Jésus en qui elle a espéré, dont elle a porté la croix en son corps par des douleurs si cruelles, lui donnera encore son sang, dont elle est déjà toute teinte, toute pénétrée, par la participation à ses sacrements et par la communion avec ses souffrances.

Mais en priant pour son âme, chrétiens, songeons à nous-mêmes. Qu'attendons-nous pour nous convertir? Quelle dureté est semblable à la nôtre, si un accident si étrange, qui devrait nous pénétrer jusqu'au fond de l'âme, ne fait que nous étourdir pour quelques moments? . . . Faut-il un autre spectacle pour nous détromper et des sens et du présent et du monde? La Providence divine pouvait-elle nous mettre en vue, ni de plus près, ni plus fortement, la vanité des choses humaines? . . . Commencez aujourd'hui à mépriser les faveurs du monde; et toutes les fois que vous serez dans ces lieux augustes, dans ces superbes palais à qui Madame donnait un éclat que vos yeux recherchent encore; toutes les fois que, regardant cette grande place qu'elle remplissait si bien, vous sentirez qu'elle y manque, songez que cette gloire que vous admiriez faisait son péril en cette vie, et que dans l'autre elle est devenue le sujet d'un examen rigoureux, où rien n'a été capable de la rassurer que cette sincère résignation qu'elle a eue aux ordres de Dieu et les saintes humiliations de la pénitence.

[80] Bossuet delivered his oration as part of a special mass service.

DISCOURS SUR L'HISTOIRE UNIVERSELLE
(Conclusion)

Mais souvenez-vous, Monseigneur,[81] que ce long enchaînement des causes particulières, qui font et défont les empires, dépend des ordres secrets de la divine Providence. Dieu tient du plus haut des cieux les rênes de tous les royaumes; il a tous les cœurs en sa main: tantôt il retient les passions, tantôt il
5 leur lâche la bride, et par là il remue tout le genre humain. Veut-il faire des conquérants? Il fait marcher l'épouvante devant eux, et il inspire à eux et à leurs soldats une hardiesse invincible. Veut-il faire des législateurs? Il leur envoie son esprit de sagesse et de prévoyance; il leur fait prévenir les maux qui menacent les états, et poser les fondements de la tranquillité publique.
10 Il connaît la sagesse humaine, toujours courte par quelque endroit; il l'éclaire, il étend ses vues, et puis il l'abandonne à ses ignorances: il l'aveugle, il la précipite; il la confond par elle-même: elle s'enveloppe, elle s'embarrasse dans ses propres subtilités, et ses précautions lui sont un piège. Dieu exerce par ce moyen ses redoutables jugements, selon les règles de sa justice toujours in-
15 faillible. C'est lui qui prépare les effets dans les causes les plus éloignées, et qui frappe ces grands coups dont le contre-coup porte si loin. Quand il veut lâcher le dernier, et renverser les empires, tout est faible et irrégulier dans les conseils. L'Égypte, autrefois si sage, marche enivrée, étourdie et chancelante, parce que le Seigneur a répandu l'esprit de vertige dans ses conseils; elle ne
20 sait plus ce qu'elle fait, elle est perdue. Mais que les hommes ne s'y trompent pas: Dieu redresse quand il lui plaît le sens égaré; et celui qui insultait à l'aveuglement des autres tombe lui-même dans les ténèbres plus épaisses, sans qu'il faille souvent autre chose, pour lui renverser le sens, que ses longues prospérités.
25 C'est ainsi que Dieu règne sur tous les peuples. Ne parlons plus de hasard ni de fortune, ou parlons-en seulement comme d'un nom dont nous couvrons notre ignorance. Ce qui est hasard à l'égard de nos conseils incertains est un dessein concerté dans un conseil plus haut, c'est-à-dire, dans ce conseil éternel qui renferme toutes les causes et tous les effets dans un même ordre. De cette
30 sorte tout concourt à la même fin; et c'est faute d'entendre le tout, que nous trouvons du hasard ou de l'irrégularité dans les rencontres particulières.

Par là se vérifie ce que dit l'apôtre, que «Dieu est heureux et le seul puissant, roi des rois, et seigneur des seigneurs.» [82] Heureux, dont le repos est inaltérable, qui voit tout changer sans changer lui-même, et qui fait tous les
35 changements par un conseil immuable; qui donne et ôte la puissance, qui la transporte d'un homme à un autre, d'une maison à une autre, d'un peuple à un autre, pour montrer qu'ils ne l'ont tous que par emprunt, et qu'il est le seul en qui elle réside naturellement.

C'est pourquoi tous ceux qui gouvernent se sentent assujettis à une force

---

[81] Louis (1661–1711), son of Louis XIV, called the *Grand Dauphin*. Bossuet was his tutor, and wrote the *Discours sur l'histoire universelle* to provide a suitable historical text for his pupil.
[82] I *Timothy* VI, 15.

majeure. Ils font plus ou moins qu'ils ne pensent, et leurs conseils n'ont jamais manqué d'avoir des effets imprévus. Ni ils ne sont maîtres des dispositions que les siècles passés ont mises dans les affaires, ni ils ne peuvent prévoir le cours que prendra l'avenir, loin qu'ils le puissent forcer.[82a] Celui-là seul tient tout en sa main, qui sait le nom de ce qui est et de ce qui n'est pas encore, 5 qui préside à tous les temps, et prévient tous les conseils.

Alexandre [83] ne croyait pas travailler pour ses capitaines, ni ruiner sa maison par ses conquêtes. Quand Brutus [84] inspirait au peuple romain un amour immense de la liberté, il ne songeait pas qu'il jetait dans les esprits le principe de cette licence effrénée par laquelle la tyrannie qu'il voulait détruire 10 devait être un jour rétablie plus dure que sous les Tarquins.[85] Quand les Césars flattaient les soldats, ils n'avaient pas dessein de donner des maîtres à leurs successeurs et à l'empire.[86] En un mot, il n'y a point de puissance humaine qui ne serve malgré elle à d'autres desseins que les siens: Dieu seul sait tout réduire à sa volonté. C'est pourquoi tout est surprenant, à ne re- 15 garder que les causes particulières, et néanmoins tout s'avance avec une suite réglée. Ce discours vous le fait entendre; et pour ne plus parler des autres empires, vous voyez par combien de conseils imprévus, mais toutefois suivis en eux-mêmes, la fortune de Rome a été menée de Romulus [87] jusqu'à Char-lemagne.
20

[82a] "far from being able to affect it."

[83] Alexander the Great (356–323 B. C.), whose empire fell to pieces at his death.

[84] Republican conspirator, who killed Julius Caesar for attempting to overthrow Roman liberty.

[85] Early kings of Rome.

[86] Later Roman Emperors were made and unmade by the Prætorian Guard, composed of mercenary soldiers.

[87] Founder of Rome (753–715 B. C.).

LA BRUYÈRE (1645–1696)

Born in 1645 at Paris, Jean de la Bruyère, after some years' service in the finance department of the government, became in 1684, through the efforts of Bossuet, tutor to the grandson of le Grand Condé. His functions ended, he remained in the Condé service as a gentleman-in-waiting, a position which gave him an excellent opportunity to observe society. The fruit of his observations is to be found in his *Caractères* (1688), which proved a tremendous success. In 1693 he was elected to the French Academy, where he showed himself to be a vigorous champion of the Ancients against the Moderns.

Les Caractères carries on the classical tradition of psychological analysis. In large part the book consists of reflections and maxims dealing with the hidden springs of human actions. As a moral analyst La Bruyère is less profound than La Rochefoucauld; he lacks the latter's unity of inspiration. But his work, pessimistic as it is, is far less depressing than the *Maximes* because he recognizes the existence of at least some good qualities in human nature.

The original part of *Les Caractères* is, however, the series of portraits which gives the book its name. These present contemporary men and women, not merely as abstractions to be analyzed for their motives, but as real human beings living a concrete existence. In La Bruyère is to be found a certain note of realism, lacking in most of the great classical writers. Many of the portraits clearly reflect personages of the time; others are composite pictures with traits taken from many individuals. Almost all tend toward caricature, because La Bruyère wishes to use his portraits as a means of satirizing certain glaring abuses of the time. His utter disgust with the injustice and corruption of his age is everywhere in evidence, though it would be a mistake to regard him as a revolutionist, seeking to overthrow existing conditions; he wished merely to call attention to the existence of certain evils in society with a view to bringing about possible reform.

In his form La Bruyère is equally original. *Les Caractères,* in spite of the author's claim to the contrary, is clearly lacking in unity of construction, so dear to the classicists. The lack of ordered arrangement was surely calculated; La Bruyère was anxious to avoid the slightest appearance of pedantry. In his style, likewise, he abandons the carefully balanced, beautifully cadenced phrasing of Bossuet and the other masters of the classical period, in favor of what is known as *le style coupé,* aiming at brilliancy of expression rather than oratorical effects. La Bruyère thus prepares the way for the characteristic 18th century style, associated with Lesage, Montesquieu and Voltaire.

"Plus la matière de l'observation est, pour ainsi dire, à fleur de sol, plus elle s'éloigne de l'idéale abstraction et s'approche de la réalité concrète et sensible, et mieux La Bruyère sait voir et rendre. Il atteint mieux l'homme du xviie siècle que l'homme, et mieux encore les divers types dans lesquels se résout l'homme du xviie siècle. La raison en est que dans ce moraliste il y a surtout un artiste, qui aime la vie et les aspects de la vie. Il évite le singulier, le monstrueux; il s'applique à saisir et à manifester les caractères généraux, les lois communes et constantes de la vie, à découvrir par conséquent et à peindre des types, mais ces types ne sont pas pour lui des formes abstraites, ce sont des individus réels et vivants, dont la généralité consiste dans leur aptitude à représenter des groupes.

Par ce manque de profondeur philosophique, avec ce tempérament d'artiste sensible aux formes, aux apparences vivantes, La Bruyère transforme le réalisme psychologique des grands classiques en réalisme pittoresque; il fait la transition de Molière à Lesage. S'il ne nous apprend à peu près rien de nouveau sur les passions elles-mêmes, il est un merveilleux observateur des signes extérieurs auxquels les passions sont attachées. Voilà son domaine, voilà son génie; là il est incomparable."

Lanson—*Histoire de la littérature française.*

LES CARACTÈRES (1688)

(EXTRAITS)

I. IDÉES LITTÉRAIRES

1. Tout est dit, et l'on vient trop tard depuis plus de sept mille ans [1] qu'il y a des hommes, et qui pensent. Sur ce qui concerne les mœurs, le plus beau et le meilleur est enlevé; l'on ne fait que glaner après les anciens et les habiles d'entre les modernes. (I, 1.)

2. Il y a dans l'art un point de perfection, comme de bonté ou de maturité dans la nature. Celui qui le sent et qui l'aime a le goût parfait; celui qui ne le sent pas, et qui aime en deçà ou au delà, a le goût défectueux. Il y a donc un bon et un mauvais goût, et l'on dispute des goûts avec fondement. (I, 10.)

3. On a dû faire du style ce qu'on a fait de l'architecture. On a entièrement abandonné l'ordre gothique,[2] que la barbarie avait introduit pour les palais et pour les temples; on a rappelé le dorique, l'ionique et le corinthien;[3] ce qu'on ne voyait plus que dans les ruines de l'ancienne Rome et de la vieille Grèce, devenu moderne, éclate dans nos portiques et dans nos péristyles. De même on ne saurait en écrivant rencontrer le parfait et, s'il se peut, surpasser les anciens que par leur imitation.[4]

Combien de siècles se sont écoulés avant que les hommes, dans les sciences et dans les arts, aient pu revenir au goût des anciens et reprendre enfin le simple et le naturel! . . . (I, 15.)

4. . . . Un bon auteur, et qui écrit avec soin, éprouve souvent que l'expression qu'il cherchait depuis longtemps sans la connaître, et qu'il a enfin trouvée, est celle qui était la plus simple, la plus naturelle, qui semblait devoir se présenter d'abord et sans effort. (I, 17.)

5. Entre toutes les différentes expressions qui peuvent rendre une seule de nos pensées, il n'y en a qu'une qui soit la bonne: on ne la rencontre pas toujours en parlant ou en écrivant; il est vrai néanmoins qu'elle existe, que

[1] Old chronology.
[2] La Bruyère shared the error of his age in regarding Gothic architecture as a barbarous art.
[3] The three orders of Greek architecture.
[4] La Bruyère is clearly of the party of *les Anciens.*

tout ce qui ne l'est point est faible et ne satisfait point un homme d'esprit qui veut se faire entendre. . . . (I, 17.)

6. Quand une lecture vous élève l'esprit, et qu'elle vous inspire des sentiments nobles et courageux, ne cherchez pas une autre règle pour juger de l'ouvrage; il est bon, et fait de main d'ouvrier. (I, 31.)

7. Un homme né chrétien et français se trouve contraint dans la satire: les grands sujets [5] lui sont défendus; il les entame quelquefois, et se détourne ensuite sur de petites choses, qu'il relève par la beauté de son génie et de son style. (I, 65.)

8. Marot et Rabelais sont inexcusables d'avoir semé l'ordure dans leurs écrits: tous deux avaient assez de génie et de naturel [6] pour pouvoir s'en passer, même à l'égard de ceux qui cherchent moins à admirer qu'à rire dans un auteur. Rabelais surtout est incompréhensible; son livre est une énigme, quoi qu'on veuille dire, inexplicable; c'est une chimère,[7] c'est le visage d'une belle femme avec des pieds et une queue de serpent ou de quelque autre bête plus difforme; c'est un monstrueux assemblage d'une morale fine et ingénieuse et d'une sale corruption. Où il est mauvais, il passe bien loin au delà du pire, c'est le charme de la canaille; où il est bon, il va jusques à l'exquis et à l'excellent, il peut être le mets des plus délicats. (I, 43.)

9. Je ne sais si l'on pourra jamais mettre dans des lettres plus d'esprit, plus de tour, plus d'agrément et plus de style que l'on en voit dans celles de Balzac et de Voiture. Elles sont vides de sentiments, qui n'ont régné que depuis leur temps, et qui doivent aux femmes leur naissance. Ce sexe va plus loin que le nôtre dans ce genre d'écriture.[8] Elles trouvent sous leur plume des tours et des expressions qui souvent en nous ne sont l'effet que d'un long travail et d'une pénible recherche; elles sont heureuses dans le choix des termes, qu'elles placent si juste, que, tout connus qu'ils sont, ils ont le charme de la nouveauté, et semblent être faits seulement pour l'usage où elles les mettent; il n'appartient qu'à elles de faire lire dans un seul mot tout un sentiment, et de rendre délicatement une pensée qui est délicate; elles ont un enchaînement de discours [9] inimitable qui se suit naturellement, et qui n'est lié que par le sens. Si les femmes étaient toujours correctes, j'oserais dire que les lettres de quelques-unes d'entre elles seraient peut-être ce que nous avons dans notre langue de mieux écrit. (I, 37.)

10. Corneille ne peut être égalé dans les endroits où il excelle: il a pour lors un caractère original et inimitable; mais il est inégal. Ses premières comédies [10] sont sèches, languissantes, et ne laissaient pas espérer qu'il dût ensuite aller si loin; comme ses dernières font qu'on s'étonne qu'il ait pu tomber de si haut. Dans quelques-unes de ses meilleures pièces, il y a des fautes inexcusables contre les mœurs, un style de déclamateur qui arrête l'action et la fait languir, des négligences dans les vers et dans l'expression qu'on ne peut comprendre en un si grand homme. Ce qu'il y a eu en lui de plus éminent, c'est l'esprit, qu'il avait sublime, auquel il a été redevable de certains vers, les

---

[5] Politics and religion.   [6] "temperament."   [7] "monster."
[8] Mme de Sévigné is the proof of this statement for the 17th century.
[9] "style."   [10] "plays."

plus heureux qu'on ait jamais lus ailleurs, de la conduite de son théâtre, qu'il a quelquefois hasardée contre les règles des anciens, et enfin de ses dénoûments, car il ne s'est pas toujours assujetti au goût des Grecs et à leur grande simplicité: il a aimé au contraire à charger la scène d'événements dont il est presque toujours sorti avec succès: admirable surtout par l'extrême variété 5 et le peu de rapport qui se trouve pour le dessein entre un si grand nombre de poèmes qu'il a composés. Il semble qu'il y ait plus de ressemblance dans ceux de RACINE, et qu'ils tendent un peu plus à une même chose; mais il est égal, soutenu, toujours le même partout, soit pour le dessein et la conduite de ses pièces, qui sont justes, régulières, prises dans le bon sens et dans la 10 nature, soit pour la versification, qui est correcte, riche dans ses rimes, élégante, nombreuse,[11] harmonieuse: exact imitateur des anciens, dont il a suivi scrupuleusement la netteté et la simplicité de l'action; à qui le grand et le merveilleux n'ont pas même manqué, ainsi qu'à Corneille, ni le touchant ni le pathétique. Quelle plus grande tendresse que celle qui est répandue dans 15 tout le *Cid*,[12] dans *Polyeucte* [12] et dans *les Horaces?* [12] Quelle grandeur ne se remarque point en Mithridate, en Porus et en Burrhus? [13] Ces passions encore favorites des anciens, que les tragiques aimaient à exciter sur les théâtres, et qu'on nomme la terreur et la pitié, ont été connues de ces deux poètes. Oreste, dans *l'Andromaque* de Racine, et *Phèdre* du même auteur, 20 comme *l'Œdipe* et les *Horaces* de Corneille, en sont la preuve.

Si cependant il est permis de faire entre eux quelque comparaison et les marquer l'un et l'autre par ce qu'ils ont eu de plus propre et par ce qui éclate le plus ordinairement dans leurs ouvrages, peut-être qu'on pourrait parler ainsi: Corneille nous assujettit à ses caractères et à ses idées, Racine se con- 25 forme aux nôtres; celui-là peint les hommes comme ils devraient être, celui-ci les peint tels qu'ils sont. Il y a plus dans le premier de ce que l'on admire, et de ce que l'on doit même imiter; il y a plus dans le second de ce que l'on reconnaît dans les autres, ou de ce que l'on éprouve dans soi-même. L'un élève, étonne, maîtrise, instruit; l'autre plaît, remue, touche, pénètre. Ce qu'il 30 y a de plus beau, de plus noble et de plus impérieux dans la raison, est manié par le premier; et par l'autre, ce qu'il y a de plus flatteur et de plus délicat dans la passion. Ce sont dans celui-là des maximes, des règles, des préceptes; et dans celui-ci du goût et des sentiments. L'on est plus occupé aux pièces de Corneille; l'on est plus ébranlé et plus attendri à celles de Racine. Corneille 35 est plus moral,[14] Racine plus naturel. Il semble que l'un imite Sophocle, et que l'autre doit plus à Euripide.[15] (I, 54.)

2. QUELQUES «CARACTÈRES»

1. Que faire d'*Egésippe,* qui demande un emploi? Le mettra-t-on dans les finances ou dans les troupes? Cela est indifférent, et il faut que ce soit l'inté-

---

[11] "cadenced." [12] Tragedies by Corneille.
[13] Characters of Racine in *Mithridate, Alexandre le Grand* and *Britannicus.*
[14] "idealistic."
[15] As tragic poet Sophocles ranks as an idealist, while Euripides is much more of a realist.

rêt [16] seul qui en décide; car il est aussi capable de manier de l'argent ou de dresser des comptes que de porter les armes. «Il est propre à tout,» disent ses amis; ce qui signifie toujours qu'il n'a pas plus de talent pour une chose que pour une autre, ou, en d'autres termes, qu'il n'est propre à rien. Ainsi la plu-
5 part des hommes, occupés d'eux seuls dans leur jeunesse, corrompus par la paresse ou par le plaisir, croient faussement dans un âge plus avancé qu'il leur suffit d'être inutiles [17] ou dans l'indigence, afin que la république [18] soit engagée à les placer ou à les secourir; et ils profitent rarement de cette leçon si importante, que les hommes devraient employer les premières années de
10 leur vie à devenir tels par leurs études et par leur travail que la république elle-même eût besoin de leur industrie [19] et de leurs lumières, qu'ils fussent comme une pièce nécessaire à tout son édifice, et qu'elle se trouvât portée par ses propres avantages [20] à faire leur fortune ou à l'embellir.

Nous devons travailler à nous rendre très dignes de quelque emploi; le
15 reste ne nous regarde point, c'est l'affaire des autres. (II, 10.)

2. L'or éclate, dites-vous, sur les habits de *Philémon*.—Il éclate de même chez les marchands.—Il est habillé des plus belles étoffes.—Le sont-elles moins toutes déployées dans les boutiques et à la pièce? [20a]—Mais la broderie et les ornements y ajoutent encore la magnificence.—Je loue donc le travail de
20 l'ouvrier.—Si on lui demande quelle heure il est, il tire une montre qui est un chef-d'œuvre; la garde de son épée est un onyx; il a au doigt un gros diamant qu'il fait briller aux yeux et qui est parfait: il ne lui manque aucune de ces curieuses [21] bagatelles que l'on porte sur soi autant pour la vanité que pour l'usage, et il ne se plaint [22] non plus toute sorte de parure qu'un jeune
25 homme qui a épousé une riche vieille.—Vous m'inspirez enfin de la curiosité. Il faut voir du moins des choses si précieuses: envoyez-moi cet habit et ces bijoux de Philémon, je vous quitte [23] de la personne. . . . (II, 27.)

3. *Æmile* [24] était né ce que les plus grands hommes ne deviennent qu'à force de règles, de méditation et d'exercice: il n'a eu dans ses premières an-
30 nées qu'à remplir des talents qui étaient naturels, et qu'à se livrer à son génie. Il a fait, il a agi avant que de savoir, ou plutôt il a su ce qu'il n'avait jamais appris. Dirai-je que les jeux de son enfance [25] ont été plusieurs victoires? Une vie accompagnée d'un extrême bonheur joint à une longue expérience serait illustre par les seules actions qu'il avait achevées dès sa jeunesse. Toutes
35 les occasions de vaincre qui se sont depuis offertes, il les a embrassées; et celles qui n'étaient pas, sa vertu [26] et son étoile les ont fait naître: admirable même et par les choses qu'il a faites, et par celles qu'il aurait pu faire.[27] On l'a regardé comme un homme incapable de céder à l'ennemi, de plier sous le nombre ou sous les obstacles; comme une âme du premier ordre, pleine de

---

16 *His* interest.   17 "unemployed."   18 "state."   19 "skill."   20 "interest."
20a "in the bolt" (before being cut).   21 "rare."   22 "begrudge," "deny."
23 "I'll excuse you from sending."   24 Le Grand Condé, patron of La Bruyère.
25 At 22 Condé won the great battle of Rocroy (1643).   26 "valor."
27 But for his enforced inactivity, as a result of his disfavor with Louis XIV.

ressources et de lumières, et qui voyait encore où personne ne voyait plus; comme celui qui, à la tête des légions, était pour elles un présage de la victoire, et qui valait seul plusieurs légions; qui était grand dans la prospérité, plus grand quand la fortune lui a été contraire (la levée d'un siège,[28] une retraite, l'ont plus annobli que ses triomphes; l'on ne met qu'après [29] les batailles gagnées et les villes prises); qui était rempli de gloire et de modestie (on lui a entendu dire: *Je fuyais,* avec la même grâce qu'il disait: *Nous les battîmes*); un homme dévoué à l'État, à sa famille, au chef de sa famille;[30] sincère pour Dieu et pour les hommes; autant admirateur du mérite que s'il lui eût été moins propre [31] et moins familier; un homme vrai, simple, magnanime, à qui il n'a manqué que les moindres vertus.[32] (II, 32.)

4. Je connais *Mopse* d'une visite qu'il m'a rendue sans me connaître; il prie des gens qu'il ne connaît point de le mener chez d'autres dont il n'est pas connu; il écrit à des femmes qu'il connaît de vue. Il s'insinue dans un cercle de personnes respectables, et qui ne savent quel il est, et là, sans attendre qu'on l'interroge, ni sans sentir qu'il interrompt, il parle et souvent, et ridiculement. Il entre une autre fois dans une assemblée, se place où il se trouve, sans nulle attention aux autres ni à soi-même. On l'ôte d'une place destinée à un ministre, il s'assied à celle du duc et pair; il est là précisément celui dont la multitude rit, et qui seul est grave et ne rit point. Chassez un chien du fauteuil du roi, il grimpe à la chaire du prédicateur; il regarde le monde indifféremment sans embarras, sans pudeur; il n'a pas, non plus que le sot, de quoi rougir. (II, 38.)

5. Ascagne est statuaire, Hégion fondeur, Æschine foulon, et *Cydias* [33] bel esprit: c'est sa profession. Il a une enseigne, un atelier, des ouvrages de commande,[33a] et des compagnons [34] qui travaillent sous lui: il ne vous saurait rendre de plus d'un mois les stances qu'il vous a promises, s'il ne manque de parole à Dosithée, qui l'a engagé [35] à faire une élégie; une idylle est sur le métier, c'est pour Crantor, qui le presse, et qui lui laisse espérer un riche salaire. Prose, vers, que voulez-vous? Il réussit également en l'un et en l'autre. Demandez-lui des lettres de consolation, ou sur une absence, il les entreprendra; prenez-les toutes faites et entrez dans son magasin; il y a à choisir. Il a un ami qui n'a point d'autre fonction sur la terre que de le promettre longtemps à un certain monde, et de le présenter enfin dans les maisons comme homme rare et d'une exquise conversation; et là, ainsi que le musicien chante et que le joueur de luth touche son luth devant les personnes à qui il a été promis, Cydias, après avoir toussé, relevé sa manchette, étendu la main et ouvert les doigts, débite gravement ses pensées quintessenciées et ses raisonnements sophistiqués.[36] Différent de ceux qui, convenant de principes, et connaissant la raison ou la vérité qui est une, s'arrachent la parole l'un à

---

[28] Lérida (1647).   [29] Adverb.   [30] Louis XIV.
[31] "personal" (as though he had not possessed it himself).
[32] Such as gentleness and patience.
[33] Fontenelle, a Modern and therefore disliked by La Bruyère.
[33a] "works" (literary) "made to order."   [34] "workmen."   [35] "commissioned."
[36] "false."

l'autre pour s'accorder sur leurs sentiments,[37] il n'ouvre la bouche que pour contredire: «Il me semble, dit-il gracieusement, que c'est tout le contraire de ce que vous dites»; ou «Je ne saurais être de votre opinion»; ou bien, «Ç'a été autrefois mon entêtement, comme il est le vôtre, mais. . . . Il y a trois choses, ajoute-t-il, à considérer . . . ,» et il en ajoute une quatrième: fade discoureur, qui n'a pas mis plus tôt le pied dans une assemblée, qu'il cherche quelques femmes auprès de qui il puisse s'insinuer, se parer de son bel esprit ou de sa philosophie, et mettre en œuvre ses rares conceptions; car, soit qu'il parle ou qu'il écrive, il ne doit pas être soupçonné d'avoir en vue ni le vrai ni le faux, ni le raisonnable ni le ridicule: il évite uniquement de donner dans le sens[38] des autres et d'être de l'avis de quelqu'un; aussi attend-il dans un cercle[39] que chacun se soit expliqué sur le sujet qui s'est offert, ou souvent qu'il a amené lui-même, pour dire dogmatiquement des choses toutes nouvelles, mais à son gré décisives et sans réplique. Cydias s'égale à Lucien[40] et à Sénèque,[40] se met au-dessus de Platon, de Virgile, et de Théocrite;[41] et son flatteur a soin de le confirmer tous les matins dans cette opinion. Uni de goût et d'intérêt avec les contempteurs[42] d'Homère il attend paisiblement que les hommes détrompés lui préfèrent les poètes modernes; il se met en ce cas à la tête de ces derniers, et il sait à qui il adjuge la seconde place.[43] C'est, en un mot, un composé du pédant et du précieux, fait pour être admiré de la bourgeoisie et de la province, en qui néanmoins on n'aperçoit rien de grand que l'opinion qu'il a de lui-même.[44] (V, 75.)

6. *Ménalque* descend son escalier, ouvre sa porte pour sortir; il la referme. Il s'aperçoit qu'il est en bonnet de nuit; et, venant à mieux s'examiner, il se trouve rasé à moitié; il voit que son épée est mise du côté droit, que ses bas sont rabattus sur ses talons, et que sa chemise est par-dessus ses chausses.[45] S'il marche dans les places, il se sent tout d'un coup rudement frapper à l'estomac ou au visage; il ne soupçonne point ce que ce peut être, jusqu'à ce qu'ouvrant les yeux et se réveillant, il se trouve ou devant un limon[46] de charrette, ou derrière un long ais[47] de menuiserie que porte un ouvrier sur ses épaules. On l'a vu une fois heurter du front contre celui d'un aveugle, s'embarrasser dans ses jambes, et tomber avec lui, chacun de son côté, à la renverse. Il lui est arrivé plusieurs fois de se trouver tête pour tête à la rencontre d'un prince et sur son passage, se reconnaître à peine, et n'avoir que le loisir de se coller à un mur pour lui faire place. Il cherche, il brouille, il crie, il s'échauffe, il appelle ses valets l'un après l'autre: *on lui perd tout, on lui égare tout;* il demande ses gants qu'il a dans ses mains, semblable à cette femme qui prenait le temps de demander son masque, lorsqu'elle l'avait sur son visage. Il entre à l'appartement, et passe sous un lustre[48] où sa perruque s'accroche et demeure suspendue: tous les courtisans regardent et rient; Ménalque regarde aussi et rit plus haut que les autres; il cherche des yeux,

[37] "ideas."   [38] "opinion."   [39] "social gathering."   [40] Roman writers.
[41] Greek pastoral poet. (3rd century B. C.)   [42] The Moderns.
[43] Perhaps La Motte, one of the chief *contempteurs* of Homer.
[44] This whole portrait of Fontenelle is obviously one-sided, stressing the *bel esprit* rather than the serious thinker, interested in popularizing the new scientific ideas.
[45] *culotte.*   [46] "shaft."   [47] "plank."   [48] "chandelier."

dans toute l'assemblée, où est celui qui montre ses oreilles et à qui il manque une perruque. S'il va par la ville, après avoir fait quelque chemin, il se croit égaré, il s'émeut, et il demande où il est à des passants, qui lui disent précisément le nom de sa rue. Il entre ensuite dans sa maison, d'où il sort précipitamment, croyant qu'il s'est trompé. Il descend du Palais; [49] et, trouvant au bas du grand degré un carrosse qu'il prend pour le sien, il se met dedans: le cocher touche et croit remener son maître dans sa maison. Ménalque se jette hors de la portière, traverse la cour, monte l'escalier, parcourt l'antichambre, la chambre, le cabinet; tout lui est familier, rien ne lui est nouveau: il s'assied, il se repose, il est chez soi. Le maître arrive: celui-ci se lève pour le recevoir; il le traite fort civilement, le prie de s'asseoir, et croit faire les honneurs de sa chambre; il parle, il rêve, il reprend la parole: le maître de la maison s'ennuie et demeure étonné; Ménalque ne l'est pas moins, et ne dit pas ce qu'il en pense; il a affaire à un fâcheux, à un homme oisif, qui se retirera à la fin, il l'espère, et il prend patience: la nuit arrive qu'il est à peine détrompé. . . . 15 (XI, 7.)

8. Onuphre [50] n'a pour tout lit qu'une housse de serge grise, mais il couche sur le coton et sur le duvet; de même il est habillé simplement, mais commodément, je veux dire d'une étoffe fort légère en été, et d'une autre fort moelleuse pendant l'hiver; il porte des chemises très déliées, qu'il a un très grand soin de bien cacher. Il ne dit point: *Ma haire et ma discipline;* [51] au contraire, il passerait pour ce qu'il est, pour un hypocrite, et il veut passer pour ce qu'il n'est pas, pour un homme dévot; il est vrai qu'il fait en sorte que l'on croie, sans qu'il le dise, qu'il porte une haire et qu'il se donne la discipline. Il y a quelques livres répandus dans sa chambre indifféremment; ouvrez-les: c'est *le Combat spirituel, le Chrétien intérieur et L'Année sainte:* [52] d'autres livres sont sous la clef. S'il marche par la ville, et qu'il découvre de loin un homme devant qui il est nécessaire qu'il soit dévot, les yeux baissés, la démarche lente et modeste, l'air recueilli lui sont familiers; il joue son rôle. S'il entre dans une église, il observe d'abord de qui il peut être vu, et selon la découverte qu'il vient de faire, il se met à genoux et prie, ou il ne songe ni à se mettre à genoux ni à prier. Arrive-t-il vers un homme de bien et d'autorité qui le verra et qui peut l'entendre, non seulement il prie, mais il médite, il pousse des élans et des soupirs: si l'homme de bien se retire, celui-ci, qui le voit partir, s'apaise et ne souffle pas. Il entre une autre fois dans un lieu saint, perce la foule, choisit un endroit pour se recueillir, et où tout le monde voit qu'il s'humilie; s'il entend des courtisans qui parlent, qui rient, et qui sont à la chapelle avec moins de silence que dans l'antichambre, il fait plus de bruit qu'eux pour les faire taire; il reprend sa méditation, qui est toujours la comparaison qu'il fait de ces personnes avec lui-même, et où il trouve son compte.[53] Il évite une église déserte et solitaire, où il pourrait entendre deux messes de suite, le sermon, vêpres et complies,[54]

[49] The Palais de Justice, seat of the Paris law-courts.
[50] La Bruyère's version of *Tartuffe.*   [51] *Tartuffe* (III, 2).
[52] Religious books of the time.   [53] "satisfaction."
[54] The last part of the church service, sung after vespers.

tout cela entre Dieu et lui, et sans que personne lui en sût gré: il aime la paroisse,[55] il fréquente les temples où se fait un grand concours; on n'y manque point son coup, on y est vu. Il choisit deux ou trois jours dans toute l'année, où, à propos de rien, il jeûne ou fait abstinence; mais à la fin de
5 l'hiver «il tousse, il a une mauvaise poitrine, il a des vapeurs, il a eu la fièvre»: il se fait prier, presser, quereller, pour rompre le carême dès son commencement; et il en vient là par complaisance. Si Onuphre est nommé arbitre dans une querelle de parents ou dans un procès de famille, il est pour les plus forts, je veux dire pour les plus riches, et il ne se persuade point que celui ou
10 celle qui a beaucoup de bien puisse avoir tort. S'il se trouve bien [56] d'un homme opulent, à qui il a su imposer,[57] dont il est le parasite, et dont il peut tirer de grands secours, il ne cajole point sa femme, il ne lui fait du moins ni avance ni déclaration. . . . Il n'oublie pas de tirer avantage de l'aveuglement de son ami et de la prévention où il l'a jeté en sa faveur: tantôt il lui
15 emprunte de l'argent, tantôt il fait si bien que cet ami lui en offre; il se fait reprocher de n'avoir pas recours à ses amis dans ses besoins. Quelquefois il ne veut pas recevoir une obole sans donner un billet, qu'il est bien sûr de ne jamais retirer. Il dit une autre fois, et d'une certaine manière, que rien ne lui manque, et c'est lorsqu'il ne lui faut qu'une petite somme. Il vante quel-
20 que autre fois publiquement la générosité de cet homme, pour le piquer d'honneur et le conduire à lui faire une grande largesse. Il ne pense point à profiter de toute sa succession, ni à s'attirer une donation générale de tous ses biens, s'il s'agit surtout de les enlever à un fils, le légitime héritier. Un homme dévot n'est ni avare, ni violent, ni injuste, ni même intéressé. Onu-
25 phre n'est pas dévot, mais il veut être cru tel, et, par une parfaite quoique fausse imitation de la piété, ménager sourdement ses intérêts: aussi ne se joue-t-il [58] pas à la ligne directe, et il ne s'insinue jamais dans une famille où se trouvent tout à la fois une fille à pourvoir et un fils à établir: il y a là des droits trop forts et trop inviolables; on ne les traverse point sans faire de
30 l'éclat, (et il l'appréhende), sans qu'une pareille entreprise vienne aux oreilles du prince,[59] à qui il dérobe sa marche, par la crainte qu'il a d'être découvert et de paraître ce qu'il est. Il en veut [60] à la ligne collatérale,[61] on l'attaque plus impunément: il est la terreur des cousins et des cousines, du neveu et de la nièce, le flatteur et l'ami déclaré de tous les oncles qui ont fait fortune; il se
35 donne pour l'héritier légitime de tout vieillard qui meurt riche et sans enfants; et il faut que celui-ci le deshérite, s'il veut que ses parents recueillent sa succession: si Onuphre ne trouve pas jour [62] à les en frustrer à fond, il leur en ôte du moins une bonne partie: une petite calomnie, moins que cela, une legère médisance lui suffit pour ce pieux dessein: et c'est le talent qu'il pos-
40 sède à un plus haut degré de perfection; il se fait même souvent un point de conduite de ne le pas laisser inutile: il y a des gens, selon lui, qu'on est obligé en conscience de décrier; et ces gens sont ceux qu'il n'aime point, à qui il veut nuire, et dont il désire la dépouille. Il vient à ses fins sans se donner même la peine d'ouvrir la bouche: on lui parle d'Eudoxe, il sourit ou il sou-

---

[55] The parish church.   [56] "is in favor with."   [57] *qu'il a pu tromper.*   [58] "attack."
[59] As happens in *Tartuffe.*   [60] "attacks."   [61] "the more distant heirs."   [62] "means."

pire; on l'interroge, on insiste, il ne répond rien; et il a raison: il en a assez dit. (XIII, 24.)

3. Le Rôle de L'Argent

1. *Sosie,* de la livrée,[63] a passé, par une petite recette,[63a] à une sous-ferme;[64] et par les concussions,[65] la violence, et l'abus qu'il a fait de ses pouvoirs, il s'est enfin, sur les ruines de plusieurs familles, élevé à quelque grade. Devenu 5 noble par une charge,[66] il ne lui manquait que d'être homme de bien: une place de marguillier [67] a fait ce prodige. (VI, 15.)

2. *Arfure* cheminait seule et à pied vers le grand portique de Saint * * *, entendait de loin le sermon d'un carme [68] ou d'un docteur qu'elle ne voyait qu'obliquement, et dont elle perdait bien des paroles. Sa vertu était obscure, 10 et sa dévotion connue comme sa personne. Son mari est entré dans le *huitième denier:* [69] quelle monstrueuse fortune en moins de six années! Elle n'arrive à l'église que dans un char; on lui porte une lourde queue; l'orateur s'interrompt pendant qu'elle se place; elle le voit de front, n'en perd pas une seule parole ni le moindre geste. Il y a une brigue entre les prêtres pour la confes- 15 ser; tous veulent l'absoudre, et le curé l'emporte. (VI, 16.)

3. L'on porte *Crésus* au cimetière: de toutes ses immenses richesses, que le vol et la concussion lui avaient acquises, et qu'il a épuisées par le luxe et par la bonne chère, il ne lui est pas demeuré de quoi se faire enterrer. Il est mort insolvable, sans biens, et ainsi privé de tous les secours; l'on n'a vu chez lui 20 ni julep,[70] ni cordiaux, ni médecins, ni le moindre docteur [71] qui l'ait assuré de son salut. (VI, 17.)

4. *Champagne,* au sortir d'un long dîner qui lui enfle l'estomac, et dans les douces fumées d'un vin d'Avenay ou de Sillery [72] signe un ordre qu'on lui présente, qui ôterait le pain à toute une province si l'on n'y remédiait. Il 25 est excusable: quel moyen de comprendre, dans la première heure de la digestion, qu'on puisse quelque part mourir de faim? (VI, 18.)

5. *Sylvain* de ses deniers a acquis de la naissance [73] et un autre nom; il est seigneur de la paroisse où ses aïeuls payaient la taille;[74] il n'aurait pu autrefois entrer page [75] chez Cléobule, et il est son gendre. (VI, 19.) 30

6. *Giton* a le teint frais, le visage plein et les joues pendantes, l'œil fixe et assuré, les épaules larges, l'estomac haut,[76] la démarche ferme et délibérée. Il parle avec confiance; il fait répéter celui qui l'entretient, et il ne goûte que médiocrement tout ce qu'il lui dit. Il déploie un ample mouchoir, et se mouche avec grand bruit; il crache fort loin,[77] et il éternue fort haut. Il dort 35 le jour, il dort la nuit, et profondément: il ronfle en compagnie. Il occupe à

---

[63] From the position of lackey.   [64] "sub-lease" (to collect taxes).   [65] "extortions."
[66] Certain administrative positions automatically conferred nobility on the person holding them.
[67] "church-warden."   [68] A Carmelite monk.
[69] A tax levied on renewals of leases of ecclesiastical property.   [70] "syrup."
[71] *docteur en théologie.*   [72] Both places are in Champagne.   [73] "title."
[74] A tax from which nobles were exempt.   [75] A page had to be of noble birth.
[76] "chest thrown out."
[77] Manners were as yet far from refined, in spite of the insistence on certain strict rules of etiquette.   [63a] "tax-collectorship."

table et à la promenade plus de place qu'un autre; il tient le milieu en se promenant avec ses égaux; il s'arrête, et l'on s'arrête; il continue de marcher, et l'on marche; tous se règlent sur lui. Il interrompt, il redresse [78] ceux qui ont la parole; on ne l'interrompt pas, on l'écoute aussi longtemps qu'il veut
5 parler; on est de son avis, on croit les nouvelles qu'il débite. S'il s'assied, vous le voyez s'enfoncer dans un fauteuil, croiser les jambes l'une sur l'autre, froncer le sourcil, abaisser son chapeau sur ses yeux pour ne voir personne, ou le relever ensuite et découvrir son front par fierté et par audace. Il est enjoué, grand rieur, impatient, présomptueux, colère, libertin,[79] politique, mysté-
10 rieux sur les affaires du temps; il se croit des talents et de l'esprit. Il est riche. (VI, 83.)

7. *Phédon* a les yeux creux, le teint échauffé, le corps sec et le visage maigre: il dort peu, et d'un sommeil fort léger; il est abstrait, rêveur, et il a avec de l'esprit l'air d'un stupide; il oublie de dire ce qu'il sait, ou de parler
15 d'événements qui lui sont connus; et s'il le fait quelquefois, il s'en tire mal; il croit peser à ceux à qui il parle; il conte brièvement, mais froidement; il ne se fait pas écouter, il ne fait point rire; il applaudit, il sourit à ce que les autres lui disent, il est de leur avis; il court, il vole pour leur rendre de petits services; il est complaisant, flatteur, empressé; il est mystérieux sur ses af-
20 faires, quelquefois menteur; il est superstitieux, scrupuleux, timide; il marche doucement et légèrement, il semble craindre de fouler la terre; il marche les yeux baissés, et il n'ose les lever sur ceux qui passent. Il n'est jamais du nombre de ceux qui forment un cercle pour discourir; il se met derrière celui qui parle, recueille furtivement ce qui se dit, et il se retire si on le regarde. Il
25 n'occupe point de lieu, il ne tient point de place; il va les épaules serrées, le chapeau abaissé sur ses yeux pour n'être point vu; il se replie et se renferme dans son manteau: il n'y a point de rues ni de galeries si embarrassées et si remplies de monde, où il ne trouve moyen de passer sans effort, et de se couler sans être aperçu. Si on le prie de s'asseoir, il se met à peine sur le bord
30 d'un siège; il parle bas dans la conversation, et il articule mal; libre néan-moins avec ses amis sur les affaires publiques, chagrin contre le siècle, médio-crement prévenu des ministres et du ministère. Il n'ouvre la bouche que pour répondre; il tousse, il se mouche sous son chapeau; il crache presque sur soi, et il attend qu'il soit seul pour éternuer, ou, si cela lui arrive, c'est à
35 l'insu de la compagnie; il n'en coûte à personne ni salut ni compliment. Il est pauvre. (VI, 83.)

4. Les Femmes

1. *Lise* entend dire d'une autre coquette qu'elle se moque [80] de se piquer de jeunesse et de vouloir user d'ajustements qui ne conviennent plus à une femme de quarante ans. Lise les a accomplis, mais les années pour elle ont
40 moins de douze mois et ne la vieillissent point: elle le croit ainsi, et, pendant qu'elle se regarde au miroir, qu'elle met du rouge sur son visage et qu'elle place des mouches,[81] elle convient qu'il n'est pas permis, à un certain âge, de

---

[78] "corrects."   [79] "free-thinker."   [80] "makes herself ridiculous."   [81] "beauty-patches."

faire la jeune, et que *Clarice* en effet, avec ses mouches et son rouge, est ridicule. (III, 8.)

2. Un beau visage est le plus beau de tous les spectacles; et l'harmonie la plus douce est le son de la voix de celle que l'on aime. (III, 10.)

3. Les femmes sont extrêmes; elles sont meilleures ou pires que les hommes. (III, 53.)

4. La plupart des femmes n'ont guère de principes; elles se conduisent par le cœur, et dépendent pour leurs mœurs de ceux qu'elles aiment. (III, 54.)

5. Les femmes vont plus loin en amour que la plupart des hommes; mais les hommes l'emportent sur elles en amitié. (III, 55.)

6. Un homme est plus fidèle au secret d'autrui qu'au sien propre; une femme, au contraire, garde mieux son secret que celui d'autrui. (III, 58.)

7. Un homme qui serait en peine de connaître s'il change, s'il commence à vieillir, peut consulter les yeux d'une jeune femme qu'il aborde, et le ton dont elle lui parle: il apprendra ce qu'il craint de savoir. Rude école. (III, 64.)

8. Un homme peut tromper une femme par un feint attachement, pourvu qu'il n'en ait pas ailleurs un véritable. (III, 69.)

9. Une femme insensible est celle qui n'a pas encore vu celui qu'elle doit aimer. (III, 81.)

10. Une belle femme est aimable dans son naturel; elle ne perd rien à être négligée, et sans autre parure que celle qu'elle tire de sa beauté et de sa jeunesse: une grace naïve [82] éclate sur son visage, anime ses moindres actions; il y aurait moins de péril à la voir avec tout l'attirail de l'ajustement et de la mode. De même un homme de bien est respectable par lui-même, et independamment de tous les dehors dont il voudrait s'aider pour rendre sa personne plus grave et sa vertu plus spécieuse. . . . (XII, 29.)

11. Il y a dans quelques femmes une grandeur artificielle, attachée au mouvement des yeux, à un air de tête, aux façons de marcher, et qui ne va pas plus loin; un esprit éblouissant qui impose, et que l'on n'estime que parce qu'il n'est pas approfondi. Il y a dans quelques autres une grandeur simple, naturelle, indépendante du geste et de la démarche, qui a sa source dans le cœur, et qui est comme une suite de leur haute naissance; un mérite paisible, mais solide, accompagné de mille vertus qu'elles ne peuvent couvrir de toute leur modestie, qui échappent, et qui se montrent à ceux qui ont des yeux. (III, 2.)

12. Quelques jeunes personnes ne connaissent point assez les avantages d'une heureuse nature et combien il leur serait utile de s'y abandonner; elles affaiblissent ces dons du ciel, si rares et si fragiles, par des manières affectées et par une mauvaise imitation: leur son de voix et leur démarche sont empruntées; elles se composent, elles se recherchent, regardent dans un miroir si elles s'éloignent assez de leur naturel. Ce n'est pas sans peine qu'elles plaisent moins. (III, 4.)

13. Une belle femme qui a les qualités d'un honnête homme est ce qu'il

[82] "natural."

y a au monde d'un commerce plus délicieux: l'on trouve en elle tout le mérite des deux sexes. (III, 13.)

5. Les Caprices de la Mode

1. La curiosité n'est pas un goût pour ce qui est bon ou ce qui est beau, mais pour ce qui est rare, unique, pour ce qu'on a et que les autres n'ont point. Ce n'est pas un attachement à ce qui est parfait, mais à ce qui est couru, à ce qui est à la mode. Ce n'est pas un amusement, mais une passion, et souvent si violente qu'elle ne cède à l'amour et à l'ambition que par la petitesse de son objet. Ce n'est pas une passion qu'on a généralement pour les choses rares et qui ont cours,[83] mais qu'on a seulement pour une certaine chose qui est rare et pourtant à la mode. (XIII, 2.)

2. Le fleuriste a un jardin dans un faubourg; il y court au lever du soleil, et il en revient à son coucher. Vous le voyez planté, et qui a pris racine au milieu de ses tulipes[84] et devant la *Solitaire;* il ouvre de grands yeux, il frotte ses mains, il se baisse, il la voit de plus près, il ne l'a jamais vue si belle, il a le cœur épanoui de joie: il la quitte pour l'*Orientale;*[85] de là, va à la *Veuve;*[85] il passe au *Drap d'or;*[85] de celle-ci à l'*Agathe,*[85] d'où il revient enfin à la *Solitaire,*[85] où il se fixe, où il se lasse, où il s'assied, où il oublie de dîner: aussi est-elle[86] nuancée, bordée, huilée,[87] à pièces emportées;[88] elle a un beau vase ou[89] un beau calice;[90] il la contemple, il l'admire. Dieu et la nature sont en tout cela ce qu'il n'admire point; il ne va pas plus loin que l'oignon de sa tulipe, qu'il ne livrerait pas pour mille écus, et qu'il donnera pour rien quand les tulipes seront négligées et que les œillets auront prévalu. Cet homme raisonnable qui a une âme, qui a un culte et une religion, revient chez soi fatigué, affamé, mais fort content de sa journée; il a vu des tulipes. (XIII, 2.)

3. Parlez a cet autre de la richesse des moissons, d'une ample récolte, d'une bonne vendange; il est curieux de fruits; vous n'articulez pas, vous ne vous faites pas entendre. Parlez-lui de figues et de melons, dites que les poiriers rompent de fruit cette année, que les pêchers ont donné avec abondance: c'est pour lui un idiome inconnu; il s'attache aux seuls pruniers: il ne vous répond pas. Ne l'entretenez pas même de vos pruniers: il n'a de l'amour que pour une certaine espèce, toute autre que vous lui nommez le fait sourire et se moquer. Il vous mène à l'arbre, cueille artistement cette prune exquise; il l'ouvre, vous en donne une moitié et prend l'autre: «Quelle chair! dit-il, goûtez-vous cela? cela est-il divin? voilà ce que vous ne trouverez pas ailleurs!» Et là-dessus ses narines s'enflent, il cache avec peine sa joie et sa vanité par quelques dehors de modestie. O l'homme divin, en effet! homme qu'on ne peut jamais assez louer et admirer! homme dont il sera parlé dans plusieurs siècles! que je voie sa taille et son visage pendant qu'il vit: que j'observe les traits et la contenance d'un homme qui, seul entre les mortels, possède une telle prune! (XIII, 2.)

---

[83] "are in vogue." [84] Tulips were extremely fashionable toward the end of the century.
[85] Varieties of tulips. [86] "It is indeed so." [87] "soft and shiny."
[88] "with petals clearly separated." [89] "or better." [90] *corolle.*

6. La Cour

1. Le reproche, en un sens, le plus honorable que l'on puisse faire à un homme, c'est de lui dire qu'il ne sait pas la cour: il n'y a sorte de vertus qu'on ne rassemble en lui par ce seul mot. (VIII, 1.)

2. Un homme qui sait la cour est maître de son geste, de ses yeux et de son visage; il est profond, impénétrable; il dissimule les mauvais offices, sourit à ses ennemis, contraint son humeur, déguise ses passions, dément son cœur, parle, agit contre ses sentiments. Tout ce grand raffinement n'est qu'un vice, que l'on appelle fausseté, quelquefois aussi inutile au courtisan pour sa fortune que la franchise, la sincérité et la vertu. (VIII, 2.)

3. Se dérober à la cour un seul moment, c'est y renoncer: le courtisan qui l'a vue le matin la voit le soir, pour la reconnaître le lendemain, ou afin que lui-même y soit connu. (VIII, 4.)

4. L'on est petit à la cour, et, quelque vanité que l'on ait, on s'y trouve tel; mais le mal est commun, et les grands mêmes y sont petits. (VIII, 5.)

5. La province est l'endroit d'où la cour, comme dans son point de vue, paraît une chose admirable: si l'on s'en approche, ses agréments diminuent, comme ceux d'une perspective que l'on voit de trop près. (VIII, 6.)

6. La cour ne rend pas content; elle empêche qu'on ne le soit ailleurs. (VIII, 8.)

7. Il faut qu'un honnête homme ait tâté de la cour: il découvre en y entrant comme un nouveau monde qui lui était inconnu, où il voit régner également le vice et la politesse, et où tout lui est utile, le bon et le mauvais. (VIII, 9.)

8. La cour est comme un édifice bâti de marbre, je veux dire qu'elle est composée d'hommes fort durs, mais fort polis. (VIII, 10.)

9. L'on se couche à la cour et l'on se lève sur l'intérêt; c'est ce que l'on digère le matin et le soir, le jour et la nuit; c'est ce qui fait que l'on pense, que l'on parle, que l'on se tait, que l'on agit; c'est dans cet esprit qu'on aborde les uns et qu'on néglige les autres, que l'on monte et que l'on descend: c'est sur cette règle que l'on mesure ses soins, ses complaisances, son estime, son indifférence, son mépris. . . . (VIII, 22.)

10. L'on dit à la cour du bien de quelqu'un pour deux raisons: la première, afin qu'il apprenne que nous disons du bien de lui: la seconde, afin qu'il en dise de nous. (VIII, 36.)

11. L'on parle d'une région [91] où les vieillards sont galants, polis et civils; les jeunes gens, au contraire, durs, féroces, sans mœurs ni politesse; ils se trouvent affranchis de la passion des femmes dans un âge où l'on commence ailleurs à la sentir; ils leur préfèrent des repas, des viandes et des amours ridicules. Celui-là, chez eux, est sobre et modéré, qui ne s'enivre que de vin; l'usage trop fréquent qu'ils en ont fait le leur a rendu insipide. Ils cherchent à réveiller leur goût déjà éteint par des eaux-de-vie et par toutes les liqueurs les plus violentes; il ne manque à leur débauche que de boire de l'eau-forte. Les femmes du pays précipitent le déclin de leur beauté par des artifices

[91] La Bruyère is here imitating the style of travel-books.

qu'elles croient servir à les rendre belles: leur coutume est de peindre leurs lèvres, leurs joues, leurs sourcils et leurs épaules, qu'elles étalent avec leur gorge, leurs bras et leurs oreilles, comme si elles craignaient de cacher l'endroit par où elles pourraient plaire, ou de ne pas se montrer assez. Ceux
5 qui habitent cette contrée ont une physionomie qui n'est pas nette, mais confuse, embarrassée dans une épaisseur de cheveux étrangers qu'ils préfèrent aux naturels, et dont ils font un long tissu pour couvrir leur tête: il descend à la moitie du corps, change les traits et empêche qu'on ne connaisse les hommes à leur visage. Ces peuples d'ailleurs ont leur dieu et leur roi. Les
10 grands de la nation s'assemblent tous les jours, à une certaine heure, dans un temple qu'ils nomment église. Il y a au fond de ce temple un autel consacré à leur dieu, où un prêtre célèbre des mystères qu'ils appellent saints, sacrés et redoutables. Les grands forment un vaste cercle au pied de cet autel, et paraissent debout, le dos tourné directement au prêtre et aux saints
15 mystères, et les faces élevées vers leur roi, que l'on voit à genoux sur une tribune, et à qui ils semblent avoir tout l'esprit et tout le cœur appliqués. On ne laisse pas de voir dans cet usage une espèce de subordination, car ce peuple paraît adorer le prince, et le prince adorer Dieu. Les gens du pays le nomment * * * ; il est a quelque quarante-huit degrés d'élévation du pôle,[92]
20 et a plus de onze cents lieues de mer des Iroquois et des Hurons. (VIII, 74.)

12. La ville dégoûte de la province; la cour détrompe de la ville et guérit de la cour.

Un esprit sain puise à la cour le goût de la solitude et de la retraite.[93] (VIII, 101.)

7. La Vie de Société

25 1. C'est le rôle d'un sot d'être importun: un homme habile sent s'il convient ou s'il ennuie: il sait disparaître le moment qui précède celui où il serait de trop quelque part. (V, 2.)

2. L'on marche sur les mauvais plaisants, et il pleut par tout pays de cette sorte d'insectes. Un bon plaisant est une pièce rare; à un homme qui
30 est né tel, il est encore fort délicat d'en soutenir longtemps le personnage: il n'est pas ordinaire que celui qui fait rire se fasse estimer. (V, 3.)

3. L'esprit de la conversation consiste bien moins à en montrer beaucoup qu'à en faire trouver aux autres: celui qui sort de votre entretien content de soi et de son esprit, l'est de vous parfaitement. Les hommes n'aiment
35 point à vous admirer; ils veulent plaire; ils cherchent moins à être instruits, et même réjouis, qu'à être goûtés et applaudis; et le plaisir le plus délicat est de faire celui d'autrui. (V, 16.)

4. Avec de la vertu, de la capacité, et une bonne conduite, on peut être insupportable. Les manières, que l'on néglige comme de petites choses,
40 sont souvent ce qui fait que les hommes décident de vous en bien ou en mal: une légère attention à les avoir douces et polies prévient leurs mauvais juge-

---

92 Latitude approximately of Versailles.
93 A reflection undoubtedly of the author's own bitter experiences with court life.

ments. Il ne faut presque rien pour être cru fier, incivil, méprisant, désobligeant; il faut encore moins pour être estimé tout le contraire. (V, 31.)

5. Ne pouvoir supporter tous les mauvais caractères dont le monde est plein n'est pas un fort bon caractère: il faut, dans le commerce, des pièces d'or et de la monnaie. (V, 37.)

6. Que dites-vous? Comment? Je n'y suis pas; vous plairait-il de recommencer? J'y suis encore moins. Je devine enfin: vous voulez, *Acis,* me dire qu'il fait froid: que ne disiez-vous: «Il fait froid»? Vous voulez m'apprendre qu'il pleut ou qu'il neige; dites: «Il pleut, il neige.» Vous me trouvez bon visage, et vous désirez de m'en féliciter; dites: «Je vous trouve bon visage.» —Mais, répondez-vous, cela est bien uni et bien clair; et d'ailleurs, qui ne pourrait pas en dire autant?—Qu'importe, Acis? Est-ce un si grand mal d'être entendu quand on parle, et de parler comme tout le monde? Une chose vous manque, Acis, à vous et à vos semblables, les diseurs de *phébus;* [94] vous ne vous en défiez [95] point, et je vais vous jeter dans l'étonnement: une chose vous manque, c'est l'esprit. Ce n'est pas tout: il y a en vous une chose de trop, qui est l'opinion d'en avoir plus que les autres; voilà la source de votre pompeux galimatias, de vos phrases embrouillées et de vos grands mots qui ne signifient rien. Vous abordez cet homme ou vous entrez dans cette chambre; je vous tire par votre habit et vous dis à l'oreille: «Ne songez point à avoir de l'esprit, n'en ayez point, c'est votre rôle; ayez, si vous pouvez, un langage simple, et tel que l'ont ceux en qui vous ne trouvez aucun esprit: peut-être alors croira-t-on que vous en avez.» (V, 7.)

7. L'on a vu, il n'y a pas longtemps, un cercle de personnes des deux sexes, liées ensemble par la conversation et par un commerce d'esprit. Ils laissaient au vulgaire l'art de parler d'une manière intelligible; une chose dite entre eux peu clairement en entraînait une autre encore plus obscure, sur laquelle on enchérissait par de vraies énigmes, toujours suivies de longs applaudissements: par tout ce qu'ils appelaient délicatesse, sentiments, tour et finesse d'expression, ils étaient enfin parvenus à n'être plus entendus et à ne s'entendre pas eux-mêmes. Il ne fallait, pour fournir à ces entretiens, ni bon sens, ni jugement, ni mémoire, ni la moindre capacité; il fallait de l'esprit, non pas du meilleur, mais de celui qui est faux, et où l'imagination a trop de part. (V, 65.)

8. Il a régné pendant quelque temps une sorte de conversation fade et puérile, qui roulait toute sur des questions frivoles qui avaient relation au cœur et à ce qu'on appelle passion ou tendresse. La lecture de quelques romans [96] les avait introduites parmi les plus honnêtes gens de la ville et de la cour; ils s'en sont défaits, et la bourgeoisie les a reçus avec les pointes et les équivoques. (V, 68.)

8. Idées Sociales et Politiques

1. Si je compare ensemble les deux conditions des hommes les plus opposées, je veux dire les grands avec le peuple, ce dernier me paraît content

---

[94] "pompous nonsense."   [95] "suspect."   [96] Like those of Mlle de Scudéry.

du nécessaire, et les autres sont inquiets et pauvres avec le superflu. Un homme du peuple ne saurait faire aucun mal; un grand ne veut faire aucun bien et est capable de grands maux. L'un ne se forme et ne s'exerce que dans les choses qui sont utiles; l'autre y joint les pernicieuses. Là se montrent
5 ingénument la grossièreté et la franchise; ici se cache une sève maligne et corrompue sous l'écorce de la politesse. Le peuple n'a guère d'esprit, et les grands n'ont point d'âme; celui-là a un bon fond et n'a point de dehors; ceux-ci n'ont que des dehors et qu'une simple superficie. Faut-il opter? Je ne balance pas: je veux être peuple. (IX, 25.)
10 2. Quand vous voyez quelquefois un nombreux troupeau qui, répandu sur une colline vers le déclin d'un beau jour, paît tranquillement le thym et le serpolet, ou qui broute dans une prairie une herbe menue et tendre qui a échappé à la faux du moissonneur, le berger, soigneux, et attentif, est debout auprès de ses brebis; il ne les perd pas de vue, il les suit, il
15 les conduit, il les change de pâturage; si elles se dispersent, il les rassemble; si un loup avide paraît, il lâche son chien, qui le met en fuite; il les nourrit, il les défend. L'aurore le trouve déjà en pleine campagne, d'où il ne se retire qu'avec le soleil: quels soins! quelle vigilance! quelle servitude! [97] Quelle condition vous paraît la plus délicieuse et la plus libre, ou du berger
20 ou des brebis? Le troupeau est-il fait pour le berger, ou le berger pour le troupeau? Image naïve [98] des peuples et du prince qui les gouverne, s'il est bon prince. (X, 29.)
  3. Le faste et le luxe dans un souverain, c'est le berger habillé d'or et de pierreries, la houlette d'or en ses mains; son chien a un collier d'or, il est
25 attaché avec une laisse d'or et de soie. Que sert tant d'or à son troupeau ou contre les loups? (X, 29.)
  4. L'on voit certains animaux farouches, des mâles et des femelles, répandus par la campagne, noirs, livides et tout brûlés du soleil, attachés à la terre qu'ils fouillent et qu'ils remuent avec une opiniâtreté invincible:
30 ils ont comme une voix articulée; et quand ils se lèvent sur leurs pieds, ils montrent une face humaine; et en effet, ils sont des hommes. Ils se retirent la nuit dans des tanières, où ils vivent de pain noir, d'eau, et de racines; ils épargnent aux autres hommes la peine de semer, de labourer et de recueillir pour vivre, et méritent ainsi de ne pas manquer de ce pain qu'ils ont semé.[99]
35 (XI, 128.)
  5. Tout prospère dans une monarchie où l'on confond les intérêts de l'état avec ceux du prince. (X, 26.)
  6. Nommer un roi PÈRE DU PEUPLE est moins faire son éloge que de l'appeler par son nom, ou faire sa définition. (X, 27.)
40 7. Quelle heureuse place que celle qui fournit dans tous les instants l'occasion à un homme de faire du bien à tant de milliers d'hommes! Quel

---

[97] "devotion."   [98] "natural," "simple."
[99] La Bruyère is one of the few writers of the 17th century to show any real sympathy for the oppressed peasantry. The realistic picture of the misery of the peasants in this famous passage is probably not very much overdrawn. From 1685 to the end of the reign of Louis XIV there are numerous allusions to the utter wretchedness of the rural population.

dangereux poste que celui qui expose à tous moments un homme à nuire à un million d'hommes! (X, 30.)

8. La guerre a pour elle l'antiquité; elle a été dans tous les siècles: on l'a toujours vue remplir le monde de veuves et d'orphelins, épuiser les familles d'héritiers, et faire périr les frères à une même bataille. . . . De tout temps ₅ les hommes, pour quelque morceau de terre de plus ou de moins, sont convenus entre eux de se dépouiller, se brûler, se tuer, s'égorger les uns les autres; et, pour le faire plus ingénieusement et avec plus de sûreté, ils ont inventé de belles règles qu'on appelle l'art militaire; ils ont attaché à la pratique de ces règles la gloire ou la plus solide réputation; et ils ont depuis ₁₀ enchéri de siècle en siècle sur la manière de se détruire réciproquement. De l'injustice des premiers hommes comme de son unique source, est venue la guerre, ainsi que la nécessité où ils se sont trouvés de se donner des maîtres qui fixassent leurs droits et leurs prétentions. Si, content du sien, on eût pu s'abstenir du bien de ses voisins, on avait pour toujours la paix et la ₁₅ liberté. (X, 9.)

9. Le duel est le triomphe de la mode et l'endroit où elle a exercé sa tyrannie avec plus d'éclat. Cet usage n'a pas laissé au poltron la liberté de vivre, il l'a mené se faire tuer par un plus brave que soi, et l'a confondu avec un homme de cœur; il a attaché de l'honneur et de la gloire à une ₂₀ action folle et extravagante; il a été approuvé par la présence des rois; il y a eu quelquefois une espèce de religion à le pratiquer; il a décidé de l'innocence des hommes, des accusations fausses ou véritables sur des crimes capitaux; il s'était enfin si profondément enraciné dans l'opinion des peuples et s'était si fort saisi de leur cœur et de leur esprit, qu'un des plus beaux ₂₅ endroits de la vie d'un très grand roi [100] a été de les guérir de cette folie. (XIII, 3.)

9. Idées Religieuses

1. Le discours chrétien est devenu un spectacle. Cette tristesse évangélique qui en est l'âme ne s'y remarque plus; elle est suppléée par les avantages de la mine, par les inflexions de la voix, par la régularité du geste, par le ₃₀ choix des mots, et par les longues énumérations. On n'écoute plus sérieusement la parole sainte: c'est une sorte d'amusement entre mille autres, c'est un jeu où il y a de l'émulation et des parieurs. (XV, 1.)

2. Je sens qu'il y a un Dieu, et je ne sens pas qu'il n'y en ait point; cela me suffit, tout le raisonnement du monde m'est inutile: je conclus que Dieu ₃₅ existe. Cette conclusion est dans ma nature; j'en ai reçu les principes trop aisément dans mon enfance, et je les ai conservés depuis trop naturellement dans un âge plus avancé, pour les soupçonner de fausseté.—Mais il y a des esprits [101] qui se défont de ces principes.—C'est une grande question s'il s'en trouve de tels; et, quand il serait ainsi, cela prouve seulement qu'il y ₄₀ a des monstres. (XVI, 15.)

[100] Louis XIV established in 1679 a special court to settle *affaires d'honneur*.
[101] The *Libertins* or free-thinkers.

3. La religion est vraie, ou elle est fausse: si elle n'est qu'une vaine fiction, voilà, si l'on veut, soixante années perdues pour l'homme de bien, pour les chartreux [102] ou le solitaire; [103] ils ne courent pas un autre risque. Mais si elle est fondée sur la vérité même, c'est alors un épouvantable malheur pour
5 l'homme vicieux; l'idée seule des maux qu'il se prépare me trouble l'imagination; la pensée est trop faible pour les concevoir, et les paroles trop vaines pour les exprimer. Certes, en supposant même dans le monde moins de certitude qu'il ne s'en trouve en effet sur la vérité de la religion, il n'y a point pour l'homme un meilleur parti que la vertu.[104] (XVI, 35.)

[102] Carthusian monks.   [103] "hermit."
[104] This passage offers an interesting parallel to the *pari* argument in Pascal's *Pensées*.

FÉNELON (1651–1715)

François de Salignac de la Mothe-Fénelon, archbishop of Cambrai, is another church dignitary whose name ranks high in the literary history of the 17th century. His life presents in some respects a curious parallel to that of Bossuet. He was preceptor of the duc de Bourgogne, son of Bossuet's pupil, the Dauphin. But, while Bossuet retained his great influence to the last, Fénelon fell into disfavor toward the end of his life as a result of his becoming involved in the Quietist heresy, * and spent his last years in semi-disgrace in his diocese of Cambrai.

For the duc de Bourgogne, Fénelon wrote his best-known work, *Les Aventures de Télémaque* (1699), a sort of novel or epic in prose, dealing with the exploits of the son of Ulysses, full of reminiscences of Fénelon's favorite classical authors. The book, however, owed its tremendous success not to its literary value, which is unquestionable, but to its veiled allusions to contemporary political conditions. Fénelon, writing for the instruction of the heir to the throne, insinuates into his novel certain ideals of government dear to him, based upon the "great and holy maxim that kings exist for the good of their subjects and not subjects for the sake of kings." Fénelon always disclaimed any satirical intention in his novel, but the liberal character of many of the views expressed could hardly be regarded otherwise than as a criticism of the policy of Louis XIV. There can be little doubt that Fénelon's final fall from favor was in part at least due to the resentment of Louis XIV at his daring to champion theories of government so different from his own.

Fénelon is a distinguished rather than a truly great writer. He had a rather aristocratic disdain for literary ambition. Only one of his really great works, the *Traité de l'Éducation des Filles* † (1687), was published with his consent during his lifetime. Unlike La Bruyère, Fénelon was not especially interested in questions of style. His style is correct, polished, easy-flowing, but with nothing especially individual about it, except perhaps the so-called "poetic prose" of certain descriptive passages of *Télémaque*. It is a style admirably suited to the clear expression of the author's thought. Voltaire's description of it as *flatteur*, characterizes rather well its pleasing quality. But Fénelon is important for his ideas rather than for his purely literary achievement. Faguet calls him, with some exaggeration, "perhaps, with Pascal, the most original intelligence of the 17th century." Fénelon was highly intelligent and up to a certain point original, and some of his liberal ideas, especially on political questions, anticipate those of

* Quietism was a form of exaggerated mysticism, of Spanish origin, which made rapid progress in France during the last years of the 17th century. Fénelon became associated with it through his friendship with Mme Guyon, its leading exponent in France. Bossuet attacked his defense of its doctrines as heretical, and finally had it censured by the Pope (1699).

† Fénelon is one of the pioneers of education for women, at least in France. His treatise, based upon solid psychological insight, urges a practical education, which will be an actual preparation for life. His ideas, of course, have been largely outgrown, but some of them are still of decided pedagogical value.

the 18th century, so much so that a sort of legend became attached to his name,
making of this essentially 17th-century prelate an ancestor of the Philosophes,
whose audacities he certainly would have repudiated.

"Ce prêtre mystique, ce grand seigneur porte en lui bien des germes de l'avenir,
de ce xviiie siècle qui va tuer la noblesse et mettre en péril la religion. Il y a en
lui un *philosophe,* et les philosophes ne s'y sont pas trompés, en contribuant à
former sa légende: il aime la paix, la bonne administration, les *lumières.* Il est
sensible. Il a l'amour de l'humanité, le sentiment social et philanthropique; il est
bienfaisant et prêche la *bienfaisance.* Il l'exerce aussi: il l'a montré à Cambrai
pendant les plus dures années de la guerre. Il veut plus de bien-être, de tranquillité, moins de charges pour le menu peuple. Et puis, il se souvient à peine de
la chute; Homère l'emporte sur l'Évangile dans son imagination; il voit la
nature innocente, bonne, heureuse en son premier état. Il indique cette thèse du
retour à la nature que prêchera Jean-Jacques, avec qui, au fond, il a tant d'af-
finités. Il a l'air de regarder le passé: et déjà il fait éclore l'avenir: après tout,
n'est-ce pas ainsi que le monde souvent se renouvelle?"

Lanson—Histoire de la littérature française.

IMPORTANT WORKS:

Éducation des Filles (1687); *Aventures de Télémaque* (1699); *Dialogues des Morts* (1712);
Lettre sur les Occupations de l'Académie (1714).

TÉLÉMAQUE
(EXTRAITS)

[Télémaque and his guide, Mentor, fleeing from the dangerous charms of
Calypso, are shipwrecked. They are picked up by a Phœnician ship, whose cap-
tain, Adoam, tells him of his visit to la Bétique, near the Pillars of Hercules.]

1. LA BÉTIQUE [1]

Le fleuve Bétis [2] coule dans un pays fertile, et sous un ciel doux, qui est
toujours serein. Le pays a pris le nom du fleuve, qui se jette dans le grand
Océan, assez près des colonnes d'Hercule, [3] et de cet endroit où la mer
furieuse, rompant ses digues, sépara autrefois la terre de Tharsis [4] d'avec
5 la grande Afrique. Ce pays semble avoir conservé les délices de l'âge d'or.
Les hivers y sont tièdes, et les rigoureux aquilons n'y soufflent jamais.
L'ardeur de l'été y est toujours tempérée par des zéphirs rafraîchissants, qui
viennent adoucir l'air vers le milieu du jour. Ainsi toute l'année n'est qu'un
heureux hymen du printemps et de l'automne, qui semblent se donner la
10 main. La terre, dans les vallons et dans les campagnes unies, porte chaque
année une double moisson. Les chemins y sont bordés de lauriers, de
grenadiers, [5] de jasmins, et d'autres arbres toujours verts et toujours fleuris.
Les montagnes sont couvertes de troupeaux, qui fournissent les laines fines
recherchées de toutes les nations connues. Il y a plusieurs mines d'or et

---

[1] Classical name for Andalusia, province of southern Spain.   [2] The Guadalquivir.
[3] The Strait of Gibraltar.   [4] Tarshish, region in southern Spain.   [5] "pomegranate trees."

d'argent dans ce beau pays; mais les habitants, simples et heureux dans leur simplicité, ne daignent pas seulement compter l'or et l'argent parmi leurs richesses; ils n'estiment que ce qui sert véritablement aux besoins de l'homme.

Quand nous avons commencé à faire notre commerce chez ces peuples, nous avons trouvé l'or et l'argent parmi eux employés aux mêmes usages que le fer; par exemple, pour des socs de charrue. Comme ils ne faisaient aucun commerce au dehors, ils n'avaient besoin d'aucune monnaie. Ils sont presque tous bergers ou laboureurs. On voit en ce pays peu d'artisans: car ils ne veulent souffrir que les arts qui servent aux véritables nécessités des hommes; encore même la plupart des hommes en ce pays, étant adonnés à l'agriculture ou à conduire des troupeaux, ne laissent pas d'exercer les arts nécessaires pour leur vie simple et frugale.

Les femmes filent cette belle laine, et en font des étoffes fines d'une merveilleuse blancheur: elles font le pain, apprêtent à manger; et ce travail leur est facile; car on vit en ce pays de fruits ou de lait, et rarement de viande. Elles emploient le cuir de leurs moutons à faire une légère chaussure pour elles, pour leurs maris et pour leurs enfants; elles font des tentes, dont les unes sont de peaux cirées et les autres d'écorces d'arbres; elles font et lavent tous les habits de la famille, et tiennent les maisons dans un ordre et une propreté admirables. Leurs habits sont aisés à faire; car, en ce doux climat on ne porte qu'une pièce d'étoffe fine et légère, qui n'est point taillée, et que chacun met à longs plis autour de son corps pour la modestie, lui donnant la forme qu'il veut.

Les hommes n'ont d'autres arts à exercer, outre la culture des terres et la conduite des troupeaux, que l'art de mettre le bois et le fer en œuvre; encore même ne se servent-ils guère du fer, excepté pour les instruments nécessaires au labourage. Tous les arts qui regardent l'architecture leur sont inutiles; car ils ne bâtissent jamais de maison. C'est, disent-ils, s'attacher trop à la terre, que de s'y faire une demeure qui dure beaucoup plus que nous; il suffit de se défendre des injures de l'air. Pour tous les autres arts estimés chez les Grecs, chez les Égyptiens, et chez les autres peuples bien policés, ils les détestent comme des inventions de la vanité et de la mollesse.

Quand on leur parle des peuples qui ont l'art de faire des bâtiments superbes, des meubles d'or et d'argent, des étoffes ornées de broderies et de pierres précieuses, des parfums exquis, des mets délicieux, des instruments dont l'harmonie charme, ils répondent en ces termes: Ces peuples sont bien malheureux d'avoir employé tant de travail et d'industrie à se corrompre eux-mêmes! Ce superflu amollit, enivre, tourmente ceux qui le possèdent: il tente ceux qui en sont privés de vouloir l'acquérir par l'injustice et par la violence. Peut-on nommer bien un superflu qui ne sert qu'à rendre les hommes mauvais? Les hommes de ces pays sont-ils plus sains et plus robustes que nous? vivent-ils plus longtemps? sont-ils plus unis entre eux? mènent-ils une vie plus libre, plus tranquille, plus gaie? Au contraire, ils doivent être jaloux les uns des autres, rongés par une lâche et noire envie, toujours agités par l'ambition, par la crainte, par l'avarice, incapables des plaisirs purs

et simples, puisqu'ils sont esclaves de tant de fausses nécessités dont ils font
dépendre tout leur bonheur.

C'est ainsi, continuait Adoam, que parlent ces hommes sages, qui n'ont
appris la sagesse qu'en étudiant la simple nature. Ils ont horreur de notre
5 politesse, et il faut avouer que la leur est grande dans leur aimable simplicité.
Ils vivent tous ensemble sans partager les terres; chaque famille est gouvernée
par son chef qui en est le véritable roi. Le père de famille est en droit de
punir chacun de ses enfants ou petits-enfants qui fait une mauvaise action;
mais, avant que de le punir, il prend les avis du reste de la famille. Ces
10 punitions n'arrivent presque jamais; car l'innocence des mœurs, la bonne
foi, l'obéissance, et l'horreur du vice, habitent dans cette heureuse terre. Il
semble qu'Astrée,[6] qu'on dit qui est retirée dans le ciel, est encore ici-bas
cachée parmi ces hommes. Il ne faut point de juges parmi eux, car leur
propre conscience les juge. Tous les biens sont communs: les fruits des arbres,
15 les légumes de la terre, le lait des troupeaux, sont des richesses si abondantes,
que des peuples si sobres et si modérés n'ont pas besoin de les partager.
Chaque famille, errante dans ce beau pays, transporte ses tentes d'un lieu
en un autre, quand elle a consumé les fruits et épuisé les pâturages de l'endroit
où elle s'était mise. Ainsi, ils n'ont point d'intérêts à soutenir les uns contre
20 les autres, et ils s'aiment tous d'un amour fraternel que rien ne trouble.
C'est le retranchement des vaines richesses et des plaisirs trompeurs, qui leur
conserve cette paix, cette union et cette liberté. Ils sont tous libres et tous
égaux. On ne voit parmi eux aucune distinction que celle qui vient de
l'expérience des sages vieillards, ou de la sagesse extraordinaire de quelques
25 jeunes hommes qui égalent les vieillards consommés en vertu. La fraude, la
violence, le parjure, les procès, les guerres ne font jamais entendre leur voix
cruelle et empestée, dans ce pays chéri des dieux. Jamais le sang humain n'a
rougi cette terre; à peine y voit-on couler celui des agneaux. Quand on
parle à ces peuples des batailles sanglantes, des rapides conquêtes, des
30 renversements d'états qu'on voit dans les autres nations, ils ne peuvent
assez s'étonner. Quoi! disent-ils, les hommes ne sont-ils pas assez mortels,
sans se donner encore les uns aux autres une mort précipitée? La vie est si
courte! et il semble qu'elle leur paraisse trop longue! Sont-ils sur la terre pour
se déchirer les uns les autres, et pour se rendre mutuellement malheureux?
35 Au reste, ces peuples de la Bétique ne peuvent comprendre qu'on admire
tant les conquérants qui subjuguent les grands empires.[7] Quelle folie, disent-
ils, de mettre son bonheur à gouverner les autres hommes, dont le gouvernement donne tant de peine, si on veut les gouverner avec raison, et suivant la
justice! Mais pourquoi prendre plaisir à les gouverner malgré eux? C'est
40 tout ce qu'un homme sage peut faire, que de vouloir s'assujettir à gouverner
un peuple docile dont les dieux l'ont chargé, ou un peuple qui le prie d'être
comme son père et son pasteur. Mais gouverner les peuples contre leur
volonté, c'est se rendre très misérable, pour avoir le faux honneur de les tenir
dans l'esclavage. Un conquérant est un homme que les dieux, irrités contre

[6] Astrea, goddess of justice, who lived among men during the Golden Age.
[7] An indirect criticism of the imperialistic policy of Louis XIV.

le genre humain, ont donné à la terre dans leur colère, pour ravager les royaumes, pour répandre partout l'effroi, la misère, le désespoir, et pour faire autant d'esclaves qu'il y a d'hommes libres. Un homme qui cherche la gloire ne la trouve-t-il pas assez en conduisant avec sagesse ce que les dieux ont mis dans ses mains? Croit-il ne pouvoir mériter des louanges, qu'en 5 devenant violent, injuste, hautain, usurpateur, et tyrannique sur tous ses voisins? Il ne faut jamais songer à la guerre que pour défendre sa liberté. Heureux celui qui n'étant point esclave d'autrui, n'a point la folle ambition de faire d'autrui son esclave! Ces grands conquérants, qu'on nous dépeint avec tant de gloire, ressemblent à ces fleuves débordés qui paraissent majestueux, 10 mais qui ravagent toutes les fertiles campagnes qu'ils devraient seulement arroser. . . .

Télémaque était ravi d'entendre ces discours d'Adoam, et il se réjouissait qu'il y eût encore au monde un peuple, qui, suivant la droite nature, fût si sage et si heureux tout ensemble. Oh! combien ces mœurs, disait-il, sont-elles 15 éloignées des mœurs vaines et ambitieuses des peuples qu'on croit les plus sages! nous sommes tellement gâtés, qu'à peine pouvons-nous croire que cette simplicité si naturelle puisse être véritable. Nous regardons les mœurs de ce peuple comme une belle fable, et il doit regarder les nôtres comme un songe monstrueux. 20

Livre VII.

2. La Guerre

Les alliés [6] ne songèrent plus qu'à rentrer dans leur camp, et qu'à réparer leurs pertes. En rentrant dans le camp, ils virent ce que la guerre a de plus lamentable: les malades et les blessés, n'ayant pu se traîner hors des tentes, n'avaient pu se garantir du feu; ils paraissaient à demi brûlés, poussant vers le ciel, d'une voix plaintive et mourante, des cris douloureux. Le cœur de 25 Télémaque en fut percé: il ne put retenir ses larmes; il détourna plusieurs fois ses yeux, étant saisi d'horreur et de compassion; il ne pouvait voir sans frémir ces corps encore vivants, et dévoués à une longue et cruelle mort; ils paraissaient semblables à la chair des victimes qu'on a brûlées sur les autels, et dont l'odeur se répand de tous côtés. 30

Hélas! s'écriait Télémaque, voilà donc les maux que la guerre entraîne après elle! Quelle fureur aveugle pousse les malheureux mortels! ils ont si peu de jours à vivre sur la terre! ces jours sont si misérables! pourquoi précipiter une mort déjà si prochaine? pourquoi ajouter tant de désolations affreuses à l'amertume dont les dieux ont rempli cette vie si courte? Les 35 hommes sont tous frères, et ils s'entre-déchirent: les bêtes farouches sont moins cruelles qu'eux. Les lions ne font point la guerre aux lions, ni les tigres aux tigres; ils n'attaquent que les animaux d'espèce différente: l'homme seul, malgré sa raison, fait ce que les animaux sans raison ne firent jamais. Mais encore, pourquoi ces guerres? N'y a-t-il pas assez de terres dans l'univers 40 pour en donner à tous les hommes plus qu'ils n'en peuvent cultiver? Com-

---

[6] Salente and the Mandurians, former enemies, reconciled through the efforts of Mentor.

bien y a-t-il de terres désertes! le genre humain ne saurait les remplir. Quoi
donc! une fausse gloire, un vain titre de conquérant qu'un prince veut acquérir, allume la guerre dans les pays immenses! [9] Ainsi un seul homme,
donné au monde par la colère des dieux, sacrifie brutalement tant d'autres
5   hommes à sa vanité: il faut que tout périsse, que tout nage dans le sang, que
tout soit dévoré par les flammes, que ce qui échappe au fer et au feu ne puisse
échapper à la faim, encore plus cruelle, afin qu'un seul homme, qui se joue
de la nature humaine entière, trouve dans cette destruction générale son
plaisir et sa gloire! Quelle gloire monstrueuse! Peut-on trop abhorrer et trop
10   mépriser des hommes qui ont tellement oublié l'humanité? Non, non: bien
loin d'être des demi-dieux, ce ne sont pas même des hommes; et ils doivent
être en exécration à tous les siècles dont ils ont cru être admirés. O que les
rois doivent prendre garde aux guerres qu'ils entreprennent! Elles doivent
être justes; ce n'est pas assez; il faut qu'elles soient nécessaires pour le bien
15   public. Le sang d'un peuple ne doit être versé que pour sauver ce peuple dans
les besoins extrêmes. Mais les conseils flatteurs, les fausses idées de gloire,
les vaines jalousies, l'injuste avidité qui se couvre de beaux prétextes; enfin
les engagements insensibles entraînent presque toujours les rois dans des
guerres où ils se rendent malheureux, où ils hasardent tout sans nécessité, et
20   où ils font autant de mal à leurs sujets qu'à leurs ennemis. Ainsi raisonnait
Télémaque.

                                                               Livre XIII.

3. Dangers du Despotisme et du Luxe

[Mentor points out to Télémaque some of the pitfalls to be avoided by a good
King.]

Souvenez-vous, ô Télémaque, qu'il y a deux choses pernicieuses, dans le
gouvernement des peuples, auxquelles on n'apporte presque jamais aucun
remède: la première est une autorité injuste et trop violente dans les rois; la
25   seconde est le luxe qui corrompt les mœurs.

Quand les rois s'accoutument à ne connaître plus d'autres lois que leurs
volontés absolues, et qu'ils ne mettent plus de frein à leurs passions, ils peuvent tout: mais à force de tout pouvoir, ils sapent les fondements de leur
puissance; ils n'ont plus de règles certaines, ni de maximes de gouvernement;
30   chacun à l'envi les flatte; [10] ils n'ont plus de peuple, il ne leur reste que des
esclaves, dont le nombre diminue chaque jour. Qui leur dira la vérité? qui
donnera des bornes à ce torrent? Tout cède; les sages s'enfuient, se cachent,
et gémissent. Il n'y a qu'une révolution soudaine et violente [11] qui puisse ra-
mener dans son cours naturel cette puissance débordée; souvent même le
35   coup qui pourrait la modérer l'abat sans ressource. Rien ne menace tant d'une
chute funeste qu'une autorité qu'on pousse trop loin: elle est semblable à
un arc trop tendu, qui se rompt enfin tout à coup, si on ne le relâche: mais

---

[9] This passage would certainly apply to many of the wars of Louis XIV.
[10] "Each vies with the other in flattering them."
[11] This suggestion of revolution must have seemed incredible to the age of Louis XIV.

qui est-ce qui osera le relâcher? Idoménée [11a] était gâté jusqu'au fond du cœur par cette autorité si flatteuse: il avait été renversé de son trône; mais il n'avait pas été détrompé. Il a fallu que les dieux nous aient envoyés ici pour le désabuser de cette puissance aveugle et outrée qui ne convient point à des hommes: encore a-t-il fallu des espèces de miracles pour lui ouvrir les yeux. 5

L'autre mal, presque incurable, est le luxe. Comme la trop grande autorité empoisonne les rois, le luxe empoisonne toute une nation. On dit que ce luxe sert à nourrir les pauvres aux dépens des riches; comme si les pauvres ne pouvaient pas gagner leur vie plus utilement, en multipliant les fruits de la terre, sans amollir les riches par des raffinements de volupté. Toute une 10 nation s'accoutume à regarder comme les nécessités de la vie les choses les plus superflues: [12] ce sont tous les jours de nouvelles nécessités qu'on invente, et on ne peut plus se passer des choses qu'on ne connaissait point trente ans auparavant. Ce luxe s'appelle bon goût, perfection des arts, et politesse de la nation. Ce vice, qui en attire tant d'autres, est loué comme une vertu; il ré- 15 pand sa contagion depuis le roi jusqu'aux derniers de la lie [13] du peuple. Les proches parents du roi veulent imiter sa magnificence; les grands, celle des parents du roi; les gens médiocres [14] veulent égaler les grands; car qui est-ce qui se fait justice? les petits veulent passer pour médiocres: tout le monde fait plus qu'il ne peut; les uns par faste et pour se prévaloir [15] de leurs richesses; 20 les autres par mauvaise honte, et pour cacher leur pauvreté. Ceux mêmes qui sont assez sages pour condamner un si grand désordre, ne le sont pas assez pour oser lever la tête les premiers, et pour donner des exemples contraires. Toute une nation se ruine, toutes les conditions se confondent. La passion d'acquérir du bien pour soutenir une vaine dépense corrompt les âmes les 25 plus pures: il n'est plus question que d'être riche; la pauvreté est une infamie. Soyez savant, habile, vertueux; instruisez les hommes; gagnez des batailles; sauvez la patrie; sacrifiez tous vos intérêts; vous êtes méprisé, si vos talents ne sont relevés par le faste. Ceux mêmes qui n'ont pas de bien veulent paraître en avoir; ils en dépensent comme s'ils en avaient; on emprunte, on trompe, 30 on use de mille artifices indignes pour parvenir.[16] Mais qui remédiera à ces maux? Il faut changer le goût et les habitudes de toute une nation: il faut lui donner de nouvelles lois. Qui le pourra entreprendre, si ce n'est un roi philosophe, qui sache, par l'exemple de sa propre modération, faire honte à tous ceux qui aiment une dépense fastueuse, et encourager les sages, qui seront 35 bien aises d'être autorisés dans une honnête frugalité?

Livre XVII.

4. Conclusion du Roman

A peine le sacrifice est-il achevé, qu'il (Télémaque) suit Mentor dans les routes sombres d'un petit bois voisin. Là, il aperçoit tout à coup que le visage

---

[11a] Deposed ruler of Crete, who founds the Kingdom of Salente.
[12] "excessive."   [13] "dregs."   [14] "middle class."   [15] "show off."
[16] Fénelon's diagnosis of social ills is even more applicable to the world of to-day than to that of the 17th century.

de son ami prend une nouvelle forme: les rides de son front s'effacent comme les ombres disparaissent, quand l'Aurore, de ses doigts de rose, ouvre les portes de l'orient, et enflamme tout l'horizon; ses yeux creux et austères se changent en des yeux bleus d'une douceur céleste et pleins d'une flamme divine; sa barbe
5 grise et négligée disparaît; des traits nobles et fiers, mêlés de douceur et de grâce, se montrent aux yeux de Télémaque ébloui. Il reconnaît un visage de femme, avec un teint plus uni qu'une fleur tendre: on y voit la blancheur des lis mêlés de roses naissantes: sur ce visage fleurit une éternelle jeunesse, avec une majesté simple et négligée. Une odeur d'ambroisie [17] se répand de ses
10 cheveux flottants; ses habits éclatent comme les vives couleurs dont le soleil, en se levant, peint les sombres voûtes [18] du ciel et les nuages qu'il vient dorer. Cette divinité ne touche pas du pied à terre; elle coule légèrement dans l'air comme un oiseau le fend de ses ailes: elle tient de sa puissante main une lance [19] brillante, capable de faire trembler les villes et les nations les plus
15 guerrières; Mars [20] même en serait effrayé. Sa voix est douce et modérée, mais forte et insinuante; toutes ses paroles sont des traits de feu qui percent le cœur de Télémaque, et qui lui font ressentir je ne sais quelle douceur délicieuse. Sur son casque [21] paraît l'oiseau triste [22] d'Athènes, et sur sa poitrine brille la redoutable égide.[23] A ces marques, Télémaque reconnaît Minerve.
20 O déesse, se dit-il, c'est donc vous-même qui avez daigné conduire le fils d'Ulysse pour l'amour de son père! [24] Il voulait en dire davantage, mais la voix lui manqua; ses lèvres s'efforçaient en vain d'exprimer les pensées qui sortaient avec impétuosité du fond de son cœur: la divinité présente l'accablait, et il était comme un homme qui, dans un songe, est oppressé jusqu'à
25 perdre la respiration, et qui, par l'agitation pénible de ses lèvres, ne peut former aucune voix.

Enfin Minerve prononça ces paroles: Fils d'Ulysse, écoutez-moi pour la dernière fois. Je n'ai instruit aucun mortel avec autant de soin que vous; je vous ai mené par la main au travers des naufrages, des terres inconnues, des
30 guerres sanglantes, et de tous les maux qui peuvent éprouver le cœur de l'homme. Je vous ai montré, par des expériences sensibles,[25] les vraies et les fausses maximes par lesquelles on peut régner. Vos fautes ne vous ont pas été moins utiles que vos malheurs: car quel est l'homme qui peut gouverner sagement, s'il n'a jamais souffert, et s'il n'a jamais profité des souffrances où
35 ses fautes l'ont précipité?

Vous avez rempli, comme votre père, les terres et les mers de vos tristes aventures.[26] Allez, vous êtes maintenant digne de marcher sur ses pas. Il ne vous reste plus qu'un court et facile trajet jusques à Ithaque,[27] où il arrive dans ce moment: combattez avec lui; obéissez-lui comme le moindre de ses
40 sujets; donnez-en l'exemple aux autres. Il vous donnera pour épouse Antiope,[28] et vous serez heureux avec elle, pour avoir moins cherché la beauté

---

[17] "ambrosia," food of the gods.   [18] "vaults."
[19] Minerva is usually represented as equipped for war.   [20] God of war.
[21] "helmet."   [22] The owl; signifying wisdom.   [23] The breastplate of **Minerva**.
[24] Athene (Minerva) was the patron of Ulysses.   [25] "deeply felt."
[26] These adventures are recounted in the *Odyssey*.
[27] Island in the Ionian Sea, home of Ulysses.   [28] Daughter of Idoménée.

que la sagesse et la vertu. Lorsque vous régnerez, mettez toute votre gloire à renouveler l'âge d'or : écoutez tout le monde; croyez peu de gens; gardez-vous bien de vous croire trop vous-même: craignez de vous tromper, mais ne craignez jamais de laisser voir aux autres que vous avez été trompé.

Aimez les peuples; n'oubliez rien pour en être aimé. La crainte est néces- 5 saire quand l'amour manque; mais il la faut toujours employer à regret, comme les remèdes les plus violents et les plus dangereux.

Considérez toujours de loin toutes les suites de ce que vous voudrez entre-prendre; prévoyez les plus terribles inconvénients,²⁹ et sachez que le vrai courage consiste à envisager tous les périls, et à les mépriser quand ils devien- 10 nent nécessaires. Celui qui ne veut pas les voir n'a pas assez de courage pour en supporter tranquillement la vue: celui qui les voit tous, qui évite tous ceux qu'on peut éviter, et qui tente les autres sans s'émouvoir,³⁰ est le seul sage et magnanime.³¹

Fuyez la mollesse,³² le faste,³³ la profusion; mettez votre gloire dans la 15 simplicité; que vos vertus et vos bonnes actions soient les ornements de votre personne et de votre palais; qu'elles soient la garde qui vous environne, et que tout le monde apprenne de vous en quoi consiste le vrai bonheur. N'oubliez jamais que les rois ne règnent point pour leur propre gloire, mais pour le bien des peuples. Les biens qu'ils font s'étendent jusque dans les 20 siècles les plus éloignés: les maux qu'ils font se multiplient de génération en génération, jusqu'à la postérité la plus reculée. Un mauvais règne fait quel-quefois la calamité de plusieurs siècles.

Surtout soyez en garde contre votre humeur: ³⁴ c'est un ennemi que vous porterez partout avec vous jusques à la mort; il entrera dans vos conseils, et 25 vous trahira, si vous l'écoutez. L'humeur fait perdre les occasions les plus importantes; elle donne des inclinations et des aversions d'enfant, au préju-dice des plus grands intérêts; elle fait décider les plus grandes affaires par les plus petites raisons; elle obscurcit tous les talents, rabaisse le courage, rend un homme inégal,³⁵ faible, vil et insupportable. Défiez-vous de cet ennemi. 30

Craignez les dieux, Ô Télémaque; cette crainte est le plus grand trésor du cœur de l'homme: avec elle vous viendront la sagesse, la justice, la paix, la joie, les plaisirs purs, la vraie liberté, la douce abondance, la gloire sans tache.³⁶

Livre XVIII.

²⁹ "difficulties."   ³⁰ "becoming excited."   ³¹ "courageous."   ³² "effeminacy."
³³ "ostentation."   ³⁴ "temperament."   ³⁵ "erratic."   ³⁶ "stainless."

SAINT-SIMON (1675–1755)

The reign of Louis XIV produced not only the greatest letter-writer of France, but also her supreme writer of memoirs, le duc de Saint-Simon. Saint-Simon's *Mémoires,* written toward the end of his life, were not published till after his death, and no complete edition appeared until the 19th century. They cover roughly the years between 1691 and 1723—that is, the closing years of Louis XIV and the Regency. Saint-Simon paints an incomparable picture of court life during this period, a picture which makes up in vividness and picturesqueness for what it lacks in accuracy. Saint-Simon was a disappointed noble, at heart still essentially feudal, who refused to be reconciled to the subordinate position imposed upon the nobility by Louis XIV and who, therefore, hated Louis XIV and all those associated with his government. With such a nature, he could not possibly be impartial in his judgments, and the *Mémoires* are strongly colored by his prejudices.

In the *Mémoires,* the intimate life of Versailles under Louis XIV is evoked as in no other author of the time. The book has been aptly compared to the *Comédie Humaine* of Balzac, for the variety and intensity of the life it depicts. Saint-Simon is of his time in being a master of the portrait. He combines the methods of La Bruyère and Molière; behind the external appearance, he reveals the working of the soul. He excels also in the painting of great incidents of court life; some of his descriptions are among the most dramatic in French literature.

Saint-Simon's style is the exact reflection of the author himself. A man of intense passion, he writes passionately. His one aim is to express exactly what he wants to say, and he allows nothing to stand in the way of accomplishing his purpose. His grammar is often incorrect, his constructions are of the boldest sort, he uses freely colloquialisms or words of his own coinage, and he likes to express his ideas in new and striking images. The result is a powerful and individual style, which breaks with the tradition of *le style classique.*

"Le duc de Saint-Simon était lui, tout entier, un homme du passé, un féodal, et qui ne voyait dans le monde que la noblesse, dans la noblesse que la haute noblesse et dans la haute noblesse que la pairie. Pour tout dire, il n'était pas très intelligent, et l'on est même tenté de dire qu'il n'était pas intelligent du tout. Mais c'était un grand observateur et c'était un grand artiste. Pénétrant comme La Bruyère et peintre plus que de Retz, plus que personne au monde, il a laissé sur la cour de Louis XIV et sur la Régence des *Mémoires* que tout le monde met à côté de Tacite et que pour mon compte je mets au-dessus. Dans son style incorrect, déréglé, effréné, il fait voir un homme, un groupe, une foule avec un relief prodigieux. . . . Saint-Simon est le plus grand peintre de portraits et aussi de tableaux historiques que nous possédions. Michelet le rappelle seulement, sans l'égaler."

Faguet—*Histoire de la littérature française.*

I. QUELQUES ANECDOTES

1. Charnacé [1] et le Tailleur Têtu

Le roi fit arrêter Charnacé en province, où déjà fort mécontent de sa conduite en Anjou [2] où il était retiré chez lui, il l'avait relégué ailleurs,[3] et de là
(le fit) conduire à Montauban,[4] fort accusé de beaucoup de méchantes choses
et surtout de fausse monnaie. C'était un garçon d'esprit qui avait été page du
roi et officier dans ses gardes du corps, fort du monde,[5] et puis retiré chez lui où   5
il avait souvent fait bien des fredaines,[6] mais il avait toujours trouvé bonté
et protection dans le roi. Il en fit une entre autres pleine d'esprit et dont on
ne peut que rire.

Il avait une très longue et parfaitement belle avenue devant sa maison en
Anjou, dans laquelle était placée une maison de paysan et son petit jardin,   10
qui s'y était apparemment trouvée lorsqu'elle fut plantée, et jamais Charnacé
ni son père n'avaient pu réduire ce paysan à la vendre, quelque avantage
qu'ils lui en eussent offert, et c'est une opiniâtreté dont quantité de petits pro-
priétaires se piquent, pour faire enrager des gens à la convenance et quelquefois à la nécessité desquels ils sont.[7] Charnacé ne sachant plus qu'y faire avait   15
laissé cela depuis fort longtemps sans en plus parler. Enfin, fatigué de cette
chaumine qui lui bouchait tout l'agrément de son avenue, il imagina un tour
de passe-passe.[8] Le paysan qui y demeurait et à qui elle appartenait était
tailleur de son métier quand il trouvait à l'exercer, et il était tout seul, sans
femme ni enfants. Charnacé l'envoie chercher, lui dit qu'il est mandé à la   20
cour pour un emploi de conséquence, qu'il est pressé de s'y rendre, mais qu'il
lui faut une livrée. Ils font marché comptant;[9] mais Charnacé stipule qu'il
ne veut point se fier à ses délais, et que, moyennant quelque chose de plus, il
ne veut point qu'il sorte de chez lui que sa livrée ne soit faite, et qu'il le
couchera, le nourrira et le payera avant de le renvoyer. Le tailleur s'y accorde   25
et se met à travailler. Pendant qu'il y est occupé, Charnacé fait prendre avec
la dernière exactitude le plan et les dimensions de sa maison et de son jardin,
les pièces de l'intérieur et jusque de la position des ustensiles et du petit
meuble, fait démonter la maison et emporter tout ce qui y était, remonte la
maison telle qu'elle était au juste dedans et dehors, à quatre portées de mous-   30
quet, à côté de son avenue, replace tous les meubles et ustensiles dans la même
position en laquelle on les avait trouvés, et rétablit le petit jardin de même,
en même temps fait aplanir et nettoyer l'endroit de l'avenue où elle était, de
sorte qu'il n'y parut pas.

Tout cela fut exécuté encore plus tôt que la livrée faite, et cependant le   35
tailleur doucement gardé à vue de peur de quelque indiscrétion. Enfin la
besogne achevée de part et d'autre, Charnacé amuse [10] son homme jusqu'à
la nuit bien noire, le paye, et le renvoie content. Le voilà qui enfile l'avenue.

---

[1] The Marquis de Charnacé (1640–1720), a petty noble of very dubious reputation.
[2] Former province of north-western France.   [3] To Béarn, in the Pyrenees.
[4] A city in southern France.   [5] "mingled very much in society."   [6] "pranks."
[7] "obliged for the sake of convenience or through necessity to accept their conditions."
[8] "sleight of hand."   [9] "a cash agreement."   [10] "delays."

Bientôt il la trouve longue, après il va aux arbres et n'en trouve plus. Il s'aperçoit qu'il a passé le bout et revient à tâtons chercher les arbres. Il les suit à l'estime,[11] puis croise et ne trouve point sa maison. Il ne comprend point cette aventure. La nuit se passe dans cet exercice, le jour arrive et devient
5 bientôt assez clair pour aviser sa maison. Il ne voit rien, il se frotte les yeux, il cherche d'autres objets pour découvrir si c'est la faute de sa vue. Enfin il croit que le diable s'en mêle, et qu'il a emporté sa maison. A force d'aller, de venir et de porter sa vue de tous côtés, il aperçoit, à une assez grande distance de l'avenue, une maison qui ressemble à la sienne comme deux gouttes d'eau.
10 Il ne peut croire que cela soit, mais la curiosité le fait aller où elle est, et où il n'a jamais vu de maison. Plus il approche, plus il reconnaît que c'est la sienne. Pour s'assurer mieux de ce qui lui tourne la tête, il présente sa clef, elle ouvre, il entre, il retrouve tout ce qu'il y avait laissé, et précisément dans la même place. Il est prêt à en pâmer, et il demeure convaincu que c'est un
15 tour de sorcier. La journée ne fut pas bien avancée que la risée du château et du village l'instruisit de la vérité du sortilège, et le mit en furie. Il veut plaider, il veut demander justice à l'intendant, et partout on s'en moque. Le roi le sut qui en rit aussi, et Charnacé eut son avenue libre. S'il n'avait jamais fait pis, il aurait conservé sa réputation et sa liberté.

Mémoires, (V, 305)

2. Rancune de Louis XIV

20 Il se fit à Saint-Germain [11a] une grande partie de chasse. Alors c'étaient les chiens, et non les hommes, qui prenaient les cerfs; on ignorait encore ce nombre immense de chiens, de chevaux, de piqueurs, de relais et de routes à travers les pays. La chasse tourna du côté de Dourdan,[12] et se prolongea si bien que le roi s'en revint extrêmement tard et laissa la chasse. Le comte de
25 Guiche, le comte depuis duc du Lude, Vardes, M. de Lauzun qui me l'a conté, je ne sais plus qui encore, s'égarèrent, et les voilà à la nuit noire à ne savoir où ils étaient. A force d'aller sur leurs chevaux recrus,[13] ils avisèrent une lumière; ils y allèrent, et à la fin arrivèrent à la porte d'une espèce de château. Ils frappèrent, ils crièrent, ils se nommèrent, et demandèrent l'hospi-
30 talité. C'était à la fin de l'automne, et il était entre dix et onze heures du soir. On leur ouvrit. Le maître vint au-devant d'eux, les fit débotter et chauffer, fit mettre leurs chevaux dans son écurie, et pendant ce temps-là leur fit préparer à souper, dont ils avaient grand besoin. Le repas ne se fit pas attendre; il fut excellent et le vin de même de plusieurs sortes; le maître poli, respectueux,
35 ni cérémonieux, ni empressé, avec tout l'air et les manières du meilleur monde. Ils surent qu'il s'appelait Fargues, et la maison Courson; qu'il y était retiré; qu'il n'en était point sorti depuis plusieurs années, qu'il y recevait quelquefois ses amis, et qu'il n'avait ni femme ni enfants. Le domestique leur parut entendu,[14] et la maison avoir un air d'aisance. Après avoir bien soupé,
40 Fargues ne leur fit point attendre leur lit. Ils en trouvèrent chacun un par-

---

11 "by calculation," a nautical expression. 11a Forest, northwest of Paris.
12 Town in the neighborhood of Versailles. 13 "exhausted." 14 "intelligent."

faitement bon, ils eurent chacun leur chambre, et les valets de Fargues les servirent très proprement. Ils étaient fort las et dormirent longtemps. Dès qu'ils furent habillés, ils trouvèrent un excellent déjeuner servi, et au sortir de table, leurs chevaux prêts, aussi refaits qu'ils l'étaient eux-mêmes. Charmés des manières et de la politesse de Fargues, et touchés de sa bonne réception, ils lui firent beaucoup d'offres de service, et s'en allèrent à Saint-Germain.[15] Leur égarement y avait été la nouvelle;[16] leur retour et ce qu'ils étaient devenus toute la nuit en fut une autre.

Ces messieurs étaient la fleur de la cour et de la galanterie, et tous alors dans toutes les privances[17] du roi. Ils lui racontèrent leur aventure, les merveilles de leur réception, et se louèrent extrêmement du maître, de sa chère et de sa maison. Le roi leur demanda son nom; dès qu'il l'entendit: «Comment Fargues, dit-il, est-il si près d'ici?» Et ces messieurs redoublèrent de louanges, et le roi ne dit plus rien. Passé chez la reine mère,[18] il lui parla de cette aventure, et tous deux trouvèrent que Fargues était bien hardi d'habiter si près de la cour, et fort étrange qu'ils ne l'apprissent que par cette aventure de chasse, depuis si longtemps qu'il demeurait là.

Fargues s'était fort signalé dans tous les mouvements de Paris[19] contre la cour et le cardinal Mazarin.[20] S'il n'avait pas été pendu, ce n'avait pas été faute d'envie de se venger particulièrement de lui; mais il avait été protégé par son parti, et formellement compris dans l'amnistie. La haine qu'il avait encourue, et sous laquelle il avait pensé succomber, lui fit prendre le parti de quitter Paris pour toujours, afin d'éviter toute noise,[21] et de se retirer chez lui sans faire parler de lui, et jusqu'alors il était demeuré ignoré. Le cardinal Mazarin était mort; il n'était plus question pour personne des affaires passées, mais comme il avait été fort noté, il craignait qu'on lui en suscitât une nouvelle, et pour cela vivait fort retiré et fort en paix avec tous ses voisins, fort en repos des troubles passés sur la foi de l'amnistie et depuis longtemps. Le roi et la reine sa mère, qui ne lui avaient pardonné que par force, mandèrent le premier président Lamoignon[22] et le chargèrent d'éplucher secrètement la conduite et la vie de Fargues, de bien examiner s'il n'y aurait point moyen de châtier ses insolences passées, et de le faire repentir de les narguer[23] si près de la cour dans son opulence et sa tranquillité. Ils lui contèrent l'aventure de la chasse qui leur avait appris sa demeure, et témoignèrent à Lamoignon un extrême désir qu'il pût trouver des moyens juridiques de le perdre.

Lamoignon, avide et bon courtisan, résolut bien de les satisfaire et d'y trouver son profit. Il fit ses recherches, en rendit compte, et fouilla tant et si bien, qu'il trouva moyen d'impliquer Fargues dans un meurtre commis à Paris au plus fort[24] des troubles, sur quoi il le décréta[25] sourdement, et un matin l'envoya saisir par des huissiers, et mener dans les prisons de la Con-

---

[15] Royal palace not far from Versailles. [16] "the latest subject of conversation."
[17] "in special intimacy with." [18] Anne d'Autriche. [19] During the Fronde.
[20] Minister during the minority of Louis XIV. [21] "trouble."
[22] Chief Justice of the Parlement of Paris, one of Saint-Simon's special *bêtes noires*.
[23] "defy." [24] "at the height of." [25] "issued a warrant for him."

ciergerie. Fargues, qui depuis l'amnistie était bien sûr de n'être tombé en quoi que ce fût de répréhensible, se trouva bien étonné. Mais il le fut bien plus, quand par l'interrogatoire il apprit de quoi il s'agissait. Il se défendit très bien de ce dont on l'accusait, et de plus, allégua que le meurtre dont il s'agis-
5 sait ayant été commis au fort des troubles et de la révolte de Paris dans Paris même, l'amnistie qui les avait suivis effaçait la mémoire de tout ce qui s'était passé dans ces temps de confusion et couvrait chacune de ces choses qu'on n'aurait pu suffire [26] ni exprimer à l'égard de chacun, suivant l'esprit, le droit, l'usage et l'effet des amnisties, non mis en doute aucun jusqu'à présent. Les
10 courtisans distingués qui avaient été si bien reçus chez ce malheureux homme firent toutes sortes d'efforts auprès de ses juges et auprès du roi; mais tout fut inutile. Fargues eut très promptement la tête coupée,[27] et sa confiscation donnée pour récompense au premier président. Elle était fort à sa bien-séance,[28] et fut le partage de son second fils. Il n'y a guère qu'une lieue de
15 Basville [29] à Courson. Ainsi le beau-père et le gendre s'enrichirent successive-ment dans la même charge, l'un du sang de l'innocent,[30] l'autre du dépôt que son ami lui avait confié à garder,[31] qu'il déclara ensuite au roi qui le lui donna, et dont il sut très bien s'accommoder. . . .

Mémoires, (XIII, 135)

3. Petite Cause d'une Grande Guerre [32]

La guerre de 1688 eut une étrange origine, dont l'anecdote, également cer-
20 taine et curieuse, est si propre à caractériser le Roi et Louvois son ministre qu'elle doit tenir place ici. Louvois, à la mort de Colbert, avait eu sa surin-tendance des bâtiments. Le petit Trianon [33] de porcelaine,[34] fait autrefois pour Mme de Montespan,[35] ennuyait le Roi, qui voulait partout des palais. Il s'amusait fort à ses bâtiments. Il avait aussi le compas dans l'œil [36] pour la
25 justesse, les proportions, la symétrie, mais le goût n'y répondait pas, comme on le verra ailleurs. Ce château ne faisait presque que sortir de terre, lorsque le Roi s'aperçut d'un défaut à une croisée qui s'achevait de former, dans la longueur du rez-de-chaussée.

Louvois, qui naturellement était brutal, et de plus gâté jusqu'à souffrir
30 difficilement d'être repris par son maître, disputa fort et ferme, et maintint que la croisée était bien. Le Roi tourna le dos, et s'alla promener ailleurs dans le bâtiment.

Le lendemain il trouve Le Nôtre, bon architecte, mais fameux par le goût des jardins,[37] qu'il a commencé à introduire en France, et dont il a porté

26 "to enumerate" (*suffire à énumerer*).   27 In fact he was hanged.   28 "liking."
29 Estate of Lamoignon.   30 Fargues.   31 A charge which had no basis in fact.
32 Saint-Simon is the only writer to mention this anecdote which probably has no founda-tion. However, several other writers accuse Louvois of having brought on the war for per-sonal reasons.
33 Small palace in the park of Versailles.
34 So-called because ornamented with plaques of Delft pottery.
35 Mistress of Louis XIV.   36 "had a keen eye."
37 He designed the gardens of Versailles.

la perfection au plus haut point. Le Roi lui demanda s'il avait été à Trianon. Il répondit que non.

Le Roi lui expliqua ce qui l'avait choqué, et lui dit d'y aller. Le lendemain même question, même réponse; le jour d'après autant.

Le Roi vit bien qu'il n'osait s'exposer à trouver qu'il eût tort, ou à blâmer 5 Louvois. Il se fâcha, et lui ordonna de se trouver le lendemain à Trianon lorsqu'il y irait, et où il ferait trouver Louvois aussi. Il n'y eut plus moyen de reculer.

Le Roi les trouva le lendemain tous deux à Trianon. Il y fut d'abord question de la fenêtre. Louvois disputa; Le Nôtre ne disait mot. Enfin le Roi lui 10 ordonna d'aligner, de mesurer, et de dire après ce qu'il aurait trouvé. Tandis qu'il y travaillait, Louvois, en furie de cette vérification, grondait tout haut, et soutenait avec aigreur que cette fenêtre était en tout pareille aux autres. Le Roi se taisait et attendait, mais il souffrait. Quand tout fut bien examiné, il demanda à Le Nôtre ce qui en était; et Le Nôtre à balbutier. 15

Le Roi se mit en colère, et lui commanda de parler net. Alors le Nôtre avoua que le Roi avait raison, et dit ce qu'il avait trouvé de défaut. Il n'eut pas plus tôt achevé que le Roi, se tournant à Louvois, lui dit qu'on ne pouvait tenir à [38] ses opiniâtretés, que sans la sienne à lui on aurait bâti de travers, et qu'il aurait fallu tout abattre aussitôt que le bâtiment aurait été achevé: en un 20 mot, il lui lava fortement la tête.[39]

Louvois, outré de la sortie,[40] et de ce que courtisans, ouvriers et valets en avaient été témoins, arrive chez lui furieux. Il y trouva Saint-Pouange, Villacerf, le chevalier de Nogent, les deux Tilladets, quelques autres féaux [40a] intimes, qui furent bien alarmés de le voir en cet état. «C'en est fait, leur dit-il, je 25 suis perdu avec le Roi, à la façon dont il vient de me traiter pour une fenêtre. Je n'ai de ressource qu'une guerre qui le détourne de ses bâtiments et qui me rende nécessaire, et par . . . ! il l'aura.»

En effet, peu de mois après, il tint parole, et malgré le Roi et les autres puissances, il la rendit générale. 30

Elle ruina la France au dedans, ne l'étendit point au dehors, malgré la prospérité de ses armées, et produisit au contraire des événements honteux.

Mémoires, (XXVIII, 17)

II. RÉVOCATION DE L'ÉDIT DE NANTES

Le Roi était devenu dévot, et dévot dans la dernière ignorance.

A la dévotion se joignit la politique.

On voulut lui plaire par les endroits qui le touchaient le plus sensiblement, 35 la dévotion et l'autorité. On lui peignit les huguenots avec les plus noires couleurs; un état dans un état, parvenu à ce point de licence à force de désordres, de révoltes, de guerres civiles, d'alliances étrangères, de résistance à force ouverte contre les rois ses prédécesseurs, et jusqu'à lui-même réduit à vivre en traités avec eux.

40

---

[38] "people were tired of."
[40] "outburst."

[39] "gave him a thoroughgoing reprimand."
[40a] "faithful friends."

Mais on se garda bien de lui apprendre la source de tant de maux, les origines de leurs divers degrés et de leurs progrès, pourquoi et par qui les huguenots furent premièrement armés, puis soutenus, et surtout de lui dire un seul mot des projets de si longue main pourpensés,[41] des horreurs et des attentats
5 de la Ligue contre sa couronne, contre sa maison, contre son père, son aïeul et tous les siens. . . .

Les grands ministres n'étaient plus alors. Le Tellier au lit de la mort, son funeste fils [42] était le seul qui restât; car Seignelay [43] ne faisait guère que poindre. Louvois, avide de guerre, atterré sous le poids d'une trêve de vingt
10 ans, qui ne faisait presque que d'être signée, espéra qu'un si grand coup porté aux huguenots remuerait tout le protestantisme de l'Europe, et s'applaudit en attendant de ce que, le Roi ne pouvant frapper sur les huguenots que par ses troupes, il en serait le principal exécuteur,[43a] et par là de plus en plus en crédit. L'esprit et le génie de Mme de Maintenon, tel qu'il vient d'être
15 représenté avec exactitude, n'était rien moins que propre ni capable d'aucune affaire au delà de l'intrigue. Elle n'était pas née ni nourrie à voir sur celle-ci [44] au delà de ce qui lui en était présenté, moins encore pour ne pas saisir avec ardeur une occasion si naturelle de plaire, d'admirer, de s'affermir de plus en plus par la dévotion.
20 Qui d'ailleurs eût su un mot de ce qui ne se délibérait qu'entre le confesseur, le ministre alors comme unique, et l'épouse nouvelle et chérie; et qui de plus eût osé contredire? C'est ainsi que sont menés à tout, par une voie ou par une autre, les rois qui, par grandeur, par défiance, par abandon à ceux qui les tiennent, par paresse ou par orgueil, ne se communiquent qu'à deux
25 ou trois personnes, et bien souvent à moins, et qui mettent entre eux et tout le reste de leurs sujets une barrière insurmontable.

La révocation de l'édit de Nantes sans le moindre prétexte et sans aucun besoin, et les diverses proscriptions plutôt que déclarations qui la suivirent, furent les fruits de ce complot affreux qui dépeupla un quart du royaume,[45]
30 qui ruina son commerce, qui l'affaiblit dans toutes ses parties, qui le mit si longtemps au pillage public et avoué des dragons,[45a] qui autorisa les tourments et les supplices dans lesquels ils firent réellement mourir tant d'innocents de tout sexe par milliers, qui ruina un peuple si nombreux, qui déchira un monde de familles, qui arma les parents contre les parents pour avoir leur
35 bien et les laisser mourir de faim; qui fit passer nos manufactures aux étrangers, fit fleurir et regorger leurs états aux dépens du nôtre et leur fit bâtir de nouvelles villes, qui leur donna le spectacle d'un si prodigieux peuple proscrit, nu, fugitif, errant sans crime, cherchant asile loin de sa patrie; qui mit nobles, riches, vieillards, gens souvent très estimés pour leur piété, leur savoir, leur
40 vertu, des gens aisés, faibles, délicats, à la rame,[46] et sous le nerf [47] très ef-

---

41 "thought out so long in advance."   42 Louvois, cordially hated by Saint-Simon.
43 Son of Colbert.   43a As minister of war.   44 The Revocation.
45 Saint-Simon exaggerates the evil effects of the Revocation, bad as these undoubtedly were.
45a Allusion to the *Dragonnades,* persecutions of the Protestants in the Cévennes in 1685, so-called because they were carried out chiefly by the royal dragoons.
46 "in the galleys."   47 "lash."

fectif du comite,[48] pour cause unique de religion; enfin qui, pour comble de toutes horreurs, remplit toutes les provinces du royaume de parjures et de sacrilèges, où tout retentissait d'hurlements de ces infortunées victimes de l'erreur, pendant que tant d'autres sacrifiaient leurs consciences à leurs biens et à leur repos, et achetaient l'un et l'autre par des abjurations simulées d'où sans intervalle on les traînait à adorer ce qu'ils ne croyaient point, et à recevoir réellement le divin corps du Saint des saints, tandis qu'ils demeuraient persuadés qu'ils ne mangeaient que du pain qu'ils devaient encore abhorrer.[49]

Telle fut l'abomination générale enfantée par la flatterie et par la cruauté. De la torture à l'abjuration, et de celle-ci à la communion, il n'y avait pas souvent vingt-quatre heures de distance, et leurs bourreaux étaient leurs conducteurs et leurs témoins. . . .

Mémoires, (XXVIII, 224)

III. *CARACTÈRE DE LOUIS XIV*

Il ne faut point parler ici des premières années de Louis XIV. Roi presque en naissant, étouffé par la politique d'une mère [49a] qui voulait gouverner, plus encore par le vif intérêt d'un pernicieux ministre,[50] qui hasarda mille fois l'État pour son unique grandeur, et asservi sous ce joug tant que vécut ce premier ministre, c'est autant de retranché sur le règne de ce monarque. Toutefois il pointait [51] sous ce joug. Il sentit l'amour, il comprenait l'oisiveté comme l'ennemie de la gloire; il avait essayé de faibles parties de main [52] vers l'un et vers l'autre; il eut assez de sentiment pour se croire délivré à la mort de Mazarin, s'il n'eut pas assez de force pour se délivrer plus tôt. C'est même un des beaux endroits de sa vie, et dont le fruit a été du moins de prendre cette maxime, que rien n'a pu ébranler depuis, d'abhorrer tout premier ministre, et non moins tout ecclésiastique dans son conseil. Il en prit dès lors une autre, mais qu'il ne put soutenir avec la même fermeté, parce qu'il ne s'aperçut presque pas dans l'effet [53] qu'elle lui échappât sans cesse, ce fut de gouverner par lui-même, qui fut la chose dont il se piqua le plus, dont on le loua et le flatta davantage, et qu'il exécuta le moins.

Né avec un esprit au-dessous du médiocre,[54] mais un esprit capable de se former, de se limer, de se raffiner, d'emprunter d'autrui sans imitation et sans gêne, il profita infiniment d'avoir toute sa vie vécu avec les personnes du monde qui toutes en avaient le plus, et des plus différentes sortes, en hommes et en femmes de tout âge, de tout genre et de tous personnages.

S'il faut parler ainsi d'un roi de vingt-trois ans, sa première entrée dans le monde fut heureuse en esprits distingués de toute espèce. Ses ministres, au dedans et au dehors, étaient alors les plus forts de l'Europe, ses généraux les plus grands, leurs seconds les meilleurs, et qui sont devenus des capitaines en

---

[48] "guard."   [49] This passage reflects Saint-Simon's genuine religious feeling.
[49a] Anne d'Autriche.
[50] Cardinal Mazarin. Saint-Simon hated him as the opponent of the great nobles.
[51] "was beginning to reveal himself."   [52] "attempts."   [53] "in fact."
[54] "average." This judgment is far from doing justice to Louis XIV.

leur école, et leurs noms, aux uns et aux autres, ont passé comme tels à la postérité d'un consentement unanime. Les mouvements dont l'État avait été si
furieusement agité au dedans [55] et au dehors,[56] depuis la mort de Louis XIII,
avaient formé une quantité d'hommes qui composaient une cour d'habiles et
5 d'illustres personnages et de courtisans raffinés.

La maison de la comtesse de Soissons,[57] qui, comme surintendante de la
maison de la reine, logeait à Paris aux Tuileries, où était la cour, et qui y
régnait par un reste de la splendeur du feu cardinal Mazarin, son oncle, et
plus encore par son esprit et par son adresse, en était devenue le centre, mais
10 fort choisi. C'était où se rendait tous les jours ce qu'il y avait de plus distingué
en hommes et en femmes, qui rendaient cette maison le centre de la galanterie
de la cour et des intrigues et des menées de l'ambition, parmi lesquelles la
parenté influait beaucoup, autant comptée, prisée et respectée alors qu'elle est
maintenant oubliée. Ce fut dans cet important et brillant tourbillon où le
15 roi se jeta d'abord, et où il prit cet air de politesse et de galanterie qu'il a toujours conservé toute sa vie, et qu'il a si bien su allier avec la décence [58] et la
majesté. On peut dire qu'il était fait pour elle, et qu'au milieu de tous les
autres hommes, sa taille, son port, ses grâces, sa beauté et sa grande mine,
jusqu'au son de sa voix et à l'adresse et la grâce naturelle et majestueuse de
20 toute sa personne, le faisaient distinguer jusqu'à sa mort comme le roi des
abeilles, et que, s'il ne fût né que particulier,[59] il aurait eu également le talent
des fêtes, des plaisirs, de la galanterie et de faire les plus grands désordres
d'amour. . . .

Les intrigues et les aventures que, tout roi qu'il était, il essuya dans ce tour-
25 billon de la comtesse de Soissons, lui firent des impressions qui devinrent
funestes, pour avoir été plus fortes que lui. L'esprit, la noblesse de sentiments,
se sentir,[60] se respecter, avoir le cœur haut, être instruit, tout cela lui devint
suspect et bientôt haïssable. Plus il avança en âge, plus il se confirma dans
cette aversion. Il la poussa jusque dans ses généraux et dans ses ministres,
30 laquelle, dans eux, ne fut contre-balancée que par le besoin, comme on le
verra dans la suite. Il voulait régner par lui-même. Sa jalousie là-dessus alla
sans cesse jusqu'à la faiblesse. Il régna en effet dans le petit; dans le grand, il
ne put y atteindre; et jusque dans le petit il fut souvent gouverné. Son premier
saisissement [61] des rênes de l'empire fut marqué au coin [62] d'une extrême du-
35 reté et d'une extrême duperie. Fouquet [63] fut le malheureux sur qui éclata
la première; Colbert [64] fut le ministre de l'autre, en saisissant seul toute l'autorité des finances, et lui faisant accroire qu'elle passait tout entre ses mains
par les signatures dont il l'accabla à la place de celles que faisait le surin-
tendant, dont Colbert supprima la charge, à laquelle il ne pouvait aspirer. . . .

---

[55] La Fronde.   [56] The Thirty Years' War.
[57] Olympe Mancini (1640–1708), niece of Mazarin.   [58] "decorum."
[59] "a private citizen."   [60] "the sense of one's own worth."
[61] Louis XIV began his personal rule in 1661.   [62] "characterized by."
[63] Finance minister during the minority of Louis XIV.
[64] Successor to Fouquet, Colbert was the greatest of the ministers of Louis XIV.

Il faut encore le dire: l'esprit du roi était au-dessous du médiocre, mais très capable de se former. Il aima la gloire, il voulut l'ordre et la règle; il était né sage, modéré, secret, maître de ses mouvements et de sa langue. Le croira-t-on? il était né bon et juste, et Dieu lui avait donné assez pour être un bon roi, et peut-être même un assez grand roi. Tout le mal lui vint d'ailleurs. Sa première éducation [65] fut tellement abandonnée, que personne n'osait approcher de son appartement. On lui a souvent ouï parler de ces temps avec amertume, jusque-là [66] qu'il racontait qu'on le trouva un soir tombé dans le bassin du jardin du Palais-Royal, à Paris, où la cour demeurait alors.[67]

Dans la suite, sa dépendance fut extrême. A peine lui apprit-on à lire et à écrire, et il demeura tellement ignorant, que les choses les plus connues d'histoire, d'événements, de fortunes, de conduites, de naissance, de lois, il n'en sut jamais un mot.[68] Il tomba, par ce défaut, et quelquefois en public, dans les absurdités les plus grossières.

. . . Il semblerait que le roi aurait aimé la grande noblesse et ne lui en voulait pas égaler d'autre; rien moins.[69] L'éloignement qu'il avait pris de celle des sentiments, et sa faiblesse pour ses ministres, qui haïssaient et rabaissaient, pour s'élever, tout ce qu'ils n'étaient pas et ne pouvaient pas être, lui avaient donné le même éloignement pour la naissance distinguée. Il la craignait autant que l'esprit; et si ces deux qualités se trouvaient unies dans un même sujet et qu'elles lui fussent connues, c'en était fait.

Ses ministres, ses généraux, ses maîtresses, ses courtisans s'aperçurent bientôt après qu'il fut le maître de son faible plutôt que de son goût pour la gloire. Ils le louèrent à l'envi et le gâtèrent. Les louanges, disons mieux, la flatterie lui plaisait à tel point que les plus grossières étaient bien reçues, les plus basses encore mieux savourées. Ce n'était que par là qu'on s'approchait de lui, et ceux qu'il aima n'en furent redevables qu'à heureusement rencontrer et à ne se jamais lasser en ce genre. C'est ce qui donna tant d'autorité à ses ministres, par les occasions continuelles qu'ils avaient de l'encenser, surtout de lui attribuer toutes choses et de les avoir apprises de lui. La souplesse, la bassesse, l'air admirant, dépendant, rampant, plus que tout l'air de néant sinon par lui, étaient les uniques voies de lui plaire. Pour peu qu'on s'en écartât, on n'y revenait plus, et c'est ce qui acheva la ruine de Louvois.

Ce poison ne fit que s'étendre; il parvint jusqu'à un comble incroyable dans un prince qui n'était pas dépourvu d'esprit et qui avait de l'expérience. Lui-même, sans avoir ni voix ni musique,[70] chantait dans ses particuliers [71] les endroits les plus à sa louange des prologues des opéras. On l'y voyait baigné, et jusqu'à ses soupers publics au grand couvert,[72] où il y avait quelquefois

---

[65] "bringing up."   [66] "to such a degree."
[67] Saint-Simon is the only one to mention this incident.
[68] All this accusation of ignorance is very much exaggerated.
[69] Saint-Simon's great grievance against Louis XIV is his neglect of the old nobility.
[70] Louis XIV, on the contrary, knew and appreciated music.
[71] "in private."   [72] "most ceremonious,"

des violons, il chantonnait entre ses dents les mêmes louanges quand on jouait les airs qui étaient faits dessus.

De là ce désir de gloire qui l'arrachait par intervalles à l'amour; de là cette facilité à Louvois de l'engager en de grandes guerres, tantôt pour culbuter
5 Colbert, tantôt pour se maintenir ou s'accroître, et de lui persuader en même temps qu'il était plus grand capitaine qu'aucun de ses généraux, et pour les projets et pour les exécutions, en quoi les généraux l'aidaient eux-mêmes pour plaire au roi. Je dis les Condé,[73] les Turenne,[73] et à plus forte raison tous ceux qui leur ont succédé. Il s'appropriait tout avec une facilité et une
10 complaisance en lui-même admirables, et se croyait tel qu'ils le dépeignaient en lui parlant. De là ce goût de revues, qu'il poussa si loin, que les ennemis l'appelaient «le roi des revues»; ce goût de sièges[74] pour y montrer sa bravoure à bon marché, s'y faire retenir à force, étaler sa capacité, sa prévoyance, sa vigilance, ses fatigues, auxquelles son corps robuste et admirablement con-
15 formé était merveilleusement propre, sans souffrir de la faim, de la soif, du froid, du chaud, de la pluie, ni d'aucun mauvais temps. Il était sensible aussi à entendre admirer, le long des camps, son grand air et sa grande mine, son adresse à cheval et tous ses travaux. C'était de ses campagnes et de ses troupes qu'il entretenait le plus ses maîtresses, quelquefois ses courtisans. Il parlait
20 bien, en bons termes, avec justesse; il faisait un conte mieux qu'homme du monde, et aussi bien un récit. Ses discours les plus communs n'étaient jamais dépourvus d'une naturelle et sensible majesté.

Son esprit, naturellement porté au petit, se plut en toutes sortes de détails. Il entra sans cesse dans les derniers sur les troupes: habillement, armement,
25 évolutions, exercices, discipline; en un mot toutes sortes de bas détails. Il ne s'en occupait pas moins sur ses bâtiments, sa maison civile, ses extraordinaires de bouche;[75] il croyait toujours apprendre quelque chose à ceux qui en ces genres-là savaient le plus, et qui de sa part recevaient en novices des leçons qu'ils savaient par cœur il y avait longtemps. Ces pertes de temps, qui parais-
30 saient au roi avec tout le mérite d'une application continuelle, étaient le triomphe de ses ministres, qui, avec un peu d'art et d'expérience à le tourner, faisaient venir comme de lui ce qu'ils voulaient eux-mêmes, et conduisaient le grand selon leurs vues, et trop souvent selon leur intérêt, tandis qu'ils s'applaudissaient de le voir se noyer dans ces détails.

35 La vanité et l'orgueil, qui vont toujours croissant, qu'on nourrissait et qu'on augmentait en lui sans cesse, sans même qu'il s'en aperçût, et jusque dans les chaires par les prédicateurs en sa présence,[76] devinrent la base de l'exaltation de ses ministres par-dessus toute autre grandeur. Il se persuadait par leur adresse que leur grandeur n'était que sa grandeur propre, qui, au comble en
40 lui, ne se pouvait plus mesurer, tandis qu'en eux elle augmentait la leur d'une manière sensible, puisqu'ils n'étaient rien par eux-mêmes, et utile en rendant

---

[73] The two greatest generals of Louis XIV.
[74] Another charge which must not be taken too seriously.
[75] "unusual expenditures for food."
[76] Many compliments to the King in the sermons of the time are pieces of exaggerated flattery.

plus respectables les organes de ses commandements, qui les faisaient mieux obéir. . . .

. . . On a vu Louis XIV grand, riche, conquérant, arbitre de l'Europe, redouté, admiré tant qu'ont duré les ministres et les capitaines qui ont véritablement mérité ce nom. A leur fin, la machine a roulé quelque temps encore, 5 d'impulsion et sur leur compte. Mais tôt après le tuf [77] s'est montré, les fautes, les erreurs se sont multipliées, la décadence est arrivée à grands pas, sans toutefois ouvrir les yeux à ce maître despotique si jaloux de tout faire et de tout diriger par lui-même, et qui semblait se dédommager des mépris du dehors par le tremblement que sa terreur redoublait au dedans. 10

Prince heureux s'il en fut jamais, en figure unique, en force corporelle, en santé égale et ferme, et presque jamais interrompue, en siècle si fécond et si libéral pour lui en tous genres qu'il a pu en ce sens être comparé au siècle d'Auguste; [78] en sujets adorateurs prodiguant leurs biens, leur sang, leurs talents, la plupart jusqu'à leur réputation, quelques-uns même leur honneur, 15 et beaucoup trop leur conscience et leur religion pour le servir, souvent même seulement pour lui plaire. . . . les plus grands seigneurs lassés et ruinés des longs troubles,[79] et assujettis par nécessité; leurs successeurs séparés, désunis, livrés à l'ignorance, au frivole, aux plaisirs, aux folles dépenses, et pour ceux qui pensaient le moins mal, à la fortune, et dès lors à la servitude et à l'unique 20 ambition de la cour; des parlements [80] subjugués à coups redoublés, appauvris, peu à peu l'ancienne magistrature éteinte avec la doctrine et la sévérité des mœurs, farcis en la place [80a] d'enfants de gens d'affaires, de sots du bel air, ou d'ignorants pédants, avares, usuriers, aimant le sac,[81] souvent vendeurs de la justice, et de quelques chefs glorieux [82] jusqu'à l'insolence, d'ailleurs vides de 25 tout; nul corps ensemble, et par laps de temps, presque personne qui osât même à part soi avoir aucun dessein, beaucoup moins s'en ouvrir à qui que ce soit; . . . peu à peu tous les devoirs absorbés par un seul que la nécessité fit, qui fut de craindre et de tâcher à plaire. De là cette intérieure tranquillité jamais troublée que par la folie momentanée du chevalier de Rohan,[83] frère du 30 père de M. de Soubise, qui la paya incontinent de sa tête, et par ce mouvement des fanatiques des Cévennes [84] qui inquiéta plus qu'il ne valut,[85] et fut sans aucune suite, quoique arrivé en pleine et fâcheuse guerre contre toute l'Europe.

De là cette autorité sans bornes qui put tout ce qu'elle voulut, et qui trop souvent voulut tout ce qu'elle put, et qui ne trouva jamais la plus légère 35 résistance, si on excepte des apparences plutôt que des réalités sur des matières de Rome,[86] et en dernier lieu sur la Constitution.[87] C'est là ce qui s'appelle

---

[77] "real nature" (substratum). [78] The golden age of Roman history.
[79] The Fronde. [80] "law courts." [80a] "instead" (of the old magistrates).
[81] "graft." [82] "vainglorious."
[83] Rohan plotted against Louis XIV (1674). He was the nephew, not brother, of the father of Soubise.
[84] Religious war occasioned by the Revocation of the Edict of Nantes (1685).
[85] "beyond its real importance."
[86] Disputes of Louis XIV with the Pope.
[87] The controversy over the promulgation of the bull *Unigenitus*, the definitive condemnation by the Pope of Jansenism. It was bitterly protested by some of the leading clergy, as an unwarranted interference of the papacy in French ecclesiastical affairs.

vivre et régner. Il faut convenir en même temps qu'en glissant sur la conduite du cabinet et des armées, jamais prince ne posséda l'art de régner à un si haut point. L'ancienne cour de la reine sa mère, qui excellait à le savoir tenir, lui avait imprimé une politesse distinguée, une gravité jusque dans l'air de
5 galanterie, une dignité, une majesté partout qu'il sut maintenir toute sa vie, et lors même que vers sa fin il abandonna la cour à ses propres débris.

Mais cette dignité, il ne la voulait que pour lui, et que par rapport à lui; et celle-là même relative, il la sapa presque toute pour mieux achever de ruiner toute autre, et de la mettre peu à peu, comme il fit, à l'unisson, en
10 retranchant tant qu'il put toutes les cérémonies et les distinctions, dont il ne retint que l'ombre, et certaines trop marquées pour les détruire, en semant même dans celles-là des zizanies [88] qui les rendaient en partie à charge [89] et en partie ridicules. Cette conduite lui servit encore à séparer, à diviser, à affermir la dépendance en la multipliant par des occasions sans nombre, et
15 très intéressantes, qui, sans cette adresse, seraient demeurées dans les règles, et sans produire de disputes, et de recours à lui. Sa maxime encore n'était que de les prévenir, hors des choses bien marquées, et de ne les point juger; il s'en savait bien garder pour ne pas diminuer ces occasions qu'il se croyait si utiles. Il en usait de même à cet égard pour les provinces: tout y devint sous
20 lui litigieux et en usurpations, et par là il en tira les mêmes avantages.

Peu à peu il réduisit tout le monde à servir et à grossir sa cour, ceux-là même dont il faisait le moins de cas. Qui était d'âge à servir n'osait différer d'entrer dans le service. Ce fut encore une autre adresse pour ruiner les seigneurs, et les accoutumer à l'égalité et à rouler pêle-mêle avec tout le
25 monde. . . .

Non seulement il était sensible à la présence continuelle de ce qu'il y avait de distingué, mais il l'était aussi aux étages inférieurs; il regardait à droite et à gauche à son lever, à son coucher, à ses repas, en passant dans les appartements, dans les jardins de Versailles, où seulement les courtisans
30 avaient la liberté de le suivre; il voyait et remarquait tout le monde, aucun ne lui échappait, jusqu'à ceux qui n'espéraient pas même être vus. Il distinguait très bien en lui-même les absences de ceux qui étaient toujours à la cour, celles des passagers qui y venaient plus ou moins souvent, les causes générales ou particulières de ces absences; il les combinait et ne perdait pas la plus
35 légère occasion d'agir à leur égard en conséquence. C'était un démérite aux uns, et à tout ce qu'il y avait de distingué, de ne faire pas de la cour son séjour ordinaire, aux autres d'y venir rarement, et une disgrâce sûre pour qui n'y venait jamais ou comme jamais. Quand il s'agissait de quelque chose pour eux: «Je ne le connais point,» répondait-il fièrement. Sur ceux qui se pré-
40 sentaient rarement: «C'est un homme que je ne vois jamais,» et ces arrêts-là étaient irrévocables. C'était un autre crime de n'aller point à Fontainebleau, qu'il regardait comme Versailles, et pour certaines gens de ne demander pas pour Marly [90] les uns toujours, les autres souvent, quoique sans dessein

---

88 "discords."　　　　　　89 "a burden."　　　　　　90 "permission to go to Marly."

de les y mener;[91] mais si on était sur le pied[92] d'y aller toujours, il fallait une excuse valable pour s'en dispenser, hommes et femmes de même. Surtout il ne pouvait souffrir les gens qui se plaisaient à Paris. Il supportait assez aisément ceux qui aimaient leur campagne, encore y fallait-il être mesuré ou avoir pris ses précautions avant d'y aller passer un temps un peu 5 long. . . .

Jamais personne ne donna de meilleure grâce, et n'augmenta tant par là le prix de ses bienfaits. Jamais personne ne vendit mieux ses paroles, son sourire même, jusqu'à ses regards. Il rendit tout précieux par le choix et la majesté, à quoi la rareté et la brièveté de ses paroles ajoutaient beaucoup. 10 S'il les adressait à quelqu'un, ou de question, ou de choses indifférentes, toute l'assistance le regardait; c'était une distinction dont on s'entretenait et qui rendait toujours une sorte de considération. Il en était de même de toutes les attentions, des distinctions et des préférences, qu'il donnait dans leurs proportions. Jamais il ne lui échappa de dire rien de désobligeant à 15 personne; et s'il avait à reprendre, à réprimander ou à corriger, ce qui était fort rare, c'était toujours avec un air plus ou moins de bonté, presque jamais avec sécheresse, jamais avec colère, si on excepte l'unique aventure de Courtenvaux,[93] qui a été racontée en son lieu, quoiqu'il ne fût pas exempt de colère; quelquefois avec un air de sévérité. 20

Jamais homme si naturellement poli, ni d'une politesse si fort mesurée, si fort par degrés, ni qui distinguât mieux l'âge, le mérite, le rang, et dans ses réponses quand elles passaient[94] le «Je verrai,» et dans ses manières. Ces étages divers se marquaient exactement dans sa manière de saluer et de recevoir les révérences, lorsqu'on partait ou qu'on arrivait. Il était admirable 25 à recevoir différemment les saluts à la tête des lignes à l'armée et aux revues. Mais surtout pour les femmes rien n'était pareil. Jamais il n'a passé devant la moindre coiffe sans soulever son chapeau, je dis aux femmes de chambre, et qu'il connaissait pour telles, comme cela arrivait souvent à Marly. Aux dames, il ôtait son chapeau tout à fait, mais de plus ou moins loin; aux gens 30 titrés,[95] à demi, et le tenait en l'air ou à son oreille quelques instants plus ou moins marqués. Aux seigneurs, mais qui l'étaient,[96] il se contentait de mettre la main au chapeau. Il l'ôtait comme aux dames pour les princes du sang. S'il abordait des dames, il ne se couvrait qu'après les avoir quittées. Tout cela n'était que dehors, car dans la maison il n'était jamais couvert. Ses révé- 35 rences, plus ou moins marquées, mais toujours légères, avaient une grâce et une majesté incomparables, jusqu'à sa manière de se soulever à demi à son souper pour chaque dame assise[97] qui arrivait, non pour aucune autre, ni pour les princes du sang; mais sur les fins cela le fatiguait, quoiqu'il ne l'ait jamais cessé, et les dames assises évitaient d'entrer à son souper quand il 40

[91] The author means that Louis XIV had no intention of really taking these people to Marly, with very rare exceptions.
[92] "in a social position to." [93] Son of Louvois. [94] *dépassaient.*
[95] Whose titles were of recent date, as compared with those of the feudal aristocracy.
[96] The old feudal nobility.
[97] "entitled to a seat at court" (princesses and duchesses).

était commencé. C'était encore avec la même distinction qu'il recevait le
service de Monsieur, de M. le duc d'Orléans, des princes du sang; à ces
derniers, il ne faisait que marquer,[98] à Monseigneur de même, et à messei-
gneurs ses fils par familiarité; des grands officiers,[99] avec un air de bonté et
5   d'attention.

Si on lui faisait attendre quelque chose à son habiller, c'était toujours avec
patience. Exact aux heures qu'il donnait pour toute sa journée, il avait une
précision nette et courte dans ses ordres. Si dans les vilains temps d'hiver
qu'il ne pouvait aller dehors, il arrivait qu'il passât chez madame de
10 Maintenon un quart d'heure plus tôt qu'il n'en avait donné l'ordre, ce qui
ne se présentait guère, et que le capitaine des gardes en quartier ne s'y
trouvât pas, il ne manquait point de lui dire après que c'était sa faute à lui
d'avoir prévenu l'heure, non celle du capitaine des gardes de l'avoir manquée.
Aussi, avec cette règle, qui ne manquait jamais, était-il servi avec la dernière
15 exactitude, et elle était d'une commodité infinie pour les courtisans.

Il traitait bien ses valets, surtout les intérieurs.[100] C'était parmi eux qu'il
se sentait le plus à son aise, et qu'il se communiquait le plus familièrement,
surtout aux principaux. Leur amitié et leur aversion a souvent eu de grands
effets. Ils étaient sans cesse à portée de rendre de bons et de mauvais offices:
20 aussi faisaient-ils souvenir de ces puissants affranchis [101] des empereurs romains, à qui le sénat et les grands de l'empire faisaient leur cour et ployaient
sous eux avec bassesse. Ceux-ci, dans tout ce règne, ne furent ni moins
comptés ni moins courtisés. Les ministres même les plus puissants les
ménageaient ouvertement; et les princes du sang, jusqu'aux bâtards,[102] sans
25 parler de tout ce qui est inférieur, en usaient de même. Les charges des
premiers gentilshommes de la chambre furent plus qu'obscurcies par les
premiers valets de chambre, et les grandes charges ne se soutinrent que
selon que les valets de leur dépendance ou les petits officiers très subalternes
approchaient nécessairement plus ou moins du roi. L'insolence aussi était
30 grande dans la plupart d'eux, et telle qu'il fallait savoir l'éviter, ou la supporter avec patience.

Le roi les soutenait tous, et il racontait quelquefois avec complaisance
qu'ayant dans sa jeunesse envoyé, pour je ne sais quoi, une lettre au duc de
Montbazon, gouverneur de Paris, qui était en une de ses maisons de cam-
35 pagne près de cette ville, par un de ses valets de pied, il y arriva comme
M. de Montbazon allait se mettre à table, qu'il avait forcé ce valet de pied
de s'y mettre avec lui, et l'avait conduit, lorsqu'il le renvoya, jusque dans la
cour, parce qu'il était venu de la part du roi. . . .

Il aimait fort l'air et les exercices, tant qu'il en put faire. Il avait excellé à
40 la danse, au mail, à la paume.[103] Il était encore admirable à cheval à son

---

[98] "acknowledged their greeting."   [99] *recevait le service* is understood.
[100] "those inside the palace."   [101] "freedmen."
[102] The sons of Mme de Montespan, who, of course, were illegitimate. Saint-Simon likes
to use this rather crude word when he mentions these natural sons of Louis XIV, whom he
detested.
[103] Early form of tennis.

âge. Il aimait à voir faire toutes ces choses avec grâce et adresse. S'en bien ou
mal acquitter devant lui était mérite ou démérite. Il disait que de ces choses
qui n'étaient point nécessaires, il ne s'en fallait pas mêler, si on ne les faisait
pas bien. Il aimait fort à tirer, et il n'y avait point de si bon tireur que lui,
ni avec tant de grâces. . . .   5

Louis XIV ne fut regretté que de ses valets intérieurs, de peu d'autres
gens. . . . Son successeur n'en était pas en âge.[104] Madame [105] n'avait plus
pour lui que de la crainte et de la bienséance. Madame la duchesse de Berry [106]
ne l'aimait pas, et comptait aller régner. M. le duc d'Orléans n'était pas
payé [107] pour le pleurer, et ceux qui l'étaient [108] n'en firent pas leur charge.[109]   10
Madame de Maintenon était excédée [110] du roi depuis la perte de la Dauphine; [111] elle ne savait qu'en faire ni à quoi l'amuser; sa contrainte en était
triplée, parce qu'il était beaucoup plus chez elle, ou en parties avec elle. Sa
santé, ses affaires, les manèges, qui avaient fait tout faire, ou pour parler plus
exactement, qui avaient tout arraché pour le duc du Maine, avaient fait   15
essuyer continuellement d'étranges humeurs, et souvent des sorties [112] à
madame de Maintenon. Elle était venue à bout de ce qu'elle avait voulu;
ainsi, quoi qu'elle perdît en perdant le roi, elle se sentit délivrée, et ne fut
capable que de ce sentiment. L'ennui et le vide dans la suite rappelèrent les
regrets. . . .   20
Tout ce qui composait la cour était de deux sortes: les uns, en espérance
de figurer, de se mêler, de s'introduire, étaient ravis de voir finir un règne
sous lequel il n'y avait rien pour eux à attendre; les autres, fatigués d'un
joug pesant, toujours accablant, et celui des ministres bien plus que du roi,
étaient charmés de se trouver au large; tous, en général, d'être délivrés d'une   25
gêne continuelle, et amoureux des nouveautés.
Paris, las d'une dépendance qui avait tout assujetti, respira dans l'espoir
de quelque liberté, et dans la joie de voir finir l'autorité de tant de gens qui
en abusaient. Les provinces, au désespoir de leur ruine et de leur anéantissement, respirèrent et tressaillirent de joie; et les parlements de toute espèce   30
de judicature, anéantie par les édits et par les évocations,[113] se flattèrent, les
premiers de figurer, les autres de se trouver affranchis. Le peuple, ruiné,
accablé, désespéré, rendit grâces à Dieu, avec un éclat scandaleux, d'une
délivrance dont ses plus ardents désirs ne doutaient plus.
Les étrangers, ravis, après un si long cours d'années, d'être enfin défaits   35
d'un monarque qui leur avait si longuement imposé la loi, et qui leur avait
échappé par une espèce de miracle au moment qu'ils comptaient le plus sûrement de l'avoir enfin subjugué, se continrent avec plus de bienséance que les
Français. Les merveilles des trois premiers quarts de ce règne de plus de

---

[104] "was not old enough to regret him."   [105] Sister-in-law of Louis XIV.
[106] Wife of the grandson of Louis XIV.   [107] "had no reason to."
[108] The illegitimate sons, the duc du Maine and the comte de Toulouse.
[109] "didn't bother about it."   [110] "bored."
[111] The Dauphine, mother of Louis XV, died in 1712, soon after her husband, the duc
de Bourgogne.
[112] "outbursts."   [113] "usurpations of functions."

soixante-dix ans, et la personnelle magnanimité de ce roi jusqu'alors si heureux, et si abandonné après de la fortune pendant le dernier quart de son règne, les avaient justement éblouis. Ils se firent un honneur de lui rendre après sa mort ce qu'ils lui avaient constamment refusé pendant sa vie. Nulle cour
5 étrangère n'exulta, toutes se piquèrent de louer et d'honorer sa mémoire. . . .

Mémoires, (XXVIII, 2 ff.)

EIGHTEENTH CENTURY

LESAGE (1668-1747)

Alain-René Lesage is one of the earliest examples of the independent literary man supporting himself by his writings, instead of living on the bounty of some wealthy patron.

Lesage distinguished himself in both the drama and the novel. As a dramatist, he began under the influence of the Spanish theatre based on complicated intrigue, but his principal drama, *Turcaret* (1709), continues rather the Molière tradition of the *comédie de mœurs*. *Turcaret* is an attack on the financier, who was beginning to occupy a prominent position in society. It is not a great play. The tone is satirical rather than truly comic. Its importance lies in the fact that it is a landmark in the development of the comedy of manners, destined to have a great future on the French stage.

Lesage, however, owes his literary reputation to his work as a novelist. He is remembered especially as the author of *Gil Blas* (1715-1747), the first really outstanding realistic novel in French literature. *Gil Blas* belongs to the picaresque genre of Spanish origin, dealing with the adventures of rogues, but Lesage contrives to raise his hero somewhat in the social scale so as to give him a larger human interest. The weakness of the novel is what Lanson calls its *médiocre élévation*. If it inculcates any lesson at all, it is that the best way to succeed in life is to use one's wits, while remaining as nearly honest as possible, the typical morality of the *esprit gaulois*. The chief merit of the novel is its realistic picture of society presented, however, not with the minute detail and careful psychological analysis of the modern Realists, but with the generalizing "type" method of Molière and the classical realists.

"En un mot, Lesage est un réaliste, un des grands artistes que nous ayons en ce genre. Il est exquis de vérité pittoresque, en peignant le dîner d'un chanoine ou la figure d'une duègne. Il pousse plus avant dans la voie indiquée par La Bruyère: il recule les réalités intérieures et intelligibles, et il amène en pleine lumière les réalités sensibles. De là la médiocre profondeur de son observation psychologique: le réaliste qui s'attache à garder aux choses extérieures tous les accidents de leur individualité, est forcé de se tenir aux vérités moyennes de la vie de l'âme. Pour que ses peintures soient comprises, il faut qu'il soutienne la particularité physique par la généralité morale. Il se contente d'utiliser les vérités acquises, et qui sont du domaine commun."

Lanson—*Histoire de la littérature française.*

IMPORTANT WORKS:

Drama: *Crispin rival de son maître* (1707); *Turcaret* (1709).
Novel: *Le Diable boiteux* (1707); *Gil Blas* (1715-1747).

GIL BLAS
(EXTRAITS)

1. GIL BLAS AU LECTEUR
ALLÉGORIE REMARQUABLE

Avant que d'entendre l'histoire de ma vie, écoute, ami lecteur, un conte que je vais te faire.

Deux écoliers [1] allaient ensemble de Peñafiel [2] à Salamanque. [3] Se sentant las et altérés, ils s'arrêtèrent au bord d'une fontaine qu'ils rencontrèrent sur
5 leur chemin. Là, tandis qu'ils se délassaient après s'être désaltérés, ils aperçurent par hasard auprès d'eux, sur une pierre à fleur de terre, quelques mots déjà un peu effacés par le temps et par les pieds des troupeaux qu'on venait abreuver à cette fontaine. Ils jetèrent de l'eau sur la pierre pour la laver et ils lurent ces paroles castillanes: *Aquí está encerrada el alma del*
10 *licenciado Pedro Garcias:* ICI EST ENFERMÉE L'ÂME DU LICENCIÉ [4] PIERRE GARCIAS.

Le plus jeune des écoliers, qui était vif et étourdi, n'eut pas achevé de lire l'inscription, qu'il dit en riant de toute sa force: «Rien n'est plus plaisant! Ici est enfermée l'âme. . . . Une âme enfermée! . . . Je voudrais savoir quel
15 original a pu faire une si ridicule épitaphe.» En achevant ces paroles, il se leva pour s'en aller. Son compagnon, plus judicieux, dit en lui-même: «Il y a là-dessous quelque mystère; je veux demeurer ici pour l'éclaircir.» Celui-ci laissa donc partir l'autre, et, sans perdre de temps, se mit à creuser avec son couteau tout autour de la pierre. Il fit si bien qu'il l'enleva. Il trouva dessous
20 une bourse de cuir qu'il ouvrit. Il y avait dedans cent ducats, avec une carte sur laquelle étaient écrites ces paroles en latin: «Sois mon héritier, toi qui as eu assez d'esprit pour démêler le sens de l'inscription, et fais un meilleur usage que moi de mon argent.» L'écolier, ravi de cette découverte, remit la pierre comme elle était auparavant, et reprit le chemin de Salamanque avec
25 l'âme du licencié.

Qui que tu sois, ami lecteur, tu vas ressembler à l'un ou à l'autre de ces deux écoliers. Si tu lis mes aventures sans prendre garde aux instructions morales qu'elles renferment, tu ne tireras aucun fruit de cet ouvrage; mais si tu le lis avec attention, tu y trouveras, suivant le précepte d'Horace, l'utile
30 mêlé avec l'agréable. [5]

2. JEUNESSE DE GIL BLAS

Blas de Santillane, mon père, après avoir longtemps porté les armes pour le service de la monarchie espagnole, se retira dans la ville où il avait pris naissance. Il y épousa une petite bourgeoise qui n'était plus dans sa première

---

[1] "students."   [2] Town in the province of Valladolid.
[3] University city in west central Spain.
[4] Holder of a university degree corresponding roughly to our M.A.
[5] The *qui miscuit utile dulci* of Horace (*Ars poetica*, v. 343).

jeunesse et je vins au monde dix mois après leur mariage. Ils allèrent ensuite demeurer à Oviédo,[6] où ils furent obligés de se mettre en condition;[7] ma mère devint femme de chambre et mon père écuyer.[8] Comme ils n'avaient pour tout bien que leurs gages, j'aurais couru risque d'être assez mal élevé, si je n'eusse pas eu dans la ville un oncle chanoine. Il se nommait Gil Perez. Il était frère aîné de ma mère, et mon parrain. Représentez-vous un petit homme haut de trois pieds et demi, extraordinairement gros, avec une tête enfoncée entre les deux épaules: voilà mon oncle. Au reste, c'était un ecclésiastique qui ne songeait qu'à bien vivre, c'est-à-dire qu'à faire bonne chère; et sa prébende,[9] qui n'était pas mauvaise, lui en fournissait les moyens.

Il me prit chez lui dès mon enfance et se chargea de mon éducation. Je lui parus si éveillé, qu'il résolut de cultiver mon esprit. Il m'acheta un alphabet,[10] et entreprit de m'apprendre lui-même à lire: ce qui ne lui fut pas moins utile qu'à moi; car, en me faisant connaître mes lettres, il se remit à la lecture, qu'il avait toujours fort négligée; et à force de s'y appliquer, il parvint à lire couramment son bréviaire; ce qu'il n'avait jamais fait auparavant. Il aurait encore bien voulu m'enseigner la langue latine; c'eût été autant d'argent d'épargné pour lui; mais, hélas! le pauvre Gil Perez! il n'en avait su de sa vie les premiers principes; c'était peut-être (car je n'avance pas cela comme un fait certain) le chanoine du chapitre le plus ignorant. . . .

Il fut donc obligé de me mettre sous la férule d'un maître; il m'envoya chez le docteur Godinez, qui passait pour le plus habile pédant d'Oviédo. Je profitai si bien des instructions qu'on me donna, qu'au bout de cinq ou six années j'entendis un peu les auteurs grecs, et assez bien les poètes latins. Je m'appliquai aussi à la logique, qui m'apprit à raisonner beaucoup. J'aimais tant la dispute, que j'arrêtais les passants, connus ou inconnus, pour leur proposer des arguments. Je m'adressais quelquefois à des figures hibernoises[11] qui ne demandaient pas mieux; et il fallait alors nous voir disputer! Quels gestes! quelles grimaces! quelles contorsions! Nos yeux étaient pleins de fureur, et nos bouches écumantes: on nous devait plutôt prendre pour des possédés que pour des philosophes.

Je m'acquis toutefois par là, dans la ville, la réputation de savant. Mon oncle en fut ravi, parce qu'il fit réflexion que je cesserais bientôt de lui être à charge.

«Oh çà! Gil Blas, me dit-il un jour, le temps de ton enfance est passé. Tu as déjà dix-sept ans, et te voilà devenu habile garçon: il faut songer à te pousser.[12] Je suis d'avis de t'envoyer à l'université de Salamanque: avec l'esprit que je te vois, tu ne manqueras pas de trouver un bon poste. Je te donnerai quelques ducats pour faire ton voyage avec ma mule, qui vaut bien dix à douze pistoles;[13] tu la vendras à Salamanque, et tu en emploieras l'argent à t'entretenir jusqu'à ce que tu sois placé.»

Il ne pouvait rien me proposer qui me fût plus agréable; car je mourais

---

[6] City in north-western Spain.   [7] "enter domestic service."   [8] "butler."
[9] "allowance" (ecclesiastical).   [10] "primer."
[11] "Irish." The Irish monks were famous for their love of disputation.
[12] "make your way in the world."   [13] Coin worth ten francs.

d'envie de voir le pays.[14] Cependant j'eus assez de force sur moi pour cacher ma joie; et lorsqu'il fallut partir, ne paraissant sensible qu'à la douleur de quitter un oncle à qui j'avais tant d'obligations, j'attendris le bonhomme, qui me donna plus d'argent qu'il ne m'en aurait donné s'il eût pu lire au
5 fond de mon âme. Avant mon départ, j'allai embrasser mon père et ma mère, qui ne m'épargnèrent pas les remontrances.[15] Ils m'exhortèrent à prier Dieu pour mon oncle, à vivre en honnête homme, à ne me point engager dans de mauvaises affaires, et, sur toutes choses, à ne pas prendre le bien d'autrui. Après qu'ils m'eurent très longtemps harangué, ils me firent
10 présent de leur bénédiction, qui était le seul bien que j'attendais d'eux. Aussitôt je montai sur ma mule et sortis de la ville.

3. Premières Aventures

Me voilà donc hors d'Oviédo, sur le chemin de Peñaflor,[16] au milieu de la campagne, maître de mes actions, d'une mauvaise mule et de quarante bons ducats, sans compter quelques réaux [17] que j'avais volés à mon très
15 honoré oncle. La première chose que je fis fut de laisser ma mule aller à discrétion, c'est-à-dire au petit pas. Je lui mis la bride sur le cou; et, tirant de ma poche mes ducats, je commençai à les compter et recompter dans mon chapeau. Je n'étais pas maître de ma joie: je n'avais jamais vu tant d'argent; je ne pouvais me lasser de le regarder et de le manier. Je le comptais peut-
20 être pour la vingtième fois, quand tout à coup ma mule, levant la tête et les oreilles, s'arrêta au milieu du grand chemin. Je jugeai que quelque chose l'effrayait; je regardai ce que ce pouvait être: j'aperçus sur la terre un chapeau renversé, sur lequel il y avait un rosaire à gros grains, et en même temps j'entendis une voix lamentable qui prononça ces paroles: «Seigneur
25 passant, ayez pitié, de grâce, d'un pauvre soldat estropié; jetez, s'il vous plaît, quelque pièce d'argent dans ce chapeau; vous en serez récompensé dans l'autre monde.» Je tournai aussitôt les yeux du côté que partait la voix; je vis au pied d'un buisson, à vingt ou trente pas de moi, une espèce de soldat qui, sur deux bâtons croisés, appuyait le bout d'une escopette qui me parut
30 plus longue qu'une pique, et avec laquelle il me couchait en joue. A cette vue qui me fit trembler pour le bien de l'Église, je m'arrêtai tout court; je serrai promptement mes ducats, je tirai quelques réaux, et m'approchant du chapeau disposé à recevoir la charité des fidèles effrayés, je les jetai dedans l'un après l'autre, pour montrer au soldat que j'en usais [18] noblement. Il fut
35 satisfait de ma générosité, et me donna autant de bénédictions que je donnai de coups de pied dans les flancs de ma mule pour m'éloigner promptement de lui; mais la maudite bête, trompant mon impatience, n'en alla pas plus vite: la longue habitude qu'elle avait de marcher pas à pas sous mon oncle lui avait fait perdre l'usage du galop.
40 Je ne tirai pas de cette aventure un augure trop favorable pour mon voyage.

---

[14] "world."
[15] "advice."
[16] A village near Oviedo.
[17] Small silver coins.
[18] "was doing things."

Je me représentai que je n'étais pas encore à Salamanque, et que je pourrais bien faire une plus mauvaise rencontre. Mon oncle me parut très imprudent de ne m'avoir pas mis entre les mains d'un muletier; c'était sans doute ce qu'il aurait dû faire; mais il avait songé qu'en me donnant sa mule mon voyage me coûterait moins, et il avait plus pensé à cela qu'aux périls que je 5 pouvais courir en chemin. Aussi, pour réparer sa faute, je résolus, si j'avais le bonheur d'arriver à Peñaflor, d'y vendre ma mule et de prendre la voie du muletier pour aller à Astorga,[19] d'où je me rendrais à Salamanque par la même voiture. . . .

J'arrivai heureusement à Peñaflor: je m'arrêtai à la porte d'une hôtellerie 10 d'assez bonne apparence. Je n'eus pas mis pied à terre, que l'hôte vint me recevoir fort civilement. Il détacha lui-même ma valise, la chargea sur ses épaules, et me conduisit à une chambre, pendant qu'un de ses valets menait ma mule à l'écurie. Cet hôte, le plus grand babillard des Asturies,[20] et aussi prompt à conter sans nécessité ses propres affaires que curieux de savoir 15 celles d'autrui, m'apprit qu'il se nommait André Corcuelo; qu'il avait servi longtemps dans les armées du roi en qualité de sergent, et que, depuis quinze mois, il avait quitté le service pour épouser une fille de Castropol, qui, bien que tant soit peu basanée, ne laissait pas de faire valoir le bouchon.[21] Il me dit encore une infinité d'autres choses que je me serais fort bien passé 20 d'entendre. Après cette confidence, se croyant en droit de tout exiger de moi, il me demanda d'où je venais, où j'allais, et qui j'étais. A quoi il me fallut répondre article par article, parce qu'il accompagnait d'une profonde révérence chaque question qu'il me faisait, en me priant d'un air si respectueux d'excuser sa curiosité, que je ne pouvais me défendre de la satisfaire. 25 Cela m'engagea dans un long entretien avec lui, et me donna lieu de parler du dessein et des raisons que j'avais de me défaire de ma mule pour prendre la voie du muletier. Ce qu'il approuva fort, non succinctement; car il me représenta là-dessus tous les accidents fâcheux qui pouvaient m'arriver sur la route: il me rapporta même plusieurs histoires sinistres de voyageurs. 30 Je croyais qu'il ne finirait point. Il finit pourtant, en disant que, si je voulais vendre ma mule, il connaissait un honnête maquignon qui l'achèterait. Je lui témoignai qu'il me ferait plaisir de l'envoyer chercher: il y alla sur-le-champ lui-même avec empressement.

Il revint bientôt accompagné de son homme qu'il me présenta, et dont il 35 loua fort la probité. Nous entrâmes tous trois dans la cour, où l'on amena ma mule. On la fit passer et repasser devant le maquignon, qui se mit à l'examiner depuis les pieds jusqu'à la tête. Il ne manqua pas d'en dire beaucoup de mal. J'avoue qu'on n'en pouvait dire beaucoup de bien; mais, quand ç'aurait été la mule du pape, il y aurait trouvé à redire. Il assurait 40 donc qu'elle avait tous les défauts du monde; et, pour mieux me le per-

---

[19] South of Oviedo, in the province of Leon.
[20] Asturias, old province of north-western Spain.
[21] "attract customers." The *bouchon* is the bush, or branch of a tree, used formerly as the sign of a tavern. (Cf. the proverb: "Good wine needs no bush.")

suader, il en attestait l'hôte, qui sans doute avait ses raisons pour en convenir.

«Eh bien, me dit froidement le maquignon, combien prétendez-vous vendre ce vilain animal-là?»

Après l'éloge qu'il en avait fait, et l'attestation du seigneur Corcuelo, que
5 je croyais homme sincère et bon connaisseur, j'aurais donné ma mule pour rien; c'est pourquoi je dis au marchand que je m'en rapportais à sa bonne foi; qu'il n'avait qu'à priser la bête en conscience, et que je m'en tiendrais [22] à la prisée. Alors faisant l'homme d'honneur, il me répondit qu'en intéressant sa conscience je le prenais par son faible.[23] Ce n'était pas effectivement par
10 son fort; car, au lieu de faire monter l'estimation à dix ou douze pistoles, comme mon oncle, il n'eut pas honte de la fixer à trois ducats, que je reçus avec autant de joie que si j'eusse gagné à ce marché-là.

Après m'être si avantageusement défait de ma mule, l'hôte me mena chez un muletier qui devait partir le lendemain pour Astorga. Ce muletier me dit
15 qu'il partirait avant le jour, et qu'il aurait soin de venir me réveiller. Nous convînmes du prix tant pour le louage d'une mule que pour ma nourriture; et quand tout fut réglé entre nous, je m'en retournai vers l'hôtellerie avec Corcuelo, qui, chemin faisant, se mit à me raconter l'histoire de ce muletier. Il m'apprit tout ce qu'on en disait dans la ville. Enfin il allait de nouveau
20 m'étourdir de son babil importun, si par bonheur un homme assez bien fait [24] ne fût venu l'interrompre en l'abordant avec beaucoup de civilité. Je les laissai ensemble, et continuai mon chemin sans soupçonner que j'eusse la moindre part à leur entretien.

Je demandai à souper dès que je fus dans l'hôtellerie. C'était un jour
25 maigre:[25] on m'accommoda des œufs. . . . Lorsque l'omelette qu'on me faisait fut en état de m'être servie, je m'assis tout seul à une table. Je n'avais pas encore mangé le premier morceau, que l'hôte entra suivi de l'homme qui l'avait arrêté dans la rue. Ce cavalier portait une longue rapière, et pouvait bien avoir trente ans. Il s'approcha de moi d'un air empressé.
30 «Seigneur écolier, me dit-il, je viens d'apprendre que vous êtes le seigneur Gil Blas de Santillane, l'ornement d'Oviédo et le flambeau de la philosophie. Est-il bien possible que vous soyez ce savantissime,[26] ce bel esprit dont la réputation est si grande en ce pays-ci? Vous ne savez pas, continua-t-il en s'adressant à l'hôte et à l'hôtesse, vous ne savez pas ce que vous possédez:
35 vous avez un trésor dans votre maison: vous voyez dans ce jeune gentilhomme la huitième merveille du monde.» [26a]

Puis, se tournant de mon côté et me jetant les bras au cou:

«Excusez mes transports, ajouta-t-il, je ne suis point maître de la joie que votre présence me cause.»
40 Je ne pus lui répondre sur-le-champ, parce qu'il me tenait si serré, que je n'avais pas la respiration libre; et ce ne fut qu'après que j'eus la tête dégagée de l'embrassade, que je lui dis:

---

[22] "I should be satisfied with."   [23] "weak spot."   [24] "of rather good appearance."
[25] "a fast day."   [26] "great scholar."
[26a] The ancients recognized seven of their most remarkable works of architecture and sculpture as the Seven Wonders of the World.

«Seigneur cavalier, je ne croyais pas mon nom connu à Peñaflor.

—Comment, connu? reprit-il sur le même ton; nous tenons registre de tous les grands personnages qui sont à vingt lieues à la ronde. Vous passez ici pour un prodige; et je ne doute pas que l'Espagne ne se trouve un jour aussi vaine de vous avoir produit que la Grèce d'avoir vu naître ses sept 5 sages.» [26b]

Ces paroles furent suivies d'une nouvelle accolade, qu'il me fallut encore essuyer au hasard d'avoir le sort d'Antée.[27] Pour peu que j'eusse eu d'expérience, je n'aurais pas été la dupe de ses démonstrations ni de ses hyperboles; j'aurais bien connu, à ses flatteries outrées, que c'était un de ces 10 parasites que l'on trouve dans toutes les villes, et qui, dès qu'un étranger arrive, s'introduisent auprès de lui pour remplir leur ventre à ses dépens; mais ma jeunesse et ma vanité m'en firent juger tout autrement. Mon admirateur me parut un fort honnête homme,[28] et je l'invitai à souper avec moi.

«Ah! très volontiers, s'écria-t-il; je sais trop bon gré à mon étoile de 15 m'avoir fait rencontrer l'illustre Gil Blas de Santillane, pour ne pas jouir de ma bonne fortune le plus longtemps que je pourrai. Je n'ai pas grand appétit, poursuivit-il; je vais me mettre à table pour vous tenir compagnie seulement, et je mangerai quelques morceaux par complaisance.»

En parlant ainsi, mon panégyriste s'assit vis-à-vis de moi. On lui apporta 20 un couvert. Il se jeta d'abord sur l'omelette avec tant d'avidité, qu'il semblait n'avoir mangé de trois jours. A l'air complaisant dont il s'y prenait, je vis bien qu'elle serait bientôt expédiée. J'en ordonnai une seconde, qui fut faite si promptement, qu'on nous la servit comme nous achevions, ou plutôt comme il achevait de manger la première. Il y procédait pourtant 25 d'une vitesse toujours égale, et trouvait moyen, sans perdre un coup de dent, de me donner louanges sur louanges; ce qui me rendait fort content de ma petite personne. Il buvait aussi fort souvent: tantôt c'était à ma santé, et tantôt à celle de mon père et de ma mère, dont il ne pouvait assez vanter le bonheur d'avoir un fils tel que moi. En même temps il versait du vin 30 dans mon verre, et m'excitait à lui faire raison.[29]

Je ne répondais point mal aux santés qu'il me portait; ce qui, avec ses flatteries, me mit insensiblement de si belle humeur, que, voyant notre seconde omelette à moitié mangée, je demandai à l'hôte s'il n'avait pas de poisson à nous donner. Le seigneur Corcuelo, qui, selon toutes les appa- 35 rences, s'entendait [30] avec le parasite, me répondit:

«J'ai une truite excellente; mais elle coûtera cher à ceux qui la mangeront: c'est un morceau trop friand pour vous.

—Qu'appelez-vous trop friand? dit alors mon flatteur d'un ton de voix élevée; vous n'y pensez pas, mon ami: apprenez que vous n'avez rien de 40 trop bon pour le seigneur Gil Blas de Santillane, qui mérite d'être traité comme un prince.»

[26b] Name given to seven great philosophers of ancient Greece.

[27] Antæus, a giant, was invincible as long as his feet could touch the ground. Hercules lifted him in the air and choked him to death.

[28] "very much of a gentleman."   [29] "keep up with."   [30] "was in collusion."

Je fus bien aise qu'il eût relevé les dernières paroles de l'hôte, et il ne
fit en cela que me prévenir. Je m'en sentais offensé, et je dis fièrement à
Corcuelo:

«Apportez-nous votre truite, et ne vous embarrassez pas du reste.»

5   L'hôte, qui ne demandait pas mieux, se mit à l'apprêter, et ne tarda
guère à nous la servir. A la vue de ce nouveau plat, je vis briller une grande
joie dans les yeux du parasite, qui fit paraître une nouvelle complaisance,
c'est-à-dire qu'il donna sur [31] le poisson comme il avait donné sur les œufs.
Il fut pourtant obligé à se rendre, de peur d'accident; car il en avait jusqu'à la
10 gorge. Enfin, après avoir bu et mangé tout son soûl, il voulut finir la comédie.

«Seigneur Gil Blas, me dit-il en se levant de table, je suis trop content
de la bonne chère que vous m'avez faite pour vous quitter sans vous donner
un avis important dont vous me paraissez avoir besoin. Soyez désormais
en garde contre les louanges. Défiez-vous des gens que vous ne connaîtrez
15 point. Vous en pourrez rencontrer d'autres qui voudront, comme moi, se
divertir de votre crédulité, et peut-être pousser les choses encore plus loin;
n'en soyez point la dupe, et ne vous croyez point, sur leur parole, la huitième
merveille du monde.»

En achevant ces mots, il me rit au nez, et s'en alla.

20 Je fus aussi sensible à cette baie que je l'ai été dans la suite aux plus
grandes disgrâces qui me sont arrivées. Je ne pouvais me consoler de m'être
laissé tromper si grossièrement, ou, pour mieux dire, de sentir mon orgueil
humilié.

«Eh quoi! dis-je, le traître s'est donc joué de moi? Il n'a tantôt abordé
25 mon hôte que pour lui tirer les vers du nez,[32] ou plutôt ils étaient d'intelligence [33] tous deux. Ah! pauvre Gil Blas, meurs de honte d'avoir donné à
ces fripons un juste sujet de te tourner en ridicule. Ils vont composer de
tout ceci une belle histoire qui pourra bien aller jusqu'à Oviédo, et qui
t'y fera beaucoup d'honneur. Tes parents se repentiront sans doute d'avoir
30 tant harangué un sot: loin de m'exhorter à ne tromper personne, ils devaient
me recommander de ne me pas laisser duper.»

Agité de ces pensées mortifiantes, enflammé de dépit, je m'enfermai dans
ma chambre et me mis au lit; mais je ne pus dormir, et je n'avais pas encore
fermé l'œil lorsque le muletier me vint avertir qu'il n'attendait plus que
35 moi pour partir. Je me levai aussitôt; et pendant que je m'habillais, Corcuelo
arriva avec un mémoire de la dépense, dans lequel la truite n'était pas
oubliée; et non seulement il m'en fallut passer par où il voulut,[34] mais j'eus
encore le chagrin, en lui livrant mon argent, de m'apercevoir que le bourreau
se ressouvenait de mon aventure. Après avoir bien payé un souper dont
40 j'avais fait si désagréablement la digestion, je me rendis chez le muletier
avec ma valise, en donnant à tous les diables le parasite, l'hôte et l'hôtellerie.

---

31 "fell upon."   32 "find out from him" (about me).
33 "hand in glove."   34 "submit to his demands."

4. Le Testament du Licencié Sedillo

Je servis pendant trois mois le licencié Sedillo sans me plaindre des mauvaises nuits qu'il me faisait passer. Au bout de ce temps-là il tomba malade. La fièvre le prit; et avec le mal qu'elle lui causait, il sentit s'irriter sa goutte. Pour la première fois de sa vie, qui avait été longue, il eut recours aux médecins. Il demanda le docteur Sangrado,[35] que tout Valladolid regardait comme un Hippocrate.[36] . . . J'allai donc le chercher; je l'amenai au logis. C'était un grand homme sec et pâle, et qui, depuis quarante ans pour le moins, occupait le ciseau des Parques.[37] Ce savant médecin avait l'extérieur grave, il pesait ses discours et donnait de la noblesse à ses expressions. Ses raisonnements paraissaient géométriques et ses opinions fort singulières.

Après avoir observé mon maître, il lui dit d'un air doctoral:

«Il s'agit ici de suppléer au défaut de la transpiration arrêtée. D'autres, à ma place, ordonneraient sans doute des remèdes salins, volatils, et qui, pour la plupart, participent du soufre ou du mercure; mais les purgatifs et les sudorifiques [38] sont des drogues pernicieuses et inventées par des charlatans; toutes les préparations chimiques ne semblent faites que pour nuire. J'emploie des moyens plus simples et plus sûrs. A quelle nourriture, continua-t-il, êtes-vous accoutumé?

—Je mange ordinairement, répondit le chanoine, des bisques et des viandes succulentes.

—Des bisques et des viandes succulentes! s'écria le docteur avec surprise. Ah! vraiment, je ne m'étonne plus si vous êtes malade! Les mets délicieux sont des plaisirs empoisonnés; ce sont des pièges que la volupté tend aux hommes pour les faire périr plus sûrement. Il faut que vous renonciez aux aliments de bon goût; les plus fades sont les meilleurs pour la santé. Comme le sang est insipide, il veut des mets qui tiennent de sa nature. Et buvez-vous du vin? ajouta-t-il.

—Oui, dit le licencié, du vin trempé.[39]

—Oh! trempé tant qu'il vous plaira, reprit le médecin. Quel dérèglement! voilà un régime épouvantable! Il y a longtemps que vous devriez être mort. Quel âge avez-vous?

—J'entre dans ma soixante-neuvième année, répondit le chanoine.

—Justement, répliqua le médecin; une vieillesse anticipée est toujours le fruit de l'intempérance. Si vous n'eussiez bu que de l'eau claire toute votre vie, et que vous vous fussiez contenté d'une nourriture simple, de pommes cuites, par exemple, de pois ou de fèves, vous ne seriez pas présentement tourmenté de la goutte, et tous vos membres feraient encore facilement leurs fonctions. Je ne désespère pas toutefois de vous remettre sur pied, pourvu que vous vous abandonniez à mes ordonnances.»

Le licencié, tout friand [40] qu'il était, promit de lui obéir en toutes choses.

---

[35] "Bleeder," connected with the Spanish *sangre*, "blood."
[36] Famous Greek physician (4th century B. C.), called the Father of Medicine.
[37] "giving work to the Fates," especially to Atropos, who cuts the thread of life.
[38] "medicine causing perspiration."   [39] "watered."   [40] "epicure."

Alors Sangrado m'envoya chercher un chirurgien qu'il me nomma, et fit tirer à mon maître six bonnes palettes [41] de sang, pour commencer à suppléer au défaut de la transpiration. Puis il dit au chirurgien:

«Maître Martin Onez, revenez dans trois heures en faire autant, et demain
5 vous recommencerez. C'est une erreur de penser que le sang soit nécessaire à la conservation de la vie: on ne peut trop saigner un malade. Comme il n'est obligé à aucun mouvement ou exercice considérable, et qu'il n'a rien à faire que de ne point mourir, il ne lui faut pas plus de sang pour vivre qu'à un homme endormi; la vie, dans tous les deux, ne consiste que dans
10 le pouls et dans la respiration.»

Le bon chanoine, s'imaginant qu'un si grand médecin ne pouvait faire de faux raisonnements, se laissa saigner sans résistance. Lorsque le docteur eut ordonné de fréquentes et copieuses saignées, il dit qu'il fallait aussi donner au chanoine de l'eau chaude à tout moment, assurant que l'eau bue
15 en abondance pouvait passer pour le véritable spécifique [42] contre toutes sortes de maladies. Il sortit ensuite, en disant d'un air de confiance, à la dame Jacinte et à moi, qu'il répondait de la vie du malade si on le traitait de la manière qu'il venait de prescrire. La gouvernante, qui jugeait peut-être autrement que lui de sa méthode, protesta [43] qu'on la suivrait avec
20 exactitude. En effet, nous mîmes promptement de l'eau à chauffer; et comme le médecin nous avait recommandé sur toutes choses de ne la point épargner, nous en fîmes d'abord boire à mon maître deux ou trois pintes à longs traits. Une heure après, nous réitérâmes; puis, retournant encore de temps en temps à la charge, nous versâmes dans son estomac un déluge d'eau. D'un autre
25 côté, le chirurgien nous secondant par la quantité de sang qu'il tirait, nous réduisîmes, en moins de deux jours, le vieux chanoine à l'extrémité.

Ce pauvre ecclésiastique n'en pouvant plus, comme je voulais lui faire avaler encore un grand verre du spécifique, me dit d'une voix faible:

«Arrête, Gil Blas; ne m'en donne pas davantage, mon ami. Je vois bien
30 qu'il faut mourir, malgré la vertu de l'eau; et, quoiqu'il me reste à peine une goutte de sang, je ne m'en porte pas mieux pour cela; ce qui prouve bien que le plus habile médecin du monde ne saurait prolonger nos jours quand leur terme fatal est arrivé. Il faut donc que je me prépare à partir pour l'autre monde: va me chercher un notaire; je veux faire mon testa-
35 ment.» . . .

Je m'aperçus effectivement qu'il changeait à vue d'œil; et la chose me parut si pressante, que je sortis vite pour faire ce qu'il m'ordonnait, laissant auprès de lui la dame Jacinte, qui craignait encore plus que moi qu'il ne mourût sans tester. J'entrai dans la maison du premier notaire dont on
40 m'enseigna la demeure, et, le trouvant chez lui:

«Monsieur, lui dis-je, le licencié Sedillo, mon maître, tire à sa fin, il veut faire écrire ses dernières volontés; il n'y a pas un moment à perdre.»

Le notaire était un petit vieillard gai, qui se plaisait à railler; il me demanda quel médecin voyait le chanoine. Je lui répondis que c'était le

---

[41] "basin" (for bleeding).   [42] "remedy."   [43] "promised."

docteur Sangrado. A ce nom, prenant brusquement son manteau et son chapeau:

«Vive Dieu! s'écria-t-il, partons donc en diligence; [44] car ce docteur est si expéditif, qu'il ne donne pas le temps à ses malades d'appeler des notaires. Cet homme-là m'a bien soufflé [45] des testaments.» . . .

Le licencié, quand nous arrivâmes dans sa chambre, avait encore tout son bon sens. La dame Jacinte, le visage baigné de pleurs de commande,[46] était auprès de lui. Elle venait de jouer son rôle, et de préparer le bonhomme à lui faire beaucoup de bien. Nous laissâmes le notaire seul avec mon maître, et passâmes, elle et moi, dans l'antichambre, où nous rencontrâmes le chirurgien, que le médecin envoyait pour faire une nouvelle et dernière saignée. Nous l'arrêtâmes.

«Attendez, maître Martin, lui dit la gouvernante; vous ne sauriez entrer présentement dans la chambre du seigneur Sedillo. Il va dicter ses dernières volontés à un notaire qui est avec lui; vous le saignerez tout à votre aise quand il aura fait son testament.»

Nous avions grand'peur, ma béate [47] et moi, que le licencié ne mourût en testant; mais, par bonheur, l'acte [48] qui causait notre inquiétude se fit. Nous vîmes sortir le notaire, qui, me trouvant sur son passage, me frappa sur l'épaule et me dit en souriant:

«On n'a point oublié Gil Blas.»

A ces mots, je ressentis une joie toute des plus vives; et je sus si bon gré à mon maître de s'être souvenu de moi, que je me promis de bien prier Dieu pour lui après sa mort, qui ne manqua pas d'arriver bientôt: car, le chirurgien l'ayant encore saigné, le pauvre vieillard, qui n'était que trop affaibli, expira presque dans le moment. Comme il rendait les derniers soupirs, le médecin parut, et demeura un peu sot,[49] malgré l'habitude qu'il avait de dépêcher ses malades. Cependant, loin d'imputer la mort du chanoine à la boisson et aux saignées, il sortit en disant d'un air froid qu'on ne lui avait pas tiré assez de sang ni fait boire assez d'eau chaude.

L'exécuteur de la haute médecine,[50] je veux dire le chirurgien, voyant aussi qu'on n'avait plus besoin de son ministère, suivit le docteur Sangrado, l'un et l'autre disant que dès le premier jour ils avaient condamné [51] le licencié. Effectivement, ils ne se trompaient presque jamais quand ils portaient un pareil jugement.

Sitôt que nous vîmes le patron sans vie, nous fîmes, la dame Jacinte, Inésille (sa nièce) et moi, un concert de cris funèbres qui fut entendu de tout le voisinage. La béate surtout, qui avait le plus grand sujet de se réjouir, poussait des accents si plaintifs, qu'elle semblait être la personne du monde la plus touchée. La chambre, en un instant, se remplit de gens moins attirés par la compassion que par la curiosité. Les parents du défunt n'eurent pas plus tôt vent de sa mort, qu'ils vinrent fondre au logis et faire mettre le scellé

---

[44] "in haste."   [45] "cheated me out of."   [46] "made to order."   [47] "hypocrite."
[48] "document."   [49] "looked a bit sheepish."
[50] The French public executioner is called *éxécuteur des hautes œuvres.*
[51] "given up;" the ordinary meaning, "condemned" is hinted at in the next sentence.

partout. Ils trouvèrent la gouvernante si affligée, qu'ils crurent d'abord que le chanoine n'avait point fait de testament; mais ils apprirent bientôt, à leur grand regret, qu'il y en avait un, revêtu de toutes les formalités nécessaires. Lorsqu'on vint à l'ouvrir, et qu'ils virent que le testateur avait disposé de
5 ses meilleurs effets en faveur de la dame Jacinte, ils firent son oraison funèbre [52] dans des termes peu honorables à sa mémoire. Ils apostrophèrent en même temps la béate, et firent aussi quelque mention de moi. Il faut avouer que je le méritais bien. Le licencié, devant Dieu soit son âme! pour m'engager à me souvenir de lui toute ma vie, s'expliquait ainsi pour mon
10 compte [53] par un article de son testament: «Item, puisque Gil Blas est un garçon qui a déjà de la littérature,[54] pour achever de le rendre savant, je lui laisse ma bibliothèque, tous mes livres et mes manuscrits, sans aucune exception.»

J'ignorais où pouvait être cette prétendue bibliothèque; je ne m'étais point
15 aperçu qu'il y en eût dans la maison. Je savais seulement qu'il y avait quelques papiers, avec cinq ou six volumes sur deux petits ais de sapin dans le cabinet de mon maître: c'était là mon legs. Encore les livres ne me pouvaient-ils être d'une grande utilité: l'un avait pour titre *le Cuisinier parfait;* l'autre traitait de l'indigestion et de la manière de la guérir, et les
20 autres étaient les quatre parties du bréviaire, que les vers avaient à demi rongées. A l'égard des manuscrits, le plus curieux contenait toutes les pièces [55] d'un procès que le chanoine avait eu autrefois pour sa prébende. Après avoir examiné mon legs avec plus d'attention qu'il n'en méritait, je l'abandonnai aux parents qui me l'avaient tant envié. Je leur remis même
25 l'habit dont j'étais revêtu, et je repris le mien, bornant à mes gages le fruit de mes services. J'allai chercher ensuite une autre maison. . . .

5. Gil Blas Devient Médecin

Je résolus d'aller trouver le seigneur Arias de Londona,[56] et de choisir dans son registre une nouvelle condition; mais, comme j'étais près d'entrer dans le cul-de-sac où il demeurait, je rencontrai le docteur Sangrado, que je
30 n'avais point vu depuis le jour de la mort de mon maître, et je pris la liberté de le saluer. Il me remit dans le moment,[57] quoique j'eusse changé d'habit, et témoignant quelque joie de me voir:

«Eh! te voilà, mon enfant, me dit-il, je pensais à toi tout à l'heure. J'ai besoin d'un bon garçon pour me servir, et tu m'es revenu dans l'esprit. Tu
35 me parais bon enfant, et je crois que tu serais bien mon fait,[58] si tu savais lire ou écrire.

—Monsieur, lui répondis-je, sur ce pied-là [59] je suis donc votre affaire, car je sais l'un et l'autre.

---

[52] Lesage has probably in mind the *Oraisons funèbres* of Bossuet.   [53] "with regard to me."
[54] "is well versed in letters."   [55] "documents."   [56] Head of an employment office.
[57] "remembered me at once."   [58] "just the man I want."   [59] "in that case."

—Cela étant, reprit-il, tu es l'homme qu'il me faut. Viens chez moi; tu n'y auras que de l'agrément; je te traiterai avec distinction. Je ne te donnerai point de gages, mais rien ne te manquera. J'aurai soin de t'entretenir proprement, et je t'enseignerai le grand art de guérir toutes les maladies. En un mot, tu seras plutôt mon élève que mon valet.»

J'acceptai la proposition du docteur, dans l'espérance que je pourrais, sous un si savant maître, me rendre illustre dans la médecine. Il me mena chez lui sur-le-champ, pour m'installer dans l'emploi qu'il me destinait; et cet emploi consistait à écrire le nom et la demeure des malades qui l'envoyaient chercher pendant qu'il était en ville. Il y avait pour cet effet au logis un registre, dans lequel une vieille servante qu'il avait pour tout domestique, marquait les adresses; mais, outre qu'elle ne savait point l'orthographe, elle écrivait si mal, qu'on ne pouvait, le plus souvent, déchiffrer son écriture. Il me chargea du soin de tenir ce livre, qu'on pouvait justement appeler un registre mortuaire, puisque les gens dont je prenais les noms mouraient presque tous. J'inscrivais, pour ainsi parler, les personnes qui voulaient partir pour l'autre monde, comme un commis, dans un bureau de voitures publiques, écrit le nom de ceux qui retiennent des places. J'avais souvent la plume à la main, parce qu'il n'y avait point en ce temps-là de médecin à Valladolid plus accrédité que le seigneur Sangrado. Il s'était mis en réputation dans le public par un verbiage spécieux soutenu d'un air imposant, et par quelques cures heureuses, qui lui avaient fait plus d'honneur qu'il ne méritait.

Il ne manquait pas de pratiques, ni par conséquent de bien. Il n'en faisait pas toutefois meilleure chère: on vivait chez lui très frugalement. Nous ne mangions d'ordinaire que des pois, des fèves, des pommes cuites ou du fromage. . . . Mais s'il nous défendait, à la servante et à moi, de manger beaucoup, en récompense,[60] il nous permettait de boire de l'eau à discrétion. Bien loin de nous prescrire des bornes là-dessus, il nous disait quelquefois:

«Buvez, mes enfants; la santé consiste dans la souplesse et l'humectation des parties. Buvez de l'eau abondamment; c'est un dissolvant universel; l'eau fond tous les sels. Le cours du sang est-il ralenti, elle le précipite; est-il trop rapide, elle en arrête l'impétuosité.»

Notre docteur était de si bonne foi sur cela, qu'il ne buvait jamais lui-même que de l'eau, bien qu'il fût dans un âge avancé. Il définissait la vieillesse une phtisie naturelle qui nous dessèche et nous consume; et, sur cette définition, il déplorait l'ignorance de ceux qui nomment le vin le lait des vieillards. Il soutenait que le vin les use et les détruit, et disait fort éloquemment que cette liqueur funeste est pour eux, comme pour tout le monde, un ami qui trahit et un plaisir qui trompe.

Malgré ces doctes raisonnements, après avoir été huit jours dans cette maison, . . . je commençai à sentir de grands maux d'estomac, que j'eus la témérité d'attribuer au dissolvant universel et à la mauvaise nourriture que

---

[60] "in return."

je prenais. Je m'en plaignis à mon maître dans la pensée qu'il pourrait se
relâcher et me donner un peu de vin à mes repas; mais il était trop ennemi
de cette liqueur pour me l'accorder.

«Quand tu auras formé l'habitude de boire de l'eau, me dit-il, tu en connaîtras l'excellence; au reste, poursuivit-il, si tu te sens quelque dégoût pour
l'eau pure, il y a des secours innocents pour soutenir l'estomac contre la
fadeur des boissons aqueuses: la sauge, par exemple, et la véronique leur
donnent un goût délectable; et, si tu veux les rendre encore plus délicieuses,
tu n'as qu'à y mêler de la fleur d'œillet, du romarin ou du coquelicot.»

Il avait beau vanter l'eau, et m'enseigner le secret d'en composer des
breuvages exquis, j'en buvais avec tant de modération, que, s'en étant
aperçu, il me dit:

«Eh! vraiment, Gil Blas, je ne m'étonne point si tu ne jouis pas d'une parfaite santé; tu ne bois pas assez, mon ami. L'eau, prise en petite quantité,
ne sert qu'à développer les parties de la bile, et qu'à leur donner plus
d'activité; au lieu qu'il les faut noyer dans un délayant [61] copieux. Ne crains
pas, mon cher enfant, que l'abondance de l'eau affaiblisse ou refroidisse ton
estomac; loin de toi cette terreur panique que tu te fais peut-être de la boisson
fréquente. Je te garantis de l'événement; et si tu ne me trouves pas bon pour
t'en répondre, Celse [62] même t'en sera garant.» . . .

. . . Je fis semblant d'être persuadé qu'il avait raison; j'avouerai même que
je le crus effectivement. Je continuai donc à boire de l'eau sur la garantie de
Celse, ou plutôt je commençai à noyer la bile en buvant copieusement de
cette liqueur; et quoique de jour en jour je me sentisse plus incommodé, le
préjugé l'emportait sur l'expérience. J'avais, comme l'on voit, une heureuse
disposition à devenir médecin. Je ne pus pourtant résister toujours à la violence
de mes maux, qui s'accrurent à un point que je pris enfin la résolution de sortir
de chez le docteur Sangrado. Mais il me chargea d'un nouvel emploi qui me
fit changer de sentiment.

«Écoute, me dit-il un jour, . . . je suis content de toi, je t'aime et sans attendre que tu m'aies servi plus longtemps, j'ai pris la résolution de faire ta
fortune dès aujourd'hui; je veux tout à l'heure te découvrir le fin [63] de l'art
salutaire que je professe depuis tant d'années. . . . Sache, mon ami, qu'il ne
faut que saigner et faire boire de l'eau chaude: voilà le secret de guérir toutes
les maladies du monde. . . . Je n'ai plus rien à t'apprendre, tu sais la médecine
à fond; et, profitant du fruit de ma longue expérience, tu deviens tout d'un
coup aussi habile que moi. Tu peux, continua-t-il, me soulager présentement;
tu tiendras le matin notre registre, et l'après-midi tu sortiras pour aller voir une
partie de mes malades. Tandis que j'aurai soin de la noblesse et du clergé,
tu iras pour moi dans les maisons du tiers état [64] où l'on m'appellera; et
lorsque tu auras travaillé quelque temps, je te ferai agréger [64a] à notre corps.
Tu es savant, Gil Blas, avant que d'être médecin; au lieu que les autres sont
longtemps médecins, et la plupart toute leur vie, avant que d'être savants.»

Je remerciai le docteur de m'avoir si promptement rendu capable de lui

---

[61] "diluent."   [62] Celebrated Roman physician of the time of Augustus.
[63] "secret."   [64] "bourgeoisie."   [64a] "admitted."

servir de substitut; et, pour reconnaître les bontés qu'il avait pour moi, je l'assurai que je suivrais toute ma vie ses opinions, quand même elles seraient contraires à celles d'Hippocrate. Cette assurance pourtant n'était pas tout à fait sincère. Je désapprouvais son sentiment sur l'eau, et je me proposais de boire du vin tous les jours en allant voir mes malades. Je pendis au croc une 5 seconde fois mon habit brodé pour en prendre un de mon maître et me donner l'air d'un médecin. Après quoi je me disposai à exercer la médecine aux dépens de qui il appartiendrait.[65] Je débutai par un alguazil [65a] qui avait une pleurésie: j'ordonnai qu'on le saignât sans miséricorde, et qu'on ne lui plaignît [66] point l'eau. J'entrai ensuite chez un pâtissier à qui la goutte 10 faisait pousser de grands cris. Je ne ménageai pas plus son sang que celui de l'alguazil et j'ordonnai qu'on lui fît boire de l'eau de moment en moment. Je reçus douze réaux pour mes ordonnances; ce qui me fit prendre tant de goût à la profession, que je ne demandai plus que plaies et bosses.[67]

. . . .

Le lendemain, dès que j'eus dîné, je repris mon habit de substitut et me 15 remis en campagne. Je visitai plusieurs malades, que j'avais inscrits, et je les traitai tous de la même manière, bien qu'ils eussent des maux différents. Jusque-là, les choses s'étaient passées sans bruit, et personne, grâce au ciel, ne s'était encore révolté contre mes ordonnances; mais, quelque excellente que soit la pratique d'un médecin, elle ne saurait manquer de censeurs ni d'envieux. 20 J'entrai chez un marchand épicier qui avait un fils hydropique. J'y trouvai un petit médecin brun, qu'on nommait le docteur Cuchillo, et qu'un parent du maître de la maison venait d'amener pour voir le malade. Je fis de profondes révérences à tout le monde et particulièrement au personnage que je jugeai qu'on avait appelé pour le consulter sur la maladie dont il s'agissait. 25 Il me salua d'un air grave; puis, m'ayant envisagé quelques moments avec beaucoup d'attention:

«Seigneur docteur, me dit-il, je vous prie d'excuser ma curiosité: je croyais connaître tous les médecins de Valladolid, mes confrères, et cependant je vous avoue que vos traits me sont inconnus. Il faut que depuis très peu de 30 temps vous soyez venu vous établir dans cette ville.»

Je répondis que j'étais un jeune praticien, et que je ne travaillais encore que sous les auspices du docteur Sangrado.

«Je vous félicite, reprit-il poliment, d'avoir embrassé la méthode d'un si grand homme. Je ne doute point que vous ne soyez déjà très habile, quoique 35 vous paraissiez bien jeune.»

Il dit cela d'un air si naturel, que je ne savais s'il avait parlé sérieusement ou s'il s'était moqué de moi; et je rêvais à ce que je devais lui répliquer, lorsque l'épicier, prenant ce moment pour parler, nous dit:

«Messieurs, je suis persuadé que vous savez parfaitement l'un et l'autre 40 l'art de la médecine: examinez, s'il vous plaît, mon fils, et ordonnez ce que vous jugerez à propos qu'on fasse pour le guérir.»

---

[65] "whoever might see fit" (to employ me).   [65a] "constable."
[66] "spare."   [67] "I was ready for anything."

Là-dessus, le petit médecin se mit à observer le malade; et, après m'avoir fait remarquer tous les symptômes qui découvraient la nature de la maladie, il demanda de quelle manière je pensais qu'on dût le traiter.

«Je suis d'avis, répondis-je, qu'on le saigne tous les jours, et qu'on lui
5 fasse boire de l'eau chaude abondamment.»

A ces paroles, le petit médecin me dit en souriant d'un air plein de malice: «Et vous croyez que ces remèdes lui sauveront la vie?

—N'en doutez pas, m'écriai-je d'un ton ferme; vous verrez le malade guérir à vue d'œil; ils doivent produire cet effet, puisque ce sont des spéci-
10 fiques contre toutes les maladies. Demandez au seigneur Sangrado!

—Sur ce pied-là,[68] reprit-il, Celse a grand tort d'assurer que, pour guérir plus facilement un hydropique, il est à propos de lui faire souffrir la soif et la faim.

—Oh! Celse, lui repartis-je, n'est pas mon oracle; il se trompait comme un
15 autre; et quelquefois je me sais bon gré d'aller contre ses opinions; je m'en trouve fort bien.[69]

—Je reconnais à vos discours, me dit Cuchillo, la pratique sûre et satis-faisante dont le docteur Sangrado veut insinuer la méthode aux jeunes praticiens. La saignée et la boisson sont sa méthode universelle. Je ne suis
20 pas surpris si tant d'honnêtes gens périssent entre ses mains. . . .

—N'en venons point aux invectives, interrompis-je assez brusquement: un homme de votre profession a bonne grâce, vraiment, de faire de pareils reproches! Allez, allez, monsieur le docteur, sans saigner et sans faire boire de l'eau chaude, on envoie bien des malades en l'autre monde; et vous en
25 avez peut-être vous-même expédié plus qu'un autre. Si vous en voulez au seigneur Sangrado, écrivez contre lui; il vous répondra, et nous verrons de quel côté seront les rieurs.

—Par saint Jacques et par saint Denis![70] interrompit-il à son tour avec emportement, vous ne connaissez guère le docteur Cuchillo. Sachez, mon
30 ami, que j'ai bec et ongles,[71] et que je ne crains nullement Sangrado, qui, malgré sa présomption et sa vanité, n'est qu'un original.»

La figure du petit médecin me mit en colère. Je lui répliquai avec aigreur; il me repartit de la même sorte, et bientôt nous en vînmes aux gourmades.[71a] Nous eûmes le temps de nous donner quelques coups de poing et de nous
35 arracher l'un à l'autre une poignée de cheveux avant que l'épicier et son parent pussent nous séparer. Lorsqu'ils en furent venus à bout, ils me payèrent ma visite et retinrent mon antagoniste, qui leur parut apparemment plus habile que moi.

·　　·　　·　　·　　·　　·　　·　　·　　·

Nous continuâmes à travailler sur nouveaux frais,[72] et nous y procédâmes
40 de manière qu'en moins de six semaines nous fîmes autant de veuves et d'orphelins que le siège de Troie.[73] Il semblait que la peste fût dans Valla-

---

[68] "In that case."　　　　　　[69] "I get very good results by so doing."
[70] Patron saints of Spain and France.　　　　[71] "I know how to defend myself."
[71a] "blows."　　　　[72] "anew."　　　　[73] The siege of Troy lasted ten years.

dolid, tant on faisait de funérailles! Il venait tous les jours au logis quelque père nous demander compte d'un fils que nous lui avions enlevé, ou bien quelque oncle qui nous reprochait la mort de son neveu. . . . Les personnes affligées dont il nous fallait essuyer les reproches avaient quelquefois une douleur brutale; elles nous appelaient ignorants, assassins; elles ne 5 ménageaient point les termes. J'étais ému de leurs épithètes; mais mon maître, qui était fait [74] à cela, les écoutait de sang-froid. J'aurais pu, comme lui, m'accoutumer aux injures, si le ciel, pour ôter sans doute aux malades de Valladolid un de leurs fléaux, n'eût fait naître une occasion de me dé- goûter de la médecine, que je pratiquais avec si peu de succès. C'est de 10 quoi je vais faire un détail fidèle, dût [75] le lecteur en rire à mes dépens.

Il y avait dans notre voisinage un jeu de paume où les fainéants de la ville s'assemblaient chaque jour. On y voyait un de ces braves de profession qui s'érigent en maîtres,[76] et décident les différends dans les tripots.[77] Il était de Biscaye, et se faisait appeler don Rodrigue de Mondragon. Il paraissait 15 avoir trente ans. C'était un homme d'une taille ordinaire, mais sec et nerveux.[78] Outre deux petits yeux étincelants qui lui roulaient dans la tête, et semblaient menacer tous ceux qu'il regardait, un nez fort épaté lui tombait sur une moustache rousse qui s'élevait en croc jusqu'à la tempe. Il avait la parole si rude et si brusque, qu'il n'avait qu'à parler pour inspirer de l'effroi. 20 Ce casseur de raquettes [79] s'était rendu le tyran du jeu de paume. Il jugeait impérieusement les contestations qui survenaient entre les joueurs; et il ne fallait pas qu'on appelât de ses jugements, à moins que l'appelant ne voulût se résoudre à recevoir de lui le lendemain un cartel de défi.

Tel que je viens de représenter le seigneur don Rodrigue, que le *don* [80] 25 qu'il mettait à la tête de son nom n'empêchait pas d'être roturier,[81] il fit une tendre impression sur la maîtresse du tripot. C'était une femme de quarante ans, riche, assez agréable, et veuve depuis quinze mois. . . . Elle forma le dessein de l'épouser; mais, dans le temps qu'elle se préparait à consommer cette affaire, elle tomba malade; et malheureusement pour elle je devins son 30 médecin. Quand sa maladie n'aurait pas été une fièvre maligne, mes remèdes suffisaient pour la rendre dangereuse. Au bout de quatre jours je remplis de deuil le tripot. La paumière [82] alla où j'envoyais tous mes malades, et ses parents s'emparèrent de son bien. Don Rodrigue, au désespoir d'avoir perdu sa maîtresse, ou plutôt l'espérance d'un mariage très avantageux pour lui, ne 35 se contenta pas de jeter feu et flamme [83] contre moi; il jura qu'il me passerait son épée au travers du corps, et m'exterminerait à la première vue. Un voisin charitable m'avertit de ce serment: la connaissance que j'avais de Mondragon, bien loin de me faire mépriser cet avis, me remplit de trouble et de frayeur. Je n'osais sortir du logis, de peur de rencontrer ce diable d'homme, et je 40 m'imaginais sans cesse le voir entrer dans notre maison d'un air furieux: je ne pouvais goûter un moment de repos. Cela me détacha de la médecine,

---

[74] "used" (*se faire à*).   [75] "were."   [76] "umpires."
[77] "tennis courts" (the original meaning of the word).   [78] "muscular."
[79] "tennis player."   [80] Spanish title for nobles.   [81] "plebeian."
[82] "keeper of the tennis court."   [83] "rage."

et je ne songeai plus qu'à m'affranchir de mon inquiétude. Je repris mon habit brodé; et après avoir dit adieu à mon maître, qui ne put me retenir, je sortis de la ville à la pointe du jour, non sans crainte de trouver don Rodrigue en mon chemin.

6. CHEZ L'ARCHEVÊQUE DE GRENADE [84]

5 J'allai de ville en ville jusqu'à celle de Grenade. . . . Une des premières personnes que je rencontrai dans les rues de Grenade fut le seigneur don Fernand de Leyva. . . . Je lui contai tout ce qui s'était passé. . . . Il en rit de bon cœur, puis, reprenant son sérieux: «Mon ami, me dit-il, Monsieur l'Archevêque de Grenade, mon parent et mon ami, voudrait avoir près de
10 lui un homme qui eût de la littérature et une bonne main pour mettre au net [85] ses écrits; car c'est un grand auteur. Il a composé je ne sais combien d'homélies, et il en fait encore tous les jours, qu'il prononce avec applaudissement. Comme je vous crois son fait,[86] je vous ai proposé et il m'a promis de vous prendre. Allez vous présenter à lui de ma part. . . .» Effectivement, il
15 tint parole.

M'étant donc préparé de mon mieux à paraître devant le prélat, je me rendis un matin à l'archevêché. . . .

Je m'adressai à un grave et gros personnage qui se tenait à la porte du cabinet de l'archevêque pour l'ouvrir et la fermer quand il le fallait. Je lui
20 demandai civilement s'il n'y avait pas moyen de parler à monseigneur.

«Attendez, me dit-il d'un air sec: Sa Grandeur va sortir pour aller entendre la messe; elle vous donnera en passant un mot d'audience.»

Je ne répondis pas un mot; je m'armai de patience, et je m'avisai de vouloir lier conversation avec quelques-uns des officiers; mais ils com-
25 mencèrent à m'examiner depuis les pieds jusqu'à la tête, sans daigner me répondre une syllabe; après quoi ils se regardèrent les uns les autres en souriant avec orgueil de la liberté que j'avais prise de me mêler à leur entretien.

Je demeurai, je l'avoue, tout déconcerté de me voir traiter ainsi par des valets. Je n'étais pas encore bien remis de ma confusion quand la porte du
30 cabinet s'ouvrit. L'archevêque parut. Il se fit aussitôt un profond silence parmi ses officiers, qui quittèrent tout à coup leur maintien insolent pour en prendre un respectueux devant leur maître. Ce prélat était dans sa soixante-neuvième année, fait à peu près comme mon oncle le chanoine Gil Perez, c'est-à-dire gros et court. Il avait par-dessus le marché les jambes fort
35 tournées en dedans, et il était si chauve qu'il ne lui restait qu'un toupet de cheveux par derrière, ce qui l'obligeait d'emboîter [87] sa tête dans un bonnet de laine fine à longues oreilles. Malgré tout cela, je lui trouvais l'air d'un homme de qualité, sans doute parce que je savais qu'il en était un. Nous autres, personnes du commun, nous regardons les grands seigneurs avec
40 une prévention [88] qui leur prête souvent un air de grandeur que la nature leur a refusé.

---

[84] City in Andalusia, in southern Spain.   [85] "make a neat copy of."
[86] "just the man he wants."   [87] "encase."   [88] "bias."

L'archevêque s'avança vers moi d'abord, et me demanda d'un ton de voix plein de douceur ce que je souhaitais. Je lui dis que j'étais le jeune homme dont le seigneur don Fernand de Leyva lui avait parlé. Il ne me donna pas le temps de lui en dire davantage.

«Ah! c'est vous, s'écria-t-il, c'est vous dont il m'a fait un si bel éloge? Je vous retiens à mon service; vous êtes une bonne acquisition pour moi; vous n'avez qu'à demeurer ici.»

A ces mots il s'appuya sur deux écuyers,[89] et sortit après avoir écouté des ecclésiastiques qui avaient quelque chose à lui communiquer. A peine fut-il hors de la chambre où nous étions, que les mêmes officiers qui avaient dédaigné ma conversation vinrent la rechercher. Les voilà qui m'environnent, qui me gracieusent[90] et me témoignent de la joie de me voir devenir commensal[91] de l'archevêché. Ils avaient entendu les paroles que leur maître m'avait dites, et ils mouraient d'envie de savoir sur quel pied j'allais être auprès de lui; mais j'eus la malice de ne pas contenter leur curiosité pour me venger de leur mépris.

Monseigneur[92] ne tarda guère à revenir. Il me fit entrer dans son cabinet pour m'entretenir en particulier. Je jugeai bien qu'il avait dessein de tâter mon esprit. Je me tins sur mes gardes, et me préparai à mesurer tous mes mots. Il m'interrogea d'abord sur les humanités.[93] Je ne répondis pas mal à ses questions; il vit que je connaissais assez les auteurs grecs et latins. Il me mit ensuite sur la dialectique;[94] c'est où je l'attendais. Il me trouva là-dessus ferré à glace.[95]

«Votre éducation, me dit-il avec quelque sorte de surprise, n'a point été négligée. Voyons présentement votre écriture.»

J'en tirai de ma poche une feuille que j'avais apportée exprès. Mon prélat n'en fut pas mal satisfait.

«Je suis content de votre main, s'écria-t-il, et plus encore de votre esprit. Je remercierai mon neveu don Fernand, de m'avoir donné un si joli garçon; c'est un vrai présent qu'il m'a fait.»

.   .   .   .

J'avais été[96] dans l'après-dînée chercher mes hardes et mon cheval à l'hôtellerie où j'étais logé; après quoi j'étais revenu souper à l'archevêché, où l'on m'avait préparé une chambre fort propre et un lit de duvet. Le jour suivant, monseigneur me fit appeler de bon matin; c'était pour me donner une homélie à transcrire. Mais il me recommanda de la copier avec toute l'exactitude possible. Je n'y manquai pas; je n'oubliai ni accent, ni point, ni virgule. Aussi la joie qu'il en témoigna fut mêlée de surprise.

«Père éternel! s'écria-t-il avec transport lorsqu'il eut parcouru des yeux tous les feuillets de ma copie, vit-on jamais rien de plus correct? Vous êtes trop bon copiste pour n'être pas grammairien. Parlez-moi confidemment, mon ami; n'avez-vous rien trouvé en écrivant qui vous ait choqué? quelque

---

[89] "attendants."   [90] "fawn upon."   [91] "fellow guest."   [92] Honorary title of bishops.
[93] "classics."   [94] "dialectics" (argumentation).
[95] "perfectly prepared" (lit. "shod for ice").   [96] "gone."

négligence dans le style ou quelque terme impropre? Cela peut fort bien m'être échappé dans le feu de la composition.

—Oh! monseigneur, lui répondis-je d'un air modeste, je ne suis point assez éclairé pour faire des observations critiques; et, quand je le serais, je
5 suis persuadé que les ouvrages de Votre Grandeur braveraient ma censure.»

Le prélat sourit de ma réponse. Il ne répliqua point, mais il me laissa voir au travers de toute sa pensée qu'il n'était pas auteur impunément.[97]

J'achevai de gagner ses bonnes grâces par cette flatterie. Je lui devins plus cher de jour en jour; et j'appris enfin de don Fernand, qui le venait voir
10 très souvent, que j'en étais aimé de manière que je pouvais compter ma fortune faite.

Cela me fut confirmé peu de temps après par mon maître même, et voici à quelle occasion. Un soir il répéta devant moi avec enthousiasme, dans son cabinet, une homélie qu'il devait prononcer le lendemain dans la cathédrale.
15 Il ne se contenta pas de me demander ce que j'en pensais en général; il m'obligea de lui dire les endroits qui m'avaient le plus frappé. J'eus le bonheur de lui citer ceux qu'il estimait davantage, ses morceaux favoris. Par là je passai dans son esprit pour un homme qui avait une connaissance délicate des vraies beautés d'un ouvrage.

20 «Voilà, s'écria-t-il, ce qu'on appelle avoir du goût et du sentiment! Va, mon ami, tu n'as pas, je t'assure, l'oreille béotienne.» [98]

En un mot il fut si content de moi, qu'il me dit avec vivacité:

«Sois, Gil Blas, sois désormais sans inquiétude sur ton sort, je me charge de t'en faire un des plus agréables. Je t'aime; et pour te le prouver, je te fais
25 mon confident.»

Je n'eus pas sitôt entendu ces paroles, que je tombai aux pieds de Sa Grandeur, tout pénétré de reconnaissance. J'embrassai de bon cœur ses jambes cagneuses,[98a] et je me regardai comme un homme qui était en train de s'enrichir.

30 «Oui, mon enfant, reprit l'archevêque, je veux te rendre dépositaire de mes plus secrètes pensées. Écoute avec attention ce que je vais te dire. Je me plais à prêcher. Le Seigneur bénit mes homélies: elles touchent les pécheurs, les font rentrer en eux-mêmes [99] et recourir à la pénitence. J'ai la satisfaction de voir un avare, effrayé des images que je présente à sa cupidité,
35 ouvrir ses trésors et les répandre d'une prodigue main; d'arracher un voluptueux aux plaisirs, de remplir d'ambitieux les ermitages, et d'affermir dans son devoir une épouse ébranlée par un amant séducteur. Ces conversions, qui sont fréquentes, devraient toutes seules m'exciter au travail. Néanmoins, je t'avouerai ma faiblesse; je me propose encore un autre prix, un prix que
40 la délicatesse de ma vertu me reproche inutilement; c'est l'estime que le monde a pour les écrits fins et limés. L'honneur de passer pour un parfait orateur a des charmes pour moi. On trouve mes ouvrages également forts

---

[97] "in vain," i. e., he liked to be flattered.

[98] "You have a delicate ear." The Bœotians were considered by the Greeks as hopelessly stupid.

[98a] "knock-kneed."   [99] "reflect."

et délicats; mais je voudrais bien éviter le défaut des bons auteurs qui écrivent trop longtemps, et me sauver avec toute ma réputation. Ainsi, mon cher Gil Blas, continua le prélat, j'exige une chose de ton zèle: quand tu t'apercevras que ma plume sentira la vieillesse, lorsque tu me verras baisser,[100] ne manque pas de m'en avertir. Je ne me fie point à moi là-dessus; mon amour-propre pourrait me séduire. Cette remarque demande un esprit désintéressé. Je fais choix du tien, que je connais bon; je m'en rapporterai à ton jugement.

—Grâce au ciel, lui dis-je, monseigneur, vous êtes encore fort éloigné de ce temps-là! De plus, un esprit de la trempe de celui de Votre Grandeur se conservera beaucoup mieux qu'un autre, ou, pour parler plus juste, vous serez toujours le même. Je vous regarde comme un autre cardinal Ximenès,[101] dont le génie supérieur, au lieu de s'affaiblir par les années, semblait en recevoir de nouvelles forces.

—Point de flatterie, interrompit-il, mon ami! Je sais que je puis tomber tout d'un coup. A mon âge, on commence à sentir les infirmités, et les infirmités du corps altèrent l'esprit. Je te le répète, Gil Blas, dès que tu jugeras que ma tête s'affaiblira, donne-m'en aussitôt avis. Ne crains pas d'être franc et sincère; je recevrai cet avertissement comme une marque d'affection pour moi. D'ailleurs, il y va de ton intérêt: si par malheur pour toi il me revenait qu'on dit dans la ville que mes discours n'ont plus leur force ordinaire, et que je devrais me reposer, je te le déclare tout net, tu perdrais avec mon amitié la fortune que je t'ai promise. Tel serait le fruit de ta sotte discrétion.»

Le patron cessa de parler en cet endroit pour entendre ma réponse, qui fut une promesse de faire ce qu'il souhaitait. Depuis ce moment-là il n'eut plus rien de caché pour moi; je devins son favori.

.   .   .   .

Deux mois après, . . . dans le temps de ma plus grande faveur, nous eûmes une chaude alarme au palais épiscopal: l'archevêque tomba en apoplexie. On le secourut si promptement et on lui donna de si bons remèdes, que quelques jours après il n'y paraissait plus. Mais son esprit en reçut une rude atteinte. Je le remarquai bien dès la première homélie qu'il composa. Je ne trouvai pas toutefois la différence qu'il y avait de celle-là aux autres assez sensible pour conclure que l'orateur commençait à baisser. J'en attendis encore une, cependant, pour mieux savoir à quoi m'en tenir.[102] Oh! pour celle-là, elle fut décisive. Tantôt le bon prélat se rabattait,[103] tantôt il s'élevait trop haut ou descendait trop bas. C'était un discours diffus, une rhétorique de régent usé,[104] une capucinade.[105]

Je ne fus pas le seul qui y prit garde. La plupart des auditeurs, comme s'ils eussent été aussi gagés pour l'examiner, se disaient tout bas les uns aux autres: «Voilà un sermon qui sent l'apoplexie.»

---

[100] "falling off."   [101] Spanish statesman (1436–1517).   [102] "what to think about it."
[103] "repeated himself."   [104] "worn-out school-master."
[105] "poor sermon," such as the Capucins preached to the lower classes.

«Allons, monsieur l'arbitre des homélies, me dis-je alors à moi-même, préparez-vous à faire votre office. Vous voyez que monseigneur tombe; vous devez l'en avertir, non seulement comme dépositaire de ses pensées, mais encore de peur que quelqu'un de ses amis ne fût assez franc pour vous
5 prévenir. En ce cas-là vous savez ce qu'il en arriverait; vous seriez biffé de son testament, où il y aura sans doute pour vous un meilleur legs que la bibliothèque du licencié Sedillo.» [106]

Après ces réflexions, j'en faisais d'autres toutes contraires: l'avertissement dont il s'agissait me paraissait délicat à donner. Je jugeais qu'un auteur
10 entêté de ses ouvrages pourrait le recevoir mal; mais, rejetant cette pensée, je me représentais qu'il était impossible qu'il le prît en mauvaise part, après l'avoir exigé de moi d'une manière si pressante. Ajoutons à cela que je comptais bien lui parler avec adresse, et lui faire avaler la pilule tout doucement. Enfin, trouvant que je risquais davantage à garder le silence qu'à le
15 rompre, je me déterminai à parler.

Je n'étais plus embarrassé que d'une chose: je ne savais de quelle façon entamer la parole.[107] Heureusement l'orateur lui-même me tira de cet embarras en me demandant ce qu'on disait de lui dans le monde, et si l'on était satisfait de son dernier discours. Je répondis qu'on admirait toujours
20 ses homélies, mais qu'il me semblait que la dernière n'avait pas si bien que les autres affecté l'auditoire.

«Comment donc, mon ami, répliqua-t-il avec étonnement, aurait-elle trouvé quelque Aristarque?[108]

—Non, monseigneur, lui repartis-je, non. Ce ne sont pas des ouvrages tels
25 que les vôtres que l'on ose critiquer: il n'y a personne qui n'en soit charmé. Néanmoins, puisque vous m'avez recommandé d'être franc et sincère, je prendrai la liberté de vous dire que votre dernier discours ne me paraît pas tout à fait de la force des précédents. Ne pensez-vous pas cela comme moi?»

Ces paroles firent pâlir mon maître, qui me dit avec un sourire forcé:
30 «Monsieur Gil Blas, cette pièce n'est donc pas de votre goût?

—Je ne dis pas cela, monseigneur, interrompis-je tout déconcerté. Je la trouve excellente, quoique un peu au-dessous de vos autres ouvrages.

—Je vous entends, répliqua-t-il. Je vous parais baisser, n'est-ce pas? Tranchez le mot. Vous croyez qu'il est temps que je songe à la retraite?
35 —Je n'aurais pas été assez hardi, lui dis-je, pour vous parler si librement, si Votre Grandeur ne me l'eût ordonné. Je ne fais donc que lui obéir, et je la supplie très humblement de ne me point savoir mauvais gré de ma hardiesse.

—A Dieu ne plaise, interrompit-il avec précipitation, à Dieu ne plaise que
40 je vous la reproche! Il faudrait que je fusse bien injuste. Je ne trouve point du tout mauvais que vous me disiez votre sentiment. C'est votre sentiment seul que je trouve mauvais. J'ai été furieusement la dupe de votre intelligence bornée.»

Quoique démonté,[109] je voulus chercher quelque modification pour rajus-

---

[106] See page 303–306. [107] "to introduce the subject."
[108] A very severe Greek critic of the second century B. C. [109] "taken aback."

ter les choses; mais le moyen [110] d'apaiser un auteur irrité, et de plus un auteur accoutumé à s'entendre louer!

«N'en parlons plus, dit-il, mon enfant. Vous êtes encore trop jeune pour démêler le vrai du faux. Apprenez que je n'ai jamais composé de meilleure homélie que celle qui a le malheur de n'avoir pas votre approbation. Mon esprit, grâce au ciel, n'a rien encore perdu de sa vigueur. Désormais je choisirai mieux mes confidents; j'en veux de plus capables que vous de décider. Allez, poursuivit-il, en me poussant par les épaules hors de son cabinet, allez dire à mon trésorier qu'il vous compte cent ducats, et que le ciel vous conduise avec cette somme! Adieu! monsieur Gil Blas, je vous souhaite toutes sortes de prospérités, avec un peu plus de goût.»

[110] "how."

MONTESQUIEU (1689-1755)

Charles de Secondat, baron de la Brède et de Montesquieu, is the great political thinker of the 18th century. Belonging to a family long connected with the law, Montesquieu naturally entered that profession and for twelve years (1714-1726) served as judge in the Parlement of Bordeaux. After his election to the Academy in 1728, he travelled for three years in Western Europe to get a first-hand knowledge of political institutions. The eighteen months spent in England gave him an admiration for everything English which he never lost. On his return in 1731 he settled on his estate of La Brède, near Bordeaux, to devote himself to his *magnum opus,* the *Esprit des Lois,* one of the really significant books of the 18th century, which finally appeared in 1748. Montesquieu did not long survive the success of his work, dying at Paris in 1755.

The most purely literary of Montesquieu's three important works is the *Lettres Persanes* (1721), the most typical production of the Regency period. In the form of letters written by two Persians travelling in Europe to their friends in Persia, Montesquieu wittily satirizes social, political and ecclesiastical conditions in France. But Montesquieu is not content with being merely amusing. Mingled with the more frivolous letters are serious discussions of various social problems, containing in germ many of the ideas to be later developed in the *Esprit des Lois.*

Quite different in tone is the *Considérations sur les Causes de la Grandeur des Romains et de leur Décadence* (1734), a serious attempt to explain scientifically the course of Roman history, one of the first important essays in the philosophy of history.

The *Esprit des Lois* (1748) is, however, Montesquieu's supreme contribution to 18th-century thought. It was the product of Montesquieu's full maturity, the culmination of his experience of life. In the form of a discussion of laws, the book is really a profound study of the fundamental principles which form the basis of all human society. In detail the book may easily be torn to pieces by the scientific critic, more sure of his facts, but for its age it must be regarded as a wonderful achievement, treating a vast subject in an interesting and broad-minded fashion. One of the most interesting parts is the discussion of the English constitution, which has had great influence upon modern political thought.

Like most men of his age, Montesquieu was not a believer in democracy. In spite of his liberalism, he never managed to outgrow his aristocratic distrust of the common people. He is the great exponent of political liberty, as Rousseau was later to voice the demand for political equality.

"L'*Esprit des Lois* répondait exactement au besoin des intelligences. C'était une œuvre de raison et d'humanité. Une voix grave, modérée et forte, dénonçait les abus de la monarchie française, les taches de la civilisation: elle indiquait un idéal, qui apparaissait comme absolument pratique, de gouvernement libéral et bienfaisant; elle traduisait le sentiment de tous les cœurs en protestant contre les autodafés et contre l'esclavage des nègres. La politesse et l'esprit enveloppaient toute l'œuvre sans lui ôter de sa force."

Lanson—*Histoire de la littérature française.*

IMPORTANT WORKS:

Les Lettres Persanes (1721); *Considérations sur les Causes de la Grandeur des Romains et de leur Décadence* (1743); *L'Esprit des Lois* (1748).

LETTRES PERSANES

[The *Lettres Persanes* are letters exchanged between two Persians travelling in France and correspondents in Persia. Rica writes in general the more entertaining letters, while Usbek treats the more serious subjects. The two Persians of course stand for the two sides of Montesquieu, the *bel esprit* and the highly intelligent magistrate.]

1. L'ÉGLISE

Rica à Ibben, à Smyrne

Le Pape est le chef des Chrétiens. C'est une vieille idole qu'on encense par habitude. Il était autrefois redoutable aux princes mêmes: car il les déposait [1] aussi facilement que nos magnifiques sultans déposent les rois d'Irimette [2] et de Géorgie. [2] Mais on ne le craint plus. Il se dit successeur d'un des premiers Chrétiens, qu'on appelle saint Pierre, et c'est certainement 5 une riche succession: car il a des trésors immenses et un grand pays [3] sous sa domination.

Les évêques sont des gens de loi qui lui sont subordonnés et ont, sous son autorité, deux fonctions bien différentes: quand ils sont assemblés, [4] ils font, comme lui, des articles de foi; quand ils sont en particulier, ils n'ont guère 10 d'autre fonction que de dispenser d'accomplir la loi. Car tu sauras que la religion chrétienne est chargée d'une infinité de pratiques très difficiles, et comme on a jugé qu'il est moins aisé de remplir ces devoirs que d'avoir des évêques qui en dispensent, on a pris ce dernier parti pour l'utilité publique. De sorte que, si l'on ne veut pas faire le Rhamazan; [5] si on ne veut pas 15 s'assujettir aux formalités des mariages; si on veut rompre ses vœux; si on veut se marier contre les défenses de la loi; quelquefois même, si on veut revenir contre son serment: on va à l'évêque ou au Pape, qui donne aussitôt la dispense.

Les évêques ne font pas des articles de foi de leur propre mouvement. Il y 20 a un nombre infini de docteurs, la plupart dervis, qui soulèvent entre eux mille questions nouvelles sur la religion. On les laisse disputer longtemps, et la guerre dure jusques à ce qu'une décision vienne la terminer.

Aussi puis-je t'assurer qu'il n'y a jamais eu de royaume où il y ait eu tant de guerres civiles que dans celui de Christ. 25

Ceux qui mettent au jour quelque proposition nouvelle sont d'abord appelés *Hérétiques*. Chaque hérésie a son nom, qui est, pour ceux qui y sont engagés, comme le mot de ralliement. Mais n'est hérétique qui ne veut: [6] il n'y a qu'à partager le différend par la moitié et donner une dis-

[1] During the Middle Ages.
[2] Imerithia and Georgia, Caucasian states, now part of the Soviet Republic.
[3] The papal states, in central Italy.   [4] In church councils.   [5] "observe Lent."
[6] "You are not a heretic if you don't want to be."

tinction [7] à ceux qui accusent d'hérésie, et, quelle que soit la distinction, intelligible ou non, elle rend un homme blanc comme de la neige, et il peut se faire appeler *orthodoxe*.

5 Ce que je te dis est bon pour la France et l'Allemagne: car j'ai ouï dire qu'en Espagne [8] et en Portugal [8] il y a de certains dervis qui n'entendent point raillerie, et qui font brûler un homme comme de la paille. Quand on tombe entre les mains de ces gens-là, heureux celui qui a toujours prié Dieu avec de petits grains de bois à la main, qui a porté sur lui deux morceaux de drap attachés à deux rubans, et qui a été quelquefois dans une province 10 qu'on appelle *la Galice!* [9] Sans cela un pauvre diable est bien embarrassé. Quand il jurerait comme un payen [10] qu'il est orthodoxe, on pourrait bien ne pas demeurer d'accord des qualités et le brûler comme hérétique: il aurait beau donner sa distinction. Point de distinction! Il serait en cendres avant que l'on eût seulement pensé à l'écouter.

15 Les autres juges présument qu'un accusé est innocent; ceux-ci le présument toujours coupable: dans le doute, ils tiennent pour règle de se déterminer du côté de la rigueur; apparemment parce qu'ils croient les hommes mauvais. Mais, d'un autre côté, ils en ont une si bonne opinion, qu'ils ne les jugent jamais capables de mentir: car ils reçoivent le témoignage des ennemis 20 capitaux, des femmes de mauvaise vie, de ceux qui exercent une profession infâme. Ils font dans leur sentence un petit compliment à ceux qui sont revêtus d'une chemise soufre,[11] et leur disent qu'ils sont bien fâchés de les voir si mal habillés, qu'ils sont doux, qu'ils abhorrent le sang et sont au désespoir de les avoir condamnés. Mais, pour se consoler, ils confisquent tous 25 les biens de ces malheureux à leur profit.[12]

Heureuse la terre qui est habitée par les enfants des Prophètes! Ces tristes spectacles y sont inconnus.[13] La sainte religion que les anges y ont apportée se défend par sa vérité même: elle n'a point besoin de ces moyens violents pour se maintenir.

30 A Paris, le 4 de la lune de Chalval,[14] 1712.

(Lettre XXIX.)

2. La Curiosité Parisienne

Rica à Ibben, à Smyrne

Les habitants de Paris sont d'une curiosité qui va jusques à l'extravagance. Lorsque j'arrivai, je fus regardé comme si j'avais été envoyé du Ciel: vieillards, hommes, femmes, enfants, tous voulaient me voir. Si je sortais,

---

[7] "offer a quibbling differentiation." Montesquieu is poking fun at the Jesuit "distinguo," used with such good effect by Pascal in his *Provinciales*.

[8] The Inquisition was most powerful in these two countries.

[9] "has prayed with a rosary, worn a scapulary, and made a pilgrimage to Santiago de Compostela." Santiago is a city in Galicia, a province in northwest Spain.

[10] *païen*.   [11] Costume worn by victims at an *auto-da-fé*, or burning of heretics.

[12] Montesquieu attacks the Inquisition also in his *Esprit des Lois* (xxv, 13; xxvi, 11–12).

[13] Montesquieu here praises the Persians for their religious tolerance in order to attack the Christian church for its fanaticism.

[14] October.

tout le monde se mettait aux fenêtres; si j'étais aux Tuileries,[15] je voyais aussitôt un cercle se former autour de moi; les femmes mêmes faisaient un arc-en-ciel nuancé de mille couleurs, qui m'entourait. Si j'étais aux spectacles, je trouvais d'abord cent lorgnettes dressées contre ma figure: enfin jamais homme n'a tant été vu que moi. Je souriais quelquefois d'entendre des gens qui n'étaient presque jamais sortis de leur chambre, qui disaient entre eux: «Il faut avouer qu'il a l'air bien persan.» Chose admirable! je trouvais de mes portraits partout; je me voyais multiplié dans toutes les boutiques, sur toutes les cheminées, tant on craignait de ne m'avoir pas assez vu.

Tant d'honneurs ne laissent pas d'être à charge: je ne me croyais pas un homme si curieux et si rare; et quoique j'aie très bonne opinion de moi, je ne me serais jamais imaginé que je dusse troubler le repos d'une grande ville où je n'étais point connu. Cela me fit résoudre à quitter l'habit persan, et à en endosser un à l'européenne, pour voir s'il resterait encore dans ma physionomie quelque chose d'admirable. Cet essai me fit connaître ce que je valais réellement. Libre de tous les ornements étrangers, je me vis apprécié au plus juste. J'eus sujet de me plaindre de mon tailleur, qui m'avait fait perdre en un instant l'attention et l'estime publique: car j'entrai tout à coup dans un néant affreux. Je demeurais quelquefois une heure dans une compagnie sans qu'on m'eût regardé, et qu'on m'eût mis en occasion d'ouvrir la bouche. Mais si quelqu'un, par hasard, apprenait à la compagnie que j'étais Persan, j'entendais aussitôt autour de moi un bourdonnement: «Ah! Ah! monsieur est Persan? C'est une chose bien extraordinaire! Comment peut-on être Persan?»

A Paris, le 6 de la lune de Chalval,[16] 1712.

(Lettre XXX.)

3. Les Cafés

Usbek à Rhédi, à Venise

Le café est très en usage à Paris:[17] il y a un grand nombre de maisons publiques où on le distribue. Dans quelques-unes de ces maisons, on dit des nouvelles; dans d'autres, on joue aux échecs. Il y en a une[18] où l'on apprête le café de telle manière qu'il donne de l'esprit à ceux qui en prennent; au moins, de tous ceux qui en sortent, il n'y a personne qui ne croie qu'il en a quatre fois plus que lorsqu'il y est entré.

Mais ce qui me choque de ces beaux esprits, c'est qu'ils ne se rendent pas utiles à leur patrie, et qu'ils amusent leurs talents à des choses puériles. Par exemple, lorsque j'arrivai à Paris, je les trouvai échauffés sur une dispute la plus mince qu'il se puisse imaginer: il s'agissait de la réputation d'un vieux poète grec[19] dont, depuis deux mille ans, on ignore la patrie aussi

[15] Royal palace at Paris. [16] October.
[17] In the early years of the 18th century certain cafés were popular meeting-places of literary men. As the salons developed the importance of the cafés gradually declined.
[18] The Café Procope. [19] Homer.

bien que le temps de sa mort. Les deux partis avouaient que c'était un poète excellent; il n'était question que du plus ou du moins de mérite qu'il fallait lui attribuer. Chacun en voulait donner le taux; mais, parmi ces distributeurs de réputation, les uns faisaient meilleur poids que les autres: voilà la
5 querelle.[20] Elle était bien vive: car on se disait cordialement de part et d'autre des injures si grossières, on faisait des plaisanteries si amères, que je n'admirai pas moins la manière de disputer que le sujet de la dispute. «Si quelqu'un, disais-je en moi-même, était assez étourdi pour aller, devant l'un de ces défenseurs du poète grec, attaquer la réputation de quelque honnête
10 citoyen, il ne serait pas mal relevé; [21] et je crois que ce zèle si délicat sur la réputation des morts s'embraserait bien pour défendre celle des vivants. Mais, quoi qu'il en soit, ajoutais-je, Dieu me garde de m'attirer jamais l'inimitié des censeurs de ce poète, que le séjour de deux mille ans dans le tombeau n'a pu garantir d'une haine si implacable! Ils frappent à présent des
15 coups en l'air; mais que serait-ce si leur fureur était animée par la présence d'un ennemi.»

Ceux dont je te viens de parler disputent en langue vulgaire; et il faut les distinguer d'une autre sorte de disputeurs qui se servent d'une langue barbare [22] qui semble ajouter quelque chose à la fureur et à l'opiniâtreté des
20 combattants. Il y a des quartiers [23] où l'on voit comme une mêlée noire et épaisse de ces sortes de gens; ils se nourrissent de distinctions, ils vivent de raisonnements obscurs et de fausses conséquences. Ce métier, où l'on devrait mourir de faim, ne laisse pas de rendre. On a vu une nation entière,[24] chassée de son pays, traverser les mers pour s'établir en France, n'emportant
25 avec elle, pour parer aux nécessités de la vie, qu'un redoutable talent pour la dispute. Adieu.

À Paris, le dernier de la lune de Zilhagé,[25] 1713.

(Lettre XXXVI.)

4. Louis XIV

Usbek à Ibben, à Smyrne

Le roi de France est vieux.[26] Nous n'avons point d'exemple dans nos histoires d'un monarque qui ait si longtemps régné. On dit qu'il possède à un
30 très haut degré le talent de se faire obéir: il gouverne avec le même génie sa famille, sa cour, son état. On lui a souvent entendu dire que, de tous les gouvernements du monde, celui des Turcs, ou celui de notre auguste sultan, lui plairait le mieux: tant il fait de cas de la politique orientale.[27]

J'ai étudié son caractère, et j'y ai trouvé des contradictions qu'il m'est
35 impossible de résoudre; par exemple, il a un ministre qui n'a que dix-huit

---

[20] The famous *Querelle des Anciens et des Modernes.*   [21] "criticized."
[22] Latin, the language of the scholars, especially the theologians.
[23] The Latin quarter of Paris.
[24] The Irish. Many Irish ecclesiastics had settled in Paris and had won a great reputation as controversialists on subtle theological questions.
[25] December.   [26] Louis XIV in 1713 was 75 years old.   [27] Louis XIV was a despot

ans,[28] et une maîtresse [29] qui en a quatre-vingts; il aime sa religion, et il ne peut souffrir ceux [30] qui disent qu'il la faut observer à la rigueur; quoi-qu'il fuie le tumulte des villes et qu'il se communique peu, il n'est occupé depuis le matin jusques au soir qu'à faire parler de lui; il aime les trophées et les victoires, mais il craint autant de voir un bon général à la tête de ses troupes qu'il aurait sujet de le craindre à la tête d'une armée ennemie. Il n'est, je crois, jamais arrivé qu'à lui d'être en même temps comblé de plus de richesses qu'un prince n'en saurait espérer, et accablé d'une pauvreté qu'un particulier ne pourrait soutenir.

Il aime à gratifier ceux qui le servent; mais il paye aussi libéralement les assiduités, ou plutôt l'oisiveté de ses courtisans, que les campagnes laborieuses de ses capitaines; souvent il préfère un homme qui le déshabille, ou qui lui donne la serviette, lorsqu'il se met à table, à un autre qui lui prend des villes ou lui gagne des batailles; [31] il ne croit pas que la grandeur souveraine doive être gênée dans la distribution des grâces; et, sans examiner si celui qu'il comble de biens est homme de mérite, il croit que son choix va le rendre tel; aussi lui a-t-on vu donner une petite pension à un homme qui avait fui deux lieues, et un beau gouvernement à un autre qui en avait fui quatre.

Il est magnifique, surtout dans ses bâtiments; [32] il y a plus de statues dans les jardins de son palais [33] que de citoyens dans une grande ville. Sa garde est aussi forte que celle du prince devant qui tous les trônes se renversent; [34] ses armées sont aussi nombreuses, ses ressources aussi grandes, et ses finances inépuisables.

À Paris, le 7 de la lune de Maharram,[35] 1713.

(Lettre XXXVII.)

5. La Véritable Religion

Usbek à Rhédi, à Venise

Je vois ici des gens qui disputent sans fin sur la religion; mais il semble qu'ils combattent en même temps à qui l'observera le moins.

Non seulement ils ne sont pas meilleurs Chrétiens, mais même meilleurs citoyens, et c'est ce qui me touche: car, dans quelque religion qu'on vive, l'observation des lois, l'amour pour les hommes, la piété envers les parents, sont toujours les premiers actes de religion.

En effet, le premier objet d'un homme religieux ne doit-il pas être de plaire à la Divinité, qui a établi la religion qu'il professe? Mais le moyen le plus sûr pour y parvenir est sans doute d'observer les règles de la société et les devoirs de l'humanité: car, en quelque religion qu'on vive, dès qu'on

---

[28] Barbezieux, son of Louvois, was appointed Secretary of State at the age of 17.
[29] Mme de Maintenon, not however the mistress, but wife of Louis XIV. In 1713 she was 78 years old.
[30] The Jansenists.
[31] Allusion to the disgrace of soldiers like Vauban, Catinat and Villars.
[32] Louis XIV had a mania for building palaces.
[33] Versailles.   [34] The Shah of Persia.   [35] January.

en suppose une, il faut bien que l'on suppose aussi que Dieu aime les hommes, puisqu'il établit une religion pour les rendre heureux; que s'il aime les hommes, on est assuré de lui plaire en les aimant aussi, c'est-à-dire en exerçant envers eux tous les devoirs de la charité et de l'humanité, et en
5 ne violant point les lois sous lesquelles ils vivent.

Par là, on est bien plus sûr de plaire à Dieu qu'en observant telle ou telle cérémonie: car les cérémonies n'ont point un degré de bonté par elles-mêmes; elles ne sont bonnes qu'avec égard et dans la supposition que Dieu les a commandées. Mais c'est la matière d'une grande discussion; on peut
10 facilement s'y tromper: car il faut choisir les cérémonies d'une religion entre celles de deux mille.

Un homme faisait tous les jours à Dieu cette prière: «Seigneur, je n'entends rien dans les disputes que l'on fait sans cesse à votre sujet. Je voudrais vous servir selon votre volonté; mais chaque homme que je consulte veut
15 que je vous serve à la sienne. Lorsque je veux vous faire ma prière, je ne sais en quelle langue je dois vous parler. Je ne sais pas non plus en quelle posture je dois me mettre: l'un dit que je dois vous prier debout; l'autre veut que je sois assis; l'autre exige que mon corps porte sur mes genoux. . . . Il m'arriva l'autre jour de manger un lapin dans un caravansérail. Trois
20 hommes qui étaient auprès de là me firent trembler: ils me soutinrent tous trois que je vous avais grièvement offensé: l'un,[36] parce que cet animal était immonde; l'autre,[37] parce qu'il était étouffé; l'autre enfin,[38] parce qu'il n'était pas poisson. Un Brachmane[39] qui passait par là, et que je pris pour juge, me dit: «Ils ont tort, car apparemment vous n'avez pas tué vous-
25 même cet animal.—Si fait, lui dis-je.—Ah! vous avez commis une action abominable et que Dieu ne vous pardonnera jamais, me dit-il d'une voix sévère. Que savez-vous si l'âme de votre père n'était pas passée dans cette bête?» Toutes ces choses, Seigneur, me jettent dans un embarras inconcevable: je ne puis remuer la tête que je ne sois menacé de vous offenser;
30 cependant je voudrais vous plaire et employer à cela la vie que je tiens de vous. Je ne sais si je me trompe; mais je crois que le meilleur moyen pour y parvenir est de vivre en bon citoyen dans la société où vous m'avez fait naître, et en bon père dans la famille que vous m'avez donnée.»

A Paris, le 8 de la lune de Chahban,[39a] 1713.

(Lettre XLVI.)

6. La Vanité des Femmes

Rica à Usbek

35 J'étais l'autre jour dans une société où je me divertis assez bien. Il y avait là des femmes de tous les âges: une de quatre-vingts ans, une de soixante, une de quarante, laquelle avait une nièce qui pouvait en avoir vingt ou

---

[36] A Jew. [37] A Mohammedan. [38] An Armenian.
[39] A high-caste Hindu. [39a] August.

vingt-deux. Un certain instinct me fit approcher de cette dernière, et elle me dit à l'oreille: «Que dites-vous de ma tante, qui, à son âge, veut avoir des amants et faire encore la jolie?—Elle a tort, lui dis-je: c'est un dessein qui ne convient qu'à vous.» Un moment après, je me trouvai auprès de sa tante, qui me dit: «Que dites-vous de cette femme qui a pour le moins soixante ans, qui a passé aujourd'hui plus d'une heure à sa toilette?—C'est du temps perdu, lui dis-je; et il faut avoir vos charmes pour devoir y songer.» J'allai à cette malheureuse femme de soixante ans, et la plaignais dans mon âme, lorsqu'elle me dit à l'oreille: «Y a-t-il rien de si ridicule? Voyez cette femme qui a quatre-vingts ans, et qui met des rubans couleur de feu; elle veut faire la jeune, et elle y réussit: car cela approche de l'enfance.» Ah! bon Dieu, dis-je en moi-même, ne sentirons-nous jamais que le ridicule des autres? C'est peut-être un bonheur, disais-je ensuite, que nous trouvions de la consolation dans les faiblesses d'autrui.

Cependant, j'étais en train de me divertir, et je dis: Nous avons assez monté, descendons à présent, et commençons par la vieille qui est au sommet. «Madame, vous vous ressemblez si fort, cette dame à qui je viens de parler et vous, qu'il semble que vous soyez deux sœurs, et je ne crois pas que vous soyez plus âgées l'une que l'autre.—Eh! vraiment, Monsieur, me dit-elle, lorsque l'une mourra, l'autre devra avoir grand'peur; je ne crois pas qu'il y ait d'elle à moi deux jours de différence.» Quand je tins cette femme décrépite, j'allai à celle de soixante ans: «Il faut, Madame, que vous décidiez un pari que j'ai fait; j'ai gagé que cette dame et vous (lui montrant la femme de quarante ans) étiez de même âge.—Ma foi, dit-elle, je ne crois pas qu'il y ait six mois de différence.» Bon, m'y voilà; continuons. Je descendis encore et j'allai à la femme de quarante ans. «Madame, faites-moi la grâce de me dire si c'est pour rire que vous appelez cette demoiselle, qui est à l'autre table, votre nièce? Vous êtes aussi jeune qu'elle; elle a même quelque chose dans le visage de passé, que vous n'avez certainement pas, et ces couleurs vives qui paraissent sur votre teint. . . . —Attendez, me dit-elle: je suis sa tante; mais sa mère avait pour le moins vingt-cinq ans plus que moi; nous n'étions pas de même lit; [40] j'ai ouï dire à feu ma sœur que sa fille et moi naquîmes la même année.—Je le disais bien, Madame, et je n'avais pas tort d'être étonné.»

Mon cher Usbek, les femmes qui se sentent finir d'avance par la perte de leurs agréments voudraient reculer vers la jeunesse. Eh! comment ne chercheraient-elles pas à tromper les autres? elles font tous leurs efforts pour se tromper elles-mêmes, et pour se dérober à la plus affligeante de toutes les idées.

A Paris, le 3 de la lune de Chalval,[41] 1713.

(Lettre LII.)

---

[40] "We had not the same mother." [41] October.

7. L'Académie Française

Rica à * * *

J'ai ouï parler d'une espèce de tribunal qu'on appelle l'Académie française:[42] il n'y en a point de moins respecté dans le monde: car on dit
qu'aussitôt qu'il a décidé, le peuple casse ses arrêts et lui impose des lois
qu'il est obligé de suivre.[43]

5   Il y a quelque temps que, pour fixer son autorité, il donna un code de
ses jugements.[44] Cet enfant de tant de pères était presque vieux quand il
naquit, et quoiqu'il fût légitime, un bâtard[45] qui avait déjà paru, l'avait
presque étouffé dans sa naissance.

Ceux qui le composent n'ont d'autre fonction que de jaser sans cesse:[46]
10 l'éloge va se placer comme de lui-même dans leur babil éternel; et, sitôt
qu'ils sont initiés dans ses mystères, la fureur du panégyrique vient les
saisir et ne les quitte plus.

Ce corps a quarante têtes, toutes remplies de figures, de métaphores et
d'antithèses; tant de bouches ne parlent presque que par exclamations: ses
15 oreilles veulent toujours être frappées par la cadence et l'harmonie. Pour
les yeux, il n'en est pas question: il semble qu'il soit fait pour parler, et
non pas pour voir. Il n'est point ferme sur ses pieds: car le temps, qui est son
fléau, l'ébranle à tous les instants et détruit tout ce qu'il a fait. On a dit
autrefois que ses mains étaient avides; je ne t'en dirai rien, et je laisse
20 décider cela à ceux qui le savent mieux que moi.[47]

Voilà des bizarreries, que l'on ne voit point dans notre Perse. Nous
n'avons point l'esprit porté à ces établissements singuliers et bizarres; nous
cherchons toujours la nature dans nos coutumes simples et nos manières
naïves.

25   A Paris, le 27 de la lune de Zilhagé,[48] 1715.

(Lettre LXXIII.)

L'ESPRIT DES LOIS

(EXTRAITS)

I. DE L'ESPRIT DES LOIS

La loi, en général, est la raison humaine, en tant qu'elle gouverne tous
les peuples de la terre (la raison humaine appliquée aux circonstances);

---

[42] See p. 71.
[43] Popular usage has in many cases prevailed over rules fixed by the Academy.
[44] The Dictionnaire de l'Académie, which first appeared in 1694.
[45] Furetière's dictionary of 1688, which led to his expulsion from the Academy.
[46] Montesquieu's criticism of the Academy, while it contains elements of truth, is on the
whole overdrawn.
[47] Montesquieu entered the Academy in 1728 as a result of the success of the *Lettres
persanes*.
[48] December.

et les lois politiques et civiles (lois spéciales) de chaque nation ne doivent être que les cas particuliers où s'applique cette raison humaine.

Elles doivent être tellement propres au peuple pour lequel elles sont faites, que c'est un très grand hasard si celles d'une nation peuvent convenir à une autre.[49]

Il faut qu'elles se rapportent à la nature et au principe du gouvernement qui est établi, ou qu'on veut établir, soit qu'elles le forment comme font les lois politiques, soit qu'elles le maintiennent, comme font les lois civiles.

Elles doivent être relatives au physique du pays; au climat glacé, brûlant ou tempéré; à la qualité du terrain, à sa situation, à sa grandeur; au genre de vie des peuples, laboureurs, chasseurs, ou pasteurs: elles doivent se rapporter au degré de liberté que la constitution peut souffrir; à la religion des habitants, à leurs inclinations, à leurs richesses, à leur nombre, à leur commerce, à leurs mœurs, à leurs manières. Enfin, elles ont des rapports entre elles; elles en ont avec leurs origines, avec l'objet du législateur, avec l'ordre des choses sur lesquelles elles sont établies. C'est dans toutes ces vues qu'il faut les considérer.

C'est ce que j'entreprends de faire dans cet ouvrage. J'examinerai tous ces rapports: ils forment tous ensemble ce que l'on appelle l'ESPRIT DES LOIS.

(Livre I, ch. 3.)

2. DE L'ESCLAVAGE DES NÈGRES [50]

Si j'avais à soutenir le droit que nous avons eu de rendre les nègres esclaves, voici ce que je dirais:

Les peuples d'Europe ayant exterminé ceux de l'Amérique, ils ont dû mettre en esclavage ceux de l'Afrique, pour s'en servir à défricher [51] tant de terres.

Le sucre serait trop cher, si l'on ne faisait travailler la plante qui le produit par des esclaves.

Ceux dont il s'agit sont noirs depuis les pieds jusqu'à la tête; et ils ont le nez si écrasé qu'il est presque impossible de les plaindre.

On ne peut se mettre dans l'esprit que Dieu, qui est un être très sage, ait mis une âme, surtout une âme bonne, dans un corps tout noir.

Il est si naturel de penser que c'est la couleur qui constitue l'essence de l'humanité, que les peuples d'Asie privent toujours les noirs du rapport qu'ils ont avec nous d'une façon plus marquée.

On peut juger de la couleur de la peau par celle des cheveux, qui, chez les Égyptiens, les meilleurs philosophes du monde, était d'une si grande conséquence, qu'ils faisaient mourir tous les hommes roux qui leur tombaient entre les mains.

Une preuve que les nègres n'ont pas le sens commun, c'est qu'ils font

---

[49] Montesquieu here expresses the fundamental doctrine of the *Esprit des Lois,* the principle of relativity.
[50] All this chapter is of course ironical.　　　　　[51] "clear."

plus de cas d'un collier de verre que de l'or, qui, chez des nations policées, est d'une si grande conséquence.

Il est impossible que nous supposions que ces gens-là soient des hommes, parce que, si nous les supposions des hommes, on commencerait à croire que nous ne sommes pas nous-mêmes chrétiens.

De petits esprits exagèrent trop l'injustice que l'on fait aux Africains; car si elle était telle qu'ils le disent, ne serait-il pas venu dans la tête des princes d'Europe, qui font entre eux tant de conventions [52] inutiles, d'en faire une générale en faveur de la miséricorde et de la pitié?

(Livre XV, ch. 5.)

3. De la Tolérance en Fait de Religion

Comme il n'y a guère que les religions intolérantes qui aient un grand zèle pour s'établir ailleurs, parce qu'une religion qui peut tolérer les autres ne songe guère à sa propagation, ce sera une très bonne loi civile, lorsque l'état est satisfait de la religion déjà établie, de ne point souffrir l'établissement d'une autre.

Voici donc le principe fondamental des lois politiques en fait de religion. Quand on est maître de recevoir dans un état une nouvelle religion, ou de ne la pas recevoir, il ne faut pas l'y établir; quand elle y est établie, il faut la tolérer.

(Livre XXV, ch. 10.)

4. Très Humble Remontrance aux Inquisiteurs d'Espagne et de Portugal

Une juive de dix-huit ans, brûlée à Lisbonne au dernier auto-da-fé,[53] donna occasion à ce petit ouvrage; [54] et je crois que c'est le plus inutile qui ait jamais été écrit. Quand il s'agit de prouver des choses si claires, on est sûr de ne pas convaincre.

L'auteur déclare que quoiqu'il soit juif, il respecte la religion chrétienne, et qu'il l'aime assez pour ôter aux princes qui ne seront pas chrétiens un prétexte plausible pour la persécuter.

«Vous vous plaignez, dit-il aux inquisiteurs, de ce que l'empereur du Japon fait brûler à petit feu tous les chrétiens qui sont dans ses états; mais il vous répondra: Nous vous traitons, vous qui ne croyez pas comme nous, comme vous traitez vous-mêmes ceux qui ne croient pas comme vous; vous ne pouvez vous plaindre que de votre faiblesse, qui vous empêche de nous exterminer, et qui fait que nous vous exterminons.

«Mais il faut avouer que vous êtes bien plus cruels que cet empereur. Vous nous faites mourir, nous qui ne croyons que ce que vous croyez, parce que nous ne croyons pas tout ce que vous croyez. Nous suivons une religion [55] que vous savez vous-mêmes avoir été autrefois chérie de Dieu;

---

[52] "agreements."   [53] Burning of heretics by the Inquisition.
[54] Montesquieu pretends that his chapter is borrowed from an imaginary book.
[55] The Jewish religion.

nous pensons que Dieu l'aime encore, et vous pensez qu'il ne l'aime plus; et, parce que vous jugez ainsi, vous faites passer par le fer et par le feu ceux qui sont dans cette erreur si pardonnable, de croire que Dieu aime encore ce qu'il a aimé.

«Si vous êtes cruels à notre égard, vous l'êtes bien plus à l'égard de nos 5 enfants; vous les faites brûler, parce qu'ils suivent les inspirations que leur ont données ceux que la loi naturelle et les lois de tous les peuples leur apprennent à respecter comme des dieux.

«Vous vous privez de l'avantage que vous a donné sur les mahométans la manière dont leur religion s'est établie. Quand ils se vantent du nombre 10 de leurs fidèles, vous leur dites que la force les leur a acquis, et qu'ils ont étendu leur religion par le fer; pourquoi donc établissez-vous la vôtre par le feu?

«Quand vous voulez nous faire venir à vous, nous vous objectons une source dont vous vous faites gloire de descendre. Vous nous répondez que 15 votre religion est nouvelle, mais qu'elle est divine; et vous le prouvez parce qu'elle s'est accrue par la persécution des païens et par le sang de vos martyrs; mais aujourd'hui vous prenez le rôle des Dioclétiens,[56] et vous nous faites prendre le vôtre.

«Nous vous conjurons, non pas par le Dieu puissant que nous servons 20 vous et nous, mais par le Christ que vous nous dites avoir pris la condition humaine pour vous proposer des exemples que vous puissiez suivre; nous vous conjurons d'agir avec nous comme il agirait lui-même s'il était encore sur la terre. Vous voulez que nous soyons chrétiens, et vous ne voulez pas l'être.   25

«Mais, si vous ne voulez pas être chrétiens, soyez au moins des hommes: traitez-nous comme vous feriez, si, n'ayant que ces faibles lueurs de justice que la nature nous donne, vous n'aviez point une religion pour vous conduire, et une révélation pour vous éclairer.

«Si le ciel vous a assez aimés pour vous faire voir la vérité, il vous a fait 30 une grande grâce: mais est-ce aux enfants qui ont eu l'héritage de leur père de haïr ceux qui ne l'ont pas eu?

«Que [57] si vous avez cette vérité, ne nous la cachez pas par la manière dont vous nous la proposez. Le caractère de la vérité, c'est son triomphe sur les cœurs et les esprits, et non pas cette impuissance que vous avouez, lorsque 35 vous voulez la faire recevoir par des supplices.[58]

«Si vous êtes raisonnables, vous ne devez pas nous faire mourir, parce que nous ne voulons pas vous tromper. Si votre Christ est le fils de Dieu, nous espérons qu'il nous récompensera de n'avoir pas voulu profaner ses mystères; et nous croyons que le Dieu que nous servons vous et nous ne nous punira 40 pas de ce que nous avons souffert la mort pour une religion qu'il nous a autrefois donnée, parce que nous croyons qu'il nous l'a encore donnée.

«Vous vivez dans un siècle où la lumière naturelle est plus vive qu'elle

---

[56] Diocletian, Roman Emperor (284–305), was such a great persecutor of the Christians, that the end of his reign was said to have inaugurated the Age of the Martyrs.
[57] Omit in translation.   [58] "tortures."

n'a jamais été, où la philosophie a éclairé les esprits, où la morale de votre
Évangile a été plus connue, où les droits respectifs des hommes les uns sur
les autres, l'empire [59] qu'une conscience a sur une autre conscience, sont
mieux établis. Si donc vous ne revenez pas de vos anciens préjugés, qui, si
5 vous n'y prenez garde, sont vos passions, il faut avouer que vous êtes
incorrigibles, incapables de toute lumière et de toute instruction; et une
nation est bien malheureuse, qui donne de l'autorité à des hommes tels que
vous.

«Voulez-vous que nous vous disions naïvement notre pensée? Vous nous
10 regardez plutôt comme vos ennemis que comme les ennemis de votre religion: car si vous aimiez votre religion, vous ne la laisseriez pas corrompre
par une ignorance grossière.

«Il faut que nous vous avertissions d'une chose; c'est que, si quelqu'un
dans la postérité ose jamais dire que dans le siècle où nous vivons les
15 peuples d'Europe étaient policés, [60] on vous citera pour prouver qu'ils étaient
barbares; et l'idée que l'on aura de vous sera telle qu'elle flétrira votre siècle,
et portera la haine sur tous vos contemporains.»

(Livre XXV, ch. 13.)

5. DE LA SÉPARATION DES TROIS POUVOIRS

Il y a dans chaque état trois sortes de pouvoirs: la puissance législative,
la puissance exécutrice des choses qui dépendent du droit des gens, et la
20 puissance exécutrice de celles qui dépendent du droit civil.

Par la première, le prince ou le magistrat fait des lois pour un temps ou
pour toujours, et corrige ou abroge celles qui sont faites. Par la seconde, il
fait la paix ou la guerre, envoie ou reçoit des ambassades, établit la sûreté,
prévient les invasions. Par la troisième, il punit les crimes ou juge les
25 différends des particuliers. On appellera cette dernière la puissance de juger,
et l'autre, simplement la puissance exécutrice de l'état.

La liberté politique, dans un citoyen, est cette tranquillité d'esprit qui
provient de l'opinion que chacun a de sa sûreté; et, pour qu'on ait cette
liberté, il faut que le gouvernement soit tel qu'un citoyen ne puisse pas
30 craindre un autre citoyen.

Lorsque, dans la même personne ou dans le même corps de magistrature,
la puissance législative est réunie à la puissance exécutrice, il n'y a point
de liberté, parce qu'on peut craindre que le même monarque ou le même
sénat ne fasse des lois tyranniques pour les exécuter tyranniquement.

35 Il n'y a point encore de liberté si la puissance de juger n'est pas séparée
de la puissance législative et de l'exécutrice. Si elle était jointe à la puissance
législative, le pouvoir sur la vie et la liberté des citoyens serait arbitraire;
car le juge serait législateur. Si elle était jointe à la puissance exécutrice, le
juge pourrait avoir la force d'un oppresseur.

40 Tout serait perdu si le même homme, ou le même corps des principaux,

---

[59] "power."　　　　　　　　　　　[60] "civilized."

ou des nobles, ou du peuple, exerçaient ces trois pouvoirs: celui de faire des lois, celui d'exécuter les résolutions publiques, et celui de juger les crimes ou les différends des particuliers.

Dans la plupart des royaumes de l'Europe, le gouvernement est modéré, parce que le prince, qui a les deux premiers pouvoirs, laisse à ses sujets l'exercice du troisième. Chez les Turcs, où ces trois pouvoirs sont réunis sur la tête du sultan, il règne un affreux despotisme.

Dans les républiques d'Italie, où ces trois pouvoirs sont réunis, la liberté se trouve moins que dans nos monarchies.

(Livre XI, chap. 6.)

VOLTAIRE (1694-1778)

The dominating literary figure of the 18th century is François Arouet, better known by his adopted name of Voltaire. He came at the proper moment and had exactly those qualities which would win for him a dominant influence over all Europe. New ideas were in the air, and Voltaire was fortunate enough to make himself their chief exponent.

Voltaire had a long and very full life. Of bourgeois origin, he received a thorough classical education from the Jesuits and a more worldly one in the epicurean society of *le Temple,** where he developed his native tendency toward religious skepticism. From 1726 to 1729 he was in exile in England, a very important period in his life since his liberal ideas ripened rapidly in the favorable English environment. The fruit of Voltaire's English sojourn was *Les Lettres Philosophiques* (1734) which established his reputation as one of the great writers of the age. The next fifteen years Voltaire spent chiefly at the château of Mme du Châtelet at Cirey, in eastern France. During these years he read omnivorously and accumulated the vast fund of knowledge which is evident in his later works. On Mme du Châtelet's death in 1749, Voltaire spent three years with Frederick the Great at Potsdam, but the two great men could not agree, and finally Voltaire obtained permission to depart. In 1759, after some years at Geneva, he settled near-by at Ferney. For the next twenty years Ferney became the center of Voltaire's propaganda on behalf of liberal ideas. In 1778 his popularity was so great that the government was forced to permit his return to Paris, but the excitement attending his enthusiastic reception was too much for the old man and he died on May 30, 1778, in his eighty-fourth year.

In Voltaire the man of letters and the *philosophe* or liberal thinker are inextricably one. Scarcely ever are his pet philosophic ideas absent even in his most purely literary productions. Voltaire wrote both poetry and prose. True to his classical literary ideals, he believed that poetry is the final expression of good taste. In an age when prose was dominant, he was the champion of verse, and it was due to his influence that poetry of the higher sort persisted as much as it did. In his own century Voltaire was regarded as a great poet. Today we have difficulty in considering him a poet at all in the sense of the inspired bard: he belongs to that distinctly lower group of poets, represented in English by Pope, and in French by Boileau, whose verse is intellectual rather than imaginative. He excels in the lighter forms of verse, the *conte,* epistle, satire, *vers de société,* in which he can express his ideas with the lightness of touch and brilliant wit which are his chief literary qualities.

But Voltaire is truly himself as a writer of prose, and indeed the perfection of 18th-century prose with its short, clear sentences, is associated with his name. Most of his great works are in prose. He is one of the pioneers in the scientific

* Residence of Philippe de Vendôme, center of a group of *libertins* or free-thinkers.

treatment of history as an attempt to explain the facts instead of merely record-ing them. All of his prose work, even his letters, has a didactic purpose, aim-ing to change commonly accepted views. More and more as time went on, the short pamphlet became his favorite vehicle of expression, and it was as a journalist of genius that he exercised his greatest influence in popularizing *philosophe* ideas.

Voltaire's age looked upon him as a great philosopher. He was not a philosopher at all in the sense of a great original thinker, but a great popularizer of the ideas of others. The keynote of his "philosophy" is his war against supersti-tion and intolerance, *l'infâme,* as he called it. All things must be submitted to the test of reason: if they fail to satisfy its demands they are to be rejected. His attack is directed mainly against orthodox Christianity, because the Church, he felt, stood for unreasoning acceptance of ideas. It is to the violence of this attack that Voltaire owes his quite unjustified reputation as the arch-enemy of all religion. Yet it must be remembered that Voltaire was not an atheist like some of his fellow Encyclopedists. He was a Deist, believing in the existence of a God, but for him the essence of true religion was not to be found in dogmas of any sort but in doing good to one's fellow men. The whole trend of his thinking is intensely practical and humanitarian.

Voltaire was not a revolutionist. He did not, like Rousseau, want to make *table rase* of the old institutions and create new and better ones to take their place. He believed that by the application of reason the Old Régime could be gradually reformed into a system fit to live in. But there can be no question that by his constant pointing out of the weaknesses in the existing political and social system, Voltaire helped to undermine its foundations so thoroughly that the whole edifice was ready to collapse in the Revolution, which Voltaire him-self would have detested as justifying his worst fears of the dangers of democracy.

"S'il fallait résumer d'un mot, je dirais que la marque voltairienne, c'est l'ir-respect. D'autres ont été plus révolutionnaires que lui: ils n'ont pas autant en-seigné le mépris de l'autorité, l'interprétation malveillante et sceptique des actes du pouvoir. Personne n'a plus contribué que Voltaire à mettre au cœur des par-ticuliers l'incurable défiance du gouvernement, à leur donner l'esprit de critique et d'opposition quand même. Il n'a pas fait la démocratie révolutionnaire; il a fait la bourgeoisie ingouvernable. Il n'a pas jeté à bas l'ancien régime, il l'a livré à ceux qui l'ont jeté à bas. Il en a ruiné les défenses, et séché le zèle des défenseurs. Il a été un grand docteur d'individualisme, et il a désagrégé la société. . . .

"En fait, sa philosophie est absolument matérialiste; sa morale, sa politique, son économie politique, tous ses désirs de réformes et d'améliorations sociales sont d'un homme qui borne ses pensées à la vie présente. Aussi est-il le philosophe qui peut-être a le plus fait pour préparer la forme actuelle de la civilisation; il eût applaudi aux merveilleux progrès de notre siècle utilitaire et pratique, aux in-ventions de toute sorte qui ont rendu la vie plus facile, plus douce, et plus active, plus intense en même temps. Le code civil, les machines, les chemins de fer, le télégraphe électrique, les grands magasins l'eussent ravi. Il est le philosophe qu'il faut à un monde de bureaucrates, d'ingénieurs et de producteurs. C'est là surtout qu'il faut chercher l'action et l'esprit de Voltaire."

Lanson—*Histoire de la littérature française.*

IMPORTANT WORKS:

Tragedy: *Zaïre* (1732); *Mahomet* (1741); *Mérope* (1743).
Poetry: *la Henriade* (1723); *Le Mondain* (1736); *Le Discours sur l'homme* (1738); *la Loi naturelle* (1756); *Poème sur le désastre de Lisbonne* (1756).
Fiction: *Zadig* (1748); *Micromégas* (1752); *Candide* (1759); *l'Ingénu* (1767).
History: *Le Siècle de Louis XIV* (1751); *Essai sur les Mœurs* (1756).
Philosophy: *Lettres philosophiques* (1734); *Traité sur la tolérance* (1763); *Dictionnaire philosophique* (1764); *Le Philosophe ignorant* (1766).
Correspondence—very extensive (12,000 letters) and extremely important.

I. CONTES PHILOSOPHIQUES

1. LE MONDE COMME IL VA

VISION DE BABOUC

I

Parmi les génies qui président aux empires du monde, Ituriel tient un des premiers rangs, et il a le département de la haute Asie. Il descendit un matin dans la demeure du Scythe Babouc, sur le rivage de l'Oxus,[1] et lui dit:—Babouc, les folies et les excès des Perses ont attiré notre colère: il s'est
5 tenu hier une assemblée des génies de la haute Asie pour savoir si on châtierait Persépolis,[2] ou si on la détruirait. Va dans cette ville, examine tout; tu reviendras m'en rendre un compte fidèle, et je me déterminerai sur ton rapport à corriger la ville, ou à l'exterminer.

—Mais, seigneur, dit humblement Babouc, je n'ai jamais été en Perse;
10 je n'y connais personne.

—Tant mieux, dit l'ange, tu ne seras point partial; tu as reçu du ciel le discernement, et j'y ajoute le don d'inspirer la confiance; marche, regarde, écoute, observe, et ne crains rien; tu seras partout bien reçu.

II

Babouc monta sur son chameau, et partit avec ses serviteurs. Au bout de
15 quelques journées, il rencontra vers les plaines de Sennaar [3] l'armée persane, qui allait combattre l'armée indienne. Il s'adressa d'abord à un soldat qu'il trouva écarté. Il lui parla, et lui demanda quel était le sujet de la guerre.

—Par tous les dieux, dit le soldat, je n'en sais rien; ce n'est pas mon affaire; mon métier est de tuer et d'être tué pour gagner ma vie; il n'importe
20 qui je serve. Je pourrais bien même dès demain passer dans le camp des Indiens; car on dit qu'ils donnent près d'une demi-drachme [3a] de cuivre par jour à leurs soldats de plus que nous n'en avons dans ce maudit service de Perse. Si vous voulez savoir pourquoi on se bat, parlez à mon capitaine.

Babouc, ayant fait un petit présent au soldat, entra dans le camp. Il fit

---

[1] The modern Ainu-Daria River, flowing into the Sea of Aral.
[2] One of the capitals of ancient Persia. Under this name Voltaire means, of course, Paris.
[3] Shinar, between the Tigris and Euphrates.   [3a] Greek coin, worth about one franc.

bientôt connaissance avec le capitaine, et lui demanda le sujet de la guerre.

—Comment voulez-vous que je le sache? dit le capitaine; et que m'importe ce beau sujet? J'habite à deux cents lieues de Persépolis; j'entends dire que la guerre est déclarée; j'abandonne aussitôt ma famille, et je vais chercher, selon notre coutume, la fortune ou la mort, attendu que je n'ai rien à faire.

—Mais vos camarades, dit Babouc, ne sont-ils pas un peu plus instruits que vous?

—Non, dit l'officier; il n'y a guère que nos principaux satrapes qui savent bien précisément pourquoi on s'égorge.

Babouc étonné s'introduisit chez les généraux; il entra dans leur familiarité. L'un d'eux lui dit enfin:—La cause de cette guerre, qui désole depuis vingt ans l'Asie, vient originairement d'une querelle entre un eunuque d'une femme du grand roi de Perse, et un commis du bureau du grand roi des Indes. Il s'agissait d'un droit qui revenait à peu près à la trentième partie d'une darique.[4] Le premier ministre des Indes et le nôtre soutinrent dignement les droits de leurs maîtres. La querelle s'échauffa. On mit de part et d'autre en campagne une armée d'un million de soldats. Il faut recruter cette armée tous les ans de plus de quatre cent mille hommes. Les meurtres, les incendies, les ruines, les dévastations se multiplient, l'univers souffre, et l'acharnement continue. Notre premier ministre et celui des Indes protestent souvent qu'ils n'agissent que pour le bonheur du genre humain; et à chaque protestation il y a toujours quelques villes détruites et quelque province ravagée.

Le lendemain, sur un bruit qui se répandit que la paix allait être conclue, le général persan et le général indien s'empressèrent de donner bataille; elle fut sanglante. Babouc en vit toutes les fautes et toutes les abominations; il fut témoin des manœuvres des principaux satrapes, qui firent ce qu'ils purent pour faire battre leur chef. Il vit des officiers tués par leurs propres troupes; il vit des soldats qui achevaient d'égorger leurs camarades expirants, pour leur arracher quelques lambeaux sanglants, déchirés et couverts de fange. Il entra dans les hôpitaux où l'on transportait les blessés, dont la plupart expiraient par la négligence inhumaine de ceux mêmes que le roi de Perse payait chèrement pour les secourir.

—Sont-ce là des hommes, s'écria Babouc, ou des bêtes féroces? Ah! je vois bien que Persépolis sera détruite.

Occupé de cette pensée, il passa dans le camp des Indiens; il y fut aussi bien reçu que dans celui des Perses, selon ce qui lui avait été prédit, mais il y vit tous les mêmes excès qui l'avaient saisi d'horreur.

—Oh, oh! dit-il en lui-même, si l'ange Ituriel veut exterminer les Persans, il faut donc que l'ange des Indes détruise aussi les Indiens.

S'étant ensuite informé plus en détail de ce qui s'était passé dans l'une et l'autre armée, il apprit des actions de générosité, de grandeur d'âme, d'humanité, qui l'étonnèrent et le ravirent.

[4] Ancient Persian coin.

—Inexplicables humains, s'écria-t-il, comment pouvez-vous réunir tant de bassesse et de grandeur, tant de vertus et de crimes?

Cependant la paix fut déclarée. Les chefs des deux armées, dont aucun n'avait remporté la victoire, mais qui, pour leur seul intérêt, avaient fait verser le sang de tant d'hommes, leurs semblables, allèrent briguer dans leurs cours des récompenses. On célébra la paix dans des écrits publics, qui n'annonçaient que le retour de la vertu et de la félicité sur la terre.

—Dieu soit loué! dit Babouc; Persépolis sera le séjour de l'innocence épurée; elle ne sera point détruite, comme le voulaient ces vilains génies: courons sans tarder dans cette capitale de l'Asie.

III

Il arriva dans cette ville immense par l'ancienne entrée, qui était toute barbare, et dont la rusticité dégoûtante offensait les yeux. Toute cette partie de la ville se ressentait du temps où elle avait été bâtie; car, malgré l'opiniâtreté des hommes à louer l'antique aux dépens du moderne, il faut avouer qu'en tout genre les premiers essais sont toujours grossiers.

Babouc se mêla dans la foule d'un peuple composé de ce qu'il y avait de plus sale et de plus laid dans les deux sexes. Cette foule se précipitait d'un air hébété dans un enclos vaste et sombre. Au bourdonnement continuel, au mouvement qu'il remarqua, à l'argent que quelques personnes donnaient à d'autres pour avoir droit de s'asseoir, il crut être dans un marché où l'on vendait des chaises de paille; mais bientôt, voyant que plusieurs femmes se mettaient à genoux, en faisant semblant de regarder fixement devant elles, et en regardant les hommes de côté, il s'aperçut qu'il était dans un temple. Des voix aigres, rauques, sauvages, discordantes, faisaient retentir la voûte de sons mal articulés, qui faisaient le même effet que les voix des onagres [5] quand elles répondent, dans les plaines des Pictaves,[6] au cornet à bouquin qui les appelle. Il se bouchait les oreilles; mais il fut près de se boucher encore les yeux et le nez, quand il vit entrer dans ce temple des ouvriers avec des pinces et des pelles. Ils remuèrent une large pierre, et jetèrent à droite et à gauche une terre dont s'exhalait une odeur empestée; ensuite on vint poser un mort dans cette ouverture, et on remit la pierre par-dessus.[7]

—Quoi! s'écria Babouc, ces peuples enterrent leurs morts dans les mêmes lieux où ils adorent la Divinité! Quoi! leurs temples sont pavés de cadavres! Je ne m'étonne plus de ces maladies pestilentielles qui désolent souvent Persépolis. La pourriture des morts, et celle de tant de vivants rassemblés et pressés dans le même lieu, est capable d'empoisonner le globe terrestre. Ah! la vilaine ville que Persépolis! Apparemment que les anges veulent la détruire pour en rebâtir une plus belle, et pour la peupler d'habitants moins

---

[5] "wild asses."   [6] Celtic tribe inhabiting the Poitou region of western France.
[7] Important personages were buried in the churches of France until comparatively recent times.

malpropres, et qui chantent mieux. La Providence peut avoir ses raisons; laissons-la faire.

IV

Cependant le soleil approchait du haut de sa carrière. Babouc devait aller dîner à l'autre bout de la ville, chez une dame pour laquelle son mari, officier de l'armée, lui avait donné des lettres. Il fit d'abord plusieurs tours dans 5 Persépolis; il vit d'autres temples mieux bâtis et mieux ornés, remplis d'un peuple poli, et retentissant d'une musique harmonieuse; il remarqua des fontaines publiques, lesquelles, quoique mal placées, frappaient les yeux par leur beauté; des places où semblaient respirer en bronze les meilleurs rois qui avaient gouverné la Perse; d'autres places où il entendait le peuple 10 s'écrier: «Quand verrons-nous ici le maître que nous chérissons?» [8] Il admira les ponts magnifiques élevés sur le fleuve, les quais superbes et commodes, les palais bâtis à droite et à gauche, une maison immense, où des milliers de vieux soldats blessés et vainqueurs rendaient chaque jour grâces au Dieu des armées.[9] Il entra enfin chez la dame, qui l'attendait à 15 dîner avec une compagnie d'honnêtes gens. La maison était propre et ornée, le repas délicieux, la dame jeune, belle, spirituelle, engageante, la compagnie digne d'elle; et Babouc disait en lui-même à tout moment:—L'ange Ituriel se moque du monde de vouloir détruire une ville si charmante.

V

Cependant il s'aperçut que la dame, qui avait commencé par lui demander 20 tendrement des nouvelles de son mari, parlait plus tendrement encore sur la fin du repas à un jeune mage. . . . Alors Babouc commença à craindre que le génie Ituriel n'eût raison. Le talent qu'il avait d'attirer la confiance le mit dès le jour même dans les secrets de la dame: elle lui confia son goût pour le jeune mage, l'assura que dans toutes les maisons de Persépolis il 25 trouverait l'équivalent de ce qu'il avait vu dans la sienne. Babouc conclut qu'une telle société ne pouvait subsister; que la jalousie, la discorde, la vengeance, devaient désoler toutes les maisons; que les larmes et le sang devaient couler tous les jours; que certainement les maris tueraient les galants de leurs femmes ou en seraient tués; et qu'enfin Ituriel ferait fort bien de 30 détruire tout d'un coup une ville abandonnée à de continuels désordres.

VI

Il était plongé dans ces idées funestes quand il se présenta à la porte un homme grave, en manteau noir, qui demanda humblement à parler à un jeune magistrat. Celui-ci, sans se lever, sans le regarder, lui donna fièrement,

[8] An allusion to the removal of the court to Versailles by Louis XIV.
[9] Les Invalides, constructed by Louis XIV (1671–1685).

et d'un air distrait, quelques papiers, et le congédia. Babouc demanda quel
était cet homme. La maîtresse de la maison lui dit tout bas:

—C'est un des meilleurs avocats de la ville; il y a cinquante ans qu'il
étudie les lois. Monsieur, qui n'a que vingt-cinq ans, et qui est satrape de
5 la loi depuis deux jours, lui donne à faire l'extrait d'un procès qu'il doit
juger demain, et qu'il n'a pas encore examiné.

—Ce jeune étourdi fait sagement, dit Babouc, de demander conseil à un
vieillard; mais pourquoi n'est-ce pas ce vieillard qui est juge?

—Vous vous moquez, lui dit-on; jamais ceux qui ont vieilli dans les
10 emplois laborieux et subalternes ne parviennent aux dignités. Ce jeune
homme a une grande charge, parce que son père est riche, et qu'ici le droit
de rendre la justice s'achète comme une métairie.

—O mœurs! ô malheureuse ville! s'écria Babouc; voilà le comble du
désordre; sans doute, ceux qui ont acheté le droit de juger vendent leurs
15 jugements: je ne vois ici que des abîmes d'iniquité.

Comme il marquait ainsi sa douleur et sa surprise, un jeune guerrier qui
était revenu ce jour même de l'armée lui dit:

—Pourquoi ne voulez-vous pas qu'on achète les emplois de la robe? j'ai
bien acheté, moi, le droit d'affronter la mort à la tête de deux mille hommes
20 que je commande; il m'en a coûté quarante mille dariques d'or cette année,
pour coucher sur la terre trente nuits de suite en habit rouge, et pour
recevoir deux bons coups de flèche dont je me sens encore. Si je me ruine
pour servir l'empereur persan que je n'ai jamais vu, M. le satrape de robe
peut bien payer quelque chose pour avoir le plaisir de donner audience à
25 des plaideurs.

Babouc indigné ne put s'empêcher de condamner dans son cœur un pays
où l'on mettait à l'encan les dignités de la paix et de la guerre; il conclut
précipitamment que l'on y devait ignorer absolument la guerre et les lois,
et que, quand même Ituriel n'exterminerait pas ces peuples, ils périraient
30 par leur détestable administration.

Sa mauvaise opinion augmenta encore à l'arrivée d'un gros homme, qui,
ayant salué très familièrement toute la compagnie, s'approcha du jeune
officier, et lui dit:—Je ne peux vous prêter que cinquante mille dariques
d'or; car, en vérité, les douanes de l'empire ne m'en ont rapporté que trois
35 cent mille cette année.

Babouc s'informa quel était cet homme qui se plaignait de gagner si peu;
il apprit qu'il y avait dans Persépolis quarante rois plébéiens[10] qui tenaient
à bail l'empire de Perse, et qui en rendaient quelque chose au monarque.

VII

Après dîner, il alla dans un des plus superbes temples de la ville; il
40 s'assit au milieu d'une troupe de femmes et d'hommes qui étaient venus là
pour passer le temps. Un mage parut dans une machine élevée,[11] qui parla

[10] The *fermiers généraux* who collected the taxes for the French government.
[11] A pulpit.

longtemps du vice et de la vertu. Ce mage divisa en plusieurs parties ce qui n'avait pas besoin d'être divisé; il prouva méthodiquement tout ce qui était clair; il enseigna tout ce qu'on savait. Il se passionna froidement, et sortit suant et hors d'haleine. Toute l'assemblée alors se réveilla, et crut avoir assisté à une instruction. Babouc dit:—Voilà un homme qui a fait de son mieux pour ennuyer deux ou trois cents de ses concitoyens; mais son intention était bonne: il n'y a pas là de quoi détruire Persépolis.

Au sortir de cette assemblée, on le mena voir une fête publique [12] qu'on donnait tous les jours de l'année; c'était dans une espèce de basilique, au fond de laquelle on voyait un palais. Les plus belles citoyennes de Persépolis, les plus considérables satrapes rangés avec ordre formaient un spectacle si beau, que Babouc crut d'abord que c'était là toute la fête. Deux ou trois personnes, qui paraissaient des rois et des reines, parurent bientôt dans le vestibule de ce palais; leur langage était très différent de celui du peuple; il était mesuré, harmonieux, et sublime. Personne ne dormait: on écoutait dans un profond silence, qui n'était interrompu que par les témoignages de la sensibilité et de l'admiration publique. Le devoir des rois, l'amour de la vertu, les dangers des passions étaient exprimés par des traits si vifs et si touchants que Babouc versa des larmes. Il ne douta pas que ces héros et ces héroïnes, ces rois et ces reines qu'il venait d'entendre, ne fussent les prédicateurs de l'empire. Il se proposa même d'engager Ituriel à les venir entendre, bien sûr qu'un tel spectacle le réconcilierait pour jamais avec la ville.

Dès que cette fête fut finie, il voulut voir la principale reine qui avait débité dans ce beau palais une morale si noble et si pure; il se fit introduire chez Sa Majesté; on le mena par un petit escalier, au second étage, dans un appartement mal meublé, où il trouva une femme mal vêtue, qui lui dit d'un air noble et pathétique:—Ce métier-ci ne me donne pas de quoi vivre; je manque d'argent. . . . Babouc lui donna cent dariques d'or, en disant:— S'il n'y avait que ce mal-là dans la ville, Ituriel aurait tort de tant se fâcher.

VIII

De là il alla passer sa soirée chez des marchands de magnificences inutiles. Un homme intelligent, avec lequel il avait fait connaissance, l'y mena; il acheta ce qui lui plut, et on le lui vendit avec politesse beaucoup plus qu'il ne valait. Son ami, de retour chez lui, lui fit voir combien on le trompait. Babouc mit sur ses tablettes le nom du marchand, pour le faire distinguer par Ituriel au jour de la punition de la ville. Comme il écrivait, on frappa à sa porte; c'était le marchand lui-même qui venait lui rapporter sa bourse que Babouc avait laissée par mégarde sur son comptoir.

—Comment se fait-il, s'écria Babouc, que vous soyez si fidèle et si généreux, après n'avoir pas eu honte de me vendre des colifichets quatre fois au-dessus de leur valeur?

—Il n'y a aucun négociant un peu connu dans cette ville, lui répondit le marchand, qui ne fût venu vous rapporter votre bourse; mais on vous a

[12] A tragedy. All his life Voltaire regarded tragedy as the highest form of literary art.

trompé quand on vous a dit que je vous avais vendu ce que vous avez pris chez moi quatre fois plus qu'il ne vaut, je vous l'ai vendu dix fois davantage: et cela est si vrai, que si dans un mois vous voulez le revendre, vous n'en aurez pas même ce dixième. Mais rien n'est plus juste; c'est la fantaisie
5 passagère des hommes qui met le prix à ces choses frivoles; c'est cette fantaisie qui fait vivre cent ouvriers que j'emploie; c'est elle qui me donne une belle maison, un char commode, des chevaux; c'est elle qui excite l'industrie, qui entretient le goût, la circulation, et l'abondance. Je vends aux nations voisines les mêmes bagatelles plus chèrement qu'à vous, et par là je suis utile à
10 l'empire.[13]

Babouc, après avoir un peu rêvé, le raya de ses tablettes: «Car enfin, disait-il, les arts du luxe ne sont en grand nombre dans un empire que quand tous les arts nécessaires sont exercés, et que la nation est nombreuse et opulente. Ituriel me paraît un peu sévère.»

IX

15 Babouc, fort incertain sur ce qu'il devait penser de Persépolis, résolut de voir les mages et les lettrés; car les uns étudient la sagesse, et les autres la religion; et il se flatta que ceux-là obtiendraient grâce pour le reste du peuple. Dès le lendemain matin il se transporta dans un collège de mages.[14] L'archimandrite [15] lui avoua qu'il avait cent mille écus de rente pour avoir
20 fait vœu de pauvreté, et qu'il exerçait un empire assez étendu en vertu de son vœu d'humilité; après quoi il laissa Babouc entre les mains d'un petit frère qui lui fit les honneurs.

Tandis que ce frère lui montrait les magnificences de cette maison de pénitence,[16] un bruit se répandit qu'il était venu pour réformer toutes ces
25 maisons. Aussitôt il reçut des mémoires de chacune d'elles; et les mémoires disaient tous en substance: «Conservez-nous, et détruisez toutes les autres.» A entendre leurs apologies, ces sociétés étaient toutes nécessaires; à entendre leurs accusations réciproques, elles méritaient toutes d'être anéanties. Il admirait comme il n'y avait aucune d'elles qui, pour édifier l'univers, ne
30 voulût en avoir l'empire. Alors il se présenta un petit homme qui était un demi-mage,[16a] et qui lui dit:

—Je vois bien que l'œuvre va s'accomplir; car Zerdust [17] est revenu sur la terre; les petites filles prophétisent. . . . Il est évident que le monde va finir: ne pourriez-vous point, avant cette belle époque, nous protéger contre le grand
35 lama? [18]

—Quel galimatias! dit Babouc; contre le grand lama? contre ce pontife-roi qui réside au Tibet?

—Oui, dit le petit demi-mage avec un air opiniâtre, contre lui-même.

—Vous lui faites donc la guerre, vous avez donc des armées? dit Babouc.

---

[13] For Voltaire's praise of luxury, cf. *Le Mondain*. (p. 379.)   [14] Monastery.
[15] Abbot.   [16] Monastery.   [16a] A Jansenist.
[17] Zoroaster, founder of the Persian religion.
[18] The dalai-lama of Tibet, spiritual head of the Chinese Buddhists, here used to represent the Pope.

—Non, dit l'autre, mais il dit que l'homme est libre et nous n'en croyons rien.[18a] Nous avons écrit contre lui trois ou quatre mille gros livres qu'on ne lit point, et autant de brochures, que nous faisons lire par des femmes: à peine a-t-il entendu parler de nous, il nous a seulement fait condamner,[19] comme un maître ordonne qu'on échenille les arbres de ses jardins.

Babouc frémit de la folie de ces hommes qui faisaient profession de sagesse, des intrigues de ceux qui avaient renoncé au monde, de l'ambition et de la convoitise orgueilleuse de ceux qui enseignaient l'humilité et le désintéressement; il conclut qu'Ituriel avait de bonnes raisons pour détruire toute cette engeance.

X

Retiré chez lui, il envoya chercher des livres nouveaux pour adoucir son chagrin, et il pria quelques lettrés à dîner pour se réjouir. Il en vint deux fois plus qu'il n'en avait demandé, comme les guêpes que le miel attire. Ces parasites se pressaient de manger et de parler; ils louaient deux sortes de personnes, les morts et eux-mêmes, et jamais leurs contemporains, excepté le maître de la maison. Si quelqu'un d'eux disait un bon mot, les autres baissaient les yeux et se mordaient les lèvres de douleur de ne l'avoir pas dit. Ils avaient moins de dissimulation que les mages, parce qu'ils n'avaient pas de si grands objets d'ambition. Chacun d'eux briguait une place de valet [20] et une réputation de grand homme; ils se disaient en face des choses insultantes, qu'ils croyaient des traits d'esprit. Ils avaient eu quelque connaissance de la mission de Babouc. L'un d'eux le pria tout bas d'exterminer un auteur qui ne l'avait pas assez loué il y avait cinq ans; un autre demanda la perte d'un citoyen qui n'avait jamais ri à ses comédies; un troisième demanda l'extinction de l'Académie,[21] parce qu'il n'avait jamais pu parvenir à y être admis. Le repas fini, chacun d'eux s'en alla seul, car il n'y avait pas dans toute la troupe deux hommes qui pussent se souffrir, ni même se parler ailleurs que chez les riches qui les invitaient à leur table. Babouc jugea qu'il n'y aurait pas grand mal quand cette vermine périrait dans la destruction générale.

Dès qu'il se fut défait d'eux, il se mit à lire quelques livres nouveaux. Il y reconnut l'esprit de ses convives. Il vit surtout avec indignation ces gazettes de la médisance, ces archives du mauvais goût, que l'envie, la bassesse et la faim ont dictées; ces lâches satires où l'on ménage le vautour, et où l'on déchire la colombe; [22] ces romans dénués d'imagination,[22a] où l'on voit tant de portraits de femmes que l'auteur ne connaît pas.

Il jeta au feu tous ces détestables écrits, et sortit pour aller le soir à la promenade. On le présenta à un vieux lettré qui n'était point venu grossir le

---

[18a] Allusion to the Jansenist doctrine of grace.

[19] Jansenism was condemned by the bull *Uniginitus* in 1713.

[20] Literary men were in the 18th century still largely dependent on the bounty of wealthy patrons.

[21] The French Academy, founded by Richelieu in 1635.

[22] "The powerful are spared and the weak are attacked."

[22a] Voltaire had nothing but contempt for the general run of novels of his time, which he calls "ce fatras d'insipides romans." (*La Pucelle*, VIII, 20.)

nombre de ses parasites. Ce lettré fuyait toujours la foule, connaissait les hommes, en faisait usage, et se communiquait avec discrétion. Babouc lui parla avec douleur de ce qu'il avait lu et de ce qu'il avait vu.

—Vous avez lu des choses bien méprisables, lui dit le sage lettré; mais dans
5 tous les temps, dans tous les pays et dans tous les genres, le mauvais fourmille, et le bon est rare. Vous avez reçu chez vous le rebut de la pédanterie, parce que, dans toutes les professions, ce qu'il y a de plus indigne de paraître est toujours ce qui se présente avec le plus d'impudence. Les véritables sages vivent entre eux retirés et tranquilles; il y a encore parmi nous des hommes
10 et des livres dignes de votre attention.

Dans le temps qu'il parlait ainsi, un autre lettré les joignit; leurs discours furent si agréables et si instructifs, si élevés au-dessus des préjugés et si conformes à la vertu, que Babouc avoua n'avoir jamais rien entendu de pareil. «Voilà des hommes, disait-il tout bas, à qui l'ange Ituriel n'osera toucher,
15 ou il sera bien impitoyable.»

XI

Raccommodé avec les lettrés, il était toujours en colère contre le reste de la nation.

—Vous êtes étranger, lui dit l'homme judicieux qui lui parlait; les abus se présentent à vos yeux en foule, et le bien qui est caché, et qui résulte quelque-
20 fois de ces abus mêmes, vous échappe.

Alors il apprit que parmi les lettrés il y en avait quelques-uns qui n'étaient pas envieux, et que parmi les mages mêmes il y en, avait de vertueux. Il conçut à la fin que ces grands corps, qui semblaient en se choquant préparer leurs communes ruines, étaient au fond des institutions salutaires; que
25 chaque société de mages était un frein à ses rivales; que si ces émules différaient dans quelques opinions, ils enseignaient tous la même morale, qu'ils instruisaient le peuple, et qu'ils vivaient soumis aux lois; semblables aux précepteurs qui veillent sur le fils de la maison, tandis que le maître veille sur eux-mêmes. Il en pratiqua plusieurs, et vit des âmes célestes. Il
30 apprit même que parmi les fous qui prétendaient faire la guerre au grand lama il y avait eu de très grands hommes.[23] Il soupçonna enfin qu'il pourrait bien en être des mœurs de Persépolis comme des édifices, dont les uns lui avaient paru dignes de pitié, et les autres l'avaient ravi en admiration.

Il dit à son lettré:—Je conçois très bien que ces mages, que j'avais crus si
35 dangereux, sont en effet très utiles, surtout quand un gouvernement sage les empêche de se rendre trop nécessaires; mais vous m'avouerez au moins que vos jeunes magistrats, qui achètent une charge de juge dès qu'ils ont appris à monter à cheval, doivent étaler dans les tribunaux tout ce que l'impertinence a de plus ridicule, et tout ce que l'iniquité a de plus pervers; il vaudrait mieux
40 sans doute donner ces places gratuitement à ces vieux jurisconsultes qui ont passé toute leur vie à peser le pour et le contre.

Le lettré lui répliqua:—Vous avez vu notre armée avant d'arriver à

---

[23] Pascal and Racine.

Persépolis; vous savez que nos jeunes officiers se battent très bien, quoiqu'ils aient acheté leurs charges: peut-être verrez-vous que nos jeunes magistrats ne jugent pas mal, quoiqu'ils aient payé pour juger.

Il le mena le lendemain au grand tribunal, où l'on devait rendre un arrêt important. La cause était connue de tout le monde. Tous ces vieux avocats 5 qui en parlaient étaient flottants dans leurs opinions; ils alléguaient cent lois, dont aucune n'était applicable au fond de la question; ils regardaient l'affaire par cent côtés, dont aucun n'était dans son vrai jour: les juges décidèrent plus vite que les avocats ne doutèrent. Leur jugement fut presque unanime; ils jugèrent bien, parce qu'ils suivaient les lumières de la raison; et les autres 10 avaient opiné mal, parce qu'ils n'avaient consulté que leurs livres.

Babouc conclut qu'il y avait souvent de très bonnes choses dans les abus. Il vit dès le jour même que les richesses des financiers, qui l'avaient tant révolté, pouvaient produire un effet excellent, car l'empereur ayant eu besoin d'argent, il trouva en une heure, par leur moyen, ce qu'il n'aurait pas eu en 15 six mois par les voies ordinaires; il vit que ces gros nuages, enflés de la rosée de la terre, lui rendaient en pluie ce qu'ils en recevaient. D'ailleurs les enfants de ces hommes nouveaux, souvent mieux élevés que ceux des familles plus anciennes, valaient quelquefois beaucoup mieux; car rien n'empêche qu'on ne soit un bon juge, un brave guerrier, un homme d'état habile, quand on a 20 eu un père bon calculateur.

Insensiblement Babouc faisait grâce à l'avidité du financier, qui n'est pas au fond plus avide que les autres hommes, et qui est nécessaire. Il excusait la folie de se ruiner pour juger et pour se battre, folie qui produit de grands magistrats et des héros. Il pardonnait à l'envie des lettrés, parmi lesquels il se 25 trouvait des hommes qui éclairaient le monde; il se réconciliait avec les mages ambitieux et intrigants, chez lesquels il y avait plus de grandes vertus que de petits vices; mais il lui restait bien des griefs, et surtout les galanteries des dames; et les désolations qui en devaient être la suite le remplissaient d'inquiétude et d'effroi. 30

XII

Comme il voulait pénétrer dans toutes les conditions humaines, il se fit mener chez un ministre. Arrivé chez l'homme d'état, il resta deux heures dans l'antichambre sans être annoncé, et deux heures encore après l'avoir été. Il se promettait bien dans cet intervalle de recommander à l'ange Ituriel et le ministre et ses insolents huissiers. L'antichambre était remplie de dames 35 de tout étage,[23a] de mages de toutes couleurs, de juges, de marchands, d'officiers, de pédants; tous se plaignaient du ministre. L'avare et l'usurier disaient: «Sans doute, cet homme-là pille les provinces»; le capricieux lui reprochait d'être bizarre; le voluptueux disait: «Il ne songe qu'à ses plaisirs»; l'intrigant se flattait de le voir bientôt perdu par une cabale; les femmes espéraient qu'on 40 leur donnerait bientôt un ministre plus jeune.

Babouc entendait leurs discours; il ne put s'empêcher de dire:—Voilà un homme bien heureux, il a tous ses ennemis dans son antichambre; il écrase

[23a] de toute espèce.

de son pouvoir ceux qui l'envient; il voit à ses pieds ceux qui le détestent.

Il entra enfin; il vit un petit vieillard [24] courbé sous le poids des années et des affaires, mais encore vif et plein d'esprit.

Babouc lui plut, et il parut à Babouc un homme estimable. La conversation devint intéressante. Le ministre lui avoua qu'il était un homme très malheureux, qu'il passait pour riche, et qu'il était pauvre; qu'on le croyait toutpuissant, et qu'il était toujours contredit; qu'il n'avait guère obligé que des ingrats, et que dans un travail continuel de quarante années il avait eu à peine un moment de consolation. Babouc en fut touché, et pensa que, si cet homme avait fait des fautes, et si l'ange Ituriel voulait le punir, il ne fallait pas l'exterminer, mais seulement lui laisser sa place.

XIII

Tandis qu'il parlait au ministre, entre brusquement la belle dame chez qui Babouc avait dîné; on voyait dans ses yeux et sur son front les symptômes de la douleur et de la colère. Elle éclata en reproches contre l'homme d'état, elle versa des larmes; elle se plaignit avec amertume de ce qu'on avait refusé à son mari une place où sa naissance lui permettait d'aspirer, et que ses services et ses blessures méritaient; elle s'exprima avec tant de force, elle mit tant de grâce dans ses plaintes, elle détruisit les objections avec tant d'adresse, elle fit valoir ses raisons avec tant d'éloquence, qu'elle ne sortit point de la chambre sans avoir fait la fortune de son mari.

Babouc lui donna la main.

—Est-il possible, madame, lui dit-il, que vous vous soyez donné toute cette peine pour un homme que vous n'aimez point et dont vous avez tout à craindre?

—Un homme que je n'aime point! s'écria-t-elle: sachez que mon mari est le meilleur ami que j'aie au monde, qu'il n'y a rien que je ne lui sacrifie hors mon amant, et qu'il ferait tout pour moi, hors de quitter sa maîtresse. Je veux vous la faire connaître: c'est une femme charmante, pleine d'esprit et du meilleur caractère du monde; nous soupons ensemble ce soir; venez partager notre joie.

La dame mena Babouc chez elle. Le mari, qui était enfin arrivé plongé dans la douleur, revit sa femme avec des transports d'allégresse et de reconnaissance: il embrassait tour à tour sa femme, sa maîtresse, le petit mage et Babouc. L'union, la gaieté, l'esprit et les grâces, furent l'âme de ce repas.

XIV

Apprenez, lui dit la belle dame chez laquelle il soupait, que celles qu'on appelle quelquefois de malhonnêtes femmes ont presque toujours le mérite d'un très honnête homme; et, pour vous en convaincre, venez demain dîner avec moi chez la belle Téone.[24a] Il y a quelques vieilles vestales qui la déchi-

[24] Perhaps Cardinal Fleury, minister of Louis XV from 1726 to 1743.
[24a] Supposed to represent Mme de Pompadour.

rent; mais elle fait plus de bien qu'elles toutes ensemble; elle ne commettrait pas une légère injustice pour le plus grand intérêt; elle ne donne à son amant que des conseils généreux; elle n'est occupée que de sa gloire; il rougirait devant elle s'il avait laissé échapper une occasion de faire du bien: car rien n'encourage plus aux actions vertueuses que d'avoir pour témoin et pour juge de sa conduite une maîtresse dont on veut mériter l'estime.

Babouc ne manqua pas au rendez-vous. Il vit une maison où régnaient tous les plaisirs. Téone régnait sur eux; elle savait parler à chacun son langage: son esprit naturel mettait à son aise celui des autres; elle plaisait sans presque le vouloir; elle était aussi aimable que bienfaisante; et, ce qui augmentait le prix de toutes ses bonnes qualités, elle était belle.

Babouc, tout Scythe et tout envoyé qu'il était d'un génie, s'aperçut que s'il restait encore à Persépolis, il oublierait Ituriel pour Téone. Il s'affectionnait à la ville, dont le peuple était poli, doux et bienfaisant, quoique léger, médisant, et plein de vanité. Il craignait que Persépolis ne fût condamnée; il craignait même le compte qu'il allait rendre.

Voici comme il s'y prit pour rendre ce compte. Il fit faire par le meilleur fondeur de la ville une petite statue composée de tous les métaux, des terres et des pierres les plus précieuses et les plus viles; il la porta à Ituriel.— Casserez-vous, dit-il, cette jolie statue, parce que tout n'y est pas or et diamants?

Ituriel entendit à demi-mot; [25] il résolut de ne pas même songer à corriger Persépolis, et de laisser aller *le monde comme il va; car, dit-il, si tout n'est pas bien, tout est passable.* On laissa donc subsister Persépolis, et Babouc fut bien loin de se plaindre, comme Jonas, qui se fâcha de ce qu'on ne détruisait pas Ninive.[26] Mais quand on a été trois jours dans le corps d'une baleine, on n'est pas de si bonne humeur que quand on a été à l'Opéra, à la comédie, et qu'on a soupé en bonne compagnie.

2. MICROMÉGAS,

HISTOIRE PHILOSOPHIQUE

I

Voyage d'un habitant du monde de l'étoile Sirius dans la planète de Saturne

Dans une de ces planètes qui tournent autour de l'étoile nommée Sirius,[27] il y avait un jeune homme de beaucoup d'esprit, que j'ai eu l'honneur de connaître dans le dernier voyage qu'il fit sur notre petite fourmilière; [28] il s'appelait Micromégas,[29] nom qui convient fort à tous les grands. Il avait huit lieues de haut: j'entends, par huit lieues, vingt-quatre mille pas géométriques de cinq pieds chacun.

Quelques géomètres, gens toujours utiles au public, prendront sur-le-

---

[25] "took the hint."   [26] *Jonah IV.*   [27] The Dog Star, brightest of the fixed stars.
[28] Voltaire always likes to emphasize the smallness of the earth.
[29] Compound of the Greek μικρός (small) and μέγας (great). The name implies that all size is relative.

champ la plume, et trouveront que, puisque M. Micromégas, habitant du pays de Sirius, a de la tête aux pieds vingt-quatre mille pas, qui font cent vingt mille pieds de roi, et que nous autres citoyens de la terre nous n'avons guère que cinq pieds, et que notre globe a neuf mille lieues de tour; ils
5 trouveront, dis-je, qu'il faut absolument que le globe qui l'a produit ait au juste vingt-un millions six cent mille fois plus de circonférence que notre petite terre. Rien n'est plus simple et plus ordinaire dans la nature. Les états de quelques souverains d'Allemagne ou d'Italie, dont on peut faire le tour en une demi-heure,[30] comparés à l'empire de Turquie, de Moscovie[31] ou de la
10 Chine, ne sont qu'une très faible image des prodigieuses différences que la nature a mises dans tous les êtres.

La taille de Son Excellence étant de la hauteur que j'ai dite, tous nos sculpteurs et tous nos peintres conviendront sans peine que sa ceinture peut avoir cinquante mille pieds de roi de tour; ce qui fait une très jolie propor-
15 tion. Son nez étant le tiers de son beau visage, et son beau visage étant la septième partie de la hauteur de son beau corps, il faut avouer que le nez du Sirien a six mille trois cent trente-trois pieds de roi plus une fraction; ce qui était à démontrer.[32]

Quant à son esprit, c'est un des plus cultivés que nous ayons; il sait
20 beaucoup de choses; il en a inventé quelques-unes: il n'avait pas encore deux cent cinquante ans, et il étudiait, selon la coutume, au collège des jésuites[33] de sa planète, lorsqu'il devina, par la force de son esprit, plus de cinquante propositions d'Euclide. C'est dix-huit de plus que Blaise Pascal,[34] lequel, après en avoir deviné trente-deux en se jouant, à ce que dit sa sœur, devint
25 depuis un géomètre assez médiocre, et un fort mauvais métaphysicien.[35] Vers les quatre cent cinquante ans, au sortir de l'enfance, il disséqua beaucoup de ces petits insectes qui n'ont pas cent pieds de diamètre, et qui se dérobent aux microscopes ordinaires; il en composa un livre fort curieux, mais qui lui fit quelques affaires. Le muphti[36] de son pays, grand vétillard et fort ignorant,
30 trouva dans son livre des propositions suspectes, malsonnantes, téméraires, hérétiques, sentant l'hérésie, et le poursuivit vivement: il s'agissait de savoir si la forme substantielle[37] des puces de Sirius était de même nature que celle des colimaçons. Micromégas se défendit avec esprit; il mit les femmes de son côté; le procès dura deux cent vingt ans. Enfin le muphti fit condamner le
35 livre par des jurisconsultes qui ne l'avaient pas lu, et l'auteur eut ordre de ne paraître à la cour de huit cents années.

Il ne fut que médiocrement affligé d'être banni d'une cour qui n'était

---

[30] Such small states were common in 18th-century Germany.
[31] Russia.   [32] Q.E.D., concluding phrase of a geometrical proposition.
[33] The Jesuits had a monopoly of the teaching of Voltaire's time.
[34] Pascal (1623–1662) is said to have discovered 32 propositions of Euclid.
[35] Voltaire is unjust to Pascal, whom he disliked on account of his religious nature. Pascal ranks higher both as mathematician and philosopher than Voltaire's estimate of him would indicate.
[36] High priest of the Mohammedan religion. Voltaire, of course, means the chief Inquisitor at Rome charged with examining dangerous books.
[37] "the essence," a term of medieval philosophy.

remplie que de tracasseries et de petitesses. Il fit une chanson fort plaisante contre le muphti, dont celui-ci ne s'embarrassa guère; et il se mit à voyager de planète en planète, pour achever de se former *l'esprit et le cœur*,[38] comme l'on dit. Ceux qui ne voyagent qu'en chaise de poste ou en berline seront sans doute étonnés des équipages de là-haut; car nous autres, sur notre petit tas de boue, nous ne concevons rien au delà de nos usages. Notre voyageur connaissait merveilleusement les lois de la gravitation, et toutes les forces attractives et répulsives. Il s'en servait si à propos, que, tantôt à l'aide d'un rayon du soleil, tantôt par la commodité d'une comète, il allait de globe en globe, lui et les siens, comme un oiseau voltige de branche en branche. Il parcourut la voie lactée en peu de temps; et je suis obligé d'avouer qu'il ne vit jamais, à travers les étoiles dont elle est semée, ce beau ciel empyrée que l'illustre vicaire Derham [39] se vante d'avoir vu au bout de sa lunette. Ce n'est pas que je prétende que M. Derham ait mal vu, à Dieu ne plaise! mais Micromégas était sur les lieux, c'est un bon observateur, et je ne veux contredire personne. Micromégas, après avoir bien tourné, arriva dans le globe de Saturne. Quelque accoutumé qu'il fût à voir des choses nouvelles, il ne put d'abord, en voyant la petitesse du globe et de ses habitants, se défendre de ce sourire de supériorité qui échappe quelquefois aux plus sages; car enfin Saturne n'est guère que neuf cents fois plus gros que la terre, et les citoyens de ce pays-là sont des nains qui n'ont que mille toises de haut environ. Il s'en moqua un peu d'abord avec ses gens, à peu près comme un musicien italien se met à rire de la musique de Lulli,[40] quand il vient en France. Mais, comme le Sirien avait un bon esprit, il comprit bien vite qu'un être pensant peut fort bien n'être pas ridicule pour n'avoir que six mille pieds de haut. Il se familiarisa avec les Saturniens, après les avoir étonnés. Il lia une étroite amitié avec le secrétaire de l'Académie [41] de Saturne, homme de beaucoup d'esprit, qui n'avait, à la vérité, rien inventé, mais qui rendait un fort bon compte des inventions des autres, et qui faisait passablement de petits vers et de grands calculs. Je rapporterai ici, pour la satisfaction des lecteurs, une conversation singulière que Micromégas eut un jour avec M. le secrétaire.

II

Conversation de l'habitant de Sirius avec celui de Saturne

Après que Son Excellence se fut couchée, et que le secrétaire se fut approché de son visage:

[38] Voltaire likes to ridicule this expression, used very frequently by Rollin in his *Traité des études* (1726–1731).

[39] Vicar of Upminster in Essex (1657–1735), interested in astronomy. The reference here is to his *Astro-Theology* (1715).

[40] Florentine musician (1633–1687), founder of the French school of music. In the 18th century there was a bitter struggle between the partisans of French and Italian music.

[41] An amusing, but not unkind, portrait of Fontenelle (1657–1757), popularizer of astronomy in his *Entretiens sur la pluralité des Mondes* (1686).

—Il faut avouer, dit Micromégas, que la nature est bien variée.

—Oui, dit le Saturnien, la nature est comme un parterre dont les fleurs. . . .

—Ah! dit l'autre, laissez là votre parterre.

—Elle est, reprit le secrétaire, comme une assemblée de blondes et de
brunes, dont les parures. . . .

—Eh! qu'ai-je à faire de vos brunes? dit l'autre.

—Elle est donc comme une galerie de peintures dont les traits. . . .

—Eh non! dit le voyageur, encore une fois la nature est comme la nature.
Pourquoi lui chercher des comparaisons?

—Pour vous plaire,[42] répondit le secrétaire.

—Je ne veux point qu'on me plaise, répondit le voyageur; je veux qu'on
m'instruise; commencez d'abord par me dire combien les hommes de votre
globe ont de sens.

—Nous en avons soixante et douze, dit l'académicien, et nous nous plaignons tous les jours du peu. Notre imagination va au delà de nos besoins;
nous trouvons qu'avec nos soixante et douze sens, notre anneau, nos cinq
lunes,[43] nous sommes trop bornés; et, malgré toute notre curiosité et le
nombre assez grand de passions qui résultent de nos soixante et douze sens,
nous avons tout le temps de nous ennuyer.

—Je le crois bien, dit Micromégas; car dans notre globe nous avons près
de mille sens; et il nous reste encore je ne sais quel désir vague, je ne sais
quelle inquiétude qui nous avertit sans cesse que nous sommes peu de chose,
et qu'il y a des êtres beaucoup plus parfaits. J'ai un peu voyagé; j'ai vu des
mortels fort au-dessous de nous; j'en ai vu de fort supérieurs: mais je n'en
ai vu aucuns qui n'aient plus de désirs que de vrais besoins, et plus de besoins
que de satisfaction. J'arriverai peut-être un jour au pays où il ne manque
rien; mais jusqu'à présent personne ne m'a donné de nouvelles positives de
ce pays-là.

Le Saturnien et le Sirien s'épuisèrent alors en conjectures; mais, après
beaucoup de raisonnements fort ingénieux et fort incertains, il en fallut
revenir aux faits.

—Combien de temps vivez-vous? dit le Sirien.

—Ah! bien peu, répliqua le petit homme de Saturne.

—C'est tout comme chez nous, dit le Sirien: nous nous plaignons toujours
du peu. Il faut que ce soit une loi universelle de la nature.

—Hélas! nous ne vivons, dit le Saturnien, que cinq cents grandes révolutions du soleil. (Cela revient à quinze mille ans ou environ, à compter à notre
manière.) Vous voyez bien que c'est mourir presque au moment que l'on
est né; notre existence est un point, notre durée un instant, notre globe un
atome. A peine a-t-on commencé à s'instruire un peu que la mort arrive avant
qu'on ait de l'expérience. Pour moi, je n'ose faire aucuns projets; je me
trouve comme une goutte d'eau dans un océan immense. Je suis honteux,
surtout devant vous, de la figure ridicule que je fais dans ce monde.

[42] This first part of the conversation is clearly in imitation of the style of Fontenelle.
[43] Eight moons are now known.

Micromégas lui repartit:

—Si vous n'étiez pas philosophe, je craindrais de vous affliger en vous apprenant que notre vie est sept cents fois plus longue que la vôtre; mais vous savez trop bien que quand il faut rendre son corps aux éléments, et ranimer la nature sous une autre forme, ce qui s'appelle mourir; quand ce 5 moment de métamorphose est venu, avoir vécu une éternité, ou avoir vécu un jour, c'est précisément la même chose. J'ai été dans des pays où l'on vit mille fois plus longtemps que chez moi, et j'ai trouvé qu'on y murmurait encore. Mais il y a partout des gens de bon sens qui savent prendre leur parti et remercier l'Auteur de la nature. Il a répandu sur cet univers une 10 profusion de variétés avec une espèce d'uniformité admirable. Par exemple, tous les êtres pensants sont différents, et tous se ressemblent au fond par le don de la pensée et des désirs. La matière est partout étendue; [44] mais elle a dans chaque globe des propriétés diverses. Combien comptez-vous de ces propriétés diverses dans votre matière? 15

—Si vous parlez de ces propriétés, dit le Saturnien, sans lesquelles nous croyons que ce globe ne pourrait subsister tel qu'il est, nous en comptons trois cents, comme l'étendue, l'impénétrabilité, la mobilité, la gravitation, la divisibilité, et le reste.

—Apparemment, répliqua le voyageur, que ce petit nombre suffit aux vues 20 que le Créateur avait sur votre petite habitation. J'admire en tout sa sagesse; je vois partout des différences, mais aussi partout des proportions. Votre globe est petit, vos habitants le sont aussi; vous avez peu de sensations; votre matière a peu de propriétés; tout cela est l'ouvrage de la Providence. De quelle couleur est votre soleil, bien examiné? 25

—D'un blanc fort jaunâtre, dit le Saturnien; et quand nous divisons un de ses rayons, nous trouvons qu'il contient sept couleurs.

—Notre soleil tire sur le rouge, dit le Sirien, et nous avons trente-neuf couleurs primitives. Il n'y a pas un soleil, parmi tous ceux dont j'ai approché, qui se ressemble, comme chez vous il n'y a pas un visage qui ne soit différent 30 de tous les autres.

Après plusieurs questions de cette nature, il s'informa combien de sub-stances essentiellement différentes on comptait dans Saturne. Il apprit qu'on n'en comptait qu'une trentaine, comme Dieu, l'espace, la matière, les êtres étendus qui sentent et qui pensent, les êtres pensants qui n'ont point 35 d'étendue; ceux qui se pénètrent, ceux qui ne se pénètrent pas, et le reste. Le Sirien, chez qui on en comptait trois cents, et qui en avait découvert trois mille autres dans ses voyages, étonna prodigieusement le philosophe de Saturne. Enfin, après s'être communiqué l'un à l'autre un peu de ce qu'ils savaient et beaucoup de ce qu'ils ne savaient pas, après avoir raisonné pendant 40 une révolution du soleil, ils résolurent de faire ensemble un petit voyage philosophique.

---

[44] "extent" (occupying space). Cf. *les êtres étendus*, l. 34 below.

III

Voyage des deux habitants de Sirius et de Saturne

. . . .

Nos deux curieux partirent; ils sautèrent d'abord sur l'anneau, qu'ils trouvèrent assez plat, comme l'a fort bien deviné un illustre habitant [45] de notre petit globe; de là ils allèrent aisément de lune en lune. Une comète passait tout auprès de la dernière; ils s'élancèrent sur elle avec leurs domes-
5 tiques et leurs instruments. Quand ils eurent fait environ cent cinquante millions de lieues, ils rencontrèrent les satellites de Jupiter. Ils passèrent dans Jupiter même, et y restèrent une année, pendant laquelle ils apprirent de fort beaux secrets qui seraient actuellement sous presse sans messieurs les inquisiteurs, qui ont trouvé quelques propositions un peu dures. Mais j'en ai
10 lu le manuscrit dans la bibliothèque de l'illustre archevêque de . . . , qui m'a laissé voir ses livres avec cette générosité et cette bonté qu'on ne saurait assez louer. Aussi je lui promets un long article dans la première édition qu'on fera de Moréri.[46]

Mais revenons à nos voyageurs. En sortant de Jupiter, ils traversèrent un
15 espace d'environ cent millions de lieues, et ils côtoyèrent la planète de Mars, qui, comme on sait, est cinq fois plus petite que notre petit globe; ils virent deux lunes [47] qui servent à cette planète, et qui ont échappé aux regards de nos astronomes. Je sais bien que le Père Castel [48] écrira et même assez plaisamment, contre l'existence de ces deux lunes; mais je m'en rapporte à ceux qui
20 raisonnent par analogie. Ces bons philosophes-là savent combien il serait difficile que Mars, qui est si loin du soleil, se passât à [48a] moins de deux lunes. Quoi qu'il en soit, nos gens trouvèrent cela si petit, qu'ils craignirent de n'y pas trouver de quoi coucher, et ils passèrent leur chemin comme deux voyageurs qui dédaignent un mauvais cabaret de village, et poussent jusqu'à la ville
25 voisine. Mais le Sirien et son compagnon se repentirent bientôt. Ils allèrent longtemps, et ne trouvèrent rien. Enfin ils aperçurent une petite lueur, c'était la terre; cela fit pitié à des gens qui venaient de Jupiter. Cependant, de peur de se repentir une seconde fois, ils résolurent de débarquer. Ils passèrent sur la queue de la comète, et, trouvant une aurore boréale toute prête, ils se
30 mirent dedans, et arrivèrent à terre sur le bord septentrional de la mer Baltique, le cinq juillet mil sept cent trente-sept, nouveau style.[49]

---

[45] The Dutch astronomer, Huyghens (1629–1695), who first demonstrated the existence of the ring of Saturn.
[46] French scholar (1643–1680), author of a *Dictionnaire historique,* of which there were numerous editions.
[47] A lucky guess. Two satellites of Mars were actually discovered in 1877.
[48] Jesuit scholar (1688–1757).   [48a] *se contentât de.*
[49] Eleven days ahead of the old or Julian calendar. The new or Gregorian style had been in use in France since 1582.

IV

Ce qui leur arrive sur le globe de la terre

Après s'être reposés quelque temps, ils mangèrent à leur déjeuner deux montagnes, que leurs gens leur apprêtèrent assez proprement. Ensuite ils voulurent reconnaître le pays où ils étaient. Ils allèrent d'abord du nord au sud. Les pas ordinaires du Sirien étaient d'environ trente mille pieds de roi; le nain de Saturne, dont la taille n'était que de mille toises, suivait de loin en haletant; or il fallait qu'il fît environ douze pas quand l'autre faisait une enjambée: figurez-vous (s'il est permis de faire de telles comparaisons) un très petit chien de manchon qui suivrait un capitaine des gardes du roi de Prusse.[50]

Comme ces étrangers-là vont assez vite, ils eurent fait le tour du globe en trente-six heures; le soleil, à la vérité, ou plutôt la terre, fait un pareil voyage en une journée; mais il faut songer qu'on va bien plus à son aise quand on tourne sur son axe que quand on marche sur ses pieds. Les voilà donc revenus d'où ils étaient partis, après avoir vu cette mare, presque imperceptible pour eux, qu'on nomme *la Méditerranée,* et cet autre petit étang qui, sous le nom du *grand Océan,* entoure la taupinière. Le nain n'en avait eu jamais qu'à mi-jambe, et à peine l'autre avait-il mouillé son talon. Ils firent tout ce qu'ils purent en allant et en revenant dessus et dessous pour tâcher d'apercevoir si ce globe était habité ou non. Ils se baissèrent, ils se couchèrent, ils tâtèrent partout; mais leurs yeux et leurs mains n'étant point proportionnés aux petits êtres qui rampent ici, ils ne reçurent pas la moindre sensation qui pût leur faire soupçonner que nous et nos confrères les autres habitants de ce globe avons l'honneur d'exister.

Le nain, qui jugeait quelquefois un peu trop vite, décida d'abord qu'il n'y avait personne sur la terre. Sa première raison était qu'il n'avait vu personne.

Micromégas lui fit sentir poliment que c'était raisonner assez mal:—Car, disait-il, vous ne voyez pas avec vos petits yeux certaines étoiles de la cinquantième grandeur que j'aperçois très distinctement; concluez-vous de là que ces étoiles n'existent pas?

—Mais, dit le nain, j'ai bien tâté.

—Mais, répondit l'autre, vous avez mal senti.

—Mais, dit le nain, ce globe-ci est si mal construit, cela est si irrégulier et d'une forme qui me paraît si ridicule! Tout semble être ici dans le chaos: voyez-vous ces petits ruisseaux dont aucun ne va de droit fil, ces étangs qui ne sont ni ronds, ni carrés, ni ovales, ni sous aucune forme régulière; tous ces petits grains pointus dont ce globe est hérissé, et qui m'ont écorché les pieds? (Il voulait parler des montagnes.) Remarquez-vous encore la forme de tout le globe, comme il est plat aux pôles, comme il tourne autour du soleil d'une manière gauche, de façon que les climats des pôles sont nécessairement incultes? En vérité, ce qui fait que je pense qu'il n'y a ici personne,

[50] Frederick William of Prussia scoured Europe for giant soldiers for his regiment of guards.

c'est qu'il me paraît que des gens de bon sens ne voudraient pas y demeurer.

—Eh bien! dit Micromégas, ce ne sont peut-être pas non plus des gens de bon sens qui l'habitent. Mais enfin il y a quelque apparence que ceci n'est pas fait pour rien. Tout vous paraît irrégulier ici, dites-vous, parce que tout
5 est tiré au cordeau dans Saturne et dans Jupiter. Eh! c'est peut-être pour cette raison-là même qu'il y a ici un peu de confusion. Ne vous ai-je pas dit que dans mes voyages j'avais toujours remarqué de la variété?

Le Saturnien répliqua à toutes ces raisons. La dispute n'eût jamais fini, si par bonheur Micromégas, en s'échauffant à parler, n'eût cassé le fil de son
10 collier de diamants. Les diamants tombèrent; c'étaient de jolis petits carats assez inégaux, dont les plus gros pesaient quatre cents livres, et les plus petits cinquante. Le nain en ramassa quelques-uns; il s'aperçut, en les approchant de ses yeux, que ces diamants, de la façon dont ils étaient taillés, étaient d'excellents microscopes. Il prit donc un petit microscope de cent soixante
15 pieds de diamètre, qu'il appliqua à sa prunelle; et Micromégas en choisit un de deux mille cinq cents pieds. Ils étaient excellents; mais d'abord on ne vit rien par leur secours: il fallait s'ajuster.

Enfin l'habitant de Saturne vit quelque chose d'imperceptible qui remuait entre deux eaux dans la mer Baltique: c'était une baleine. Il la prit avec le
20 petit doigt fort adroitement; et la mettant sur l'ongle de son pouce, il la fit voir au Sirien, qui se prit à rire pour la seconde fois de l'excès de petitesse dont étaient les habitants de notre globe. Le Saturnien, convaincu que notre monde est habité, s'imagina bien vite qu'il ne l'était que par des baleines; et comme il était grand raisonneur, il voulut deviner d'où un si petit atome
25 tirait son origine, son mouvement, s'il avait des idées, une volonté, une liberté. Micromégas y fut fort embarrassé; il examina l'animal fort patiemment, et le résultat de l'examen fut qu'il n'y avait pas moyen de croire qu'une âme fût logée là. Les deux voyageurs inclinaient donc à penser qu'il n'y a point d'esprit dans notre habitation, lorsqu'à l'aide du microscope ils
30 aperçurent quelque chose d'aussi gros qu'une baleine qui flottait sur la mer Baltique. On sait que dans ce temps-là même une volée de philosophes revenait du cercle polaire,[51] sous lequel ils avaient été faire des observations dont personne ne s'était avisé jusqu'alors. Les gazettes dirent que leur vaisseau échoua au golfe de Bothnie,[52] et qu'ils eurent bien de la peine à se
35 sauver: mais on ne sait jamais dans ce monde le dessous des cartes. Je vais raconter ingénument comme la chose se passa, sans y rien mettre du mien; ce qui n'est pas un petit effort pour un historien.[53]

V

Expériences et raisonnements des deux voyageurs

Micromégas étendit la main tout doucement vers l'endroit où l'objet paraissait, et avançant deux doigts, et les retirant par la crainte de se tromper, puis

[51] Reference to the scientific expedition to Lapland in 1736 organized by Maupertuis to measure a degree of longitude.
[52] Between Russia and Sweden.
[53] As an historian, Voltaire was one of the first to insist on documentary exactness.

les ouvrant et les serrant, il saisit fort adroitement le vaisseau qui portait ces
messieurs, et le mit encore sur son ongle sans le trop presser de peur de
l'écraser.

—Voici un animal bien différent du premier, dit le nain de Saturne; le
Sirien mit le prétendu animal dans le creux de sa main.   5

Les passagers et les gens de l'équipage, qui s'étaient crus enlevés par un
ouragan, et qui se croyaient sur une espèce de rocher, se mettent tous en
mouvement; les matelots prennent des tonneaux de vin, les jettent sur la
main de Micromégas, et se précipitent après. Les géomètres prennent leurs
quarts de cercle, leurs secteurs, deux filles laponnes,[54] et descendent sur les   10
doigts du Sirien. Ils en firent tant, qu'il sentit enfin remuer quelque chose
qui lui chatouillait les doigts; c'était un bâton ferré qu'on lui enfonçait d'un
pied dans l'index: il jugea, par ce picotement, qu'il était sorti quelque chose
du petit animal qu'il tenait; mais il n'en soupçonna pas d'abord davantage.
Le microscope, qui faisait à peine discerner une baleine et un vaisseau, n'avait 15
point de prise sur un être aussi imperceptible que des hommes.

Je ne prétends choquer ici la vanité de personne, mais je suis obligé de
prier les importants [54a] de faire ici une petite remarque avec moi; c'est qu'en
prenant la taille des hommes d'environ cinq pieds, nous ne faisons pas sur la
terre une plus grande figure qu'en ferait sur une boule de dix pieds de tour   20
un animal qui aurait à peu près la six cent millième partie d'un pouce en
hauteur. Figurez-vous une substance qui pourrait tenir la terre dans sa main,
et qui aurait des organes en proportion des nôtres; et il se peut très bien
faire qu'il y ait un grand nombre de ces substances: or concevez, je vous
prie, ce qu'elles penseraient de ces batailles qui font gagner au vainqueur un 25
village pour le perdre ensuite.

Je ne doute pas que, si quelque capitaine des grands grenadiers lit jamais
cet ouvrage, il ne hausse de deux grands pieds au moins les bonnets de sa
troupe; mais je l'avertis qu'il aura beau faire, que lui et les siens ne seront
jamais que des infiniment petits.   30

Quelle adresse merveilleuse ne fallut-il donc pas à notre philosophe de
Sirius pour apercevoir les atomes dont je viens de parler! Quand Leuvenhœk [55] et Hartsœker [55] virent les premiers, ou crurent voir la graine dont
nous sommes formés, ils ne firent pas, à beaucoup près, une si étonnante
découverte. Quel plaisir sentit Micromégas en voyant remuer ces petites   35
machines, en examinant tous leurs tours, en les suivant dans toutes leurs
opérations! comme il s'écria! comme il mit avec joie un de ses microscopes
dans les mains de son compagnon de voyage!

—Je les vois, disaient-ils tous deux à la fois; ne les voyez-vous pas qui
portent des fardeaux, qui se baissent, qui se relèvent?   40

En parlant ainsi, les mains leur tremblaient par le plaisir de voir des objets
si nouveaux, et par la crainte de les perdre. . . .

---

[54] These were actually brought back by the Maupertuis expedition.   [54a] "pretentious persons."
[55] Dutch scientists of the early 18th century. Leuvenhœk is especially important as one of the
pioneers in microscopic experimentation.

VI

Ce qui leur arriva avec les hommes

Micromégas, bien meilleur observateur que son nain, vit clairement que les atomes se parlaient; et il le fit remarquer à son compagnon, qui ne voulut point croire que de pareilles espèces pussent se communiquer des idées. Il avait le don des langues aussi bien que le Sirien; il n'entendait point
5　parler nos atomes, et il supposait qu'ils ne parlaient pas: d'ailleurs, comment ces êtres imperceptibles auraient-ils les organes de la voix, et qu'auraient-ils à dire? Pour parler, il faut penser, ou à peu près; mais s'ils pensaient, ils auraient donc l'équivalent d'une âme: or, attribuer l'équivalent d'une âme à cette espèce, cela lui paraissait absurde. . . .
10　—Je n'ose plus ni croire ni nier, dit le nain; je n'ai plus d'opinion; il faut tâcher d'examiner ces insectes, nous raisonnerons après.

　　—C'est fort bien dit, reprit Micromégas; et aussitôt il tira une paire de ciseaux dont il se coupa les ongles, et d'une rognure de l'ongle de son pouce il fit sur-le-champ une espèce de grande trompette parlante, comme un vaste
15　entonnoir, dont il mit le tuyau dans son oreille. La circonférence de l'entonnoir enveloppait le vaisseau et tout l'équipage. La voix la plus faible entrait dans les fibres circulaires de l'ongle; de sorte que, grâce à son industrie, le philosophe de là-haut entendit parfaitement le bourdonnement de nos insectes de là-bas. En peu d'heures il parvint à distinguer les paroles, et enfin à
20　entendre le français. Le nain en fit autant, quoique avec plus de difficulté. L'étonnement des voyageurs redoublait à chaque instant. Ils entendaient des mites parler d'assez bon sens: ce jeu de la nature leur paraissait inexplicable. Vous croyez bien que le Sirien et son nain brûlaient d'impatience de lier conversation avec les atomes; le nain craignait que sa voix de tonnerre, et
25　surtout celle de Micromégas, n'assourdît les mites sans en être entendue. Il fallait en diminuer la force. Ils se mirent dans la bouche des espèces de petits cure-dents, dont le bout fort effilé venait donner auprès du vaisseau. Le Sirien tenait le nain sur ses genoux, et le vaisseau avec l'équipage sur son ongle; il baissait la tête et parlait bas. Enfin, moyennant toutes ces précautions
30　et bien d'autres encore, il commença ainsi son discours:

　　—Insectes invisibles que la main du Créateur s'est plu à faire naître dans l'abîme de l'infiniment petit, je le remercie de ce qu'il a daigné me découvrir des secrets qui semblaient impénétrables. Peut-être ne daignerait-on pas vous regarder à ma cour; mais je ne méprise personne et je vous offre ma protec-
35　tion.

　　Si jamais il y eut quelqu'un d'étonné, ce furent les gens qui entendirent ces paroles. Ils ne pouvaient deviner d'où elles partaient. L'aumônier du vaisseau récita les prières des exorcismes, les matelots jurèrent, et les philosophes du vaisseau firent des systèmes; [56] mais quelque système qu'ils fissent, ils
40　ne purent jamais deviner qui leur parlait. Le nain de Saturne, qui avait la voix plus douce que Micromégas, leur apprit alors en peu de mots à quelles

---

[56] Voltaire likes to poke fun at the makers of metaphysical systems.

espèces ils avaient affaire. Il leur raconta le voyage de Saturne, les mit au
fait de ce qu'était M. Micromégas; et après les avoir plaints d'être si petits,
il leur demanda s'ils avaient toujours été dans ce misérable état si voisin de
l'anéantissement, ce qu'ils faisaient dans un globe qui paraissait appartenir
à des baleines, s'ils étaient heureux, s'ils multipliaient, s'ils avaient une âme, 5
et cent autres questions de cette nature.

Un raisonneur de la troupe, plus hardi que les autres, et choqué de ce
qu'on doutait de son âme, observa l'interlocuteur avec des pinnules braquées
sur un quart de cercle, fit deux stations,[57] et à la troisième il parla ainsi:

—Vous croyez donc, monsieur, parce que vous avez mille toises depuis la 10
tête jusqu'aux pieds, que vous êtes un. . . .

—Mille toises! s'écria le nain: juste ciel! d'où peut-il savoir ma hauteur?
Mille toises! il ne se trompe pas d'un pouce: quoi! cet atome m'a mesuré!
il est géomètre, il connaît ma grandeur; et moi, qui ne le vois qu'à travers
un microscope, je ne connais pas encore la sienne! 15

—Oui, je vous ai mesuré, dit le physicien, et je mesurerai encore bien votre
grand compagnon.

La proposition fut acceptée; Son Excellence se coucha de tout son long;
car, s'il se fût tenu debout, sa tête eût été trop au-dessus des nuages. . . . Puis,
par une suite de triangles liés ensemble,[58] ils conclurent que ce qu'ils voyaient 20
était en effet un jeune homme de cent vingt mille pieds de roi.

Alors Micromégas prononça ces paroles:—Je vois plus que jamais qu'il ne
faut juger de rien sur sa grandeur apparente. O Dieu! qui avez donné une
intelligence à des substances qui paraissent si méprisables, l'infiniment petit
vous coûte autant que l'infiniment grand; et s'il est possible qu'il y ait des 25
êtres plus petits que ceux-ci, ils peuvent encore avoir un esprit supérieur à
ceux de ces superbes animaux que j'ai vus dans le ciel, dont le pied seul
couvrirait le globe où je suis descendu.

Un des philosophes lui répondit qu'il pouvait en toute sûreté croire qu'il
est en effet des êtres intelligents beaucoup plus petits que l'homme. Il lui 30
conta, non pas tout ce que Virgile a dit de fabuleux sur les abeilles,[59] mais
ce que Swammerdam [60] a découvert, et ce que Réaumur [61] a disséqué. Il lui
apprit enfin qu'il y a des animaux qui sont pour les abeilles ce que les abeilles
sont pour l'homme, ce que le Sirien lui-même était pour ces animaux si vastes
dont il parlait, et ce que ces grands animaux sont pour d'autres substances 35
devant lesquelles ils ne paraissent que comme des atomes. Peu à peu la conversation devint intéressante, et Micromégas parla ainsi:

VII

Conversation avec les hommes

«O atomes intelligents, dans qui l'Être éternel s'est plu à manifester son
adresse et sa puissance, vous devez, sans doute, goûter des joies bien pures sur

---

[57] "Took two sights."   [58] "a series of triangulations."   [59] In *Georgics* (Book IV).
[60] Dutch naturalist (1637–1680), one of the pioneers in insect study.
[61] French naturalist (1683–1757), called "the 18th-century Pliny."

votre globe; car ayant si peu de matière, et paraissant tout esprit, vous devez passer votre vie à aimer et à penser; c'est la véritable vie des esprits. Je n'ai vu nulle part le vrai bonheur, mais il est ici, sans doute.»

A ce discours, tous les philosophes secouèrent la tête; et l'un d'eux, plus
5 franc que les autres, avoua de bonne foi que, si l'on en excepte un petit nombre d'habitants fort peu considérés, tout le reste est un assemblage de fous, de méchants et de malheureux.

—Nous avons plus de matière qu'il ne nous en faut, dit-il, pour faire beaucoup de mal, si le mal vient de la matière; et trop d'esprit, si le mal
10 vient de l'esprit. Savez-vous bien, par exemple, qu'à l'heure que je vous parle [62] il y a cent mille fous de notre espèce, couverts de chapeaux, qui tuent cent mille autres animaux couverts d'un turban, ou qui sont massacrés par eux, et que, presque par toute la terre, c'est ainsi qu'on en use de temps immémorial?

15 Le Sirien frémit, et demanda quel pouvait être le sujet de ces horribles querelles entre de si chétifs animaux.

Il s'agit, dit le philosophe, de quelque tas de boue [63] grand comme votre talon. Ce n'est pas qu'aucun de ces millions d'hommes qui se font égorger prétende un fétu sur ce tas de boue. Il ne s'agit que de savoir s'il appartiendra
20 à un certain homme qu'on nomme *Sultan,* ou à un autre qu'on nomme, je ne sais pourquoi, *César.*[64] Ni l'un ni l'autre n'a jamais vu ni ne verra jamais le petit coin de terre dont il s'agit; et presque aucun de ces animaux, qui s'égorgent mutuellement, n'a jamais vu l'animal pour lequel il s'égorge.

—Ah! malheureux! s'écria le Sirien avec indignation, peut-on concevoir
25 cet excès de rage forcenée? Il me prend envie de faire trois pas, et d'écraser de trois coups de pied toute cette fourmilière d'assassins ridicules.

—Ne vous en donnez pas la peine, lui répondit-on; ils travaillent assez à leur ruine. Sachez qu'au bout de dix ans il ne reste jamais la centième partie de ces misérables; sachez que, quand même ils n'auraient pas tiré l'epée, la
30 faim, la fatigue ou l'intempérance les emportent presque tous. D'ailleurs, ce n'est pas eux qu'il faut punir, ce sont ces barbares sédentaires qui du fond de leur cabinet ordonnent, dans le temps de leur digestion, le massacre d'un million d'hommes, et qui ensuite en font remercier Dieu solennellement.

Le voyageur se sentait ému de pitié pour la petite race humaine, dans
35 laquelle il découvrait de si étonnants contrastes.

—Puisque vous êtes du petit nombre des sages, dit-il à ces messieurs, et qu'apparemment vous ne tuez personne pour de l'argent, dites-moi, je vous en prie, à quoi vous vous occupez.

—Nous disséquons des mouches, dit le philosophe, nous mesurons des
40 lignes, nous assemblons des nombres; nous sommes d'accord sur deux ou trois points que nous entendons, et nous disputons sur deux ou trois mille que nous n'entendons pas.

Il prit aussitôt fantaisie au Sirien et au Saturnien d'interroger ces atomes pensants, pour savoir de quoi ils convenaient.

[62] In 1737, the supposed date of the story, the Turks and Russians were at war.
[63] The Crimea.   [64] Tsar ("Emperor"), title of the Russian ruler.

—Combien comptez-vous, dit celui-ci, de l'étoile de la Canicule [65] à la grande étoile des Gémeaux? [66]

Ils répondirent tous à la fois:—Trente-deux degrés et demi.

—Combien comptez-vous d'ici à la lune?

—Soixante demi-diamètres de la terre en nombre rond.

—Combien pèse votre air?

Il croyait les attraper, mais tous lui dirent que l'air pèse environ neuf cents fois moins qu'un pareil volume de l'eau la plus légère, et dix-neuf mille fois moins que l'or de ducat. Le petit nain de Saturne, étonné de leurs réponses, fut tenté de prendre pour des sorciers ces mêmes gens auxquels il avait refusé une âme un quart d'heure auparavant.

Enfin Micromégas leur dit:—Puisque vous savez si bien ce qui est hors de vous, sans doute vous savez encore mieux ce qui est en dedans. Dites-moi ce que c'est que votre âme, et comment vous formez vos idées.

Les philosophes parlèrent tous à la fois comme auparavant; mais ils furent tous de différents avis. Le plus vieux citait Aristote, [67] l'autre prononçait le nom de Descartes, [68] celui-ci, de Malebranche; [69] cet autre, de Leibnitz; [70] cet autre, de Locke. [71]

Un vieux péripatéticien [72] dit tout haut avec confiance:—L'âme est une entéléchie [73] et une raison par qui elle a la puissance d'être ce qu'elle est. C'est ce que déclare expressément Aristote, page 633 de l'édition du Louvre: Ἐντελεχέια ἐστι, etc.

—Je n'entends pas trop bien le grec, dit le géant.

—Ni moi non plus, dit la mite philosophique.

—Pourquoi donc, reprit le Sirien, citez-vous un certain Aristote en grec?

—C'est, répliqua le savant, qu'il faut bien citer ce qu'on ne comprend point du tout dans la langue qu'on entend le moins.

Le cartésien prit la parole et dit:—L'âme est un esprit pur qui a reçu dans le ventre de sa mère toutes les idées métaphysiques, [74] et qui, en sortant de là, est obligée d'aller à l'école, et d'apprendre tout de nouveau ce qu'elle a si bien su, et qu'elle ne saura plus.

—Ce n'était donc pas la peine, répondit l'animal de huit lieues, que ton âme fût si savante dans le ventre de ta mère, pour être si ignorante quand tu aurais de la barbe au menton.

—Mais qu'entends-tu par esprit?

—Que me demandez-vous là? dit le raisonneur; je n'en ai point d'idée; on dit que ce n'est pas la matière.

—Mais sais-tu au moins ce que c'est que la matière?

—Très bien, lui répondit l'homme. Par exemple cette pierre est grise,

---

[65] Sirius. [66] The Gemini, Castor and Pollux. The grande étoile is Pollux.
[67] Greek philosopher of the 4th century B. C.—the great authority for medieval philosophy.
[68] See p. 99.
[69] French philosopher (1638–1715) who attempted to reconcile Cartesianism and theology.
[70] Founder of the philosophy of optimism (1646–1716).
[71] English philosopher (1632–1704), founder of "sensational" philosophy; one of Voltaire's masters in philosophy.
[72] Follower of Aristotle. [73] "realization." [74] Descartes' theory of "innate ideas."

est d'une telle forme, a ses trois dimensions; elle est pesante et divisible.

—Eh bien, dit le Sirien, cette chose qui te paraît être divisible, pesante et grise, me diras-tu bien ce que c'est? Tu vois quelques attributs; mais le fond de la chose, le connais-tu?

5 —Non, dit l'autre.

—Tu ne sais donc point ce que c'est que la matière.

Alors M. Micromégas, adressant la parole à un autre sage qu'il tenait sur son pouce, lui demanda ce que c'était que son âme, et ce qu'elle faisait.

—Rien du tout, dit le philosophe malebranchiste; c'est Dieu qui fait tout 10 pour moi; je vois tout en lui, je fais tout en lui; c'est lui qui fait tout sans que je m'en mêle.[75]

—Autant vaudrait ne pas être, reprit le sage de Sirius.

—Et toi, mon ami, dit-il à un leibnitzien qui était là, qu'est-ce que ton âme?

15 —C'est, répondit le leibnitzien, une aiguille qui montre les heures pendant que mon corps carillonne; ou bien si vous voulez, c'est elle qui carillonne pendant que mon corps montre l'heure; ou bien mon âme est le miroir de l'univers, et mon corps est la bordure du miroir; tout cela est clair.[76]

Un petit partisan de Locke était là tout auprès; et quand on lui eut enfin 20 adressé la parole:—Je ne sais pas, dit-il, comment je pense, mais je sais que je n'ai jamais pensé qu'à l'occasion de mes sens.[76a] Qu'il y ait des substances immatérielles et intelligentes, c'est de quoi je ne doute pas: mais qu'il soit impossible à Dieu de communiquer la pensée à la matière, c'est de quoi je doute fort. Je révère la puissance éternelle; il ne m'appartient pas de la borner: je 25 n'affirme rien; je me contente de croire qu'il y a plus de choses possibles qu'on ne pense.

L'animal de Sirius sourit: il ne trouva pas celui-là le moins sage, et le nain de Saturne aurait embrassé le sectateur de Locke sans l'extrême disproportion. Mais il y avait là par malheur un petit animalcule en bonnet carré [76b] qui 30 coupa la parole à tous les autres animalcules philosophes; il dit qu'il savait tout le secret, que tout cela se trouvait dans la *Somme de saint Thomas;* [76c] il regarda de haut en bas les deux habitants célestes; il leur soutint que leurs personnes, leurs mondes, leurs soleils, leurs étoiles, tout était fait uniquement pour l'homme. A ce discours, nos deux voyageurs se laissèrent aller l'un sur 35 l'autre en étouffant de ce rire inextinguible qui, selon Homère,[76d] est le partage des dieux; leurs épaules et leurs ventres allaient et venaient, et, dans ces convulsions, le vaisseau que le Sirien avait sur son ongle tomba dans une poche de la culotte du Saturnien. Ces deux bonnes gens le cherchèrent longtemps; enfin ils retrouvèrent l'équipage, et le rajustèrent fort proprement. 40 Le Sirien reprit les petites mites; il leur parla encore avec beaucoup de bonté, quoiqu'il fût un peu fâché dans le fond du cœur de voir que les infiniment

---

[75] Malebranche's doctrine that God is the source of all being and all knowledge.

[76] Leibnitz' idea of a "preëstablished harmony" between soul and body.

[76a] The basis of Locke's "sensational" philosophy.   [76b] A doctor of theology.

[76c] The *Summa Theologiæ* of St. Thomas Aquinas (1226–1274), the basis of Catholic theology.

[76d] "Shouts of inextinguishable laughter arise among the blessed gods" (*Iliad*, I, 599).

petits eussent un orgueil presque infiniment grand. Il leur promit de leur faire un beau livre de philosophie, écrit fort menu pour leur usage, et que, dans ce livre, ils verraient le bout des choses. Effectivement il leur donna ce volume avant son départ: on le porta à Paris, à l'Académie des Sciences, mais, quand le vieux secrétaire l'eut ouvert, il ne vit rien qu'un livre tout blanc.[76e] 5
—Ah! dit-il, je m'en étais bien douté.

II. VOLTAIRE HISTORIEN

1. Idées sur l'Histoire

Il y a quelques années, monsieur, que j'ai commencé une espèce d'histoire philosophique du siècle de Louis XIV; tout ce qui peut paraître important à la postérité doit y trouver sa place; tout ce qui n'a été important qu'en passant y sera omis. Les progrès des arts et de l'esprit humain tiendront dans 10 cet ouvrage la place la plus honorable. Tout ce qui regarde la religion y sera traité sans controverse, et ce que le droit public a de plus intéressant pour la société s'y trouvera. Une loi utile y sera préférée à des villes prises et rendues, à des batailles qui n'ont décidé de rien. On verra dans tout l'ouvrage le caractère d'un homme qui fait plus de cas d'un ministre qui fait croître deux 15 épis de blé là où la terre n'en portait qu'un que d'un roi qui achète ou saccage une province.

Si vous aviez, monsieur, sur le règne de Louis XIV quelques anecdotes dignes des lecteurs philosophiques, je vous supplierais de m'en faire part. Quand on travaille pour la vérité on doit hardiment s'adresser à vous, et 20 compter sur vos secours. Je suis, monsieur, avec les sentiments d'estime les plus respectueux, etc.

Lettre à M. Lévesque de Burigny
29 octobre, 1738

2. *Le Siècle de Louis XIV.*

(Introduction.)

Ce n'est pas seulement la vie de Louis XIV qu'on prétend écrire; on se 25 propose un plus grand objet. On veut essayer de peindre à la postérité, non les actions d'un seul homme, mais l'esprit des hommes dans le siècle le plus éclairé qui fût jamais.

Tous les temps ont produit des héros et des politiques; tous les peuples ont éprouvé des révolutions; toutes les histoires sont presque égales pour qui ne 30 veut mettre que des faits dans sa mémoire. Mais quiconque pense, et, ce qui est encore plus rare, quiconque a du goût, ne compte que quatre siècles dans l'histoire du monde. Ces quatre âges heureux sont ceux où les arts ont été perfectionnés, et qui, servant d'époque à la grandeur de l'esprit humain, sont l'exemple de la postérité. 35

[76e] Voltaire thus gives his judgment on the utility of metaphysics for solving the great problems of philosophy.

Le premier de ces siècles, à qui la véritable gloire est attachée, est celui de Philippe et d'Alexandre,[77] ou celui des Périclès,[78] des Démosthène,[79] des Aristote,[80] des Platon,[80] des Apelle,[81] des Phidias,[81] des Praxitèle;[81] et cet honneur a été renfermé dans les limites de la Grèce: le reste de la terre alors
5 connue était barbare.

Le second âge est celui de César et d'Auguste,[82] désigné encore par les noms de Lucrèce,[83] de Cicéron,[83] de Tite-Live,[83] de Virgile,[83] d'Horace,[83] d'Ovide,[83] de Varron,[83] de Vitruve.[84]

Le troisième est celui qui suivit la prise de Constantinople[85] par Ma-
10 homet II. Le lecteur peut se souvenir qu'on vit alors en Italie une famille de simples citoyens[86] faire ce que devaient entreprendre les rois de l'Europe. Les Médicis appelèrent à Florence les savants, que les Turcs chassaient de la Grèce: c'était le temps de la gloire de l'Italie. Les beaux-arts y avaient déjà repris une vie nouvelle; les Italiens les honorèrent du nom de vertu, comme
15 les premiers Grecs les avaient caractérisés du nom de sagesse. Tout tendait à la perfection.

Les arts, toujours transplantés de Grèce en Italie, se trouvaient dans un terrain favorable, où ils fructifiaient tout à coup. La France, l'Angleterre, l'Allemagne, l'Espagne, voulurent à leur tour avoir de ces fruits; mais ou ils
20 ne vinrent[86a] point dans ces climats, ou bien ils dégénérèrent trop vite.

François Ier encouragea des savants, mais qui ne furent que savants; il eut des architectes, mais il n'eut ni des Michel-Ange,[87] ni des Palladio;[87] il voulut en vain établir des écoles de peinture: les peintres italiens qu'il appela ne firent point d'élèves français. Quelques épigrammes et quelques contes
25 libres composaient toute notre poésie. Rabelais était notre seul livre de prose à la mode, du temps de Henri II.[88]

En un mot, les Italiens seuls avaient tout, si vous en exceptez la musique, qui n'était pas encore perfectionnée, et la philosophie expérimentale, inconnue partout également, et qu'enfin Galilée[89] fit connaître.
30 Le quatrième siècle est celui qu'on nomme le siècle de Louis XIV, et c'est peut-être celui des quatre qui approche le plus de la perfection. Enrichi des découvertes des trois autres, il a plus fait en certains genres que les trois ensemble. Tous les arts, à la vérité, n'ont point été poussés plus loin que sous les Médicis, sous les Auguste et les Alexandre; mais la raison humaine en
35 général s'est perfectionnée. La saine philosophie[90] n'a été connue que dans ce temps, et il est vrai de dire qu'à commencer depuis les dernières années du cardinal de Richelieu[91] jusqu'à celles qui ont suivi la mort de Louis XIV il s'est fait, dans nos arts, dans nos esprits, dans nos mœurs, comme dans

[77] Kings of Macedonia.
[78] Greek statesman (499–429 B.C.). His rule marks the height of Greek civilization.
[79] Greek orator (384–322 B.C.). [80] Greek philosophers. [81] Greek artists.
[82] First century B.C. [83] Roman writers. [84] Roman architect (1st century B.C.).
[85] In 1453. [86] The Medici. [86a] "thrive." [87] Italian architects.
[88] Voltaire, like his age, did not appreciate the literature of the French Renaissance. He quite ignores the work of the *Pléiade*.
[89] Italian scientist (1564–1642).
[90] The rationalistic philosophy of Descartes (1596–1650).
[91] French statesman (1585–1642).

notre gouvernement, une révolution générale qui doit servir de marque éternelle à la véritable gloire de notre patrie. Cette heureuse influence ne s'est pas même arrêtée en France: elle s'est étendue en Angleterre; elle a excité l'émulation dont avait alors besoin cette nation spirituelle et hardie; elle a porté le goût en Allemagne, les sciences en Russie; elle a même ranimé 5 l'Italie, qui languissait, et l'Europe a dû sa politesse et l'esprit de société à la cour de Louis XIV.

Il ne faut pas croire que ces quatre siècles aient été exempts de malheurs et de crimes. La perfection des arts cultivés par des citoyens paisibles n'empêche pas les princes d'être ambitieux, les peuples d'être séditieux, les 10 prêtres et les moines d'être quelquefois remuants et fourbes. Tous les siècles se ressemblent par la méchanceté des hommes; mais je ne connais que ces quatre âges distingués par les grands talents.

Avant le siècle que j'appelle de Louis XIV, et qui commence à peu près à l'établissement de l'Académie française,[92] les Italiens appelaient tous les 15 ultramontains[93] du nom de barbares; il faut avouer que les Français méritaient en quelque sorte cette injure. Leurs pères joignaient la galanterie romanesque des Maures[94] à la grossièreté gothique.[95] Ils n'avaient presque aucun des arts aimables, ce qui prouve que les arts utiles étaient négligés: car lorsqu'on a perfectionné ce qui est nécessaire, on trouve bientôt le beau 20 et l'agréable, et il n'est pas étonnant que la peinture, la sculpture, la poésie, l'éloquence, la philosophie, fussent presque inconnues à une nation qui, ayant des ports sur l'Océan et sur la Méditerranée, n'avait pourtant point de flotte, et qui, aimant le luxe à l'excès, avait à peine quelques manufactures grossières.

. . . Ainsi, pendant neuf cents années, le génie des Français a été presque 25 toujours rétréci sous un gouvernement gothique, au milieu des divisions et des guerres civiles, n'ayant ni lois ni coutumes fixes, changeant de deux siècles en deux siècles un langage toujours grossier; les nobles, sans discipline, ne connaissant que la guerre et l'oisiveté; les ecclésiastiques vivant dans le désordre et dans l'ignorance, et les peuples, sans industrie, croupissant dans 30 leur misère.

Les Français n'eurent part, ni aux grandes découvertes ni aux inventions admirables des autres nations: l'imprimerie, la poudre, les glaces, les télescopes, le compas de proportion, la machine pneumatique, le vrai système de l'univers, ne leur appartiennent point; ils faisaient des tournois, pendant que 35 les Portugais et les Espagnols découvraient et conquéraient de nouveaux mondes à l'orient et à l'occident du monde connu. Charles-Quint[96] prodiguait déjà en Europe les trésors du Mexique, avant que quelques sujets de François Ier[97] eussent découvert la contrée inculte du Canada;[98] mais par le peu même que firent les Français dans le commencement du XVIe siècle, 40 on vit de quoi ils sont capables quand ils sont conduits.

[92] In 1635.   [93] People who lived beyond the Alps.
[94] Just what is meant here is not clear.
[95] Voltaire, with his age, was utterly lacking in appreciation of the greatness of Gothic architecture. For him "Gothic" is synonymous with "barbarous."
[96] Charles V (1520–1558), King of Spain and Emperor of the Holy Roman Empire.
[97] French King (1515–1547).   [98] Discovered by Jacques Cartier in 1534.

On se propose de montrer ce qu'ils ont été sous Louis XIV.

Il ne faut pas qu'on s'attende à trouver ici, plus que dans le tableau des siècles précédents, les détails immenses des guerres, des attaques de villes prises et reprises par les armes, données et rendues par des traités. Mille
5 circonstances intéressantes pour les contemporains se perdent aux yeux de la postérité, et disparaissent pour ne laisser voir que les grands événements qui ont fixé la destinée des empires. Tout ce qui s'est fait ne mérite pas d'être écrit. On ne s'attachera, dans cette histoire, qu'à ce qui mérite l'attention de tous les temps, à ce qui peut peindre le génie et les mœurs des hommes, à ce
10 qui peut servir d'instruction, et conseiller l'amour de la vertu, des arts, et de la patrie.

On a déjà vu ce qu'étaient et la France et les autres états de l'Europe avant la naissance de Louis XIV; on décrira ici les grands événements politiques et militaires de son règne. Le gouvernement intérieur du royaume, objet plus
15 important pour les peuples, sera traité à part. La vie privée de Louis XIV, les particularités de sa cour et de son règne, tiendront une grande place. D'autres articles seront pour les arts, pour les sciences, pour les progrès de l'esprit humain dans ce siècle. Enfin on parlera de l'Église, qui depuis si longtemps est liée au gouvernement; qui tantôt l'inquiète et tantôt le fortifie,
20 et qui, instituée pour enseigner la morale, se livre souvent à la politique et aux passions humaines.

III. PHILOSOPHIE ET RELIGION

1. Les Ignorances de L'Homme

J'ignore comment j'ai été formé et comment je suis né. J'ai ignoré absolument pendant le quart de ma vie les raisons de tout ce que j'ai vu, entendu et senti; et je n'ai été qu'un perroquet sifflé par d'autres perroquets.
25 Quand j'ai regardé autour de moi et dans moi, j'ai conçu que quelque chose existe de toute éternité; puisqu'il y a des êtres qui sont actuellement, j'ai conclu qu'il y a un être nécessaire et nécessairement éternel. Ainsi, le premier pas que j'ai fait pour sortir de mon ignorance a franchi les bornes de tous les siècles.
30 Mais quand j'ai voulu marcher dans cette carrière infinie ouverte devant moi, je n'ai pu ni trouver un seul sentier, ni découvrir pleinement un seul objet; et du saut que j'ai fait pour contempler l'éternité, je suis retombé dans l'abîme de mon ignorance.

J'ai vu ce qu'on appelle *de la matière* depuis l'étoile Sirius, et depuis celles
35 de la *Voie Lactée,* aussi éloignées de Sirius que cet astre l'est de nous, jusqu'au dernier atome qu'on peut apercevoir avec le microscope, et j'ignore ce que c'est que la matière.

La lumière qui m'a fait voir tous ces êtres m'est inconnue; je peux, avec le secours du prisme, anatomiser cette lumière, et la diviser en sept faisceaux
40 de rayons; mais je ne peux diviser ces faisceaux; j'ignore de quoi ils sont composés. La lumière tient de la matière, puisqu'elle a un mouvement et

qu'elle frappe les objets; mais elle ne tend point vers un centre comme tous les autres corps: au contraire, elle s'échappe invinciblement du centre, tandis que toute matière pèse vers son centre. La lumière paraît pénétrable, et la matière est impénétrable. Cette lumière est-elle matière? ne l'est-elle pas? qu'est-elle? de quelles innombrables propriétés peut-elle être revêtue? je l'ignore. 5

Cette substance si brillante, si rapide et si inconnue, et ces autres substances qui nagent dans l'immensité de l'espace, sont-elles éternelles comme elles semblent infinies? je n'en sais rien. Un être nécessaire, souverainement intelligent, les a-t-il créées de rien, ou les a-t-il arrangées? a-t-il produit cet ordre 10 dans le temps ou avant le temps? Hélas! qu'est-ce que ce temps même, dont je parle? je ne puis le définir. O Dieu! il faut que que tu m'instruises, car je ne suis éclairé ni par les ténèbres des autres hommes, ni par les miennes.

Pourquoi sommes-nous? pourquoi y a-t-il des êtres?

Qu'est-ce que le sentiment? comment l'ai-je reçu? quel rapport y a-t-il 15 entre l'air qui frappe mon oreille et le sentiment du son? entre ce corps et le sentiment des couleurs? Je l'ignore profondément, et je l'ignorerai toujours.

Qu'est-ce que la pensée? où réside-t-elle? comment se forme-t-elle? qui me donne des pensées pendant mon sommeil? est-ce en vertu de ma volonté que je pense? Mais toujours pendant le sommeil, et souvent pendant la 20 veille, j'ai des idées malgré moi. Ces idées, longtemps oubliées, longtemps reléguées dans l'arrière-magasin de mon cerveau, en sortent sans que je m'en mêle, et se présentent d'elles-mêmes à ma mémoire, qui faisait de vains efforts pour les rappeler.

Les objets extérieurs n'ont pas la puissance de former en moi des idées, 25 car on ne donne point ce qu'on n'a pas; je sens trop que ce n'est pas moi qui me les donne, car elles naissent sans mes ordres. Qui les produit en moi? d'où viennent-elles? où vont-elles? Fantômes fugitifs, quelle main invisible vous produit et vous fait disparaître?

Pourquoi, seul de tous les animaux, l'homme a-t-il la rage de dominer sur 30 ses semblables?

Pourquoi et comment s'est-il pu faire que, sur cent milliards d'hommes, il y en ait eu plus de quatre-vingt-dix-neuf immolés à cette rage?

Comment la raison est-elle un don si précieux que nous ne voudrions le perdre pour rien au monde, et comment cette raison n'a-t-elle servi qu'à nous 35 rendre presque toujours les plus malheureux de tous les êtres?

D'où vient qu'aimant passionnément la vérité, nous nous sommes toujours livrés aux plus grossières impostures?

Pourquoi cette foule d'Indiens trompée et asservie par des bonzes, écrasée par le descendant d'un Tartare,[99] surchargée de travaux, gémissante dans la 40 misère, assaillie par les maladies, en butte à tous les fléaux, aime-t-elle encore la vie?

D'où vient le mal, et pourquoi le mal existe-t-il?

O atomes d'un jour! ô mes compagnons dans l'infinie petitesse, nés comme

[99] The Grand Mogul, who was, however, not of Tartar descent.

moi pour tout souffrir et pour tout ignorer, y en a-t-il parmi vous d'assez
fous pour croire savoir tout cela? Non, il n'y en a point: non, dans le fond
de votre cœur vous sentez votre néant, comme je rends justice au mien. Mais
vous êtes assez orgueilleux pour vouloir qu'on embrasse vos vains systèmes;
5 ne pouvant être les tyrans de nos corps, vous prétendez être les tyrans de nos
âmes.

Dictionnaire philosophique.

2. LE THÉISTE [100]

Le théiste est un homme fermement persuadé de l'existence d'un Être
suprême aussi bon que puissant, qui a formé tous les êtres étendus,[101]
végétants, sentants, et réfléchissants; qui perpétue leur espèce, qui punit sans
10 cruauté les crimes, et récompense avec bonté les actions vertueuses.

Le théiste ne sait pas comment Dieu punit, comment il favorise, comment
il pardonne: car il n'est pas assez téméraire pour se flatter de connaître comment Dieu agit; mais il sait que Dieu agit, et qu'il est juste. Les difficultés
contre la Providence ne l'ébranlent point dans sa foi, parce qu'elles ne sont
15 que de grandes difficultés, et non pas des preuves; il est soumis à cette Providence, quoiqu'il n'en aperçoive que quelques effets et quelques dehors; et,
jugeant des choses qu'il ne voit pas par les choses qu'il voit, il pense que cette
Providence s'étend dans tous les lieux et dans tous les siècles.

Réuni dans ce principe avec le reste de l'univers, il n'embrasse aucune des
20 sectes qui toutes se contredisent. Sa religion est la plus ancienne et la plus
étendue: car l'adoration simple d'un Dieu a précédé tous les systèmes du
monde. Il parle une langue que tous les peuples entendent, pendant qu'ils ne
s'entendent pas entre eux. Il a des frères depuis Pékin jusqu'à la Cayenne; [102]
et il compte tous les sages pour ses frères. Il croit que la religion ne consiste
25 ni dans les opinions d'une métaphysique inintelligible, ni dans de vains
appareils,[103] mais dans l'adoration et dans la justice. Faire le bien, voilà son
culte; être soumis à Dieu, voilà sa doctrine. Le mahométan lui crie: «Prends
garde à toi si tu ne fais pas le pèlerinage de la Mecque! [104]—Malheur à toi,
lui dit un récollet,[105] si tu ne fais pas un voyage à Notre-Dame de Lorette!» [106]
30 Il rit de Lorette et de la Mecque; mais il secourt l'indigent et il défend
l'opprimé.

Dictionnaire Philosophique.

3. DE LA NÉCESSITÉ DE CROIRE EN UN ÊTRE SUPRÊME

. . . De quoi s'agit-il dans notre dispute? de consoler notre malheureuse
existence. Qui la console? vous, ou moi?

Vous avouez vous-même, dans quelques endroits de votre ouvrage,[107] que
35 la croyance d'un Dieu a retenu quelques hommes sur le bord du crime: cet

---

[100] Deist.   [101] "occupying space."   [102] Capital of French Guiana.   [103] "ceremonies."
[104] Holy city of the Mohammedans in Arabia.   [105] Franciscan monk.
[106] Shrine in the province of Ancona in eastern Italy.
[107] D'Holbach's *Système de la nature* (1770), a work of strongly atheistic inspiration.

aveu me suffit. Quand cette opinion n'aurait prévenu que dix assassinats, dix calomnies, dix jugements iniques sur la terre, je tiens que la terre entière doit l'embrasser.

La religion, dites-vous, a produit des milliasses de forfaits; dites la superstition,[108] qui règne sur notre triste globe; elle est la plus cruelle ennemie de l'adoration pure qu'on doit à l'Être suprême. Détestons ce monstre qui a toujours déchiré le sein de sa mère: ceux qui le combattent sont les bienfaiteurs du genre humain; c'est un serpent qui entoure la religion de ses replis: il faut lui écraser la tête sans blesser celle qu'il infecte et qu'il dévore.

Vous craignez «qu'en adorant Dieu on ne redevienne bientôt superstitieux et fanatique»; mais n'est-il pas à craindre qu'en le niant on ne s'abandonne aux passions les plus atroces et aux crimes les plus affreux? Entre ces deux excès, n'y a-t-il pas un milieu très raisonnable? Où est l'asile entre ces deux écueils? le voici: Dieu, et des lois sages.

Vous affirmez qu'il n'y a qu'un pas de l'adoration à la superstition. Il y a l'infini pour les esprits bien faits: et ils sont aujourd'hui en grand nombre;[109] ils sont à la tête des nations,[110] ils influent sur les mœurs publiques; et d'année en année le fanatisme, qui couvrait la terre, se voit enlever ses détestables usurpations.

Je répondrai encore un mot à vos paroles de la page 223. «Si l'on présume des rapports entre l'homme et cet être incroyable, il faudra lui élever des autels, lui faire des présents, etc.; si l'on ne conçoit rien à cet être, il faudra s'en rapporter à des prêtres qui . . . etc., etc., etc.» Le grand mal de s'assembler aux temps des moissons pour remercier Dieu du pain qu'il nous a donné! Qui vous dit de faire des présents à Dieu? l'idée en est ridicule; mais où est le mal de charger un citoyen, qu'on appellera *vieillard* ou *prêtre,* de rendre des actions de grâces[111] à la Divinité au nom des autres citoyens. . . .

. . . Un sot prêtre excite le mépris; un mauvais prêtre inspire l'horreur; un bon prêtre, doux, pieux, sans superstition, charitable, tolérant, est un homme qu'on doit chérir et respecter. Vous craignez l'abus, et moi aussi. Unissons-nous pour le prévenir; mais ne condamnons pas l'usage quand il est utile à la société, quand il n'est pas perverti par le fanatisme, ou par la méchanceté frauduleuse.[112]

J'ai une chose très importante à vous dire. Je suis persuadé que vous êtes dans une grande erreur; mais je suis également convaincu que vous vous trompez en honnête homme. Vous voulez qu'on soit vertueux, même sans Dieu, quoique vous ayez dit malheureusement que «dès que le vice rend l'homme heureux, il doit aimer le vice»; proposition affreuse que vos amis auraient dû vous faire effacer. Partout ailleurs vous inspirez la probité. Cette dispute philosophique ne sera qu'entre vous et quelques philosophes répandus

---

[108] Voltaire's regular distinction between superstition and true religion.
[109] The Philosophes.   [110] Voltaire thinks especially of Frederick II of Prussia.
[111] "to offer thanks."
[112] One of Voltaire's favorite ideas: the deliberate exploitation of the ignorance of the masses by the priests. Fontenelle had developed the same idea in his *Histoire des Oracles.*

dans l'Europe: le reste de la terre n'en entendra point parler; le peuple ne nous lit pas. Si quelque théologien voulait vous persécuter, il serait un méchant, il serait un imprudent qui ne servirait qu'à vous affermir et à faire de nouveaux athées.

5 Vous avez tort; mais les Grecs n'ont point persécuté Épicure,[113] les Romains n'ont point persécuté Lucrèce.[114] Vous avez tort; mais il faut respecter votre génie et votre vertu, en vous réfutant de toutes ses forces.[115]

Le plus bel hommage, à mon gré, qu'on puisse rendre à Dieu, c'est de prendre sa défense sans colère; comme le plus indigne portrait qu'on puisse
10 faire de lui est de le peindre vindicatif et furieux. Il est la vérité même: la vérité est sans passions. C'est être disciple de Dieu que de l'annoncer d'un cœur doux et d'un esprit inaltérable.

Dictionnaire philosophique.

4. LA TOLÉRANCE [116]

Ce n'est plus aux hommes que je m'adresse; c'est à toi, Dieu de tous les êtres, de tous les mondes et de tous les temps: s'il est permis à de faibles
15 créatures perdues dans l'immensité, et imperceptibles au reste de l'univers, d'oser te demander quelque chose, à toi qui as tout donné, à toi dont les décrets sont immuables comme éternels, daigne regarder en pitié les erreurs attachées à notre nature; que ces erreurs ne fassent point nos calamités. Tu ne nous as point donné un cœur pour nous haïr, et des mains pour nous
20 égorger; fais que nous nous aidions mutuellement à supporter le fardeau d'une vie pénible et passagère; que les petites différences entre les vêtements qui couvrent nos débiles corps, entre tous nos langages insuffisants, entre tous nos usages ridicules, entre toutes nos lois imparfaites, entre toutes nos opinions insensées, entre toutes nos conditions si disproportionnées à nos
25 yeux et si égales devant toi; que toutes ces petites nuances qui distinguent les atomes appelés *hommes* ne soient pas des signaux de haine et de persécution; que ceux qui allument des cierges en plein midi pour te célébrer supportent ceux qui se contentent de la lumière de ton soleil; que ceux qui couvrent leur robe d'une toile blanche pour dire qu'il faut t'aimer ne
30 détestent pas ceux qui disent la même chose sous un manteau de laine noire; qu'il soit égal de t'adorer dans un jargon formé d'une ancienne langue, ou dans un jargon plus nouveau; que ceux dont l'habit est teint en rouge ou en violet, qui dominent sur une petite parcelle d'un petit tas de la boue de ce monde et qui possèdent quelques fragments arrondis d'un certain métal,
35 jouissent sans orgueil de ce qu'ils appellent *grandeur* et *richesse,* et que les autres les voient sans envie; car tu sais qu'il n'y a dans ces vanités ni de quoi envier, ni de quoi s'enorgueillir.

Puissent tous les hommes se souvenir qu'ils sont frères! qu'ils aient en

[113] Greek philosopher of 4th century B. C.   [114] Roman philosopher-poet (96–55 B. C.).
[115] In this passage Voltaire vigorously defends the right to the free expression of thought, even if this is considered false by many people.
[116] This is perhaps Voltaire's most eloquent plea for religious tolerance. It forms the conclusion of a lengthy treatise on the subject, inspired by the Calas case.

horreur la tyrannie exercée sur les âmes, comme ils ont en exécration le brigandage qui ravit par la force le fruit du travail et de l'industrie paisible! Si les fléaux de la guerre sont inévitables, ne nous haïssons pas, ne nous déchirons pas les uns les autres dans le sein de la paix, et employons l'instant de notre existence à bénir également en mille langages divers, depuis Siam 5 jusqu'à la Californie, la bonté qui nous a donné cet instant!

Traité sur la tolérance.

IV. IDÉES POLITIQUES ET SOCIALES

1. Le Gouvernement Anglais

La France et l'Angleterre ayant donc été administrées si longtemps sur les mêmes principes, ou plutôt sans aucun principe, et seulement par des usages tout semblables, d'où vient qu'enfin ces deux gouvernements sont devenus aussi différents que ceux de Maroc [117] et de Venise? [118] 10

N'est-ce point que, l'Angleterre étant une île, le roi n'a pas besoin d'entretenir continuellement une forte armée de terre, qui serait plutôt employée contre la nation que contre les étrangers?

N'est-ce point qu'en général les Anglais ont dans l'esprit quelque chose de plus ferme, de plus réfléchi, de plus opiniâtre,[119] que quelques autres 15 peuples?

N'est-ce point par cette raison que, s'étant toujours plaints de la cour de Rome, ils en ont entièrement secoué le joug honteux, tandis qu'un peuple plus léger l'a porté en affectant d'en rire, et en dansant avec ses chaînes?

La situation de leur pays, qui leur a rendu la navigation nécessaire, ne 20 leur a-t-elle pas donné aussi des mœurs plus dures?

Cette dureté de mœurs, qui a fait de leur île le théâtre de tant de sanglantes tragédies, n'a-t-elle pas contribué aussi à leur inspirer une franchise généreuse?

N'est-ce pas ce mélange de leurs qualités contraires qui a fait couler tant de sang royal dans les combats et sur les échafauds, et qui n'a jamais permis 25 qu'ils employassent le poison dans leurs troubles civils, tandis qu'ailleurs,[120] sous un gouvernement sacerdotal, le poison était une arme si commune?

L'amour de la liberté n'est-il pas devenu leur caractère dominant, à mesure qu'ils ont été plus éclairés et plus riches? Tous les citoyens ne peuvent être également puissants, mais ils peuvent tous être également libres; et c'est ce 30 que les Anglais ont obtenu enfin par leur constance.

Être libre, c'est ne dépendre que des lois. Les Anglais ont donc aimé les lois, comme les pères aiment leurs enfants parce qu'ils les ont faits.

Un tel gouvernement n'a pu être établi que très tard, parce qu'il a fallu longtemps combattre des puissances respectées: la puissance du pape, la plus 35 terrible de toutes, puisqu'elle était fondée sur le préjugé et sur l'ignorance; la puissance royale, toujours prête à se déborder, et qu'il fallait contenir dans ses bornes; la puissance du baronnage, qui était une anarchie; la puissance

---

[117] Morocco, a despotism.   [118] Venice was, in theory at least, a republic.
[119] The 18th-century conception of English character.   [120] In France.

des évêques, qui, mêlant toujours le profane au sacré, voulurent l'emporter sur le baronnage et sur les rois.

Peu à peu la chambre des communes est devenue la digue qui arrête tous ces torrents.

5 La chambre des communes est véritablement la nation, puisque le roi, qui est le chef, n'agit que pour lui, et pour ce qu'on appelle *sa prérogative;* puisque les pairs ne sont en parlement que pour eux; puisque les évêques n'y sont de même que pour eux; mais la chambre des communes y est pour le peuple, puisque chaque membre est député du peuple. Or ce peuple est 10 au roi comme environ huit millions sont à l'unité. Il est aux pairs et aux évêques comme huit millions sont à deux cents tout au plus. Et les huit millions de citoyens libres sont représentés par la chambre basse.

De cet établissement, en comparaison duquel la république de Platon [121] n'est qu'un rêve ridicule, et qui semblerait inventé par Locke,[122] par New-15 ton,[123] par Halley,[124] ou par Archimède,[125] il est né des abus affreux, et qui font frémir la nature humaine. Les frottements inévitables de cette vaste machine l'ont presque détruite du temps de Fairfax [126] et de Cromwell.[127] Le fanatisme absurde s'était introduit dans ce grand édifice comme un feu dévorant qui consume un beau bâtiment qui n'est que de bois.

20 Il a été rebâti de pierre du temps de Guillaume d'Orange.[128] La philosophie a détruit le fanatisme, qui ébranle les états les plus fermes. Il est à croire qu'une constitution qui a réglé les droits du roi, des nobles, et du peuple, et dans laquelle chacun trouve sa sûreté, durera autant que les choses humaines peuvent durer.

25 Il est à croire aussi que tous les états qui ne sont pas fondés sur de tels principes éprouveront des révolutions.[129]

Voici à quoi la législation anglaise est enfin parvenue: à remettre chaque homme dans tous les droits de la nature,[130] dont ils sont dépouillés dans presque toutes les monarchies. Ces droits sont: liberté entière de sa personne, 30 de ses biens; de parler à la nation par l'organe de sa plume; de ne pouvoir être jugé en matière criminelle que par un *jury* formé d'hommes indépendants; de ne pouvoir être jugé en aucun cas que suivant les termes précis de la loi; de professer en paix quelque religion qu'on veuille, en renonçant aux emplois dont les seuls anglicans peuvent être pourvus. Cela s'appelle des 35 prérogatives. Et en effet, c'est une très grande et très heureuse prérogative par-dessus tant de nations, d'être sûr en vous couchant que vous vous réveillerez le lendemain avec la même fortune que vous possédiez la veille; que vous ne serez pas enlevé des bras de votre femme, de vos enfants, au milieu

[121] Plato's *Republic* is an ideal conception of a state.
[122] English philosopher (1632–1704), great source of 18th-century philosophy.
[123] English physicist and astronomer (1642–1727), discoverer of the laws of gravitation.
[124] English astronomer (1656–1742).   [125] Greek scientist (287–212 B. C.).
[126] English general in the Great Rebellion (1611–1671).
[127] Oliver Cromwell (1599–1658); leader of the Parliamentary forces in the struggle with Charles I.
[128] William III, King of England (1689–1702).
[129] Voltaire foresees revolution for France if the government remains absolutist.
[130] The 18th-century theory of natural rights.

de la nuit, pour être conduit dans un donjon ou dans un désert; que vous aurez, en sortant du sommeil, le pouvoir de publier tout ce que vous pensez; que si vous êtes accusé, soit pour avoir mal agi, ou mal parlé, ou mal écrit, vous ne serez jugé que suivant la loi. Cette prérogative s'étend sur tout ce qui aborde en Angleterre. Un étranger y jouit de la même liberté de ses 5 biens et de sa personne; et s'il est accusé, il peut demander que la moitié des jurés soit composée d'étrangers.

J'ose dire que si on assemblait le genre humain pour faire des lois, c'est ainsi qu'on les ferait pour sa sûreté. Pourquoi donc ne sont-elles pas suivies dans les autres pays? N'est-ce pas demander pourquoi les cocos mûrissent 10 aux Indes et ne réussissent point à Rome? Vous répondez que ces cocos n'ont pas toujours mûri en Angleterre; qu'ils n'y ont été cultivés que depuis peu de temps; que la Suède en a élevé à son exemple pendant quelques années, et qu'ils n'ont pas réussi; que vous pourriez faire venir de ces fruits dans d'autres provinces, par exemple en Bosnie,[131] en Servie.[131] Essayez donc d'en 15 planter.

Et surtout, pauvre homme, si vous êtes bacha, effendi ou mollah,[132] ne soyez pas assez imbécilement barbare pour resserrer les chaînes de votre nation. Songez que plus vous appesantirez le joug, plus vos enfants, qui ne seront pas tous bachas, seront esclaves. Quoi! malheureux, pour le plaisir 20 d'être tyran subalterne pendant quelques jours, vous exposez toute votre postérité à gémir dans les fers! Oh! qu'il est aujourd'hui de distance entre un Anglais et un Bosniaque!

Dictionnaire philosophique.

2. DE LA MEILLEURE LÉGISLATION [133]

C.

De tous les états, quel est celui qui vous paraît avoir les meilleures lois, la jurisprudence la plus conforme au bien général et au bien des particuliers? 25

A.

C'est mon pays,[134] sans contredit. La preuve en est que, dans tous nos démêlés, nous vantons toujours *notre heureuse constitution*,[135] et que, dans presque tous les autres royaumes, on en souhaite une autre. Notre jurisprudence criminelle est équitable et n'est point barbare: nous avons aboli la torture, contre laquelle la voix de la nature s'élève en vain dans tant d'autres 30 pays; ce moyen affreux de faire périr un innocent faible, et de sauver un

---

[131] Balkan countries, now part of Jugo-Slavia.   [132] Mohammedan officials.
[133] Voltaire is fond of expressing his ideas in dialogue form. This is one of seventeen dialogues called *L'A, B, C, ou Dialogues entre A, B, C,* which, Voltaire pretends, are translations from English.
[134] England.
[135] The English constitution had been made famous by Montesquieu's praise of it in the *Esprit des Lois.*

coupable robuste, a fini avec notre infâme chancelier Jeffreys,[136] qui employait avec joie cet usage infernal sous le roi Jacques II.

Chaque accusé est jugé par ses pairs; il n'est réputé coupable que quand ils sont d'accord sur le fait: c'est la loi seule qui le condamne sur le crime avéré, et non sur la sentence arbitraire des juges. La peine capitale est la simple mort, et non une mort accompagnée de tourments recherchés. Étendre un homme sur une croix de Saint-André, lui casser les bras et les cuisses, et le mettre en cet état sur une roue de carrosse, nous paraît une barbarie qui offense trop la nature humaine. Si, pour les crimes de haute trahison, on arrache encore le cœur du coupable après sa mort, c'est un ancien usage de cannibale, un appareil de terreur qui effraye le spectateur sans être douloureux pour l'exécuté. Nous n'ajoutons point de tourments à la mort; on ne refuse point comme ailleurs un conseil à l'accusé; on ne met point un témoin qui a porté trop légèrement son témoignage dans la nécessité de mentir, en le punissant s'il se rétracte; on ne fait point déposer les témoins en secret, ce serait en faire des délateurs; la procédure est publique: les procès secrets n'ont été inventés que par la tyrannie.

Nous n'avons point l'imbécile barbarie de punir des indécences du même supplice dont on punit les parricides.[137] Cette cruauté, aussi sotte qu'abominable, est indigne de nous.

Dans le civil, c'est encore la seule loi qui juge; il n'est pas permis de l'interpréter: ce serait abandonner la fortune des citoyens au caprice, à la faveur et à la haine.

Si la loi n'a pas pourvu au cas qui se présente, alors on se pourvoit à *la cour d'équité,* par-devant le chancelier et ses assesseurs;[138] et s'il s'agit d'une chose importante, on fait pour l'avenir une nouvelle loi en parlement, c'est-à-dire dans les états de la nation assemblée.

Les plaideurs ne sollicitent jamais leurs juges; ce serait leur dire: Je veux vous séduire. Un juge qui recevrait une visite d'un plaideur serait déshonoré; ils ne recherchent point cet honneur ridicule qui flatte la vanité d'un bourgeois. Aussi n'ont-ils point acheté le droit de juger;[139] on ne vend point chez nous une place de magistrat comme une métairie: si des membres du parlement vendent quelquefois leur voix à la cour, ils ressemblent à quelques belles qui vendent leurs faveurs, et qui ne le disent pas. La loi ordonne chez nous qu'on ne vendra rien que des terres et les fruits de la terre; tandis qu'en France la loi elle-même fixe le prix d'une charge de conseiller au banc du roi qu'on nomme *parlement,*[140] et de président qu'on nomme *à mortier;*[141] presque toutes les places et les dignités se vendent en France, comme on vend des herbes au marché. Le chancelier de France est tiré souvent du corps des

[136] Chancellor of England under James II (1685–1688), notorious for his injustice and cruelty.

[137] Allusion to the tortures inflicted on La Barre, a youth accused of having mutilated a crucifix, and decapitated in 1766.

[138] "associates."   [139] Voltaire constantly attacks the purchase of judicial offices.

[140] In France the *parlement* was a judicial and not a legislative body.

[141] Because of the sort of headdress worn.

conseillers d'état; mais, pour être conseiller d'état, il faut avoir acheté une charge de maître des requêtes.[142] Un régiment n'est point le prix des services, c'est le prix de la somme que les parents d'un jeune homme ont déposée pour qu'il aille trois mois de l'année tenir table ouverte dans une ville de province.[143]

Vous voyez clairement combien nous sommes heureux d'avoir des lois qui nous mettent à l'abri de ces abus. Chez nous, rien d'arbitraire, sinon les grâces que le roi veut faire. Les bienfaits émanent de lui; la loi fait tout le reste.[144]

Si l'autorité attente illégalement à la liberté du moindre citoyen, la loi le venge; le ministre est incontinent [145] condamné à l'amende envers le citoyen, et il la paye.

Ajoutez à tous ces avantages le droit que tout homme a parmi nous de parler par sa plume à la nation entière. L'art admirable de l'imprimerie est dans notre île aussi libre que la parole. Comment ne pas aimer une telle législation?

Nous avons, il est vrai, toujours deux partis; [146] mais ils tiennent la nation en garde plutôt qu'ils ne la divisent. Ces deux partis veillent l'un sur l'autre, et se disputent l'honneur d'être les gardiens de la liberté publique. Nous avons des querelles; mais nous bénissons toujours cette heureuse constitution qui les fait naître.

C.

Votre gouvernement est un bel ouvrage, mais il est fragile.

A.

Nous lui donnons quelquefois de rudes coups, mais nous ne le cassons pas.

B.

Conservez ce précieux monument que l'intelligence et le courage ont élevé: il vous a trop coûté pour que vous le laissiez détruire. L'homme est né libre: le meilleur gouvernement est celui qui conserve le plus qu'il est possible à chaque mortel ce don de la nature.

Mais, croyez-moi, arrangez-vous avec vos colonies,[147] et que la mère et les filles ne se battent pas.

L'A, B, C, (xv° Entretien).

[142] A minor legal officer, whose duty consisted in reporting petitions to the Council of State.
[143] Military commissions were also purchased.
[144] Voltaire paints his idealistic picture of England to show up the abuses existing in his own country.
[145] "straightway."   [146] Whigs and Tories.
[147] The controversy between England and the American colonies was coming to a head in 1768, when this article was written. Unfortunately the English government failed to follow Voltaire's excellent advice.

3. Monarchie et République

Un membre du conseil de Pondichéry,[148] assez savant, revenait en Europe par terre avec un brame,[149] plus instruit que les brames ordinaires. «Comment trouvez-vous le gouvernement du Grand-Mogol?[150] dit le conseiller.— Abominable, répondit le brame. Comment voulez-vous qu'un état soit
5 heureusement gouverné par des Tartares?[151] Nos raïas, nos omras, nos nababs,[152] sont fort contents, mais les citoyens ne le sont guère, et des millions de citoyens sont quelque chose.»

Le conseiller et le brame traversèrent en raisonnant toute la haute Asie. «Je fais une réflexion, dit le brame; c'est qu'il n'y a pas une république dans
10 toute cette vaste partie du monde.—Il y a eu autrefois celle de Tyr,[153] dit le conseiller, mais elle n'a pas duré longtemps.

—Je conçois, dit le brame, qu'on ne doit trouver sur la terre que très peu de républiques. Les hommes sont rarement dignes de se gouverner eux-mêmes.[154] Ce bonheur ne doit appartenir qu'à des petits peuples qui se
15 cachent dans les îles, ou entre les montagnes, comme des lapins qui se dé-robent aux animaux carnassiers; mais à la longue ils sont découverts et dé-vorés.»

Quand les deux voyageurs furent arrivés dans l'Asie Mineure, le conseiller dit au brame: «Croiriez-vous bien qu'il y a eu une république formée dans
20 un coin de l'Italie, qui a duré plus de cinq cents ans, et qui a possédé cette Asie Mineure, l'Asie, l'Afrique, la Grèce, les Gaules, l'Espagne et l'Italie entière?[155]—Elle se tourna donc bien vite en monarchie? dit le brame.—Vous l'avez deviné, dit l'autre; mais cette monarchie est tombée, et nous faisons tous les jours de belles dissertations pour trouver les causes de sa décadence
25 et de sa chute.[156]

—Vous prenez bien de la peine, dit l'Indien; cet empire est tombé parce qu'il existait. Il faut bien que tout tombe; j'espère bien qu'il en arrivera tout autant à l'empire du Grand-Mogol.

—A propos, dit l'Européen, croyez-vous qu'il faille plus d'honneur dans
30 un état despotique et plus de vertu dans une république?»[157] L'Indien s'étant fait expliquer ce qu'on entend par honneur, répondit que l'honneur était plus nécessaire dans une république, et qu'on avait bien plus besoin de vertu dans un état monarchique. «Car, dit-il, un homme qui prétend être élu par le peuple ne le sera pas s'il est déshonoré; au lieu qu'à la cour il
35 pourra aisément obtenir une charge, selon la maxime d'un grand prince,[158] qu'un courtisan, pour réussir, doit n'avoir ni honneur ni humeur. A l'égard de la vertu, il en faut prodigieusement dans une cour pour oser dire la vérité.

[148] French colony in India. [149] High caste Hindu. [150] Ruler of India.
[151] An ethnographical error. The Mongols were not Tartars. [152] Indian rulers.
[153] City in ancient Phœnicia.
[154] This statement reflects Voltaire's distrust of democracy. [155] Rome.
[156] Allusion to Montesquieu's *Grandeur et décadence des Romains*.
[157] Voltaire has in mind Montesquieu's *Esprit des Lois,* where this distinction is made.
[158] The cynical Regent, le duc d'Orléans.

L'homme vertueux est bien plus à son aise dans une république; il n'a personne à flatter.[159]

—Dans quel état, sous quelle domination aimeriez-vous mieux vivre? dit le conseiller.—Partout ailleurs que chez moi, dit son compagnon; et j'ai trouvé beaucoup de Siamois, de Tonquinois,[160] de Persans et de Turcs qui en disaient autant.—Mais, encore une fois, dit l'Européen, quel état choisiriez-vous?» Le brame répondit: «Celui où l'on n'obéit qu'aux lois.—C'est une vieille réponse, dit le conseiller.—Elle n'en est pas plus mauvaise, dit le brame.—Où est ce pays-là?» dit le conseiller. Le brame dit: «Il faut le chercher.»

Dictionnaire philosophique.

4. La Guerre

. . . C'est sans doute un très bel art que celui qui désole les campagnes, détruit les habitations, et fait périr, année commune,[161] quarante mille hommes sur cent mille. Cette invention fut d'abord cultivée par des nations assemblées pour leur bien commun; par exemple, la diète des Grecs déclara à la diète de Phrygie [162] et des peuples voisins qu'elle allait partir sur un millier de barques de pêcheurs pour aller les exterminer, si elle pouvait.

Le peuple romain assemblé jugeait qu'il était de son intérêt d'aller se battre avant la moisson contre le peuple de Véies,[163] ou contre les Volsques.[164] Et quelques années après, tous les Romains, étant en colère contre les Carthaginois, se battirent longtemps sur mer et sur terre. Il n'en est pas de même aujourd'hui.

Un généalogiste prouve à un prince qu'il descend en droite ligne d'un comte dont les parents avaient fait un pacte de famille il y a trois ou quatre cents ans avec une maison dont la mémoire même ne subsiste plus. Cette maison avait des prétentions éloignées sur une province dont le dernier possesseur est mort d'apoplexie: le prince et son conseil voient son droit évident. Cette province, qui est à quelques centaines de lieues de lui, a beau protester qu'elle ne le connaît pas, qu'elle n'a nulle envie d'être gouvernée par lui, que, pour donner des lois aux gens, il faut au moins avoir leur consentement; ces discours ne parviennent pas aux oreilles du prince dont le droit est incontestable. Il trouve incontinent un grand nombre d'hommes qui n'ont rien à perdre; il les habille d'un gros drap bleu à cent dix sous l'aune, borde leurs chapeaux avec du gros fil blanc, les fait tourner à droite et à gauche, et marche à la gloire.

Les autres princes qui entendent parler de cette équipée y prennent part, chacun selon son pouvoir, et couvrent une petite étendue de pays de plus de meurtriers mercenaires que Gengis-Khan, Tamerlan, Bajazet [165] n'en traînèrent à leur suite.

Des peuples assez éloignés entendent dire qu'on va se battre, et qu'il y a cinq ou six sous par jour à gagner pour eux, s'ils veulent être de la partie; ils

[159] Voltaire overlooks the endless opportunities for intrigue in a democracy.
[160] Inhabitants of Indo-China.   [161] "In the average year."
[162] Ancient country in the center of Asia Minor.   [163] City in central Italy.
[164] Ancient people of the neighborhood of Rome.   [165] Oriental conquerors.

se divisent aussitôt en deux bandes comme des moissonneurs, et vont vendre leurs services à quiconque veut les employer.

Ces multitudes s'acharnent les unes contre les autres, non seulement sans avoir aucun intérêt au procès, mais sans savoir même de quoi il s'agit.

5   On voit à la fin cinq ou six puissances belligérantes, tantôt trois contre trois, tantôt deux contre quatre, tantôt une contre cinq, se détestant toutes également les unes les autres, s'unissant et s'attaquant tour à tour; toutes d'accord en un seul point, celui de faire tout le mal possible.

Le merveilleux de cette entreprise infernale, c'est que chaque chef des
10   meurtriers fait bénir ses drapeaux et invoque Dieu solennellement avant d'aller exterminer son prochain. . . .

Philosophes moralistes, brûlez tous vos livres. Tant que le caprice de quelques hommes fera loyalement égorger des milliers de nos frères, la partie du genre humain consacrée à l'héroïsme sera ce qu'il y a de plus affreux
15   dans la nature entière.

Que deviennent et que m'importent l'humanité, la bienfaisance, la modestie, la tempérance, la douceur, la sagesse, la piété, tandis qu'une demi-livre de plomb tirée de six cent pas me fracasse le corps et que je meurs à vingt ans dans des tourments inexprimables, au milieu de cinq ou six mille mou-
20   rants, tandis que mes yeux qui s'ouvrent pour la dernière fois voient la ville où je suis né détruite par le fer et par la flamme, et que les derniers sons qu'entendent mes oreilles sont les cris des femmes et des enfants expirant sous des ruines, le tout pour les prétendus intérêts d'un homme que nous ne connaissons pas? [166]

Dictionnaire philosophique.

V. IDÉES DIVERSES

1. LETTRE À M. J.-J. ROUSSEAU

À Paris

30 août (1755.)

25   J'ai reçu, monsieur, votre nouveau livre [167] contre le genre humain; je vous en remercie. Vous plairez aux hommes, à qui vous dites leurs vérités, mais vous ne les corrigerez pas. On ne peut peindre avec des couleurs plus fortes les horreurs de la société humaine, dont notre ignorance et notre faiblesse se promettent tant de consolations. On n'a jamais employé tant d'esprit
30   à vouloir nous rendre bêtes; il prend envie de marcher à quatre pattes, quand on lit votre ouvrage. Cependant, comme il y a plus de soixante ans que j'en ai perdu l'habitude, je sens malheureusement qu'il m'est impossible de la reprendre, et je laisse cette allure naturelle à ceux qui en sont plus dignes que vous et moi. Je ne peux non plus m'embarquer pour aller trouver les
35   sauvages du Canada: premièrement, parce que les maladies dont je suis

---

[166] Voltaire refers especially to the dynastic wars of the 18th century.
[167] *Discours sur l'origine de l'inégalité parmi les hommes* (1755).

accablé me retiennent auprès du plus grand médecin de l'Europe,[168] et que je ne trouverais pas les mêmes secours chez les Missouris; secondement, parce que la guerre est portée dans ces pays-là,[169] et que les exemples de nos nations ont rendu les sauvages presque aussi méchants que nous. Je me borne à être un sauvage paisible dans la solitude que j'ai choisie auprès de votre 5 patrie,[170] où vous devriez être.

Je conviens avec vous que les belles-lettres et les sciences ont causé quelquefois beaucoup de mal. Les ennemis du Tasse [171] firent de sa vie un tissu de malheurs; ceux de Galilée [172] le firent gémir dans les prisons, à soixante et dix ans, pour avoir connu le mouvement de la terre; et ce qu'il y a de plus 10 honteux, c'est qu'ils l'obligèrent à se rétracter. Dès que vos amis [173] eurent commencé le *Dictionnaire encyclopédique*,[174] ceux qui osèrent être leurs rivaux les traitèrent de *déistes*, d'*athées*, et même de *jansénistes*.

Si j'osais me compter parmi ceux dont les travaux n'ont eu que la persécution pour récompense, je vous ferais voir des gens acharnés à me perdre du 15 jour que je donnai la tragédie d'*Œdipe*; une bibliothèque de calomnies ridicules imprimées contre moi; un prêtre ex-jésuite,[175] que j'avais sauvé du dernier supplice, me payant par des libelles diffamatoires du service que je lui avais rendu; un homme, plus coupable encore,[176] faisant imprimer mon propre ouvrage du *Siècle de Louis XIV* avec des *notes* dans lesquelles la plus 20 crasse ignorance vomit les plus infâmes impostures; un autre, qui vend à un libraire quelques chapitres d'une prétendue *Histoire universelle*,[176a] sous mon nom; le libraire assez avide pour imprimer ce tissu informe de bévues, de fausses dates, de faits et de noms estropiés; et enfin des hommes assez lâches et assez méchants pour m'imputer la publication de cette rapsodie. . . . 25 Mais que conclurai-je de toutes ces tribulations? Que je ne dois pas me plaindre; que Pope, Descartes, Bayle,[177] le Camoens,[178] et cent autres, ont essuyé les mêmes injustices, et de plus grandes; que cette destinée est celle de presque tous ceux que l'amour des lettres a trop séduits.

Avouez en effet, monsieur, que ce sont là de ces petits malheurs particuliers 30 dont à peine la société s'aperçoit. Qu'importe au genre humain que quelques frelons pillent le miel de quelques abeilles? Les gens de lettres font grand bruit de toutes ces petites querelles, le reste du monde ou les ignore ou en rit.

De toutes les amertumes répandues sur la vie humaine, ce sont là les moins funestes. Les épines attachées à la littérature et à un peu de réputation 35 ne sont que des fleurs en comparaison des autres maux qui, de tout temps,

---

[168] Dr. Tronchin (1709–1781), Voltaire's Swiss physician.
[169] The wars between the French and English in America.
[170] *Les Délices*, Voltaire's residence near Geneva, Rousseau's birth-place.
[171] Italian epic poet (1544–1595), author of *La Gerusalemme liberata*.
[172] Italian astronomer (1564–1642), who to escape death had to abjure his scientific theories.
[173] Diderot and d'Alembert, editors of *l'Encyclopédie*.   [174] Usually called *l'Encyclopédie*.
[175] L'abbé Desfontaines, enemy of Voltaire (1685–1745). He had been saved from the galleys through Voltaire's intervention, and had repaid him by violently attacking him in his satires of contemporary authors.
[176] La Beaumelle.   [176a] The *Essai sur les mœurs*.
[177] French scholar (1647–1706), Voltaire's great master in skepticism.
[178] Portuguese epic poet (1525–1580), author of the *Lusiads*.

ont inondé la terre. Avouez que ni Cicéron,[179] ni Varron,[179] ni Lucrèce.[179] ni Virgile,[179] ni Horace,[179] n'eurent la moindre part aux proscriptions.[180] Marius[181] était un ignorant; le barbare Sylla,[181] le crapuleux Antoine,[181] l'imbécile Lépide,[181] lisaient peu Platon et Sophocle; et pour ce tyran sans courage, Octave Cépias,[181] surnommé si lâchement *Auguste,* il ne fut un détestable assassin que dans le temps où il fut privé de la société des gens de lettres.

Avouez que Pétrarque[182] et Boccace[182] ne firent pas naître les troubles de l'Italie; avouez que le *badinage* de Marot[183] n'a pas produit la Saint-Barthélemy,[184] et que la tragédie du *Cid* ne causa pas les troubles de la Fronde.[185] Les grands crimes n'ont guère été commis que par de célèbres ignorants. Ce qui fait et fera toujours de ce monde une vallée de larmes, c'est l'insatiable cupidité et l'indomptable orgueil des hommes, depuis Thamas Kouli-kan,[186] qui ne savait pas lire, jusqu'à un commis de la douane, qui ne sait que chiffrer. Les lettres nourrissent l'âme, la rectifient, la consolent; elles vous servent, monsieur, dans le temps que vous écrivez contre elles; vous êtes comme Achille, qui s'emporte contre la gloire,[187] et comme le père Malebranche,[188] dont l'imagination brillante écrivait contre l'imagination.

Si quelqu'un doit se plaindre des lettres, c'est moi, puisque, dans tous les temps et dans tous les lieux, elles ont servi à me persécuter; mais il faut les aimer malgré l'abus qu'on en fait, comme il faut aimer la société dont tant d'hommes méchants corrompent les douceurs; comme il faut aimer sa patrie, quelques injustices qu'on y essuie; comme il faut aimer et servir l'Être suprême, malgré les superstitions et le fanatisme qui déshonorent si souvent son culte.

M. Chappuis m'apprend que votre santé est bien mauvaise; il faudrait la venir rétablir dans l'air natal, jouir de la liberté, boire avec moi du lait de nos vaches, et brouter nos herbes.[189]

Je suis très philosophiquement et avec la plus tendre estime, etc.

Correspondance.

2. L'Affaire Calas [190]

De Châtelaine, 7 juillet 1762.

Monseigneur— [191]

S'il est permis à un sujet d'implorer son roi, s'il est permis à un fils, à un

---

[179] Roman writers. [180] Outlawing of opposing political leaders.
[181] Roman generals and politicians. [182] Italian writers of the early Renaissance.
[183] French poet (1495–1544). See page 17. [184] Massacre of French Protestants (1572).
[185] Series of civil wars, directed against Cardinal Mazarin (1648–1653).
[186] Persian usurper of the 18th century, known also as Nadir Shah.
[187] Achilles sulked in his tent and refused to fight when Briseis was taken away from him by Agamemnon.
[188] French theologian (1638–1715).
[189] A sly dig at Rousseau for living at Paris rather than in his native Switzerland.
[190] The outstanding example of Voltaire's personal intervention in behalf of the victims of evident injustice.
[191] The chancellor Lamoignon, father of Malesherbes.

frère, de parler pour son père, pour sa mère et pour son frère, je me jette à vos pieds avec confiance.

Toute ma famille et le fils d'un avocat célèbre, nommé Lavaisse, ont tous été accusés d'avoir étranglé et pendu un de mes frères, pour cause de religion, dans la ville de Toulouse.[192] Le parlement a fait périr mon père par le supplice de la roue. C'était un vieillard de soixante-huit ans, que j'ai vu incommodé des jambes.[193] Vous sentez, monseigneur, qu'il est impossible qu'il ait pendu seul un jeune homme de vingt-huit ans, dix fois plus fort que lui. Il a protesté devant Dieu de son innocence en expirant. Il est prouvé par le procès-verbal que mon père n'avait pas quitté un instant le reste de sa famille, ni le sieur Lavaisse, pendant qu'on suppose qu'il commettait ce parricide.

Mon frère Pierre Calas, accusé comme mon père, a été banni: ce qui est trop, s'il est innocent, et trop peu, s'il est coupable. Malgré son bannissement on le retient dans un couvent, à Toulouse.

Ma mère, sans autre appui que son innocence, ayant perdu tout son bien dans cette cruelle affaire, ne trouve encore personne qui la présente devant vous. J'ose, monseigneur, parler en son nom et au mien; on m'assure que les pièces ci-jointes feront impression sur votre esprit et sur votre cœur, si vous daignez les lire.

Réduit à l'état le plus déplorable, je ne demande autre chose, sinon que la vérité s'éclaire. Tous ceux qui, dans l'Europe entière, ont entendu parler de cette horrible aventure, joignent leurs voix à la mienne. Tant que le parlement de Toulouse, qui m'a ravi mon père et mon bien, ne manifestera pas les causes d'un tel malheur, on sera en droit de croire qu'il s'est trompé, et que l'esprit de parti seul a prévalu par les calomnies auprès des juges les plus intègres. Je serai surtout en droit de redemander le sang innocent de mon malheureux père.

Pour mon bien, qui est entièrement perdu, ce n'est pas un objet dont je me plaigne; je ne demande autre chose de votre justice, et de celle du conseil du roi, sinon que la procédure qui m'a ravi mon père, ma mère, mon frère, ma patrie, vous soit au moins communiquée.

Je suis, avec le plus profond respect, etc.

DONAT CALAS.[194]

Pièces originales concernant la mort des Sieurs Calas.

3. APOLOGIE DES PHILOSOPHES

A M. Damilaville [195]

Au château de Ferney, 1er mars 1765.

J'ai dévoré, mon cher ami, le nouveau mémoire de M. de Beaumont sur l'innocence des Calas; je l'ai admiré, j'ai répandu des larmes, mais il ne m'a

---

[192] Capital of Languedoc, in southern France.   [193] "weak on his feet."

[194] Voltaire puts his appeal for justice in the form of a letter from a member of the Calas family, who had given him the information.

[195] Lifelong friend of Voltaire.

rien appris; il y a longtemps que j'étais convaincu et j'avais eu le bonheur de fournir les premières preuves. . . .

.   .   .   .

Vos passions sont l'amour de la vérité, l'humanité, la haine de la calomnie. La conformité de nos caractères a produit notre amitié. J'ai passé ma vie à
5 chercher, à publier cette vérité que j'aime. . . .

Je n'ai donc fait, dans les horribles désastres des Calas et des Sirven,[196] que ce que font tous les hommes; j'ai suivi mon penchant. Celui d'un philosophe n'est pas de plaindre les malheureux, c'est de les servir.

Je sais avec quelle fureur le fanatisme s'élève contre la philosophie. Elle a
10 deux filles qu'il voudrait faire périr comme Calas, ce sont la *Vérité* et la *Tolérance,* tandis que la philosophie ne veut que désarmer les enfants du fanatisme, le *Mensonge* et la *Persécution.*

Des gens qui ne raisonnent pas ont voulu décréditer ceux qui raisonnent: ils ont confondu le philosophe avec le sophiste; ils se sont bien trompés. Le
15 vrai philosophe peut quelquefois s'irriter contre la calomnie, qui le poursuit lui-même; il peut couvrir d'un éternel mépris le vil mercenaire [197] qui outrage deux fois par mois la raison, le bon goût et la vertu; il peut même livrer, en passant, au ridicule ceux qui insultent à la littérature dans le sanctuaire [198] où ils auraient dû l'honorer: mais il ne connaît ni les cabales, ni les sourdes
20 pratiques, ni la vengeance. Il sait, comme le sage de Montbard,[199] comme celui de Voré,[200] rendre la terre plus fertile, et ses habitants plus heureux. Le vrai philosophe défriche les champs incultes, augmente le nombre des charrues, et par conséquent des habitants; occupe le pauvre et l'enrichit; encourage les mariages, établit l'orphelin, ne murmure point contre des
25 impôts nécessaires et met le cultivateur en état de les payer avec allégresse. Il n'attend rien des hommes, et il leur fait tout le bien dont il est capable. Il a l'hypocrite en horreur, mais il plaint le superstitieux; enfin il sait être ami.

Je m'aperçois que je fais votre portrait [201] et qu'il n'y manquerait rien si
30 vous étiez assez heureux pour habiter la campagne.

Correspondance.

[196] Another victim of religious persecution who through Voltaire's efforts was fully vindicated.
[197] Fréron, enemy of Voltaire, whose *Année littéraire* appeared twice a month.
[198] Le Franc de Pompignan had attacked the Philosophes in the French Academy.
[199] Buffon (1707–1788), famous natural scientist.
[200] Helvétius (1715–1771), prominent Philosophe.
[201] The portrait is really of Voltaire himself.

VI. VOLTAIRE POÈTE

1. *Le Mondain* [202] (1736)

(EXTRAITS)

Regrettera qui veut le bon vieux temps,
Et l'âge d'or, et le règne d'Astrée,[203]
Et les beaux jours de Saturne et de Rhée,[204]
Et le jardin de nos premiers parents;
Moi je rends grâce à la nature sage   5
Qui, pour mon bien, m'a fait naître en cet âge
Tant décrié par nos tristes frondeurs:
Ce temps profane est tout fait pour mes mœurs.
J'aime le luxe, et même la mollesse,
Tous les plaisirs, les arts de toute espèce,   10
La propreté, le goût, les ornements:
Tout honnête homme a de tels sentiments.
   Il est bien doux pour mon cœur très immonde
De voir ici l'abondance à la ronde,
Mère des arts et des heureux travaux,   15
Nous apporter, de sa source féconde,
Et des besoins et des plaisirs nouveaux.
L'or de la terre et les trésors de l'onde,
Leurs habitants et les peuples de l'air,
Tout sert au luxe, aux plaisirs de ce monde.   20
O le bon temps que ce siècle de fer!
Le superflu, chose très nécessaire,
A réuni l'un et l'autre hémisphère.
Voyez-vous pas ces agiles vaisseaux
Qui, du Texel,[205] de Londres,[205] de Bordeaux,[205]   25
S'en vont chercher, par un heureux échange,
De nouveaux biens, nés aux sources du Gange,
Tandis qu'au loin, vainqueurs des musulmans,
Nos vins de France enivrent les sultans?
   Quand la nature était dans son enfance,   30
Nos bons aïeux vivaient dans l'ignorance,
Ne connaissant ni le *tien* ni le *mien*.
Qu'auraient-ils pu connaître? ils n'avaient rien.
Ils étaient nus: et c'est chose très claire
Que qui n'a rien n'a nul partage à faire.   35
Sobres étaient. Ah! je le crois encor:
Martialo [206] n'est point du siècle d'or.

[202] Voltaire's great expression of his love of luxury.
[203] Goddess of justice, who lived among men during the golden age.
[204] The reign of Saturn and his wife, Rhea, was regarded as the golden age of Italy.
[205] Ports of the three great commercial nations of the 18th century, Holland, England, France.
[206] Author of a *Cuisinier Français*.

D'un bon vin frais ou la mousse ou la sève
Ne gratta point le triste gosier d'Ève;
La soie et l'or ne brillaient point chez eux.   40
Admirez-vous pour cela nos aïeux?
Il leur manquait l'industrie et l'aisance:
Est-ce vertu? c'était pure ignorance.

. . . .

Or maintenant, monsieur du Télémaque,[207]
Vantez-vous bien votre petite Ithaque,[208]   45
Votre Salente,[209] et vos murs malheureux,
Où vos Crétois, tristement vertueux,
Pauvres d'effet, et riches d'abstinence,
Manquent de tout pour avoir l'abondance.
J'admire fort votre style flatteur,   50
Et votre prose, encor qu'un peu traînante;[210]
Mais, mon ami, je consens de grand cœur
D'être fessé dans vos murs de Salente,
Si je vais là pour chercher mon bonheur.
Et vous, jardin de ce premier bonhomme,   55
Jardin fameux par le diable et la pomme,
C'est bien en vain que, par l'orgueil séduits,
Huet, Calmet,[211] dans leur savante audace,
Du paradis ont recherché la place:
Le paradis terrestre est où je suis.   60

2. *Discours sur L'Homme* (1738)
Sur la vraie vertu

Le nom de la vertu retentit sur la terre;
On l'entend au théâtre, au barreau, dans la chaire;
Jusqu'au milieu des cours il parvient quelquefois;
Il s'est même glissé dans les traités des rois.
C'est un beau mot sans doute, et qu'on se plaît d'entendre, 5
Facile à prononcer, difficile à comprendre:
On trompe, on est trompé. Je crois voir des jetons
Donnés, reçus, rendus, troqués par des fripons;
Ou bien ces faux billets, vains enfants du système
De ce fou d'Écossais [212] qui se dupa lui-même.   10
Qu'est-ce que la vertu? Le meilleur citoyen,
Brutus,[212a] se repentit d'être un homme de bien:

---

[207] Hero of Fénelon's novel. [208] Home of Telemachus, in western Greece.
[209] Country in Fénelon's novel, *Télémaque.*
[210] Fénelon's prose is in *le style noble* rather than *le style coupé* of Voltaire.
[211] Scholars of the end of the 17th century and beginning of the 18th.
[212] John Law (1671–1729), Scotch financier whose speculative activities brought about in 1720 a great financial crash.
[212a] Marcus Junius Brutus (85–42 B. C.), Roman republican and one of Caesar's assassins.

«La vertu, disait-il, est un nom sans substance.»
L'école de Zénon,[213] dans sa fière ignorance,
Prit jadis pour vertu l'insensibilité.   15
Dans les champs levantins le derviche hébété,
L'œil au ciel, les bras hauts, et l'esprit en prières,
Du Seigneur en dansant invoque les lumières,
Et, tournant dans un cercle au nom de Mahomet,
Croit de la vertu même atteindre le sommet.   20
    Les reins ceints d'un cordon, l'œil armé d'impudence,
Un ermite à sandale, engraissé d'ignorance,
Parlant du nez à Dieu, chante au dos d'un lutrin
Cent cantiques hébreux mis en mauvais latin.
Le ciel puisse bénir sa piété profonde!   25
Mais quel en est le fruit? quel bien fait-il au monde?
Malgré la sainteté de son auguste emploi,
C'est n'être bon à rien de n'être bon qu'à soi.
    Quand l'ennemi divin des scribes et des prêtres
Chez Pilate autrefois fut traîné par des traîtres,   30
De cet air insolent qu'on nomme dignité,
Le Romain demanda: «Qu'est-ce que vérité?»[214]
L'Homme-Dieu, qui pouvait l'instruire ou le confondre,
A ce juge orgueilleux dédaigna de répondre:
Son silence éloquent disait assez à tous   35
Que ce vrai tant cherché ne fut point fait pour nous.
Mais lorsque, pénétré d'une ardeur ingénue,
Un simple citoyen l'aborda dans la rue,
Et que, disciple sage, il prétendit savoir
Quel est l'état de l'homme, et quel est son devoir;   40
Sur ce grand intérêt, sur ce point qui nous touche,
Celui qui savait tout ouvrit alors la bouche;
Et dictant d'un seul mot ses décrets solennels,
«Aimez Dieu, lui dit-il, mais aimez les mortels.»[215]
Voilà l'homme et sa loi, c'est assez: le ciel même   45
A daigné tout nous dire en ordonnant qu'on aime.
Le monde est médisant, vain, léger, envieux;
Le fuir est très bien fait, le servir encor mieux;
A sa famille, aux siens, je veux qu'on soit utile.

·   ·   ·   ·   ·   ·   ·   ·   ·   ·

    Je sais que ce mystère [215a] a de nobles appas;   50
Les saints ont des plaisirs que je ne connais pas.
Les miracles sont bons; mais soulager son frère,
Mais tirer son ami du sein de la misère,
Mais à ses ennemis pardonner leurs vertus,

[213] Greek stoic philosopher (4th century B.C.).   [214] *John* XVIII, 38.
[215] *Luke* X, 25 ff.   [215a] Religious mysticism.

C'est un plus grand miracle, et qui ne se fait plus.   55
   Ce magistrat, dit-on, est sévère, inflexible,
Rien n'amollit jamais sa grande âme insensible.
J'entends: il fait haïr sa place et son pouvoir;
Il fait des malheureux par zèle et par devoir:
Mais l'a-t-on jamais vu, sans qu'on le sollicite,   60
Courir d'un air affable au-devant du mérite,
Le choisir dans la foule, et donner son appui
A l'honnête homme obscur qui se tait devant lui?
De quelques criminels il aura fait justice!
C'est peu d'être équitable, il faut rendre service;   65
Le juste est bienfaisant. On conte [216] qu'autrefois
Le ministre odieux d'un de nos meilleurs rois
Lui disait en ces mots son avis despotique:
«Timante est en secret bien mauvais catholique,
On a trouvé chez lui la Bible de Calvin;   70
A ce funeste excès vous devez mettre un frein:
Il faut qu'on l'emprisonne, ou du moins qu'on l'exile.
—Comme vous, dit le roi, Timante m'est utile.
Vous m'apprenez assez quels sont ses attentats;
Il m'a donné son sang, et vous n'en parlez pas!»   75
De ce roi bienfaisant la prudence équitable
Peint mieux que vingt sermons la vertu véritable.

. . . .

   Certain législateur [217] dont la plume féconde
Fit tant de vains projets pour le bien de ce monde,
Et qui depuis trente ans écrit pour des ingrats,   80
Vient de créer un mot qui manque à Vaugelas: [217a]
Ce mot est bienfaisance; [218] il me plaît; il rassemble,
Si le cœur en est cru, bien des vertus ensemble.
Petits grammairiens, grands précepteurs des sots,
Qui pesez la parole et mesurez les mots,   85
Pareille expression vous semble hasardée;
Mais l'univers entier doit en chérir l'idée.

3. *Poème sur le Désastre de Lisbonne,*[219] *ou Examen de Cet Axiome: Tout Est Bien* (1756)

(Extraits)

  . . . Ou l'homme est né coupable, et Dieu punit sa race,
Ou ce maître absolu de l'être et de l'espace,

[216] The editors have been unable to discover any historical source for this anecdote.

[217] Abbé de Saint-Pierre (1658–1743), famous for his many utopian schemes for social reforms.

[217a] See p. 77.

[218] The word is said to be at least as old as Balzac, but its general use seems to date from the Abbé de Saint-Pierre.

[219] Terrible earthquake, followed by a tidal wave, which destroyed the lives of some 40,000 people (1755).

Sans courroux, sans pitié, tranquille, indifférent,
De ses premiers décrets suit l'éternel torrent;
Ou la matière informe, à son maître rebelle,
Porte en soi des défauts *nécessaires* comme elle; 5
Ou bien Dieu nous éprouve, et ce séjour mortel
N'est qu'un passage étroit vers un monde éternel.
Nous essuyons ici des douleurs passagères:
Le trépas est un bien qui finit nos misères. 10
Mais quand nous sortirons de ce passage affreux,
Qui de nous prétendra mériter d'être heureux?
   Quelque parti qu'on prenne, on doit frémir, sans doute.
Il n'est rien qu'on connaisse, et rien qu'on ne redoute.
La nature est muette, on l'interroge en vain; 15
On a besoin d'un Dieu qui parle au genre humain.
Il n'appartient qu'à lui d'expliquer son ouvrage,
De consoler le faible, et d'éclairer le sage.
L'homme, au doute, à l'erreur, abandonné sans lui,
Cherche en vain des roseaux qui lui servent d'appui. 20
Leibnitz [220] ne m'apprend point par quels nœuds invisibles,
Dans le mieux ordonné des univers possibles,
Un désordre éternel, un chaos de malheurs,
Mêle à nos vains plaisirs de réelles douleurs,
Ni pourquoi l'innocent, ainsi que le coupable, 25
Subit également ce mal inévitable.
Je ne conçois pas plus comment tout serait bien:
Je suis comme un docteur; [221] hélas! je ne sais rien.

.   .   .   .

   Que peut donc de l'esprit la plus vaste étendue?
Rien: le livre du sort se ferme à notre vue. 30
L'homme, étranger à soi, de l'homme est ignoré.
Que suis-je, où suis-je, où vais-je, et d'où suis-je tiré?
Atomes tourmentés sur cet amas de boue,[221a]
Que la mort engloutit, et dont le sort se joue,
Mais atomes pensants,[221b] atomes dont les yeux, 35
Guidés par la pensée, ont mesuré les cieux;
Au sein de l'infini nous élançons notre être,
Sans pouvoir un moment nous voir et nous connaître.
Ce monde, ce théâtre et d'orgueil et d'erreur,
Est plein d'infortunés qui parlent de bonheur. 40
Tout se plaint, tout gémit en cherchant le bien-être:
Nul ne voudrait mourir, nul ne voudrait renaître.

---

[220] German philosopher (1646–1716), exponent of the philosophy of optimism satirized by Voltaire in *Candide*.
[221] Doctor of theology at the Sorbonne.
[221a] Voltaire likes to refer to the world as a "pile of mud."
[221b] Cf. Pascal's passage on *le roseau pensant*, p. 113.

Quelquefois, dans nos jours consacrés aux douleurs,
Par la main du plaisir nous essuyons nos pleurs;
Mais le plaisir s'envole, et passe comme une ombre;   45
Nos chagrins, nos regrets, nos pertes, sont sans nombre.
Le passé n'est pour nous qu'un triste souvenir;
Le présent est affreux, s'il n'est point d'avenir,
Si la nuit du tombeau détruit l'être qui pense.
Un jour tout sera bien, voilà notre espérance;   50
Tout est bien aujourd'hui, voilà l'illusion.
Les sages me trompaient, et Dieu seul a raison.
Humble dans mes soupirs, soumis dans ma souffrance,
Je ne m'élève point contre la Providence.
Sur un ton moins lugubre on me vit autrefois   55
Chanter des doux plaisirs les séduisantes lois.[222]
D'autres temps, d'autres mœurs: instruit par la vieillesse,
Des humains égarés partageant la faiblesse,
Dans une épaisse nuit cherchant à m'éclairer,
Je ne sais que souffrir, et non pas murmurer.   60
    Un calife autrefois, à son heure dernière,
Au Dieu qu'il adorait dit pour toute prière:
«Je t'apporte, ô seul roi, seul être illimité,
Tout ce que tu n'as pas dans ton immensité,
Les défauts, les regrets, les maux, et l'ignorance.»   65
Mais il pouvait encore ajouter l'*espérance.*

4. *Épigrammes*

SUR L'ABBÉ DE SAINT-PIERRE [222a]

N'a pas longtemps, de l'abbé de Saint-Pierre
On me montrait le buste tant parfait,
Qu'onc [223] ne sus voir si c'était chair ou pierre,
Tant le sculpteur l'avait pris trait pour trait.
Adonc restai perplexe et stupéfait,   5
Craignant en moi de tomber en méprise;
Puis dis soudain: Ce n'est là qu'un portrait;
L'original dirait quelque sottise.

SUR M. DE FONTENELLE

D'un nouvel univers il ouvrit la barrière;
Des mondes infinis autour de lui naissants,[224]   10
Mesurés par ses mains, à son ordre croissants,
A nos yeux étonnés il traça la carrière;

---

[222] An allusion perhaps to the frivolous tone of *Le Mondain.*   [222a] See p. 382, n. 217.
[223] *jamais.*
[224] Allusion to Fontenelle's *Entretiens sur la pluralité des mondes.* (See p. 209, note ¶.)

L'ignorant l'entendit, le savant l'admira:
Que voulez-vous de plus? il fit un opéra.[225]

SUR LE FRANC DE POMPIGNAN [226]

Savez-vous pourquoi Jérémie   15
A tant pleuré pendant sa vie?
C'est qu'en prophète il prévoyait
Qu'un jour Le Franc le traduirait.

ÉPIGRAMME IMITÉE DE L'ANTHOLOGIE [227]

L'autre jour, au fond d'un vallon,
Un serpent piqua Jean Fréron.[228]   20
Que pensez-vous qu'il arriva?
Ce fut le serpent qui creva.

5. *Épître à Horace* (1771)

Je t'écris aujourd'hui, voluptueux Horace,
A toi qui respiras la mollesse et la grâce,
Qui, facile en tes vers, et gai dans tes discours,
Chantas les doux loisirs, les vins et les amours,
Et qui connus si bien cette sagesse aimable   5
Que n'eut point de Quinault le rival intraitable.[229]

.   .   .   .

Je cherchai la retraite. On disait que l'Ennui
De ce repos trompeur est l'insipide frère.
Oui, la retraite pèse à qui ne sait rien faire;
Mais l'esprit qui s'occupe y goûte un vrai bonheur.   10
Tibur [230] était pour toi la cour de l'empereur;
Tibur, dont tu nous fais l'agréable peinture,
Surpassa les jardins vantés par Épicure.[231]
Je crois Ferney plus beau. Les regards étonnés,
Sur cent vallons fleuris doucement promenés,   15
De la mer de Genève admirent l'étendue;
Et les Alpes de loin, s'élevant dans la nue,
D'un long amphithéâtre enferment ces coteaux

---

[225] Cf. La Bruyère's caricature of Fontenelle, page 253.

[226] French poet (1709–1784), disliked by Voltaire, especially after his attack on the Encyclopedists at the Academy in 1760.

[227] The Greek Anthology, a famous collection of epigrams and other light poems, compiled by Meleager about 60 B.C.

[228] Journalist and critic (1719–1776), bitter enemy of Voltaire.

[229] Boileau was opposed to Quinault (1635–1688) because of his *précieux* style.

[230] Tivoli, near Rome, country home of Horace.

[231] Greek philosopher (3d century B.C.). His garden at Athens was the scene of his teaching.

Où le pampre en festons rit parmi les ormeaux.
Là quatre états [232] divers arrêtent ma pensée: 20
Je vois de ma terrasse, à l'équerre tracée,
L'indigent Savoyard, utile en ses travaux,
Qui vient couper mes blés pour payer ses impôts;
Des riches Genevois les campagnes brillantes;
Des Bernois valeureux les cités florissantes;   25
Enfin cette Comté,[233] franche aujourd'hui de nom,
Qu'avec l'or de Louis [234] conquit le grand Bourbon: [235]
Et du bord de mon lac à tes rives du Tibre,
Je te dis, mais tout bas: Heureux un peuple libre!

    Je le suis en secret dans mon obscurité;   30
Ma retraite et mon âge ont fait ma sûreté. . . .
J'ai fait un peu de bien; c'est mon meilleur ouvrage.
Mon séjour est charmant, mais il était sauvage;
Depuis le grand édit,[236] inculte, inhabité,
Ignoré des humains, dans sa triste beauté,   35
La nature y mourait: je lui portai la vie; [237]
J'osai ranimer tout. Ma pénible industrie
Rassembla des colons par la misère épars;
J'appelai les métiers, qui précèdent les arts;
Et, pour mieux cimenter mon utile entreprise,   40
J'unis le protestant avec ma sainte Église.

  .   .   .   .

    Jouissons, écrivons, vivons, mon cher Horace.
J'ai déjà passé l'âge où ton grand protecteur,[238]
Ayant joué son rôle en excellent acteur,
Et sentant que la mort assiégeait sa vieillesse,   45
Voulut qu'on l'applaudît lorsqu'il finit sa pièce.[239]
J'ai vécu plus que toi; mes vers dureront moins.
Mais au bord du tombeau je mettrai tous mes soins
A suivre les leçons de ta philosophie,
A mépriser la mort en savourant la vie,   50
A lire tes écrits pleins de grâce et de sens,
Comme on boit d'un vin vieux qui rajeunit les sens.
    Avec toi l'on apprend à souffrir l'indigence,
A jouir sagement d'une honnête opulence,

---

[232] Savoy, Geneva, Berne, Franche-Comté.
[233] Franche-Comté, former province of eastern France, finally ceded by Spain in 1674.
[234] Louis XIV.
[235] Condé (1621–1686), brilliant French general, who in 1668 conquered Franche-Comté.
[236] The Revocation of the Edict of Nantes (1685).
[237] Through Voltaire's efforts, Ferney became a flourishing industrial community.
[238] Augustus.
[239] Augustus is reported to have said: "Acta est fabula"—"The play is over," as his death drew near.

A vivre avec soi-même, à servir ses amis,
A se moquer un peu de ses sots ennemis,
A sortir d'une vie ou triste ou fortunée,
En rendant grâce aux dieux de nous l'avoir donnée.

L'ENCYCLOPÉDIE (1751–1772)

At the very center of the intellectual movement of the second half of the 18th century stands the vast undertaking of the *Encyclopédie,** directed by Diderot with the collaboration at one time or another of almost all the great writers of the period.

The idea of an encyclopedia had been fairly common since the Renaissance. It had been used for purposes of propaganda in Bayle's *Dictionnaire historique et critique* at the end of the 17th century. The immediate inspiration of the *Encyclopédie,* however, came from England. Chambers' *Cyclopedia* had enjoyed such success that it was decided to translate it, and the work was finally entrusted to Diderot who, very wisely, decided to enlarge the scope of the undertaking and to use Chambers' work merely as the starting-point for a thoroughly up-to-date record of human achievement. The first volume appeared in 1751 and the last, along with several volumes of plates, in 1772.

Under Diderot's editorship the *Encyclopédie* took a special direction. Diderot was a Philosophe, deeply interested in the advance of the new ideas. With him the *Encyclopédie,* instead of being a mere impartial summing up of all knowledge, as the title might indicate, became a great instrument in the hands of the Philosophe party in their warfare against ignorance and prejudice of all sorts. Its purpose was to hand on the liberal ideas accumulated in the first half of the century and to use them to discredit the institutions of the *Ancien Régime,* more especially the Church.

With such propagandist purpose in mind, the editors obviously would find it extremely dangerous under 18th-century conditions to express their ideas openly. They, therefore, adopted the ingenious scheme inaugurated by Bayle † of spreading the new conceptions, not through the articles proper but through the footnotes, by an elaborate system of cross references. These methods today seem to detract from the dignity of the work, but they were necessary at the time if the undertaking was to fulfil its purpose.

Today the volumes of the *Encyclopédie* are forgotten. Most of the knowledge they contain is antiquated. Yet the *Encyclopédie* should be remembered as one of the great landmarks in the history of the progress of liberal thought. Thinking people today owe a debt of gratitude to the little band of Philosophes, headed by the indomitable Diderot, who in the face of unheard-of difficulties carried the *Encyclopédie* to completion.

"Diderot veilla à tout: il maintint l'unité générale de l'intention philosophique à travers la diversité des sujets particuliers, l'incohérence des opinions individuelles. Par lui, l'*Encyclopédie* resta ce qu'il l'avait destinée à être: un tableau de toutes les connaissances humaines, qui mit en lumière la puissance et les progrès de la raison; une apothéose de la civilisation, et des sciences, arts, industries, qui

---

* The complete title of the work was: *L'Encyclopédie ou Dictionnaire raisonné des sciences, des arts et des métiers.*
† In his *Dictionnaire historique et critique* (1697).

améliorent la condition intellectuelle et matérielle de l'humanité. Ce fut une irrésistible machine dressée contre l'esprit, les croyances, les institutions du passé. Au fond, l'avocat général Omer de Fleury ne se trompait pas tant quand il dénonçait au Parlement les Encyclopédistes comme 'une société formée pour soutenir le matérialisme, pour détruire la religion, pour inspirer l'indépendance, et nourrir la corruption des mœurs.'

"Transposons ces termes violents en langage impartial: il est très vrai que l'*Encyclopédie* fit des philosophes un parti, et des idées individuelles un corps de doctrine. Elle fut la *Somme* de la philosophie rationnelle, et elle la vulgarisa en la rassemblant. Elle fournit d'opinions, de solutions, de plans, d'espérances sur tous les objets de la pensée, sur toutes les parties de la société, les hommes qui adhéraient seulement à ce principe général, que la raison est toute-puissante et doit être souveraine."

Lanson—Histoire de la littérature française.

1. ANECDOTE SUR L'ENCYCLOPÉDIE

Un domestique de Louis XV me contait qu'un jour, le roi son maître soupant à Trianon [1] en petite compagnie, la conversation roula d'abord sur la chasse, et ensuite sur la poudre à tirer.[2] Quelqu'un dit que la meilleure poudre se faisait avec des parties égales de salpêtre, de soufre, et de charbon. Le duc de La Vallière,[3] mieux instruit, soutint que pour faire de bonne 5 poudre à canon il fallait une seule partie de soufre et une de charbon, sur cinq parties de salpêtre bien filtré, bien évaporé, bien cristallisé.

«Il est plaisant, dit M. le duc de Nivernois,[4] que nous nous amusions tous les jours à tuer des perdrix dans le parc de Versailles, et quelquefois à tuer des hommes ou à nous faire tuer sur la frontière, sans savoir précisément 10 avec quoi l'on tue.

—Hélas! nous en sommes réduits là sur toutes les choses de ce monde, répondit Mme de Pompadour; [5] je ne sais de quoi est composé le rouge que je mets sur mes joues, et on m'embarrasserait fort si on me demandait comment on fait les bas de soie dont je suis chaussée. 15

—C'est dommage, dit alors le duc de La Vallière, que Sa Majesté nous ait confisqué nos dictionnaires encyclopédiques,[6] qui nous ont coûté chacun cent pistoles: [7] nous y trouverions bientôt la décision de toutes nos questions.»

Le roi justifia sa confiscation: il avait été averti que les vingt et un volumes *in-folio,*[8] qu'on trouvait sur la toilette de toutes les dames, étaient la chose 20 du monde la plus dangereuse pour le royaume de France; et il avait voulu savoir par lui-même si la chose était vraie, avant de permettre qu'on lût ce

---

[1] Two small palaces, or rather villas, in the park at Versailles, bear the name of Trianon; the Grand Trianon, built by Louis XIV for Mme de Maintenon; the Petit Trianon, constructed by Louis XV.

[2] "gunpowder." [3] Grand-nephew of Mlle de la Vallière, favorite of Louis XIV.

[4] Member of the French Academy. [5] Favorite of Louis XV (1721–1764).

[6] *L'Encyclopédie,* suppressed in 1752 but allowed to continue in 1753, was again prohibited in 1759, but was carried to completion in 1765, with the connivance of the authorities.

[7] "ten franc pieces."

[8] Only seven of the twenty-one volumes were published by 1764, the date of the death of Mme de Pompadour.

livre. Il envoya sur la fin du souper chercher un exemplaire par trois garçons de sa chambre, qui apportèrent chacun sept volumes avec bien de la peine.

    On vit à l'article *Poudre* que le duc de La Vallière avait raison; et bientôt Mme de Pompadour apprit la différence entre l'ancien rouge d'Espagne, dont
5 les dames de Madrid coloraient leurs joues, et le rouge des dames de Paris. Elle sut que les dames grecques et romaines étaient peintes avec de la pourpre [9] qui sortait du *murex*,[10] et que par conséquent notre écarlate était la pourpre des anciens; qu'il entrait plus de safran [11] dans le rouge d'Espagne, et plus de cochenille [12] dans celui de France.

10   Elle vit comme on lui faisait ses bas au métier; [13] et la machine [14] de cette manœuvre la ravit d'étonnement. «Ah! le beau livre! s'écria-t-elle. Sire, vous avez donc confisqué ce magasin de toutes les choses utiles pour le posséder seul, et pour être le seul savant de votre royaume?»

    Chacun se jetait sur les volumes comme les filles de Lycomède sur les
15 bijoux d'Ulysse; [15] chacun y trouvait à l'instant tout ce qu'il cherchait. Ceux qui avaient des procès étaient surpris d'y voir la décision de leurs affaires. Le roi y lut tous les droits de sa couronne. «Mais vraiment, dit-il, je ne sais pourquoi on m'avait dit tant de mal de ce livre.

    —Eh! ne voyez-vous pas, sire, lui dit le duc de Nivernois, que c'est parce
20 qu'il est fort bon? On ne se déchaîne contre le médiocre et le plat en aucun genre. Si les femmes cherchent à donner du ridicule à une nouvelle venue, il est sûr qu'elle est plus jolie qu'elles.»

    Pendant ce temps-là on feuilletait, et le comte de C . . .[16] dit tout haut: «Sire, vous êtes trop heureux qu'il se soit trouvé sous votre règne des hommes
25 capables de connaître tous les arts, et de les transmettre à la postérité. Tout est ici, depuis la manière de faire une épingle jusqu'à celle de fondre et de pointer vos canons; depuis l'infiniment petit jusqu'à l'infiniment grand. Remerciez Dieu d'avoir fait naître dans votre royaume ceux qui ont servi ainsi l'univers entier. Il faut que les autres peuples achètent l'*Encyclopédie*,
30 ou qu'ils la contrefassent. Prenez tout mon bien si vous voulez; mais rendez-moi mon *Encyclopédie*.

    —On dit pourtant, repartit le roi, qu'il y a bien des fautes dans cet ouvrage si nécessaire et si admirable.

    —Sire, reprit le comte de C . . . , il y avait à votre souper deux ragoûts
35 manqués; nous n'en avons pas mangé, et nous avons fait très bonne chère. Auriez-vous voulu qu'on jetât tout le souper par la fenêtre, à cause de ces deux ragoûts?»

    Le roi sentit la force de la raison; chacun reprit son bien: ce fut un beau jour.

40   L'envie et l'ignorance ne se tinrent pas pour battues; ces deux sœurs im-

---

[9] "crimson."   [10] A shell-fish.   [11] "saffron" (yellow).
[12] "cochineal" (brilliant scarlet).   [13] "loom."   [14] "mechanism."
    [15] Ulysses, in search of the young Achilles, went disguised as a merchant to the court of Lycomedes, king of Scyros. His display of wares included both jewels and weapons. Achilles, who was in girl's attire among the daughters of Lycomedes, revealed his identity by choosing the arms.
    [16] The comte de Coigny, according to the Moland edition of Voltaire.

mortelles continuèrent leurs cris, leurs cabales, leurs persécutions : l'ignorance en cela est très savante.

Qu'arriva-t-il? les étrangers firent quatre éditions [17] de cet ouvrage français, proscrit en France, et gagnèrent environ dix-huit cent mille écus.[18]

Français, tâchez dorénavant d'entendre mieux vos intérêts.   5

Voltaire, *Mélanges.*

2. CARACTÈRE GÉNÉRAL DE L'ENCYCLOPÉDIE

ENCYCLOPÉDIE, s. f. Ce mot signifie *enchaînement des sciences;* il est composé de la préposition grecque ἐν, *en,* et des substantifs κύκλος, *cercle,* et παιδεια, *institution, science, connaissance.* En effet, le but d'une *Encyclopédie* est de rassembler les connaissances éparses sur la surface de la terre; d'en exposer le système général aux hommes avec qui nous vivons, et de le transmettre 10 aux hommes qui viendront après nous, afin que les travaux des siècles passés n'aient pas été des travaux inutiles pour les siècles qui succéderont; que nos neveux, devenant plus instruits, deviennent en même temps plus vertueux et plus heureux; et que nous ne mourions pas sans avoir bien mérité du genre humain.   15

. . . .

Un dictionnaire universel et raisonné des sciences et des arts ne peut donc être l'ouvrage d'un homme seul. Je dis plus, je ne crois pas que ce puisse être l'ouvrage d'aucune des sociétés littéraires ou savantes qui subsistent, prises séparément ou en corps.

L'Académie française ne fournirait à une *Encyclopédie* que ce qui ap- 20 partient à la langue et à ses usages; l'Académie des inscriptions et belles-lettres, que des connaissances relatives à l'histoire profane, ancienne et moderne, à la chronologie, à la géographie et à la littérature; la Sorbonne,[19] que de la théologie, de l'histoire sacrée et des superstitions; l'Académie des sciences, que des mathématiques, de l'histoire naturelle, de la physique, de 25 la chimie, de la médecine, de l'anatomie, etc.; l'Académie de chirurgie, que l'art de ce nom; celle de peinture, que la peinture, la gravure, la sculpture, le dessin, l'architecture, etc.; l'Université, que ce qu'on entend par les humanités, la philosophie de l'école, la jurisprudence, la typographie, etc.

Parcourez les autres sociétés que je peux avoir omises, et vous vous aperce- 30 vrez qu'occupées chacune d'un objet particulier, qui est sans doute du ressort d'un Dictionnaire universel, elles en négligent une infinité d'autres qui doivent y entrer; et vous n'en trouverez aucune qui vous fournisse la généralité des connaissances dont vous aurez besoin. Faites mieux; imposez-leur à toutes un tribut; vous verrez combien il vous manquera de choses 35 encore; et vous serez forcés de vous aider d'un grand nombre d'hommes

---

[17] Moland mentions only three foreign editions before 1774, the date of Voltaire's article; those of Geneva, Lucca, and Leghorn.
[18] "three franc pieces."   [19] The faculty of theology.

répandus en différentes classes; hommes précieux, mais à qui les portes des Académies n'en sont pas moins fermées par leur état. C'est trop de tous les membres de ces savantes compagnies pour un seul objet de la science humaine; ce n'est pas assez de toutes ces sociétés pour la science de l'homme en
5 général.

.   .   .   .

C'est à l'exécution de ce projet, étendu, non-seulement aux différents objets de nos académies, mais à toutes les branches de la connaissance humaine, qu'une *Encyclopédie* doit suppléer; ouvrage qui ne s'exécutera que par une société de gens de lettres et d'artistes, épars, occupés chacun de sa
10 partie, et liés seulement par l'intérêt général du genre humain et par un sentiment de bienveillance réciproque.

Je dis *une société de gens de lettres et d'artistes,* afin de rassembler tous les talents. Je les veux épars, parce qu'il n'y a aucune société subsistante d'où l'on puisse tirer toutes les connaissances dont on a besoin; et que, si
15 l'on voulait que l'ouvrage se fît toujours et ne s'achevât jamais, il n'y aurait qu'à former une pareille société. Toute société a ses assemblées; ces assemblées laissent entre elles des intervalles, elles ne durent que quelques heures; une partie de ce temps se perd en discussions, et les objets les plus simples consument des mois entiers; d'où il arrivera, comme disait un des Quarante,[20]
20 qui a plus d'esprit dans la conversation que beaucoup d'auteurs n'en mettent dans leurs écrits, que les douze volumes de l'*Encyclopédie* auront paru, que nous en serons encore à la première lettre de notre Vocabulaire:[20a] au lieu, ajoutait-il, que si ceux qui travaillent à cet ouvrage avaient des séances encyclopédiques comme nous avons des séances académiques, nous verrions
25 la fin de notre ouvrage, qu'ils en seraient encore à la première lettre du leur; et il avait raison.

J'ajoute, *des hommes liés par l'intérêt général du genre humain et par un sentiment de bienveillance réciproque,* parce que ces motifs étant les plus honnêtes qui puissent animer des âmes bien nées, ce sont aussi les
30 plus durables. On s'applaudit intérieurement de ce que l'on fait; on s'échauffe, on entreprend pour son collègue et pour son ami ce qu'on ne tenterait par aucune autre considération; et j'ose assurer, d'après l'expérience, que le succès des tentatives en est plus certain. L'*Encyclopédie* a rassemblé ses matériaux en assez peu de temps. Ce n'est point un vil intérêt qui en a réuni
35 et hâté les auteurs: ils ont vu leurs efforts secondés par la plupart des gens de lettres dont ils pouvaient attendre quelques secours, et ils n'ont été importunés dans leurs travaux que par ceux qui n'avaient pas le talent nécessaire pour y contribuer seulement d'une bonne page.

.   .   .   .

Je distingue deux sortes de renvois; les uns de choses, et les autres de mots.
40 Les renvois de choses éclaircissent l'objet, indiquent ses liaisons prochaines avec ceux qui le touchent immédiatement, et ses liaisons éloignées avec

---

[20] The French Academy.   [20a] The Academy Dictionary.

d'autres qu'on en croirait isolées, rappellent les notions communes et les principes analogues; fortifient les conséquences; entrelacent la branche au tronc, et donnent au tout cette unité si favorable à l'établissement de la vérité, et à la persuasion. Mais, quand il le faudra, ils produiront aussi un effet tout contraire; ils opposeront les notions; ils feront contraster les 5 principes; ils attaqueront, ébranleront, renverseront secrètement quelques opinions ridicules qu'on n'oserait insulter ouvertement. Si l'auteur est impartial, ils auront toujours la double fonction de confirmer et de réfuter, de troubler et de concilier.

Il y aurait un grand art et un avantage infini dans ces derniers renvois. 10 L'ouvrage entier en recevrait une force interne et une utilité secrète, dont les effets sourds seraient nécessairement sensibles avec le temps. Toutes les fois, par exemple, qu'un préjugé national mériterait du respect, il faudrait, à son article particulier, l'exposer respectueusement, et avec tout son cortège de vraisemblance et de séduction; mais renverser l'édifice de fange, dissiper 15 un vain amas de poussière, en renvoyant aux articles où les principes solides servent de base aux vérités opposées. Cette manière de détromper les hommes opère très promptement sur les bons esprits; et elle opère infailliblement et sans aucune fâcheuse conséquence, secrètement et sans éclat sur tous les esprits. C'est l'art de déduire tacitement les conséquences les plus fortes. Si 20 ces renvois de confirmation et de réfutation sont prévus de loin, et préparés avec adresse, ils donneront à une *Encyclopédie* le caractère que doit avoir un bon dictionnaire; ce caractère est de changer la façon commune de penser.[21] L'ouvrage qui produira ce grand effet général aura des défauts d'exécution, j'y consens; mais le plan et le fond en seront excellents. L'ouvrage qui 25 n'opérera rien de pareil sera mauvais: quelque bien qu'on en puisse dire d'ailleurs, l'éloge passera, et l'ouvrage tombera dans l'oubli.

. . . .

Enfin, une dernière sorte de renvois qui peut être ou de mot ou de chose, ce sont ceux que j'appellerais volontiers satiriques ou épigrammatiques; tel est, par exemple, celui qui se trouve dans un de nos articles, où, à la suite 30 d'un éloge pompeux, on lit: *voyez* CAPUCHON. Le mot burlesque *capuchon* et ce qu'on trouve à l'article CAPUCHON pourraient faire soupçonner que l'éloge pompeux n'est qu'une ironie, et qu'il faut lire l'article avec précaution et en peser exactement tous les termes.

Je ne voudrais pas supprimer entièrement ces renvois, parce qu'ils ont 35 quelquefois leur utilité. On peut les diriger secrètement contre certains ridicules, comme les renvois philosophiques contre certains préjugés. C'est quelquefois un moyen délicat et léger de repousser une injure, sans presque se mettre sur la défensive, et d'arracher le masque à de graves personnages,
     Qui Curios simulant, et Bacchanalia vivunt.[22]   40
                              Juvenal, *Satires*, II, v. 3.

---

[21] This propagandist objective distinguishes the *Encyclopédie* from the ordinary encyclopedia.
[22] "who pretend they are Curii (virtuous Romans) and live in dissipation."

Mais je n'en aime pas la fréquence; celui même que j'ai cité ne me plaît
pas. De fréquentes allusions de cette nature couvriraient de ténèbres un
ouvrage. La postérité, qui ignore de petites circonstances qui ne méritaient
pas de lui être transmises, ne sent plus la finesse de l'à-propos, et regarde ces
5 mots qui nous égaient comme des puérilités. Au lieu de composer un dictionnaire sérieux et philosophique, on tombe dans la pasquinade.[23] Tout bien
considéré, j'aimerais mieux qu'on dît la vérité sans détour. . . .

3. CE QUE C'EST QU'UN PHILOSOPHE

PHILOSOPHE, s.m. Il n'y a rien qui coûte moins à acquérir aujourd'hui que le
nom de *philosophe;* une vie obscure et retirée, quelques dehors de sagesse avec
10 un peu de lecture, suffisent pour attirer ce nom à des personnes qui s'en
honorent sans le mériter.

D'autres, en qui la liberté de penser tient lieu de raisonnement, se regardent
comme les seuls véritables *philosophes,* parce qu'ils ont osé renverser les
bornes sacrées posées par la religion, et qu'ils ont brisé les entraves où la foi
15 mettait leur raison. Fiers de s'être défaits des préjugés de l'éducation en
matière de religion, ils regardent avec mépris les autres comme des hommes
faibles, des génies serviles, des esprits pusillanimes qui se laissent effrayer
par les conséquences où conduit l'irréligion, et qui, n'osant sortir un instant
du cercle des vérités établies, ni marcher dans des routes nouvelles, s'endor-
20 ment sous le joug de la superstition.

Mais on doit avoir une idée plus juste du *philosophe,* et voici le caractère
que nous lui donnons.

Les autres hommes sont déterminés à agir sans sentir ni connaître les causes
qui les font mouvoir, sans même songer qu'il y en ait. Le *philosophe,* au
25 contraire, démêle les causes autant qu'il est en lui, et souvent même les
prévient, et se livre à elles avec connaissance: c'est une horloge qui se monte,
pour ainsi dire, quelquefois elle-même. Ainsi, il évite les objets qui peuvent
lui causer des sentiments qui ne conviennent ni au bien-être ni à l'être raisonnable, et cherche ceux qui peuvent exciter en lui des affections convenables
30 à l'état où il se trouve. La raison est à l'égard du *philosophe* ce que la grâce
est à l'égard du chrétien. La grâce détermine le chrétien à agir; la raison
détermine le *philosophe.*

Les autres hommes sont emportés par leurs passions sans que les actions
qu'ils font soient précédées de la réflexion: ce sont des hommes qui marchent
35 dans les ténèbres; au lieu que le *philosophe,* dans ses passions mêmes, n'agit
qu'après la réflexion; il marche la nuit, mais il est précédé d'un flambeau.

Le *philosophe* forme ses principes sur une infinité d'observations particulières. Le peuple adopte le principe sans penser aux observations qui l'ont
produit: il croit que la maxime existe, pour ainsi dire, par elle-même; mais
40 le *philosophe* prend la maxime dès sa source; il en examine l'origine; il en
connaît la propre valeur, et n'en fait que l'usage qui lui convient.

---

23 "burlesque."

La vérité n'est pas pour le *philosophe* une maîtresse qui corrompe son imagination, et qu'il croie trouver partout; il se contente de la pouvoir démêler où il peut l'apercevoir. Il ne la confond point avec la vraisemblance; il prend pour vrai ce qui est vrai, pour faux ce qui est faux, pour douteux ce qui est douteux, et pour vraisemblable ce qui n'est que vraisemblable. Il fait plus, et c'est ici une grande perfection du *philosophe,* c'est que lorsqu'il n'a point de motif pour juger, il sait demeurer indéterminé.

Le monde est plein de personnes d'esprit et de beaucoup d'esprit, qui jugent toujours; toujours ils devinent, car c'est deviner que de juger sans sentir quand on a le motif propre du jugement. Ils ignorent la portée de l'esprit humain; ils croient qu'il peut tout connaître: ainsi ils trouvent de la honte à ne point prononcer de jugement, et s'imaginent que l'esprit consiste à juger. Le *philosophe* croit qu'il consiste à bien juger; il est plus content de lui-même quand il a suspendu la faculté de se déterminer, que s'il s'était déterminé avant d'avoir senti le motif propre à la décision. Ainsi il juge et parle moins, mais il juge plus sûrement et parle mieux. . . .

L'esprit philosophique est donc un esprit d'observation et de justesse, qui rapporte tout à ses véritables principes; mais ce n'est pas l'esprit seul que le *philosophe* cultive, il porte plus loin son attention et ses soins.

L'homme n'est point un monstre qui ne doive vivre que dans les abîmes de la mer ou au fond d'une forêt: les seules nécessités de la vie lui rendent le commerce des autres nécessaire: et dans quelque état où[24] il puisse se trouver, ses besoins et le bien-être l'engagent[25] à vivre en société. Ainsi, la raison exige de lui qu'il étudie, et qu'il travaille à acquérir les qualités sociables.

Notre *philosophe* ne se croit pas en exil dans ce monde; il ne croit point être en pays ennemi; il veut jouir en sage économe des biens que la nature lui offre; il veut trouver du plaisir avec les autres; et pour en trouver, il en faut faire: ainsi il cherche à convenir à ceux avec qui le hasard ou son choix le font vivre; et il trouve en même temps ce qui lui convient: c'est un honnête homme[26] qui veut plaire et se rendre utile.

La plupart des grands, à qui les dissipations ne laissent pas assez de temps pour méditer, sont féroces envers ceux qu'ils ne croient pas leurs égaux. Les *philosophes* ordinaires qui méditent trop, ou plutôt qui méditent mal, le sont envers tout le monde; ils fuient les hommes, et les hommes les évitent: mais notre *philosophe* qui sait se partager entre la retraite et le commerce des hommes est plein d'humanité. C'est le Chrémès[27] de Térence qui sent qu'il est un homme, et que la seule humanité intéresse à la mauvaise ou à la bonne fortune de son voisin. *Homo sum, humani a me nihil alienum puto.*[28]

Il serait inutile de remarquer ici combien le *philosophe* est jaloux de tout ce qui s'appelle *honneur* et *probité.* La société civile est, pour ainsi dire, une divinité pour lui sur la terre; il l'encense, il l'honore par la probité, par une

---

[24] Modern French *que.*   [25] "impel."
[26] "gentleman."
[27] Character in Terence's *Heautontimoroumenos.* (The man who punishes himself.)
[28] "I am a man and I consider nothing human foreign to me."

attention exacte à ses devoirs, et par un désir sincère de n'en être pas un
membre inutile ou embarrassant. Les sentiments de probité entrent autant
dans la constitution mécanique du *philosophe* que les lumières de l'esprit.
Plus vous trouverez de raison dans un homme, plus vous trouverez en lui de
5 probité. Au contraire, où règne le fanatisme et la superstition, règnent les
passions et l'emportement. Le tempérament du *philosophe,* c'est d'agir par
esprit d'ordre ou par raison; comme il aime extrêmement la société, il lui
importe bien plus qu'au reste des hommes de disposer tous ses ressorts à ne
produire que des effets conformes à l'idée d'honnête homme. Ne craignez
10 pas que parce que personne n'a les yeux sur lui, il s'abandonne à une action
contraire à la probité. Non. Cette action n'est point conforme à la disposition
mécanique du sage; il est pétri, pour ainsi dire, avec le levain de l'ordre et de
la règle; il est rempli des idées du bien de la société civile; il en connaît les
principes bien mieux que les autres hommes. Le crime trouverait en lui trop
15 d'opposition, il aurait trop d'idées naturelles et trop d'idées acquises à détruire.
Sa faculté d'agir est, pour ainsi dire, comme une corde d'instrument de musique montée sur un certain ton; elle n'en saurait produire un contraire. Il
craint de se détonner,[29] de se désaccorder avec lui-même; et ceci me fait
ressouvenir de ce que Velléius[30] dit de Caton d'Utique.[31] «Il n'a jamais,
20 dit-il, fait de bonnes actions pour paraître les avoir faites, mais parce qu'il
n'était pas en lui de faire autrement.» . . .

Encore un coup, l'idée de malhonnête homme est autant opposée à l'idée
de *philosophe* que l'est l'idée de stupide; et l'expérience fait voir tous les
jours que plus on a de raison et de lumière, plus on est sûr et propre pour le
25 commerce de la vie. . . .

Cet amour de la société si essentiel au *philosophe* fait voir combien est
véritable la remarque de l'empereur Antonin:[32] «Que les peuples seront
heureux quand les rois seront *philosophes,* ou quand les *philosophes* seront
rois!»
30 Le *philosophe* est donc un honnête homme qui agit en tout par raison, et
qui joint à un esprit de réflexion et de justesse les mœurs et les qualités sociables. Entez un souverain sur un *philosophe* d'une telle trempe, et vous
aurez un parfait souverain.

De cette idée il est aisé de conclure combien le sage insensible des stoïciens
35 est éloigné de la perfection de notre *philosophe:* un tel *philosophe* est homme,
et leur sage n'était qu'un fantôme. . . .

[29] "lose his tone."   [30] Velleius Paterculus, Roman historian of the 1st century A. D.
[31] Defender of Roman liberty against Caesar (95–46 B. C.).
[32] Antoninus the Good (138–161), famous for his just government.

DIDEROT (1713–1784)

In his own time Denis Diderot was chiefly known as the editor of the *Encyclopédie* and as a brilliant conversationalist. Nearly all the literary work on which his reputation now rests appeared after his death, as he was unwilling to jeopardize the success of the *Encyclopédie* by revealing himself as the author of works so extremely radical in their ideas. His pen moreover was always at the service of his friends, and much of his literary production is incorporated in the writings of his contemporaries.

Diderot was richly gifted intellectually. His friend, Grimm, called him "the most encyclopedic head that has ever existed." Far more than Voltaire, Diderot is the great universal man of the century, for not only was he a scientific and philosophic thinker of the first rank, but he had an artist's appreciation of beauty such as few men of his age possessed. Yet he was never able to realize the full possibilities of his nature. He dissipated his splendid natural gifts by too wide an interest in everything, with a corresponding lack of concentration. He has left many brilliant fragments but no real masterpiece worthy of his unusual intelligence.

Diderot's great interest was the *Encyclopédie* which engrossed his attention for over twenty years (1749–1772). Along with this activity, however, he found time to try his hand in various literary genres. In *la Religieuse* and *Jacques le Fataliste,* inspired by English influence, he uses the novel form chiefly for the expression of his own ideas: as novels they are not of a very high order. The same thing is true of the curious dialogue, *le Neveu de Rameau,* a sort of general satire on contemporary life. In the drama Diderot developed the theory of the *drame bourgeois,* a serious treatment of middle-class society, a dramatic type destined to have a great future; but his own application of his theories in *Le Père de famille* and *Le Fils naturel* is mediocre. As a critic he attacks the dogmatism of classical doctrines in the name of individual genius, anticipating the liberal theories of Romanticism. In his *Salons,* which give his impressions of the painting of his time, he may be said to have inaugurated in French literature a new literary genre, art criticism.

In his general ideas Diderot is a complete materialist, explaining the universe on a purely scientific basis. Though not primarily a scientist, he was able through his imagination to arrive at some of the great evolutionary theories, later developed by Darwin (*Le Rêve de d'Alembert*). Diderot, however, refuses to follow his ideas to their logical conclusions, to deny the necessity of morality: he has too high respect for the institutions of society. For social reasons he preaches a morality of justice and beneficence, a morality, however, entirely divorced from ordinary religion, for which he had the most profound contempt.

Diderot may be regarded as a sort of synthesis of his time. In him are united the main currents of the age—the wit and anti-clericalism of Voltaire, the power of sweeping generalization of Montesquieu, the scientific theorizing of Buffon, the sentimentalism and love of nature of Rousseau. To understand Diderot is to understand most of the trends of 18th-century thought.

"Quelques intuitions de génie, quelques récits pleins de verve, quelques silhouettes bien enlevées, quelques théories neuves trop mêlées d'obscurités, beaucoup de polissonneries, beaucoup de niaiseries, énormément de verbiage et de fatras fumeux, voilà ce qu'a laissé Diderot. Rien de complet, rien d'achevé, ni comme système philosophique, ni comme œuvre d'art. Son rôle a été plus grand que son œuvre. Par son infatigable activité, par ses qualités estimables, et presque inestimables, de caractère et de bon cœur, il a tenu une très grande place en son temps; il a été le lien entre les esprits et les caractères les plus difficiles et quelquefois les moins faits pour s'entendre, et personne plus que lui n'était né directeur de journal. Il ne lui a manqué qu'un vrai et grand génie, ou peut-être seulement de la suite dans les idées, pour mener son siècle."

Faguet—*Dix-huitième siècle.*

IMPORTANT WORKS:

Philosophy: *Pensées philosophiques* (1746); *Pensées sur l'interprétation de la nature* (1754); *Le Rêve de d'Alembert* (1830).
Novels: *Jacques le Fataliste* (1796); *La Religieuse* (1796); *Le Neveu de Rameau* (1821).
Drama: *Le Père de famille* (1761); *Le fils naturel* (1771); *De la poésie dramatique* (1758); *Entretiens sur le Fils naturel* (1771).
Art Criticism: *Les Salons* (1771–1781).

1. PORTRAIT DE DIDEROT

Moi, j'aime Michel,[1] mais j'aime encore mieux la vérité. Assez ressemblant; il peut dire à ceux qui ne le reconnaissent pas, comme le jardinier de l'opéra-comique: «C'est qu'il ne m'a jamais vu sans perruque.» Très vivant; c'est sa douceur, avec sa vivacité; mais trop jeune, tête trop petite, joli comme une
5 femme, lorgnant, souriant, mignard, faisant le petit bec,[2] la bouche en cœur;[3] rien de la sagesse de couleur du *Cardinal de Choiseul;*[4] et puis un luxe de vêtement à ruiner le pauvre littérateur, si le receveur de la capitation[5] vient à l'imposer sur sa robe de chambre. L'écritoire, les livres, les accessoires aussi bien qu'il est possible, quand on a voulu la couleur brillante et qu'on veut
10 être harmonieux. Pétillant[6] de près, vigoureux de loin, surtout les chairs. Du reste, de belles mains bien modelées, excepté la gauche qui n'est pas dessinée. On le voit de face; il a la tête nue; son toupet gris, avec sa mignardise, lui donne l'air d'une vieille coquette qui fait encore l'aimable;[7] la position d'un secrétaire d'État et non d'un philosophe. La fausseté du premier moment a
15 influé sur tout le reste. C'est cette folle de Mme Van Loo qui venait jaser avec lui, tandis qu'on le peignait, qui lui a donné cet air-là, et qui a tout gâté. Si elle s'était mise à son clavecin, et qu'elle eût préludé ou chanté:

Non ha ragione, ingrato,
Un core abbandonato.[8]

20 ou quelque autre morceau du même genre, le philosophe sensible eût pris un tout autre caractère; et le portrait s'en serait ressenti. Ou mieux encore, il

---

[1] Michel Van Loo (1707–1771), French portrait painter, *premier peintre* of Philip V of Spain.
[2] "disdainful." [3] "affected." [4] Another portrait by the same painter.
[5] "collector" of the poll-tax. [6] "brilliant." [7] "who still hopes to inspire love."
[8] "A heart abandoned is never in the right, O faithless one" (Italian).

fallait le laisser seul, et l'abandonner à sa rêverie. Alors sa bouche se serait entr'ouverte, ses regards distraits se seraient portés au loin, le travail de sa tête, fortement occupée, se serait peint sur son visage; et Michel eût fait une belle chose. Mon joli philosophe, vous me serez à jamais un témoignage précieux de l'amitié d'un artiste, excellent artiste, plus excellent homme. Mais 5 que diront mes petits-enfants, lorsqu'ils viendront à comparer mes tristes ouvrages avec ce riant, mignon, efféminé, vieux coquet-là? Mes enfants, je vous préviens que ce n'est pas moi. J'avais en une journée cent physionomies diverses, selon la chose dont j'étais affecté. J'étais serein, triste, rêveur, tendre, violent, passionné, enthousiaste; mais je ne fus jamais tel que vous me voyez 10 là. J'avais un grand front, des yeux très vifs, d'assez grands traits, la tête tout à fait du caractère d'un ancien orateur, une bonhomie qui touchait de bien près à la bêtise, à la rusticité des anciens temps. Sans l'exagération de tous les traits dans la gravure [9] qu'on a faite d'après le crayon de Greuze,[10] je serais infiniment mieux. J'ai un masque qui trompe l'artiste, soit qu'il ait trop de 15 choses fondues ensemble, soit que, les impressions de mon âme se succédant très rapidement et se peignant toutes sur mon visage, l'œil du peintre ne me retrouvant pas le même d'un instant à l'autre, sa tâche devienne beaucoup plus difficile qu'il ne la croyait. Je n'ai jamais été bien fait que par un pauvre diable appelé Garand,[11] qui m'attrapa, comme il arrive à un sot qui dit un 20 bon mot. Celui qui voit mon portrait par Garand, me voit. *Ecco il vero Pulcinella.*[12] M. Grimm [13] l'a fait graver; mais il ne le communique pas. Il attend toujours une inscription qu'il n'aura que quand j'aurai produit quelque chose qui m'immortalise.—Et quand l'aura-t-il?—Quand? demain peut-être; et qui sait ce que je puis? Je n'ai pas la conscience d'avoir encore 25 employé la moitié de mes forces. Jusqu'à présent je n'ai que baguenaudé.[14]

Salon de 1767.

2. DIDEROT ENFANT DE LANGRES

Langres,[15] 12 août 1759.

. . . Les habitants de ce pays ont beaucoup d'esprit, trop de vivacité, une inconstance de girouettes; cela vient, je crois, des vicissitudes de leur atmosphère qui passe en vingt-quatre heures du froid au chaud, du calme à 30 l'orage, du serein au pluvieux. Il est impossible que ces effets ne se fassent pas sentir sur eux, et que leurs âmes soient quelque temps de suite dans une même assiette. Elles s'accoutument ainsi, dès la plus tendre enfance, à tourner à tout vent. La tête d'un Langrois est sur ses épaules comme un coq d'église au haut d'un clocher: elle n'est jamais fixe dans un point; et si elle 35

[9] By Saint-Aubin, made in 1766.
[10] Sentimental painter (1725–1805), greatly admired by Diderot.
[11] A minor 18th-century painter.
[12] "Here is the real Punch." According to a well-known anecdote, an Italian monk, holding up his crucifix, says this to the audience which is deserting him for a Punch and Judy show.
[13] French critic of German origin (1723–1807), author of a valuable *Correspondance littéraire;* a very close friend of Diderot.
[14] "trifled."   [15] Diderot was a native of Langres in eastern France.

revient à celui qu'elle a quitté, ce n'est pas pour s'y arrêter. Avec une rapidité
surprenante dans les mouvements, dans les désirs, dans les projets, dans les
fantaisies, dans les idées, ils ont le parler lent. Pour moi, je suis de mon
pays; seulement le séjour de la capitale et l'application assidue m'ont un peu
5 corrigé. Je suis constant dans mes goûts; ce qui m'a plu une fois me plaît
toujours, parce que mon choix est toujours motivé: que je haïsse ou que
j'aime, je sais pourquoi. Il est vrai que je suis porté naturellement à négliger
les défauts et à m'enthousiasmer des qualités.[16] Je suis plus affecté des
charmes de la vertu que de la difformité du vice; je me détourne doucement
10 des méchants, et je vole au-devant des bons. S'il y a dans un ouvrage, dans
un caractère, dans un tableau, dans une statue, un bel endroit, c'est là que
mes yeux s'arrêtent; je ne vois que cela; je ne me souviens que de cela; le
reste est presque oublié. Que deviens-je, lorsque tout est beau? . . .

Lettres à Mlle Volland (XVIII, 376).

3. REGRETS SUR MA VIEILLE ROBE DE CHAMBRE [16a]

Pourquoi ne l'avoir pas gardée? Elle était faite à moi, j'étais fait à elle.
15 Elle moulait tous les plis de mon corps sans le gêner: j'étais pittoresque et
beau. L'autre, raide, empesée, me mannequine.[17] Il n'y avait aucun besoin
auquel sa complaisance ne se prêtât, car l'indigence est presque toujours
officieuse. Un livre était-il couvert de poussière, toujours un de ses pans
s'offrait à l'essuyer. L'encre épaisse refusait-elle de couler de ma plume, elle
20 présentait le flanc. On y voyait tracés en longues raies noires les fréquents
services qu'elle m'avait rendus. Ces longues raies annonçaient le littérateur,
l'écrivain, l'homme qui travaille. A présent, j'ai l'air d'un riche fainéant; on
ne sait qui je suis.

Sous son abri je ne redoutais ni la maladresse d'un valet, ni la mienne,
25 ni les éclats du feu, ni la chute de l'eau. J'étais le maître absolu de ma vieille
robe de chambre; je suis devenu l'esclave de la nouvelle. . . . Le dragon qui
surveillait la toison d'or ne fut pas plus inquiet que moi. Le souci m'enveloppe.

Le vieillard passionné qui s'est livré, pieds et poings liés, aux caprices, à la
merci d'une jeune folle, dit depuis le matin jusqu'au soir: Où est ma bonne,
30 ma vieille gouvernante? Quel démon m'obsédait le jour que je la chassai pour
celle-ci! Puis il pleure, il soupire.

Je ne pleure pas, je ne soupire pas; mais à chaque instant je dis: «Maudit
soit celui qui inventa l'art de donner du prix à l'étoffe commune en la teignant
en écarlate! Maudit soit le précieux vêtement que je révère! Où est mon
35 ancien, mon humble, mon commode lambeau de calemande!» [18]

Mes amis, gardez vos vieux amis, craignez l'atteinte de la richesse; que mon
exemple vous instruise. La pauvreté a ses franchises; l'opulence a sa gêne.
O Diogène! [19] si tu voyais ton disciple sous le fastueux manteau d'Aris-

---

16 A good description of Diderot's impressionistic criticism.
16a Mme Geoffrin had just given Diderot a fine new dressing-gown to replace his shabby old one.
17 "makes me look like a dress-dummy."   18 Shiny wool.
19 Diogenes, Greek cynic philosopher (4th century B. C.).

tippe,[20] comme tu rirais! O Aristippe, ce manteau fastueux fut payé par
bien des bassesses. Quelle comparaison de ta vie molle, rampante, efféminée,
et de la vie libre et ferme du cynique déguenillé! J'ai quitté le tonneau [20a] où
je régnais, pour servir sous un tyran.

Ce n'est pas tout. Écoutez les ravages du luxe, les suites d'un luxe consé- 5
quent.[21] Ma vieille robe de chambre était une [22] avec les autres guenilles
qui m'environnaient. Une chaise de paille, une table de bois, une tapisserie
de Bergame,[23] une planche de sapin qui soutenait quelques livres; quelques
estampes enfumées, sans bordure, clouées par les angles sur cette tapisserie;
entre ces estampes, trois ou quatre plâtres suspendus formaient, avec ma 10
vieille robe de chambre, l'indigence la plus harmonieuse.

Tout est désaccordé; [24] plus d'ensemble, plus d'unité, plus de beauté. . . .
J'ai vu la bergame céder la muraille à la tenture de damas; [25] la chaise de
paille reléguée dans l'antichambre par le fauteuil de maroquin; Homère,
Virgile, Horace, Cicéron, soulager le faible sapin courbé sous leur masse, 15
et se renfermer dans une armoire marquetée,[26] asile plus digne d'eux que
de moi; une grande glace s'emparer du manteau de ma cheminée; ces deux
jolis plâtres que je tenais de Falconet,[27] et qu'il avait réparés lui-même,
déménagés par une Vénus accroupie: l'argile moderne brisée par le bronze
antique. La table de bois disputait encore le terrain, à l'abri d'une foule de 20
brochures et de papiers entassés pêle-mêle, et qui semblaient devoir la dérober longtemps à l'injure qui la menaçait. Un jour, elle subit son sort: et,
en dépit de ma paresse, les brochures et les papiers allèrent se ranger dans
les serres [28] d'un bureau précieux.

Instinct funeste des convenances! tact délicat et ruineux, goût sublime, 25
qui changes, qui déplaces, qui édifies, qui renverses, qui vides les coffres
des pères, qui laisses les filles sans dot, les fils sans éducation, qui fais tant
de belles choses et de si grands maux; toi qui substitues chez moi le fatal et
précieux bureau à la table de bois, c'est toi qui perds les nations, c'est toi
qui peut-être un jour conduiras mes effets sur le pont Saint-Michel,[29] où l'on 30
entendra la voix enrouée d'un crieur [30] dire: «A vingt louis une Vénus
accroupie!» . . .

De ma médiocrité première, il ne m'est resté qu'un tapis de lisières.[31] Ce
tapis mesquin ne cadre guère avec mon luxe, je le sens. Mais j'ai juré et je
jure, (car les pieds de Denis le philosophe ne fouleront jamais un chef-d'œuvre 35
de la Savonnerie [31a]), que je réserverai ce tapis, comme le paysan transféré de
sa chaumière dans le palais de son souverain réserve ses sabots. Lorsque le
matin, couvert de la somptueuse écarlate, j'entre dans mon cabinet, si je baisse
la vue, j'aperçois mon ancien tapis de lisières: il me rappelle mon premier
état, et l'orgueil s'arrête à l'entrée de mon cœur! Non, mes amis, non, je ne 40

[20] Greek hedonistic philosopher, contemporary of Diogenes.
[20a] According to Seneca, Diogenes lived in a tub.   [21] "consistent (with the gown)."
[22] "in harmony."   [23] Bergamo, in northern Italy.   [24] "out of harmony."
[25] "flowered silk."   [26] "inlaid."   [27] French sculptor (1716–1791), intimate friend of Diderot.
[28] "drawers."   [29] One of the bridges of Paris.   [30] "auctioneer."   [31] "rag rug."
[31a] Tapestry manufactory; later absorbed by the Gobelins.

suis point corrompu. Ma porte s'ouvre toujours au besoin qui s'adresse à moi:
il me trouve la même affabilité; je l'écoute, je le conseille, je le secours, je
le plains. Mon âme ne s'est point endurcie. . . . Mon luxe est de fraîche date,
et le poison n'a pas encore agi. Mais, avec le temps, qui sait ce qui peut
5 arriver? qu'attendre de celui qui a oublié sa femme et sa fille, qui s'est
endetté, qui a cessé d'être époux et père, et qui, au lieu de déposer au fond
d'un coffre fidèle une somme utile. . . .

Ah, saint prophète! levez vos mains au ciel, priez pour un ami en péril,
dites à Dieu; Si tu vois dans tes décrets éternels que la richesse corrompe
10 le cœur de Denis, n'épargne pas les chefs-d'œuvre qu'il idolâtre; détruis-les,
et ramène-le à sa première pauvreté; et moi, je dirai au ciel de mon côté;
O Dieu! je me résigne à la prière du saint prophète et à ta volonté! Je
t'abandonne tout; reprends tout; oui, tout, excepté le Vernet.[32] Ah! laisse-
moi le Vernet! Ce n'est pas l'artiste, c'est toi qui l'as fait. Respecte l'ouvrage
15 de l'amitié et le tien. . . .

Si vous voyiez le bel ensemble de ce morceau; comme tout y est harmonieux; comme les effets s'y enchaînent; comme tout se fait valoir sans effort
et sans apprêt; comme ces montagnes de la droite sont vaporeuses; comme
ces rochers et les édifices surimposés sont beaux, comme cet arbre est
20 pittoresque; comme cette terrasse est éclairée; comme la lumière s'y dégrade;[32a] comme ces figures sont disposées, vraies, agissantes, naturelles, vivantes; comme elles intéressent; la force dont elles sont peintes, la pureté dont
elles sont dessinées; comme elles se détachent du fond; l'énorme étendue de
cet espace; la vérité de ces eaux; ces nuées, ce ciel, cet horizon! Ici le fond est
25 privé de lumière et le devant éclairé, au contraire du technique commun.
Venez voir mon Vernet; mais ne me l'ôtez pas.

Avec le temps, les dettes s'acquitteront; le remords s'apaisera; et j'aurai une
jouissance pure. Ne craignez pas que la fureur d'entasser de belles choses me
prenne. Les amis que j'avais, je les ai: et le nombre n'en est pas augmenté. . . .

Miscellanea philosophiques (IV, 1).

4. LA PHILOSOPHIE EXPÉRIMENTALE

30 Recueillir et lier les faits, ce sont deux occupations bien pénibles; aussi les
philosophes les ont-ils partagées entre eux. Les uns passent leur vie à rassembler des matériaux, manœuvres utiles et laborieux; les autres, orgueilleux
architectes, s'empressent à les mettre en œuvre. Mais le temps a renversé
jusqu'aujourd'hui presque tous les édifices de la philosophie rationnelle. Le
35 manœuvre poudreux apporte tôt ou tard, des souterrains où il creuse en
aveugle, le morceau fatal à cette architecture élevée à force de tête; elle
s'écroule; et il ne reste que les matériaux confondus pêle-mêle, jusqu'à ce
qu'un autre génie téméraire en entreprenne une combinaison nouvelle.
Heureux le philosophe systématique à qui la nature aura donné, comme
40 autrefois à Épicure, à Lucrèce, à Aristote, à Platon,[32b] une imagination forte,

---

[32] Claude Joseph Vernet (1712–1789), celebrated painter of landscapes and marine scenes.
[32a] "is graduated."   [32b] The great philosophers of antiquity.

une grande éloquence, l'art de présenter ses idées sous des images frappantes et sublimes! l'édifice qu'il a construit pourra tomber un jour; mais sa statue restera debout au milieu des ruines; et la pierre qui se détachera de la montagne ne la brisera point, parce que les pieds n'en sont pas d'argile.

Nous avons distingué deux sortes de philosophie, l'expérimentale et la 5 rationnelle. L'une a les yeux bandés, marche toujours en tâtonnant, saisit tout ce qui lui tombe sous les mains, et rencontre à la fin des choses précieuses. L'autre recueille ces matières précieuses, et tâche de s'en former un flambeau; mais ce flambeau prétendu lui a, jusqu'à présent, moins servi que le tâtonnement à sa rivale, et cela devait être. L'expérience multiplie ses mouvements 10 à l'infini; elle est sans cesse en action; elle met à chercher des phénomènes tout le temps que la raison emploie à chercher des analogies. La philosophie expérimentale ne sait ni ce qui lui viendra, ni ce qui ne lui viendra pas de son travail; mais elle travaille sans relâche. Au contraire, la philosophie rationnelle pèse les possibilités, prononce et s'arrête tout court. Elle dit 15 hardiment: *on ne peut décomposer la lumière;* la philosophie expérimentale l'écoute, et se tait devant elle pendant des siècles entiers; puis tout à coup elle montre le prisme,[33] et dit: *la lumière se décompose.*

De l'Interprétation de la nature.

5. LA LIBERTÉ MORALE[34]

. . . C'est ici, mon cher,[34a] que je vais quitter le ton de prédicateur pour prendre, si je peux, celui de philosophe. Regardez-y de près, et vous verrez 20 que le mot liberté est un mot vide de sens; qu'il n'y a point et qu'il ne peut y avoir d'êtres libres; que nous ne sommes que ce qui convient à l'ordre général, à l'organisation, à l'éducation et à la chaîne des événements. Voilà ce qui dispose de nous invinciblement. On ne conçoit non plus qu'un être agisse sans motif, qu'[35] un des bras d'une balance agisse sans l'action d'un 25 poids, et le motif nous est toujours extérieur, étranger, attaché ou par une nature ou par une cause quelconque, qui n'est pas nous. Ce qui nous trompe, c'est la prodigieuse variété de nos actions, jointe à l'habitude que nous avons prise tout en naissant de confondre le volontaire avec le libre. Nous avons tant loué, tant repris, nous l'avons été tant de fois, que c'est un préjugé bien 30 vieux que celui de croire que nous et les autres voulons, agissons librement. Mais s'il n'y a point de liberté, il n'y a point d'action qui mérite la louange ou le blâme; il n'y a ni vice ni vertu, rien dont il faille récompenser ou châtier. Qu'est-ce qui distingue donc les hommes? la bienfaisance et la malfaisance. Le malfaisant est un homme qu'il faut détruire et non punir; la 35 bienfaisance est une bonne fortune, et non une vertu. Mais quoique l'homme bien ou malfaisant ne soit pas libre, l'homme n'en est pas moins un être qu'on modifie, c'est par cette raison qu'il faut détruire le malfaisant sur une place publique. De là les bons effets de l'exemple, des discours, de l'éduca-

[33] Allusion to Sir Isaac Newton's discoveries in optics.
[34] Diderot here advances his final philosophy of determinism.
[34a] Landois, a dramatic poet, friend of Diderot.   [35] "than that."

tion, du plaisir, de la douleur, des grandeurs, de la misère, etc.; de là une
sorte de philosophie pleine de commisération, qui attache fortement aux
bons, qui ne s'irrite non plus contre le méchant que contre un ouragan qui
nous remplit les yeux de poussière. Il n'y a qu'une sorte de causes, à propre-
5 ment parler; ce sont les causes physiques. Il n'y a qu'une sorte de nécessité;
c'est la même pour tous les êtres, quelque distinction qu'il nous plaise
d'établir entre eux, ou qui y soit réellement. Voilà ce qui me réconcilie avec
le genre humain; c'est pour cette raison que je vous exhortais à la philanthro-
pie. Adoptez ces principes si vous les trouvez bons, ou montrez-moi qu'ils
10 sont mauvais. Si vous les adoptez, ils vous réconcilieront aussi avec les autres
et avec vous-même: vous ne vous saurez ni bon ni mauvais gré d'être ce
que vous êtes. Ne rien reprocher aux autres, ne se repentir de rien: voilà les
premiers pas vers la sagesse. Ce qui est hors de là est préjugé, fausse philosophie. Si l'on s'impatiente, si l'on jure, si l'on mord la pierre, c'est que dans
15 l'homme le mieux constitué, le plus heureusement modifié, il reste toujours
beaucoup d'animal; avant que d'être misanthrope, voyez si vous en avez
le droit. . . .

Correspondance Générale (XIX, 435).

6. *RELIGION ET RELIGIONS*

. . . Ne pourrait-on pas prétendre que la religion naturelle est la seule
vraiment subsistante? car, prenez un religionnaire, quel qu'il soit, inter-
20 rogez-le; et bientôt vous vous apercevrez qu'entre les dogmes de sa religion il y
en a quelques-uns, ou qu'il croit moins que les autres, ou même qu'il nie,
sans compter une multitude, ou qu'il n'entend pas, ou qu'il interprète à sa
mode. Parlez à un second sectateur de la même religion, réitérez sur lui
votre essai, et vous le trouverez exactement dans la même condition que son
25 voisin, avec cette différence seule, que ce dont celui-ci ne doute aucunement
et qu'il admet, c'est précisément ou ce que l'autre nie ou suspecte; que ce
qu'il n'entend pas, c'est ce que l'autre croit entendre très clairement; que ce
qui l'embarrasse, c'est ce sur quoi l'autre n'a pas la moindre difficulté, et
qu'ils ne s'accordent pas davantage sur ce qu'ils jugent mériter ou non une
30 interprétation. Cependant tous ces hommes s'attroupent au pied des mêmes
autels; on les croirait d'accord sur tout, et ils ne le sont presque sur rien. En
sorte que, si tous se sacrifiaient réciproquement les propositions sur lesquelles
ils seraient en litige, ils se trouveraient presque naturalistes,[36] et transportés,
de leurs temples, dans ceux du déiste.
35 La vérité de la religion naturelle[37] est à la vérité des autres religions
comme le témoignage que je me rends à moi-même est au témoignage que
je reçois d'autrui; ce que je sens, à ce qu'on me dit; ce que je trouve écrit
en moi-même du doigt de Dieu, et ce que les hommes vains, superstitieux

[36] Believers in natural religion.
[37] Diderot is here still a deist; he will later become an out-and-out materialist.

et menteurs ont gravé sur la feuille ou sur le marbre; ce que je porte en moi-même et rencontre le même partout, et ce qui est hors de moi, et change avec les climats; ce qui n'a point été sincèrement contredit, ne l'est point et ne le sera jamais, et ce qui, loin d'être admis, et de l'avoir été, ou n'a point été connu, ou a cessé de l'être, ou ne l'est point, ou bien est rejeté comme 5 faux; ce que ni le temps ni les hommes n'ont point aboli et n'aboliront jamais, et ce qui passe comme l'ombre; ce qui rapproche l'homme civilisé et le barbare, le chrétien, l'infidèle et le païen, l'adorateur de Jéhova, de Jupiter et de Dieu, le philosophe et le peuple, le savant et l'ignorant, le vieillard et l'enfant, le sage même et l'insensé, et ce qui éloigne le père du 10 fils, arme l'homme contre l'homme, expose le savant et le sage à la haine et à la persécution de l'ignorant et de l'enthousiaste,[38] et arrose de temps en temps la terre du sang d'eux tous; ce qui a fait élever vers le ciel, de toutes les régions du monde, l'hymne, la louange et le cantique, et ce qui a enfanté l'anathème, l'impiété, les exécrations et le blasphème; ce qui me peint l'uni- 15 vers comme une seule et unique immense famille dont Dieu est le premier père, et ce qui me représente les hommes divisés par poignées, et possédés par une foule de démons farouches et malfaisants, qui leur mettent le poignard dans la main droite, et la torche dans la main gauche, et qui les animent aux meurtres, aux ravages et à la destruction. Les siècles à venir 20 continueront d'embellir l'un de ces tableaux des plus belles couleurs; l'autre continuera de s'obscurcir par les ombres les plus noires. Tandis que les cultes humains continueront de se déshonorer dans l'esprit des hommes par leurs extravagances et leurs crimes, la religion naturelle se couronnera d'un nouvel éclat, et peut-être fixera-t-elle enfin les regards de tous les hommes, et 25 les ramènera-t-elle à ses pieds; c'est alors qu'ils ne formeront qu'une société; qu'ils banniront d'entre eux ces lois bizarres qui semblent n'avoir été imaginées que pour les rendre méchants et coupables; qu'ils n'écouteront plus que la voix de la nature, et qu'ils recommenceront enfin d'être simples et vertueux. O mortels! comment avez-vous fait pour vous rendre aussi 30 malheureux que vous l'êtes? Que je vous plains et que je vous aime! la commisération et la tendresse m'ont entraîné, je le sens bien; et je vous ai promis un bonheur auquel vous avez renoncé et qui vous a fuis pour jamais.

De la Suffisance de la Religion naturelle.

7. LE JEUNE MEXICAIN

CRUDELI.[39] [Un jeune Mexicain], las de son travail, se promenait un jour au bord de la mer. Il voit une planche qui trempait d'un bout dans les 35 eaux, et qui de l'autre posait sur le rivage. Il s'assied sur cette planche, et là, prolongeant ses regards sur la vaste étendue qui se déployait devant lui, il se disait: «Rien n'est plus vrai que ma grand'mère radote avec son histoire

[38] "fanatic."
[39] Italian poet (1703–1745), highly esteemed by Diderot, who translated one of his sonnets.

de je ne sais quels habitants qui, dans je ne sais quel temps, abordèrent ici de je ne sais où, d'une contrée au delà de nos mers. Il n'y a pas le sens commun: ne vois-je pas la mer confiner avec le ciel? Et puis-je croire, contre le témoignage de mes sens, une vieille fable dont on ignore la date, que
5 chacun arrange à sa manière, et qui n'est qu'un tissu de circonstances absurdes, sur lesquelles ils se mangent le cœur et s'arrachent le blanc des yeux?» Tandis qu'il raisonnait ainsi, les eaux agitées le berçaient sur sa planche, et il s'endormit. Pendant qu'il dort, le vent s'accroît, le flot soulève la planche sur laquelle il est étendu, et voilà notre jeune raisonneur em-
10 barqué.

LA MARÉCHALE. Hélas! c'est bien là notre image: nous sommes chacun sur notre planche; le vent souffle, et le flot nous emporte.

CRUDELI. Il était déjà loin du continent lorsqu'il s'éveilla. Qui fut bien surpris de se trouver en pleine mer? ce fut notre Mexicain. Qui le fut bien
15 davantage? ce fut encore lui, lorsqu'ayant perdu de vue le rivage sur lequel il se promenait il n'y a qu'un instant, la mer lui parut confiner avec le ciel de tous côtés. Alors il soupçonna qu'il pouvait bien s'être trompé, et que, si le vent restait au même point, peut-être serait-il porté sur la rive, et parmi ces habitants dont sa grand'mère l'avait si souvent entretenu.

20 LA MARÉCHALE. Et de son souci, vous ne m'en dites mot.

CRUDELI. Il n'en eut point. Il se dit: «Qu'est-ce que cela me fait, pourvu que j'aborde? J'ai raisonné comme un étourdi, soit; mais j'ai été sincère avec moi-même; et c'est tout ce qu'on peut exiger de moi. Si ce n'est pas une vertu que d'avoir de l'esprit, ce n'est pas un crime que d'en manquer.» Ce-
25 pendant le vent continuait, l'homme et la planche voguaient, et la rive in-connue commençait à paraître: il y touche, et l'y voilà.

LA MARÉCHALE. Nous nous y reverrons un jour, monsieur Crudeli.

CRUDELI. Je le souhaite, madame la maréchale; en quelque endroit que ce soit, je serai toujours très flatté de vous faire ma cour. A peine eut-il quitté
30 sa planche, et mis le pied sur le sable, qu'il aperçut un vieillard vénérable, debout à ses côtés. Il lui demanda où il était, et à qui il avait l'honneur de parler: «Je suis le souverain de la contrée,» lui répondit le vieillard. A l'in-stant le jeune homme se prosterne. «Relevez-vous, lui dit le vieillard. Vous avez nié mon existence?—Il est vrai.—Et celle de mon empire?—Il est
35 vrai.—Je vous pardonne, parce que je suis celui qui voit le fond des cœurs, et que j'ai lu au fond du vôtre que vous étiez de bonne foi; mais le reste de vos pensées et de vos actions n'est pas également innocent.» Alors le vieillard, qui le tenait par l'oreille, lui rappelait toutes les erreurs de sa vie; et, à chaque article, le jeune Mexicain s'inclinait, se frappait la poitrine, et demandait
40 pardon. . . . Là, madame la maréchale, mettez-vous pour un moment à la place du vieillard, et dites-moi ce que vous auriez fait? Auriez-vous pris ce jeune insensé par les cheveux; et vous seriez-vous complu à le traîner à toute éternité sur le rivage?

LA MARÉCHALE. En vérité, non. . . .

Entretien d'un philosophe avec la maréchale de. . . .

8. *L'ENTHOUSIASME* [40]

Le lendemain, je me rendis au pied de la colline. L'endroit était solitaire et sauvage. On avait en perspective quelques hameaux répandus dans la plaine; au delà, une chaîne de montagnes inégales et déchirées qui terminaient en partie l'horizon. On était à l'ombre des chênes, et l'on entendait le bruit sourd d'une eau souterraine qui coulait aux environs. C'était la saison où la terre est couverte des biens qu'elle accorde au travail et à la sueur des hommes. Dorval [40a] était arrivé le premier. J'approchai de lui sans qu'il m'aperçût. Il s'était abandonné au spectacle de la nature. Il avait la poitrine élevée. Il respirait avec force. Ses yeux attentifs se portaient sur tous les objets. Je suivais sur son visage les impressions diverses qu'il en éprouvait; et je commençais à partager son transport, lorsque je m'écriai, presque sans le vouloir: «Il est sous le charme.»

Il m'entendit et me répondit d'une voix altérée: «Il est vrai. C'est ici qu'on voit la nature. Voici le séjour sacré de l'enthousiasme. Un homme a-t-il reçu du génie? il quitte la ville et ses habitants. Il aime, selon l'attrait de son cœur, à mêler ses pleurs au cristal d'une fontaine; à porter des fleurs sur un tombeau; à fouler d'un pied léger l'herbe tendre de la prairie; à traverser à pas lents des campagnes fertiles; à contempler les travaux des hommes; à fuir au fond des forêts. Il aime leur horreur secrète. Il erre. Il cherche un antre qui l'inspire. Qui est-ce qui mêle sa voix au torrent qui tombe de la montagne? Qui est-ce qui sent le sublime d'un lieu désert? Qui est-ce qui s'écoute dans le silence de la solitude? C'est lui. Notre poète habite sur les bords d'un lac. Il promène sa vue sur les eaux, et son génie s'étend. C'est là qu'il est saisi de cet esprit, tantôt tranquille et tantôt violent, qui soulève son âme ou qui l'apaise à son gré. . . . O Nature, tout ce qui est bien est renfermé dans ton sein! Tu es la source féconde de toutes vérités! Il n'y a dans ce monde que la vertu et la vérité qui soient dignes de m'occuper. . . . L'enthousiasme naît d'un objet de la nature. Si l'esprit l'a vu sous des aspects frappants et divers, il en est occupé, agité, tourmenté. L'imagination s'échauffe; la passion s'émeut. On est successivement étonné, attendri, indigné, courroucé. Sans l'enthousiasme, ou l'idée véritable ne se présente point, ou si, par hasard, on la rencontre, on ne peut la poursuivre. . . . Le poète sent le moment de l'enthousiasme; c'est après qu'il a médité. Il s'annonce en lui par un frémissement qui part de sa poitrine, et qui passe, d'une manière délicieuse et rapide, jusqu'aux extrémités de son corps. Bientôt ce n'est plus un frémissement; c'est une chaleur forte et permanente qui l'embrase, qui le fait haleter, qui le consume, qui le tue, mais qui donne l'âme, la vie à tout ce qu'il touche. Si cette chaleur s'accroissait encore, les spectres se multiplieraient devant lui. Sa passion s'élèverait presque au degré de la

---

[40] This passage is strongly Romantic in character.
[40a] The hero of Diderot's play, *Le Fils naturel*, and the chief exponent of Diderot's dramatic theories in the three *Entretiens* which accompany the printed version of the play.

fureur. Il ne connaîtrait de soulagement qu'à verser au dehors un torrent
d'idées qui se pressent, se heurtent et se chassent.»

Entretiens sur le Fils naturel (II).

9. *LA POÉSIE ET LES MŒURS*

En général, plus un peuple est civilisé, poli, moins ses mœurs sont poétiques; tout s'affaiblit en s'adoucissant. Quand est-ce que la nature prépare
5 des modèles à l'art? C'est au temps où les enfants s'arrachent les cheveux
autour du lit d'un père moribond; où un ami se coupe la chevelure, et la
répand sur le cadavre de son ami; où c'est lui qui le soutient par la tête et
qui le porte sur un bûcher, qui recueille sa cendre et qui la renferme dans
une urne qu'il va, en certains jours, arroser de ses pleurs; où les veuves
10 échevelées se déchirent le visage de leurs ongles si la mort leur a ravi un
époux; où les chefs du peuple, dans les calamités publiques, posent leur
front humilié dans la poussière, ouvrent leurs vêtements dans la douleur, et
se frappent la poitrine; où un père prend entre ses bras son fils nouveau-né,
l'élève vers le ciel, et fait sur lui sa prière aux dieux; où le premier mouve-
15 ment d'un enfant, s'il a quitté ses parents, et qu'il les revoie après une longue
absence, c'est d'embrasser leurs genoux, et d'en attendre, prosterné, la bénédiction; où les repas sont des sacrifices qui commencent et finissent par des
coupes remplies de vin, et versées sur la terre; où le peuple parle à ses
maîtres, et où ses maîtres l'entendent et lui répondent; où l'on voit un
20 homme le front ceint de bandelettes devant un autel, et une prêtresse qui
étend les mains sur lui en invoquant le ciel et en exécutant les cérémonies
expiatoires et lustratives; [42] où des pythies [43] écumantes par la présence d'un
démon [44] qui les tourmente, sont assises sur des trépieds, ont les yeux
égarés, et font mugir de leurs cris prophétiques le fond obscur des antres;
25 où les dieux, altérés du sang humain, ne sont apaisés que par son effusion;
où des bacchantes,[45] armées de thyrses,[46] s'égarent dans les forêts et inspirent
l'effroi au profane qui se rencontre sur leur passage. . . .

Je ne dis pas que ces mœurs sont bonnes, mais qu'elles sont poétiques.

Qu'est-ce qu'il faut au poète? Est-ce une nature brute ou cultivée, paisible
30 ou troublée? Préférera-t-il la beauté d'un jour pur et serein à l'horreur d'une
nuit obscure, où le sifflement interrompu des vents se mêle par intervalles
au murmure sourd et continu d'un tonnerre éloigné, et où il voit l'éclair allumer le ciel sur sa tête? Préférera-t-il le spectacle d'une mer tranquille à
celui des flots agités? Le muet et froid aspect d'un palais, à la promenade
35 parmi des ruines? Un édifice construit, un espace planté de la main des
hommes, au touffu [47] d'une antique forêt, au creux ignoré d'une roche déserte? Des nappes d'eau, des bassins, des cascades, à la vue d'une cataracte
qui se brise en tombant à travers des rochers, et dont le bruit se fait entendre

[42] "purifying."   [43] Priestesses of Apollo.   [44] "divinity."   [45] Priestesses of Bacchus.
[46] Staffs bound with ivy and vines, carried by Bacchus and the Bacchantes.
[47] "confusion."

au loin du berger qui a conduit son troupeau dans la montagne, et qui l'écoute avec effroi?

La poésie veut quelque chose d'énorme, de barbare et de sauvage.[48]

C'est lorsque la fureur de la guerre civile ou du fanatisme arme les hommes de poignards, et que le sang coule à grands flots sur la terre, que le laurier [49] d'Apollon s'agite et verdit. Il en veut être arrosé. Il se flétrit dans les temps de la paix et du loisir. Le siècle d'or eût produit une chanson peut-être ou une élégie. La poésie épique et la poésie dramatique demandent d'autres mœurs.

Quand verra-t-on naître des poètes? Ce sera après les temps de désastres et de grands malheurs; lorsque les peuples harassés commenceront à respirer. Alors les imaginations, ébranlées par des spectacles terribles, peindront des choses inconnues à ceux qui n'en ont pas été les témoins. N'avons-nous pas éprouvé, dans quelques circonstances, une sorte de terreur qui nous était étrangère? Pourquoi n'a-t-elle rien produit? N'avons-nous plus de génie?

Le génie est de tous les temps; mais les hommes qui le portent en eux demeurent engourdis, à moins que des événements extraordinaires [50] n'échauffent la masse, et ne les fassent paraître. Alors les sentiments s'accumulent dans la poitrine, la travaillent; et ceux qui ont un organe, pressés de parler, le déploient et se soulagent.

De la Poésie dramatique (XVIII).

10. LA POÉSIE DES RUINES

O les belles, les sublimes ruines! [51] Quelle fermeté, et en même temps quelle légèreté, sûreté, facilité de pinceau! Quel effet! quelle grandeur! quelle noblesse! Qu'on me dise à qui ces ruines appartiennent, afin que je les vole: le seul moyen d'acquérir quand on est indigent. Hélas! elles font peut-être si peu de bonheur au riche stupide qui les possède; et elles me rendraient si heureux! ... Avec quel étonnement, quelle surprise je regarde cette voûte brisée, les masses surimposées à cette voûte! Les peuples qui ont élevé ce monument, où sont-ils? que sont-ils devenus? Dans quelle énorme profondeur obscure et muette mon œil va-t-il s'égarer? A quelle prodigieuse distance est renvoyée la portion du ciel que j'aperçois à cette ouverture! L'étonnante dégradation [52] de lumière! comme elle s'affaiblit en descendant du haut de cette voûte, sur la longueur de ces colonnes! comme ces ténèbres sont pressées par le jour [52a] de l'entrée et le jour du fond! on ne se lasse point de regarder. Le temps s'arrête pour celui qui admire. Que j'ai peu vécu! que ma jeunesse a peu duré!

... Vous êtes un habile homme, Monsieur Robert.[53] Vous excellerez,

[48] This passage also reveals Diderot as the precursor of Romanticism, with its emphasis upon emotion as against reason.

[49] Symbol of poetry.

[50] As, for example, the epic events of the Revolution and the Empire were to bring about the literary outburst of Romanticism.

[51] Diderot is here giving his impressions of a painting by Hubert Robert, *Une grande galérie éclairée du fond.*

[52] "gradation."   [52a] "light."   [53] Painter of ancient monuments (1733–1808).

vous excellez dans votre genre. Mais étudiez Vernet.[54] Apprenez de lui à dessiner, à peindre, à rendre vos figures intéressantes; et puisque vous vous êtes voué à la peinture des ruines, sachez que ce genre a sa poétique. Vous l'ignorez absolument. Cherchez-la. Vous avez le faire,[55] mais l'idéal vous
5 manque. Ne sentez-vous pas qu'il y a trop de figures ici; qu'il en faut effacer les trois quarts? Il n'en faut réserver que celles qui ajouteront à la solitude et au silence. Un seul homme, qui aurait erré dans ces ténèbres, les bras croisés sur la poitrine et la tête penchée m'aurait affecté davantage. L'obscurité seule, la majesté de l'édifice, la grandeur de la fabrique, l'étendue,
10 la tranquillité, le retentissement sourd de l'espace m'aurait fait frémir. Je n'aurais jamais pu me défendre d'aller rêver sous cette voûte, de m'asseoir entre ces colonnes, d'entrer dans votre tableau. Mais il y a trop d'importuns. Je m'arrête. Je regarde. J'admire et je passe. Monsieur Robert, vous ne savez pas encore pourquoi les ruines font tant de plaisir, indépendamment de la
15 variété des accidents qu'elles montrent; et je vais vous en dire ce qui m'en viendra sur-le-champ.

Les idées que les ruines réveillent en moi sont grandes. Tout s'anéantit, tout périt, tout passe. Il n'y a que le monde qui reste. Il n'y a que le temps qui dure. Qu'il est vieux ce monde! Je marche entre deux éternités. De quel-
20 que part que je jette les yeux, les objets qui m'entourent m'annoncent une fin et me résignent à celle qui m'attend. Qu'est-ce que mon existence éphémère, en comparaison de celle de ce rocher qui s'affaisse, de ce vallon qui se creuse, de cette forêt qui chancelle, de ces masses suspendues au-dessus de ma tête et qui s'ébranlent? Je vois le marbre des tombeaux tomber en pous-
25 sière; et je ne veux pas mourir! et j'envie [56] un faible tissu de fibres et de chair à une loi générale qui s'exécute sur le bronze! Un torrent entraîne les nations les unes sur les autres au fond d'un abîme commun; moi, moi seul, je prétends m'arrêter sur le bord et fendre le flot qui coule à mes côtés!

Si le lieu d'une ruine est périlleux, je frémis. Si je m'y promets le secret et
30 la sécurité, je suis plus libre, plus seul, plus à moi, plus près de moi. C'est là que j'appelle mon ami. C'est là que je regrette mon amie.[57] C'est là que nous jouirons de nous, sans trouble, sans témoins, sans importuns, sans jaloux. C'est là que je sonde mon cœur. C'est là que j'interroge le sien, que je m'alarme et me rassure. De ce lieu, jusqu'aux habitants des villes, jusqu'aux
35 demeures du tumulte, au séjour de l'intérêt, des passions, des vices, des crimes, des préjugés, des erreurs, il y a loin.

Si mon âme est prévenue d'un sentiment tendre, je m'y livrerai sans gêne. Si mon cœur est calme, je goûterai toute la douceur de son repos.

Dans cet asile désert, solitaire et vaste, je n'entends rien; j'ai rompu avec
40 tous les embarras de la vie. Personne ne me presse et ne m'écoute. Je puis parler tout haut, m'affliger, verser des larmes sans contrainte.[58] . . .

Salon de 1767.

[54] French painter (1733–1808), very fond of architectural subjects.
[55] "technique."   [56] "begrudge."   [57] Mlle Volland.
[58] Diderot was one of the first French writers since Du Bellay in his *Antiquités de Rome* to show any real feeling for ruins, which were to be so fertile an inspiration for Chateaubriand and the Romanticists.

11. LE ROSSIGNOL ET LE COUCOU

. . . Sur les sept heures, ils se sont mis à des tables de jeu; et MM. le Roy,[59] Grimm,[60] l'abbé Galiani [61] et moi, nous avons causé. Oh! pour cette fois, je vous apprendrai à connaître l'abbé, que peut-être vous n'avez regardé jusqu'à présent que comme un agréable. Il est mieux que cela.

Il s'agissait entre Grimm et M. le Roy du génie qui crée, et de la méthode qui ordonne. Grimm déteste la méthode; c'est, selon lui, la pédanterie des lettres. Ceux qui ne savent qu'arranger feraient aussi bien de rester en repos; ceux qui ne peuvent être instruits que par des choses arrangées feraient tout aussi bien de rester ignorants. «Mais c'est la méthode qui fait valoir.—Et qui gâte.—Sans elle, on ne profiterait de rien.—Qu'en se fatiguant, et cela n'en serait que mieux. Où est la nécessité que tant de gens sachent autre chose que leur métier?» Ils dirent beaucoup de choses que je ne vous rapporte pas; et ils en diraient encore, si l'abbé Galiani ne les eût interrompus comme ceci:

«Mes amis, je me rappelle une fable; écoutez-la. Elle sera peut-être un peu longue, mais elle ne vous ennuiera pas.

«Un jour, au fond d'une forêt, il s'éleva une contestation sur le chant entre le rossignol et le coucou. Chacun prise son talent.

«—Quel oiseau, disait le coucou, a le chant aussi facile, aussi simple, aussi naturel et aussi mesuré que moi?»

«—Quel oiseau, disait le rossignol, l'a plus doux, plus varié, plus éclatant, plus léger, plus touchant que moi?»

«Le coucou: «Je dis peu de choses; mais elles ont du poids, de l'ordre, et on les retient.»

«Le rossignol: «J'aime à parler; mais je suis toujours nouveau, et je ne fatigue jamais. J'enchante les forêts; le coucou les attriste. Il est tellement attaché à la leçon de sa mère, qu'il n'oserait hasarder un ton qu'il n'a point pris d'elle. Moi, je ne reconnais point de maître; je me joue des règles. C'est surtout lorsque je les enfreins qu'on m'admire. Quelle comparaison de sa fastidieuse méthode avec mes heureux écarts?»

«Le coucou essaya plusieurs fois d'interrompre le rossignol. Mais les rossignols chantent toujours, et n'écoutent point; c'est un peu leur défaut. Le nôtre, entraîné par ses idées, les suivait avec rapidité, sans se soucier des réponses de son rival.

«Cependant, après quelques dits et contredits, ils convinrent de s'en rapporter au jugement d'un tiers animal.

«Mais où trouver ce tiers également instruit et impartial qui les jugera? Ce n'est pas sans peine qu'on trouve un bon juge. Ils vont en cherchant un partout.

«Ils traversaient une prairie, lorsqu'ils y aperçurent un âne des plus graves et des plus solennels. Depuis la création de l'espèce, aucun n'avait porté

---

[59] Friend of Diderot and collaborator on the *Encyclopédie* (1723–1789).
[60] See p. 399, n. 13.   [61] A witty Italian (1728–1787), friend of the Philosophes.

d'aussi longues oreilles. «Ah! dit le coucou en les voyant, nous sommes trop heureux: notre querelle est une affaire d'oreilles; voilà notre juge: Dieu le fit pour nous tout exprès.»

«L'âne broutait. Il n'imaginait guère qu'un jour il jugerait de musique. Mais la Providence s'amuse à beaucoup d'autres choses. Nos deux oiseaux s'abattent devant lui, le complimentent sur sa gravité et sur son jugement, lui exposent le sujet de leur dispute, et le supplient très humblement de les entendre et de décider.

«Mais l'âne, détournant à peine sa lourde tête et n'en perdant pas un coup de dent, leur fait signe de ses oreilles qu'il a faim, et qu'il ne tient pas aujourd'hui son lit de justice.[61a] Les oiseaux insistent; l'âne continue à brouter. En broutant, son appétit s'apaise. Il y avait quelques arbres plantés sur la lisière du pré. «Eh bien! leur dit-il, allez là: je m'y rendrai; vous chanterez, je digérerai, je vous écouterai, et puis je vous dirai mon avis.»

«Les oiseaux vont à tire-d'aile, et se perchent; l'âne les suit de l'air et du pas d'un président à mortier [62] qui traverse les salles du Palais.[62a] Il arrive, il s'étend à terre, et dit: «Commencez, la cour vous écoute.» C'est lui qui était toute la cour.

«Le coucou dit: «Monseigneur, il n'y a pas un mot à perdre de mes raisons; saisissez bien le caractère de mon chant, et surtout daignez en observer l'artifice et la méthode.» Puis, se rengorgeant et battant à chaque fois des ailes, il chanta: «Coucou, coucou, coucoucou, coucoucou, coucou, coucoucou.» Et, après avoir combiné cela de toutes les manières possibles, il se tut.

«Le rossignol, sans préambule, déploie sa voix, s'élance dans les modulations les plus hardies, suit les chants les plus neufs et les plus recherchés: ce sont des cadences ou des tenues à perte d'haleine; tantôt on entendait les sons descendre et murmurer au fond de sa gorge comme l'onde du ruisseau qui se perd sourdement entre des cailloux, tantôt on les entendait s'élever, se renfler peu à peu, remplir l'étendue des airs, et y demeurer comme suspendus. Il était successivement doux, léger, brillant, pathétique, et, quelque caractère qu'il prît, il peignait; mais son chant n'était pas fait pour tout le monde.

«Emporté par son enthousiasme, il chanterait encore; mais l'âne, qui avait déjà bâillé plusieurs fois, l'arrêta, et lui dit: «Je me doute que tout ce que vous avez chanté là est fort beau, mais je n'y entends rien; cela me paraît bizarre, brouillé, décousu. Vous êtes peut-être plus savant que votre rival, mais il est plus méthodique que vous, et je suis, moi, pour la méthode.»

Et l'abbé s'adressant à M. le Roy, et montrant Grimm du doigt: «Voilà, dit-il, le rossignol, et vous êtes le coucou, et moi je suis l'âne qui vous donne gain de cause. Bonsoir.»

Les contes de l'abbé sont bons, mais il les joue supérieurement: on n'y tient pas. Vous auriez trop ri de lui voir tendre son cou en l'air, et faire la

---

[61a] Extraordinary session of the Parlement de Paris. Translate: "court."
[62] Chief judge of a Parlement.   [62a] The Palais de Justice.

petite voix pour le rossignol; se rengorger et prendre le ton rauque pour le coucou; redresser ses oreilles, et imiter la gravité bête et lourde de l'âne; et tout cela naturellement, et sans y tâcher. C'est qu'il est pantomime depuis la tête jusqu'aux pieds.

Lettres à Mlle Volland (XVIII, 509).

12. LE GENRE SÉRIEUX [63]

Dorval m'attendait: car il avait pensé, de son côté, que je n'irais point au 5 rendez-vous de la veille: et ce fut dans son jardin, sur les bords sablés d'un large canal, où il avait coutume de se promener qu'il acheva de me développer ses idées. Après quelques discours généraux sur les actions de la vie et sur l'imitation qu'on fait au théâtre, il me dit:

«On distingue, dans tout objet moral, un milieu et deux extrêmes. Il 10 semble donc que, toute action dramatique étant un objet moral, il devrait y avoir un genre moyen et deux genres extrêmes. Nous avons ceux-ci; c'est la comédie et la tragédie: mais l'homme n'est pas toujours dans la douleur ou dans la joie. Il y a donc un point qui sépare la distance [64] du genre comique au genre tragique. 15

«Térence a composé une pièce [65] dont voici le sujet. Un jeune homme se marie. A peine est-il marié, que des affaires l'appellent au loin. Il est absent. Il revient. Il croit apercevoir dans sa femme des preuves certaines d'infidélité. Il en est au désespoir. Il veut la renvoyer à ses parents. Qu'on juge de l'état du père, de la mère et de la fille. Il y a cependant un Dave,[66] personnage 20 plaisant par lui-même. Qu'en fait le poète? Il l'éloigne de la scène pendant les quatre premiers actes, et il ne le rappelle que pour égayer un peu son dénoûment.

«Je demande dans quel genre est cette pièce? Dans le genre comique? Il n'y a pas le mot pour rire. Dans le genre tragique? La terreur, la com- 25 misération et les autres grandes passions n'y sont point excitées. Cependant il y a de l'intérêt; et il y en aura, sans ridicule qui fasse rire, sans danger qui fasse frémir, dans toute composition dramatique où le sujet sera important, où le poète prendra le ton que nous avons dans les affaires sérieuses, et où l'action s'avancera par la perplexité et par les embarras. Or, il me semble 30 que ces actions étant les plus communes de la vie, le genre qui les aura pour objet doit être le plus utile et le plus étendu. J'appellerai ce genre *le genre sérieux.*

«Ce genre établi, il n'y aura point de condition dans la société, point d'actions importantes dans la vie, qu'on ne puisse rapporter à quelque partie 35 du système dramatique.» . . .

Entretiens sur le Fils naturel (III).

[63] Diderot is here giving his theory of the *drame bourgeois,* his great contribution in the field of drama.
[64] Very badly expressed. Diderot seems to mean that there should be a point midway between the two extremes.
[65] *Hecyra.*   [66] Davus, common name in Roman comedy for a slave.

13. VOLTAIRE

Cet homme,[67] dites-vous,[68] est né jaloux de toute espèce de mérite. Sa manie de tout temps a été de rabaisser, de déchirer ceux qui avaient quelque droit à notre estime. Soit; mais qu'est-ce que cela fait? Est-ce un sot, parce que cet homme l'a dit? Non. Qu'en arrive-t-il? Le cri public s'élève en fa-
5 veur du mérite rabaissé, déchiré, et il ne reste au censeur injuste que le titre d'envieux et de jaloux.

Cet homme, dites-vous, est ingrat. Son bienfaiteur [69] est-il tombé dans la disgrâce, il lui tourne le dos, et se hâte d'aller encenser l'idole du moment. Soit; mais qu'est-ce que cela fait? En méprise-t-on moins l'idole et son en-
10 censeur? [70] Non. Qu'en arrive-t-il? On dit peut-être de l'homme disgracié qu'il avait mal placé sa faveur, et de l'autre qu'il est ingrat.

Cet homme, dites-vous, a fait l'apologie d'un vizir [71] dont les opérations écrasaient les particuliers, sans soulager l'empire. Soit; mais qu'est-ce que cela fait? Le peuple en est-il plus opprimé, et le vizir moins digne du mortier
15 d'Amurat? [72] Non. Et que dit-on du vizir? On dit en soupirant qu'il est toujours en faveur, et l'on attend. Et de son apologiste? que c'est un lâche ou un insensé.

Mais ce jaloux est un octogénaire qui tint toute sa vie son fouet levé sur les tyrans, les fanatiques, et les autres grands malfaiteurs de ce monde.
20 Mais cet ingrat, constant ami de l'humanité, a quelquefois secouru le malheureux dans sa détresse, et vengé l'innocence opprimée.

Mais cet insensé a introduit la philosophie de Locke et de Newton dans sa patrie,[73] attaqué les préjugés les plus révérés sur la scène,[74] prêché la liberté de penser, inspiré l'esprit de tolérance, soutenu le bon goût expirant,
25 fait plusieurs actions louables,[75] et une multitude d'excellents ouvrages. Son nom est en honneur dans toutes les contrées et durera dans tous les siècles.

Hé bien, à l'âge de soixante et dix-huit ans, il vint en fantaisie à cet homme tout couvert de lauriers de se jeter dans un tas de boue; et vous croyez qu'il est bien d'aller lui sauter à deux pieds sur le ventre, et de l'enfoncer dans la
30 fange, jusqu'à ce qu'il disparaisse! Ah! monsieur, ce n'est pas là votre dernier mot.

Un jour cet homme sera bien grand, et ses détracteurs bien petits.

Pour moi, si j'avais l'éponge qui pût le nettoyer, j'irais lui tendre la main, je le tirerais de son bourbier, et le nettoierais. J'en userais à son égard comme
35 l'antiquaire avec un bronze souillé. Je le décrasserais avec le plus grand ménagement [76] pour la délicatesse du travail et des formes précieuses. Je lui restituerais son éclat, et je l'exposerais pur à votre admiration.

---

[67] Voltaire.
[68] Naigeon (1738–1810), atheistic writer, who had apparently attacked Voltaire for being too moderate in his religious beliefs.
[69] Probably the minister Choiseul.   [70] "worshipper."   [71] The chancellor Maupeou.
[72] Allusion to a Turkish sultan who had his victims crushed in a mortar.
[73] In his *Lettres philosophiques* (1734) Voltaire introduced English ideas to France.
[74] Voltaire's tragedies are full of liberal propaganda.
[75] Especially his fight for justice in *l'affaire Calas*.   [76] "care."

Bonjour, nous penserons diversement, mais nous ne nous en aimerons pas moins. . . .

Correspondance Générale (XX, 72).

14. PORTRAIT DU NEVEU DE RAMEAU

[The nephew of the musician Rameau (1683–1764) was a real person of the time, much superior, however, to Diderot's characterization of him. Diderot makes him the incarnation of parasitism, a vice he himself detested. He also puts into his mouth certain advanced doctrines which he felt it dangerous to set forth as his own.]

Qu'il fasse beau, qu'il fasse laid, c'est mon habitude d'aller sur les cinq heures du soir me promener au Palais-Royal.[77] C'est moi qu'on voit toujours seul, rêvant sur le banc d'Argenson.[78] Je m'entretiens avec moi-même de politique, d'amour, de goût ou de philosophie; j'abandonne mon esprit à tout son libertinage; je le laisse maître de suivre la première idée sage ou folle qui se présente. . . .

Si le temps est trop froid ou trop pluvieux, je me réfugie au café de *la Régence*.[79] Là, je m'amuse à voir jouer aux échecs. Paris est l'endroit du monde, et le café de *la Régence* est l'endroit de Paris où l'on joue le mieux à ce jeu.

Une après-dînée j'étais là, regardant beaucoup, parlant peu et écoutant le moins que je pouvais, lorsque je fus abordé par un des plus bizarres personnages de ce pays où Dieu n'en a pas laissé manquer. C'est un composé de hauteur et de bassesse, de bon sens et déraison; il faut que les notions de l'honnête et du déshonnête soient bien étrangement brouillées dans sa tête, car il montre ce que la nature lui a donné de bonnes qualités, sans ostentation, et ce qu'il en a reçu de mauvaises, sans pudeur. Au reste, il est doué d'une organisation forte, d'une chaleur d'imagination singulière, et d'une vigueur de poumons peu commune. Si vous le rencontrez jamais et que son originalité ne vous arrête pas, ou vous mettrez vos doigts dans vos oreilles, ou vous vous enfuirez. Dieux, quels terribles poumons! Rien ne dissemble[80] plus de lui que lui-même. Quelquefois il est maigre et hâve comme un malade au dernier degré de la consomption; on compterait ses dents au travers ses joues, on dirait qu'il a passé plusieurs jours sans manger, ou qu'il sort de la Trappe.[81] Le mois suivant, il est gras et replet comme s'il n'avait pas quitté la table d'un financier, ou qu'il eût été renfermé dans un couvent de Bernardins.[82] Aujourd'hui en linge sale, en culotte déchirée, couvert de lambeaux, presque sans souliers, il va la tête basse, il se dérobe, on serait tenté de l'appeler pour lui donner l'aumône. Demain poudré, chaussé, frisé,

---

[77] Palace built in 1629 by Richelieu; residence of the Ducs d'Orléans in the 18th century.
[78] A bench on the Allée d'Argenson, at one side of the garden.
[79] The café was an important institution in the 18th century as a center for different social groups.
[80] "differs."   [81] A very austere order of monks.
[82] Monks of the order of St. Benedict reformed by St. Bernardin, apparently rather lax in their discipline.

bien vêtu, il marche la tête haute, il se montre, et vous le prendriez à peu près pour un honnête homme. Il vit au jour la journée; triste ou gai, selon les circonstances. Son premier soin, le matin, quand il est levé, est de savoir où il dînera; après dîner, il pense où il ira souper. La nuit amène aussi son 5 inquiétude: ou il regagne à pied un petit grenier qu'il habite, à moins que l'hôtesse ennuyée d'attendre son loyer, ne lui en ait redemandé la clef; ou il se rabat dans une taverne du faubourg où il attend le jour entre un morceau de pain et un pot de bière. Quand il n'a pas six sous dans sa poche, ce qui lui arrive quelquefois, il a recours soit à un fiacre [83] de ses amis, soit au 10 cocher d'un grand seigneur qui lui donne un lit sur de la paille, à côté de ses chevaux. Le matin il a encore une partie de son matelas dans les cheveux. Si la saison est douce, il arpente toute la nuit le Cours [84] ou les Champs-Élysées.[85] Il reparaît avec le jour à la ville, habillé de la veille pour le lendemain, et du lendemain quelquefois pour le reste de la semaine.

15 Je n'estime pas ces originaux-là; d'autres en font leurs connaissances familières, même leurs amis. Ils m'arrêtent une fois l'an, quand je les rencontre, parce que leur caractère tranche avec celui des autres, et qu'ils rompent cette fastidieuse uniformité que notre éducation, nos conventions de société, nos bienséances d'usage, ont introduite. S'il en paraît un dans une compagnie, 20 c'est un grain de levain qui fermente et qui restitue à chacun une portion de son individualité naturelle. Il secoue, il agite, il fait approuver ou blâmer; il fait sortir la vérité, il fait connaître les gens de bien, il démasque les coquins; c'est alors que l'homme de bon sens écoute et démêle son monde.

Je connaissais celui-ci de longue main. Il fréquentait dans une maison 25 dont son talent lui avait ouvert la porte. Il y avait une fille unique; il jurait au père et à la mère qu'il épouserait leur fille. Ceux-ci haussaient les épaules, lui riaient au nez, lui disaient qu'il était fou; et je vis le moment que la chose était faite. Il m'empruntait quelques écus que je lui donnais. Il s'était introduit, je ne sais comment, dans quelques maisons honnêtes où il avait 30 son couvert, mais à la condition qu'il ne parlerait pas sans en avoir obtenu la permission. Il se taisait et mangeait de rage, il était excellent à voir dans cette contrainte. S'il lui prenait envie de manquer au traité et qu'il ouvrît la bouche, au premier mot tous les convives s'écriaient: ô Rameau! Alors la fureur étincelait dans ses yeux et il se remettait à manger avec plus de rage. 35 Vous étiez curieux de savoir le nom de l'homme et vous le savez. C'est le neveu de ce musicien célèbre [86] qui nous a délivrés du plain-chant de Lulli [87] que nous psalmodiions depuis plus de cent ans, qui a tant écrit de visions inintelligibles et de vérités apocalyptiques sur la théorie de la musique, où ni lui ni personne n'entendit jamais rien, et de qui nous avons un certain 40 nombre d'opéras où il y a de l'harmonie, des bouts de chants, des idées décousues, du fracas, des vols,[88] des triomphes, des lances, des gloires, des

---

[83] *cocher de fiacre.*   [84] Cours-la-Reine, a fashionable promenade of the time.
[85] Another still more famous Parisian promenade.
[86] Jean-Philippe Rameau (1683–1764), French musician. He made material contributions to the theory of harmony, and reformed opera in the direction of greater naturalness.
[87] Great musician of the reign of Louis XIV (1633–1687).   [88] "flights" (scenic effects).

murmures, des victoires à perte d'haleine, des airs de danse qui dureront
éternellement, et qui, après avoir enterré le Florentin,[89] sera enterré par les
virtuoses italiens,[90] ce qu'il pressentait et qui le rendait sombre, triste, har-
gneux,[91] car personne n'a autant d'humeur, pas même une jolie femme qui
se lève avec un bouton sur le nez, qu'un auteur menacé de survivre à sa répu-   5
tation, témoin Marivaux [91a] et Crébillon [91b] le fils.

Le Neveu de Rameau.

15. UN MÉLOMANE

[The younger Rameau was, like his uncle, a musician, making a modest living by giving music lessons. Diderot exaggerates his interest in music to the
point of eccentricity.]

Le voilà qui se met à se promener en murmurant dans son gosier quelques-
uns des airs de l'*Ile des Fous,* du *Peintre amoureux de son modèle,* du *Maréchal ferrant,* de la *Plaideuse,*[91c] et de temps en temps il s'écriait, en levant les
mains et les yeux au ciel: «Si cela est beau, mordieu! si cela est beau! com-   10
ment peut-on porter à sa tête une paire d'oreilles, et faire une pareille question?» Il commençait à entrer en passion et à chanter tout bas, il élevait le
ton à mesure qu'il se passionnait davantage; vinrent ensuite les gestes, les
grimaces du visage et les contorsions du corps; et je dis: «Bon, voilà la tête
qui se perd et quelque scène nouvelle qui se prépare.» . . .   15
Il entassait et brouillait ensemble trente airs italiens, français, tragiques,
comiques, de toutes sortes de caractères. Tantôt avec une voix de basse-taille
il descendait jusqu'aux enfers, tantôt, s'égosillant et contrefaisant le fausset,
il déchirait le haut des airs; imitant de la démarche, du maintien, du geste,
les différents personnages chantants; successivement furieux, radouci, im-   20
périeux, ricaneur. Ici c'est une jeune fille qui pleure, et il en rend toute la
minauderie; là, il est prêtre, il est roi, il est tyran; il menace, il commande,
il s'emporte; il est esclave, il obéit; il s'apaise, il se désole, il se plaint, il rit;
jamais hors de ton, de mesure, du sens des paroles et du caractère de l'air.
Tous les pousse-bois [92] avaient quitté leurs échiquiers et s'étaient ras-   25
semblés autour de lui; les fenêtres du café étaient occupées en dehors par les
passants qui s'étaient arrêtés au bruit. On faisait des éclats de rire à entr'ouvrir le plafond. Lui n'apercevait rien, il continuait, saisi d'une aliénation
d'esprit, d'un enthousiasme si voisin de la folie qu'il est incertain qu'il en
revienne, s'il ne faudra pas le jeter dans un fiacre et le mener droit aux   30
Petites-Maisons,[93] en chantant un lambeau des *Lamentations* de Jomelli.[94]
Il répétait avec une précision, une vérité et une chaleur incroyables les plus

---

[89] Lulli.
[90] Diderot was a partisan of the more melodious Italian music as opposed to the more
academic music of Rameau.
[91] "crabbed."   [91a] Dramatist and novelist (1688–1763); writer of charming comedies.
[91b] Author of light, licentious tales (1707–1777).
[91c] Operas by the Italian composer, Duni (1709–1775), whose music was extremely popular
at this time.
[92] "chess players."   [93] Insane asylum.   [94] Italian musician (1714–1774).

beaux endroits de chaque morceau; ce beau récitatif obligé [95] où le prophète peint la désolation de Jérusalem, il l'arrosa d'un torrent de larmes qui en arrachèrent de tous les yeux. Tout y était, et la délicatesse du chant, et la force de l'expression, et la douleur. Il insistait sur les endroits où le musicien s'était particulièrement montré un grand maître. S'il quittait la partie du chant, c'était pour prendre celle des instruments qu'il laissait subitement pour revenir à la voix, entrelaçant l'une à l'autre de manière à conserver les liaisons et l'unité du tout, s'emparant de nos âmes, et les tenant suspendues dans la situation la plus singulière que j'aie jamais éprouvée. Admirais-je? oui, j'admirais. Étais-je touché de pitié? j'étais touché de pitié; mais une teinte de ridicule était fondue dans ces sentiments et les dénaturait.

Mais vous vous seriez échappé en éclats de rire à la manière dont il contrefaisait les différents instruments; avec des joues renflées et bouffies, et un son rauque et sombre, il rendait les cors et les bassons; il prenait un son éclatant et nasillard pour les hautbois; précipitant sa voix avec une rapidité incroyable pour les instruments à corde dont il cherchait les sons les plus approchés; il sifflait les petites flûtes, il roucoulait les traversières; [96] criant, chantant, se démenant comme un forcené, faisant lui seul les danseurs, les danseuses, les chanteurs, les chanteuses, tout un orchestre, tout un théâtre lyrique, et se divisant en vingt rôles divers; courant, s'arrêtant avec l'air d'un énergumène, étincelant des yeux, écumant de la bouche.

Il faisait une chaleur à périr, et la sueur qui suivait les plis de son front et la longueur de ses joues, se mêlait à la poudre de ses cheveux, ruisselait et sillonnait le haut de son habit. Que ne lui vis-je pas faire? Il pleurait, il riait, il soupirait, il regardait ou attendri, ou tranquille, ou furieux; c'était une femme qui se pâme de douleur, c'était un malheureux livré à tout son désespoir; un temple qui s'élève; des oiseaux qui se taisent au soleil couchant; des eaux ou qui murmurent dans un lieu solitaire et frais, ou qui descendent en torrent du haut des montagnes; un orage, une tempête, la plainte de ceux qui vont périr, mêlée au sifflement des vents, au fracas du tonnerre. C'était la nuit avec ses ténèbres, c'était l'ombre et le silence, car le silence même se peint par des sons. Sa tête était tout à fait perdue.

Épuisé de fatigue, tel qu'un homme qui sort d'un profond sommeil ou d'une longue distraction, il resta immobile, stupide, étonné; il tournait ses regards autour de lui comme un homme égaré qui cherche à reconnaître le lieu où il se trouve; il attendait le retour de ses forces et de ses esprits; il essuyait machinalement son visage. Semblable à celui qui verrait à son réveil son lit environné d'un grand nombre de personnes, dans un entier oubli ou dans une profonde ignorance de ce qu'il a fait, il s'écria dans le premier moment: «Eh bien, messieurs, qu'est-ce qu'il y a?... D'où viennent vos ris et votre surprise? Qu'est-ce qu'il y a?...» Ensuite il ajouta: «Voilà ce qu'on doit appeler de la musique et un musicien!...»

Le Neveu de Rameau.

---

[95] "obbligato."   [96] German flutes, played along the side.

BUFFON (1707–1788)

Georges-Louis Leclerc, comte de Buffon, is the great name in 18th-century science, both by virtue of his original contributions to scientific knowledge, and of his artistic expression of his scientific ideas. His appointment in 1739 to the position of curator of the *Jardin du Roi* gave him the opportunity to cultivate his growing taste for the natural sciences. The rest of his life was devoted entirely to scientific investigation. Faguet calls him "a pure intelligence face to face with eternal things, looking at them and seeking to understand them." The serenity of Buffon's life presents a striking contrast to the feverish activity of most of his contemporaries. The fruit of his conscientious scientific labors is his vast *Histoire naturelle* (1749–1788).

Buffon is one of the really great scientists, though his scientific method has been in many respects outgrown. He is very far from being a mere *phrasier,* as d'Alembert calls him. His name survives for the genuine scientific value of his work and not for its purely literary quality. Starting always from the careful observation of facts, Buffon has not the patience to advance slowly and methodically, step by step, like the modern experimental scientist. He is more interested in the synthesis of his materials, and especially in the elaboration of bold hypotheses concerning the nature of the universe and the successive stages of its development. These hypotheses find their fullest expression in his famous *Époques de la nature* (1778), whose fundamental concepts are still accepted by modern geologists, though many of the details have had to be rejected.

In many of his biological ideas, Buffon anticipates the theories of Darwin. His whole theory is based on the idea that the animals are the result of a slow evolution; but the chain of evolution is broken at man. Buffon will not accept the view that man is but a further development of the animals, but holds that he is quite a different being, however much he may seem to resemble them. Hence Buffon fails to reach the doctrine of evolution in its modern form, though his general conception of the universe clearly points in that direction. It remained for his disciple, La Marck, to introduce man into the evolutionary scheme and thus prepare the way directly for Darwin.

In his own time, Buffon was probably best known for his *descriptions* of the animals and birds, the part of his work which does least honor to him as a scientist, and the part in which he was least interested, and which he was most ready to entrust to his collaborators. To the modern reader, the great weakness of the *descriptions* is the over-stressing of the moral qualities of the animals at the expense of their physical characteristics.

"M. Faguet fait justement observer que Buffon est, avec Rousseau, le plus grand poète du siècle. En un sens, il est plus grand, plus haut que Rousseau. Il a retrouvé la poésie de Lucrèce; et ses *Époques de la nature* ont la beauté du cinquième livre du *De natura rerum.* D'autres ont pu peindre quelques apparences de la nature; ils ont offert à nos sensations quelques formes particulières, éparses dans l'immensité de l'espace et de la durée, et qui s'assortissaient à la qualité de leur âme. Mais Buffon seul a donné au sentiment de la nature toute sa profondeur; il en a fait une émotion philosophique où l'impression des apparences s'accompagne d'une intuition de la force invisible, éternelle, qui s'y manifeste selon des lois immuables, où le spectacle de l'ordre actuel évoque par un mélancolique retour les vagues et troublantes images des époques lointaines, dont le débris et la ruine ont été la condition de notre existence. Par Buffon, la description de la nature, qui n'était qu'un thème pittoresque, pourra devenir un thème lyrique."

Lanson—Histoire de la littérature française.

IMPORTANT WORKS:

Théorie de la terre (1749); *Histoire naturelle de l'homme* (1749); *Histoire naturelle* (1749–1788); *Époques de la nature* (1778); *Discours sur le style* (1753).

LES ÉPOQUES DE L'HISTOIRE ET DE LA NATURE

Comme, dans l'histoire civile, on consulte les titres, on recherche les médailles, on déchiffre les inscriptions antiques, pour déterminer les époques des révolutions humaines et constater les dates des événements moraux; de même, dans l'histoire naturelle, il faut fouiller les archives du monde, tirer
5 des entrailles de la terre les vieux monuments, recueillir leurs débris, et rassembler en un corps de preuves tous les indices des changements physiques qui peuvent nous faire remonter aux différents âges de la nature. C'est le seul moyen de fixer quelques points dans l'immensité de l'espace et de placer un certain nombre de pierres numéraires [1] sur la route éternelle du temps. Le
10 passé est comme la distance; notre vue y décroit et s'y perdrait de même, si l'histoire et la chronologie n'eussent placé des fanaux, des flambeaux, aux points les plus obscurs. Mais, malgré ces lumières de la tradition écrite, si l'on remonte à quelques siècles, que d'incertitudes dans les faits! que d'erreurs sur les causes des événements! et quelle obscurité profonde n'environne
15 pas les temps antérieurs à cette tradition! D'ailleurs elle ne nous a transmis que les gestes [2] de quelques nations, c'est-à-dire les actes d'une très petite partie du genre humain: tout le reste des hommes est demeuré nul pour nous, nul pour la postérité; ils ne sont sortis de leur néant que pour passer comme des ombres qui ne laissent point de traces; et plût au ciel que le
20 nom de tous ces prétendus héros dont on a célébré les crimes ou la gloire sanguinaire, [3] fût également enseveli dans la nuit de l'oubli!

Ainsi l'histoire civile, bornée d'un côté par les ténèbres d'un temps assez voisin du nôtre, ne s'étend de l'autre qu'aux petites portions de terre qu'ont occupées successivement les peuples soigneux de leur mémoire; au lieu que
25 l'histoire naturelle embrasse également tous les espaces, tous les temps, et n'a d'autres limites que celles de l'univers.

La nature étant contemporaine de la matière, de l'espace et du temps, son histoire est celle de toutes les substances, de tous les lieux, de tous les âges;

---

[1] "milestones."   [2] "actions."
[3] Buffon is quite of his time in his aversion to the overemphasis in history on war and battles.

et, quoiqu'il paraisse à la première vue que ses grands ouvrages ne s'altèrent ni ne changent, et que dans ses productions, même les plus fragiles et les plus passagères, elle se montre toujours et constamment la même, puisqu'à chaque instant ses premiers modèles reparaissent à nos yeux sous de nouvelles représentations; cependant, en l'observant de près, on s'apercevra que 5
son cours n'est pas absolument uniforme; on reconnaîtra qu'elle admet des variations sensibles, qu'elle reçoit des altérations successives, qu'elle se prête même à des combinaisons nouvelles, à des mutations de matière et de forme; qu'enfin, autant elle paraît fixe dans son tout, autant elle est variable dans chacune de ses parties; et, si nous l'embrassons dans toute son étendue, nous 10
ne pourrons douter qu'elle ne soit aujourd'hui très différente de ce qu'elle était au commencement, et de ce qu'elle est devenue dans la succession des temps: ce sont ces changements divers que nous appelons ses époques.

Les Époques de la nature.

LA NATURE DE L'HOMME

Je crains de m'être déjà trop étendu sur un sujet que bien des gens regarderont peut-être comme étranger à notre objet: des considérations sur l'âme 15
doivent-elles se trouver dans un livre d'histoire naturelle? J'avoue que je serais peu touché de cette réflexion si je me sentais assez de force pour traiter dignement des matières aussi élevées, et que je n'ai abrégé mes pensées que par la crainte de ne pouvoir comprendre ce grand sujet dans toute son étendue. Pourquoi vouloir retrancher de l'histoire naturelle de l'homme l'his- 20
toire de la partie la plus noble de son être? pourquoi l'avilir mal à propos, et vouloir nous forcer à ne le voir que comme un animal, tandis qu'il est en effet d'une nature très différente, très distinguée, et si supérieure à celle des bêtes, qu'il faudrait être aussi peu éclairé qu'elles le sont pour pouvoir les confondre? 25

.   .   .   .

En comparant l'homme avec l'animal, on trouvera dans l'un et dans l'autre un corps, une matière organisée, des sens, de la chair et du sang, du mouvement, et une infinité de choses semblables; mais toutes ces ressemblances sont extérieures, et ne suffisent pas pour nous faire prononcer que la nature de l'homme est semblable à celle de l'animal. Pour juger de la nature de 30
l'un et de l'autre, il faudrait connaître les qualités intérieures [4] de l'animal aussi bien que nous connaissons les nôtres; et comme il n'est pas possible que nous ayons jamais connaissance de ce qui se passe à l'intérieur de l'animal, comme nous ne saurons jamais de quel ordre, de quelle espèce peuvent être ses sensations relativement à celles de l'homme, nous ne pouvons juger que 35
par les effets, nous ne pouvons que comparer les résultats des opérations naturelles de l'un et de l'autre.
Voyons donc ces résultats, en commençant par avouer toutes les ressemblances particulières, et en n'examinant que les différences, même les

[4] "psychological."

plus générales. On conviendra que le plus stupide des hommes suffit pour conduire le plus spirituel des animaux; il le commande et le fait servir à ses usages, et c'est moins par force et par adresse que par supériorité de nature, et parce qu'il a un projet raisonné, un ordre d'action et une suite de moyens
5 par lesquels il contraint l'animal à lui obéir: car nous ne voyons pas que les animaux qui sont plus forts et plus adroits commandent aux autres et les fassent servir à leur usage: les plus forts mangent les plus faibles; mais cette action ne suppose qu'un besoin, un appétit; qualités forts différentes de celle qui peut produire une suite d'actions dirigées vers le même but. Si les
10 animaux étaient doués de cette faculté, n'en verrions-nous pas quelques-uns prendre l'empire sur les autres, et les obliger à leur chercher la nourriture, à les veiller, à les garder, à les soulager lorsqu'ils sont malades ou blessés? Or il n'y a parmi tous les animaux aucune marque de cette subordination, aucune apparence que quelqu'un d'entre eux connaisse ou sente la supériorité
15 de sa nature sur celle des autres: par conséquent on doit penser qu'ils sont en effet tous de même nature, et en même temps on doit conclure que celle de l'homme est non seulement fort au-dessus de celle de l'animal, mais qu'elle est aussi tout à fait différente.

L'homme rend par un signe extérieur ce qui se passe au dedans de lui; il
20 communique sa pensée par la parole, ce signe est commun à toute l'espèce humaine; l'homme sauvage parle comme l'homme policé, et tous deux parlent naturellement, et parlent pour se faire entendre. Aucun des animaux n'a ce signe de la pensée: ce n'est pas, comme on le croit communément, faute d'organes; la langue du singe a paru aux anatomistes aussi parfaite que
25 celle de l'homme. Le singe parlerait donc, s'il pensait; si l'ordre de ses pensées avait quelque chose de commun avec les nôtres, il parlerait notre langue; et, en supposant qu'il n'eut que des pensées de singe, il parlerait aux autres singes: mais on ne les a jamais vus s'entretenir ou discourir ensemble. Ils n'ont donc pas même un ordre, une suite de pensées à leur façon,
30 bien loin d'en avoir de semblables aux nôtres; il ne se passe à leur intérieur rien de suivi, rien d'ordonné, puisqu'ils n'expriment rien par des signes combinés et arrangés; ils n'ont donc pas la pensée, même au plus petit degré.

. . . C'est parce qu'ils ne peuvent joindre ensemble aucune idée, qu'ils ne pensent ni ne parlent; c'est par la même raison qu'ils n'inventent et ne per-
35 fectionnent rien. S'ils étaient doués de la puissance de réfléchir, même au plus petit degré, ils seraient capables de quelque espèce de progrès, ils acquerraient plus d'industrie; les castors aujourd'hui bâtiraient avec plus d'art et de solidité que ne bâtissaient les premiers castors; l'abeille perfectionnerait encore tous les jours la cellule qu'elle habite: car si on suppose que cette
40 cellule est aussi parfaite qu'elle peut l'être, on donne à cet insecte plus d'esprit que nous n'en avons; on lui accorde une intelligence supérieure à la nôtre, par laquelle il apercevrait tout d'un coup le dernier point de perfection auquel il doit porter son ouvrage; tandis que nous-mêmes ne voyons jamais clairement ce point, et qu'il nous faut beaucoup de réflexion, de temps et
45 d'habitude pour perfectionner le moindre de nos arts. . . .

.   .   .   .

Mais ces preuves de l'immatérialité de notre âme peuvent s'étendre encore plus loin.[5] Nous avons dit que la nature marche toujours et agit en tout par degrés imperceptibles et par nuances: cette vérité, qui d'ailleurs ne souffre aucune exception, se dément ici tout à fait. Il y a une distance infinie entre les facultés de l'homme et celles du plus parfait animal; preuve évidente que l'homme est d'une différente nature, que seul il fait une classe à part, de laquelle il faut descendre en parcourant un espace infini, avant que d'arriver à celle des animaux: car si l'homme était de l'ordre des animaux, il y aurait dans la nature un certain nombre d'êtres moins parfaits que l'homme et plus parfaits que l'animal, par lesquels on descendrait insensiblement et par nuances de l'homme au singe: mais cela n'est pas; on passe tout d'un coup de l'être pensant à l'être matériel, de la puissance intellectuelle à la force mécanique, de l'ordre et du dessein au mouvement aveugle, de la réflexion à l'appétit.

En voilà plus qu'il n'en faut pour nous démontrer l'excellence de notre nature, et la distance immense que la bonté du Créateur a mise entre l'homme et la bête. L'homme est un être raisonnable, l'animal est un être sans raison; et comme il n'y a point de milieu entre le positif et le négatif, comme il n'y a point d'êtres intermédiaires entre l'être raisonnable et l'être sans raison, il est évident que l'homme est d'une nature entièrement différente de celle de l'animal, qu'il ne lui ressemble que par l'extérieur, et que le juger par cette ressemblance matérielle, c'est se laisser tromper par l'apparence, et fermer volontairement les yeux à la lumière qui doit nous la faire distinguer de la réalité. . . .

QUELQUES «DESCRIPTIONS»

1. Le Cheval

La plus noble conquête que l'homme ait jamais faite est celle de ce fier et fougueux animal, qui partage avec lui les fatigues de la guerre et la gloire des combats: aussi intrépide que son maître, le cheval voit le péril et l'affronte; il se fait au bruit des armes, il l'aime, il le cherche et s'anime de la même ardeur: il partage aussi ses plaisirs: à la chasse, aux tournois, à la course, il brille, il étincelle. Mais, docile autant que courageux, il ne se laisse point emporter à son feu: il sait réprimer ses mouvements: non seulement il fléchit sous la main de celui qui le guide, mais il semble consulter ses désirs, et, obéissant toujours aux impressions qu'il en reçoit, il se précipite, se modère ou s'arrête, et n'agit que pour y satisfaire: c'est une créature qui renonce à son être pour n'exister que par la volonté d'un autre, qui sait même la prévenir; qui, par la promptitude et la précision de ses mouvements, l'exprime et l'exécute; qui sent autant qu'on le désire, et ne rend qu'autant qu'on veut; qui, se livrant sans réserve, ne se refuse à rien, sert de toutes ses forces, s'excède, et même meurt pour mieux obéir.

[5] In thus stressing the spiritual nature of man Buffon breaks completely with the materialism of most of his fellow scientists.

Voilà le cheval dont les talents sont développés, dont l'art a perfectionné les qualités naturelles, qui, dès le premier âge, a été soigné et ensuite exercé, dressé au service de l'homme: c'est par la perte de sa liberté que commence son éducation, et c'est par la contrainte qu'elle s'achève. L'esclavage ou la
5 domesticité de ces animaux est même si universelle, si ancienne, que nous ne les voyons que rarement dans leur état naturel: ils sont toujours couverts de harnais dans leurs travaux; on ne les délivre jamais de tous leurs liens, même dans les temps du repos; et si on les laisse quelquefois errer en liberté dans les pâturages, ils y portent toujours les marques de la servitude, et
10 souvent les empreintes cruelles du travail et de la douleur; la bouche est déformée par les plis que le mors a produits; les flancs sont entamés par des plaies, ou sillonnés de cicatrices faites par l'éperon; la corne des pieds est traversée par des clous. L'attitude du corps est encore gênée par l'impression subsistante des entraves habituelles; on les en délivrerait en vain, ils n'en
15 seraient pas plus libres: ceux même dont l'esclavage est le plus doux, qu'on ne nourrit, qu'on n'entretient que pour le luxe et la magnificence, et dont les chaînes dorées servent moins à leur parure qu'à la vanité de leur maître, sont encore plus déshonorés par l'élégance de leur toupet, par les tresses de leurs crins, par l'or et la soie dont on les couvre, que par les fers qui sont
20 sous leurs pieds.

La nature est plus belle que l'art; et, dans un être animé, la liberté des mouvements fait la belle nature. Voyez ces chevaux qui se sont multipliés dans les contrées de l'Amérique espagnole, et qui vivent en chevaux libres: leur démarche, leur course, leurs sauts, ne sont ni gênés, ni mesurés; fiers de leur
25 indépendance, ils fuient la présence de l'homme, ils dédaignent ses soins; ils cherchent et trouvent eux-mêmes la nourriture qui leur convient; ils errent, bondissent en liberté dans des prairies immenses, où ils cueillent les productions nouvelles d'un printemps toujours nouveau; sans habitation fixe, sans autre abri que celui d'un ciel serein, ils respirent un air plus pur
30 que celui de ces palais voûtés où nous les renfermons, en pressant les espaces qu'ils doivent occuper: aussi ces chevaux sauvages sont-ils beaucoup plus forts, plus légers, plus nerveux que la plupart des chevaux domestiques; ils ont ce que donne la nature, la force et la noblesse; les autres n'ont que ce que l'art peut donner, l'adresse et l'agrément.
35 Le naturel de ces animaux n'est point féroce, ils sont seulement fiers et sauvages. Quoique supérieurs par la force à la plupart des autres animaux, jamais ils ne les attaquent; et s'ils en sont attaqués, ils les dédaignent, les écartent, ou les écrasent. Ils vont aussi par troupes, et se réunissent pour le seul plaisir d'être ensemble; car ils n'ont aucune crainte, mais ils prennent
40 de l'attachement les uns pour les autres. Comme l'herbe et les végétaux suffisent à leur nourriture, qu'ils ont abondamment de quoi satisfaire leur appétit, et qu'ils n'ont aucun goût pour la chair des animaux, ils ne leur font point la guerre, ils ne se la font point entre eux, ils ne se disputent pas leur subsistance; ils n'ont jamais occasion de ravir une proie ou de s'arracher un
45 bien, sources ordinaires de querelles et de combats parmi les autres animaux

carnassiers: ils vivent donc en paix, parce que leurs appétits sont simples et modérés, et qu'ils ont assez pour ne se rien envier.

Tout cela peut se remarquer dans les jeunes chevaux qu'on élève ensemble et qu'on mène en troupeaux; ils ont les mœurs douces et les qualités sociales; leur force et leur ardeur ne se marquent ordinairement que par des signes d'émulation; ils cherchent à se devancer à la course, à se faire et même s'animer au péril en se défiant à traverser une rivière, à sauter un fossé; et ceux qui dans ces exercices naturels donnent l'exemple, ceux qui d'eux-mêmes vont les premiers, sont les plus généreux, les meilleurs, et souvent les plus dociles et les plus souples, lorsqu'ils sont une fois domptés.

2. L'Oiseau-mouche

De tous les êtres animés, voici le plus élégant pour la forme, et le plus brillant pour les couleurs. Les pierres et les métaux polis par notre art ne sont pas comparables à ce bijou de la nature; elle l'a placé dans l'ordre des oiseaux au dernier degré de grandeur: *maxime miranda in minimis.*[6] Son chef-d'œuvre est le petit oiseau-mouche; elle l'a comblé de tous les dons qu'elle n'a fait que partager aux autres oiseaux: légèreté, rapidité, prestesse, grâces et riche parure, tout appartient à ce petit favori. L'émeraude, le rubis, la topaze, brillent sur ses habits; il ne les souille jamais de la poussière de la terre, et, dans sa vie tout aérienne, on le voit à peine toucher le gazon par instants; il est toujours en l'air, volant de fleurs en fleurs; il a leur fraîcheur comme il a leur éclat; il vit de leur nectar, et n'habite que les climats où sans cesse elles se renouvellent.

C'est dans les contrées les plus chaudes du nouveau monde que se trouvent toutes les espèces d'oiseaux-mouches. Elles sont assez nombreuses, et paraissent confinées entre les deux tropiques; car ceux qui s'avancent en été dans les zones tempérées n'y font qu'un court séjour; ils semblent suivre le soleil, s'avancer, se retirer avec lui, et voler sur l'aile des zéphyrs à la suite d'un printemps éternel.

Les Indiens, frappés de l'éclat et du feu que rendent les couleurs de ces brillants oiseaux, leur avaient donné les noms de *rayons* ou *cheveux du soleil.* Les Espagnols les ont appelés *tomineios,* mot relatif à leur excessive petitesse: le tomine est un poids de douze grains. «J'ai vu, dit Nieremberg,[7] passer au trébuchet[8] un de ces oiseaux, lequel, avec son nid, ne pesait que deux tomines.» Et, pour le volume, les petites espèces de ces oiseaux sont au-dessous de la grande mouche-asile[9] pour la grandeur, et du bourdon[10] pour la grosseur. Leur bec est une aiguille fine, et leur langue un fil délié; leurs petits yeux noirs ne paraissent que deux points brillants; les plumes de leurs ailes sont si délicates qu'elles en paraissent transparentes. A peine aperçoit-on leurs pieds, tant ils sont courts et menus: ils en font peu d'usage;

---

[6] "Surpassingly wonderful among the smallest" (Latin).
[7] J. E. Nieremberg (1590–1663), Spanish Jesuit, professor of natural history at Madrid.
[8] "snare" (for little birds).   [9] "horse-fly."   [10] "bumble-bee."

ils ne se posent que pour passer la nuit, et se laissent, pendant le jour, emporter dans les airs. Leur vol est continu, bourdonnant et rapide. Marcgrave[11] compare le bruit de leurs ailes à celui d'un rouet, il l'exprime par les syllabes *hour, hour, hour.* Leur battement est si vif que l'oiseau, s'arrêtant
5 dans les airs, paraît non seulement immobile, mais tout à fait sans action. On le voit s'arrêter ainsi quelques instants devant une fleur, et partir comme un trait pour aller à une autre. Il les visite[12] toutes, plongeant sa petite langue dans leur sein, les flattant de ses ailes, sans jamais s'y fixer, mais aussi sans les quitter jamais; il ne presse ses inconstances que pour mieux suivre
10 ses amours et multiplier ses jouissances innocentes: car cet amant léger des fleurs vit à leurs dépens sans les flétrir; il ne fait que pomper leur miel, et c'est à cet usage que sa langue paraît uniquement destinée. Elle est composée de deux fibres creuses, formant un petit canal divisé au bout en deux filets; elle a la forme d'une trompe,[13] dont elle fait les fonctions; l'oiseau la
15 darde hors de son bec, apparemment par un mécanisme de l'os hyoïde,[14] semblable à celui de la langue des pics;[14a] il la plonge jusqu'au fond du calice des fleurs, pour en tirer les sucs. . . .

Rien n'égale la vivacité de ces petits oiseaux, si ce n'est leur courage, ou plutôt leur audace: on les voit poursuivre avec furie des oiseaux vingt fois
20 plus gros qu'eux, s'attacher à leur corps, et se laissant emporter par leur vol, le becqueter à coups redoublés, jusqu'à ce qu'ils aient assouvi leur petite colère; quelquefois même ils se livrent entre eux de très vifs combats. L'impatience paraît être leur âme; s'ils s'approchent d'une fleur et qu'ils la trouvent fanée, ils lui arrachent les pétales avec une précipitation qui marque leur
25 dépit. Ils n'ont point d'autre voix qu'un petit cri, *screp, screp,* fréquent et répété; ils le font entendre dans les bois dès l'aurore, jusqu'à ce qu'aux premiers rayons du soleil, tous prennent l'essor et se dispersent dans les campagnes.

Ils sont solitaires, et il serait difficile qu'étant sans cesse emportés dans les
30 airs, ils pussent se reconnaître et se joindre. Néanmoins l'amour, dont la puissance s'étend au delà de celle des éléments, sait rapprocher et réunir tous les êtres dispersés: on voit les oiseaux-mouches deux à deux dans le temps des nichées. Le nid qu'ils construisent répond à la délicatesse de leur corps: il est fait d'un coton fin ou d'une bourre soyeuse recueillie sur des fleurs: ce
35 nid est fortement tissu et de la consistance d'une peau douce et épaisse. La femelle se charge de l'ouvrage, et laisse au mâle le soin d'apporter les matériaux.
. . . Ce nid n'est pas plus gros que la moitié d'un abricot et fait de même en demi-coupe; on y trouve deux œufs tout blancs et pas plus gros que des petits pois. Le mâle et la femelle les couvent tour à tour pendant douze jours;
40 les petits éclosent au treizième jour et ne sont alors pas plus gros que des mouches. . . .

---

11 Georg Marcgraf, 17th-century naturalist.   12 "searches."   13 "trunk."
14 "tongue-bone." (*os linguæ*).   14a "woodpeckers."

3. Le Cygne [15]

Dans toute société, soit des animaux, soit des hommes, la violence fait les tyrans; la douce autorité fait les rois. Le lion et le tigre sur la terre, l'aigle et le vautour dans les airs, ne règnent que par la guerre, ne dominent que par l'abus de la force et par la cruauté, au lieu que le cygne règne sur les eaux à tous les titres qui fondent un empire de paix, la grandeur, la majesté, la douceur; avec des puissances, des forces, du courage, et la volonté de n'en pas abuser, et de ne les employer que pour la défense, il sait combattre et vaincre sans jamais attaquer: roi paisible des oiseaux d'eau, il brave les tyrans de l'air; il attend l'aigle sans le provoquer, sans le craindre; il repousse ses assauts en opposant à ses armes la résistance de ses plumes et les coups précipités d'une aile vigoureuse qui lui sert d'égide,[15a] et souvent la victoire couronne ses efforts. Au reste, il n'a que ce fier ennemi; tous les autres oiseaux de guerre le respectent, et il est en paix avec toute la nature: il vit en ami plutôt qu'en roi au milieu des nombreuses peuplades des oiseaux aquatiques, qui toutes semblent se ranger sous sa loi; il n'est que le chef, le premier habitant d'une république tranquille, où les citoyens n'ont rien à craindre d'un maître qui ne demande qu'autant qu'il leur accorde, et ne veut que calme et liberté.

Les grâces de la figure, la beauté de la forme, répondent dans le cygne à la douceur du naturel; il plaît à tous les yeux; il décore, embellit tous les lieux qu'il fréquente; on l'aime, on l'applaudit, on l'admire. Nulle espèce ne le mérite mieux: la nature en effet n'a répandu sur aucune autant de ces grâces nobles et douces qui nous rappellent l'idée de ses plus charmants ouvrages: coupe de corps élégante, formes arrondies, gracieux contours, blancheur éclatante et pure, mouvements flexibles et ressentis;[16] attitudes tantôt animées, tantôt laissées dans un mol abandon; tout dans le cygne respire la volupté, l'enchantement que nous font éprouver les grâces et la beauté, tout le peint comme l'oiseau de l'amour, tout justifie la spirituelle et riante mythologie d'avoir donné ce charmant oiseau pour père à la plus belle des mortelles.[17]

A sa noble aisance, à la facilité, la liberté de ses mouvements sur l'eau, on doit le reconnaître non seulement comme le premier des navigateurs ailés, mais comme le plus beau modèle que la nature nous ait offert pour l'art de la navigation. Son cou élevé et sa poitrine relevée et arrondie semblant en effet figurer la proue du navire fendant l'onde; son large estomac en représente la carène; son corps penché en avant pour cingler,[18] se redresse à l'arrière, et se relève en poupe; la queue est un vrai gouvernail; les pieds sont de larges rames; et ses grandes ailes demi-ouvertes au vent

---

[15] One of the most famous of the *descriptions;* not, however, the work of Buffon himself, but of one of his many collaborators, the abbé Bexon.

[15a] "shield."　　　　　　　　　　　　　　　[16] "strongly marked."

[17] Helen of Troy was supposed to be the daughter of Leda and Jupiter, who had assumed the form of a swan.

[18] "sail along," "cut the waves."

et doucement enflées sont les voiles qui poussent le vaisseau vivant, navire et pilote à la fois.

Fier de sa noblesse, jaloux de sa beauté, le cygne semble faire parade de tous ses avantages; il a l'air de chercher à recueillir des suffrages, à captiver
5 les regards; et il les captive en effet, soit que, voguant en troupe, on voie de loin, au milieu des grandes eaux, cingler la flotte ailée, soit que, s'en détachant et s'approchant du rivage aux signaux qui l'appellent, il vienne se faire admirer de plus près en étalant ses beautés, et développant ses grâces par mille mouvements doux, ondulants et suaves.
10 Aux avantages de la nature le cygne réunit ceux de la liberté; il n'est pas du nombre de ces esclaves que nous puissions contraindre ou renfermer: libre sur nos eaux, il n'y séjourne, ne s'établit qu'en y jouissant d'assez d'indépendance pour exclure tout sentiment de servitude et de captivité; il peut à son gré parcourir les eaux, débarquer au rivage, s'éloigner au
15 large, ou venir, longeant la rive, s'abriter sur les bords, se cacher dans les joncs, s'enfoncer dans les anses les plus écartées, puis, quittant la solitude, revenir à la société et jouir du plaisir qu'il paraît prendre et goûter en s'approchant de l'homme, pourvu qu'il trouve en nous ses hôtes et ses amis, et non ses maîtres et ses tyrans.
20 Chez nos ancêtres, trop simples ou trop sages pour remplir leurs jardins des beautés froides de l'art en place des beautés vives de la nature, les cygnes étaient en possession de faire l'ornement de toutes les pièces d'eau: ils animaient, égayaient les tristes fossés des châteaux; ils décoraient la plupart des rivières, et même celle de la capitale [18a] et l'on vit l'un des plus sensibles
25 et des plus aimables de nos princes [18b] mettre au nombre de ses plaisirs celui de peupler de ces beaux oiseaux les bassins de ses maisons royales: on peut encore jouir aujourd'hui du même spectacle sur les belles eaux de Chantilly [18c] où les cygnes font un des ornements de ce lieu vraiment délicieux, dans lequel tout respire le noble goût du maître.

.   .   .   .

30 Quoique le cygne soit assez silencieux, il a néanmoins les organes de la voix conformés comme ceux des oiseaux d'eau les plus loquaces . . . Néanmoins la voix habituelle du cygne privé est plutôt sourde qu'éclatante . . . C'est, à ce qu'il paraît, un accent de menace ou de colère; l'on n'a pas remarqué que l'amour en eût de plus doux, et ce n'est point du tout sur des
35 cygnes presque muets, comme le sont les nôtres dans la domesticité, que les anciens avaient pu modeler ces cygnes harmonieux qu'ils ont rendus si célèbres. Mais il paraît que le cygne sauvage a mieux conservé ses prérogatives, et qu'avec le sentiment de la pleine liberté il en a aussi les accents. L'on distingue en effet dans ses cris, ou plutôt dans les éclats de sa voix, une sorte de chant
40 mesuré, modulé, des sons bruyants de clairon, mais dont les sons aigus et

18a "On voyait autrefois la Seine converte de cygnes, principalement au-dessous de Paris" (Salerne) [Author's note].
18b François Ier.   18c See p. 137, n. 29.

peu diversifiés sont néanmoins très éloignés de la tendre mélodie et de la
variété douce et brillante du ramage de nos oiseaux chanteurs.

Au reste, les anciens ne s'étaient pas contentés de faire du cygne un
chantre merveilleux: seul entre tous les êtres qui frémissent à l'approche
de leur destruction, il chantait encore au moment de son agonie, et préludait 5
par des sons harmonieux à son dernier soupir. C'était, disaient-ils, près
d'expirer, et faisant à la vie un adieu triste et tendre, que le cygne rendait
ces accents si doux et si touchants, et qui, pareils à un léger et douloureux
murmure, d'une voix basse, plaintive et lugubre, formaient son chant
funèbre. On entendait ce chant lorsqu'au lever de l'aurore les vents et les 10
flots étaient calmés; on avait même vu des cygnes expirant en musique et
chantant leurs hymnes funéraires. Nulle fiction en histoire naturelle, nulle
fable chez les anciens, n'a été plus célèbre, plus répétée, plus accréditée;
elle s'était emparée de l'imagination vive et sensible des Grecs: poètes,[18d] orateurs,[18e] philosophes [18f] même, l'ont adoptée comme une vérité trop agréable 15
pour vouloir en douter. Il faut bien leur pardonner leurs fables; elles étaient
aimables et touchantes; elles valaient bien de tristes, d'arides vérités: c'étaient
de doux emblèmes pour les âmes sensibles. Les cygnes sans doute ne
chantent point leur mort; mais toujours, en parlant du dernier essor et des
derniers élans d'un beau génie prêt à s'éteindre, on rappellera avec sentiment 20
cette expression touchante: *c'est le chant du cygne!*

LE DISCOURS SUR LE STYLE

(Extraits)

[This celebrated discussion of the principles of style was Buffon's *discours de
réception* at the French Academy in 1753. It will be noted that he lays stress
on the classical qualities of order and clarity, products of the reason rather than
of the imagination. In matters of style, this forward-looking scientist was still
the follower of Boileau. His conception of style can be applied much better to
scientific prose, which he probably had in mind, than to works of pure literature.]

. . . La véritable éloquence suppose l'exercice du génie et la culture de
l'esprit. Elle est bien différente de cette facilité naturelle de parler qui n'est
qu'un talent, une qualité accordée à tous ceux dont les passions sont fortes,
les organes souples et l'imagination prompte. Ces hommes sentent vivement, 25
s'affectent de même, le marquent fortement au dehors; et, par une impression purement mécanique, ils transmettent aux autres leur enthousiasme et
leurs affections. C'est le corps qui parle au corps; tous les mouvements, tous
les signes, concourent et servent également. Que faut-il pour émouvoir la
multitude et l'entraîner? que faut-il pour ébranler la plupart même des 30
autres hommes et les persuader? Un ton véhément et pathétique, des gestes
expressifs et fréquents, des paroles rapides et sonnantes. Mais pour le petit

[18d] Theocritus, Euripides, Lucretius, Ovid.   [18e] Cicero.   [18f] Plato and Aristotle.

nombre de ceux dont la tête est ferme, le goût délicat, et le sens exquis, et qui, comme vous, messieurs,[19] comptent pour peu le ton, les gestes et le vain son des mots, il faut des choses, des pensées, des raisons; il faut savoir les présenter, les nuancer, les ordonner: il ne suffit pas de frapper l'oreille et d'occuper les yeux; il faut agir sur l'âme, et toucher le cœur en parlant à l'esprit.

Le style n'est que l'ordre et le mouvement qu'on met dans ses pensées. Si on les enchaîne étroitement, si on les serre, le style devient ferme, nerveux et concis; si on les laisse se succéder lentement, et ne se joindre qu'à la faveur des mots, quelque élégants qu'ils soient, le style sera diffus, lâche et traînant.

Mais, avant de chercher l'ordre dans lequel on présentera ses pensées, il faut s'en être fait un autre plus général et plus fixe, où ne doivent entrer que les premières vues et les principales idées: c'est en marquant leur place sur ce premier plan qu'un sujet sera circonscrit, et que l'on en connaîtra l'étendue; c'est en se rappelant sans cesse ces premiers linéaments qu'on déterminera les justes intervalles qui séparent les idées principales, et qu'il naîtra des idées accessoires et moyennes, qui serviront à les remplir. Par la force du génie, on se représentera toutes les idées générales et particulières sous leur véritable point de vue; par une grande finesse de discernement, on distinguera les pensées stériles des idées fécondes; par la sagacité que donne la grande habitude d'écrire, on sentira d'avance quel sera le produit de toutes ces opérations de l'esprit. Pour peu que le sujet soit vaste ou compliqué, il est bien rare qu'on puisse l'embrasser d'un coup d'œil, ou le pénétrer en entier d'un seul et premier effort de génie; et il est rare encore qu'après bien des réflexions on en saisisse tous les rapports. On ne peut donc trop s'en occuper; c'est même le seul moyen d'affermir, d'étendre et d'élever ses pensées: plus on leur donnera de substance et de force par la méditation, plus il sera facile ensuite de les réaliser par l'expression.

Ce plan n'est pas encore le style, mais il en est la base; il le soutient, il le dirige, il règle son mouvement et le soumet à des lois: sans cela, le meilleur écrivain s'égare; sa plume marche sans guide, et jette à l'aventure des traits irréguliers et des figures discordantes. Quelque brillantes que soient les couleurs qu'il emploie, quelques beautés qu'il sème dans les détails, comme l'ensemble choquera, ou ne se fera pas assez sentir, l'ouvrage ne sera point construit; et, en admirant l'esprit de l'auteur, on pourra soupçonner qu'il manque de génie. C'est par cette raison que ceux qui écrivent comme ils parlent, quoiqu'ils parlent très bien, écrivent mal; que ceux qui s'abandonnent au premier feu de leur imagination prennent un ton qu'ils ne peuvent soutenir; que ceux qui craignent de perdre des pensées isolées, fugitives, et qui écrivent en différents temps des morceaux détachés, ne les réunissent jamais sans transitions forcées; qu'en un mot il y a tant d'ouvrages faits de pièces de rapport, et si peu qui soient fondus d'un seul jet.

[19] The Academicians, whom Buffon was addressing.

Cependant, tout sujet est un; et, quelque vaste qu'il soit, il peut être renfermé dans un seul discours.[20] Les interruptions, les repos, les sections, ne devraient être d'usage que quand on traite des sujets différents ou lorsque, ayant à parler de choses grandes, épineuses et disparates, la marche du génie se trouve interrompue par la multiplicité des obstacles, et contrainte 5 par la nécessité des circonstances; autrement, le grand nombre des divisions, loin de rendre un ouvrage plus solide, en détruit l'assemblage; le livre paraît plus clair aux yeux, mais le dessein de l'auteur demeure obscur; il ne peut faire impression sur l'esprit du lecteur, il ne peut même se faire sentir que par la continuité du fil, par la dépendance harmonique des idées, par un 10 développement successif, une gradation soutenue, un mouvement uniforme que toute interruption détruit ou fait languir.

Pourquoi les ouvrages de la Nature sont-ils si parfaits? [21] C'est que chaque ouvrage est un tout, et qu'elle travaille sur un plan éternel dont elle ne s'écarte jamais; elle prépare en silence les germes de ses productions; elle 15 ébauche par un acte unique la forme primitive de tout être vivant; elle la développe, elle la perfectionne par un mouvement continu et dans un temps prescrit. L'ouvrage étonne; mais c'est l'empreinte divine dont il porte les traits qui doit nous frapper. L'esprit humain ne peut rien créer; il ne produira qu'après avoir été fécondé par l'expérience et la méditation; ses 20 connaissances sont les germes de ses productions; mais s'il imite la Nature dans sa marche et dans son travail, s'il s'élève par la contemplation aux vérités les plus sublimes; s'il les réunit, s'il les enchaîne, s'il en forme un tout, un système par la réflexion, il établira sur des fondements inébranlables des monuments immortels. 25

C'est faute de plan, c'est pour n'avoir pas assez réfléchi sur son objet, qu'un homme d'esprit se trouve embarrassé, et ne sait par où commencer à écrire. Il aperçoit à la fois un grand nombre d'idées; et comme il ne les a ni comparées ni subordonnées, rien ne le détermine à préférer les unes aux autres; il demeure donc dans la perplexité: mais lorsqu'il se sera fait un 30 plan, lorsqu'une fois il aura rassemblé et mis en ordre toutes les pensées essentielles à son sujet, il s'apercevra aisément de l'instant auquel il doit prendre la plume; il sentira le point de maturité de la production de l'esprit, il sera pressé de la faire éclore, il n'aura même que du plaisir à écrire; les idées se succéderont aisément et le style sera naturel et facile; la chaleur 35 naîtra de ce plaisir, se répandra partout et donnera de la vie à chaque expression; tout s'animera de plus en plus; le ton s'élèvera, les objets prendront de la couleur; et le sentiment, se joignant à la lumière, l'augmentera, la portera plus loin, la fera passer de ce que l'on dit à ce que l'on va dire, et le style deviendra intéressant et lumineux. 40

[20] Buffon is here criticizing Montesquieu's *Esprit des Lois* (1748), whose unity of impression suffers from the multiplicity of divisions and sub-divisions.
[21] Art, according to all the literary critics, is an imitation of nature. Nature always works according to a preconceived plan, but this plan is concealed. The good writer should likewise make his art conceal his art.

Rien ne s'oppose plus à la chaleur que le désir de mettre partout des traits saillants; [22] rien n'est plus contraire à la lumière, qui doit faire un corps et se répandre uniformément dans un écrit, que ces étincelles qu'on ne tire que par force en choquant les mots les uns contre les autres, et qui ne nous éblouissent pendant quelques instants que pour nous laisser ensuite dans les ténèbres . . .

Rien n'est encore plus opposé à la véritable éloquence que l'emploi de ces pensées fines, et la recherche de ces idées légères, déliées, sans consistance, et qui, comme la feuille du métal battu, ne prennent de l'éclat qu'en perdant de la solidité.[23] Aussi, plus on mettra de cet esprit mince et brillant dans un écrit, moins il aura de nerf, de lumière, de chaleur et de style. . . .

Rien n'est plus opposé au beau naturel que la peine qu'on se donne pour exprimer des choses ordinaires ou communes d'une manière singulière ou pompeuse; rien ne dégrade plus l'écrivain. Loin de l'admirer, on le plaint d'avoir passé tant de temps à faire de nouvelles combinaisons de syllabes, pour ne dire que ce que tout le monde dit. Ce défaut est celui des esprits cultivés, mais stériles: ils ont des mots en abondance, point d'idées; ils travaillent donc sur les mots, et s'imaginent avoir combiné des idées parce qu'ils ont arrangé des phrases, et avoir épuré le langage quand ils l'ont corrompu en détournant les acceptions. Ces écrivains n'ont point de style, ou, si l'on veut, ils n'en ont que l'ombre. Le style doit graver des pensées; ils ne savent que tracer des paroles. Pour bien écrire, il faut donc posséder pleinement son sujet; il faut y réflechir assez pour voir clairement l'ordre de ses pensées, et en former une suite, une chaîne continue, dont chaque point représente une idée; et, lorsqu'on aura pris la plume, il faudra la conduire successivement sur ce premier trait, sans lui permettre de s'en écarter, sans l'appuyer trop inégalement, sans lui donner d'autre mouvement que celui qui sera déterminé par l'espace qu'elle doit parcourir. C'est en cela que consiste la sévérité du style, c'est aussi ce qui en fera l'unité et ce qui en réglera la rapidité; et cela seul aussi suffira pour le rendre précis et simple, égal et clair, vif et suivi. A cette première règle, dictée par le génie, si l'on joint de la délicatesse et du goût, du scrupule sur le choix des expressions, de l'attention à ne nommer les choses que par les termes les plus généraux,[24] le style aura de la noblesse. Si l'on y joint encore de la défiance pour son premier mouvement, du mépris pour tout ce qui n'est que brillant, et une répugnance constante pour l'équivoque et la plaisanterie, le style aura de la gravité, il aura même de la majesté. Enfin, si l'on écrit comme l'on pense, si l'on est convaincu de ce que l'on veut persuader, cette bonne foi avec soi-même, qui fait la bienséance pour les autres et la vérité du style, lui fera produire tout son effet, pourvu que cette persuasion intérieure ne se marque pas par un enthousiasme trop fort, et qu'il y ait partout plus de candeur que de confiance, plus de raison que de chaleur.

. . . Bien écrire, c'est tout à la fois bien penser, bien sentir et bien rendre; c'est avoir en même temps de l'esprit, de l'âme et du goût. Le style suppose

---

[22] Another attack on Montesquieu, this time for his abuse of wit. Mme du Deffand called the *Esprit des Lois* "de l'esprit sur les lois."

[23] Buffon has probably here in mind Marivaux and his revival of *Préciosité*.

[24] This preference for the general over the particular is thoroughly classical.

la réunion et l'exercice de toutes les facultés intellectuelles: les idées seules forment le fond du style; l'harmonie des paroles n'en est que l'accessoire, et ne dépend que de la sensibilité des organes. Il suffit d'avoir un peu d'oreille pour éviter les dissonances, et de l'avoir exercée, perfectionnée par la lecture des poètes et des orateurs, pour que mécaniquement on soit porté à l'imitation de la cadence poétique et des tours oratoires. Or jamais l'imitation n'a rien créé: aussi cette harmonie des mots ne fait ni le fond ni le ton du style, et se trouve souvent dans des écrits vides d'idées.

. . . Les ouvrages bien écrits seront les seuls qui passeront à la postérité. La quantité des connaissances, la singularité des faits, la nouveauté même des découvertes, ne sont pas de sûrs garants de l'immortalité; si les ouvrages qui les contiennent ne roulent que sur de petits objets, s'ils sont écrits sans goût, sans noblesse et sans génie, ils périront, parce que les connaissances, les faits et les découvertes s'enlèvent aisément, se transportent, et gagnent même à être mis en œuvre par des mains plus habiles. Ces choses sont hors de l'homme; le style est de l'homme même.[25] . . .

[25] A passage frequently misquoted as "Le style c'est l'homme." Buffon means not only that style is individual, but that through his style (in Buffon's sense of composition), a writer stamps his individuality on his work, whose subject-matter may be the common property of all.

ROUSSEAU (1712–1778)

Jean-Jacques Rousseau has left his own account of his life in his *Confessions* (1781–1788). This is not a work of absolute accuracy, as facts are often distorted by the author's imagination. Thus Rousseau gives undue prominence to certain ugly episodes in his life. In the main, however, the truth of the *Confessions* can hardly be doubted. Since the autobiography ends with the year 1765, for the last part of Rousseau's life the *Confessions* must be supplemented by *Rousseau Juge de Jean-Jacques* (1775–1776) and *Les Rêveries du Promeneur Solitaire* (1777).

Up to his fortieth year, the life of Rousseau is a veritable romance. Born at Geneva in 1712, he left his native city in 1728 and for the next three years lived a sort of vagabond existence, gaining his livelihood as well as he could in the most varied occupations. The next ten years (1731–1741) he spent mainly with his patroness, Mme de Warens, at Les Charmettes, near Chambéry. During this period he acquired most of whatever serious education he came to possess.

In 1742 Rousseau drifted to Paris and for several years gained a very precarious livelihood, chiefly by the copying of music, which remained throughout his life his surest means of subsistence. He became famous through his *Discours sur les Sciences et Les Arts* (1750) and his *Discours sur l'Inégalité* (1754), both running counter to the general thought of the age. In 1756 he retired to L'Ermitage near Paris and there, or in that neighborhood, between 1756 and 1762 he wrote his three great works, *La Nouvelle Héloïse* (1761), a novel in the form of letters, *Le Contrat Social* (1762), a political treatise, and *Émile* (1762), a discussion of educational theories. The latter work aroused a storm of criticism by its unorthodox religious views, and Rousseau again began a life of wandering which took him to Switzerland and for a time to England. In 1770 he returned to Paris, and for the rest of his life lived a relatively peaceful existence, finding his chief pleasure in communion with nature. He died at Ermenonville near Paris in 1778.

All the work of Rousseau is closely bound up with his famous doctrine of the return to nature, by which he meant not a reversion to the savage state but simply greater naturalness of living. The two *Discours* and the *Lettre à d'Alembert sur les Spectacles* (1758) represent the extreme expression of Rousseau's thesis of the disastrous effects of civilization upon human society. Then realizing that the ideal natural man of these earlier works is nothing but a dream incapable of realization, Rousseau in his later works proceeds to show how society may still to some degree be improved by a return to greater naturalness. The novel, *La Nouvelle Héloïse* (1761), sets forth Rousseau's ideal of a simple country life lived in accordance with his fundamental principles. *Émile* (1762) is the keystone of his edifice, for if society is to be reformed it must be through education, and Rousseau in this highly theoretical work suggests a new pedagogy of a type far more natural than that in vogue in the 18th century. *Le Contrat social* (1762) is an attempt to reconcile the original natural liberty of man with the needs of organized society: it is a plea for the sovereignty of the people as against the accepted régime of privilege.

Rousseau is one of the great influences on modern life. Goethe said of him: "With Voltaire a world is ending: with Rousseau a world is beginning." Politically the theories of democracy from the Revolution on are implicit in the *Contrat Social*. Socially, he impressed upon his age the necessity of morality, rehabilitated religion, gave a new importance to family life, and in his *Émile* scattered the seeds of a new pedagogy. But his greatest influence was in the field of literature. He is the great ancestor of Romanticism with its intense subjectivity, its stress on imagination and sentiment as opposed to reason, its rediscovery of external nature. The value of Rousseau's contribution to our modern life may be differently estimated: there can be no doubt of the far-reaching character of his influence.

"Tout se mêle encore dans Rousseau, le *moi* et la nature, l'abstraction et la sensation, la logique et la passion, l'éloquence, le roman, la poésie, la philosophie, la peinture. Il nous prend par toutes nos facultés: en politique, en morale, dans la poésie, dans le roman, on le trouve partout, à l'entrée de toutes les avenues du temps présent."

Lanson—*Histoire de la littérature française.*

IMPORTANT WORKS:

Philosophical works: *Discours sur les Sciences et les Arts* (1750); *Discours sur l'Inégalité* (1754); *Lettre à d'Alembert sur les Spectacles* (1758); *Le Contrat social* (1762); *Émile* (1762).
Novel: *Julie ou la Nouvelle Héloïse* (1761).
Apologetic works: *Lettres de la Montagne* (1765); *Rêveries du Promeneur solitaire* (1782); *Les Confessions* (1781–1788).

ANNÉES DE JEUNESSE

PRÉAMBULE DES *Confessions*

Je forme une entreprise qui n'eut jamais d'exemple, et dont l'exécution n'aura point d'imitateur.[1] Je veux montrer à mes semblables un homme dans toute la vérité de la nature; et cet homme, ce sera moi.

Moi seul. Je sens mon cœur, et je connais les hommes. Je ne suis fait comme aucun de ceux que j'ai vus; j'ose croire n'être fait comme aucun de 5 ceux qui existent. Si je ne vaux pas mieux, au moins je suis autre. Si la nature a bien ou mal fait de briser le moule dans lequel elle m'a jeté, c'est ce dont on ne peut juger qu'après m'avoir lu.

Que la trompette du jugement dernier sonne quand elle voudra, je viendrai, ce livre à la main, me présenter devant le souverain Juge. Je dirai 10 hautement: «Voilà ce que j'ai fait, ce que j'ai pensé, ce que je fus. J'ai dit le bien et le mal avec la même franchise. Je n'ai rien tu de mauvais, rien ajouté de bon; et, s'il m'est arrivé d'employer quelque ornement indifférent, ce n'a jamais été que pour remplir un vide occasionné par mon défaut de mémoire. J'ai pu supposer vrai ce que je savais avoir pu l'être, jamais ce que 15 je savais être faux. Je me suis montré tel que je fus; méprisable et vil quand je l'ai été, bon, généreux, sublime, quand je l'ai été; j'ai dévoilé mon intérieur tel que tu l'as vu toi-même, Être éternel. Rassemble autour de moi

---

[1] Rousseau here strikes the note of the ultra-individualism of Romanticism.

l'innombrable foule de mes semblables; qu'ils écoutent mes confessions, qu'ils gémissent de mes indignités, qu'ils rougissent de mes misères. Que chacun d'eux découvre à son tour son cœur au pied de ton trône avec la même sincérité; et puis qu'un seul te dise, s'il l'ose: *Je fus meilleur que cet*
5 *homme-là.*»

Confessions (I, 1).

UNE NUIT À LA BELLE ÉTOILE

C'était souffrir assurément que d'être réduit à passer la nuit dans la rue, et c'est ce qui m'est arrivé plusieurs fois à Lyon. J'aimais mieux employer quelques sous qui me restaient à payer mon pain que mon gîte; parce qu'après tout je risquais moins de mourir de sommeil que de faim. Ce qu'il
10 y a d'étonnant, c'est que dans ce cruel état je n'étais ni inquiet ni triste. Je n'avais pas le moindre souci sur l'avenir, . . . couchant à la belle étoile, et dormant étendu par terre ou sur un banc aussi tranquillement que sur un lit de roses. Je me souviens même d'avoir passé une nuit délicieuse hors de la ville, dans un chemin qui côtoyait le Rhône ou la Saône, car je ne me
15 rappelle pas lequel des deux. Des jardins élevés en terrasse bordaient le chemin du côté opposé. Il avait fait très chaud ce jour-là, la soirée était charmante; la rosée humectait l'herbe flétrie; point de vent, une nuit tranquille; l'air était frais sans être froid; le soleil, après son coucher, avait laissé dans le ciel des vapeurs rouges dont la réflexion rendait l'eau couleur de rose;
20 les arbres des terrasses étaient chargés de rossignols qui se répondaient de l'un à l'autre. Je me promenais dans une sorte d'extase, livrant mes sens et mon cœur à la jouissance de tout cela, et soupirant seulement un peu du regret d'en jouir seul. Absorbé dans ma douce rêverie, je prolongeai fort avant dans la nuit ma promenade, sans m'apercevoir que j'étais las. Je m'en
25 aperçus enfin. Je me couchai voluptueusement sur la tablette d'une espèce de niche ou de fausse porte enfoncée dans un mur de terrasse; le ciel de mon lit était formé par les têtes des arbres; un rossignol était précisément au-dessus de moi: je m'endormis à son chant; mon sommeil fut doux, mon réveil le fut davantage. Il était grand jour; mes yeux, en s'ouvrant, virent
30 l'eau, la verdure, un paysage admirable. Je me levai, me secouai: la faim me prit; je m'acheminai gaiement vers la ville, résolu de mettre à un bon déjeuner deux pièces de six blancs qui me restaient encore. J'étais de si bonne humeur, que j'allais chantant tout le long du chemin; et je me souviens même que je chantais une cantate de Batistin,[2] intitulée *les Bains*
35 *de Thomery*, que je savais par cœur. Que béni soit le bon Batistin et sa bonne cantate, qui m'a valu un meilleur déjeuner que celui sur lequel je comptais, et un dîner bien meilleur encore, sur lequel je n'avais point compté du tout! Dans mon meilleur train d'aller et de chanter, j'entends quelqu'un derrière moi; je me retourne, je vois un antonin[3] qui me suivait
40 et qui paraissait m'écouter avec plaisir. Il m'accoste, me salue, me demande

---

[2] Jean-Baptiste Stuck, musician of the early 18th century.
[3] Monk of the order of St. Anthony.

si je sais la musique. Je réponds, *un peu,* pour faire entendre beaucoup. Il continue à me questionner; je lui conte une partie de mon histoire. Il me demande si je n'ai jamais copié de la musique. Souvent, lui dis-je. Et cela était vrai; ma meilleure manière de l'apprendre était d'en copier. Eh bien! me dit-il, venez avec moi; je pourrai vous occuper quelques jours, durant 5 lesquels rien ne vous manquera, pourvu que vous consentiez à ne pas sortir de la chambre. J'acquiesçai très volontiers, et je le suivis.

Confessions (I, IV.).

ROUSSEAU ET LE PAYSAN

Un jour, m'étant à dessein détourné pour voir de près un lieu qui me parut admirable, je m'y plus si fort et j'y fis tant de tours que je me perdis enfin tout à fait. Après plusieurs heures de course inutile, las et mourant 10 de soif et de faim, j'entrai chez un paysan dont la maison n'avait pas belle apparence, mais c'était la seule que je visse aux environs. Je croyais que c'était comme à Genève ou en Suisse,[4] où tous les habitants à leur aise sont en état d'exercer l'hospitalité. Je priai celui-ci de me donner à dîner en payant. Il m'offrit du lait écrémé et de gros pain d'orge, en me disant que 15 c'était tout ce qu'il avait. Je buvais ce lait avec délices, et je mangeais ce pain, paille et tout; mais cela n'était pas fort restaurant pour un homme épuisé de fatigue. Ce paysan, qui m'examinait, jugea de la vérité de mon histoire par celle de mon appétit. Tout de suite, après avoir dit qu'il voyait bien que j'étais un bon jeune honnête homme qui n'était pas là pour le 20 vendre, il ouvrit une petite trappe à côté de sa cuisine, descendit, et revint un moment après avec un bon pain bis de pur froment, un jambon très appétissant, quoique entamé, et une bouteille de vin dont l'aspect me réjouit le cœur plus que tout le reste: on joignit à cela une omelette assez épaisse, et je fis un dîner tel qu'autre qu'un piéton n'en connut jamais. Quand ce vint à 25 payer, voilà son inquiétude et ses craintes qui le reprennent; il ne voulait point de mon argent, il le repoussait avec un trouble extraordinaire, et ce qu'il y avait de plaisant était que je ne pouvais imaginer de quoi il avait peur. Enfin, il prononça en frémissant ces mots terribles de commis [5] et de rats de cave.[6] Il me fit entendre qu'il cachait son vin à cause des aides,[7] qu'il 30 cachait son pain à cause de la taille,[8] et qu'il serait un homme perdu si l'on pouvait se douter qu'il ne mourût pas de faim. Tout ce qu'il me dit à ce sujet, et dont je n'avais pas la moindre idée, me fit une impression qui ne s'effacera jamais. Ce fut là le germe de cette haine inextinguible qui se développa depuis dans mon cœur contre les vexations qu'éprouve le mal- 35 heureux peuple et contre ses oppresseurs. Cet homme quoique aisé, n'osait manger le pain qu'il avait gagné à la sueur de son front, et ne pouvait éviter sa ruine qu'en montrant la même misère qui régnait autour de lui. Je sortis de sa maison aussi indigné qu'attendri, et déplorant le sort de ces belles

---

[4] Geneva did not become a member of the Swiss Confederation until 1814.
[5] "tax-collectors."   [6] "excise officers."   [7] "taxes on liquors."
[8] The principal direct tax levied under the Ancien Régime.

contrées à qui la nature n'a prodigué ses dons que pour en faire la proie des barbares publicains.

Confessions (I, IV).

LES DISCOURS (1750–1755)

L' «Inspiration de Vincennes»

Cette année 1749 l'été fut d'une chaleur excessive. On compte deux lieues de Paris à Vincennes.[9] Peu en état de payer des fiacres, à deux heures après
5 midi j'allais à pied quand j'étais seul, et j'allais vite pour arriver plus tôt. Les arbres de la route, toujours élagués [9a] à la mode du pays, ne donnaient presque aucune ombre; et souvent, rendu de chaleur et de fatigue, je m'étendais par terre, n'en pouvant plus. Je m'avisai, pour modérer mon pas, de prendre quelques livres. Je pris un jour le *Mercure de France*,[10] et tout
10 en marchant et le parcourant, je tombai sur cette question proposée par l'Académie de Dijon [11] pour le prix de l'année suivante: *Si le progrès des sciences et des arts a contribué à corrompre ou à épurer les mœurs.*

À l'instant de cette lecture je vis un autre univers, et je devins un autre homme. Quoique j'aie un souvenir vif de l'impression que j'en reçus, les
15 détails m'en sont échappés depuis que je les ai déposés dans une de mes quatre lettres à M. de Malesherbes.[12] C'est une des singularités de ma mémoire qui mérite d'être dite. Quand elle me sert, ce n'est qu'autant que je me suis reposé sur elle: sitôt que j'en confie le dépôt au papier, elle m'abandonne; et dès qu'une fois j'ai écrit une chose, je ne m'en souviens
20 plus du tout. . . .

Ce que je me rappelle bien distinctement dans cette occasion, c'est qu'arrivant à Vincennes j'étais dans une agitation qui tenait du délire. Diderot l'aperçut: je lui en dis la cause, et je lui lus la prosopopée de Fabricius, écrite au crayon sous un chêne. Il m'exhorta à donner l'essor à mes idées, et
25 de concourir au prix. Je le fis, et dès cet instant je fus perdu. Tout le reste de ma vie et de mes malheurs fut l'effet inévitable de cet instant d'égarement.

Mes sentiments se montèrent, avec la plus inconcevable rapidité, au ton de mes idées. Toutes mes petites passions furent étouffées par l'enthousiasme
30 de la vérité, de la liberté, de la vertu; et ce qu'il y a de plus étonnant est que cette effervescence se soutint dans mon cœur, durant plus de quatre ou cinq ans, à un aussi haut degré peut-être qu'elle ait jamais été dans le cœur d'aucun autre homme.

Je travaillai ce discours d'une façon bien singulière, et que j'ai presque
35 toujours suivie dans mes autres ouvrages. Je lui consacrais les insomnies de mes nuits. Je méditais dans mon lit à yeux fermés, et je tournais et retournais mes périodes dans ma tête avec des peines incroyables; puis quand j'étais

---

[9] East of Paris. Rousseau was on his way to visit Diderot imprisoned in the Château at Vincennes.   [9a] "trimmed"
[10] One of the oldest of French periodicals, founded in 1672.   [11] City in eastern France.
[12] Distinguished magistrate (1721–1794), friend of Rousseau.

parvenu à en être content, je les déposais dans ma mémoire jusqu'à ce que je pusse les mettre sur le papier: mais le temps de me lever et de m'habiller me faisait tout perdre; et quand je m'étais mis à mon papier il ne me venait presque plus rien de ce que j'avais composé. Je m'avisai de prendre pour secrétaire Mme Levasseur.[13] Je l'avais logée avec sa fille et son mari plus près 5 de moi; c'était elle qui, pour m'épargner un domestique, venait tous les matins allumer mon feu et faire mon petit service. A son arrivée, je lui dictais de mon lit mon travail de la nuit; et cette pratique, que j'ai long-temps suivie, m'a sauvé bien des oublis.

Quand ce discours fut fait, je le montrai à Diderot, qui en fut content, et 10 m'indiqua quelques corrections. Cependant cet ouvrage, plein de chaleur et de force, manque absolument de logique et d'ordre; de tous ceux qui sont sortis de ma plume, c'est le plus faible de raisonnement et le plus pauvre de nombre [14] et d'harmonie: mais, avec quelque talent qu'on puisse être né, l'art d'écrire ne s'apprend pas tout d'un coup. 15

Confessions (II, VIII.).

LE LUXE

C'est un grand mal que l'abus du temps. D'autres maux pires encore suivent les lettres et les arts. Tel est le luxe, né comme eux de l'oisiveté et de la vanité des hommes. Le luxe va rarement sans les sciences et les arts, et jamais ils ne vont sans lui. Je sais que notre philosophie,[15] toujours féconde en maximes singulières, prétend, contre l'expérience de tous les siècles, que le luxe fait la 20 splendeur des états: [16] mais après avoir oublié la nécessité des lois somptu-aires,[17] osera-t-elle nier encore que les bonnes mœurs ne soient essentielles à la durée des empires et que le luxe ne soit diamétralement opposé aux bonnes mœurs? Que le luxe soit un signe certain des richesses; qu'il serve même, si l'on veut, à les multiplier: que faudra-t-il conclure de ce paradoxe digne d'être 25 né de nos jours? et que deviendra la vertu quand il faudra s'enrichir à quel-que prix que ce soit? Les anciens politiques parlaient sans cesse de mœurs et de vertu: les nôtres ne parlent que de commerce et d'argent. L'un vous dira qu'un homme vaut en telle contrée la somme qu'on le vendait à Alger; [18] un autre, en suivant ce calcul, trouvera des pays où un homme ne vaut rien, et 30 d'autres où il vaut moins que rien. Ils évaluent les hommes comme des troupeaux de bétail. Selon eux, un homme ne vaut à l'état que la consomma-tion qu'il y fait; ainsi un Sybarite [19] aurait bien valu trente Lacédémoniens.[20] Qu'on devine donc laquelle des deux républiques, de Sparte ou de Sybaris, fut subjuguée par une poignée de paysans, et laquelle fit trembler l'Asie. 35

La monarchie de Cyrus [21] a été conquise avec trente mille hommes par

---

[13] Mother of Thérèse, his housekeeper.   [14] "rhythm."
[15] The Philosophes in general were strong supporters of the idea of progress.
[16] As, for example, in Voltaire's *Le Mondain*.   [17] Laws directed against luxury.
[18] Algiers, long a slave market for the captives of the Barbary pirates.
[19] Inhabitant of Sybaris, a Greek colony in southern Italy, famous for its luxury.
[20] Natives of Laconia in southern Greece, of which Sparta was the capital.
[21] Cyrus founded the Persian Empire in the 6th century B. C.

un prince [22] plus pauvre que le moindre des satrapes de Perse; et les
Scythes,[23] le plus misérable de tous les peuples, ont resisté aux plus puissants
monarques de l'univers. Deux fameuses républiques se disputèrent l'empire
du monde: l'une [24] était très riche, l'autre [25] n'avait rien, et ce fut celle-ci
5 qui détruisit l'autre. L'empire romain, à son tour, après avoir englouti toutes
les richesses de l'univers, fut la proie des gens qui ne savaient pas même ce
que c'était que la richesse.[26] Les Francs conquirent les Gaules, les Saxons
l'Angleterre, sans autre trésor que leur bravoure et leur pauvreté. Une
troupe de pauvres montagnards,[27] dont toute l'avidité se bornait à quelques
10 peaux de moutons, après avoir dompté la fierté autrichienne, écrasa cette
opulente et redoutable maison de Bourgogne [28] qui faisait trembler les
potentats de l'Europe. Enfin toute la puissance et toute la sagesse de l'héritier [29] de Charles-Quint, soutenue de tous les trésors des Indes, vinrent se
briser contre une poignée de pêcheurs de harengs.[30] Que nos politiques
15 daignent suspendre leurs calculs pour réfléchir à ces exemples, et qu'ils
apprennent une fois pour toutes, qu'on a de tout avec de l'argent, hormis des
mœurs et des citoyens.

De quoi s'agit-il donc précisément dans cette question du luxe? De savoir
lequel importe le plus aux empires, d'être brillants et momentanés, ou
20 vertueux et durables? Je dis brillants, mais de quel éclat? Le goût du faste
ne s'associe guère dans les mêmes âmes avec celui de l'honnête. Non, il
n'est pas possible que des esprits dégradés par une multitude de soins futiles
s'élèvent jamais à rien de grand; et, quand ils en auraient la force, le courage
leur manquerait. . . .

Discours sur les Sciences et les Arts.

Prosopopée [31] de Fabricius [32]

25 O Fabricius! qu'eût pensé votre grande âme, si, pour votre malheur,
rappelé à la vie, vous eussiez vu la face pompeuse de cette Rome sauvée par
votre bras, et que votre nom respectable avait plus illustrée que toutes ses
conquêtes? «Dieux! eussiez-vous dit, que sont devenus ces toits de chaume
et ces foyers rustiques qu'habitaient jadis la modération et la vertu? Quelle
30 splendeur funeste a succédé à la simplicité romaine? quel est ce langage
étranger? quelles sont ces mœurs efféminées? que signifient ces statues, ces
tableaux, ces édifices? Insensés, qu'avez-vous fait? Vous, les maîtres des
nations, vous vous êtes rendus les esclaves des hommes frivoles que vous
avez vaincus! Ce sont des rhéteurs qui vous gouvernent! C'est pour enrichir
35 des architectes, des peintres, des statuaires et des histrions que vous avez
arrosé de votre sang la Grèce et l'Asie! Les dépouilles de Carthage sont la
proie d'un joueur de flûte! Romains, hâtez-vous de renverser ces amphi-
théâtres, brisez ces marbres, brûlez ces tableaux, chassez ces esclaves qui

---

22 Alexander the Great.   23 Inhabitants of Russia, later identified as the Cossacks.
24 Carthage.   25 Rome.   26 The German barbarians.   27 The Swiss.
28 In 1477 the Swiss defeated Charles the Bold, Duke of Burgundy, at Nancy.
29 Philip II of Spain.   30 The Dutch.   31 "apostrophe."
32 Roman consul in 282 b. c., famous for the simplicity of his life.

vous subjuguent, et dont les funestes arts vous corrompent. Que d'autres mains s'illustrent par de vains talents; le seul talent digne de Rome est celui de conquérir le monde et d'y faire régner la vertu. Quand Cinéas [33] prit notre sénat pour une assemblée de rois, il ne fut ébloui ni par une pompe vaine, ni par une élégance recherchée; il n'y entendit point cette éloquence frivole, l'étude et le charme des hommes futiles. Que vit donc Cinéas de si majestueux? O citoyens! il vit un spectacle que ne donneront jamais vos richesses ni tous vos arts, le plus beau spectacle qui ait jamais paru sous le ciel: l'assemblée de deux cents hommes vertueux, dignes de commander à Rome, et de gouverner la terre.»

Discours sur les Sciences et les Arts.

L'ORIGINE DE L'INÉGALITÉ [34]

Le premier qui ayant enclos un terrain s'avisa de dire, *Ceci est à moi,* et trouva des gens assez simples pour le croire, fut le vrai fondateur de la société civile. Que de crimes, de guerres, de meurtres, que de misères et d'horreurs n'eût point épargnés au genre humain celui qui, arrachant les pieux [35] ou comblant le fossé, eût crié à ses semblables: «Gardez-vous d'écouter cet imposteur; vous êtes perdus si vous oubliez que les fruits sont à tous, et que la terre n'est à personne!» Mais il y a grande apparence qu'alors les choses en étaient déjà venues au point de ne pouvoir plus durer comme elles étaient: car cette idée de propriété, dépendant de beaucoup d'idées antérieures qui n'ont pu naître que successivement, ne se forma pas tout d'un coup dans l'esprit humain: il fallut faire bien des progrès, acquérir bien de l'industrie [36] et des lumières, les transmettre et les augmenter d'âge en âge, avant que d'arriver à ce dernier terme de l'état de nature. Reprenons donc les choses de plus haut, et tâchons de rassembler sous un seul point de vue cette lente succession d'événements et de connaissances dans leur ordre le plus naturel.

Le premier sentiment de l'homme fut celui de son existence; son premier soin celui de sa conservation. Les productions de la terre lui fournissaient tous les secours nécessaires; l'instinct le porta a en faire usage.

Telle fut la condition de l'homme naissant; telle fut la vie d'un animal borné d'abord aux pures sensations, et profitant à peine des dons que lui offrait la nature, loin de songer à lui rien arracher. Mais il se présenta bientôt des difficultés: il fallut apprendre à les vaincre: la hauteur des arbres qui l'empêchait d'atteindre à leurs fruits, la concurrence des animaux qui cherchaient à s'en nourrir, la férocité de ceux qui en voulaient à sa propre vie, tout l'obligea de s'appliquer aux exercices du corps; il fallut se rendre agile, vite à la course, vigoureux au combat. Les armes naturelles, qui sont

[33] Minister of Pyrrhus, King of Epirus, sent to Rome to negotiate peace.
[34] This famous passage, with its attack on social injustice, is one of the expressions of Rousseau's political thought which had most influence in preparing the Revolution, far more than le *Contrat Social,* which was looked upon generally as a mere political dream, incapable of realization.
[35] "stakes."   [36] "skill."

les branches d'arbres et les pierres, se trouvèrent bientôt sous sa main. Il apprit à surmonter les obstacles de la nature, à combattre au besoin les autres animaux, à disputer sa subsistance aux hommes mêmes, ou à se dédommager [37] de ce qu'il fallait céder au plus fort.

A mesure que le genre humain s'étendit, les peines se multiplièrent avec les hommes. La différence des terrains, des climats, des saisons, dut les forcer à en mettre dans leurs manières de vivre. Des années stériles, des hivers longs et rudes, des étés brûlants, qui consument tout, exigèrent d'eux une nouvelle industrie. Le long de la mer et des rivières ils inventèrent la ligne et l'hameçon,[38] et devinrent pêcheurs et ichthyophages.[39] Dans les forêts ils se firent des arcs et des flèches, et devinrent chasseurs et guerriers. Dans les pays froids ils se couvrirent des peaux des bêtes qu'ils avaient tuées. Le tonnerre, un volcan, ou quelque heureux hasard, leur fit connaître le feu, nouvelle ressource contre la rigueur de l'hiver: ils apprirent à conserver cet élément, puis à le reproduire, et enfin à en préparer les viandes qu'auparavant ils dévoraient crues.

. . . .

Je parcours comme un trait des multitudes de siècles, forcé par le temps qui s'écoule, par l'abondance des choses que j'ai à dire, et par le progrès presque insensible des commencements; car plus les événements étaient lents à se succéder, plus ils sont prompts à décrire.

Ces premiers progrès mirent enfin l'homme à portée d'en faire de plus rapides. Plus l'esprit s'éclairait, et plus l'industrie se perfectionna. Bientôt, cessant de s'endormir sous le premier arbre, ou de se retirer dans des cavernes, on trouva quelques sortes de haches de pierres dures et tranchantes [40] qui servirent à couper du bois, creuser la terre, et faire des huttes de branchages qu'on s'avisa ensuite d'enduire [41] d'argile et de boue. Ce fut là l'époque d'une première révolution qui forma l'établissement et la distinction des familles, et qui introduisit une sorte de propriété, d'où peutêtre naquirent déjà bien des querelles et des combats. Cependant, comme les plus forts furent vraisemblablement les premiers à se faire des logements qu'ils se sentaient capables de défendre, il est à croire que les faibles trouvèrent plus court et plus sûr de les imiter que de tenter de les déloger; et quant à ceux qui avaient déjà des cabanes, chacun dut peu chercher à s'approprier celle de son voisin, moins parce qu'elle ne lui appartenait pas, que parce qu'elle lui était inutile, et qu'il ne pouvait s'en emparer sans s'exposer à un combat très vif avec la famille qui l'occupait. . . .

. . . .

Dans ce nouvel état, avec une vie simple et solitaire, des besoins très bornés, et les instruments qu'ils avaient inventés pour y pourvoir, les hommes, jouissant d'un fort grand loisir, l'employèrent à se procurer plusieurs sortes de commodités inconnues à leurs pères; et ce fut là le premier

---

[37] "find compensation." [38] "hook." [39] "eaters of fish."
[40] "sharp." [41] "plaster."

joug qu'ils s'imposèrent sans y songer, et la première source des maux qu'ils préparèrent à leurs descendants; car, outre qu'ils continuèrent ainsi à s'amollir le corps et l'esprit, ces commodités ayant par l'habitude perdu presque tout leur agrément, et étant en même temps dégénérées en de vrais besoins, la privation en devint beaucoup plus cruelle que la possession n'en était douce; et l'on était malheureux de les perdre, sans être heureux de les posséder.

Tant que les hommes se contentèrent de leurs cabanes rustiques, tant qu'ils se bornèrent à coudre leurs habits de peaux avec des épines ou des arêtes,[42] à se parer de plumes et de coquillages, à se peindre le corps de diverses couleurs, à perfectionner ou embellir leurs arcs et leurs flèches, à tailler avec des pierres tranchantes quelques canots de pêcheurs ou quelques grossiers instruments de musique; en un mot, tant qu'ils ne s'appliquèrent qu'à des ouvrages qu'un seul pouvait faire, et qu'à des arts qui n'avaient pas besoin du concours de plusieurs mains, ils vécurent libres, sains, bons et heureux autant qu'ils pouvaient l'être par leur nature, et continuèrent à jouir entre eux des douceurs d'un commerce [43] indépendant: mais dès l'instant qu'un homme eut besoin du secours d'un autre, dès qu'on s'aperçut qu'il était utile à un seul d'avoir des provisions pour deux, l'égalité disparut, la propriété s'introduisit, le travail devint nécessaire, et les vastes forêts se changèrent en des campagnes riantes qu'il fallut arroser de la sueur des hommes, et dans lesquelles on vit bientôt l'esclavage et la misère germer et croître avec les moissons.

La métallurgie et l'agriculture furent les deux arts dont l'invention produisit cette grande révolution. Pour le poète, c'est l'or et l'argent; mais pour le philosophe, ce sont le fer et le blé qui ont civilisé les hommes et perdu le genre humain. . . .

Dès qu'il fallut des hommes pour fondre et forger le fer, il fallut d'autres hommes pour nourrir ceux-là. Plus le nombre des ouvriers vint à se multiplier, moins il y eut de mains employées à fournir à la subsistance commune, sans qu'il y eût moins de bouches pour la consommer; et, comme il fallut aux uns des denrées [44] en échange de leur fer, les autres trouvèrent enfin le secret d'employer le fer à la multiplication des denrées. De là naquirent d'un côté le labourage et l'agriculture, et de l'autre l'art de travailler les métaux et d'en multiplier les usages.

Les choses en cet état eussent pu demeurer égales si les talents eussent été égaux, et que, par exemple, l'emploi du fer et la consommation des denrées eussent toujours fait une balance exacte: mais la proportion que rien ne maintenait fut bientôt rompue; le plus fort faisait plus d'ouvrage; le plus adroit tirait meilleur parti du sien; le plus ingénieux trouvait des moyens d'abréger le travail; le laboureur avait plus besoin de fer, ou le forgeron plus besoin de blé; et en travaillant également, l'un gagnait beaucoup, tandis que l'autre avait peine à vivre. C'est ainsi que l'inégalité naturelle se déploie insensiblement avec celle de combinaison, et que les différences des hommes, développées par celles des circonstances, se rendent plus sensibles,[45] plus

[42] "fish bones."   [43] "relation."   [44] "commodities."   [45] "obvious."

permanentes dans leurs effets, et commencent à influer dans la même proportion sur le sort des particuliers.[46]

Les choses étant parvenues à ce point, il est facile d'imaginer le reste. Je ne m'arrêterai pas à décrire l'invention successive des autres arts, le progrès des langues, l'épreuve et l'emploi des talents, l'inégalité des fortunes, l'usage ou l'abus des richesses, ni tous les détails qui suivent ceux-ci, et que chacun peut aisément suppléer. . . .

Discours sur l'Inégalité.

LA NOUVELLE HÉLOÏSE

Composition du Roman

. . . L'impossibilité d'atteindre aux êtres réels me jeta dans le pays des chimères; et ne voyant rien d'existant qui fût digne de mon délire, je le nourris dans un monde idéal, que mon imagination créatrice eut bientôt peuplé d'êtres selon mon cœur. Jamais cette ressource ne vint plus à propos, et ne se trouva si féconde. Dans mes continuelles extases, je m'enivrais à torrents des plus délicieux sentiments qui jamais soient entrés dans un cœur d'homme. Oubliant tout à fait la race humaine, je me fis des sociétés de créatures parfaites, aussi célestes par leurs vertus que par leurs beautés, d'amis sûrs, tendres, fidèles, tels que je n'en trouvai jamais ici-bas. Je pris un tel goût à planer ainsi dans l'empyrée,[47] au milieu des objets charmants dont je m'étais entouré, que j'y passais les heures, les jours sans compter; et perdant le souvenir de toute autre chose, à peine avais-je mangé un morceau à la hâte, que je brûlais de m'échapper pour courir retrouver mes bosquets. Quand, prêt à partir pour le monde enchanté, je voyais arriver de malheureux mortels qui venaient me retenir sur la terre, je ne pouvais ni modérer ni cacher mon dépit; et n'étant plus maître de moi, je leur faisais un accueil si brusque, qu'il pouvait porter le nom de brutal. Cela ne fit qu'augmenter ma réputation de misanthropie, par tout ce qui m'en eût acquis une bien contraire, si l'on eût mieux lu dans mon cœur.

. . . .

Je me figurai l'amour, l'amitié, les deux idoles de mon cœur, sous les plus ravissantes images. Je me plus à les orner de tous les charmes du sexe que j'avais toujours adoré. J'imaginai deux amies plutôt que deux amis, parce que si l'exemple est plus rare, il est aussi plus aimable, je les douai de deux caractères analogues, mais différents; de deux figures non pas parfaites, mais de mon goût, qu'animaient la bienveillance et la sensibilité. Je fis l'une brune et l'autre blonde, l'une vive et l'autre douce, l'une sage et l'autre faible; mais d'une si touchante faiblesse, que la vertu semblait y gagner. Je donnai à l'une des deux un amant dont l'autre fût la tendre amie, et même quelque chose de plus; mais je n'admis ni rivalité, ni querelles, ni jalousie, parce que tout sentiment pénible me coûte à imaginer, et que je ne voulais ternir ce

---

[46] "individuals."   [47] "heavens."

riant tableau par rien qui dégradât la nature. Épris de mes deux charmants
modèles, je m'identifiais avec l'amant et l'ami le plus qu'il m'était possible:
mais je le fis aimable et jeune, lui donnant au surplus les vertus et les défauts que je me sentais.[48]

Pour placer mes personnages dans un séjour qui leur convînt, je passai 5
successivement en revue les plus beaux lieux que j'eusse vus dans mes
voyages. Mais je ne trouvai point de bocage assez frais, point de paysage
assez touchant à mon gré. Les vallées de la Thessalie [49] m'auraient pu contenter, si je les avais vues; mais mon imagination, fatiguée à inventer, voulait
quelque lieu réel qui pût lui servir de point d'appui, et me faire illusion sur 10
la réalité des habitants que j'y voulais mettre. Je songeai longtemps aux
îles Borromées,[50] dont l'aspect délicieux m'avait transporté; mais j'y trouvai
trop d'ornement et d'art pour mes personnages. Il me fallait cependant un
lac, et je finis par choisir celui autour duquel mon cœur n'a jamais cessé
d'errer. Je me fixai sur la partie des bords de ce lac à laquelle depuis long- 15
temps mes vœux ont placé ma résidence dans le bonheur imaginaire auquel
le sort m'a borné. Le lieu natal [51] de Mme de Warens [52] avait encore pour
moi un attrait de prédilection. Le contraste des positions, la richesse et la
variété des sites, la magnificence, la majesté de l'ensemble qui ravit les sens,
émeut le cœur, élève l'âme, achevèrent de me déterminer, et j'établis à 20
Vevai [53] mes jeunes pupilles. Voilà tout ce que j'imaginai du premier bond;
le reste n'y fut ajouté que dans la suite.

Je me bornai longtemps à un plan si vague, parce qu'il suffisait pour
remplir mon imagination d'objets agréables, et mon cœur de sentiments dont
il aime à se nourrir. Ces fictions, à force de revenir, prirent enfin plus de 25
consistance, et se fixèrent dans mon cerveau sous une forme déterminée. Ce
fut alors que la fantaisie me prit d'exprimer sur le papier quelques-unes des
situations qu'elles m'offraient: et rappelant tout ce que j'avais senti dans
ma jeunesse, de donner ainsi l'essor en quelque sorte au désir d'aimer, que
je n'avais pu satisfaire, et dont je me sentais dévoré. 30

Confessions, (II, ix).

LES MONTAGNES DU VALAIS [54]

[Saint-Preux, the hero of the novel, forced to leave Julie, whom he loves, re-
tires for consolation to the mountains south of Lake Geneva. His description
of mountain scenery is one of the first to be found in French literature.]

J'étais parti, triste de mes peines et consolé de votre joie; ce qui me tenait dans
un certain état de langueur qui n'est pas sans charme pour un cœur sensible.
Je gravissais lentement et à pied des sentiers assez rudes, conduit par un

[48] Rousseau here indicates the autobiographical character of the *Nouvelle Héloïse.*
[49] Province in northern Greece. [50] Four islands in Lake Maggiore, in northern Italy.
[51] Vevey on Lake Geneva near Montreux.
[52] Benefactor of Rousseau (1700–1762). His sojourn with her at Les Charmettes, near
Chambéry, is one of the famous episodes of his life.
[53] Rousseau's spelling of Vevey. [54] Swiss canton south of Lake Geneva.

homme que j'avais pris pour être mon guide, et dans lequel, durant toute
la route, j'ai trouvé plutôt un ami qu'un mercenaire. Je voulais rêver, et
j'en étais toujours détourné par quelque spectacle inattendu. Tantôt d'immenses roches pendaient en ruines au-dessus de ma tête. Tantôt de hautes
5 et bruyantes cascades m'inondaient de leur épais brouillard. Tantôt un torrent éternel ouvrait à mes côtés un abîme dont les yeux n'osaient sonder la
profondeur. Quelquefois je me perdais dans l'obscurité d'un bois touffu.
Quelquefois, en sortant d'un gouffre, une agréable prairie réjouissait tout à
coup mes regards. Un mélange étonnant de la nature sauvage et de la nature
10 cultivée [55] montrait partout la main des hommes, où l'on eût cru qu'ils
n'avaient jamais pénétré: à côté d'une caverne on trouvait des maisons; on
voyait des pampres secs où l'on n'eût cherché que des ronces, des vignes dans
des terres éboulées, d'excellents fruits sur des rochers, et des champs dans
des précipices.
15   Ce n'était pas seulement le travail des hommes qui rendait ces pays
étranges si bizarrement contrastés; la nature semblait encore prendre plaisir
à s'y mettre en opposition avec elle-même, tant on la trouvait différente en
un même lieu sous divers aspects. Au levant les fleurs du printemps, au
midi les fruits de l'automne, au nord les glaces de l'hiver: elle réunissait
20 toutes les saisons dans le même instant, tous les climats dans le même lieu,
des terrains contraires sur le même sol, et formait l'accord inconnu partout
ailleurs des productions des plaines et de celles des Alpes. Ajoutez à tout
cela les illusions de l'optique, les pointes des monts différemment éclairées,
le clair-obscur du soleil et des ombres, et tous les accidents de lumière qui
25 en résultaient le matin et le soir; vous aurez quelque idée des scènes continuelles qui ne cessèrent d'attirer mon admiration, et qui semblaient m'être
offertes en un vrai théâtre; car la perspective des monts étant verticale frappe
les yeux tout à la fois et bien plus puissamment que celle des plaines, qui ne
se voit qu'obliquement, en fuyant, et dont chaque objet vous en cache un
30 autre.
       J'attribuai, durant la première journée, aux agréments de cette variété le
calme que je sentais renaître en moi. J'admirais l'empire qu'ont sur nos passions les plus vives les êtres les plus insensibles, et je méprisais la philosophie
de ne pouvoir pas même autant sur l'âme qu'une suite d'objets inanimés.
35 Mais cet état paisible ayant duré la nuit et augmenté le lendemain, je ne
tardai pas de juger qu'il avait encore quelque autre cause qui ne m'était
pas connue. J'arrivai ce jour-là sur des montagnes les moins élevées, et, parcourant ensuite leurs inégalités, sur celles des plus hautes qui étaient à ma
portée. Après m'être promené dans les nuages, j'atteignais un séjour plus
40 serein, d'où l'on voit dans la saison le tonnerre et l'orage se former au-
dessous de soi; image trop vaine de l'âme du sage, dont l'exemple n'exista
jamais, ou n'existe qu'aux mêmes lieux d'où l'on en a tiré l'emblème.[56]
       Ce fut là que je démêlai sensiblement dans la pureté de l'air où je me

---

[55] This combination still makes the charm of Switzerland.
[56] The symbol of the sage above the storms of life is drawn from the high mountains.

trouvais la véritable cause du changement de mon humeur, et du retour de cette paix intérieure que j'avais perdue depuis si longtemps. En effet, c'est une impression générale qu'éprouvent tous les hommes, quoiqu'ils ne l'observent pas tous, que sur les hautes montagnes, où l'air est pur et subtil, on se sent plus de facilité dans la respiration, plus de légèreté dans le corps, 5 plus de sérénité dans l'esprit; les plaisirs y sont moins ardents, les passions plus modérées. Les méditations y prennent je ne sais quel caractère grand et sublime, proportionné aux objets qui nous frappent, je ne sais quelle volupté tranquille qui n'a rien d'âcre et de sensuel. Il semble qu'en s'élevant au-dessus du séjour des hommes on y laisse tous les sentiments bas et ter- 10 restres, et qu'à mesure qu'on approche des régions éthérées, l'âme contracte quelque chose de leur inaltérable pureté. On y est grave sans mélancolie, paisible sans indolence, content d'être et de penser: tous les désirs trop vifs s'émoussent; ils perdent cette pointe aiguë qui les rend douloureux; ils ne laissent au fond du cœur qu'une émotion légère et douce; et c'est ainsi qu'un 15 heureux climat fait servir à la félicité de l'homme les passions qui font ailleurs son tourment. Je doute qu'aucune agitation violente, aucune maladie de vapeurs pût tenir contre un pareil séjour prolongé, et je suis surpris que des bains de l'air salutaire et bienfaisant des montagnes ne soient pas un des grands remèdes de la médecine et de la morale. . . . 20

Supposez les impressions réunies de ce que je viens de vous décrire, et vous aurez quelque idée de la situation délicieuse où je me trouvais. Imaginez la variété, la grandeur, la beauté, de mille étonnants spectacles; le plaisir de ne voir autour de soi que des objets tout nouveaux, des oiseaux étranges, des plantes bizarres et inconnues, d'observer en quelque sorte une autre na- 25 ture, et de se trouver dans un nouveau monde. Tout cela fait aux yeux un mélange inexprimable, dont le charme augmente encore par la subtilité de l'air qui rend les couleurs plus vives, les traits plus marqués, rapproche tous les points de vue; les distances paraissant moindres que dans les plaines, où l'épaisseur de l'air couvre la terre d'un voile, l'horizon présente aux yeux 30 plus d'objets qu'il semble n'en pouvoir contenir: enfin, ce spectacle a je ne sais quoi de magique, de surnaturel, qui ravit l'esprit et les sens; on oublie tout, on s'oublie soi-même, on ne sait plus où l'on est.

La Nouvelle Héloïse (I, xxiii).

Une Promenade sur le Lac de Genève

. . . Après le dîner, l'eau continuant d'être forte et le bateau ayant besoin de raccommoder, je proposai un tour de promenade. Julie m'opposa le vent, 35 le soleil, et songeait à ma lassitude. J'avais mes vues; ainsi je répondis à tout. «Je suis, lui dis-je, accoutumé dès l'enfance aux exercices pénibles; loin de nuire à ma santé, ils l'affermissent, et mon dernier voyage [57] m'a rendu bien plus robuste encore. A l'égard du soleil et du vent, vous avez votre chapeau de paille; nous gagnerons des abris et des bois; il n'est question que 40

[57] Saint-Preux has just returned from a trip round the world with the squadron of Admiral Anson.

de monter entre quelques rochers, et vous qui n'aimez pas la plaine en supporterez volontiers la fatigue.» Elle fit ce que je voulais, et nous partîmes pendant le dîner de nos gens.[58]

5 Vous savez qu'après mon exil[59] du Valais, je revins, il y a dix ans, à Meillerie, attendre la permission de mon retour. C'est là que je passai des jours si tristes et si délicieux, uniquement occupé d'elle; et c'est de là que je lui écrivis une lettre dont elle fut si touchée. J'avais toujours désiré de revoir la retraite isolée qui me servit d'asile au milieu des glaces, et où mon cœur se plaisait à converser en lui-même avec ce qu'il eut de plus cher au monde.

10 L'occasion de visiter ce lieu si chéri dans une saison plus agréable, et avec celle dont l'image l'habitait jadis avec moi, fut le motif secret de ma promenade. Je me faisais un plaisir de lui montrer d'anciens monuments d'une passion si constante et si malheureuse.

Nous y parvînmes après une heure de marche par des sentiers tortueux 15 et frais, qui, montant insensiblement entre les arbres et les rochers, n'avaient rien de plus incommode que la longueur du chemin. En approchant et reconnaissant mes anciens renseignements,[60] je fus prêt à me trouver mal; mais je me surmontai, je cachai mon trouble, et nous arrivâmes. Ce lieu solitaire formait un réduit sauvage et désert, mais plein de ces sortes de 20 beautés qui ne plaisent qu'aux âmes sensibles, et paraissent horribles aux autres. Un torrent, formé par la fonte des neiges, roulait à vingt pas de nous une eau bourbeuse, et charriait avec bruit du limon, du sable et des pierres. Derrière nous une chaîne de roches inaccessibles séparait l'esplanade où nous étions de cette partie des Alpes qu'on nomme *les Glacières,* parce 25 que d'énormes sommets de glace qui s'accroissent incessamment les couvrent depuis le commencement du monde. Des forêts de noirs sapins nous ombrageaient tristement à droite. Un grand bois de chênes était à gauche au delà du torrent; et au-dessous de nous cette immense plaine d'eau que le lac forme au sein des Alpes nous séparait des riches côtes du pays de Vaud,[61] 30 dont la cime du majestueux Jura[62] couronnait le tableau.

Au milieu de ces grands et superbes objets, le petit terrain où nous étions étalait les charmes d'un séjour riant et champêtre; quelques ruisseaux filtraient à travers les rochers, et roulaient sur la verdure en filets de cristal; quelques arbres fruitiers sauvages penchaient leurs têtes sur les nôtres; la 35 terre humide et fraîche était couverte d'herbes et de fleurs. En comparant un si doux séjour aux objets qui l'environnaient, il semblait que ce lieu désert dut être l'asile de deux amants échappés seuls au bouleversement de la nature.

Quand nous eûmes atteint ce réduit et que je l'eus quelque temps contemplé: 40 «Quoi! dis-je à Julie en la regardant avec un œil humide, votre cœur ne vous dit-il rien ici, et ne sentez-vous point quelque émotion secrète à

58 *domestiques.*
59 When Julie's father refused Saint-Preux's offer of marriage on the ground of his inferior social position.
60 "landmarks" (an unusual word).   61 Swiss canton north-east of Geneva.
62 Mountain range between France and Switzerland.

l'aspect d'un lieu si plein de vous?» Alors, sans attendre sa réponse, je la conduisis vers le rocher, et lui montrai son chiffre gravé dans mille endroits, et plusieurs vers du Pétrarque [63] et du Tasse [64] relatifs à la situation où j'étais en les traçant. En les revoyant moi-même après si longtemps, j'éprouvai combien la présence des objets peut ranimer puissamment les sentiments violents dont on fut agité près d'eux. Je lui dis avec un peu de véhémence: «O Julie, éternel charme de mon cœur! voici les lieux où soupira jadis pour toi le plus fidèle amant du monde: voici le séjour où ta chère image faisait son bonheur, et préparait celui qu'il reçut enfin de toi-même. On n'y voyait alors ni ces fruits ni ces ombrages, la verdure et les fleurs ne tapissaient point ces compartiments, [65] le cours de ces ruisseaux n'en formait point les divisions, ces oiseaux n'y faisaient point entendre leurs ramages; le vorace épervier, le corbeau funèbre, et l'aigle terrible des Alpes, faisaient seuls retentir de leurs cris ces cavernes, d'immenses glaces pendaient à tous ces rochers, des festons de neige étaient le seul ornement de ces arbres: tout respirait ici les rigueurs de l'hiver et l'horreur des frimas; les feux seuls de mon cœur me rendaient ce lieu supportable, et les jours entiers s'y passaient à penser à toi. Voilà la pierre où je m'asseyais pour contempler au loin ton heureux séjour, [66] sur celle-ci fut écrite la lettre qui toucha ton cœur, [67] ces cailloux tranchants me servaient de burin pour graver ton chiffre; ici je passai le torrent glacé pour reprendre une de tes lettres qu'emportait un tourbillon, là je vins relire et baiser mille fois la dernière que tu m'écrivis; voilà le bord où d'un œil avide et sombre je mesurais la profondeur de ces abîmes; [68] enfin ce fut ici qu'avant mon triste départ je vins te pleurer mourante et jurer de ne te pas survivre. Fille trop constamment [69] aimée, ô toi pour qui j'étais né, faut-il me retrouver avec toi dans les mêmes lieux, et regretter le temps que j'y passais à gémir de ton absence! . . . » J'allais continuer; mais Julie, qui, me voyant approcher du bord, s'était effrayée et m'avait saisi la main, la serra sans mot dire en me regardant avec tendresse et retenant avec peine un soupir; puis tout à coup détournant la vue et me tirant par le bras: «Allons-nous-en, mon ami, me dit-elle d'une voix émue; l'air de ce lieu n'est pas bon pour moi.» Je partis avec elle en gémissant, mais sans lui répondre, et je quittai pour jamais ce triste réduit comme j'aurais quitté Julie elle-même.

Revenus lentement au port après quelques détours, nous nous séparâmes. Elle voulut rester seule, et je continuai de me promener sans trop savoir où j'allais. A mon retour, le bateau n'étant pas encore prêt ni l'eau tranquille, nous soupâmes tristement, les yeux baissés, l'air rêveur, mangeant peu et parlant encore moins. Après le souper, nous fûmes nous asseoir sur la grève en attendant le moment du départ. Insensiblement la lune se leva, l'eau devint plus calme, et Julie me proposa de partir. Je lui donnai la main pour entrer dans le bateau, et en m'asseyant à côté d'elle, je ne songeai plus à

---

[63] Italian lyric poet (1304–1374). [64] Italian lyric and epic poet (1544–1595).
[65] "this spot." [66] At Vevey, across the lake from Meillerie.
[67] *Nouvelle Héloïse* (Part I, Letter 26).
[68] Saint-Preux had threatened to kill himself. [69] *avec constance.*

quitter sa main. Nous gardions un profond silence. Le bruit égal et mesuré des rames m'excitait à rêver. Le chant assez gai des bécassines,[70] me retraçant les plaisirs d'un autre âge, au lieu de m'égayer m'attristait. Peu à peu je sentis augmenter la mélancolie dont j'étais accablé. Un ciel serein, la fraî-
5 cheur de l'air, les doux rayons de la lune, le frémissement argenté dont l'eau brillait autour de nous, le concours des plus agréables sensations, la présence même de cet objet chéri, rien ne put détourner de mon cœur mille réflexions douloureuses.

Je commençai par me rappeler une promenade semblable faite autrefois
10 avec elle durant le charme de nos premières amours. Tous les sentiments délicieux qui remplissaient alors mon âme s'y retracèrent pour l'affliger; tous les événements de notre jeunesse, nos études, nos entretiens, nos lettres, nos rendez-vous, nos plaisirs,

E tanta fede, e si dolce memorie,
15 E si lungo costume,[71]

ces foules de petits objets qui m'offraient l'image de mon bonheur passé; tout revenait, pour augmenter ma misère présente, prendre place en mon souvenir. «C'en est fait, disais-je en moi-même, ces temps, ces temps heureux ne sont plus;[72] ils ont disparu pour jamais. Hélas! ils ne reviendront plus;
20 et nous vivons, et nous sommes ensemble; et nos cœurs sont toujours unis!» Il me semblait que j'aurais porté[73] plus patiemment sa mort ou son absence, et que j'avais moins souffert tout le temps que j'avais passé loin d'elle. Quand je gémissais dans l'éloignement, l'espoir de la revoir soulageait mon cœur; je me flattais qu'un instant de sa présence effacerait toutes mes
25 peines; j'envisageais au moins dans les possibles un état moins cruel que le mien; mais se trouver auprès d'elle, mais la voir, la toucher, lui parler, l'aimer, l'adorer, et, presque en la possédant encore, la sentir perdue à jamais pour moi; voilà ce qui me jetait dans des accès de fureur et de rage qui m'agitèrent par degrés jusqu'au désespoir. Bientôt je commençai de
30 rouler dans mon esprit des projets funestes, et, dans un transport dont je frémis en y pensant, je fus violemment tenté de la précipiter avec moi dans les flots, et d'y finir dans ses bras ma vie et mes longs tourments. Cette horrible tentation devint à la fin si forte que je fus obligé de quitter brusquement sa main pour passer à la pointe du bateau.

35 Là mes vives agitations commencèrent à prendre un autre cours; un sentiment plus doux s'insinua peu à peu dans mon âme; l'attendrissement surmonta le désespoir, je me mis à verser des torrents de larmes; et cet état comparé à celui dont je sortais n'était pas sans quelque plaisir; je pleurai fortement, longtemps, et fus soulagé. Quand je me trouvai bien remis, je
40 revins auprès de Julie; je repris sa main. Elle tenait son mouchoir; je le sentis fort mouillé. «Ah! lui dis-je tout bas, je vois que nos cœurs n'ont

[70] Kind of snipe.
[71] "And such perfect faith, and such sweet memories and such long companionship" (Metastasio, *Demofoonte*).
[72] Rousseau here anticipates the central idea of Lamartine's *Le Lac*.   [73] *supporté*.

jamais cessé de s'entendre!—Il est vrai, dit-elle d'une voix altérée; mais que ce soit la dernière fois qu'ils auront parlé sur ce ton.» Nous recommençâmes alors à causer tranquillement, et au bout d'une heure de navigation nous arrivâmes sans autre accident. Quand nous fûmes rentrés, j'aperçus à la lumière qu'elle avait les yeux rouges et fort gonflés; elle ne dut pas trouver les miens en meilleur état. Après les fatigues de cette journée, elle avait grand besoin de repos; elle se retira et je fus me coucher.

Voilà, mon ami,[74] le détail du jour de ma vie où, sans exception, j'ai senti les émotions les plus vives. J'espère qu'elles seront la crise qui me rendra tout à fait à moi. Au reste, je vous dirai que cette aventure m'a plus convaincu que tous les arguments de la liberté de l'homme et du mérite de la vertu. Combien de gens sont faiblement tentés et succombent! Pour Julie, mes yeux le virent et mon cœur le sentit, elle soutint ce jour-là le plus grand combat qu'âme humaine ait pu soutenir: elle vainquit pourtant. . . .

La Nouvelle Héloïse (IV, XVII).

CE QUE DOIT ÊTRE UN JARDIN

. . . L'erreur des prétendus gens de goût est de vouloir de l'art partout, et de n'être jamais contents que l'art ne paraisse; au lieu que c'est à le cacher que consiste le véritable goût, surtout quand il est question des ouvrages de la nature. Que signifient ces allées si droites, si sablées, qu'on trouve sans cesse, et ces étoiles, par lesquelles, bien loin d'étendre aux yeux la grandeur d'un parc, comme on l'imagine, on ne fait qu'en montrer maladroitement les bornes? Voit-on dans les bois du sable de rivière? ou le pied se repose-t-il plus doucement sur ce sable que sur la mousse ou la pelouse? La nature emploie-t-elle sans cesse l'équerre[75] et la règle? Ont-ils peur qu'on ne la reconnaisse en quelque chose malgré leurs soins pour la défigurer? Enfin n'est-il pas plaisant que, comme s'ils étaient déjà las de la promenade en la commençant, ils affectent de la faire en ligne droite pour arriver plus vite au terme? Ne dirait-on pas que, prenant le plus court chemin, ils font un voyage plutôt qu'une promenade, et se hâtent de sortir aussitôt qu'ils sont entrés?

Que fera donc l'homme de goût qui vit pour vivre, qui sait jouir de lui-même, qui cherche les plaisirs vrais et simples, et qui veut se faire une promenade à la porte de sa maison? Il la fera si commode et si agréable qu'il s'y puisse plaire à toutes les heures de la journée, et pourtant si simple et si naturelle qu'il semble n'avoir rien fait. Il rassemblera l'eau, la verdure, l'ombre et la fraîcheur; car la nature aussi rassemble toutes ces choses. Il ne donnera à rien de la symétrie; elle est ennemie de la nature et de la variété; et toutes les allées d'un jardin ordinaire se ressemblent si fort qu'on croit être toujours dans la même: il élaguera[76] le terrain pour s'y promener commodément; mais les deux côtés de ses allées ne seront point toujours exactement parallèles; la direction n'en sera pas toujours en ligne droite, elle aura

---

[74] Saint-Preux writes this letter to his English friend, Lord Bomston.
[75] "square."   [76] "will prune away."

je ne sais quoi de vague comme la démarche d'un homme oisif qui erre en se promenant. Il ne s'inquiétera point de se percer au loin de belles perspectives: le goût des points de vue et des lointains vient du penchant qu'ont la plupart des hommes à ne se plaire qu'où ils ne sont pas: ils sont toujours
5 avides de ce qui est loin d'eux; et l'artiste, qui ne sait pas les rendre assez contents de ce qui les entoure, se donne cette ressource pour les amuser: mais l'homme dont je parle n'a pas cette inquiétude; et, quand il est bien où il est, il ne se soucie point d'être ailleurs. Ici,[77] par exemple, on n'a pas de vue hors du lieu, et l'on est très content de n'en pas avoir. On penserait
10 volontiers que tous les charmes de la nature y sont renfermés, et je craindrais fort que la moindre échappée [78] de vue au dehors n'ôtât beaucoup d'agrément à cette promenade. Certainement tout homme qui n'aimera pas à passer les beaux jours dans un lieu si simple et si agréable n'a pas le goût pur ni l'âme saine. J'avoue qu'il n'y faut pas amener en pompe les étrangers;
15 mais en revanche on peut s'y plaire soi-même, sans le montrer à personne.

La Nouvelle Héloïse (IV, xi).

LES VENDANGES À CLARENS [79]

J'avoue que la misère qui couvre les champs en certains pays où le publicain [80] dévore les fruits de la terre, l'âpre avidité d'un fermier avare, l'inflexible rigueur d'un maître inhumain, ôtent beaucoup d'attrait à ces tableaux.[81] Des chevaux étiques près d'expirer sous les coups, de malheureux paysans ex-
20 ténués de jeûnes, excédés de fatigue et couverts de haillons, des hameaux de masures, offrent un triste spectacle à la vue: on a presque regret d'être homme quand on songe aux malheureux dont il faut manger le sang. Mais quel charme de voir de bons et sages régisseurs [81a] faire de la culture de leurs terres l'instrument de leurs bienfaits, leurs amusements, leurs plaisirs; verser
25 à pleines mains les dons de la Providence, engraisser tout ce qui les entoure, hommes et bestiaux, des biens dont regorgent leurs granges, leurs caves, leurs greniers; accumuler l'abondance et la joie autour d'eux, et faire du travail qui les enrichit une fête continuelle! Comment se dérober à la douce illusion que ces objets font naître? On oublie son siècle et ses contemporains, on se
30 transporte au temps des patriarches; on veut mettre soi-même la main à l'œuvre, partager les travaux rustiques et le bonheur qu'on y voit attaché. O temps de l'amour et de l'innocence, où les femmes étaient tendres et modestes, où les hommes étaient simples et vivaient contents! O Rachel! [82] fille charmante et si constamment aimée, heureux celui qui, pour t'obtenir ne re-
35 gretta pas quatorze ans d'esclavage! O douce élève de Noémi! [83] heureux le bon vieillard [84] dont tu réchauffais les pieds et le cœur! Non, jamais la beauté ne règne avec plus d'empire qu'au milieu des soins champêtres. C'est

---

[77] In Julie's English garden.   [78] "vista."
[79] Swiss town near Montreux. Near here Julie, the heroine of the *Nouvelle Héloïse*, lives after her marriage to M. de Wolmar.
    [80] "tax-collector."   [81] (Of country life.)   [81a] "managers."
[82] Wife of Jacob, who to win her had to serve her father, Laban, for fourteen years.
[83] Ruth. Cf. Hugo's poem: *Booz endormi*.   [84] Boaz.

là que les grâces sont sur leur trône, que la simplicité les pare, que la gaieté les anime, et qu'il faut les adorer malgré soi. Pardon, milord,[85] je reviens à nous.

Depuis un mois les chaleurs de l'automne apprêtaient d'heureuses vendanges; les premières gelées en ont amené l'ouverture; le pampre grillé, laissant la grappe à découvert, étale aux yeux les dons du père Lyée,[86] et semble inviter les mortels à s'en emparer. Toutes les vignes chargées de ce fruit bienfaisant que le ciel offre aux infortunés pour leur faire oublier leur misère: le bruit des tonneaux, des cuves, des légrefass[87] qu'on relie de toutes parts; le chant des vendangeuses dont ces coteaux retentissent; la marche continuelle de ceux qui portent la vendange au pressoir; le son rauque des instruments rustiques qui les anime au travail; l'aimable et touchant tableau d'une allégresse générale qui semble en ce moment étendu sur la surface de la terre; enfin le voile de brouillard que le soleil élève au matin comme une toile de théâtre pour découvrir à l'œil un si charmant spectacle: tout conspire à lui donner un air de fête; et cette fête n'en devient que plus belle à la réflexion, quand on songe qu'elle est la seule où les hommes aient su joindre l'agréable à l'utile.

M. de Wolmar, dont ici le meilleur terrain consiste en vignobles, a fait d'avance tous les préparatifs nécessaires. Les cuves, le pressoir, le cellier, les futailles, n'attendaient que la douce liqueur pour laquelle ils sont destinés. Mme de Wolmar s'est chargée de la récolte; le choix des ouvriers, l'ordre et la distribution du travail la regardent. Mme d'Orbe[88] préside aux festins de vendange et au salaire des ouvriers selon la police établie, dont les lois ne s'enfreignent jamais ici. Mon inspection[88a] à moi est de faire observer au pressoir les directions de Julie, dont la tête ne supporte pas la vapeur des cuves; et Claire n'a pas manqué d'applaudir à cet emploi, comme étant tout à fait du ressort[88b] d'un buveur.

Les tâches ainsi partagées, le métier commun pour remplir les vides est celui de vendangeur. Tout le monde est sur pied de grand matin: on se rassemble pour aller à la vigne. Mme d'Orbe, qui n'est jamais assez occupée au gré de son activité, se charge, par surcroît, de faire avertir et tancer les paresseux, et je puis me vanter qu'elle s'acquitte envers moi de ce soin avec une maligne vigilance. Quant au vieux baron,[88c] tandis que nous travaillons tous, il se promène avec un fusil, et vient de temps en temps m'ôter aux vendangeuses pour aller avec lui tirer des grives.

.   .   .   .

Depuis huit jours que cet agréable travail nous occupe, on est à peine à la moitié de l'ouvrage. Outre les vins destinés pour la vente et pour les provisions ordinaires, lesquels n'ont d'autre façon que d'être recueillis avec soin, la bienfaisante fée en prépare d'autres plus fins pour nos buveurs; et j'aide aux opérations magiques dont je vous ai parlé, pour tirer d'un même vig-

---

[85] Lord Bomston, an Englishman to whom Saint-Preux is describing the life at Clarens.
[86] Lyæus, one of the names of Bacchus.   [87] "large cask."   [88] Claire, cousin of Julie.
[88a] "function."   [88b] "province."   [88c] M. d'Étanges, father of Julie.

noble des vins de tous les pays. Pour l'un, elle fait tordre la grappe quand elle est mûre et la laisse flétrir au soleil sur la souche; pour l'autre, elle fait égrapper le raisin et trier les grains avant de les jeter dans la cuve; pour un autre, elle fait cueillir avant le lever du soleil du raisin rouge, et le porter
5 doucement sur le pressoir couvert encore de sa fleur et de sa rosée, pour en exprimer du vin blanc. Elle prépare un vin de liqueur en mêlant dans les tonneaux du moût réduit en sirop sur le feu; un vin sec, en l'empêchant de cuver; un vin d'absinthe pour l'estomac; un vin muscat avec des simples. Tous ces vins différents ont leur apprêt particulier; toutes ces préparations
10 sont saines et naturelles: c'est ainsi qu'une économe industrie [88d] supplée à la diversité des terrains, et rassemble vingt climats en un seul.

Vous ne sauriez concevoir avec quel zèle, avec quelle gaieté tout cela se fait. On chante, on rit toute la journée, et le travail n'en va que mieux. Tout vit dans la plus grande familiarité; tout le monde est égal, et personne ne
15 s'oublie. Les dames sont sans airs, les paysannes sont décentes, les hommes badins et non grossiers. C'est à qui trouvera les meilleures chansons, à qui fera les meilleurs contes, à qui dira les meilleurs traits. L'union même engendre les folâtres querelles; et l'on ne s'agace mutuellement que pour montrer combien on est sûr les uns des autres. On ne revient point ensuite
20 faire chez soi les messieurs; on passe aux vignes toute la journée: Julie y a fait faire une loge où l'on va se chauffer quand on a froid, et dans laquelle on se réfugie en cas de pluie. On dîne avec les paysans et à leur heure, aussi bien qu'on travaille avec eux. On mange avec appétit leur soupe un peu grossière, mais bonne, saine, et chargée d'excellents légumes. On ne ricane point
25 orgueilleusement de leur air gauche et de leurs compliments rustauds; pour les mettre à leur aise, on s'y prête sans affectation. Ces complaisances ne leur échappent pas, ils y sont sensibles; et voyant qu'on veut bien sortir pour eux de sa place, ils s'en tiennent d'autant plus volontiers dans la leur. . . .

Le soir, on revient gaiement tous ensemble. On nourrit et loge les ou-
30 vriers tout le temps de la vendange: et même le dimanche, après le prêche du soir, on se rassemble avec eux et l'on danse jusqu'au souper. Les autres jours on ne se sépare point non plus en rentrant au logis, hors le baron qui ne soupe jamais et se couche de fort bonne heurs, et Julie qui monte avec ses enfants chez lui jusqu'à ce qu'il s'aille coucher. A cela près, depuis le moment qu'on
35 prend le métier de vendangeur jusqu'à celui qu'on le quitte, on ne mêle plus la vie citadine à la vie rustique. . . .

Le lieu de l'assemblée est une salle à l'antique avec une grande cheminée où l'on fait bon feu. La pièce est éclairée de trois lampes, auxquelles M. de Wolmar a seulement fait ajouter des capuchons de fer-blanc pour intercepter
40 la fumée et réfléchir la lumière. Pour prévenir l'envie et les regrets, on tâche de ne rien étaler aux yeux de ces bons gens qu'ils ne puissent retrouver chez eux, de ne leur montrer d'autre opulence que le choix du bon dans les choses communes, et un peu plus de largesse dans la distribution. Le souper est servi sur deux longues tables. Le luxe et l'appareil des festins n'y sont

88d "intelligence."

pas, mais l'abondance et la joie y sont. Tout le monde se met à table, maîtres, journaliers, domestiques; chacun se lève indifféremment pour servir, sans exclusion, sans préférence, et le service se fait toujours avec grâce et avec plaisir. On boit à discrétion; la liberté n'a point d'autres bornes que l'honnêteté. La présence de maîtres si respectés contient tout le monde, et n'empêche pas qu'on ne soit à son aise et gai. Que s'il arrive à quelqu'un de s'oublier, on ne trouble point la fête par des réprimandes, mais il est congédié sans rémission dès le lendemain.

. . . .

Après le souper on veille encore une heure ou deux en teillant [89] du chanvre: chacun dit sa chanson tour à tour. Quelquefois les vendangeuses chantent en chœur toutes ensemble, ou bien alternativement à voix seule et en refrain. La plupart de ces chansons sont de vieilles romances [90] dont les airs ne sont pas piquants, mais ils ont je ne sais quoi d'antique et de doux qui touche à la longue. Les paroles sont simples, naïves, souvent tristes; elles plaisent pourtant. . . .

Je trouve à ces veillées une sorte de charme que je ne puis vous expliquer, et qui m'est pourtant fort sensible. Cette réunion des différents états, la simplicité de cette occupation, l'idée de délassement, d'accord, de tranquillité, le sentiment de paix qu'elle porte à l'âme, a quelque chose d'attendrissant qui dispose à trouver ces chansons plus intéressantes. Ce concert de voix de femmes n'est pas non plus sans douceur. Pour moi je suis convaincu que de toutes les harmonies il n'y en a point d'aussi agréable que le chant à l'unisson, et que, s'il nous faut des accords, c'est parce que nous avons le goût dépravé. En effet, toute l'harmonie ne se trouve-t-elle pas dans un son quelconque? et qu'y pouvons-nous ajouter, sans altérer les proportions que la nature a établies dans la force relative des sons harmonieux? En doublant les uns et non pas les autres, en ne les renforçant pas en même rapport, n'ôtons-nous pas à l'instant ces proportions? La nature a tout fait le mieux qu'il était possible; mais nous voulons mieux faire encore, et nous gâtons tout.

Il y a une grande émulation pour ce travail du soir aussi bien que pour celui de la journée; et la filouterie [90a] que j'y voulais employer m'attira hier un petit affront. Comme je ne suis pas des plus adroits à teiller, et que j'ai souvent des distractions, ennuyé d'être toujours noté pour avoir fait le moins d'ouvrage, je tirais doucement avec le pied des chenevottes [90b] de mes voisins pour grossir mon tas; mais cette impitoyable Mme d'Orbe, s'en étant aperçue, fit signe à Julie, qui, m'ayant pris sur le fait, me tança sévèrement. «Monsieur le fripon, me dit-elle tout haut, point d'injustice, même en plaisantant; c'est ainsi qu'on s'accoutume à devenir méchant tout de bon, et, qui pis est, à plaisanter encore.»

Voilà comment se passe la soirée. Quand l'heure de la retraite approche,

---

[89] "stripping."

[90] "sentimental songs." Rousseau's enthusiasm for the folk-song was developed a little later into a genuinely scientific study by his German disciple, Herder.

[90a] "deceit."   [90b] "boon" (refuse stalk of hemp after the fibre has been removed).

Mme de Wolmar dit: Allons tirer le feu d'artifice. A l'instant chacun prend son paquet de chenevottes, signe honorable de son travail; on les porte en triomphe au milieu de la cour, on les rassemble en un tas, on en fait un trophée; on y met le feu; mais n'a pas cet honneur qui veut: Julie l'adjuge
5 en présentant le flambeau à celui ou celle qui a fait ce soir-là le plus d'ouvrage; fût-ce elle-même, elle se l'attribue sans façon. L'auguste cérémonie est accompagnée d'acclamations et de battements de main. Les chenevottes font un feu clair et brillant qui s'élève jusqu'aux nues, un vrai feu de joie, autour duquel on saute, on rit. Ensuite on offre à boire à toute l'assemblée:
10 chacun boit à la santé du vainqueur, on va se coucher content d'une journée passée dans le travail, la gaieté, l'innocence, et qu'on ne serait pas fâché de recommencer le lendemain, le surlendemain, et toute sa vie.

La Nouvelle Héloïse (V, VII).

ÉMILE OU DE L'ÉDUCATION
(Extraits)
Dangers de Suivre l'*Émile* à la Lettre

«Monsieur,
«. . . S'il est vrai que vous ayez adopté le plan que j'ai tâché de tracer
15 dans l'*Émile,* j'admire votre courage; car vous avez trop de lumière pour ne pas voir que, dans un pareil système, il faut tout ou rien, et qu'il vaudrait cent fois mieux reprendre le train des éducations ordinaires, et faire un petit talon rouge,[91] que de suivre à demi celle-là pour ne faire qu'un homme manqué. Ce que j'appelle *tout* n'est pas de suivre servilement mes idées;
20 au contraire, c'est souvent de les corriger, mais de s'attacher aux principes, et d'en suivre exactement les conséquences avec les modifications qu'exige nécessairement toute application particulière. Vous ne pouvez ignorer quelle tâche immense vous vous donnez: vous voilà pendant dix ans au moins nul pour vous-même et livré tout entier avec toutes vos facultés à votre élève;
25 vigilance, patience, fermeté, voilà surtout trois qualités sur lesquelles vous ne sauriez relâcher un seul instant sans risquer de tout perdre; oui, de tout perdre, entièrement tout: un moment d'impatience, de négligence ou d'oubli peut vous ôter le fruit de six ans de travaux, sans qu'il vous en reste rien du tout, pas même la possibilité de le recouvrer par le travail de dix
30 autres. Certainement s'il y a quelque chose d'héroïque et de grand parmi les hommes, c'est le succès des entreprises pareilles à la vôtre; car le succès est toujours proportionné à la dépense de talents et de vertus dont on l'a acheté.

Mais aussi quel don vous aurez fait à vos semblables, et quel prix pour
35 vous-même de vos grands et pénibles travaux! Vous vous serez fait un ami, car c'est là le terme nécessaire du respect, de l'estime et de la reconnaissance dont vous l'aurez pénétré. Voyez, monsieur . . . dix ans de travaux immenses, et toutes les plus douces jouissances de la vie pour le reste de vos

[91] "society dandy."

jours et au delà: voilà les avances que vous avez faites, et voilà le prix qui doit les payer.

Si vous avez besoin d'encouragement dans cette entreprise, vous me trouverez toujours prêt; si vous avez besoin de conseils, ils sont désormais au-dessus de mes forces. Je ne puis vous promettre que de la bonne volonté; 5 mais vous la trouverez toujours pleine et sincère: soit dit une fois pour toutes, et, lorsque vous me croirez bon à quelque chose, ne craignez pas de m'importuner.—Je vous salue de tout mon cœur.»

Correspondance (28 février 1770).

Principes Généraux de l'Éducation

Oserais-je exposer ici la plus grande, la plus importante, la plus utile règle de toute l'éducation? ce n'est pas de gagner du temps, c'est d'en perdre. 10 Lecteurs vulgaires, pardonnez-moi mes paradoxes: il en faut faire quand on réfléchit; et, quoi que vous puissiez dire, j'aime mieux être homme à paradoxes qu'homme à préjugés. Le plus dangereux intervalle de la vie humaine est celui de la naissance à l'âge de douze ans. C'est le temps où germent les erreurs et les vices, sans qu'on ait encore aucun instrument pour les dé- 15 truire; et quand l'instrument vient, les racines sont si profondes, qu'il n'est plus temps de les arracher. Si les enfants sautaient tout d'un coup de la ma-melle [92] à l'âge de raison, l'éducation qu'on leur donne pourrait leur convenir; mais, selon le progrès naturel, il leur en faut une toute contraire. Il faudrait qu'ils ne fissent rien de leur âme jusqu'à ce qu'elle eût toutes ses 20 facultés; car il est impossible qu'elle aperçoive le flambeau que vous lui présentez tandis qu'elle est aveugle, et qu'elle suive dans l'immense plaine des idées une route que la raison trace encore si légèrement pour les meilleurs yeux.

La première éducation doit donc être purement négative. Elle consiste, 25 non point à enseigner la vertu ni la vérité, mais à garantir le cœur du vice et l'esprit de l'erreur. Si vous pouviez ne rien faire et ne rien laisser faire; si vous pouviez amener votre élève sain et robuste à l'âge de douze ans, sans qu'il sût distinguer sa main droite de sa main gauche, dès vos premières leçons les yeux de son entendement s'ouvriraient à la raison; sans préjugés, 30 sans habitudes, il n'aurait rien en lui qui pût contrarier l'effet de vos soins. Bientôt il deviendrait entre vos mains le plus sage des hommes; et en commençant par ne rien faire, vous auriez fait un prodige d'éducation.

Prenez le contre-pied de l'usage, et vous ferez presque toujours bien.[93] Comme on ne veut pas faire d'un enfant un enfant, mais un docteur, les 35 pères et les maîtres n'ont jamais assez tôt tancé,[94] corrigé, reprimandé, flatté, menacé, promis, instruit, parlé raison. Faites mieux; soyez raisonnable, et ne raisonnez point avec votre élève, surtout pour lui faire approuver ce qui lui déplaît; car amener ainsi toujours la raison dans les choses désagré-

---

[92] "breast."
[93] A characteristic example of Rousseau's fondness for extreme statements.   [94] "scolded."

ables, ce n'est que la lui rendre ennuyeuse, et la décréditer de bonne heure dans un esprit qui n'est pas encore en état de l'entendre. Exercez son corps, ses organes, ses sens, ses forces, mais tenez son âme oisive aussi longtemps qu'il se pourra. Redoutez tous les sentiments antérieurs au jugement qui
5 les apprécie. Retenez, arrêtez les impressions étrangères: et, pour empêcher le mal de naître, ne vous pressez point de faire le bien; car il n'est jamais tel que quand la raison l'éclaire. Regardez tous les délais comme des avantages: c'est gagner beaucoup que d'avancer vers le terme sans rien perdre; laissez mûrir l'enfance dans les enfants. Enfin, quelque leçon leur devient-elle né-
10 cessaire, gardez-vous de la donner aujourd'hui, si vous pouvez différer jusqu'à demain sans danger.

Une autre considération qui confirme l'utilité de cette méthode, est celle du génie particulier de l'enfant, qu'il faut bien connaître pour savoir quel régime moral lui convient. Chaque esprit a sa forme propre selon laquelle il
15 a besoin d'être gouverné; et il importe au succès des soins qu'on prend qu'il soit gouverné par cette forme et non par une autre. Homme prudent, épiez longtemps la nature, observez bien votre élève avant de lui dire le premier mot; laissez d'abord le germe de son caractère en pleine liberté de se montrer, ne le contraignez en quoi que ce puisse être, afin de le mieux voir tout
20 entier. Pensez-vous que ce temps de liberté soit perdu pour lui? tout au contraire, il sera le mieux employé; car c'est ainsi que vous apprendrez à ne pas perdre un seul moment dans un temps plus précieux: au lieu que, si vous commencez d'agir avant de savoir ce qu'il faut faire, vous agirez au hasard; sujet à vous tromper, il faudra revenir sur vos pas; vous serez plus éloigné
25 du but que si vous eussiez été moins pressé de l'atteindre. Ne faites donc pas comme l'avare qui perd beaucoup pour ne vouloir rien perdre. Sacrifiez dans le premier âge un temps que vous regagnerez avec usure dans un âge plus avancé. Le sage médecin ne donne pas étourdiment[95] des ordonnances à la première vue, mais il étudie premièrement le tempérament du malade
30 avant de lui rien prescrire; il commence tard à le traiter, mais il le guérit, tandis que le médecin trop pressé le tue.

Livre II.

L'Enfant doit jouir de la Vie

Quoiqu'on assigne à peu près le plus long terme de la vie humaine et les probabilités qu'on a d'approcher de ce terme à chaque âge, rien n'est plus incertain que la durée de la vie de chaque homme en particulier; très peu
35 parviennent à ce plus long terme. Les plus grands risques de la vie sont dans son commencement; moins on a vécu, moins on doit espérer de vivre. Des enfants qui naissent, la moitié, tout au plus, parvient à l'adolescence; et il est probable que votre élève n'atteindra pas l'âge d'homme.

Que faut-il donc penser de cette éducation barbare qui sacrifie le présent
40 à un avenir incertain, qui charge un enfant de chaînes de toute espèce, et

---

[95] "thoughtlessly."

commence par le rendre misérable pour lui préparer au loin je ne sais quel prétendu bonheur dont il est à croire qu'il ne jouira jamais? Quand je supposerais cette éducation raisonnable dans son objet, comment voir sans indignation de pauvres infortunés soumis à un joug insupportable et condamnés à des travaux continuels comme des galériens,[96] sans être assurés que tant de soins leur seront jamais utiles! L'âge de la gaieté se passe au milieu des pleurs, des châtiments, des menaces, de l'esclavage. On tourmente le malheureux pour son bien; et l'on ne voit pas la mort qu'on appelle, et qui va le saisir au milieu de ce triste appareil. Qui sait combien d'enfants périssent victimes de l'extravagante sagesse d'un père ou d'un maître? Heureux d'échapper à sa cruauté, le seul avantage qu'ils tirent des maux qu'il leur a fait souffrir est de mourir sans regretter la vie, dont ils n'ont connu que les tourments.

Hommes, soyez humains, c'est votre premier devoir; soyez-le pour tous les états, pour tous les âges, pour tout ce qui n'est pas étranger à l'homme. Quelle sagesse y a-t-il pour vous hors de l'humanité? Aimez l'enfance; favorisez ses jeux, ses plaisirs, son aimable instinct. Qui de vous n'a pas regretté quelquefois cet âge où le rire est toujours sur les lèvres, et où l'âme est toujours en paix? Pourquoi voulez-vous ôter à ces petits innocents la jouissance d'un temps si court qui leur échappe, et d'un bien si précieux dont ils ne sauraient abuser? Pourquoi voulez-vous remplir d'amertume et de douleurs ces premiers ans si rapides, qui ne reviendront pas plus pour eux qu'ils ne peuvent revenir pour vous? Pères, savez-vous le moment où la mort attend vos enfants? Ne vous préparez pas des regrets en leur ôtant le peu d'instants que la nature leur donne: aussitôt qu'ils peuvent sentir le plaisir d'être, faites qu'ils en jouissent; faites qu'à quelque heure que Dieu les appelle, ils ne meurent point sans avoir goûté la vie.

Que de voix vont s'élever contre moi! J'entends de loin les clameurs de cette fausse sagesse qui nous jette incessamment hors de nous, qui compte toujours le présent pour rien, et poursuivant sans relâche un avenir qui fuit à mesure qu'on avance, à force de nous transporter où nous ne sommes pas, nous transporte où nous ne serons jamais.

C'est, me répondez-vous, le temps de corriger les mauvaises inclinations de l'homme; c'est dans l'âge de l'enfance, où les peines sont le moins sensibles, qu'il faut les multiplier pour les épargner dans l'âge de raison. Mais qui vous dit que tout cet arrangement est à votre disposition, et que toutes ces belles instructions dont vous accablez le faible esprit d'un enfant ne lui seront pas un jour plus pernicieuses qu'utiles? Qui vous assure que vous épargnez quelque chose par les chagrins que vous lui prodiguez? Pourquoi lui donnez-vous plus de maux que son état n'en comporte, sans être sûr que ces maux présents sont à la décharge [97] de l'avenir? et comment me prouverez-vous que ces mauvais penchants dont vous prétendez le guérir ne lui viennent pas de vos soins mal entendus bien plus que de la nature? Malheureuse prévoyance, qui rend un être actuellement misérable, sur

---

[96] "galley-slaves."   [97] "are to be compensated."

l'espoir bien ou mal fondé de le rendre heureux un jour! Que si ces raison-
neurs vulgaires confondent la licence avec la liberté, et l'enfant qu'on rend
heureux avec l'enfant qu'on gâte, apprenons-leur à les distinguer.

    Pour ne point courir après des chimères, n'oublions pas ce qui convient à
5 notre condition. L'humanité a sa place dans l'ordre des choses; l'enfance a
la sienne dans l'ordre de la vie humaine: il faut considérer l'homme dans
l'homme, et l'enfant dans l'enfant. Assigner à chacun sa place et l'y fixer,
ordonner les passions humaines selon la constitution de l'homme, est tout ce
que nous pouvons faire pour son bien-être. Le reste dépend de causes
10 étrangères qui ne sont point en notre pouvoir.

Livre II.

ÉMILE À 12 ANS

    Sa figure, son port, sa contenance, annoncent l'assurance et le contente-
ment; la santé brille sur son visage; ses pas affermis lui donnent un air de
vigueur; son teint, délicat encore sans être fade, n'a rien d'une mollesse
efféminée; l'air et le soleil y ont déjà mis l'empreinte honorable de son sexe;
15 ses muscles encore arrondis commencent à marquer quelques traits d'une
physionomie naissante; ses yeux, que le feu du sentiment n'anime point
encore, ont au moins toute leur sérénité native, de longs chagrins ne les ont
point obscurcis, des pleurs sans fin n'ont point sillonné ses joues. Voyez
dans ses mouvements prompts, mais sûrs, la vivacité de son âge, la fermeté
20 de l'indépendance, l'expérience des exercices multipliés. Il a l'air ouvert et
libre, mais non pas insolent ni vain: son visage, qu'on n'a pas collé sur des
livres, ne tombe point sur son estomac: on n'a pas besoin de lui dire: *Levez
la tête;* la honte ni la crainte ne la lui firent jamais baisser.

    Faisons-lui place au milieu de l'assemblée: messieurs, examinez-le, inter-
25 rogez-le en toute confiance; ne craignez ni ses importunités, ni son babil,
ni ses questions indiscrètes. N'ayez pas peur qu'il s'empare de vous, qu'il
prétende vous occuper de lui seul, et que vous ne puissiez plus vous en
défaire.

    N'attendez pas non plus de lui des propos agréables, ni qu'il vous dise ce
30 que je lui aurai dicté; n'en attendez que la vérité naïve et simple, sans ornement, sans apprêt, sans vanité. Il vous dira le mal qu'il a fait ou celui qu'il
pense, tout aussi librement que le bien, sans s'embarrasser en aucune sorte de
l'effet que fera sur vous ce qu'il aura dit: il usera de la parole dans toute la
simplicité de sa première institution.[98]

35   L'on aime à bien augurer des enfants, et l'on a toujours regret à ce flux
d'inepties qui vient presque toujours renverser les espérances qu'on voudrait
tirer de quelque heureuse rencontre qui par hasard leur tombe sur la langue.
Si le mien donne rarement de telles espérances, il ne donnera jamais ce regret,
car il ne dit jamais un mot inutile, et ne s'épuise pas sur un babil qu'il sait

---

[98] "education."

qu'on n'écoute point. Ses idées sont bornées, mais nettes; s'il ne sait rien par cœur, il sait beaucoup par expérience; s'il lit moins bien qu'un autre enfant dans nos livres, il lit mieux dans celui de la nature; son esprit n'est pas dans sa langue, mais dans sa tête; il a moins de mémoire que de jugement; il ne sait parler qu'un langage, mais il entend ce qu'il dit; et s'il ne dit pas si bien   5
que les autres disent, en revanche, il fait mieux qu'ils ne font.

Il ne sait ce que c'est que routine, usage, habitude; ce qu'il fit hier n'influe point sur ce qu'il fait aujourd'hui: il ne suit jamais de formule, ne cède point à l'autorité ni à l'exemple, et n'agit ni ne parle que comme il lui convient. Ainsi n'attendez pas de lui des discours dictés ni des manières   10
étudiées, mais toujours l'expression fidèle de ses idées et la conduite qui naît de ses penchants.

. . . .

Qu'il s'occupe ou qu'il s'amuse, l'un et l'autre est égal pour lui; ses jeux sont des occupations, il n'y sent point de différence. Il met à tout ce qu'il fait un intérêt qui fait rire et une liberté qui plaît, en montrant à la fois le   15
tour de son esprit et la sphère de ses connaissances. N'est-ce pas le spectacle de cet âge, un spectacle charmant et doux, de voir un joli enfant, l'œil vif et gai, l'air content et serein, la physionomie ouverte et riante, faire, en se jouant, les choses les plus sérieuses, ou profondément occupé des plus frivoles amusements?

20

Voulez-vous à présent le juger par comparaison? Mêlez-le avec d'autres enfants, et laissez-le faire. Vous verrez bientôt lequel est le plus vraiment formé, lequel approche le mieux de la perfection de leur âge. Parmi les enfants de la ville nul n'est plus adroit que lui, mais il est plus fort qu'aucun autre. Parmi les jeunes paysans il les égale en force et les passe en adresse.   25
Dans tout ce qui est à portée de l'enfance, il juge, il raisonne, il prévoit mieux qu'eux tous. Est-il question d'agir, de courir, de sauter, d'ébranler [99] des corps, d'enlever des masses, d'estimer des distances, d'inventer des jeux, d'emporter des prix? on dirait que la nature est à ses ordres, tant il sait aisément plier toute chose à ses volontés. Il est fait pour guider, pour gou-   30
verner ses égaux: le talent, l'expérience, lui tiennent lieu de droit et d'autorité. Donnez-lui l'habit et le nom qu'il vous plaira, peu importe, il primera partout, il deviendra partout le chef des autres: ils sentiront toujours sa supériorité sur eux: sans vouloir commander il sera le maître; sans savoir obéir, ils obéiront.

35

Il est parvenu à la maturité de l'enfance, il a vécu de la vie d'un enfant, il n'a point acheté sa perfection aux dépens de son bonheur; au contraire, ils ont concouru l'un à l'autre. En acquérant toute la raison de son âge, il a été heureux et libre autant que sa constitution lui permettait de l'être. Si la fatale faux [100] vient moissonner en lui la fleur de nos espérances, nous   40
n'aurons point à pleurer à la fois sa vie et sa mort, nous n'aigrirons point nos

[99] "set in motion."   [100] "scythe" (of Death).

douleurs du souvenir de celles que nous lui aurons causées; nous dirons: Au moins il a joui de son enfance; nous ne lui avons rien fait perdre de ce que la nature lui avait donné.

Le grand inconvénient de cette première éducation est qu'elle n'est sensi-
5 ble [101] qu'aux hommes clairvoyants, et que, dans un enfant élevé avec tant de soin, des yeux vulgaires ne voient qu'un polisson.

Livre II.

Il Faut Apprendre un Métier

De toutes les occupations qui peuvent fournir la subsistance à l'homme, celle qui le rapproche le plus de l'état de nature est le travail des mains: de toutes les conditions, la plus indépendante de la fortune et des hommes est
10 celle de l'artisan. L'artisan ne dépend que de son travail; il est libre, aussi libre que le laboureur est esclave: car celui-ci tient à son champ, dont la récolte est à la discrétion [102] d'autrui. L'ennemi, le prince, un voisin puissant, un procès, lui peut enlever ce champ; par ce champ on peut le vexer en mille manières: mais partout où l'on veut vexer l'artisan, son bagage est
15 bientôt fait; il emporte ses bras et s'en va. Toutefois l'agriculture est le premier métier de l'homme: c'est le plus honnête, le plus utile, et par consé-quent le plus noble qu'il puisse exercer. Je ne dis pas à Émile: Apprends l'agriculture; il la sait. Tous les travaux rustiques lui sont familiers; c'est par eux qu'il a commencé, c'est à eux qu'il revient sans cesse. Je lui dis donc:
20 Cultive l'héritage de tes pères. Mais si tu perds cet héritage ou si tu n'en as point, que faire? Apprends un métier.

Un métier à mon fils! mon fils artisan! Monsieur, y pensez-vous? J'y pense mieux que vous, madame, qui voulez le réduire à ne pouvoir jamais être qu'un lord, un marquis, un prince, et peut-être un jour moins que rien: moi,
25 je lui veux donner un rang qu'il ne puisse perdre, un rang qui l'honore dans tous les temps; je veux l'élever à l'état d'homme; et, quoi que vous en puissiez dire, il aura moins d'égaux à ce titre qu'à tous ceux qu'il tiendra de vous.

La lettre tue, et l'esprit vivifie. Il s'agit moins d'apprendre un métier pour
30 savoir un métier, que pour vaincre les préjugés qui le méprisent. Vous ne serez jamais réduit à travailler pour vivre. Eh! tant pis, tant pis pour vous! Mais n'importe; ne travaillez point par nécessité, travaillez par gloire. Abaissez-vous à l'état d'artisan pour être au-dessus du vôtre. Pour vous sou-mettre la fortune et les choses, commencez par vous en rendre indépendant.
35 Pour régner par l'opinion, commencez par régner sur elle.

Souvenez-vous que ce n'est point un talent que je vous demande; c'est un métier, un vrai métier; un art purement mécanique, où les mains travail-lent plus que la tête, et qui ne mène point à la fortune, mais avec lequel on peut s'en passer. Dans des maisons fort au-dessus du danger de manquer de

---

101 "evident."
102 "mercy." Rousseau is thinking of the feudal rights exercised over the peasants by the nobles.

pain, j'ai vu des pères pousser la prévoyance [103] jusqu'à joindre au soin d'instruire leurs enfants celui de les pourvoir de connaissances dont, à tout événement, ils pussent tirer parti pour vivre. Ces pères prévoyants croient beaucoup faire; ils ne font rien, parce que les ressources qu'ils pensent ménager à leurs enfants dépendent de cette même fortune au-dessus de laquelle ils les veulent mettre. En sorte qu'avec tous ces beaux talents, si celui qui les a ne se trouve dans des circonstances favorables pour en faire usage, il périra de misère comme s'il n'en avait aucun.

. . . .

Jeune homme, imprime à tes travaux la main de l'homme. Apprends à manier d'un bras vigoureux la hache et la scie, à équarrir [104] une poutre, à monter sur un comble,[105] à poser le faîte,[106] à l'affermir de jambes de force [107] et d'entraits; [108] puis crie à ta sœur de venir t'aider à ton ouvrage, comme elle te disait de travailler à son point [109] croisé.

J'en dis trop pour mes agréables contemporains, je le sens; mais je me laisse quelquefois entraîner à la force des conséquences. Si quelque homme que ce soit a honte de travailler en public armé d'une doloire [110] et ceint d'un tablier de peau, je ne vois plus en lui qu'un esclave de l'opinion, prêt à rougir de bien faire, sitôt qu'on se rira des honnêtes gens. Toutefois cédons aux préjugés des pères tout ce qui ne peut nuire au jugement des enfants. Il n'est pas nécessaire d'exercer toutes les professions utiles pour les honorer toutes; il suffit de n'en estimer aucune au-dessous de soi. Quand on a le choix, et que rien d'ailleurs ne nous détermine, pourquoi ne consulterait-on pas l'agrément, l'inclination, la convenance [111] entre les professions de même rang? Les travaux des métaux sont utiles, et même les plus utiles de tous; cependant, à moins qu'une raison particulière ne m'y porte, je ne ferais point de votre fils un maréchal,[112] un serrurier, un forgeron; je n'aimerais pas à lui voir dans sa forge la figure d'un cyclope.[113] De même je n'en ferai pas un maçon, encore moins un cordonnier. Il faut que tous les métiers se fassent; mais qui peut choisir doit avoir égard à la propreté, car il n'y a point là d'opinion; sur ce point les sens nous décident. Enfin je n'aimerais pas ces stupides professions dont les ouvriers sans industrie et presque automates n'exercent jamais leurs mains qu'au même travail: les tisserands, les faiseurs de bas, les scieurs de pierres: à quoi sert d'employer à ces métiers des hommes de sens? c'est une machine qui en mène une autre.

Tout bien considéré, le métier que j'aimerais le mieux qui fût du goût de mon élève est celui de menuisier.[114] Il est propre, il est utile, il peut s'exercer dans la maison; il tient suffisamment le corps en haleine; [115] il exige dans l'ouvrier de l'adresse et de l'industrie, et dans la forme des ouvrages que l'utilité détermine, l'élégance et le goût ne sont pas exclus.

Que si par hasard le génie de votre élève était décidément tourné vers les

---

[103] "foresight."   [104] "square."   [105] "roof."   [106] "ridge-board."   [107] "joists."
[108] "tie-beams."   [109] "lace."   [110] "adze."   [111] "suitability."   [112] "blacksmith."
[113] Giant assistants of Vulcan, forging in Mount Etna the thunder bolts of Jupiter.
[114] "cabinet-maker."   [115] "it keeps the body fit."

sciences spéculatives, alors je ne blâmerais pas qu'on lui donnât un métier conforme à ses inclinations; qu'il apprît, par exemple, à faire des instruments de mathématiques, des lunettes, des télescopes, etc.

Livre III.

Si J'Étais Riche

. . . Comme je serais peuple avec le peuple, je serais campagnard aux
5 champs; et quand je parlerais d'agriculture, le paysan ne se moquerait pas de moi. Je n'irais pas me bâtir une ville en campagne, et mettre au fond d'une province les Tuileries [116] devant mon appartement. Sur le penchant de quelque agréable colline bien ombragée, j'aurais une petite maison rustique: une maison blanche avec des contrevents verts; et quoique une couverture
10 de chaume soit en toute saison la meilleure, je préférerais magnifiquement, non la triste ardoise, mais la tuile, parce qu'elle a l'air plus propre et plus gai que le chaume, qu'on ne couvre pas autrement les maisons dans mon pays, et que cela me rappellerait un peu l'heureux temps de ma jeunesse. J'aurais pour cour une basse-cour, et pour écurie une étable avec des vaches,
15 pour avoir du laitage que j'aime beaucoup. J'aurais un potager pour jardin, et pour parc un joli verger. . . . Les fruits, à la discrétion des promeneurs, ne seraient ni comptés ni cueillis par mon jardinier; et mon avare magnificence n'étalerait point aux yeux des espaliers superbes auxquels à peine on osât toucher. Or, cette petite prodigalité serait peu coûteuse, parce que j'aurais
20 choisi mon asile dans quelque province éloignée où l'on voit peu d'argent et beaucoup de denrées, et où règnent l'abondance et la pauvreté.

Là je rassemblerais une société, plus choisie que nombreuse, d'amis aimant le plaisir et s'y connaissant, de femmes qui pussent sortir de leur fauteuil et se prêter aux jeux champêtres, prendre quelquefois, au lieu de la navette
25 et des cartes, la ligne, les gluaux, le râteau des faneuses, et le panier des vendangeurs. Là, tous les airs de la ville seraient oubliés, et, devenus villageois au village, nous nous trouverions livrés à des foules d'amusements divers qui ne nous donneraient chaque soir que l'embarras du choix pour le lendemain. L'exercice et la vie active nous feraient un nouvel estomac et de
30 nouveaux goûts. Tous nos repas seraient des festins, où l'abondance plairait plus que la délicatesse. La gaieté, les travaux rustiques, les folâtres jeux, sont les premiers cuisiniers du monde, et les ragoûts fins sont bien ridicules à des gens en haleine depuis le lever du soleil. Le service n'aurait pas plus d'ordre que d'élégance; la salle à manger serait partout, dans le jardin, dans
35 un bateau, sous un arbre; quelquefois au loin, près d'une source vive, sur l'herbe verdoyante et fraîche, sous des touffes d'aunes et de coudriers, une longue procession de gais convives porterait en chantant l'apprêt du festin; on aurait le gazon pour table et pour chaises, les bords de la fontaine serviraient de buffet, et le dessert pendrait aux arbres. Les mets seraient
40 servis sans ordre, l'appétit dispenserait des façons; chacun, se préférant

---

[116] Former royal palace at Paris, destroyed by fire during the *Commune* in 1871.

ouvertement à tout autre, trouverait bon que tout autre se préférât de même à lui: de cette familiarité cordiale et modérée naîtrait, sans grossièreté, sans fausseté, sans contrainte, un conflit badin plus charmant cent fois que la politesse, et plus fait pour lier les cœurs. Point d'importun laquais épiant nos discours, critiquant tout bas nos maintiens, comptant nos morceaux d'un 5 œil avide, s'amusant à nous faire attendre à boire, et murmurant d'un trop long dîner. Nous serions nos valets pour être nos maîtres; chacun serait servi par tous; le temps passerait sans le compter; le repas serait le repos, et durerait autant que l'ardeur du jour. S'il passait près de nous quelque paysan retournant au travail, ses outils sur l'épaule, je lui réjouirais le cœur par 10 quelques bons propos, par quelques coups de bon vin qui lui feraient porter plus gaiement sa misère; et moi j'aurais aussi le plaisir de me sentir émouvoir un peu les entrailles, et de me dire en secret: «Je suis encore homme.»

Livre IV.

LA RELIGION DE ROUSSEAU

Vous ne voyez dans mon exposé [117] que la religion naturelle: il est bien étrange qu'il en faille une autre? Par où connaîtrai-je cette nécessité? De 15 quoi puis-je être coupable en servant Dieu selon les lumières qu'il donne à mon esprit, et selon les sentiments qu'il inspire à mon cœur? Quelle pureté de morale, quel dogme utile à l'homme et honorable à son auteur puis-je tirer d'une doctrine positive,[118] que je ne puisse tirer sans elle du bon usage de mes facultés? Montrez-moi ce qu'on peut ajouter pour la gloire de Dieu, pour le 20 bien de la société, et pour mon propre avantage, aux devoirs de la loi naturelle, et quelle vertu vous ferez naître d'un nouveau culte, qui ne soit pas une conséquence du mien. Les plus grandes idées de la divinité nous viennent par la raison seule. Voyez le spectacle de la nature, écoutez la voix intérieure. Dieu n'a-t-il pas tout dit à nos yeux, à notre conscience, à notre jugement? Qu'est-ce 25 que les hommes nous diront de plus? Leurs révélations ne font que dégrader Dieu, en lui donnant des passions humaines. Loin d'éclaircir [119] les notions du grand Être, je vois que les dogmes particuliers les embrouillent;[120] que loin de les ennoblir ils les avilissent,[121] qu'aux mystères inconcevables qui l'environnent ils ajoutent des contradictions absurdes; qu'ils rendent l'homme orgueil- 30 leux, intolérant, cruel; qu'au lieu d'établir la paix sur la terre, ils y portent le fer et le feu. Je me demande à quoi bon tout cela sans savoir me répondre. Je n'y vois que les crimes des hommes et les misères du genre humain.

On me dit qu'il fallait une révélation pour apprendre aux hommes la manière dont Dieu voulait être servi; on assigne en preuve la diversité des 35 cultes bizarres qu'ils ont institués, et l'on ne voit pas que cette diversité même vient de la fantaisie des révélations. Dès que les peuples se sont avisés de faire parler Dieu, chacun l'a fait parler à sa mode et lui a fait dire ce qu'il

[117] The celebrated *Profession de foi du vicaire savoyard,* Rousseau's most complete statement of his religious views, which forms Book IV of *Émile.*
[118] "a system of theology."   [119] "illuminating."   [120] "confuse."   [121] "degrade."

a voulu. Si l'on n'eût écouté que ce que Dieu dit au cœur de l'homme, il n'y aurait jamais eu qu'une religion sur la terre.

Il fallait un culte uniforme; je le veux bien: mais ce point était-il donc si important qu'il fallût tout l'appareil [122] de la puissance divine pour l'établir?
5 Ne confondons point le cérémonial de la religion avec la religion. Le culte que Dieu demande est celui du cœur; et celui-là, quand il est sincère, est toujours uniforme. C'est avoir une vanité bien folle de s'imaginer que Dieu prenne un si grand intérêt à la forme de l'habit du prêtre, à l'ordre des mots qu'il prononce, aux gestes qu'il fait à l'autel, et à toutes ses génuflexions.[123]
10 Eh! mon ami, reste de toute ta hauteur, tu seras toujours assez près de terre. Dieu veut être adoré en esprit et en vérité: ce devoir est de toutes les religions, de tous les pays, de tous les hommes. Quant au culte extérieur, s'il doit être uniforme pour le bon ordre, c'est purement une affaire de police; il ne faut point de révélation pour cela.

. . . .

15 Bon jeune homme, soyez sincère et vrai sans orgueil; sachez être ignorant: vous ne tromperez ni vous ni les autres. Si jamais vos talents cultivés vous mettent en état de parler aux hommes, ne leur parlez que selon votre conscience, sans vous embarrasser s'ils vous applaudiront. L'abus du savoir produit l'incrédulité. Tout savant dédaigne le sentiment vulgaire; chacun en
20 veut avoir un à soi. L'orgueilleuse philosophie mène au fanatisme. Évitez ces extrémités; restez toujours ferme dans la voie de la vérité, ou de ce qui paraîtra l'être dans la simplicité de votre cœur, sans jamais vous en détourner par vanité ni par faiblesse. Osez confesser Dieu chez les philosophes; osez prêcher l'humanité aux intolérants. Vous serez seul de votre parti, peut-
25 être; mais vous porterez en vous-même un témoignage qui vous dispensera de ceux des hommes. Qu'ils vous aiment ou vous haïssent, qu'ils lisent ou méprisent vos écrits, il n'importe. Dites ce qui est vrai, faites ce qui est bien; ce qui importe à l'homme est de remplir ses devoirs sur la terre; et c'est en s'oubliant qu'on travaille pour soi. Mon enfant, l'intérêt particulier nous
30 trompe; il n'y a que l'espoir du juste qui ne trompe point.

Livre IV.

DERNIÈRES ANNÉES

L'ÎLE DE SAINT-PIERRE

De toutes les habitations où j'ai demeuré (et j'en ai eu de charmantes), aucune ne m'a rendu si véritablement heureux et ne m'a laissé de si tendres regrets que l'île de Saint-Pierre au milieu du lac de Bienne.[124] Cette petite île, qu'on appelle à Neuchâtel l'île de La Motte, est bien peu connue, même
35 en Suisse. Aucun voyageur, que je sache, n'en fait mention. Cependant elle

122 "solemnity."   123 "kneelings."
124 A small lake north of Lake Neuchâtel in western Switzerland. Rousseau stayed there about six weeks in the autumn of 1765, during the years of wandering following the condemnation of *Émile* (1762).

est très agréable, et singulièrement située pour le bonheur d'un homme qui aime à se circonscrire; car, quoique je sois peut-être le seul au monde à qui sa destinée en ait fait une loi, je ne puis croire être le seul qui ait un goût si naturel, quoique je ne l'aie trouvé jusqu'ici chez nul autre.

Les rives du lac du Bienne sont plus sauvages et romantiques [125] que celles du lac de Genève, parce que les rochers et les bois y bordent l'eau de plus près; mais elles ne sont pas moins riantes. S'il y a moins de culture de champs et de vignes, moins de villes et de maisons, il y a aussi plus de verdure naturelle, plus de prairies, d'asiles ombragés de bocages, des contrastes plus fréquents et des accidents [126] plus rapprochés. Comme il n'y a pas sur ces heureux bords de grandes routes commodes pour les voitures, le pays est peu fréquenté par les voyageurs; mais il est intéressant pour des contemplatifs solitaires qui aiment à s'enivrer à loisir des charmes de la nature,[127] et à se recueillir dans un silence que ne trouble aucun autre bruit que le cri des aigles, le ramage entrecoupé de quelques oiseaux, et le roulement des torrents qui tombent de la montagne. Ce beau bassin, d'une forme presque ronde, enferme dans son milieu deux petites îles, l'une habitée et cultivée, d'environ une demi-lieue de tour; l'autre plus petite, déserte et en friche, et qui sera détruite à la fin par les transports de la terre qu'on en ôte sans cesse pour réparer les dégâts que les vagues et les orages font à la grande. C'est ainsi que la substance du faible est toujours employée au profit du puissant.[128]

Il n'y a dans l'île qu'une seule maison, mais grande, agréable et commode, qui appartient à l'hôpital de Berne,[129] ainsi que l'île, et où loge un receveur avec sa famille et ses domestiques. Il y entretient une nombreuse basse-cour, une volière et des réservoirs pour le poisson. L'île, dans sa petitesse, est tellement variée dans ses terrains et ses aspects, qu'elle offre toutes sortes de sites et souffre toutes sortes de cultures. On y trouve des champs, des vignes, des bois, des vergers, de gras pâturages ombragés de bosquets, et bordés d'arbrisseaux de toute espèce, dont le bord des eaux entretient la fraîcheur; une haute terrasse plantée de deux rangs d'arbres borde l'île dans sa longueur, et dans le milieu de cette terrasse on a bâti un joli salon, où les habitants des rives voisines se rassemblent et viennent danser les dimanches durant les vendanges.

C'est dans cette île que je me réfugiai après la lapidation de Motiers.[130] J'en trouvai le séjour si charmant, j'y menais une vie si convenable à mon humeur, que, résolu d'y finir mes jours, je n'avais d'autre inquiétude sinon qu'on ne me laissât pas exécuter ce projet, qui ne s'accordait pas avec celui

[125] This was long believed to be the first use of the word in French. Recent investigation has shown that it occurs in scattered cases, at least as early as 1675.
[126] "varying aspects."   [127] Like Rousseau himself.
[128] Rousseau seizes the occasion to insinuate his social propaganda.
[129] Capital of Switzerland. At this time Bienne was under the control of Berne.
[130] Episode immediately preceding Rousseau's sojourn at Saint-Pierre. Stones were thrown at his house during the night. It has never been established whether this was done out of real hostility on the part of the inhabitants (Rousseau saw himself everywhere the victim of persecution) or merely as a practical joke.

de m'entraîner en Angleterre,[131] dont je sentais déjà les premiers effets. Dans les pressentiments qui m'inquiétaient, j'aurais voulu qu'on m'eût fait de cet asile une prison perpétuelle, qu'on m'eût confiné pour toute ma vie, et qu'en m'ôtant toute puissance et tout espoir d'en sortir, on m'eût interdit toute espèce de communication avec la terre ferme, de sorte qu'ignorant tout ce qui se faisait dans le monde j'en eusse oublié l'existence, et qu'on eût oublié la mienne aussi.

On ne m'a laissé passer guère que deux mois dans cette île, mais j'y aurais passé deux ans, deux siècles, et toute l'éternité, sans m'y ennuyer un moment, quoique je n'y eusse, avec ma compagne,[132] d'autre société que celle du receveur, de sa femme, et de ses domestiques, qui tous étaient à la vérité de très bonnes gens, et rien de plus; mais c'était précisément ce qu'il me fallait. Je compte ces deux mois pour le temps le plus heureux de ma vie, et tellement heureux, qu'il m'eût suffi durant toute mon existence, sans laisser naître un seul instant dans mon âme le désir d'un autre état.

Quel était donc ce bonheur, et en quoi consistait sa jouissance? Je le donnerais à deviner à tous les hommes de ce siècle, sur la description de la vie que j'y menais. Le précieux *far niente* [133] fut la première et la principale de ces jouissances que je voulus savourer dans toute sa douceur; et tout ce que je fis durant mon séjour ne fut en effet que l'occupation délicieuse et nécessaire d'un homme qui s'est dévoué à l'oisiveté.

L'espoir qu'on ne demanderait pas mieux que de me laisser dans ce séjour isolé où je m'étais enlacé de moi-même, dont il m'était impossible de sortir sans assistance et sans être bien aperçu, et où je ne pouvais avoir ni communication ni correspondance que par le concours des gens qui m'entouraient; cet espoir, dis-je, me donnait celui de finir mes jours plus tranquillement que je ne les avais passés; et l'idée que j'aurais le temps de m'y arranger tout à loisir fit que je commençai par n'y faire aucun arrangement. Transporté là brusquement, seul et nu, j'y fis venir successivement ma gouvernante, mes livres et mon petit équipage, dont j'eus le plaisir de ne rien déballer, laissant mes caisses et mes malles comme elles étaient arrivées et vivant dans l'habitation où je comptais achever mes jours comme dans une auberge dont j'aurais dû partir le lendemain. Toutes choses, telles qu'elles étaient, allaient si bien, que vouloir les mieux ranger était y gâter quelque chose. Un de mes plus grands délices était surtout de laisser toujours mes livres bien encaissés, et de n'avoir point d'écritoire. Quand de malheureuses lettres me forçaient de prendre la plume pour y répondre, j'empruntais en murmurant l'écritoire du receveur, et je me hâtais de la rendre, dans la vaine espérance de n'avoir plus besoin de la remprunter. Au lieu de ces tristes paperasses et de toute cette bouquinerie,[134] j'emplissais ma chambre de fleurs et de foin; car j'étais alors dans ma première ferveur de botanique, pour laquelle le docteur d'Ivernois [135] m'avait inspiré un goût qui bientôt devint

---

[131] Rousseau finally went to England early in 1766 at the invitation of the philosopher Hume.
[132] Thérèse Levasseur.   [133] "doing nothing" (Italian).   [134] "these old books."
[135] One of his many Swiss friends.

une passion. Ne voulant plus d'œuvre de travail, il m'en fallait une d'amusement, qui me plût et qui ne me donnât de peine que celle qu'aime à prendre
un paresseux. J'entrepris de faire la *Flora Petrinsularis*,[136] et de décrire toutes
les plantes de l'île, sans en omettre une seule, avec un détail suffisant pour
m'occuper le reste de mes jours. On dit qu'un Allemand a fait un livre sur   5
un zeste de citron;[137] j'en aurais fait un sur chaque gramen [137a] des prés, sur
chaque mousse des bois, sur chaque lichen qui tapisse les rochers; enfin je ne
voulais pas laisser un poil d'herbe, pas un atome végétal qui ne fût amplement
décrit. En conséquence de ce beau projet, tous les matins, après le déjeuner,
que nous faisions tous ensemble, j'allais, une loupe à la main, et mon *Systema* 10
naturæ [138] sous le bras, visiter [139] un canton de l'île, que j'avais pour cet effet
divisée en petits carrés, dans l'intention de les parcourir l'un après l'autre en
chaque saison. Rien n'est plus singulier que les ravissements, les extases que
j'éprouvais à chaque observation que je faisais sur la structure et l'organisation végétale, et sur le jeu des parties sexuelles dans la fructification, dont le 15
système était alors tout à fait nouveau pour moi. La distinction des caractères
génériques, dont je n'avais pas auparavant la moindre idée, m'enchantait en les
vérifiant sur les espèces communes, en attendant qu'il s'en offrît à moi de plus
rares. . . . Au bout de deux ou trois heures je m'en revenais chargé d'une
ample moisson, provision d'amusement pour l'après-dînée au logis, en cas de 20
pluie. J'employais le reste de la matinée à aller avec le receveur, sa femme et
Thérèse, visiter leurs ouvriers et leur récolte, mettant le plus souvent la main à
l'œuvre avec eux; et souvent des Bernois qui me venaient voir m'ont trouvé
juché sur de grands arbres, ceint d'un sac que je remplissais de fruits, et que je
dévalais ensuite à terre avec une corde.   25

L'exercice que j'avais fait dans la matinée, et la bonne humeur qui en est
inséparable, me rendaient le repos du dîner [140] très agréable; mais quand il se
prolongeait trop, et que le beau temps m'invitait, je ne pouvais si longtemps
attendre; et pendant qu'on était encore à table, je m'esquivais, et j'allais me
jeter seul dans un bateau que je conduisais au milieu du lac quand l'eau était 30
calme; et là, m'étendant tout de mon long dans le bateau, les yeux tournés vers
le ciel, je me laissais aller et dériver lentement au gré de l'eau, quelquefois
pendant plusieurs heures, plongé dans mille rêveries confuses, mais délicieuses,
et qui, sans avoir aucun objet bien déterminé, ni constant, ne laissaient pas
d'être à mon gré cent fois préférables à tout ce que j'avais trouvé de plus doux 35
dans ce qu'on appelle les plaisirs de la vie. Souvent averti par le baisser du soleil
de l'heure de la retraite, je me trouvais si loin de l'île, que j'étais forcé de travailler de toute ma force pour arriver avant la nuit close. D'autres fois, au lieu de
m'écarter en pleine eau, je me plaisais à côtoyer les verdoyantes rives de l'île,
dont les limpides eaux et les ombrages frais m'ont souvent engagé à m'y   40
baigner. Mais une de mes navigations les plus fréquentes était d'aller de la
grande à la petite île, d'y débarquer et d'y passer l'après-dînée, tantôt à des pro-

136 "Botany (flowers) of St. Peter's Isle" (Latin).
137 "lemon-rind;" a sly allusion to the meticulous character of German scholarship.
137a "grass."   138 Botanical work by Linnæus (1707–1778).   139 "examine."
140 "lunch."

menades très circonscrites au milieu . . . des arbrisseaux de toute espèce, et
tantôt m'établissant au sommet d'un tertre sablonneux, couvert de gazon,
de serpolet, de fleurs même d'esparcette,[141] et de trèfles qu'on y avait
vraisemblablement semés autrefois, et très propre à loger des lapins, qui
pouvaient là multiplier en paix sans rien craindre, et sans nuire à rien. Je
donnai cette idée au receveur, qui fit venir de Neuchâtel des lapins mâles
et femelles, et nous allâmes en grande pompe, sa femme, une de ses sœurs,
Thérèse et moi, les établir dans la petite île, où ils commençaient à peupler
avant mon départ, et où ils auront prospéré sans doute, s'ils ont pu soutenir
la rigueur des hivers. La fondation de cette petite colonie fut une fête. Le
pilote des Argonautes [141a] n'était pas plus fier que moi, menant en triomphe
la compagnie et les lapins de la grande île à la petite; et je notais avec orgueil
que la receveuse, qui redoutait l'eau à l'excès, et s'y trouvait toujours mal,
s'embarqua sous ma conduite avec confiance, et ne montra nulle peur durant
la traversée.

Quand le lac agité ne me permettait pas la navigation, je passais mon
après-midi à parcourir l'île, en herborisant à droite et à gauche, m'asseyant
tantôt dans les réduits les plus riants et les plus solitaires pour y rêver à mon
aise, tantôt sur les terrasses et les tertres, pour parcourir des yeux le superbe
et ravissant coup d'œil du lac et de ses rivages, couronnés d'un côté par des
montagnes prochaines, et, de l'autre, élargis en riches et fertiles plaines, dans
lesquelles la vue s'étendait jusqu'aux montagnes bleuâtres, plus éloignées,
qui la bornaient.

Quand le soir approchait, je descendais des cimes de l'île, et j'allais volontiers m'asseoir au bord du lac, sur la grève, dans quelque asile caché; là, le
bruit des vagues et l'agitation de l'eau, fixant mes sens et chassant de mon
âme toute autre agitation, la plongeaient dans une rêverie délicieuse, où la
nuit me surprenait souvent sans que je m'en fusse aperçu. Le flux et le reflux
de cette eau, son bruit continu, mais renflé par intervalles, frappant sans
relâche mon oreille et mes yeux, suppléaient aux mouvements internes que
la rêverie éteignait en moi, et suffisaient pour me faire sentir avec plaisir mon
existence, sans prendre la peine de penser. De temps à autre naissait quelque
faible et courte réflexion sur l'instabilité des choses de ce monde, dont la
surface des eaux m'offrait l'image; mais bientôt ces impressions légères
s'effaçaient dans l'uniformité du mouvement continu qui me berçait, et
qui, sans aucun concours actif de mon âme, ne laissait pas de m'attacher, au
point qu'appelé par l'heure et par le signal convenu, je ne pouvais m'arracher
de là sans efforts.

Après le souper, quand la soirée était belle, nous allions encore tous ensemble faire quelque tour de promenade sur la terrasse, pour y respirer l'air
du lac et la fraîcheur. On se reposait dans le pavillon, on riait, on causait, on
chantait quelque vieille chanson qui valait bien le tortillage [142] moderne et
enfin l'on s'allait coucher content de sa journée, et n'en désirant qu'une
semblable pour le lendemain.

---

[141] "French grass."   [141a] Jason.   [142] "sophistication."

Telle est, laissant à part les visites imprévues et importunes, la manière dont j'ai passé mon temps dans cette île, durant le séjour que j'y ai fait. Qu'on me dise à présent ce qu'il y a là d'assez attrayant pour exciter dans mon cœur des regrets si vifs, si tendres et si durables, qu'au bout de quinze ans,[143] il m'est impossible de songer à cette habitation chérie, sans m'y sentir à chaque fois transporté encore par les élans du désir.

J'ai remarqué dans les vicissitudes d'une longue vie que les époques des plus douces jouissances et des plaisirs les plus vifs ne sont pourtant pas celles dont le souvenir m'attire et me touche le plus. Ces courts moments de délire et de passion, quelque vifs qu'ils puissent être, ne sont cependant, et par leur vivacité même, que des points bien clairsemés dans la ligne de la vie. Ils sont trop rares et trop rapides pour constituer un état; et le bonheur que mon cœur regrette n'est point composé d'instants fugitifs, mais un état simple et permanent, qui n'a rien de vif en lui-même, mais dont la durée accroît le charme, au point d'y trouver enfin la suprême félicité.

Tout est dans un flux continuel sur la terre. Rien n'y garde une forme constante et arrêtée, et nos affections qui s'attachent aux choses extérieures passent et changent nécessairement comme elles. Toujours en avant ou en arrière de nous, elles rappellent le passé, qui n'est plus, ou préviennent l'avenir, qui souvent ne doit point être: il n'y a rien là de solide à quoi le cœur se puisse attacher. Aussi n'a-t-on guère ici-bas que du plaisir qui passe; pour le bonheur qui dure, je doute qu'il y soit connu. A peine est-il, dans nos plus vives jouissances, un instant où le cœur puisse véritablement nous dire: *Je voudrais que cet instant durât toujours.* Et comment peut-on appeler bonheur un état fugitif qui nous laisse encore le cœur inquiet et vide, qui nous fait regretter quelque chose avant, ou désirer encore quelque chose après?

Mais s'il est un état où l'âme trouve une assiette assez solide pour s'y reposer tout entière et rassembler là tout son être, sans avoir besoin de rappeler le passé ni d'enjamber sur l'avenir; où le temps ne soit rien pour elle, où le présent dure toujours, sans néanmoins marquer sa durée et sans aucune trace de succession, sans aucun autre sentiment de privation ni de jouissance, de plaisir ni de peine, de désir ni de crainte, que celui seul de notre existence, et que ce sentiment seul puisse la remplir tout entière; tant que cet état dure, celui qui s'y trouve peut s'appeler heureux, non d'un bonheur imparfait, pauvre et relatif, tel que celui qu'on trouve dans les plaisirs de la vie, mais d'un bonheur suffisant, parfait et plein, qui ne laisse dans l'âme aucun vide qu'elle sente le besoin de remplir. Tel est l'état où je me suis trouvé souvent à l'île de Saint-Pierre, dans mes rêveries solitaires, soit couché dans mon bateau que je laissais dériver au gré de l'eau, soit assis sur les rives du lac agité, soit ailleurs, au bord d'une belle rivière ou d'un ruisseau murmurant sur le gravier. . . .

Rêveries du Promeneur solitaire (V).

[143] More exactly twelve or thirteen years.

ROUSSEAU ET LA NATURE

Quand mes douleurs me font tristement mesurer la longueur des nuits, et que l'agitation de la fièvre m'empêche de goûter un seul instant de sommeil, souvent je me distrais de mon état présent, en songeant aux divers événements de ma vie; et les repentirs, les doux souvenirs, les regrets, l'attendrissement, se
5 partagent le soin de me faire oublier quelques moments mes souffrances.

Quels temps croiriez-vous, monsieur,[144] que je me rappelle le plus souvent et le plus volontiers dans mes rêves? Ce ne sont point les plaisirs de ma jeunesse; ils furent trop rares, trop mêlés d'amertume, et sont déjà trop loin de moi. Ce sont ceux de ma retraite; ce sont mes promenades solitaires, ce sont
10 ces jours rapides, mais délicieux, que j'ai passés tout entiers avec moi seul, avec ma bonne et simple gouvernante,[145] mon chien bien-aimé, ma vieille chatte, avec les oiseaux de la campagne et les biches de la forêt, avec la nature entière et son inconcevable auteur. En me levant avant le soleil pour aller voir, contempler son lever dans mon jardin, quand je voyais commencer
15 une belle journée, mon premier souhait était que ni lettres, ni visites n'en vinssent troubler le charme. Après avoir donné la matinée à divers soins que je remplissais tous avec plaisir, parce que je pouvais les remettre à un autre temps, je me hâtais de dîner pour échapper aux importuns, et me ménager un plus long après-midi. Avant une heure, même les jours les plus ardents,
20 je partais par le grand soleil avec le fidèle Achate,[146] pressant le pas dans la crainte que quelqu'un ne vînt s'emparer de moi avant que j'eusse pu m'esquiver; mais quand une fois j'avais pu doubler un certain coin, avec quel battement de cœur, avec quel pétillement de joie je commençais à respirer en me sentant sauvé, en me disant: «Me voilà maître de moi pour le reste
25 de ce jour!» J'allais alors d'un pas plus tranquille chercher quelque lieu sauvage dans la forêt, quelque lieu désert où rien ne montrant la main des hommes n'annonçât la servitude et la domination, quelque asile où je pusse croire avoir pénétré le premier, et où nul tiers importun ne vînt s'interposer entre la nature et moi. C'était là qu'elle semblait déployer à mes yeux une
30 magnificence toujours nouvelle. L'or des genêts et la pourpre des bruyères frappaient mes yeux d'un luxe qui touchait mon cœur; la majesté des arbres qui me couvraient de leur ombre, la délicatesse des arbustes qui m'environnaient, l'étonnante variété des herbes et des fleurs que je foulais sous mes pieds, tenaient mon esprit dans une alternative continuelle d'observation et
35 d'admiration: le concours de tant d'objets intéressants qui se disputaient mon attention, m'attirant sans cesse de l'un à l'autre, favorisait mon humeur rêveuse et paresseuse, et me faisait souvent redire en moi-même: «Non, Salomon dans toute sa gloire, ne fut jamais vêtu comme l'un d'eux.» [147]

Mon imagination ne laissait pas longtemps déserte la terre ainsi parée.
40 Je la peuplais bientôt d'êtres selon mon cœur, et, chassant bien loin l'opinion,

---

[144] Malesherbes, distinguished magistrate (1721–1794), friend of Rousseau.
[145] Thérèse Levasseur.
[146] Rousseau's dog, Turc. Achates was the faithful companion of Æneas.
[147] *Matthew* VI, 29.

les préjugés, toutes les passions factices, je transportais dans les asiles de la nature des hommes dignes de les habiter. Je m'en formais une société charmante dont je ne me sentais pas indigne, je me faisais un siècle d'or à ma fantaisie, et, remplissant ces beaux jours de toutes les scènes de ma vie qui m'avaient laissé de doux souvenirs, et de toutes celles que mon cœur pou- 5 vait désirer encore, je m'attendrissais jusqu'aux larmes sur les plaisirs de l'humanité, plaisirs si délicieux, si purs, et qui sont désormais si loin des hommes. Oh! si dans ce moment, quelque idée de Paris, de mon siècle, et de ma petite gloriole d'auteur venait troubler mes rêveries, avec quel dédain je la chassais à l'instant pour me livrer, sans distraction, aux sentiments exquis 10 dont mon âme était pleine! Cependant au milieu de tout cela, je l'avoue, le néant de mes chimères venait quelquefois la contrister tout à coup. Quand tous mes rêves se seraient tournés en réalités, ils ne m'auraient pas suffi; j'aurais imaginé, rêvé, désiré encore. Je trouvais en moi un vide inexplicable que rien n'aurait pu remplir, un certain élancement de cœur vers une autre 15 sorte de jouissance dont je n'avais pas d'idée, et dont pourtant je sentais le besoin. Hé bien, monsieur, cela même était jouissance, puisque j'en étais pénétré d'un sentiment très vif, et d'une tristesse attirante que je n'aurais pas voulu ne pas avoir.

Bientôt, de la surface de la terre j'élevais mes idées à tous les êtres de la 20 nature, au système universel des choses, à l'être incompréhensible qui embrasse tout. Alors, l'esprit perdu dans cette immensité, je ne pensais pas, je ne raisonnais pas, je ne philosophais pas; je me sentais, avec une sorte de volupté, accablé du poids de cet univers; je me livrais avec ravissement à la confusion de ces grandes idées; j'aimais à me perdre en imagination dans 25 l'espace; mon cœur resserré dans les bornes des êtres s'y trouvait trop à l'étroit; j'étouffais dans l'univers; j'aurais voulu m'élancer dans l'infini. Je crois que, si j'eusse dévoilé tous les mystères de la nature, je me serais senti dans une situation moins délicieuse que cette étourdissante extase à laquelle mon esprit se livrait sans retenue, et qui, dans l'agitation de mes transports, 30 me faisait écrier quelquefois: «O grand Être! ô grand Être!» sans pouvoir dire ni penser rien de plus.

Ainsi s'écoulaient dans un délire continuel les journées les plus charmantes que jamais créature humaine ait passées: et quand le coucher du soleil me faisait songer à la retraite, étonné de la rapidité du temps, je croyais n'avoir 35 pas assez mis à profit ma journée, je pensais en pouvoir jouir davantage encore; et, pour réparer le temps perdu je me disais: «Je reviendrai demain.»

Je revenais à petits pas, la tête un peu fatiguée, mais le cœur content; je me reposais agréablement au retour, en me livrant à l'impression des objets, mais sans penser, sans imaginer, sans rien faire autre chose que de sentir le calme 40 et le bonheur de ma situation. Je trouvais mon couvert mis sur ma terrasse. Je soupais de grand appétit dans mon petit domestique; [148] nulle image de servitude ou de dépendance ne troublait la bienveillance qui nous unissait tous. Mon chien lui-même était mon ami, non mon esclave; nous avions

---

[148] "home circle."

toujours la même volonté, mais jamais il ne m'a obéi. Ma gaieté durant toute
la soirée témoignait que j'avais vécu seul tout le jour; j'étais bien différent
lorsque j'avais vu de la compagnie: j'étais rarement content des autres et
jamais de moi. Le soir, j'étais grondeur et taciturne: cette remarque est de
5 ma gouvernante, et, depuis qu'elle me l'a dite, je l'ai toujours trouvée juste
en m'observant. Enfin, après avoir fait quelques tours dans mon jardin,
ou chanté quelque air sur mon épinette, je trouvais dans mon lit un repos de
corps et d'âme cent fois plus doux que le sommeil même. . . .

Troisième lettre à M. de Malesherbes.

Rousseau et les Orphelines

Un dimanche, nous étions allés, ma femme et moi, dîner [149] à la porte
10 Maillot: [150] après le dîner, nous traversâmes le bois de Boulogne [151] jusqu'à
la Muette; là, nous nous assîmes sur l'herbe, à l'ombre, en attendant que
le soleil fût baissé, pour nous en retourner ensuite tout doucement par
Passy. [152] Une vingtaine de petites filles, conduites par une manière de religieuse, vinrent, les unes s'asseoir, les autres folâtrer assez près de nous.
15 Durant leurs jeux, vint à passer un oublieur [153] avec son tambour et son
tourniquet, [154] qui cherchait pratique: je vis que les petites filles convoitaient
fort les oublies, et deux ou trois d'entre elles, qui apparemment possédaient
quelques liards, demandèrent la permission de jouer. Tandis que la gouvernante hésitait et disputait, j'appelai l'oublieur et je lui dis: «Faites tirer
20 toutes ces demoiselles chacune à son tour, et je vous paierai le tout.» Ce mot
répandit dans toute la troupe une joie qui seule eût plus que payé ma bourse,
quand je l'aurais toute employée à cela.

Comme je vis qu'elles s'empressaient avec un peu de confusion, avec
l'agrément de la gouvernante, je les fis ranger toutes d'un côté, et puis passer
25 de l'autre côté, l'une après l'autre, à mesure qu'elles avaient tiré. Quoiqu'il n'y
eût point de billet blanc et qu'il revînt au moins une oublie à chacune de celles
qui n'auraient rien, qu'aucune d'elles ne pouvait donc être absolument mécon-
tente, afin de rendre la fête encore plus gaie, je dis en secret à l'oublieur d'user
de son adresse ordinaire en sens contraire, en faisant tomber autant de bons
30 lots qu'il pourrait, et que je lui en tiendrais compte. Au moyen de cette
prévoyance, il y eut près d'une centaine d'oublies distribuées, quoique les
jeunes filles ne tirassent chacune qu'une seule fois; car là-dessus je fus inexora-
ble, ne voulant ni favoriser des abus, ni marquer des préférences qui produi-
raient des mécontentements. Ma femme insinua à celles qui avaient de bons
35 lots d'en faire part à leurs camarades, au moyen de quoi le partage devint
presque égal, et la joie plus générale.

Je priai la religieuse de tirer à son tour, craignant fort qu'elle ne rejetât

---

149 "lunch."   150 Old western gate of Paris.
151 West of Paris. La Muette was an old royal château.   152 Now part of Paris.
153 Seller of *oublies,* sort of wafers, resembling ice-cream cones (modern *gaufrettes*).
154 A spinner (in a game of chance).

dédaigneusement mon offre; elle l'accepta de bonne grâce, tira comme les
pensionnaires et prit sans façon ce qui lui revint. Je lui en sus un gré infini, et
je trouvai à cela une sorte de politesse qui me plut fort, et qui vaut bien, je
crois, celle des simagrées. Pendant toute cette opération, il y eut des disputes
qu'on porta devant mon tribunal; et ces petites filles, venant plaider tour à   5
tour leur cause, me donnèrent occasion de remarquer que, quoiqu'il n'y en eût
aucune de jolie, la gentillesse de quelques-unes faisait oublier leur laideur.

Nous nous quittâmes enfin très contents les uns des autres, et cette après-
midi fut une de celles de ma vie dont je me rappelle le souvenir avec le plus
de satisfaction. La fête, au reste, ne fut pas ruineuse: pour trente sous qu'il   10
m'en coûta tout au plus, il y eut pour plus de cent écus de contentement; tant
il est vrai que le plaisir ne se mesure pas sur la dépense, et que la joie est plus
amie des liards [155] que des louis.[156] Je suis revenu plusieurs autres fois à la
même place, à la même heure, espérant d'y rencontrer encore la petite troupe;
mais cela n'est plus arrivé.   15

Ceci me rappelle un autre amusement à peu près de même espèce dont le
souvenir m'est resté de beaucoup plus loin. C'était dans le malheureux temps
où faufilé parmi les riches et les gens de lettres, j'étais quelquefois réduit à
partager leurs tristes plaisirs. J'étais à la Chevrette [157] au temps de la fête du
maître de la maison: toute sa famille s'était réunie pour la célébrer, et tout   20
l'éclat des plaisirs bruyants fut mis en œuvre pour cet effet. Spectacles, festins,
feux d'artifice, rien ne fut épargné. L'on n'avait pas le temps de prendre
haleine, et l'on s'étourdissait au lieu de s'amuser. Après le dîner, on alla prendre l'air dans l'avenue, où se tenait une espèce de foire. On dansait; les
messieurs daignèrent danser avec les paysannes, mais les dames gardèrent   25
leur dignité. On vendait là des pains d'épice. Un jeune homme de la compagnie s'avisa d'en acheter, pour les lancer l'un après l'autre au milieu de la
foule; et l'on prit tant de plaisir à voir tous ces manants se précipiter, se battre,
se renverser pour en avoir, que tout le monde voulut se donner le même
plaisir. Et pains d'épice de voler [158] à droite et à gauche, et filles et garçons de   30
courir, de s'entasser et s'estropier. Cela paraissait charmant à tout le monde.
Je fis comme les autres par mauvaise honte,[159] quoique en dedans je ne
m'amusasse pas autant qu'eux. Mais, bientôt ennuyé de vider ma bourse pour
faire écraser les gens, je laissai là la bonne compagnie et je fus me promener
seul dans la foire. La variété des objets m'amusa longtemps. J'aperçus entre   35
autres cinq ou six Savoyards [160] autour d'une petite fille qui avait encore sur
son éventaire [161] une douzaine de chétives pommes, dont elle aurait bien
voulu se débarrasser. Les Savoyards, de leur côté, auraient bien voulu l'en
débarrasser; mais ils n'avaient que deux ou trois liards à eux tous, et ce n'était
pas de quoi faire une grande brèche aux pommes. Cet éventaire était pour   40

[155] Very small coin.   [156] 20 franc pieces.
[157] Home of the d'Épinay family near Montmorency.
[158] Historical infinitive.   [159] "to keep up with the crowd."
[160] "chimney-sweeps." The mountaineers of Savoy, in south-eastern France, were forced
often by poverty to leave their country; their favorite occupation was that of chimney-sweep.
[161] "tray."

eux le jardin des Hespérides,[162] et la petite fille était le dragon qui les gardait. Cette comédie m'amusa longtemps; j'en fis enfin le dénouement en payant les pommes à la petite fille et les lui faisant distribuer aux petits garçons. J'eus alors un des plus doux spectacles qui puissent flatter un cœur d'homme, celui de voir la joie unie avec l'innocence de l'âge se répandre tout autour de moi. Car les spectateurs mêmes, en la voyant, la partagèrent; et moi, qui partageais à si bon marché cette joie, j'avais de plus celle de sentir qu'elle était mon ouvrage.

En comparant cet amusement avec ceux que je venais de quitter, je sentais avec satisfaction la différence qu'il y a des goûts sains et des plaisirs naturels à ceux que fait naître l'opulence, et qui ne sont guère que des plaisirs de moquerie et des goûts exclusifs engendrés par le mépris. Car, quelle sorte de plaisir pouvait-on prendre à voir des troupeaux d'hommes avilis par la misère s'entasser, s'étouffer, s'estropier brutalement, pour s'arracher avidement quelques morceaux de pain d'épice foulés aux pieds et couverts de boue? . . .

Rêveries du Promeneur solitaire (IX).

[162] Fabulous garden of antiquity producing golden apples. It was guarded by a dragon which was finally killed by Hercules.

BERNARDIN DE SAINT-PIERRE (1737–1814)

Up to the time of his first great literary success, the *Études de la Nature* (1784), Bernardin de Saint-Pierre had experienced nothing but disillusion. He had spent long years trying, like his namesake, the good Abbé de Saint-Pierre in the first part of the century, to interest the French authorities in the many utopian plans for the betterment of humanity evolved by his fertile imagination. Unsuccessful in all his efforts to win recognition as a social reformer, he finally turned to literature for a living, and discovered his true vocation.

The determining factor in Bernardin's literary development was his friendship with Jean-Jacques Rousseau, which began in 1772 and lasted till Rousseau's death in 1778. The two men were kindred spirits. Both lived in a world of imagination; both were great dreamers of dreams; both were misanthropic, distrustful of a world which seemed hopelessly opposed to all their ideals. Both were great lovers of nature, in which they sought and found consolation for the wrongs of society. Both were extremely fond of walking, and it was doubtless while accompanying his friend on his botanizing excursions in the environs of Paris that Bernardin became saturated with the thought of Rousseau, whose influence is everywhere in evidence in his later works. It is a great mistake, however, to regard Bernardin as a mere echo of Rousseau and to deny him all originality. Bernardin was proud of his discipleship, and to his *Essai sur J.-J. Rousseau* we owe much of our information about the last years of Rousseau's life.

Bernardin's most ambitious work and the work which first won him literary fame, was the *Études de la Nature* (1784), with which must be associated the *Harmonies de la Nature* (1796–1815). These two works express the essential philosophy of Bernardin. In an elaborate but unsystematic fashion, they develop the sentimental Christianity made popular by Rousseau in opposition to the current materialistic conception of the universe. The fundamental thesis is that there is a God in nature, and that this God has created everything for the good of man. Bernardin was utterly unscientific, and Rousseau's doctrine of providence is reduced to absurdity by the extravagant arguments he advances in its support. Along with this theory of nature, Bernardin develops Rousseau's favorite social doctrine of the goodness of man and the malign influence of society, but again the disciple carries the master's ideas to extremes. In short, the philosophy of Bernardin, as philosophy, does not deserve serious consideration. Yet in this apparently absurd work Chateaubriand was to find much of the material for his *Génie du Christianisme*.

Bernardin's weakness as thinker is redeemed by the artistry with which he often expresses his ideas. "This pitiable philosopher is a great painter. He explains creation in a ridiculous fashion but he has observed the creatures well" (Lanson). He is the first of the great descriptive artists. Rousseau had already restored nature to its proper place in literature, as intimately bound up with human life, but he had not been able to reproduce the picturesqueness of nature. His descriptive vocabulary was limited: the picturesque epithet was lacking. Ber-

nardin begins the creation of a picturesque vocabulary. He does for the picturesque side of nature what Rousseau had done for the sentimental side. Nature
for him is not only a source of emotions but of pictures. He observes nature carefully, and then proceeds to paint it as he sees it with his artist's eye. And he
paints it with a palette far richer than that of Rousseau: instead of a few primary
colors, he has a whole series of fine shadings at his disposal. The many beautiful
descriptions of nature in its varied moods, scattered through the *Études* and the
Harmonies, prepare the way for the great word-painters of the 19th century,
Chateaubriand, and, in more recent times, Pierre Loti.

The most popular work of Bernardin de Saint-Pierre was his novel, *Paul et
Virginie* (1787), the simple, moving story of the gradual awakening of love in
two adolescents. It is a sort of modern *Daphnis and Chloe,* only incomparably
more pure in moral tone than the Greek pastoral, because of the genuinely
religious note which runs through it. The scene of this love-story is laid amid
the tropical landscapes of the Île de France (Mauritius), which the author had
visited in his youth. Unfortunately, Bernardin is not content to be a mere
story-teller; he insists on being a preacher as well. The novel is full of passages
reminiscent of the *Études,* setting forth the favorite ideas of Rousseau on the
advantages of the simple life and the dangers of society. Though it remains
popular in some quarters, to-day this sentimental rustic idyll has lost much of
its interest. It is difficult for the modern reader to understand the prodigious
success of the novel when it first appeared on the eve of the Revolution, unless he
realizes that the little story, by its very naïveté, its innocence, its sentiment, its
unusual exotic setting, appealed strongly to an age bored to death by the social
demands of an over-refined civilization.

IMPORTANT WORKS:

Voyage à l'Île de France (1773); *Études de la Nature* (1784); *Paul et Virginie* (1787); *la
Chaumière indienne* (1790); *Harmonies de la Nature* (1796–1815).

UNE VISITE À ERMENONVILLE [1]

Au reste, les feuilles et les fleurs de la plupart des végétaux reflètent les
rayons de la lune comme ceux du soleil. C'est même particulièrement sous
leur influence que la belle-de-nuit [2] et le convolvulus nocturne des Indes [3]
ouvrent leurs pétales qu'ils ferment pendant le jour. J'ai éprouvé une nuit
5   un effet enchanteur de ces reflets lunaires des végétaux. Quelques dames et
quelques jeunes gens de mes amis firent un jour avec moi la partie d'aller
voir le tombeau de Jean-Jacques à Ermenonville: c'est au mois de mai. Nous
prîmes la voiture publique de Soissons,[4] et nous la quittâmes à dix lieues et
demie de Paris, une lieue au-dessus de Dammartin.[5] On nous dit que de
10   là à Ermenonville il n'y avait pas trois quarts de lieue. Le soleil allait se
coucher lorsque nous mîmes pied à terre au milieu des champs. Nous nous
acheminâmes par le sentier des guérets,[6] sur la gauche de la grande route,
vers le couchant. Nous marchâmes plus d'une heure et demie dans une
vaste campagne sans rencontrer personne. Il faisait nuit obscure, et nous

[1] Village north-east of Paris, scene of the last days of Rousseau. He was buried on the
Île des Peupliers, in a small lake near the village.
[2] "four-o'clock."   [3] Species of bindweed.   [4] City north-east of Paris.
[5] Town near Meaux, north-east of Paris.   [6] "plowed fields."

nous serions infailliblement égarés, si, par bonheur, nous n'eussions aperçu une lumière au fond d'un petit vallon: c'était la lampe qui éclairait la chaumière d'un paysan. Il n'y avait que sa femme qui distribuait du lait à cinq ou six petits enfants de grand appétit. Comme nous mourions de faim et de soif, nous la priâmes de nous faire participer au souper de sa famille. 5 Nos jeunes dames parisiennes se régalèrent avec elle de gros pain, de lait et même de sucre dont il y avait une assez ample provision. Nous leur tînmes bonne compagnie. Après avoir bien reposé notre âme et notre corps par ce festin champêtre, nous prîmes congé de notre hôtesse, aussi contente de notre visite que nous étions satisfaits de sa réception. Elle nous donna pour 10 guide l'aîné de ses garçons, qui, après une demi-heure de marche, nous conduisit à travers des marais dans les bois d'Ermenonville. La lune vers son plein était déjà fort élevée sur l'horizon, et brillait de l'éclat le plus pur dans un ciel sans nuages. Elle répandait les flots de sa lumière sur les chênes et les hêtres qui bordaient les clairières de la forêt, et faisait apparaître leurs troncs comme 15 les colonnes d'un péristyle.[7] Les sentiers sinueux où nous marchions en silence traversaient des bosquets fleuris de lilas, de troènes,[8] d'ébéniers,[9] tout brillants d'une lueur bleuâtre et céleste. Nos jeunes dames, vêtues de blanc, qui nous devançaient, paraissaient et disparaissaient tour à tour à travers ces massifs de fleurs, et ressemblaient aux ombres fortunées des Champs- 20 Elysées.[10] Mais, bientôt émues elles-mêmes par ces scènes religieuses de lumière et d'ombre, et surtout par le sentiment du tombeau de Jean-Jacques, elles se mirent à chanter une romance. Leurs voix douces se mêlant aux chants lointains des rossignols, me firent sentir que, s'il y avait des harmonies entre la lumière de l'astre des nuits et les forêts, il y en avait 25 encore de plus touchantes entre la vie et la mort, entre la philosophie et les amours.

Harmonies de la Nature (I).

BRUIT DU VENT DANS LES ARBRES

Qui pourrait décrire les mouvements que l'air communique aux végétaux? Combien de fois, loin des villes, dans le fond d'un vallon solitaire couronné d'une forêt, assis sur le bord d'une prairie agitée des vents, je me suis plu à 30 voir les mélilots [11] dorés, les trèfles empourprés et les vertes graminées,[12] former des ondulations semblables à des flots, et présenter à mes yeux une mer agitée de fleurs et de verdure! Cependant les vents balançaient sur ma tête les cimes majestueuses des arbres. Le retroussis [13] de leur feuillage faisait paraître chaque espèce de deux verts différents. Chacune a son mouve- 35 ment. Le chêne au tronc raide ne courbe que ses branches, l'élastique sapin balance sa haute pyramide, le peuplier robuste agite son feuillage mobile, et le bouleau laisse flotter le sien dans les airs, comme une longue chevelure. Ils semblent animés de passions: l'un s'incline profondément auprès de son voisin comme devant un supérieur, l'autre semble vouloir l'embrasser comme 40

---

[7] "columned gallery." [8] "privet." [9] "laburnum." [10] "Elysian Fields" (paradise).
[11] "melilot," plant of the clover family. [12] "grasses." [13] "turning up."

un ami; un autre s'agite en tout sens comme auprès d'un ennemi. Le respect, l'amitié, la colère, semblent passer tour à tour de l'un à l'autre, comme dans le cœur des hommes, et ces passions versatiles ne sont au fond que les jeux des vents. Quelquefois un vieux chêne élève au milieu d'eux ses longs bras
5 dépouillés de feuilles et immobiles. Comme un vieillard, il ne prend plus de part aux agitations qui l'environnent: il a vécu dans un autre siècle. Cependant ces grands corps insensibles font entendre des bruits profonds et mélancoliques. Ce ne sont point des accents distincts; ce sont des murmures confus comme ceux d'un peuple qui célèbre au loin une fête par des accla-
10 mations. Il n'y a point de voix dominantes; ce sont des sons monotones, parmi lesquels se font entendre des bruits sourds et profonds, qui nous jettent dans une tristesse pleine de douceur.[14] Ainsi les murmures d'une forêt accompagnent les accents du rossignol qui, de son nid, adresse des vœux reconnaissants aux Amours.[15] C'est un fond de concert qui fait res-
15 sortir les chants éclatants des oiseaux, comme la douce verdure est un fond de couleurs sur lequel se détache l'éclat des fleurs et des fruits.

Ce bruissement des prairies, ces gazouillements des bois, ont des charmes que je préfère aux plus brillants accords: mon âme s'y abandonne; elle se berce avec les feuillages ondoyants des arbres; elle s'élève avec leurs cimes
20 vers les cieux; elle se transporte dans les temps qui les ont vus naître et dans ceux qui les verront mourir; ils étendent dans l'infini mon existence circonscrite et fugitive. Il me semble qu'ils me parlent, comme ceux de Dodone,[16] un langage mystérieux; ils me plongent dans d'ineffables rêveries, qui souvent ont fait tomber de mes mains les livres des philosophes. Ma-
25 jestueuses forêts, paisibles solitudes qui, plus d'une fois, avez calmé mes passions, puissent les cris de la guerre ne troubler jamais vos résonnantes clairières! N'accompagnez de vos religieux murmures que les chants des oiseaux, ou les doux entretiens des amis et des amants qui viennent se reposer sous vos ombrages.

Harmonies de la Nature (II).

LES NUAGES

30 Dans une belle nuit d'été, quand le ciel est serein, et chargé seulement de quelques vapeurs légères propres à arrêter et à réfranger [17] les rayons du soleil lorsqu'ils traversent les extrémités de notre atmosphère, transportez-vous dans une campagne d'où l'on puisse apercevoir les premiers feux de l'aurore. Vous verrez d'abord blanchir, à l'horizon, le lieu où elle doit
35 paraître; et cette espèce d'auréole [18] lui a fait donner, à cause de sa couleur, le nom d'aube, du mot latin *alba,* qui veut dire blanche. Cette blancheur monte insensiblement au ciel, et se teint en jaune à quelques degrés au-dessus de l'horizon; le jaune, en s'élevant à quelques degrés plus haut, passe

---

[14] Note in Bernardin de Saint-Pierre the beginning of the Romantic pleasure in melancholy.
[15] "cupids."
[16] Forest of oaks, near a temple of Jupiter in Epirus (Greece), which was supposed to utter oracles.
[17] "break."   [18] "halo."

à l'orangé; et cette nuance d'orangé s'élève au-dessus en vermillon vif qui s'étend jusqu'au zénith. De ce point, vous apercevez au ciel, derrière vous, le violet à la suite du vermillon, puis l'azur, ensuite le gros bleu ou indigo, et enfin le noir tout à fait à l'occident.

Quoique ce développement de couleurs présente une multitude infinie de nuances intermédiaires qui se succèdent assez rapidement, cependant il y a un moment, et, si je me le rappelle bien, c'est celui où le soleil est près de montrer son disque, où le blanc éblouissant se fait voir à l'horizon; le jaune pur à quarante-cinq degrés d'élévation; la couleur de feu, au zénith; à quarante-cinq degrés au-dessous, vers l'occident, le bleu pur; et à l'occident même, le voile sombre de la nuit qui touche encore l'horizon. Du moins j'ai cru remarquer cette progression entre les tropiques, où il n'y a presque pas de réfraction horizontale qui fasse anticiper la lumière sur les ténèbres, comme dans nos climats.

J.-J. Rousseau me disait un jour que, quoique le champ de ces couleurs célestes soit le bleu, les teintes du jaune qui se fondent avec lui n'y produisent point la couleur verte, comme il arrive dans nos couleurs matérielles, lorsqu'on mêle ces deux nuances ensemble. Mais je lui répondis que j'avais aperçu plusieurs fois du vert au ciel, non seulement entre les tropiques, mais sur l'horizon de Paris. A la verité cette couleur ne se voit guère ici que dans quelque belle soirée de l'été. J'ai aperçu aussi dans les nuages des tropiques, principalement sur la mer et dans les tempêtes, toutes les couleurs qu'on peut voir sur la terre. Il y en a alors de cuivrées, de couleur de fumée de pipe, de brunes, de rousses, de noires, de grises, de livides, de couleur marron, et de celle de gueule de four enflammé.[19] Quant à celles qui y paraissent dans les jours sereins, il y en a de si vives et de si éclatantes, qu'on n'en verra jamais de semblables dans aucun palais, quand on y rassemblerait toutes les pierreries du Mogol.[20] Quelquefois les vents alizés[21] du nord-est ou du sud-est, qui y soufflent constamment, cardent[22] les nuages comme si c'étaient des flocons de soie; puis ils les chassent à l'occident en les croisant les uns sur les autres comme les mailles d'un panier à jour.[23] Ils jettent, sur les côtés de ce réseau, les nuages qu'ils n'ont pas employés, et qui ne sont pas en petit nombre; ils les roulent en énormes masses blanches comme la neige, les contournent sur leurs bords en forme de croupes,[24] et les entassent les uns sur les autres comme les Cordilières[25] du Pérou, en leur donnant des formes de montagnes, de cavernes et de rochers; ensuite, vers le soir, ils calmissent[26] un peu, comme s'ils craignaient de déranger leur ouvrage. Quand le soleil vient à descendre derrière ce magnifique réseau, on voit passer par toutes ses losanges une multitude de rayons lumineux qui y font un tel effet, que les deux côtés de chaque losange qui en sont éclairés paraissent relevés d'un filet d'or, et les deux autres qui devraient être dans l'ombre, sont teints d'un superbe nacarat.[27] Quatre ou cinq gerbes de lumière,

[19] Note this fine shading of colors, one of Bernardin's great contributions to descriptive prose.
[20] Emperor of India.   [21] "trade-winds."   [22] "comb."   [23] "open-work."
[24] "rounded mountain tops."   [25] Ranges of the Andes.
[26] *deviennent calmes* (nautical term).   [27] "light red."

qui s'élèvent du soleil couchant jusqu'au zénith, bordent de franges d'or les sommets indécis de cette barrière céleste, et vont frapper des reflets de leurs feux les pyramides des montagnes aériennes collatérales, qui semblent alors être d'argent et de vermillon. C'est dans ce moment qu'on aperçoit, au 5 milieu de leurs croupes redoublées, une multitude de vallons qui s'étendent à l'infini, en se distinguant à leur ouverture par quelque nuance de couleur de chair ou de rose. Ces vallons célestes présentent, dans leurs divers contours, des teintes inimitables de blanc qui fuient à perte de vue dans le blanc, ou des ombres qui se prolongent, sans se confondre, sur d'autres om-10 bres. Vous voyez çà et là sortir des flancs caverneux de ces montagnes des fleuves de lumière qui se précipitent en lingots d'or et d'argent sur des rochers de corail. Ici, ce sont de sombres rochers percés à jour, qui laissent apercevoir par leurs ouvertures le bleu pur du firmament; là, ce sont de longues grèves sablées d'or, qui s'étendent sur de riches fonds du ciel, pon-15 ceaux,[28] écarlates, et verts comme l'émeraude. La réverbération de ces couleurs occidentales se répand sur la mer dont elle glace les flots azurés de safran et de pourpre. Les matelots, appuyés sur les passavants[29] du navire, admirent en silence ces paysages aériens. Quelquefois ce spectacle sublime se présente à eux à l'heure de la prière, et semble les inviter à élever leurs 20 cœurs comme leurs vœux vers les cieux. Il change à chaque instant: bientôt ce qui était lumineux est simplement coloré, et ce qui était coloré est dans l'ombre. Les formes en sont aussi variables que les nuances; ce sont tour à tour des îles, des hameaux, des collines plantées de palmiers; de grands ponts qui traversent des fleuves, des campagnes d'or, d'améthystes, de rubis; ou 25 plutôt ce n'est rien de tout cela; ce sont des couleurs et des formes célestes qu'aucun pinceau ne peut rendre, ni aucune langue exprimer.

Études de la Nature (**X**).

UNE TEMPÊTE

. . . Lorsque le ciel est couvert de nuages bas et redoublés par un vent humide de nord-ouest, qui pèse sur la mer, alors les vagues creusées et mugissantes heurtent la poupe des vaisseaux à la cape,[30] s'y brisent en gerbes 30 d'écume qui s'élèvent jusqu'à leurs huniers[31] et passent jusque sur leur arrière: c'est une tempête. Telle est, entre autres, celle que j'éprouvai sur le cap Finistère,[32] en allant à l'Île-de-France.[33] Un coup de mer passa sur la proue du vaisseau, enfonça son pont, et, le traversant en diagonale, emports sa yole[34] et trois matelots. Cependant tous ces effets du vent et de 35 la mer, calculés par des physiciens qui ne donnent que sept à huit pieds à la hauteur des vagues, et que dix à douze lieues par heure à la rapidité du vent, mais très bien rendus par notre peintre Vernet,[35] ne sont pas comparables aux ouragans de ces belles mers des Indes. Plus elles sont étendues, plus leurs vagues sont élevées; et plus elles ont été tranquilles, plus leurs révolu-

---

[28] "poppy-red." [29] "fore-deck." [30] "broadside." [31] "topsail."
[32] North-west point of Spain. [33] Mauritius (east of Madagascar).
[34] "lifeboat" (yawl). [35] French marine painter (1714–1789).

tions sont terribles. Elles sont les images des sociétés humaines, où chaque
individu est comme une goutte d'eau qui tend à se mettre de niveau. Quand
nous eûmes doublé le cap de Bonne-Espérance,[36] et que nous vîmes l'entrée
du canal de Mozambique,[37] le 23 de juin, vers le solstice d'été, nous fûmes
assaillis par un vent épouvantable du sud. Le ciel était serein, on n'y voyait 5
que quelques petits nuages cuivrés, semblables à des vapeurs rousses, qui
le traversaient avec plus de vitesse que celle des oiseaux. Mais la mer était
sillonnée par cinq ou six vagues longues et élevées, semblables à des chaînes
de collines espacées entre elles par de larges et profondes vallées. Chacune de
ces collines aquatiques était à deux ou trois étages. Le vent détachait de leurs 10
sommets anguleux une espèce de crinière d'écume où se peignaient çà et là
les couleurs de l'arc-en-ciel. Il en emportait aussi des tourbillons d'une
poussière blanche, qui se répandait au loin dans leurs vallons, comme celle
qu'il élève sur les grands chemins en été. Ce qu'il y avait de plus redoutable,
c'est que quelques sommets de ces collines, poussés en avant de leurs bases 15
par la violence du vent, se déferlaient en énormes voûtes, qui se roulaient
sur elles-mêmes en mugissant et en écumant, et eussent englouti le plus
grand vaisseau, s'il se fût trouvé sous leurs ruines. L'état de notre vaisseau
concourait avec celui de la mer à rendre notre situation affreuse. Notre
grand mât avait été brisé la nuit par la foudre, et le mât de misaine,[38] notre 20
unique voile, avait été emporté le matin par le vent. Le vaisseau, incapable
de gouverner, voguait en travers, jouet du vent et des lames. J'étais sur le
gaillard d'arrière,[39] me tenant accroché aux haubans [40] du mât d'artimon,[41]
tâchant de me familiariser avec ce terrible spectacle. Quand une de ces montagnes approchait de nous, j'en voyais le sommet à la hauteur de nos huniers, 25
c'est-à-dire à plus de cinquante pieds au-dessus de ma tête. Mais la base de
cette effroyable digue venant à passer sous notre vaisseau, elle le faisait
tellement pencher, que ses grandes vergues [42] trempaient à moitié dans la
mer qui mouillait le pied de ses mâts, de sorte qu'il était au moment de
chavirer. Quand il se trouvait sur sa crête, il se redressait et se renversait 30
tout à coup en sens contraire sur sa pente opposée avec non moins de danger,
tandis qu'elle s'écoulait de dessous lui avec la rapidité d'une écluse en large
nappe d'écume. Nous restâmes ainsi entre la vie et la mort depuis le lever
du soleil jusqu'à trois heures après midi.

Harmonies de la Nature (III).

[36] Southernmost point of Africa.
[37] Passage between Madagascar and the African mainland.   [38] "foremast."
[39] "quarter deck."   [40] "shrouds."   [41] "mizzenmast."   [42] "yards."

ANDRÉ CHÉNIER (1762–1794)

André Chénier is the one real poet of the unpoetic 18th century. In his lifetime his true poetic merit was unrecognized. When he died in 1794, one of the last victims of the Reign of Terror, Chénier was known chiefly as the author of political pamphlets in the interests of a moderate revolution. Gradually his poems came to light until in 1819 a first incomplete edition was published, which made considerable impression upon the young Romanticists, who mistakenly saw in him a precursor of their own poetic movement. Since then Chénier's fame has been secure.

As a poet Chénier is very much of his time. His whole conception of life is epicurean. He is irreligious, or at most his religion is a vague deism. He is saturated with the ideas of the *Encyclopédie*. He planned but never completed two long descriptive poems, *Hermès* and *l'Amérique,* in praise of the new scientific discoveries. Even his taste for Greek poetry, the most outstanding quality of his work, is in large part the result of the classical revival of the years immediately preceding the Revolution, though he does show a genuine appreciation of classical art extremely rare in his time. In general it may be said that Chénier rises superior to his contemporaries not so much by his ideas as by his sense of form.

In a limited number of poems Chénier reveals himself as a real lyric poet, the singer of his own feelings. All the great lyric themes, with the exception of religion, are present in these poems, though their free expression is sometimes hampered by the artificial conventions of the age. Chénier, however, is most personal as the poet of liberty in his *Iambes,* his last work, written under the shadow of the guillotine; poems inspired by his hatred of those responsible for the Reign of Terror. It is in these verses, more than any others, that Chénier comes closest to our modern conception of the true poet.

Apart from the *Iambes,* Chénier's poetry is on the whole less that of a great poet than of a great artist in verse. He is certainly inferior in sentiment and imagination to the great Romantic poets. His metrical innovations have been very much exaggerated. In general his art is profoundly classic rather than Romantic. Regarded by the Romanticists as their poetic precursor, Chénier should more properly be looked upon as the last, and one of the greatest, of the classical poets.

"Il était tout le contraire d'un romantique. Il appartient au xviiie siècle, et il est tout classique, le dernier des grands classiques: ce qui a trompé sur lui, c'est qu'il était poète, en un siècle qui avait ignoré la poésie; et c'est qu'il avait retrouvé, parmi les pseudo-classiques de son temps, le secret du véritable art classique. Le moyen âge ne l'a jamais préoccupé; il a été indifférent même au xvie siècle: le maître où il allait étudier, c'était Malherbe; ses modèles, c'étaient les Latins et les Grecs. Jamais homme ne fut plus éloigné de la religiosité mélancolique ou enthousiaste des Chateaubriand et des Lamartine: "athée avec délices," selon le mot de Chênedollé,* le xvIII⁰ siècle dont il était n'était pas celui de Rousseau; c'était celui de Voltaire, de l'*Encyclopédie*, de Buffon, le xvIII⁰ siècle irréligieux, sensualiste, et scientifique.

Lanson—*Histoire de la littérature française.*

LA JEUNE TARENTINE

Pleurez, doux alcyons! [1] ô vous, oiseaux sacrés!
Oiseaux chers à Téthys,[2] doux alcyons, pleurez!

Elle a vécu,[3] Myrto, la jeune Tarentine! [4]
Un vaisseau la portait aux bords de Camarine: [5]
Là, l'hymen, les chansons, les flûtes, lentement   5
Devaient la reconduire au seuil de son amant.
Une clef vigilante a, pour cette journée,
Dans le cèdre enfermé sa robe d'hyménée,
Et l'or dont au festin ses bras seront parés,
Et pour ses blonds cheveux les parfums préparés.   10
Mais, seule sur la proue, invoquant les étoiles,
Le vent impétueux qui soufflait dans ses voiles
L'enveloppe: étonnée [6] et loin des matelots,
Elle crie, elle tombe, elle est au sein des flots.

Elle est au sein des flots, la jeune Tarentine!   15
Son beau corps a roulé sous la vague marine.
Téthys, les yeux en pleurs, dans le creux d'un rocher
Aux monstres dévorants eut soin de le cacher.
Par ses ordres bientôt les belles Néréides [7]
L'élèvent au-dessus des demeures humides,   20
Le portent au rivage, et dans ce monument
L'ont au cap du Zéphyr [8] déposé mollement;
Et de loin, à grands cris appelant leurs compagnes,
Et les nymphes des bois, des sources, des montagnes,
Toutes, frappant leur sein et traînant un long deuil,   25
Répétèrent, hélas! autour de son cercueil:
«Hélas! chez ton amant tu n'es point ramenée,
Tu n'as point revêtu ta robe d'hyménée,
L'or autour de tes bras n'a point serré de nœuds,
Et le bandeau d'hymen n'orna point tes cheveux.»   30

* Minor French poet (1769–1833).
[1] Fabulous birds who made their nests in the water in calm weather.
[2] Goddess of the sea.   [3] Latin *vixit,* formula for announcing a person's death.
[4] Native of Tarento at the "heel" of southern Italy.   [5] Port in southwestern Sicily.
[6] "Struck down" (as if by lightning).   [7] Nymphs of the Mediterranean.
[8] Now Cape Bruzzano on the "toe" of Italy.

L'INVENTION [9]

O fils du Mincius,[10] je te salue, ô toi
Par qui le dieu [11] des arts fut roi du peuple-roi! [12]
Et vous,[13] à qui jadis, pour créer l'harmonie,
L'Attique [14] et l'onde Egée,[15] et la belle Ionie,[16]
Donnèrent un ciel pur, les plaisirs, la beauté,   5
Des mœurs simples, des lois, la paix, la liberté,
Un langage sonore, aux douceurs souveraines,
Le plus beau qui soit né sur des lèvres humaines.
Nul âge ne verra pâlir vos saints lauriers,
Car vos pas inventeurs ouvrirent les sentiers;   10
Et du temple des arts que la gloire environne
Vos mains ont élevé la première colonne.
A nous tous aujourd'hui, vos faibles nourrissons,
Votre exemple a dicté d'importantes leçons.
Il nous dit que nos mains, pour vous être fidèles,   15
Y doivent élever des colonnes nouvelles.
L'esclave imitateur naît et s'évanouit;
La nuit vient, le corps reste, et son ombre s'enfuit.

Ce n'est qu'aux inventeurs que la vie est promise.
Nous voyons les enfants de la fière Tamise,[17]   20
De toute servitude ennemis indomptés;
Mieux qu'eux, par votre exemple, à nous vaincre excités,
Osons; de votre gloire éclatante et durable
Essayons d'épuiser la source inépuisable.
Mais inventer n'est pas, en un brusque abandon,   25
Blesser la vérité, le bon sens, la raison; [18]
Ce n'est pas entasser, sans dessein et sans forme,
Des membres ennemis [19] en un colosse énorme;
Ce n'est pas, élevant des poissons dans les airs,
A l'aile des vautours ouvrir le sein des mers;   30
Ce n'est pas sur le front d'une nymphe brillante
Hérisser d'un lion la crinière sanglante:
Délires insensés! fantômes monstrueux!
Et d'un cerveau malsain rêves tumultueux!
Ces transports déréglés, vagabonde manie,   35

[9] The *Art poétique* of Chénier, an appeal to poets to make their verse the reflection of their own time instead of a mere imitation of the great models of antiquity.
[10] Virgil, born near Mantua, on the river Mincio.   [11] Apollo.   [12] Rome.
[13] The Greek poets.   [14] Attica.   [15] The Ægean Sea, between Greece and Asia Minor.
[16] Asia Minor.   [17] Thames River, used here, for England
[18] Chénier here expresses a sound classical principle.   [19] "disparate."

Sont l'accès de la fièvre et non pas du génie.[20]

. . . .

Ainsi donc, dans les arts, l'inventeur est celui
Qui peint ce que chacun put sentir comme lui; [21]
Qui, fouillant des objets les plus sombres retraites,
Étale et fait briller leurs richesses secrètes;   40
Qui, par des nœuds certains, imprévus et nouveaux,
Unissant des objets qui paraissaient rivaux,
Montre et fait adopter à la nature mère
Ce qu'elle n'a point fait, mais ce qu'elle a pu faire:
C'est le fécond pinceau qui, sûr dans ses regards,   45
Retrouve un seul visage en vingt belles épars,
Les fait renaître ensemble, et, par un art suprême,
Des traits de vingt beautés forme la beauté même.

. . . Quand Louis [22] et Colbert, [23] sous les murs de Versailles,
Réparaient des beaux-arts les longues funérailles,[24]   50
De Sophocle et d'Eschyle [25] ardents admirateurs,
De leur auguste exemple élèves inventeurs,
Des hommes immortels [26] firent sur notre scène
Revivre aux yeux français les théâtres d'Athène.
Comme eux, instruit par eux, Voltaire offre à nos pleurs   55
Des grands infortunés les illustres douleurs; [26a]
D'autres esprits divins, fouillant d'autres ruines,
Sous l'amas des débris, des ronces, des épines,
Ont su, pleins des écrits des Grecs et des Romains,
Retrouver, parcourir leurs antiques chemins.   60
Mais, ô la belle palme et quel trésor de gloire
Pour celui qui, cherchant la plus noble victoire,
D'un si grand labyrinthe affrontant les hasards,
Saura guider sa muse aux immenses regards,
De mille longs détours à la fois occupée,   65
Dans les sentiers confus d'une vaste épopée; [27]
Lui dire d'être libre, et qu'elle n'aille pas
De Virgile et d'Homère épier tous les pas,
Par leur secours à peine à leurs pieds élevée;

---

[20] Certain Romantic productions, with their excess of imagination, might be cited as proof of Chénier's statement.

[21] Another favorite classical doctrine.   [22] Louis XIV.

[23] Great minister of Louis XIV (1619–1683).

[24] Allusion to the revival of the arts under Louis XIV, and more specifically perhaps, to the reorganization by Colbert of the Académie de Peinture et de Sculpture.

[25] Greek tragic dramatists.   [26] Corneille and Racine.

[26a] Voltaire was the great tragic poet of the 18th century.

[27] It was Chénier's dream to write a great epic, dealing with the advance of modern thought. This never became a reality.

Mais, qu'auprès de leurs chars dans un char enlevée,   70
Sur leurs sentiers marqués de vestiges si beaux,
Sa roue ose imprimer des vestiges nouveaux!
Quoi! faut-il, ne s'armant que de timides voiles,
N'avoir que ces grands noms pour Nord [28] et pour étoiles.
Les côtoyer [29] sans cesse, et n'oser un instant,   75
Seul et loin de tout bord, intrépide et flottant,
Aller sonder les flancs du plus lointain Nerée,[30]
Et du premier sillon fendre une onde ignorée?
     Les coutumes d'alors, les sciences, les mœurs
Respirent dans les vers des antiques auteurs.   80
Leur siècle est en dépôt dans leurs nobles volumes.
Tout a changé pour nous, mœurs, sciences, coutumes.
Pourquoi donc nous faut-il, par un pénible soin,
Sans rien voir près de nous, voyant toujours bien loin,
Vivant dans le passé, laissant ceux qui commencent,   85
Sans penser, écrivant d'après d'autres qui pensent,
Retraçant un tableau que nos yeux n'ont point vu,
Dire et dire cent fois ce que nous avons lu?
De la Grèce héroïque et naissante et sauvage
Dans Homère à nos yeux vit la parfaite image.   90
Démocrite,[31] Platon,[31] Epicure,[31] Thalès,[31]
Ont de loin à Virgile indiqué les secrets
D'une nature encore à leurs yeux trop voilée.
Torricelli,[32] Newton,[32a] Kepler,[32a] et Galilée,[32a]
Plus doctes, plus heureux dans leurs puissants efforts,   95
A tout nouveau Virgile ont ouvert des trésors.[33]
Tous les arts sont unis: les sciences humaines
N'ont pu de leur empire étendre les domaines,
Sans agrandir aussi la carrière des vers.

  .   .   .   .

     Pensez-vous, si Virgile ou l'aveugle divin [34]   100
Renaissaient aujourd'hui, que leur savante main
Négligeât de saisir ces fécondes richesses,
De notre Pinde [35] auguste éclatantes largesses?
Nous en verrions briller leurs sublimes écrits;
Et ces mêmes objets,[36] que vos doctes [37] mépris   105
Accueillent aujourd'hui d'un front dur et sévère,
Alors à vos regards auraient seuls droit de plaire.

---

[28] "north star," that is, "guide."   [29] "keep close to."
[30] "sea." Nereus was a sea god.   [31] Greek philosophers.
[32] Italian physicist (1608–1647).   [32a] Famous astronomers.
[33] An appeal to poets to seek their inspiration in science. Chénier was to make an attempt in this direction in his *Hermès*.
[34] Homer.   [35] Mountain in northern Greece, sacred to Apollo and the Muses.
[36] Subjects drawn from modern life.   [37] "pedantic."

Alors, dans l'avenir, votre inflexible humeur
Aurait soin de défendre à tout jeune rimeur
D'oser sortir jamais de ce cercle d'images   110
Que vos yeux auraient vu tracé dans leurs ouvrages.
Mais qui jamais a su, dans des vers séduisants,
Sous des dehors plus vrais peindre l'esprit aux sens?
Mais quelle voix jamais d'une plus pure flamme
Et chatouilla l'oreille et pénétra dans l'âme?   115
Mais leurs mœurs et leurs lois, et mille autres hasards,
Rendaient leur siècle heureux plus propice aux beaux-arts.
    Eh bien, l'âme est partout; la pensée a des ailes.
Volons, volons chez eux retrouver leurs modèles;
Voyageons dans leur âge, où, libre, sans détour,   120
Chaque homme ose être un homme et penser au grand jour.

.   .   .   .

Puis, ivres des transports qui nous viennent surprendre,
Parmi nous, dans nos vers, revenons les répandre;
Changeons en notre miel leurs plus antiques fleurs,
Pour peindre notre idée empruntons leurs couleurs;   125
Allumons nos flambeaux à leurs feux poétiques;
Sur des pensers nouveaux faisons des vers antiques.[38]

.   .   .   .

LA JEUNE CAPTIVE [39]

«L'épi naissant mûrit de la faux respecté;
Sans crainte du pressoir, le pampre tout l'été
    Boit les doux présents de l'aurore;
Et moi, comme lui belle, et jeune comme lui,
Quoi que l'heure présente ait de trouble et d'ennui,[40]   5
    Je ne veux pas mourir encore.

«Qu'un stoïque aux yeux secs vole embrasser la mort:
Moi je pleure et j'espère; au noir souffle du nord
    Je plie et relève ma tête.
S'il est des jours amers, il en est de si doux!   10
Hélas! quel miel jamais n'a laissé de dégoûts?
    Quelle mer n'a point de tempête?

«L'illusion féconde habite dans mon sein:
D'une prison sur moi les murs pèsent en vain;
    J'ai les ailes de l'espérance.   15

[38] An oft-quoted verse of Chénier, which sums up his literary creed. The poet should treat in classical form subjects of contemporary interest. Chénier himself tried to practice his precept in his fragmentary *Hermès* and *L'Amérique.*

[39] Aimée de Coigny, duchesse de Fleury, a fellow prisoner of Chénier in 1794 at Saint-Lazare.

[40] The Reign of Terror (1793–1794).

Échappée aux réseaux de l'oiseleur cruel,
Plus vive, plus heureuse, aux campagnes du ciel
　　Philomèle [41] chante et s'élance.

«Est-ce à moi de mourir? Tranquille je m'endors,
Et tranquille je veille; et ma veille aux remords　　20
　　Ni mon sommeil ne sont en proie.
Ma bienvenue au jour me rit dans tous les yeux:
Sur des fronts abattus, mon aspect dans ces lieux
　　Ranime presque de la joie.

«Mon beau voyage encore est si loin de sa fin!　　25
Je pars, et des ormeaux qui bordent le chemin
　　J'ai passé les premiers à peine.
Au banquet de la vie à peine commencé,
Un instant seulement mes lèvres ont pressé
　　La coupe en mes mains encor pleine.　　30

«Je ne suis qu'au printemps, je veux voir la moisson;
Et comme le soleil, de saison en saison,
　　Je veux achever mon année.
Brillante sur ma tige et l'honneur du jardin,
Je n'ai vu luire encor que les feux du matin:　　35
　　Je veux achever ma journée.

«O mort! tu peux attendre, éloigne, éloigne-toi;
Va consoler les cœurs que la honte, l'effroi,
　　Le pâle désespoir dévore.
Pour moi Palès [42] encore a des asiles verts,　　40
L'avenir du bonheur, les Muses des concerts:
　　Je ne veux pas mourir encore.»

Ainsi triste et captif, ma lyre toutefois
S'éveillait, écoutant ces plaintes, cette voix,
　　Ces vœux d'une jeune captive;　　45
Et secouant le faix de mes jours languissants,
Aux douces lois des vers je pliais les accents
　　De sa bouche aimable et naïve.

Ces chants, de ma prison témoins harmonieux,
Feront à quelque amant des loisirs studieux　　50
　　Chercher quelle fut cette belle:
La grâce décorait son front et ses discours,

---

[41] The nightingale.　　　　[42] Goddess of shepherds.

Et, comme elle, craindront de voir finir leurs jours
    Ceux qui les passeront près d'elle.

(1794.)

IAMBES [43]

Comme un dernier rayon, comme un dernier zéphyre
    Anime la fin d'un beau jour,
Au pied de l'échafaud j'essaie encore ma lyre;
    Peut-être est-ce bientôt mon tour.
Peut-être avant que l'heure, en cercle promenée,   5
    Ait posé sur l'émail brillant,
Dans les soixante pas où sa route est bornée,
    Son pied sonore et vigilant,[44]
Le sommeil du tombeau pressera ma paupière.
    Avant que de ces deux moitiés   10
Ce vers que je commence ait atteint la dernière,
    Peut-être en ces murs effrayés
Le messager de mort, noir recruteur des ombres,[45]
    Escorté d'infâmes soldats,
Ébranlant de mon nom ces longs corridors sombres,   15
    Où, seul dans la foule, à grands pas
J'erre, aiguisant ces dards persécuteurs du crime,
    Du juste trop faibles soutiens,
Sur mes lèvres soudain va suspendre la rime;
    Et chargeant mes bras de liens,   20
Me traîner, amassant en foule à mon passage
    Mes tristes compagnons reclus [46]
Qui me connaissaient tous avant l'affreux message,
    Mais qui ne me connaissent plus.

Eh bien! j'ai trop vécu. Quelle franchise auguste,   25
    De mâle constance et d'honneur
Quels exemples sacrés doux à l'âme du juste,
    Pour lui quelle ombre de bonheur,
Quelle Thémis [47] terrible aux têtes criminelles,
    Quels pleurs d'une noble pitié,   30
Des antiques bienfaits quels souvenirs fidèles,
    Quels beaux échanges d'amitié
Font digne de regrets l'habitacle des hommes?
    La peur blême et louche est leur dieu,
La bassesse, la fièvre. . . . Ah! lâches que nous sommes!   35

---

[43] Written in the shadow of the guillotine, under whose knife Chénier was to perish in 1794, two days before the end of the Reign of Terror. These verses were the last he wrote.
[44] An excellent example of pseudo-classical periphrasis.   [45] "shades" (of the dead).
[46] "prisoners."   [47] Goddess of justice.

Tous, oui tous. Adieu, terre, adieu.
Vienne, vienne la mort! que la mort me délivre! . . .
    Ainsi donc mon cœur abattu
Cède au poids de ses maux!—Non, non, puissé-je vivre!
    Ma vie importe à la vertu;   40
Car l'honnête homme enfin, victime de l'outrage,
    Dans les cachots, près du cercueil,
Relève plus altiers son front et son langage,
    Brillant d'un généreux orgueil.
S'il est écrit aux cieux que jamais une épée   45
    N'étincellera dans mes mains,
Dans l'encre et l'amertume une autre arme trempée
    Peut encor servir les humains.
Justice, Vérité, si ma main, si ma bouche,
    Si mes pensers les plus secrets,   50
Ne froncèrent jamais votre sourcil farouche,
    Et si les infâmes progrès,
Si la risée atroce, ou, plus atroce injure,
    L'encens de hideux scélérats,
Ont pénétré vos cœurs d'une large blessure,   55
    Sauvez-moi; conservez un bras
Qui lance votre foudre, un amant qui vous venge.
    Mourir sans vider mon carquois!
Sans percer, sans fouler, sans pétrir dans leur fange
    Ces bourreaux barbouilleurs de lois!   60
Ces vers cadavéreux de la France asservie,
    Egorgée! . . . O mon cher trésor,
O ma plume! Fiel, bile, horreur, dieux de ma vie!
    Par vous seuls je respire encor,
Comme la poix brûlante agitée en ses veines   65
    Ressuscite un flambeau mourant.
Je souffre, mais je vis. Par vous, loin de mes peines,
    D'espérance un vaste torrent
Me transporte. Sans vous, comme un poison livide,
    L'invincible dent du chagrin,   70
Mes amis opprimés, du menteur homicide
    Les succès, le sceptre d'airain,
Des bons proscrits par lui la mort ou la ruine,
    L'opprobre de subir sa loi,
Tout eût tari ma vie, ou contre ma poitrine   75
    Dirigé mon poignard. Mais quoi?
Nul ne resterait donc pour attendrir l'histoire
    Sur tant de justes massacrés,
Pour consoler leurs fils, leurs veuves, leur mémoire;
    Pour que des brigands abhorrés   80
Frémissent aux portraits noirs de leur ressemblance;

Pour descendre jusqu'aux enfers
   Chercher le triple nœud, le fouet de la vengeance
     Déjà levé sur ces pervers;
Pour cracher sur leurs noms, pour chanter leur supplice!   85
     Allons, étouffe tes clameurs;
   Souffre, ô cœur gros de haine, affamé de justice.
     Toi, Vertu, pleure, si je meurs.

(1794.)

CHANSONS DE LA RÉVOLUTION

I. ROUGET DE LISLE (1760–1836)

Claude-Joseph Rouget de Lisle is one of those authors who have become immortal through a single work. In April, 1792, he composed both the words and the music of what was to be the great French national song. It was written in a moment of patriotic inspiration following a military dinner at Strassburg. Originally called *Chant de guerre de l'Armée du Rhin,* the song received its present name, *La Marseillaise,* from the fact that it was sung by the volunteers from Marseille on their march to Paris.

LA MARSEILLAISE

Allons, enfants de la patrie,
   Le jour de gloire est arrivé;
Contre nous de la tyrannie
L'étendard sanglant est levé.
Entendez-vous dans ces campagnes   5
Mugir ces féroces soldats?
Ils viennent jusque dans nos bras
Egorger nos fils, nos compagnes! [1]
Aux armes, citoyens! formez vos bataillons!
    Marchons, marchons!   10
Qu'un sang impur abreuve [2] nos sillons!

Que veut cette horde d'esclaves,
De traîtres,[3] de rois conjurés? [4]
Pour qui ces ignobles entraves,[5]
Ces fers dès longtemps préparés?   15
Français, pour nous, ah! quel outrage!
Quels transports il doit exciter!

---

[1] "wives."   [2] "soak."
[3] The *émigrés,* French nobles fighting with foreign rulers against the Revolution.
[4] The rulers of Austria and Prussia allied against the Revolution.   [5] "fetters."

C'est nous qu'on ose méditer
De rendre à l'antique esclavage!
    Aux armes, citoyens! etc.   20

Quoi! ces cohortes étrangères
Feraient la loi dans nos foyers! [6]
Quoi! ces phalanges [7] mercenaires
Terrasseraient [8] nos fiers guerriers!
Grand Dieu! par des mains enchaînées   25
Nos fronts sous le joug se ploieraient!
De vils despotes deviendraient
Les maîtres de nos destinées!
    Aux armes, citoyens! etc.

Tremblez, tyrans,[9] et vous, perfides,[10]   30
L'opprobre de tous les partis;
Tremblez! vos projets parricides,[11]
Vont enfin recevoir leur prix!
Tout est soldat pour vous combattre;
S'ils tombent, nos jeunes héros,   35
La France en produit de nouveaux
Contre vous tout prêts à se battre!
    Aux armes, citoyens! etc.

Français, en guerriers magnanimes,
Portez ou retenez [12] vos coups;   40
Épargnez ces tristes victimes
A regret s'armant contre nous;
Mais ces despotes sanguinaires,
Mais les complices de Bouillé,[13]
Tous ces tigres qui sans pitié   45
Déchirent le sein de leurs mères!
    Aux armes, citoyens, etc.

Amour sacré de la patrie,
Conduis, soutiens nos bras vengeurs,
Liberté, Liberté chérie,   50
Combats avec tes défenseurs!
Sous nos drapeaux que la Victoire
Accoure à tes mâles accents;
Que tes ennemis expirants
Voient ton triomphe et notre gloire   55
    Aux armes, citoyens! etc.

---

[6] "homes."   [7] "bands."   [8] "would overthrow."   [9] The allied Kings.
[10] "traitors" (the *émigrés*).   [11] "murderous."   [12] "withhold."
[13] A devoted royalist (1739–1800), who planned the flight of the royal family to Varennes (1791).

Nous entrerons dans la carrière
Quand nos aînés n'y seront plus;
Nous y trouverons leur poussière
Et la trace de leurs vertus!   60
Bien moins jaloux de leur survivre
Que de partager leur cercueil,[14]
Nous aurons le sublime orgueil
De les venger ou de les suivre! [15]

Aux armes, citoyens! formez vos bataillons!   65
Marchons, marchons!
Qu'un sang impur abreuve nos sillons.

II. MARIE-JOSEPH CHÉNIER (1764–1811)

This younger brother of the far greater André Chénier was much better known than André until the publication of the latter's poems in 1819. During the Revolution he enjoyed a considerable reputation as literary critic and writer of classical tragedies, many of them revolutionary in tone. As Camille Desmoulins put it, he decorated Melpomene with the tricolor cockade. He is now remembered only by his patriotic poem, *Le Chant du départ* (1794), set to music by the composer Méhul.

LE CHANT DU DÉPART

UN DÉPUTÉ DU PEUPLE

La victoire en chantant nous ouvre la barrière;
La liberté guide nos pas,
Et du nord au midi la trompette guerrière
A sonné l'heure des combats.
Tremblez, ennemis de la France,   5
Rois ivres de sang et d'orgueil!
Le peuple souverain s'avance;
Tyrans, descendez au cercueil.

Chœur des guerriers

La république nous appelle,
Sachons vaincre ou sachons périr;   10
Un Français doit vivre pour elle,
Pour elle un Français doit mourir.

UNE MÈRE DE FAMILLE

De nos yeux maternels ne craignez pas les larmes:
Loin de nous de lâches [1] douleurs!

---

[14] "death" (coffin).
[15] This last stanza, added by another hand, is supposed to be sung by a chorus of boys.
[1] "cowardly."

Nous devons triompher quand vous prenez les armes;   15
    C'est aux rois à verser des pleurs.
Nous vous avons donné la vie,
Guerriers, elle n'est plus à vous;
Tous vos jours sont à la patrie;
    Elle est votre mère avant nous.   20

    Chœur des mères de famille—La république, etc.

DEUX VIEILLARDS

Que le fer paternel arme la main des braves;
    Songez à nous au champ de Mars; [2]
Consacrez dans le sang des rois et des esclaves
    Le fer béni par vos vieillards;
Et, rapportant sous la chaumière [3]   25
    Des blessures et des vertus,
Venez fermer notre paupière [4]
    Quand les tyrans ne seront plus.

    Chœur des vieillards—La république, etc.

UN ENFANT

De Barra,[5] de Viala [5] le sort nous fait envie;
    Ils sont morts, mais ils ont vaincu!   30
Le lâche accablé [6] d'ans n'a point connu la vie!
    Qui meurt pour le peuple a vécu.
Vous êtes vaillants, nous le sommes:
    Guidez-nous contre les tyrans;
Les républicains sont des hommes,   35
    Les esclaves sont des enfants!

    Chœur des enfants—La république, etc.

UNE ÉPOUSE

Partez, vaillants époux, les combats sont vos fêtes;
    Partez, modèles des guerriers;
Nous cueillerons des fleurs pour en ceindre [7] vos têtes,
    Nos mains tresseront vos lauriers!   40
Et si le temple de Mémoire
    S'ouvrait à vos mânes [8] vainqueurs,
Nos voix chanteront votre gloire,
    Nos flancs [9] porteront vos vengeurs.

    Chœur des épouses—La république, etc.

---

[2] "in battle."   [3] "cottage-roof."   [4] "eyes."   [5] Boy heroes of the Revolution.
[6] "weighed down."   [7] "wreathe."   [8] "shades" (ghosts).   [9] "womb."

UNE JEUNE FILLE

Et nous, sœurs des héros, nous qui de l'hyménée   45
    Ignorons les aimables nœuds,[10]
Si, pour s'unir un jour à notre destinée,
    Les citoyens forment des vœux,
    Qu'ils reviennent dans nos murailles,
    Beaux de gloire et de liberté,   50
    Et que leur sang dans les batailles
    Ait coulé pour l'égalité.

      Chœur des jeunes filles—La république, etc.

TROIS GUERRIERS

Sur le fer, devant Dieu, nous jurons à nos pères,
    A nos épouses, à nos sœurs,
A nos représentants, à nos fils, à nos mères,   55
    D'anéantir les oppresseurs:
    En tous lieux, dans la nuit profonde
    Plongeant l'infâme royauté,
    Les Français donneront au monde
    Et la paix et la liberté!   60

      Chœur général—La république, etc.

[10] "bonds."